LES ENFANTS
DU GRAAL

Peter Berling

LES ENFANTS DU GRAAL

ROMAN

Traduit de l'allemand par
Jacques Say

Libre Expression

Données de catalogage avant publication (Canada)
Berling, Peter, 1934-
Les enfants du Graal
Traduction de : Die kinder des Gral.
ISBN 2-89111-736-0
I. Say, Jacques. II. Titre.

PT2662.E68K5614 1997   833'.92   C97-940481-9

Titre original :
Die Kinder Des Gral
publié par Gustav Lübbe Verlag

Traduit de l'allemand par
Jacques Say

Maquette de la couverture
France Lafond

© 1991 by Gustav Lübbe Verlag GmbH
Bergisch Gladbach
© 1996, Éditions Jean-Claude Lattès
pour la traduction française

© Éditions Libre Expression
2016, rue Saint-Hubert
Montréal, Qc H2L 3Z5

Dépôt légal :
2ᵉ trimestre 1997

ISBN 2-89111-736-0

Au pouvoir de la mémoire
Elgaine de Balliers
NEC SPE NEC METU

REMARQUES DE L'AUTEUR

On trouvera dans cet ouvrage quelques notes abrégées du franciscain Guillaume de Rubrouck (né en 1222), que l'on avait crues pendant bien des années perdues dans les bibliothèques arabes. Personne ne les cherchait, personne ne songeait à les traduire. Bien des feuillets disparurent ainsi au cours des siècles ; certains furent copiés en langue arabe et c'est sur eux que l'auteur s'est fondé pour reconstituer cette histoire, parallèlement à d'autres sources. L'introduction est sans doute un texte que le frère mineur confia à son compagnon portugais Lorenzo d'Orta (Portugal), à la veille du voyage qu'il fit en Mongolie au cours des années 1253-1255 et qui le conduisit jusqu'à Karakorum, capitale du Grand Khan, où il fut l'émissaire de Saint Louis. C'est dans les « Parchemins de Starkenberg » qu'on a retrouvé ce document, reproduit ici sous forme abrégée.

La « Chronique de Rubrouck » proprement dite commence peu avant 1244, année de la capitulation du château de Montségur qui abritait le « Saint Graal », année aussi de la perte définitive de Jérusalem. Pour l'essentiel, elle est rédigée en bas latin, mais on y trouve également de nombreux vers et citations dans les langues alors en usage autour du bassin méditerranéen, notamment le provençal, le grec et l'arabe. Certaines de ces citations sont reproduites sous forme originale. On en trouvera la traduction en annexe. Afin d'aider le lecteur attentif à se familiariser avec l'histoire, l'auteur a indiqué au début de chaque section le lieu et la date de l'action ou des faits relatés. Les passages qui constituent une transcription du texte original de Guillaume de Rubrouck sont signalés par la mention « chronique ». On trouvera également au début de l'ouvrage une liste détaillée des personnages que l'on a groupés pour faciliter leur identification. L'annexe comprend un important glossaire ainsi que des notes explicatives sur les faits et événements historiques sur lesquels s'appuie ce récit.

DRAMATIS PERSONAE

LE CHRONIQUEUR

Willem van Rubroek (Guillaume de Rubrouck), dit William, de l'Ordre des frères mineurs.

LES ENFANTS

Roger Raymond Bertrand, dit Roç.
Isabelle Constance Ramona, dite Yeza.

AU SERVICE DU GRAAL

Les cathares

Pierre Roger, vicomte de Mirepoix, commandant de la forteresse de Montségur.
Raymond (ou Ramon) de Perelha, seigneur du château.
Esclarmonde de Perelha, sa fille.
Bertrand de la Bachellerie (ou Beccalaria), ingénieur et architecte.
Roxalba Cécilie Stéphanie de Cab d'Aret, dite la Loba (la Louve).
Xacbert de Barbera, dit Lion de combat, seigneur du château de Quéribus.
Alfie de Cucugnan, nourrice.

Le prieuré

Marie de Saint-Clair, dite la Grande Maîtresse.
Guillaume de Gisors, son beau-fils, templier.
Gavin Montbard de Béthune, précepteur des templiers de Rennes-le-Château.

John Turnbull, ou *comte Jean-Eudes du Mont-Sion*, ancien ambassadeur de l'empereur auprès du sultan.

Les Assassins

Tarik ibn-Nasr, chancelier des Assassins de Masyaf (Syrie).
Créan de Bourivan, fils de John Turnbull, converti à l'Islam.

AU SERVICE DE LA FRANCE

Le roi Louis IX, dit *le Saint*.
Le comte Jean de Joinville, sénéchal de Champagne, chroniqueur.
Hugues des Arcis, sénéchal de Carcassonne.
Olivier de Termes, renégat cathare.
Yves Le Breton.
Gorka (ou *Jordi*), capitaine des montagnards.

AU SERVICE DE L'ÉGLISE

Le pape Innocent IV.

Cisterciens

Rainier de Capoccio, dit *le Cardinal gris*.
Fulco de Procida, inquisiteur.

Dominicains

Vitus de Viterbe, fils illégitime de Rainier de Capoccio.
Mathieu de Paris, archiviste.
Simon de Saint-Quentin.
André de Longjumeau
Anselme de Longjumeau, dit *frère Ascelin* ou *Fra Ascelino*, frère cadet du précédent.

Franciscains

Lorenzo d'Orta.
Giovanni del Piano di Carpini, dit *Pian* ou *Jean du Plan Carpin*.
Benoît de Pologne.
Bartholomée de Crémone.

En France

Pierre Amiel, archevêque de Narbonne.

Monseigneur Durand, évêque d'Albi.

En Terre Sainte

Albert de Rezzato, patriarche d'Antioche.
Galeran, évêque de Beyrouth.

A Constantinople

Nicolas della Porta, évêque latin.
Yarzinth, son cuisinier.

Au service de l'empire

L'empereur Frédéric II.

A Cortone

Élie, baron Coppi de Cortone, ancien ministre général des franciscains, surnommé le *Bombarone*.
Gersande, sa gouvernante.
Biro, tenancier de la Toison d'Or.

A Otrante

Laurence de Belgrave, comtesse d'Otrante, dite *l'Abbesse*.
Hamo L'Estrange, son fils.
Clarion de Salente, sa fille adoptive.
Guiscard l'Amalfitain, son capitaine.

En Terre sainte

Sigbert von Öxfeld, commandeur de l'Ordre des chevaliers teutoniques.
Constance de Selinonte, alias *Fassr ed-Din Octay*, dit *Faucon rouge*.

Les saratz

Rüesch-Savoign, jeune fille saratz.
Xaver, son père.
Alva, sa mère.
Firouz, son fiancé.
Zaroth, le podestat.
Madulain, cousine de Rüesch-Savoign.

Autres personnages

Robert, briseur de chaînes.
Ruiz, pirate.
Ingolinde de Metz, prostituée.
Aibeg et Serkis, moines nestoriens, émissaires des Mongols.

PROLOGUE

In memoriam infantium ex sanguine regali
à la mémoire des enfants de sang royal
(Chronique de Guillaume de Rubrouck)

La lumière dorée d'un soleil qui avait presque complètement disparu de ma vie illuminait encore la forteresse des hérétiques comme si Dieu voulait souligner devant nos yeux l'aveuglement de ces gens avant que sa colère ne les anéantisse en juste châtiment de leurs péchés. Nous venions d'arriver au pied du *pog*, un piton dans cette région. En bas, dans la vallée où nous avions installé notre campement, la nuit étendait rapidement son empire, nous enveloppant d'ombres noires et violettes. C'est ainsi que je découvris Montségur, et j'en fus ému malgré moi. A l'époque, je pensais encore que Dieu était des nôtres, et je ne doutais pas du bien-fondé de la mission catholique qui m'avait appelé à rejoindre la campagne d'extirpation de cette tumeur pestilentielle qu'était l'infâme hérésie.

Moi, Guillaume de Rubrouck, gros paysan madré venu des terres flamandes, habillé du pauvre froc de l'Ordre des frères mineurs, mais pourvu, grâce à une bourse du comte, de toute la superbe qu'un *studiosus parisiensis* porte en son cœur et sur son front, car j'avais fréquenté l'Université de Paris, je me prenais pour le grand inquisiteur en personne : « Tremble, nid de vipères cathares, illuminé par le faux éclat d'un soleil hérétique! Un autre feu vous montrera bientôt le chemin de l'enfer, quand vos âmes impies prendront congé, libérées par le bûcher! »

Aujourd'hui, dix ans après ces événements, avec plus de trente années sur mes épaules, chauve avant l'heure, je ne peux que sourire et me souvenir avec mélancolie du pauvre franciscain ignorant et lourdaud que j'étais alors, quand j'étais sur le point d'entrer dans un monde que je n'avais jamais imaginé rempli de personnages importants, mystérieux, sauvages et cruels, parfois perfides; perché, sans le savoir, au bord d'un cratère insondable rempli d'aventures, de misères, de menaces et de catastrophes; prêt à me lancer — que dis-je! à me jeter à corps perdu — dans le combat d'une vie agitée et bouleversée par les passions, les envies, les intrigues et les haines. Une vie dans laquelle je n'allais être guère plus qu'une simple balle que d'autres lancent ici et là à leur guise, si bien que très vite j'allais en perdre la tête. J'étais bien incapable alors de pressentir ce qui m'attendait, mais je me souviens fort bien de mon émoi quand je vis le château du Saint Graal sous cette lumière. « Montsalvat! »

J'étais entré dans la vie loin de là, en un lieu assurément bien différent. La famille des comtes de Hennegau, heureuse qu'un de ses membres ait été élu empereur de Constantinople, fit un geste pour la paroisse de Rubrouck : un enfant du peuple, benjamin d'une famille pauvre, mais doué d'une intelligence plus que prometteuse, irait étudier pour la plus grande gloire de Dieu, avec l'assentiment du curé naturellement. Malheureusement, j'étais le cadet de la famille. Et c'est ainsi que, muni de la bénédiction de l'Église, ou plutôt de son *obolus*, je fus conduit par mon père à coups de poing et de fouet au couvent franciscain le plus proche, sans que celui-ci prenne garde à mes cris. Et si ma mère versa des larmes, ce ne fut pas tant à cause de mon angoisse que parce qu'elle craignait que son fils ne la déçoive dans ses ambitions : compter un missionnaire célèbre dans sa progéniture. Je crois même qu'ils auraient aimé compter parmi les leurs un martyr égorgé par les hérétiques!

Je pus supporter le noviciat sans dommage pour mon corps, grâce à quelques précieux gâteaux qui me parvenaient en secret, ce qui me valut dès le début la glorieuse auréole des élus. De ce jour, j'élevai la mendicité de son rang mineur de vertu à celui d'un art qui, parfaitement dissimulé, ne manquait jamais de m'apporter ses fruits dorés. A peine défiguré par la tonsure, je n'eus point de mal à convaincre mes supérieurs de me trouver une place à l'Université. Mon père, rempli d'orgueil, se lança dans l'élevage des porcs et ma mère nourrit en son sein l'espoir toujours plus véhément d'assister un jour à une sorte de canonisation merveilleuse ou, au moins, à la béatification de son fils. Je comptais à peine dix-neuf printemps qu'on m'expédiait — *viribus unitis* — à Paris.

Dieu, quelle ville, et comme la vie y était chère! C'est là que je cultivai le don de vivre en parasite que mon ordre m'avait solidement inculqué, pour le pousser à sa plus extrême perfection. Vivre de l'aumône? Quelle idée plus humiliante, marque d'une existence indigne! Ce que j'appris, ce fut à supporter la compagnie de ceux qui m'entretenaient et j'ai toujours préféré penser depuis qu'il s'agissait d'un échange librement consenti de faveurs réciproques.

Je pus dans une large mesure me soustraire à l'étude assez inévitable de la théologie classique, mais j'apaisai ma « conscience de missionnaire » en acceptant de prendre comme matière obligatoire la langue arabe, pour me préparer ainsi au cas regrettable où mes tuteurs auraient un jour l'idée de me déporter dans les déserts de la Terre sainte, vu que ma mère ne désemparait pas dans son ambition. Je pensais qu'il me fallait au moins savoir comment supplier les hérétiques de me faire l'aumône d'un verre d'eau, à défaut de pouvoir les convaincre de m'accorder la vie sauve. J'ai toujours été sensible au pouvoir d'une parole bien tournée, raison pour laquelle je n'ai jamais négligé les disciplines de la prédication libre et les formes plus austères de la liturgie.

Et il se trouva ensuite que mon roi se mit en quête d'un répétiteur pour lui enseigner l'idiome des musulmans. Je veux croire que le roi Saint Louis caressait déjà l'idée prodigieuse de mettre personnellement au défi le sultan de renoncer de bon gré à ses croyances impies. Un autre argument non moins convaincant serait peut-être que son impérial cousin, Frédéric, dominait avec une grande aisance cette langue et jouissait de ce fait d'une immense réputation. Dans ma situation de bachelier ambitieux, rôle qui me convenait alors à merveille, il me semblait que l'apprentissage de cette langue n'était somme toute qu'un moyen injustement négligé de passer le plus clair de la journée à tousser et à se cracher à la figure pour certains tuberculeux chroniques.

Quand j'écoute aujourd'hui les vers d'un poète arabe, cette ignorance juvénile m'inspire une profonde honte, car la splendide sonorité de ces vers nous élève à des hauteurs plus lumineuses que celles de toute autre belle langue, pour bien qu'elle puisse sonner.

Mais mon roi ne voyait pas si loin. Sans doute n'osa-t-il pas faire venir à la cour le vénéré maître Ibn Ikhs Ibn-Sihlon, auprès de qui j'avais appris l'arabe. On me choisit donc comme une sorte d'intermédiaire innocent, dans la conviction que je professais un amour tout particulier pour cette langue.

Il ne nous fut jamais possible d'établir un horaire régulier pour les classes. Chaque fois que mon souverain m'accordait une audience brévissime, il préférait que nous la passions à prier ensemble, ou bien il me demandait de lui conter des histoires de saint François, sans s'arrêter au fait que je ne l'avais pas connu personnellement, détail qu'avec une grande astuce je passai sous silence pour ne pas le décevoir. Nous étions tous deux fort satisfaits de cette situation.

Mon seigneur et très bienveillant souverain dut faire un horrible cauchemar, ou bien ce furent les maux qui le tourmentaient, parmi lesquels l'anémie et l'érésipèle, ou peut-être ses autres conseillers spirituels au nombre desquels je pouvais difficilement me compter le harcelèrent-ils semaine après semaine pour qu'il se décide enfin à arracher l'ultime épine d'hérésie encore plantée dans le flanc méridional du royaume, si longtemps tourmenté et torturé par les hérétiques. Le plus probable est que ce furent les médisances de son obscur confesseur Vitus de Viterbe, envoyé personnel du pape, qui le poussèrent à se réconcilier avec Notre Dame et à venger l'odieux assassinat de l'inquisiteur d'Avignonet. Toujours est-il que ce croyant dévot jura à la très sainte Vierge d'en finir avec ce nid d'hérétiques perché sur le *pog* de Montségur. L'immonde taupe romaine dont jamais je ne parvins à voir le visage était peut-être contrariée par nos prières communes, aiguillon qui le poussa à insister pour qu'un certain jour funeste je m'éveille béni des signes de la plus grande bonté royale : on m'accordait le privilège de m'associer à l'entreprise dirigée contre la forteresse des cathares, avec la charge de chapelain militaire d'un sénéchal de province qui disposait déjà de deux aumôniers et ne désirait nullement s'encombrer d'un autre.

Le Viterbien fit diligence pour qu'on me remette sans tarder ma lettre de nomination, afin que je me mette en route sans plus tarder. Prévoyant un séjour monotone en rase campagne, j'emportai avec moi quelques livres, espérant que personne ne regretterait trop leur absence dans la bibliothèque royale, afin de combattre la probable routine d'un campement militaire en province par un programme personnel de formation spirituelle. Je ne pus même pas faire mes adieux à mes parents aimants qui, avec une assiduité fort plaisante, avaient veillé à ce que ni moi ni la maison de mon Ordre dans la capitale ne manquent jamais de boudin ni de lard, et j'entrepris sans aucun enthousiasme le voyage qui devait me mener dans le suffocant Midi. Jamais je n'allais plus revoir mon village, ni Paris, ni les aimables terres flamandes.

Plongé dans le tourbillon méditerranéen, je tombai prisonnier de Charybde et de Scylla qui m'entraînèrent de vive force dans leurs profondeurs pour me jeter ensuite sur des grèves dont je n'avais jamais imaginé l'existence. N'en a-t-il pas été ainsi? N'est-ce pas par les déserts infinis, les monts pierreux que le démon tentateur me conduisit vers le château, vers les marécages qui m'effrayaient tellement quand j'étais enfant et que je dus traverser encore novice, entraîné par les autres, moi, petit paysan, pion insignifiant sur le gigantesque échiquier des grands de ce monde? Dès que je me croyais le fou ou le cavalier, je me voyais menacé par de sombres tours, flatté par de hautes dames, ou rabaissé au rang de simple pion dans le jeu d'un souverain ou d'un autre.

Au début, je servis Louis avec une fidélité sans partage. Il était mon bon roi; si j'avais failli à son endroit, j'en aurais conçu toute la honte dont j'étais encore capable. Mais à mesure qu'il s'éloigna de mes yeux s'éteignit aussi ma candeur campagnarde et flamande. Je n'ai cessé d'être un déraciné. D'autres forces m'ont poussé jusqu'au bout de l'univers, m'ont jeté hors du damier primitif avec ses règles et ses cases compréhensibles, marquées avec tant de certitude en noir et blanc. Ces mêmes forces m'ont renvoyé au jeu quand j'avais déjà renoncé, m'ont aiguillonné puis oublié encore. Le camp des noirs pouvait-il être le terrain du bien pour lequel doit lutter un pieux moine de la sainte Église catholique? Pouvait-on considérer encore la croix rouge des templiers, avec

ses branches griffues, comme un signe du Christ ? Et la bannière verte des musulmans, était-elle promesse ou condamnation ? Les insignes de guerre des Mongols étaient-ils un
signe marqué au fer rouge du diable ? Et les vêtements flot-
tants des cathares, si blancs, ne promettaient-ils peut-être le
paradis ? Tout au long de ma vie, j'ai vu et connu la miséricorde des Assassins, la fidélité sans réserve des Tartares ; j'ai
trouvé des amis parmi les chevaliers chrétiens et la noblesse
chez les émirs arabes ; j'ai souffert des effets du poison, de la
trahison et de la torture mortelle ; j'ai su ce que sont amour
et sacrifice. Mais aucun autre destin ne m'a davantage ému
que celui des enfants qu'on a appelés « les enfants du
Graal ».

Depuis, je me sens tenu d'être fidèle à leur mémoire, car
j'ai fini par les croire mes parents, des membres de ma
famille. Ils étaient des personnages fragiles, porteurs d'une
espérance que des puissances impitoyables manipulaient sur
l'échiquier, ils étaient dans le « grand projet » un couple de
souverains encore enfants. Mon roi et ma reine ! Leur fin a
anéanti un rêve de paix et de bonheur pour le reste du
monde. Je n'étais qu'un petit pion sans importance à qui l'on
a permis de survivre. Eux, ils furent sacrifiés avant même
que la partie ne finisse.

C'est d'eux que je veux vous parler...

I

MONTSÉGUR

LE SIÈGE

Montségur, automne de l'an 1243

Montségur est un rocher conique aux versants escarpés qui se dresse au-dessus d'une plaine tourmentée, donnant à première vue l'impression d'une illusion lointaine, d'une chose d'un autre monde. On dirait qu'il est là pour accueillir les armées des anges qui sont peut-être capables, de leur perspective séraphique, de découvrir cet empan de terrain plat où poser une échelle céleste. L'envahisseur humain qui s'approche par le nord croit avoir la montagne à portée de la main, comme un casque qu'on ôterait de sa tête mais qu'une main magique élèverait ensuite de plus en plus, à mesure que les pas du marcheur le rapprochent de ses flancs. S'il arrive par l'est, se fiant aux apparences trompeuses d'une douce croupe descendant de la montagne, l'écu dressé du Roc de la Tour le fera reculer, à moins qu'il ne le rejette tout bonnement dans la gorge écumante du Lasset, si profondément entaillée dans le rocher qu'on ne voit même pas d'en bas la cime de la montagne, encore moins le château. C'est seulement par le sud-est que se présente, derrière une pente harmonieuse, un versant couvert par la forêt; mais dès que le grimpeur haletant sort du couvert des broussailles, il découvre que la muraille de pierre nue, qui s'élève devant lui, se dresse presque à la verticale. Il voit les murs de la forteresse poindre très haut au-dessus de lui, son cœur se met à galoper sauvagement, sa respiration se fait difficile et l'air se raréfie, tandis que les cimes des Pyrénées voisines éclairent le chemin de leur lumière violette et bleutée, révélant leurs sommets qui, en cet été de la Saint-Martin 1243, semblaient déjà couverts de neige. Le vent secoue à grand bruit les feuilles des fourrés. L'envahisseur n'entend même pas le sifflement de la flèche qui lui perce la gorge en le clouant au tronc d'un arbrisseau, et le sang jaillit de la blessure comme cette fraîche fontaine qu'il espérait tant rencontrer tantôt, durant son ascension. Répondant aux coups de son cœur défaillant, le sang continue à sourdre jusqu'à ce que les roches grises se fondent là-haut avec les murs, s'emplissant d'une claire lumière comme celle du ciel qui s'étend derrière, jusqu'à ce que ses sens l'abandonnent et qu'il tombe à la renverse dans la direction du vert sombre du bois dont il n'aurait jamais dû sortir.

Les ordres étaient de dresser le camp dans le pré dont la douce pente se trouvait en face et à distance respectueuse de l'escarpement rocheux, ou *pog*, suffisamment loin pour qu'on soit hors de portée des arbalètes. On monta les tentes des deux capitaines au centre ; celle de Pierre Amiel, archevêque de Narbonne et légat du pape qui, possédé d'un fanatisme féroce, avait résolu de détruire cette « synagogue de Satan » et, à distance commode quoique sans intention particulière, celle d'Hugues des Arcis, sénéchal de Carcassonne, que le roi avait nommé chef militaire de l'expédition. Comme il le faisait tous les matins, le légat avait célébré la messe devant l'armée rassemblée, bien qu'il eût préféré monter sans plus tarder à l'assaut de la forteresse des hérétiques, à la tête de ses hommes armés d'échelles et de tours mobiles ; le sénéchal s'était agenouillé devant sa tente, comme toujours lorsque sonnait l'Angélus, entouré des trois chapelains de campagne parmi lesquels se trouvait Guillaume de Rubrouck.

Jugeant qu'il avait trop prié et pas assez combattu, l'archevêque attendit la fin de la prière avec une impatience à peine contenue :

— Ce n'est pas tant dans la paix avec Dieu que dans le combat contre ses ennemis que vous devriez chercher le salut de vos âmes !

Le sénéchal préféra ne pas lever le genou qu'il avait toujours en terre, garda les yeux fermés et les mains jointes qu'il serra au point d'en faire blanchir les jointures, mais ne répondit pas.

— Il y a déjà trop longtemps que le comte de Toulouse soutient ce siège sans vigueur, et mon seigneur, le pape...

— Je sers le roi de France, l'interrompit Hugues des Arcis qui, son sang-froid retrouvé, n'hésitait pas le moins du monde à faire sentir à son rival ecclésiastique le déplaisir que lui inspirait sa présence ; et si Dieu le veut, j'exécuterai fidèlement ses ordres : je prendrai Montségur !

Il se releva et renvoya ses chapelains d'un geste brusque de la main.

— La persécution des hérétiques qui vous tient tellement à cœur ne peut prendre le pas sur les ordres qu'on m'a donnés. Et celui qui espère que le comte de Toulouse se charge de cette besogne n'a guère de sens politique, car les défenseurs du château sont ses anciens vassaux, et même souvent ses proches parents.

— *Faidits !* tonna l'archevêque. Traîtres infidèles et rebelles ! Sans parler du seigneur du pays, le vicomte de Foix, qui n'a même pas cru bon de venir nous présenter ses respects !

Le sénéchal lui tourna le dos :

— Il y a longtemps qu'il a désigné son successeur, dit-il en s'éloignant : Guy de Lévis, fils du compagnon d'armes du grand Monfort. Pour lui faire tirer les marrons du feu.

Pierre Amiel marchait sur ses talons, bouillant de colère.

— Vous parlez de feu ! Eh bien, c'est ce que vous devrez mettre là-haut : incendiez ce nid de vipères malignes, que la fumée et les flammes les emportent en enfer !

Tranquillement, le sénéchal se pencha sur un feu de bivouac et en sortit un brandon.

— La torche de l'inquisition ! fit-il d'une voix moqueuse en tendant le tison à l'archevêque surpris. Portez-la donc vous-même ! Si vous soufflez fort en montant au château, et si la très sainte Vierge vous prête une main secourable, elle ne s'éteindra pas !

Comme le légat ne semblait pas vouloir du bout de bois enflammé, le sénéchal le rejeta dans le feu et s'éloigna. Habitué à ces emportements, son entourage s'empêchait à grand-peine de rire.

Le soir tombait et partout s'allumèrent de grands brasiers. Les cantinières remplissaient les chaudrons ; les soldats manœuvraient les broches, car la chasse dans les forêts de Corret et le pillage des fermes de Taulat leur avaient procuré plus d'une pièce de viande. S'ils n'avaient pas eu cette chance, il leur aurait fallu se contenter de ramasser glands ou châtaignes et de mastiquer le pain dur des fourrageurs.

La troupe se composait de mercenaires. Leurs seigneurs, des chevaliers templiers, étaient des nobles du nord du pays qui n'avaient pu se soustraire à la volonté de leur souverain Louis. Il y en avait aussi qui cherchaient à s'attirer les faveurs du roi et d'autres encore, simples aventuriers, qui, ayant perdu fiefs et bénéfices, se promettaient d'obtenir quelque gain des pillages, ou d'autres avantages, l'Église ayant promis de surcroît à chacun le pardon de tous ses péchés.

Les murs de Montségur, dont le flanc le plus puissant formait un angle obtus au-dessus du camp, se dorèrent aux rayons du soleil couchant.

— Combien sont-ils ? — Esclarmonde de Perella, la jeune fille du seigneur et maître du château, s'approcha sans peur du bord du mur sans parapet et s'arrêta pour regarder dans la vallée. — Six mille, dix mille ?

Le vicomte Pierre Roger de Mirepoix, beau-frère d'Esclarmonde et commandant de la forteresse, lui sourit.

— Vous ne devriez point vous en inquiéter, fit-il en la repoussant doucement en arrière, tant qu'ils ne seront pas capables d'en faire monter plus de cent jusqu'à ces murs.

— Mais ils voudront nous affamer...

— Jusqu'à présent, chacun de ces seigneurs a planté sa tente à sa guise, bien séparée des autres. — Mirepoix montra d'un geste de la main la prairie, la montagne et les vallées. — Cette arrogance stupide, ajoutée à la nature de ce pays accidenté et difficile à surveiller, ainsi qu'à la noirceur des bois dont ils ont peur, ont pour nous une conséquence favorable : l'encerclement qu'ils prétendent nous imposer est plus criblé de trous que le fromage des Pyrénées qu'on nous apporte tout frais chaque semaine.

Il essayait clairement de lui redonner courage. Le nom de baptême d'Esclarmonde l'obligeait à garder présent à l'esprit l'exemple de cette autre Cathare, célèbre entre toutes, également connue sous le nom de « sœur de Parsifal », qui avait restauré et remis en état la forteresse de Montségur quarante ans plus tôt. Comme elle, la jeune Esclarmonde était une *parfaite*, elle était pure. Si la montagne du salut succombait, alors elle courrait les plus graves dangers. Mais elle ne semblait pas se rendre compte du risque.

— Ils ne connaîtront jamais le Saint Graal, dit-elle à voix basse, révélant au vicomte son unique préoccupation, il ne tombera jamais entre leurs mains.

Deux petits enfants s'étaient approchés furtivement. Craintif, le garçon prit dans ses bras les jambes de la petite fille, toute menue, quand elle s'approcha témérairement du bord du mur pour jeter une pierre dans le vide et écouter, ravie, l'oreille tendue, le choc qui annonça la fin de son vol. Ce fut ce bruit qui attira l'attention du commandant.

— Je vous interdis de monter ici! s'exclama-t-il au moment où la nourrice escaladait l'escalier de pierre qui montait en pente très raide de la cour intérieure du château. Il donna une petite tape à la fillette, puis il la prit par le cou et la poussa vers la servante. Esclarmonde caressa les cheveux du garçon qui suivit docilement la fillette.

— Combien de temps tout cela va-t-il durer? fit Esclarmonde en se retournant vers le vicomte.

Le commandant de la forteresse semblait absent.

— Frédéric ne nous abandonnera pas à notre sort... — Mais sa voix dissimulait mal ses doutes.

— Le Germain n'hésiterait pas à fouler aux pieds ce qu'il y a de plus sacré, dit la jeune fille, incrédule, mais sans amertume, que ce soit pour son propre avantage ou pour celui de sa race. Vous ne devez pas vous fier à lui, pour le bien de ces enfants! — Et elle jeta un regard vers les deux petits qui faisaient de leur mieux pour gêner la nourrice sur les marches raides de l'escalier de pierre.

— Mais je peux vous assurer qu'il existe un pouvoir supérieur qui me fait vous jurer, Esclarmonde, que ces deux enfants seront sauvés. Voyez! — Il s'approcha de l'angle oriental où se trouvait l'observatoire couvert. — Là-bas, à droite où le Lasset traverse les monts de Tabor en creusant une profonde gorge, le lieu est totalement à l'abri des regards.

Esclarmonde joignit les mains pour saluer les vieillards vêtus de blanc, *parfaits* comme elle, qui observaient du haut de la plate-forme le cours des astres dont les feux s'allumaient peu à peu.

— Outre le manque de discipline qui caractérise nos ennemis, continua Mirepoix, nous bénéficions aussi du fait que beaucoup de mercenaires sympathisent au fond avec nous. Comme ceux de Camon qui sont des anciens vassaux de mon père et qui campent justement sous le Roc de la Tour. — Il essayait de donner courage à la jeune fille. — Tant que ce roc sera entre nos mains, nous ne serons pas coupés du reste du monde et nous pourrons toujours espérer...

— Je vous en prie, Pierre Roger — la jeune fille lui posa une main sur l'épaule —, n'espérez rien du monde extérieur, car on ne fait ainsi que se fermer les yeux devant les portes du paradis, seule certitude que personne ne peut nous arracher !

Et elle prit congé de lui avec un sourire radieux.

Pendant ce temps, l'obscurité de la nuit avait enveloppé Montségur tandis que les étoiles luisaient avec de plus en plus de force. En bas, des feux brûlaient dans la vallée, mais les chansons obscènes, les cris des prostituées et les blasphèmes des soldats qui buvaient et jouaient aux dés ne montaient pas jusqu'au sommet de la montagne.

Le moral des troupes laissait beaucoup à désirer. L'automne approchait. Il y avait déjà près de la moitié d'une année qu'ils campaient ici. Les premiers jours, quelques intrépides avaient prétendu monter à l'assaut de la montagne, sûrs de leurs forces. Mais toutes leurs tentatives avaient échoué. Grâce à sa situation stratégique et à ses puissantes défenses, la forteresse résistait depuis plus de deux générations à toutes les attaques.

Le sénéchal le savait et restait dans l'expectative, malgré les sollicitations constantes du légat, mais Hugues des Arcis s'irritait toujours plus à mesure que passaient ces fastidieuses journées d'attente au pied du *pog*. Il ordonna à ses chapelains de dire la messe plusieurs fois par jour, comme si leurs oraisons pouvaient redresser la situation militaire. Une nuit que le franciscain s'était présenté pour prier avec lui, le sénéchal eut tout à coup une révélation.

— Soldats de l'infanterie de montagne du pays basque ! s'exclama-t-il devant Guillaume qui, à son habitude, s'était déjà agenouillé. Nous devons les engager tout de suite, coûte que coûte, même s'il n'est pas facile de traiter avec eux tant qu'ils n'auront pas rentré leurs récoltes.

— Béni soit le nom du Seigneur et de la très sainte..., commença Guillaume.

— Lève ton cul de Flamand, gronda le sénéchal, et passe-moi la cruche. L'idée vaut bien un petit coup!

LES MONTAGNARDS

Montségur, hiver 1243-1244 (chronique)

Les montagnards du lointain pays basque arrivèrent à la fin de l'automne. Mon seigneur, le sénéchal, ne voulut pas qu'ils installent leur camp parmi les autres et il les conduisit lui-même au-delà du saillant nord-ouest du *pog*, sous le Roc de la Portaille, là où la paroi se dresse si verticalement qu'on devine à peine d'en bas la grande tour centrale de Montségur. Et ce n'est que rendus là-bas qu'il leur permit de se reposer.

Je fus le seul choisi pour les accompagner, ce qui suscita l'envie de mes confrères. Dans l'après-midi, nous nous remîmes en marche en nous faufilant à la queue leu leu derrière la paroi nord, protégés de tous les regards par les grands pins de la forêt de Serralunga dont la lisière monte jusqu'aux rochers.

Je marchais derrière Jordi, l'un des chefs basques, et j'avais bien du mal à le suivre en soutenant une conversation pour laquelle nous mêlions italien et latin. Je n'avais pas la moindre idée de la destination de notre expédition secrète.

— Roc de la Tour, me dit Jordi sans autres détours.

Je titubais sur le chemin, hors d'haleine :

— Et pourquoi ?

— Pour couper une saucisse, il faut d'abord la nouer. Ils avaient oublié ce détail, on dirait.

Je me tus. En partie parce que ses paroles éveillèrent aussitôt ma faim, en partie parce que l'idée même de nourriture me fit penser immédiatement au Saint Graal dont tout le monde parlait à mots couverts dans le camp, mais à propos duquel personne ne pouvait me donner une réponse le moindrement satisfaisante. Il devait s'agir de quelque chose de plus précieux qu'un trésor, d'une sorte de boisson réconfortante qui étanche la soif à tout jamais, d'une manne céleste qui élèverait un pauvre moinillon comme moi au-dessus de toute fatigue terrestre.

— Mais nous ne cherchons pas un trésor, le Graal comme ils disent ? demandai-je avec une certaine hésitation, car j'avais honte de ne pas en savoir davantage et j'avais été bien des fois le témoin de rebuffades les plus étranges quand l'un d'entre nous s'informait du motif réel de cette croisade.

— Pas du tout, Guillaume, répondit Jordi avec un sourire. Nous allons à la conquête d'un tas de pierres qui ne valent rien du tout et dont personne ne s'est soucié jusqu'ici, si bien que les défenseurs de Montségur en ont fait un passage commode par lequel ils reçoivent leur ravitaillement. Mais le chat va maintenant surveiller le trou de la souris !

Il eut un rire moqueur. Je n'étais pas plus avancé, sauf que je pouvais maintenant me faire une idée de l'endroit où se trouvait le Roc de la Tour : à la pointe la plus extrême de la partie nord-est du *pog*, là où la croupe de la montagne s'abaisse en rendant sa liberté au Lasset.

— Pourquoi ne pas traverser la gorge, ce qui semble être le chemin le plus court ?

— Bien simple. Parce que les templiers y sont installés et qu'ils auraient avisé ceux d'en haut de notre arrivée !

— Mais les templiers sont des chevaliers chrétiens ! Comment pouvez-vous croire qu'ils sont de mèche avec les hérétiques ?

— Tu parlais du Graal, petit franciscain ? Eh bien, voilà ta réponse ! — Et il pressa le pas comme pour me faire comprendre qu'il ne désirait pas m'en dire plus.

Très vite, nous arrivâmes au pied du rocher où bivouaquaient les gens de Camon. L'accueil fut froid, pour ne pas dire glacé. Ils saluèrent le sénéchal comme il se doit et ignorèrent les Basques. « Traîtres ! » les entendis-je marmonner dans leurs barbes.

La nuit était tombée. Le sénéchal interdit les feux qui auraient trahi notre présence et cet ordre ne fit rien pour égayer les cœurs.

A moitié caché derrière des lambeaux de nuages qui filaient rapidement dans cette nuit sans lune, le parapet de la forteresse des hérétiques se dressait au-dessus de nous. Les montagnards s'étaient barbouillés de suie pour noircir encore davantage leurs visages. Ils ne portaient ni armures ni armes lourdes ; seulement des gilets de cuir ajustés et des poignards à deux fils dont les manches passaient par-dessus leur épaule ou dépassaient de leurs bottes.

Le sénéchal me donna l'ordre de les bénir un par un et, lorsque ce fut le tour de Jordi, je lui chuchotai à l'oreille, après avoir tracé le signe de la croix :

— Que la mère de Dieu te protège...

Sans sourciller, il sortit de sa braguette une patte noire de chat en murmurant :

— Crache dessus si tu veux me faire plaisir.

Je fis semblant d'être pris d'un accès de toux et lui donnai satisfaction.

Les montagnards se déplaçaient comme des chats sauvages, communiquant entre eux avec des cris d'animaux. A peine se furent-ils glissés entre les rochers qu'ils disparurent complètement.

Je passai le reste de la nuit à boire en compagnie du sénéchal. Nous étions silencieux, attentifs au moindre bruit. Je ne sais aujourd'hui si ce fut mon imagination ou si j'étais encore sous l'influence des paroles de Jordi ; toujours est-il que je voyais en esprit ce qui se passait comme si j'avais été avec eux. Les montagnards arrivèrent bientôt sur les hauteurs du Roc de la Tour où ils restèrent collés contre les rochers escarpés, immobiles, jusqu'au lever du jour.

Les défenseurs des avant-postes de la forteresse étaient des arbalétriers catalans qui avaient passé la nuit à percer l'obscurité, sans que les Basques puissent échapper à leurs regards. Au point du jour, ils crurent être tirés d'affaire pour cette fois. Ils laissèrent se reposer un peu leurs paupières et, dans un silence trompeur, le temps d'un Ave Maria, les montagnards fondirent sur les défenseurs épuisés à coups de poignard. On entendit des halètements, des gémissements, la chute sourde d'un corps puis d'un autre, le sifflement des arbalètes tandis que des pierres se détachaient du rocher, jusqu'à ce que les Catalans décident de battre en retraite à travers la forêt à flanc de coteau et de se mettre à l'abri des murs du château. Les Basques n'osèrent pas les suivre. A distance, les arbalétriers avaient de meilleures chances de se défendre, mais comme il faisait déjà presque jour, ils renoncèrent à pourchasser les montagnards.

Et c'est ainsi que fut coupée la dernière voie de communication des assiégés avec le monde extérieur, du moins à notre connaissance, et que se referma l'étau autour de Montségur. Quand je revis Jordi au camp, des jours plus tard, il me raconta la suite de l'histoire. En bas, dans la vallée, l'habile monseigneur Durand, évêque d'Albi de son état, avait démonté ses fameuses catapultes pour que les Basques les hissent pièce par pièce, avec des cordes. Mais les défenseurs avaient contrecarré la manœuvre grâce à l'invention d'un autre catapultaire de génie, Bertrand de la Bachellerie. Quand il avait su dans quel mauvais pas se trouvaient ses amis, cet ingénieur de Capdenac n'avait pas hésité à abandonner le chantier de la cathédrale de Montauban, dont il était maître d'œuvre, pour entrer en secret dans la forteresse avec ses aides, au tout dernier moment. Il avait installé ses catapultes mobiles dans le Pas de Trébuchet où elles répondirent avec tant d'efficacité aux assaillants que toute nouvelle avancée paraissait impossible.

Les hauteurs boisées, parcourues de chemins creux, couvertes de terre et de rochers percés de grottes aux issues secrètes, restaient aux mains des Catalans. Les montagnards se contentèrent de tenir leurs positions, d'où leurs machines ne pouvaient cependant dépasser la barbacane, la puissante défense extérieure de Montségur.

— Impossible de s'approcher de la muraille du château !

— Et pourquoi ne pas vous envoyer des renforts, voulus-je savoir en me gonflant d'importance comme si j'étais un grand stratège, et vous en finiriez une fois pour toutes avec ce nid de vipères infernales.

Jordi siffla entre ses dents :

— Parce que ni le seigneur sénéchal, ni le seigneur archevêque et encore moins leur piétaille empotée, ne sont de bons grimpeurs! — Il se mit à rire. — Et puis, nous avons accompli notre mission!

De ce jour, on entendit les machines de monseigneur Durand qui lançaient à l'aveuglette, jour et nuit, leurs pierres assassines par-dessus la forêt jusqu'aux murs des derniers bastions extérieurs, pour le plus grand bonheur du légat.

— Ces hérétiques vont mourir écrasés dans la barbacane comme dans un mortier, se réjouissait Jordi.

— Et à l'article de la mort, on leur administrera le *consolamentum*, les saintes huiles des renégats pour qu'ils brûlent mieux en enfer, dis-je pour ne pas être en reste.

— Mais les défenseurs manœuvrent aussi leurs catapultes mortelles, ils détruisent nos corps, ils balaient les assaillants qui s'aventurent sur la pente rocheuse, ils les rejettent tout au fond où le seigneur archevêque nous attend pour nous ouvrir les portes du ciel!

— Et vous, Jordi, vous ne craignez donc pas de mourir?

— Je crois à plus grande magie! répondit l'homme en riant. On m'a prédit que je n'irais retrouver mes aïeux qu'entouré d'une « très sainte trinité » formée d'un évêque romain, d'un templier hérétique et d'un franciscain gardien du Saint Graal. Alors, il me reste encore du temps à vivre!

— Dieu sait que nous autres, les frères mineurs, nous nous consacrons plutôt à garder les brebis. Mais dites-moi, quels sont ces arts de sorcellerie païenne qui vous protègent ainsi? — Je l'enviais de pouvoir se vanter de cette prophétie, alors que moi je ne pouvais invoquer que la protection de la Vierge et de quelques saints. Il est vrai que ma vie n'était pas en péril elle non plus, à moins qu'une pierre égarée ne me tombe sur la tête. — Vous pourriez me le dire!

— Tu n'as peut-être pas entendu parler de cette voyante qui... ? C'est étrange... — Jordi m'observait avec des yeux surpris et moqueurs. — Parce qu'elle te connaît!

Jordi ne voulut pas m'en dire davantage, malgré mon insistance. Mais il se ravisa plus tard, à contrecœur:

— « Tenez loin de moi cet oiseau franciscain de mauvais augure qui rôde dans votre camp! » Voilà ce qu'elle a dit, puisque tu veux tellement le savoir. « Je ne voudrais pas tomber sur lui pour rien au monde! »

Je compris fort bien que c'était l'attitude que Jordi désirait avoir avec moi. J'en fus agacé et humilié. Et nous évitâmes de nous rencontrer. Mais surtout, je dois dire que je me sentis un peu inquiet.

Peu après, on rassembla les montagnards au pied du *pog*. Pas de bénédiction cette fois et, même s'il y en avait eu, c'était au tour de mes collègues. Je n'eus pas l'occasion de reparler à Jordi et de lui demander ce qu'il pensait de moi et des paroles de cette voyante que tous connaissaient sous le nom de la Louve.

Il s'agissait sûrement de certaine sorcière cathare qui vivait dans la forêt de Corret et dont les augures étaient dignes de confiance, à ce qu'on murmurait dans le camp. Drapé dans ma candeur naturelle, j'eus envie d'aller la voir pour m'assurer de la véracité de ses sages paroles en ce qu'elles s'appliquaient à moi. Je me croyais tout à fait capable d'entendre ses prophéties, car le Seigneur ne dit-il pas : « Mangez tout ce qui se vend au marché, sans poser de question par motif de conscience » ?

Tous les passages qui parlent de nourriture sont restés à jamais gravés dans ma mémoire. Et je me suis dit que si le Seigneur faisait des concessions aussi aimables à mon ventre, combien plus aimable Il se montrerait pour mon esprit.

LA BARBACANE

Montségur, hiver de l'an 1243-1244

Les Basques escaladèrent le Pas de Trébuchet en supportant sans broncher leurs pertes que la Louve avait aussi prédites au capitaine des montagnards : « Le manteau de la nuit ne protège pas des jets aveugles ! », et leurs poignards ôtèrent la vie aux servants des catapultes après un dur corps à corps. Alors que les défenseurs de la barbacane tendaient l'oreille dans la nuit, méfiants et surpris que se soient tus si soudainement le sifflement et le cliquetis des catapultes auxquels ils s'étaient habitués, les Basques fondirent sur eux. Quand le tocsin sonna, il était trop tard. A moitié endormis, ils furent exterminés avant que la garnison du château ne puisse voler à leur secours.

Au lever du jour, les montagnards eux-mêmes furent épouvantés de voir la muraille verticale qu'ils avaient escaladée dans le noir.

— Que la barbacane soit tombée entre leurs mains signifie pour nous, défenseurs de Montségur, qu'il nous reste juste le temps dont la milice de monseigneur Durand aura besoin pour installer sa catapulte géante, *l'adoratrix murorum*, en position pour nous attaquer de là-bas ! disait Bertrand de la Bachellerie à ses hôtes, à côté du mur de la forteresse, sans laisser paraître la moindre émotion.

— Nous ne pouvons l'empêcher — le châtelain Raymond de Perella s'obstinait à se montrer confiant —, mais je suis sûr que nous résisterons à cette nouvelle épreuve.

Bientôt, de lourds boulets de granit qui pesaient cent livres chacun commencèrent à pilonner les murs du château. La muraille épaisse de quatre mètres résista, mais la charpente de l'observatoire construit dessus s'effondra en un tas de décombres, tandis que les toitures qui se trouvaient en bas, dans la cour, furent bientôt criblées de brèches et de trous de plus en plus nombreux.

Le châtelain se moquait, disant que les tirs arrivaient en sifflant « à la cadence d'un rosaire égrené avec une certaine presse ». Le fracas du tir était suivi d'un craquement quand le boulet frappait un objet de bois, ou d'un grondement sourd quand il brisait le dallage de pierre de la cour intérieure, mettant à l'épreuve le courage des femmes et des enfants qui se pelotonnaient dans les casemates, effrayés.

Mais tous n'étaient pas impressionnés par cette pluie de billes gigantesques. Le garçonnet timide et la fillette qui l'accompagnait avaient échappé à la surveillance de leur nourrice et se cachaient sous l'escalier de l'observatoire. A chaque sifflement qu'ils entendaient au-dessus de leurs têtes, ils fermaient les yeux et pariaient que le boulet toucherait la toiture ou la cour. Puis ils notaient avec enthousiasme les dégâts causés aux tuiles, ou les traces laissées par les gigantesques boules sur le sable répandu à terre pour éviter que les éclats de pierre ne volent au loin.

Une de ces billes, particulièrement grosse, roula lentement vers la cachette des enfants, si bien que la nourrice en pleurs les découvrit enfin. Alors qu'elle les appelait à grands cris, les bras en l'air, les petits palpaient avec intérêt la pierre ronde qui s'était arrêtée juste devant eux. Des soldats les pressèrent gentiment de quitter leur cachette, puis les conduisirent à toutes jambes, toujours à l'abri du mur, vers la tour centrale qui offrait la meilleure protection, avant que le prochain boulet ne tombe.

— La garnison n'a pas perdu espoir, annonçait Raymond de Perella avec une certaine fierté au commandant, le vicomte de Mirepoix. Les arbalétriers catalans réussissent toujours à dégager les abords du château et les pertes de vies sont encore limitées. Nous avons encore suffisamment d'hommes pour occuper tous les postes de garde et les ouvrages de défense...

— Même sachant que les *parfaits* ne prendraient jamais les armes... jusque dans le plus grand péril, ajouta le chef ingénieur avec une certaine ironie.

— S'ils le faisaient, lui répondit le jeune commandant, ils renonceraient à ce qu'ils sont et Montségur serait perdu avant même d'avoir capitulé.

— Il n'y aura jamais de capitulation! rétorqua vivement le châtelain. Nous avons des vivres et du bois en abondance. Et les citernes débordent encore.

LA CAPITULATION

Montségur, printemps de l'an 1244 (chronique)

Les messes quotidiennes pour le salut de l'âme de mon seigneur le sénéchal étaient dites par mes deux collègues du Nivernais qui ne souhaitaient pas que je concélèbre. C'était pour eux les seules occasions qu'ils avaient de voir Hugues des Arcis qui, ces derniers temps, insistait pour qu'ils pressent leurs prières tandis qu'il faisait sonner nerveusement ses éperons et que j'attendais bêtement.

En vérité, le commandant en chef n'avait aucune raison de montrer une telle hâte car il eut tôt fait de convaincre tout le monde, sauf l'archevêque, comme de juste : il était impossible de prendre d'assaut la montagne et son fier château à moins d'énormes pertes en vies humaines. J'avais donc tout le loisir de prier, ce que je fis en me baladant dans les différents camps.

Partout, je rencontrais des chevaliers qui étrillaient leurs chevaux d'un air maussade, fâchés de ne pouvoir galoper *macte anime* vers un combat qui leur aurait permis de renverser l'ennemi de sa selle en lui clouant une grosse lance à travers le corps.

C'est ainsi que je tombai un jour sur Gavin le templier. Ce chevalier, le très noble Montbard de Béthune, était précepteur dans la maison voisine de l'Ordre, à Rennes-le-Château, et il s'était présenté avec un groupe de chevaliers sans vraiment faire partie d'aucune troupe : la règle de leur Ordre ne les autorisait pas à se soumettre au commandement du sénéchal, pas plus que l'archevêque n'avait de pouvoir sur eux. Gavin se trouva donc à jouer un rôle d'observateur, ce qui lui permit de dresser sa tente dans l'endroit le plus beau au bord même de la gorge du Lasset, tandis que ses compagnons campaient aux alentours. Je me liai d'amitié avec lui et nous eûmes toute une série de conversations assez surprenantes.

Gavin était un enfant du pays, comme en témoignait le nom de sa mère qu'il ajoutait fièrement à celui de son père.

Les Béthune étaient des vassaux du comte de Toulouse auquel ils étaient apparentés de différents côtés. Gavin avait connu le nommé Trencavel in *persona* et il avait même participé aux événements de Carcassonne. Je m'abstins de lui demander dans quel camp. Le souvenir de Carcassonne lui était manifestement pénible, ce qui m'intriguait fort.

A en juger par les abondants fils gris de sa barbe hirsute, Gavin devait être déjà dans la cinquantaine. Il connaissait très bien les environs du *pog* et était parfaitement renseigné sur les occupants du château dont il évaluait le nombre à plus de quatre cents hommes aptes au combat en comptant les soldats, sergents et mercenaires auxiliaires, en plus d'une douzaine de chevaliers qu'il connaissait par leurs noms. Avec leurs familles, les *parfaits*, comme il appelait avec respect les hérétiques, totalisaient encore sûrement deux cents têtes.

Gavin en savait trop. Il avait dû déjà séjourner là-haut, dans ce nid d'hérétiques ! N'existait-il pas d'autres rapports occultes et indirects entre templiers et cathares ? Après tout, on murmurait partout qu'ils étaient ensemble les gardiens d'un cadavre enseveli dans une tombe inconnue. Un trésor secret, rigoureusement gardé. S'agissait-il du Saint Graal ? Ou bien d'un autre obscur rite païen ? Et qui connaissait les détails apparemment monstrueux de la règle secrète de l'Ordre du Temple ?

— Est-il vrai, demandai-je à Gavin en me signant rapidement, est-il vrai que ces hérétiques abandonnés de Dieu et de l'Esprit saint non seulement se moquent du pape, mais doutent de l'immaculée conception de notre Seigneur, ne croient pas qu'Il soit le Fils de Dieu, nient même qu'Il soit mort pour nous sur la croix ?

— La main de Dieu est toujours sur tous et chacun d'entre nous, me corrigea le templier avec une gravité qui m'obligea à réfléchir à toutes les conclusions qu'autorisait sa phrase. Puis son ironie habituelle reprit le dessus : — *Quidquid pertinens vicarium, parthenogenesem, filium spiritumque sanctum*, même la Sainte Trinité leur paraît excessive.

Se moquait-il de l'Église ? Voulait-il ébranler ma foi dans les sacrements ? Le démon séducteur s'était-il introduit dans le corps de Gavin, se cachait-il sous son manteau blanc, sans respect pour la croix rouge qui le distinguait ?

— Ils se contentent de l'« être divin unique » et de son contraire, l'élément luciférien...

C'était donc vrai !

— Vous voulez dire qu'ils croient au démon et qu'ils l'adorent peut-être en secret ?

— Et toi, tu ne crois peut-être pas au démon, frère Guillaume ? — Gavin partit d'un rire tonitruant à voir mon visage de moinillon apeuré qui le regardait comme s'il venait de rencontrer le diable en personne, enveloppé dans une nuée de soufre et de brai. — Pauvre frère Guillaume, continua-t-il ; la vérité, c'est qu'il y a entre le ciel et Assise des choses qu'un franciscain ne peut s'imaginer, même dans ses pires visions, quand la faim le tenaille !

Railleur, il regardait mon ventre qui tendait périlleusement la bure marron, même si je perdais sans doute quelques livres par jour dans ce camp, en tout cas quelques onces ! J'en eus honte et je vis que Gavin prenait plaisir à mon trouble.

— Le temple de Salomon à Jérusalem repose sur un autre *Sefiroth* que la Portioncule ; c'est un lieu magique, ce qu'on peut dire aussi de Montségur, là-haut !

Je me tus, profondément déconcerté. Quels abîmes s'ouvraient devant moi ?

Ou ne devais-je pas plutôt me demander jusqu'à quelles hauteurs peut voler l'esprit humain ?

Nous n'avancions plus et, tout en me sentant intimement uni par mes oraisons aux valeureux Basques qui se trouvaient là-haut au point qu'il me semblait être moi-même en première ligne — Dieu m'en garde —, j'encourageai le commandant des hérétiques et le châtelain à tenter une sortie, pour faire taire l'*adoratrix murorum* installée sur la barbacane.

Une nuit d'hiver, venteuse et sèche, tout à fait propice pour jeter poix et feu contre la machine, un petit groupe, des vrais démons, sortit en grand secret par une porte dérobée. Pour notre malheur, les défenseurs du château disposaient aussi d'un contingent d'auxiliaires basques qui bouillaient de se venger de leurs compatriotes « traîtres », comme ils appelaient nos valeureux montagnards à qui ils reprochaient d'avoir « accepté le denier de Judas de l'oppresseur français ».

Le monde de ces rustres était très différent : ils ne se rendaient pas le moins du monde compte qu'ils trahissaient par leurs méfaits leur sainte mère, l'Église ! Non ils étaient eux-mêmes à la solde du mal — et leur esprit était dérangé à ce point qu'ils avaient juré de faire mourir les nôtres « en leur tranchant la gorge sans qu'ils puissent profiter de leur salaire de sang ».

A cause de l'identité de leur langage, ceux d'en face passèrent bien près d'emporter la victoire par surprise quand de minces différences dialectales — louée soit la très sainte Mère de Dieu ! — permirent de distinguer amis et ennemis, et qu'il se fit un terrible tumulte.

Le fracas des armes arriva jusqu'à nous, dans la vallée, où monseigneur Durand, de son poste d'observation au pied du *pog*, vit avec horreur les premières flammes sortir de la charpente de bois de sa précieuse catapulte.

Je m'étais approché de lui.

— Marie, pleine de grâce ! priai-je à voix haute, car je ne savais comment contribuer autrement au salut de l'*adoratrix murorum*.

— Cesse donc de te lamenter ! me lança-t-il. Prie plutôt pour que le vent tourne !

Je ne me décourageai point.

— *Laudato si' mi Signore per il fratre vento* — la phrase idoine me vint à l'esprit, que j'empruntai à mon bien-aimé saint François —, *et per aere et nubilo et sereno*...

— Ce n'est pas croyable ! hurla l'évêque en me donnant un coup de crosse, tandis que là-haut, bien au-dessus de nous, se déroulait un combat corps à corps dans la fumée âcre de la paix et les ombres vacillantes projetées par le feu. Le vent glacé emportait des lambeaux de consignes, de blasphèmes, de cris de mort.

— Alors, je ne dois pas prier ? demandai-je, contrit.

— Non, tu ferais mieux de souffler ! — Gavin riait, moqueur. Il s'était approché de nous à notre insu, à la faveur de l'obscurité. Sans mot dire, nous levâmes la tête et entendîmes des corps qui tombaient parmi les rochers pour s'écraser des centaines de toises plus bas. Finalement, les nôtres qui occupaient la barbacane réussirent à vaincre les

assaillants, à mettre en fuite ceux qui étaient encore vivants
et à éteindre l'incendie.

— *Laudate e benedicite mi' Signore et rengratiate e ser-
veateli cum grande humilitate!* — Gavin avait récité les dernières paroles du cantique, car je n'osais plus ouvrir la
bouche. L'évêque lui lança un coup d'œil comme pour
s'assurer que le templier était bien sain d'esprit. Je fus fier de
lui, car il venait de laver l'honneur d'un insignifiant frère
mineur.

— Les commandants des assiégés devraient
comprendre, finit par dire monseigneur Durand, qu'ils ne
peuvent multiplier les sorties sans réduire considérablement
le nombre des hommes aptes au combat dans le château.

— Ils ne sont pas encore au bout de leur rouleau, répondit le templier, sans quitter des yeux Montségur.

— Mais ce rouleau aura bien une fin un jour!

Notre évêque n'était peut-être pas un fanatique de la foi,
mais il avait un solide sens pratique.

— Un nid d'aigles solitaires dans un pays où les oiseaux
ne chantent plus depuis longtemps.

Avec ces paroles, Gavin ne faisait pas le moindre effort
pour dissimuler ses sympathies.

Je les aurais trouvées fort idéalistes, si ce n'avait été la
tristesse qu'elles traduisaient; et, si étrange que cela puisse
paraître, l'évêque adopta le même ton au lieu de reprendre le
templier.

— Et point de salut en vue, de quel côté qu'on se tourne,
constata à voix basse cet homme qui venait de me faire taire
avec tant de rudesse.

Les deux hommes échangèrent un regard qui me parut
révéler une entente suspecte.

— Ceux qui pourraient les sauver ne viendront pas,
mais ils auront quand même une consolation : le conseil de
leur évêque, ajouta le templier avec une telle assurance que
je me sentis confondu, mais l'évêque catholique d'Albi ne
parut pas partager mon sentiment.

— Après avoir médité longuement et prié pour ses
frères et sœurs dans la foi, Bertrand en-Marti leur annoncera
qu'ils doivent être « prêts ».

Durand avait recueilli le fil de leur pensée commune,
sans ironie ni sarcasme. Il laissa Gavin ajouter le point final.

— Eh oui, prêts pour l'ultime sacrifice!

Quelle collusion de forces divergentes que j'ignorais. Ma présence ne les gênait nullement. Pour eux, je n'étais pas plus qu'un souffle d'air, un grain de poussière. Il est vrai que le Christ dit : « Aime ton ennemi », mais pouvait-on vraiment prendre cette parole au pied de la lettre? Guillaume, me dis-je, peut-être as-tu vécu une vie trop simple jusqu'à présent. Serait-il possible que tes croyances aient été trop superficielles?

Les premiers morts et blessés arrivaient dans la vallée. L'idée me traversa l'esprit tout à coup que Jordi était peut-être parmi eux, malgré l'étrange prophétie de sa mort, telle que me l'avait confiée le Basque. Et si Gavin était un templier hérétique? Durand avait tout de l'évêque romain. En revanche, j'avais du mal à me considérer comme un franciscain protecteur du Graal. Pourtant, j'aurais volontiers tiré ma révérence pour me trouver à cent lieues de là.

— Halte-là, *francescone*! me lança monseigneur Durand. Ne bouge pas d'ici! Il faudra administrer les derniers sacrements. Je suppose que tu n'auras pas peur de voir la mort en face et de fermer délicatement les yeux des défunts. — Il me fit un signe et me montra le corps qu'on venait de déposer à ses pieds, sans plus de façons.

Jordi avait la poitrine défoncée, mais il respirait encore et me regardait, les yeux grands ouverts.

— C'est toi, Guillaume? — Le templier s'approchait de nous. — Tu serais donc le gardien du...?

Je lui fermai les lèvres d'un mouvement rapide de la main.

— Dis-moi la vérité. Qu'est-ce que cette femme a dit de moi?

— Je me meurs, petit frère! chuchota-t-il avec difficulté. Je suis entouré d'un templier et d'un évêque — sa respiration se faisait hésitante. — *Et tu mi rompi le palle!*

J'eus mauvaise conscience — je me sentis mal — mais je voulais entendre ce que la Louve avait dit de moi avant qu'il n'emporte ses paroles dans la tombe.

— Tu ne vas pas mourir, Jordi, dis-je, surtout pour me rassurer. Je ne suis pas le gardien du Saint Graal!

— Si, tu l'es! répondit-il d'une voix haletante. Tu garderas le trésor, tu voyageras jusqu'aux confins du monde poursuivi par l'Église, honoré par les rois; toi, le gros frère flamand dont le destin s'accomplira, comme s'accomplit le mien avant que Montségur ne tombe.

Je m'agenouillai en toute hâte et approchai mon oreille de ses lèvres.

— Parle!... Continue!

— Va-t'en au diable! — Un flot de sang sortit de sa bouche. — Un templier, un évêque et un gros moinillon! Laisse-moi en paix!...

Il ne desserra plus les lèvres. J'attendis encore quelque temps; je lui fermai les yeux et fis le signe de la croix. Je sentais un malaise comme je n'en avais jamais senti qu'après m'être trop rempli la panse. Ce n'était pas la disparition de Jordi qui m'affectait, mais le fait que sa mort me révélait des pouvoirs occultes prêts à s'emparer aussi de ma vie.

Le dimanche suivant, au matin, toutes les hostilités suspendues en vertu de la *tregua Dei* — même s'il me paraissait inutile et humiliant que l'Église respecte la trêve avec de pareils hérétiques —, le commandant de la forteresse fit parvenir au sénéchal du roi un message lui disant qu'il serait disposé à considérer les conditions d'une éventuelle capitulation.

La formule témoignait d'une incroyable arrogance: moi, fils fidèle et candide de l'Église, il me paraissait qu'il ne pouvait être question que de se rendre sans condition, de se soumettre les yeux fermés! Pourtant, je tins ma langue avant de révéler mes pensées à Gavin quand je tombai sur lui dans la gorge du Lasset, une rencontre qui à vrai dire ne fut pas totalement le fruit du hasard.

Au début, mon seigneur le sénéchal avait semblé vouloir m'emmener avec lui pour assister aux négociations, mais ses chapelains s'y opposèrent avec une telle opiniâtreté qu'ils eurent gain de cause. Je dus donc rester en bas tandis qu'ils gravissaient péniblement le *pog*, avec la suite de Hugues des Arcis. La rencontre avec Pierre Roger de Mirepoix, le commandant, devait se dérouler à mi-pente.

— Nous accepterons cette capitulation? demandai-je à Gavin pour entamer la conversation par une question qui me paraissait peu risquée.

Ce qui ne l'empêcha pas de me rembarrer:

— Vous, corbeaux de l'Église, vous aimeriez bien nous

interdire de l'accepter! se moquait le templier. Mais les soldats qui exposent leur vie pour que vous conserviez la vôtre sont fatigués d'attendre. Surtout ceux qui s'acquittent de leurs obligations de vassaux, qui ne sont pas venus ici défendre leurs convictions et qui, depuis plus de dix mois, se trouvent pris dans ces montagnes inhospitalières. Ils insisteront pour qu'on lève le siège.

— Et quel sera le châtiment des hérétiques? demandai-je, laissant s'échapper une des questions qui me trottaient dans la tête.

Le templier me lança un regard rempli de commisération qui me fit grand honte, mais il se refusa à dissiper mes doutes.

— Hugues des Arcis a besoin d'un succès, plus que d'une victoire! L'ordre qu'il a reçu au nom du roi de France est d'occuper Montségur, pas de se venger! Je suppose qu'il y obéira, même si les conditions n'ont pas l'heur de plaire à l'Église.

Le précepteur se dirigea vers la tente du sénéchal qui était rentré de son excursion. Je le suivis sans qu'il me le demande, trottant derrière lui comme un chien perdu qui trouve un nouveau maître. Et il décida de s'offrir le plaisir de m'infliger quelques autres leçons, comme on lance des pierres.

— Il suffit de faire taire Pierre Amiel, me dit-il sans tourner la tête. L'archevêque a soif, comme vous, frère Guillaume, de s'emparer des âmes des hérétiques qui se sont réfugiés là-haut; pas pour les remettre dans la vraie foi, grand Dieu non, pour les voir s'envoler en fumée noire, directement des flammes du feu terrestre à celles de l'enfer.

Je n'étais pas disposé à le laisser m'attribuer pareilles intentions.

— Il est toujours bon de pardonner au pécheur repenti.

— Et celui qui n'a pas conscience de sa faute, d'où sortira-t-il son repentir? insista le templier qui ne cessait de se moquer de moi et dont je commençais à craindre les mortifications, tout en restant pendu à ses lèvres. — Pour quelqu'un qui se considère croyant et *pur*, ce serait pécher justement que renier ses croyances, comme vous autres l'exigez. Il préférera la mort; et c'est une attitude qui doit mériter tout ton respect, Guillaume.

La queue entre les jambes, je compris qu'il avait raison, que les murs de mon instruction religieuse commençaient à se lézarder, que la charpente de mes études théologiques craquait et s'affaissait. Je me tus donc et restai même un peu en arrière, d'autant plus que nous avions atteint l'endroit où était plantée l'enseigne de notre commandant.

— ... et sauf-conduit pour la garnison ! entendis-je s'exclamer l'archevêque qui semblait sur le point d'exploser, mais tous les autres seront traduits devant le tribunal de la sainte Inquisition ! — Il était évident que cette deuxième proposition plaisait grandement à Pierre Amiel ; pour ma part, je me mis à trembler tout à coup. — La capitulation se fera passé la première quinzaine du mois, ajouta le sénéchal comme s'il ne s'agissait que d'un aspect secondaire.

— Et comment cela ? s'indigna l'archevêque qui soupçonnait un piège et voyait aussi s'éloigner l'heure de sa suprême jouissance.

— *Conditio sine qua non !* lui fit savoir Hugues des Arcis sur un ton qui signifiait que l'entretien était clos. — Je suis satisfait d'avoir réglé l'affaire en accordant cette unique concession purement temporaire. Et vous, Éminence, vous devriez donner l'exemple de la patience.

L'archevêque sortit, entouré de sa rogne qui le suivait comme une mauvaise odeur de pet. Obéissant à un signe imperceptible du sénéchal, Gavin entra sous la tente tandis que je m'asseyais sur une pierre.

Le soir tombait ; une sérénité de jour de fête avait soudain entouré le pignon, le *pog*, dans sa stoïque verticalité : un calme irréel qui n'était pas celui de la paix, mais plutôt du distancement dans le temps et dans l'espace. Cette sensation venait-elle de mon propre cœur ? Ou descendait-elle de ces gens que je m'imaginais là-haut, derrière les épais murs du château, serrés les uns contre les autres dans une salle ?

Un peu perdu, je regardai autour de moi et vis qu'un grand nombre des hommes se décoiffaient. Soldats, capitaines, ingénieurs, sapeurs, arbalétriers, catapultaires, chevaliers et écuyers regardaient tous là-haut. Le cercle des assiégeants était plongé dans un silence tendu, lourd d'interrogations sur ce qui se passait et surtout se tramait parmi les assiégés prisonniers dans leurs murs ; sur leurs actes invisibles pour nos yeux, incompréhensibles pour nos esprits.

Je me mis à genoux, et je priai pour les hommes, les femmes et les enfants de Montségur !

Sous les derniers rayons du soleil couchant, alors que les vallées s'étaient depuis longtemps teintes de la couleur violette d'une nuit qui les envahissait rapidement, le château qui gardait le Saint Graal au sommet de la cime à pic du *pog* pour lequel on avait tant combattu s'illumina pour la dernière fois sous le bleu pâle d'un ciel printanier sans nuages.

Il manquait à peine trois semaines avant la fête de Pâques de l'an 1244.

La première passa à toute allure ; on sentait dans nos activités quotidiennes que la tension de prochaines manœuvres guerrières avait disparu, cédant place aux nécessités du repos et du sommeil. A quoi il fallait ajouter la mise en ordre de notre matériel pour la retraite. Peu après, quand tout fut prêt pour le grand acte final, un vide accablant s'empara de nous tous. On ne peut imaginer plus absurde qu'une armée d'assiégeants qui n'a plus personne à assiéger.

L'attente nous mettait les nerfs à vif. Nous commençâmes à compter les jours dès la deuxième semaine. Sur l'ordre du sénéchal qui avait encore moins besoin de nous autres prédicateurs qu'auparavant, nous sillonnions le camp d'un bout à l'autre pour animer les soldats par nos dévotes oraisons et leur insuffler patience et apaisement de l'esprit, car les disputes commençaient à éclater entre les différents groupes : querelles pour des histoires de femmes, coups de poing échangés pour une partie de dés, discussions nées de l'ivresse, de l'ennui et de la mauvaise humeur. Et nous priions aussi avec ceux que l'on pendait pour toutes sortes de crimes.

Je rencontrai l'évêque Durand d'Albi dont le camp se préparait déjà au départ. En chausses et pourpoint, il surveillait le démontage et l'emballage de ses catapultes dont il ne resta plus à la fin qu'un petit tas de poutres, des rouleaux de corde et un monceau de pièces de fer forgé.

— C'est donc l'*adoratrix murorum* ? demandai-je, étonné, sans parvenir à comprendre qu'une construction si glorieuse puisse avoir un si piteux squelette.

— Ah, cher oisillon chanteur d'Assise ! dit l'évêque en

m'accueillant avec de grandes manifestations de joie. — L'*adoratrix* restera là-haut sur les rochers jusqu'à ce que le dernier défenseur se rende — et il s'essuya le front. — Bien mauvais stratège qui retirerait ses armes avant le temps. La confiance est comme la foi dans le Tout-Puissant; alors que la certitude repose sur des faits.

Je me sentis provoqué dans mes connaissances scolastiques par une telle interprétation de la puissance divine.

— Notre Créateur n'est ni un fait ni un objet..., commençai-je à prêcher.

— Mais si. L'un et l'autre! Ta pauvre certitude le transforme en fait et en chose, même si Lui, le Créateur suprême, n'en a nul besoin.

— Ce qui veut dire que je peux Lui faire confiance quand je prie?

— A Lui, oui; mais pas aux êtres humains.

Je pense que l'homme ne me prenait pas trop au sérieux, et de plus, à le voir en bras de chemise, il ne me faisait pas l'effet d'un véritable évêque. Quand je bavardais avec lui, il me semblait toujours que je finissais par me prendre dans des filets lancés par un esprit supérieur au mien. Mon sénéchal passa alors à cheval et me fit signe de le suivre. Il allait en compagnie de Gavin Montbard de Béthune qui ne donna cependant aucun signe de vouloir révéler que nous nous connaissions.

Le souffle court, je suivis donc les chevaux jusqu'à la tente ronde de l'archevêque. Vêtu de tous ses ornements, Pierre Amiel sortit à notre rencontre quand il nous entendit arriver, mais il se reprit aussitôt, sans doute pour nous insuffler le plus grand respect pour son personnage de très haut dignitaire de l'Église et de *Legatus Papae*.

— Pourquoi ne pas en finir? Ce nid d'hérétiques..., commença-t-il.

— Éminence — Hugues des Arcis interrompit les récriminations qui s'annonçaient et qui prenaient toujours fin par de furieuses insultes —, j'ai donné ma parole à ces gens; je crois que le délai accordé de quinze jours est juste et qu'il compense la vie des soldats que vous perdriez si l'on violait l'accord de capitulation et si je décidais d'attaquer des gens qui...

— Ce sont des hérétiques! explosa l'archevêque. En tant que représentant de...

— Je suis ici au nom du roi de France! répliqua fermement le sénéchal, surpris que Pierre Amiel se soit soudain
interrompu dans sa déclaration. Derrière eux, sur une petite
butte plate où l'on avait dressé l'autel pour les messes quotidiennes, une litière noire escortée de huit chevaliers templiers venait d'arriver. Le même nombre de porteurs, des sergents vêtus de noir, s'apprêtaient à la poser à terre.

Le rideau de la litière s'entrouvrit légèrement, repoussé
par un bâton de commandement. J'entrevis quelques instants une délicate main blanche. Le bâton fit un bref signal à
l'un des templiers, un chevalier étonnamment jeune dont les
traits semblaient presque féminins. Gavin, qui s'était approché, descendit de cheval. A ma grande surprise, il mit un
genou en terre et, dans cette posture, reçut apparemment
l'autorisation ou l'ordre de faire son rapport. Nous les
autres, debout ou à cheval devant la tente, comme le sénéchal, nous ne pouvions entendre un mot de ce qui se disait
là-bas.

— La *Grande Maîtresse*! osa murmurer monseigneur
Durand à l'oreille de Hugues des Arcis. Voyez comment vont
les choses: nous risquons nos têtes et les templiers
recueillent les bénéfices.

Le serviteur du roi s'inclina avec une certaine réserve.

— La conclusion est encore plus simple, mon cher: il
n'y aura ni vainqueurs ni vaincus! La main qui dépose l'épée
là-haut, au château, est la même que celle qui la recueille ici,
dans la vallée...

— Et nous, braves soldats et habiles stratèges, reprit
Durand à voix basse, nous ne sommes que des figurants sur
la scène, même si nous croyons lutter pour la vraie foi et
l'authentique couronne. Nous ne sommes que des bouffons!

Il se tut quand il vit que le jeune templier poussait sa
monture vers notre groupe, suivi à pas lents de Gavin qui
avait échangé un dernier mot avec la mystérieuse visiteuse.
Le bâton de commandement donna trois coups brefs derrière les rideaux de velours noir et les porteurs reprirent la
litière. On n'y voyait aucun écu, pas même la croix rouge
ancrée aux extrémités griffues de l'Ordre.

— Guillaume de Gisors, Éminence! fit le chevalier en
inclinant légèrement la tête.

— Et qu'avez-vous donc à dire au légat du saint-père?

rugit Pierre Amiel, tremblant de rage, bien décidé à provoquer son interlocuteur.

— Le message est celui-ci : *pacta sunt servanda !* répondit le jeune homme de sa voix claire. Et sans attendre la réponse de l'archevêque, il éperonna sa monture pour rejoindre l'escorte de la litière qui s'éloignait.

Hugues des Arcis sourit.

— Le délai expire bientôt, dit-il pour redonner du cœur au nonce qui grinçait des dents, pétrifié. Il ne reste plus que deux jours...

— Au cours desquels votre vigilance se relâchera encore davantage ! s'exclama l'archevêque, ses paroles n'avaient rien d'insultant, elles trahissaient plutôt un souci sincère. — Ces méchants hérétiques qui ne respectent ni la Très Sainte Vierge, ni la loi, ni la parole donnée, continua-t-il sans ironie, sincèrement convaincu du danger, pourraient en profiter pour fuir leur juste châtiment !

Hugues des Arcis était las non seulement d'une guerre épuisante, mais aussi de ses querelles continuelles avec ce représentant vindicatif de la curie.

— La garnison peut se retirer en toute liberté et, à ce que je sais de ces cathares, aucun ne prendra ses jambes à son cou pour échapper à votre tribunal suprême, même sachant que vous ne connaissez ni la pitié ni la miséricorde ! — le vieux soldat ne dissimulait pas son dégoût. — Vous pourrez rassembler en nombre suffisant des cœurs vivants et palpitants pour dresser un bon *autodafé*, Éminence ! Des hommes, et mieux encore, des femmes, jeunes et vieilles, des vieillards et des enfants !

Il s'éloigna après avoir adressé un bref salut au précepteur et à l'évêque d'Albi, laissant Pierre Amiel bouche bée. Celui-ci essaya bien de mettre de son côté l'évêque en lui faisant un geste aimable, mais monseigneur Durand préféra escalader avec Gavin un rocher voisin et ignorer cette pitoyable tentative de compagnonnage ecclésiastique. L'archevêque se retira, offensé.

— Ils sont contents là-haut ! demanda Durand au chevalier templier en pesant soigneusement ses paroles.

— Quand il s'agit de salut, peu importent les conditions de la paix, il faut se contenter de sauver ce qui doit l'être.

— Mais où reste-t-il un lieu sûr, quand pas même Montségur ne peut l'offrir... ? répliqua l'évêque à voix basse.

— « Montsalvat » sera éternellement le gardien du salut, répondit Gavin comme s'il était perdu dans un songe. La grande consolation...

Durand restait fidèle à ses principes pragmatiques :

— Je croyais qu'il fallait sauver maintenant cette consolation...

— Tout est prêt — Gavin Montbard de Béthune, précepteur de l'Ordre des templiers, drapé dans son manteau blanc où s'étalait une croix d'un rouge vif comme le sang, aux extrémités terminées par des griffes, fixa son regard sur Montségur que l'obscurité enveloppait à présent.

LA DERNIÈRE NUIT

Montségur, printemps de l'an 1244

Dans quelques heures, il allait être minuit, nuit d'équinoxe. Les *parfaits* avaient continué à observer les constellations célestes, même si les assaillants avaient détruit une grande partie de leurs instruments d'astronomie. Ils descendaient maintenant de l'observatoire par l'escalier de pierre, étroit et raide. Dans la cour du château de Montségur, les défenseurs et leurs protégés se rassemblaient autour de l'évêque Bertrand en-Marti. Tous les cathares étaient vêtus de leurs habits de fête. Beaucoup faisaient don de leurs possessions aux soldats de la garnison pour les remercier de leur héroïque défense et témoigner qu'ils n'avaient plus besoin d'objets terrestres. Pour les « purs », leur vie en ce monde était arrivée à son terme.

Bertrand en-Marti avait disposé de deux longues semaines pour préparer les croyants à franchir ce dernier pas. Tous avaient reçu le *consolamentum*. Et maintenant, ils pouvaient assister ensemble à la grande fête tant attendue : la célébration commune de la *maxima constellatio*. L'allégresse que leur inspirait cette occasion, couronnement d'une préparation spirituelle incomparable, illuminait tout ce qui pourrait leur arriver ensuite : le dernier bout de chemin semé de souffrances, qui conduit pourtant sans détours aux portes du paradis.

Deux de ceux qui s'étaient préparés à prendre cette route furent cependant exclus par Bertrand en-Marti : ces deux *parfaits* reçurent pour mission de sauver et de mettre en lieu sûr leurs propres personnes et, surtout, certains objets et documents. Ils devaient partir sur-le-champ !

Les assiégeants croyaient surveiller toutes les allées et venues à Montségur, mais les troupes d'assaut, plus précisément les montagnards et catapultaires de Durand, ne s'étaient jamais aventurés à occuper totalement la croupe déchiquetée et couverte d'une épaisse forêt qui, du côté oriental de la forteresse, longeait la barbacane et doublait le Pas de Trébuchet avant d'arriver au Roc de la Tour. Accroupis derrière les rochers pour se protéger des flèches à grande portée des Catalans, les assiégeants n'avaient aucune intention de fouler ce terrain inquiétant duquel n'était encore revenu aucun des éclaireurs envoyés pour en reconnaître les sentiers secrets. On murmurait que certains de ces chemins conduisaient directement du château à certaines grottes ou passages et qu'ils se faufilaient entre les parois verticales du pignon, en d'autres termes, qu'ils passaient juste sous leurs pieds.

A la lumière d'un beau clair de lune, on conduisit les deux élus par des souterrains obscurs dans lesquels ils entendaient parfois au-dessus de leurs têtes les voix des hommes de l'autre camp. Dans une grotte dont l'issue se rétrécissait jusqu'à ne former qu'une fente presque invisible, on les enveloppa avec leur précieux chargement dans des draps blancs solidement noués, puis on les fit descendre au moyen de longues cordes le long de la paroi orientale, difficile à surveiller, jusqu'au fond de la gorge du Lasset. Le fracas du torrent étouffait tous les bruits. Plus tard dans la nuit, les templiers commandés par Montbard de Béthune bouchèrent la fissure qui s'enfonçait dans le rocher.

En bas, des porteurs attendaient avec des bêtes de somme. Et au moment où les mercenaires basques, rompus à l'art de l'escalade, s'apprêtaient à retirer les cordes, deux cavaliers surgirent dans la nuit noire de la gorge baignée par les eaux écumantes du torrent.

Leurs vêtements les enveloppaient presque de la tête aux pieds. Leurs armures ne portaient aucun écu et leurs casques aucun emblème ; visières baissées, ils tenaient fermement leurs chevaux par les rênes.

L'un d'eux était d'une taille gigantesque ; son casque rond et sa cotte de mailles semblaient être de fabrication germanique. Son compagnon, svelte, portait une coûteuse armure de facture orientale, comme celles qu'on trouve parfois en Terre sainte. Muets, ils s'emparèrent des cordes qui pendaient.

Lorsqu'ils virent des épées nues aux poings des étrangers, ceux qui aidaient à la fuite, intimidés, hésitèrent d'abord, mais un chevalier templier apparut au bord de la gorge et lui indiqua d'un geste que tout allait bien, avant de disparaître.

Les aides avaient hâte. Ils enveloppèrent rapidement les chevaliers dans les draps disponibles et les Basques les hissèrent en haut.

Dans la grotte secrète, le maître du château les salua à voix basse, après avoir serré dans ses bras le corps puissant de l'aîné des chevaliers, puis le plus jeune.

— Je commençais à craindre que vous n'arriviez pas, chevalier de l'empereur, ou que vous arriviez trop tard, prince de Selinonte.

— Il n'y avait pas lieu de vous inquiéter, répondit ce dernier en relevant la visière ciselée qui protégeait son visage — quoique la dernière étape ne convienne qu'à ceux qui ne souffrent pas du vertige. — Ses traits anguleux et son accent guttural indiquaient un étranger. — Aidez donc Sigbert à se débarrasser de son empaquetage ! — Et il montra son volumineux compagnon qui avait du mal à se dépêtrer de son drap. — Ce déguisement de ver à soie ne lui plaît guère !

L'autre arracha en grognant le casque qui couvrait ses cheveux gris :

— Je préfère regarder en face une douzaine d'ennemis que de revoir cet abîme épouvantable.

— Votre vaillance, commandeur, fait honneur à l'empereur.

— Frédéric ne sait rien de cette aventure! répondit Sigbert avec hargne. Et c'est tant mieux.

On les conduisit à l'intérieur du château où les *parfaits* et les *credentes*, un cierge à la main, venaient de former une joyeuse procession et entraient en chantant des cantiques dans la salle des cérémonies de la tour d'hommage. Puis on ferma les portes de la salle. Ils restèrent dehors.

— Ces chrétiens célèbrent leur résurrection avant même de mourir? murmura l'homme qui se faisait appeler Constance de Selinonte, sans que sa voix témoigne d'aucun respect particulier. Il était difficile de lui donner un âge, car sa peau basanée, sa barbe parfaitement taillée, et surtout son nez aquilin, lui donnaient l'aspect d'un oiseau de proie, image que renfonçaient des yeux noirs toujours aux aguets.

Le vieux chevalier prit son temps pour répondre.

— Quelle mort? Ils ne lui accordent aucune importance, ils la nient même, grogna-t-il avec sa rudesse habituelle. Et c'est bien en cela qu'ils sont hérétiques! — Sigbert von Öxfeld, très ancien membre de l'Ordre teutonique, était ce que l'on appelle un géant : il avait le crâne épais des Allemands, le menton rasé et les plis de sa peau faisaient penser à un placide chien de Saint-Bernard.

Comme les soldats et chevaliers qui étaient à leurs côtés gardaient un silence ému, les deux hommes s'abstinrent de poursuivre la conversation et de poser d'autres questions.

INTERLUDIUM NOCTURNUM

Montségur, printemps de l'an 1244 (chronique)

Depuis le début de mes études, l'un des désirs secrets du gros campagnard flamand que j'étais alors avait été de m'initier à la magie noire, de connaître les détails de la kabbale mystique. Dès mon arrivée à Paris, je n'avais pas manqué une seule réunion alchimique ou séance d'exorcisme. Le jour, je suivais les leçons de l'extraordinaire dominicain Albert, que l'on appelait déjà le Grand, mais la nuit, je parcourais les ruelles de la ville avec le groupe dont faisait partie mon compagnon anglais Roger Baconius, *magister artium* et *doctor mirabilis*; ce fut lui qui transforma le Guillaume flamand en ce Guillaume mondain que je suis aujourd'hui, changement que j'acceptai avec grand plaisir. Je rendis visite au célèbre astrologue Nasir ed-Din el-Tusi et je tentai d'assister à l'université aux leçons d'Ibn al-Kifti, médecin fort réputé, afin d'avoir un aperçu des mystères de l'Orient.

Et pourtant, tout ce passé pâlissait et se transformait en une chimère floue et incolore, pour ne pas dire en pure hallucination comparé au fait qu'au plus profond de la forêt, au-delà du Lasset, habitait une vraie sorcière qui non seulement connaissait mon nom et mon visage, mais possédait aussi des connaissances mystérieuses sur le destin qui m'attendait.

J'étais déjà suffisamment troublé d'avoir vu s'accomplir avec la mort du Basque les circonstances qu'elle avait prédites avec tant de précision, même si elle s'était trompée en parlant d'un franciscain « gardien » du Saint Graal, dont la présence m'avait en tout cas échappé. Pourtant, les rumeurs qui couraient constamment au sujet de ce Graal ne me laissaient plus en paix.

La Louve m'attendait tout en prétendant le contraire comme aiment à le faire les femmes et encore plus les sorcières. Elle était tapie comme une araignée dans l'épaisse forêt de Corret et je bourdonnais autour d'elle, grosse mouche stupide, virevoltant autour de la flamme dont j'aurais dû savoir parfaitement, après avoir étudié la théologie, qu'elle était capable de me brûler les ailes, et jusqu'à l'âme et le corps. Tels étaient les doutes qui me tourmentaient cette nuit-là.

Longtemps, j'observai les soldats qui travaillaient à dresser au pied du *pog* une gigantesque montagne de bois sous le commandement du prévôt. De gros pieux aux quatre coins, réunis par de robustes poutres de bois vert, pour qu'il résiste longtemps, le tout rempli de paille et de feuilles sèches.

Construire un bon bûcher est un art. Pourtant, je me sentais incapable d'admirer de tout mon cœur leur œuvre, car lorsque je voyais l'archevêque s'approcher en se frottant les mains pour s'assurer que l'ouvrage allait bon train, je sentais au creux de mon ventre un malaise qui me forçait à m'éloigner, raison pour laquelle je décidai de m'ouvrir d'abord à Gavin Montbard de Béthune de certains doutes qui pesaient sur mon âme. Mais un groupe de ses sergents me retint à l'entrée de la gorge, alors que j'étais connu de tout le monde dans cet endroit.

— Pas maintenant, me dirent-ils avec fermeté. Les chevaliers sont en réunion !

Je compris qu'il était inutile d'insister et je m'en allai. Mais j'avais aperçu des lumières sous les tentes, ce qui piqua ma curiosité.

Je montai en prenant par le bois, une entreprise un peu hasardeuse en pleine nuit. Les heures où s'égalent le jour et la nuit appartiennent aux esprits et aux elfes. Il n'y avait pas de vent, et pourtant les branches craquaient et il m'arrivait un murmure de la cime des arbres. Tout à coup, j'entendis sonner des sabots au-dessus de ma tête. Je vis alors un raidillon à moitié caché qui montait vers les hauteurs et par lequel s'éloignaient à cheval deux ombres blanches comme la neige, le visage dissimulé ; des gnomes couraient à côté de leurs montures. Personne ne disait mot. Au bout de quelques instants à peine, la vision s'effaça. A la vue de ce spectacle, j'étais tombé à genoux et m'étais collé contre les broussailles qui couvraient le sol. Il ne me restait plus qu'à prier. Ces ombres vêtues de blanc venaient de la gorge du Lasset et elles avaient nécessairement traversé le camp des templiers. S'agissait-il de deux chevaliers de l'Ordre ? Pouvais-je le demander à Gavin ? Terrorisé, je regardai autour de moi, puis me relevai.

De l'endroit où j'étais, on apercevait les tentes des templiers à travers les troncs d'arbres, en contrebas. Mais au lieu du va-et-vient habituel, c'était à présent le silence. Devant la tente de Gavin, on avait dressé une longue table couverte d'un drap blanc sur laquelle je vis trois chandeliers d'argent, tous à sept branches. Une tête de mort était posée sur une étoffe à un bout de la table. La lumière vacillante des chandelles animait les obscures cavités des orbites qui me lançaient des regards horribles. J'osai à peine relever les yeux quand je découvris Gavin en face de la tête de mort, un livre ouvert devant lui.

Cinq chevaliers parmi les plus âgés prirent place des deux côtés de la table. Tous semblaient attendre quelque chose, mais sans le moindre geste d'impatience. Puis la tente s'ouvrit derrière eux et le jeune templier aux traits féminins que j'avais déjà vu à côté de la litière drapée de velours noir s'avança, conduisant par le bras une forme vêtue de blanc. Je ne pus rien voir de sa figure, car elle avait la tête couverte d'une cagoule pointue qui lui dissimulait complètement le visage jusqu'aux épaules, à l'exception de deux ouvertures pour les yeux. La forme se déplaçait avec lenteur et dignité, portant sur ses deux mains un bâton de commandement précieux comme je n'en avais jamais vu. La hampe en or massif était ornée de deux serpents — l'un gravé dans l'ivoire, l'autre en bois d'ébène — qui allaient rejoindre une tête d'aigle au sommet. Et tandis que l'aigle mettait en pièces la tête de l'un des serpents, l'autre mordait l'oiseau à la nuque. Le jeune homme conduisit la forme blanche jusqu'à un bout de la table où elle déposa le bâton en grande cérémonie. Puis le beau templier s'éloigna. Personne n'avait encore dit un mot.

J'étais accroupi au milieu des broussailles, assez loin de ce spectacle, mais son image resta gravée dans ma mémoire comme si quelqu'un m'avait montré le bâton, à moi en particulier et à personne d'autre. Il me semblait que des flammes sortaient des corps entrelacés des serpents et je ne savais plus si c'était le blanc qui mourait et le noir qui mordait, ou le contraire, ou si les deux souffraient et infligeaient à la fois le même sort.

— La pierre est devenue calice! — La voix du personnage vêtu de blanc m'arracha à mes pensées. Était-ce un homme ou une femme? Je n'aurais pu le dire. Le vent de la nuit portait ses paroles sur ses ailes, mais les arbres qui barraient le chemin les défaisaient, les retournaient, les étouffaient. — Le calice a reçu le sang...

« Une sublimation », pensai-je en me souvenant de mes connaissances occultes : l'élévation d'une chose sur et par l'autre. Mais quel mystère révélait-on ici, et à qui? Parlait-on du Saint Graal?

— Quand Marie-Madeleine foula la terre de ce pays, elle portait avec elle le sang sacré, elle le portait en elle, disait la voix du personnage encapuchonné. Des druides dans le secret du mystère, des scribes au fait de l'ancienne foi judaïque, l'attendaient avec impatience; ils l'accueillirent, puis la firent accoucher et incarner...

Gesta Dei per los Francos : soulignait-il ou rappelait-il cette supériorité constamment revendiquée par la noblesse française, qui se croyait préférée de Dieu? Certes, nous n'étions pas au royaume de France, mais notre tâche consistait précisément à étendre ce royaume et il était fort possible que Dieu ait pris ses dispositions à cet égard.

— Le sang! Un courant qui toujours circule, vigoureux et vivant! s'exclama le vieux druide. La transsubstantiation n'est pas nécessaire, car il s'y soustrait, il se volatilise en se transformant en esprit, jusqu'à se fondre dans la « connaissance du sang »...

Sublimatio ultima, pensai-je avec satisfaction, mais avec une certaine inquiétude; j'aurais préféré un authentique calice de vraie matière. Et mieux encore s'il contenait quelques gouttes séchées de ce précieux liquide!

Le vieillard — en vérité, il pouvait s'agir tout aussi bien d'une prêtresse — parut fatigué et s'appuya sur la table, comme s'il avait un léger vertige. J'espère bien, me dis-je alors, qu'il ne va pas emporter la nappe, la tête de mort et de bâton. Mais aucun des chevaliers n'accourut à son secours, pas plus que personne n'avait bougé depuis le début du rituel.

— La connaissance de l'ultime mystère, continuait la voix comme dans un murmure, ne court aucun risque, au contraire de ceux qui sont ses porteurs et qui sont destinés à la confier à d'autres. Ce qui nous oblige à accourir ici vous demander votre aide, auprès de vous qui représentez notre bras armé. Comme vous devez votre noblesse à ce sang, vous avez l'obligation de protéger et de sauvegarder avec tout le pouvoir spirituel de votre amour ce qui est notre salut et notre félicité éternelle!

Je n'avais pas entendu le nom de celui dont il parlait, ni de celui qu'il fallait protéger. Le vent et les feuilles avaient avalé le plus clair de ses paroles. Les templiers, Gavin en tête, firent cercle autour du personnage vêtu de blanc,

posèrent chacun la main droite sur leur tête et se mirent à
genoux. Ils murmurèrent quelque chose qui me parut être
un serment. Et moi, fils de simples paysans des Flandres, je
me disais que ces gens-là n'étaient qu'une bande d'arrogants
et de vaniteux, puisqu'ils n'admettaient dans leur cercle que
ceux qui étaient de la même origine et du même sang que les
Francs. Enveloppé de mystère, le personnage vêtu de blanc,
grand maître d'une secte assez importante pour commander
aux fiers templiers qui ne devaient obéissance personnelle
qu'au pape, tendit son bâton à Gavin, toujours agenouillé.
Gavin le baisa, puis les chevaliers se relevèrent en silence. Le
jeune Guillaume de Gisors revint alors — je me souvins de
son nom en cet instant précis —, suivi de dix écuyers qui
allèrent se placer derrière les chevaliers. Avec une extrême
délicatesse, le jeune homme aida le personnage en blanc à se
retirer.

Je ne savais plus où j'en étais. Si ces hommes avaient
parlé du « Saint Graal » — *lapis excillis, lapis ex coelis* :
combien de nuits n'avions-nous pas passées à Paris à discuter de ces mots de Wolfram von Eschenbach ! —, ce personnage était sans doute un étranger. Mais Marie-Madeleine, la prostituée, qu'avait-elle à voir avec tout cela ? Ces
aveugles croyaient-ils que le Messie s'était abaissé au point
de partager sa couche avec elle ? Vénérer le fruit de son
ventre comme s'il participait du « très précieux sang »,
n'était-ce pas trahir Marie, unique et véritable mère de
Dieu ? Jésus aurait donc péché ? Je ne pouvais accepter que
son membre viril soit semblable à celui d'un homme ordinaire, et tout ce que je pouvais admettre sur ce point, c'est
que l'enfant Jésus avait sans doute eu un minuscule petit
moineau espiègle. *Pax et bonum !* Pouvait-on penser qu'il ait
fait un faux pas avec cette femme licencieuse et effrontée ?
Elle que l'on pouvait par contre imaginer facilement s'approchant trop près de lui pendant qu'elle lui oignait les pieds
avec l'huile ? Et même s'Il s'était manifesté dans un autre
être vivant, était-ce une raison pour pareil chambardement,
pour opposer à l'*Ecclesia catolica*, légitime héritière du Messie, un autre lignage d'un sang plus que douteux ? Rendre
hommage à un fruit illégitime que le très saint sacrement du
mariage n'avait pas sanctifié ?

Il y avait dans mes ruminations quelque chose qui bouleversait tout ordre établi : si mon seigneur le pape pouvait se tromper, ne pouvait-on affirmer la même chose de Jésus-Christ notre Seigneur, qui était autant mon Seigneur que le sien ? Que s'il avait commis un péché en s'amusant avec Marie-Madeleine, peut-être quelqu'un n'avait-il pas aimé ce qui s'était passé et qu'il nous avait alors châtiés, nous les frères et les prêtres, en nous interdisant à tout jamais de commettre pareils actes, en nous prohibant même d'y penser ! Et nous serions alors ceux qui souffrent pour les péchés du Seigneur, et pas le contraire !

Je sentis un frisson. Pour la première fois dans ma vie, je maudis la curiosité malsaine qui m'avait conduit en ce lieu, car j'avais été manifestement le témoin de quelque chose qui n'était pas destiné aux oreilles ni aux yeux des étrangers. Et même si je n'avais pas compris tous les détails de ce spectacle mystique, même s'il était possible que je sois totalement dans l'erreur sur un point ou un autre, une chose me paraissait bien claire : on avait révélé devant moi un coin d'un mystère qui dépassait de beaucoup l'horizon d'un franciscain insignifiant. Et je compris aussi qu'il serait préférable de tenir ma langue sur ce que je venais de voir, si je ne voulais pas courir de grands risques physiques et spirituels.

Guillaume, me dis-je, toujours accroupi parmi les broussailles, tu t'es converti sans le savoir en gardien d'un mystère du Graal. Je ne soupçonnais pas encore que les liens qui m'attacheraient au grand mystère ne faisaient que commencer à se nouer.

Un profond silence régnait dans la clairière. Les chevaliers de l'Ordre âgés étaient assis à droite et à gauche du précepteur, flanqués chacun d'un jeune écuyer debout, une cruche à la main. Parfaitement immobiles, ils ne disaient pas un mot. Puis, Gavin Montbard de Béthune donna un petit coup sur la table avec son bâton. Les chevaliers levèrent la coupe qu'ils avaient devant eux et se mirent à boire. Un autre coup sur la table, et ils les reposèrent. Les jeunes échansons les remplirent, tandis que Gavin tournait une page du livre. Lui ne buvait pas. Ils retombèrent dans cette même immobilité contemplative et je ne saurais dire combien de temps je contemplai ce lugubre spectacle, jusqu'à ce que trois coups m'arrachent à mon enchantement. Les chevaliers éteignirent chacun une chandelle, puis se levèrent et embrassèrent sur les joues et les lèvres leurs jeunes échansons. Gavin éteignit la dernière chandelle et la scène fut plongée dans le noir.

Avec d'infinies précautions, craignant de casser une branche sous mes pieds, je me glissai hors de la forêt et arrivai au poste de guet.

On me conduisit devant Gavin qui était assis sur une chaise pliante devant sa tente. La grande table avait disparu, de même que les chandelles et la tête de mort. A la lumière du feu, la croix rouge aux extrémités griffues étincelait sur ses vêtements, comme peinte de sang frais.

— Moinillon, dit-il avec son ironie habituelle, que fais-tu donc à courir les bois à ces heures ? Ne sais-tu pas qu'il est dangereux de se promener cette nuit ?

Je sentis les battements de mon cœur remonter jusqu'à mon cou. Il ne sait rien, il ne peut pas savoir que je...! Mais avant que je ne termine intérieurement ma phrase, le démon qui se nourrit de nos fautes et péchés me poussa à demander :

— Au service de qui l'Ordre des chevaliers du Temple est-il vraiment ? — je ne pouvais chasser ce doute de mon esprit. Gavin semblait parfaitement tranquille.

— Son nom le dit : sa mission est de protéger le temple de Jérusalem...

— Et c'est pour cette raison que le grand maître réside à Saint-Jean-d'Acre ! osai-je l'interrompre avec une certaine insolence.

Gavin se mordit les lèvres, mais il se maîtrisa :

—... et de protéger la Chrétienté outre-mer, dans son ensemble.

— Rien d'autre ? insistai-je. Il n'y a aucun Mysterium ? Pas de... trésor secret ?

— Tu crois que la Terre sainte n'est pas suffisamment précieuse ? se moqua-t-il, passablement irrité à présent. Mais je tins bon :

— Je veux parler d'un trésor dans le trésor, de l'essence véritable qui mérite d'être protégée, de l'Ordre derrière l'Ordre visible, de l'autorité vraie, du grand guide dont on parle à voix basse. Et qu'est-ce que la Grande Maîtresse a donc à voir avec vous, elle qui, tout récemment... ?

— Qui t'a donné ce nom ? gronda-t-il d'une voix rude.

Son regard était devenu méfiant, presque hargneux. Ne t'avise jamais de le reprononcer ! m'admonesta-t-il brutalement, ce que je lui jurai sur-le-champ. Je compris que j'étais allé trop loin.

— Tout ce qu'on écoute sans être autorisé à l'entendre, me sermonna le précepteur sur un ton dangereusement paternel, ne peut se répéter à tous les vents. — Puis il m'observa longuement et finit par me sourire :

— Moinillon, tu crois peut-être qu'on vous enseigne à traiter les mystères ésotériques sur vos prie-Dieu et dans vos stalles ? Vous n'interprétez même pas correctement l'Évangile de saint Jean et ne savez rien de l'existence des écrits apocryphes ! Méfie-toi, Guillaume, car le prince des enfers peut revêtir bien des déguisements.

Je ne pouvais m'empêcher de lui donner mentalement raison, mais le démon me tenta une fois de plus. Gavin s'était levé, mais je le tirai par la manche pour le retenir :

— Et la félicité éternelle ? Et ce bien qu'il faut sauvegarder ?

Très lentement, le précepteur se retourna vers moi :

— Guillaume, n'oublie pas que ne pas le savoir et pourtant le rechercher pourrait te valoir le salut, pourrait faire de toi un bienheureux.

J'essayais désespérément de trouver le moyen de formuler ma question sur la *sublimatio* sans que mes paroles trahissent ma condition d'espion. Je ne voulais pas commencer en parlant du sang de la prostituée, car l'Ordre la vénérait peut-être secrètement comme une sainte, ce qui aurait signifié pour moi une mort certaine. Il était même possible que tous les templiers soient ses descendants, jusqu'à Gavin Montbard de Béthune lui-même.

Mais il dissipa mon trouble :

— Comme dans tous les contes, Guillaume, dit-il en reprenant son visage paternel de précepteur omniscient, je t'ai laissé poser trois questions. Maintenant, tu peux aller te coucher !

Une fois de plus, il avait repris ce ton ironique dont il usait avec moi et qui me faisait tant enrager. Pour l'impressionner par mes connaissances, je répondis cependant, poussé par une inspiration soudaine :

— Je devrais peut-être demander conseil à la Louve ?

Peut-être connaîtra-t-elle les réponses à mes questions ! C'est une femme avisée, et elle sait guérir !

— *Baucent à la rescousse !* — Il préféra me répondre par la raillerie la plus cruelle en me donnant une bonne tape sur les doigts. — Stupides bavardages de cantinières ! Cette légende n'est même pas aussi ancienne que la barbe que je porte ! Elle est née ici, au pied du *pog*, le jour où les femmes et les soldats ont commencé à s'ennuyer. Pure invention !

Cet éclat du chevalier templier que j'avais toujours vu si maître de lui aurait dû me mettre la puce à l'oreille, mais il ne fit que ranimer mon entêtement.

— Mais cette vieille femme existe vraiment, en chair et en os ; on m'a même indiqué le chemin pour aller chez elle, et je vais...

Gavin m'interrompit avec une sévérité inattendue.

— La règle de saint François n'est pas une initiation d'adeptes ! Garde-toi bien, Guillaume, de te mettre sans préparation dans une situation qui te dépasserait, faute de l'instruction voulue. Va dormir et oublie ta vieille femme !

— Pas cette nuit, lui répondis-je sur un ton décidé. C'est une nuit magique, la dernière nuit de Montségur !

— Moinillon, me menaça-t-il avec une résignation feinte avant de retrouver aussitôt son ironie mordante, moinillon, ce n'est pas la dernière nuit, mais *la* nuit. Et précisément parce que tu ne sais rien de la *maxima constellatio*, tu ferais certainement mieux de te cacher la tête sous ta couverture.

— Et si je dois participer un jour au « grand projet » ? — Indigné de son arrogance supérieure, j'ajoutai cependant sur un ton un peu plus humble : — Il faut bien commencer quelque part !

— Lis les livres, ou mieux encore : cordonnier, à tes chaussures. Prie !

Je fis comme si j'allais m'exécuter, tout en me disant que rien ne m'empêcherait de découvrir peut-être le mystère et le rôle que j'étais destiné à y jouer.

Je pris congé. Je crois qu'il n'était pas loin de minuit, mais je décidai aussitôt de me mettre tout bonnement en quête de la sorcière. Le sénéchal m'avait informé que le roi avait l'intention de me reprendre à son service à la fin de la campagne et qu'il avait même déjà fait mander pour moi. Je devais me mettre en route le lendemain. Il fallait donc agir sans tarder, à moins de vouloir passer le reste de ma vie à regretter cette occasion perdue.

Il aurait sans doute été préférable de profiter de cette dernière occasion de fuir, pendant qu'il était encore temps. Mais peut-être était-il déjà trop tard. *Deus vult!*

MAXIMA CONSTELLATIO

Montségur, printemps de l'an 1244

La nuit était belle, le ciel constellé d'étoiles. Immobiles, les ombres des sentinelles se découpaient sur les murs et les chemins de ronde de Montségur. Dans la cour du château, les hommes de la garnison formaient des groupes silencieux, les feux qui y brûlaient habituellement étaient éteints. Les soldats se pressaient à l'ombre des hautes murailles, non plus pour se protéger des lourds boulets de l'ennemi, mais poussés par le désir confus de ne pas troubler le silence des lieux par le moindre mouvement, dans un dernier geste d'admiration et de respect pour ceux qui s'étaient rassemblés aux côtés des cathares dans la salle des fêtes. Personne ne disait mot. Et pourtant, ce n'était pas le silence paralysant de la mort prochaine qui régnait sur Montségur, mais bien une sorte d'impatiente quiétude. L'air vivait, les murs respiraient, les étoiles brillaient et resplendissaient au-dessus d'eux avec une intensité telle que plus d'un croyait entendre une lointaine musique, et quand une étoile filante traçait sa courbe dans le firmament, on aurait pu croire qu'elle s'était élevée au-dessus de la forteresse pour se consumer dans l'infini de la grandiose voûte céleste.

A l'intérieur du château, les chevaliers attendaient dans l'antichambre.

Pressés les uns contre les autres, ils continuaient à garder le silence, même ceux qui se trouvaient sur les marches de l'escalier extérieur. Dans ce cercle fermé où régnait une extrême tension, aucun n'osait s'avancer dans l'espace libre qui les séparait de la porte. Non pas de crainte qu'on les soupçonne de vouloir écouter, mais pour montrer que la spiritualité de ceux qui s'étaient retirés derrière les vantaux de chêne de la lourde porte établissait une séparation visible entre les uns et les autres.

Beaucoup de ceux qui attendaient dehors savaient qu'à l'intérieur se trouvaient leurs épouses, leurs mères, leurs sœurs, et qu'aucun de ceux qui s'étaient réunis dans la salle ne quitterait Montségur le lendemain avec eux, par la porte principale. Disputes et discussions restées en suspens étaient maintenant oubliées. La décision de ceux qui recevaient le *consolamentum* était irrévocable. Et ils l'acceptaient avec allégresse, car il leur ouvrait les portes du paradis. Ainsi donc, parents et amis étouffaient leurs sanglots, même si certains ne pouvaient empêcher quelques larmes roulant sur leurs joues de les trahir, et la salle était si petite qu'il aurait été impossible de ne pas entendre le doux gémissement de tel ou tel à qui le compagnon qui se trouvait à côté de lui répondait en lui prenant la main pour la serrer. Tous respiraient pesamment.

Sigbert, le rébarbatif commandeur de l'Ordre des chevaliers teutoniques, passa la main dans les cheveux d'un jeune garçon qui se trouvait seul, un peu à l'écart des autres, les yeux fixés sur la porte. Le petit refusa son geste affectueux. Son regard était dur et le vieux guerrier se sentit envahi par la tristesse.

Une heure plus tard, un vantail s'entrebâilla et l'on vit sortir la jeune Esclarmonde, accompagnée de Pierre Roger de Mirepoix et de sa suite.

Constance de Selinonte, debout à côté de Sigbert, ne put résister à la tentation de jeter un rapide coup d'œil dans le clair-obscur qui régnait à l'intérieur. Le fond de la salle semblait baigner dans une lumière magique dont il ne put découvrir l'origine, car elle était dissimulée par ceux qui assistaient à genoux à l'office. Ses yeux tentèrent de pénétrer

dans un monde qui leur était caché, comme une grotte remplie de colonnes de pierre, un miracle qui aurait pris corps
devant lui, un étrange parcours ; mais ses pensées revinrent
bientôt à la surface ensoleillée du monde : pour lui, Esclarmonde était la lumière du monde, la pureté étincelante, évoquant en lui des souvenirs qu'il s'était promis d'oublier. Il fit
un effort pour revenir au « Montsalvat », à l'espace qui
s'étendait derrière cette porte.

Que pouvaient donc voir là-bas les élus, que lui ne pouvait comprendre ? Quelle était la source de cette clarté sans
ombres, sans vacillations, qui enveloppait cette assemblée ?
Était-il possible que la lumière émane d'eux-mêmes, qu'elle
soit le reflet de la plus haute concentration spirituelle, sous-
trayant le corps aux lois de la matière, au poids de sa gangue
terrestre ? Constance se souvint de la conversation qu'il avait
eue bien des années plus tôt avec un vieux soufi. L'homme
lui avait parlé du corps qui se libère de toutes douleurs et
craintes mortelles par l'extase de la méditation. Les « purs »
avaient-ils tellement progressé sur ce chemin qu'ils voyaient
s'ouvrir devant eux les portes du paradis ?

Il regarda furtivement Sigbert, mais son paternel ami, le
commandeur, était immobile comme une statue, jambes
écartées, les mains posées sur le pommeau de son épée, la
tête penchée en signe de recueillement. Sigbert ne perdait
pas son temps à demander où ni pourquoi. Sa pensée était
pragmatique : il pensait à la tâche qui l'attendait et priait en
silence pour qu'elle réussisse.

Autour d'Esclarmonde, têtes rapprochées en silence,
bras affectueusement enlacés, quelques hommes et femmes
formaient un groupe serré qui s'ouvrit ensuite vers ceux qui
les attendaient devant la porte. Des servantes présentèrent à
la jeune femme deux enfants enveloppés dans d'énormes
édredons qui ne laissaient voir que leur bouche et leur nez.
On aurait dit des momies. Et pourtant, ne serait-ce que par
le caractère irréel de ce moment, il émanait de leurs visages
une expression altière, détachée des réalités terrestres. Ces
deux enfants étaient la petite fille blonde et le petit garçon
timide dont nous avons déjà fait connaissance. Sans doute
leur avait-on donné une drogue pour les endormir.

— *Diaus vos benesiga !* — La fille de Raymond embrassa
encore une fois les petites frimousses avant de remettre les

précieux fardeau aux deux étrangers. Un frisson imperceptible la parcourut quand elle fit glisser le paquet d'où sortait
le visage délicat de la petite fille entre les mains de
Constance; et au même instant, la lumière du souvenir vint
éclairer son visage : — Pour l'amour de Dieu, chevalier,
reportez sur ces enfants l'amour que vous vouliez mettre à
mon service! *Aitals vos etz forz, qu'el les pogues defendre!*

Le chevalier étranger mit un genou en terre et répondit :
— Je vous le jure de grand cœur, *n'Esclarmunda. Vostre
noms significa que Vos donatz clardat al mon et etz monda,
que no fes non dever. Aitals etz plan al ric nom tanhia.*

La jeune femme s'éloigna sans répondre et disparut
dans le noir. Visiblement embarrassé avec le petit garçon
dans ses bras, Sigbert vit tous ceux qui attendaient derrière
la porte se mettre à genoux sur leur passage.

Ils entrèrent dans le souterrain et le commandant les
accompagna jusqu'à l'étroite fissure par laquelle la grotte
s'ouvrait entre les rochers. Les Basques étaient là pour
s'occuper d'eux. Ils attachèrent les deux enfants emmitouflés
sur la poitrine des deux chevaliers qu'ils enveloppèrent dans
des draps, avant de nouer des cordes autour de leurs
hanches et sous leurs aisselles.

— Souvenez-vous, amis, dit le défenseur de Montségur
d'une voix blanche, remplie à la fois d'orgueil et de tristesse,
que ces enfants sont notre testament et notre espérance,
puisqu'ils sont... — les larmes l'empêchèrent de continuer,
tandis que les deux chevaliers, les enfants solidement collés
contre eux, disparaissaient derrière les rochers. — *Ay, efans,
que Diaus Vos gardaz!*

II

LE SAUVETAGE

LA LOUVE

Montségur, printemps de l'an 1244 (chronique)

Qu'est-ce que le Saint Graal ?

Je savais que je n'aurais pas dû poser cette question, ni même prononcer ce mot, mais rien ne m'intéressait davantage en ce monde que de percer ce mystère. Il me semblait avoir vécu une éternité pelotonné dans la chaumière de la vieille femme; en tout cas, j'étais sûr d'y avoir passé au moins cette longue nuit. La Louve n'était pas une petite vieille rabougrie penchée sur ses brouets d'herbes, comme je l'avais imaginée, pas même une sorcière édentée, et nulle part on ne voyait dans son refuge d'autres étranges ingrédients, comme des fœtus de batraciens enfermés dans des bocaux de verre, ou des serpents venimeux et autres bestioles répugnantes, pas la moindre boule de cristal pour jeter une lumière magique sur mon avenir. La Louve devait peut-être son nom à son corps musculeux, à son profil anguleux qui faisait ressortir sa mâchoire puissante quand elle ouvrait sa bouche dans laquelle ne manquait pas une seule pièce. Je me l'imaginais en frissonnant en train de plonger ses dents dans le cou d'un chevreau, d'arracher d'une seule dentée la tête d'une poule. Mais c'étaient surtout ses mouvements qui lui donnaient cet air d'animal de proie, de bête toujours aux aguets qui se faufile et soudain attaque. Je restai moi aussi comme envoûté dès que je fus assis dans son alcôve de pierre. En quelques rapides coups de couteau, elle mit son âme à nu, fit l'autopsie de mes espoirs et de mes peurs, mordit mon bouclier protecteur trempé de morale et de vertu, cracha ma foi comme on crache un coquillage vidé de sa pulpe. J'étais renversé en arrière, presque allongé, la tête posée sur la pierre froide, et je suivais ses mouvements comme si toute volonté propre m'avait abandonné.

La Louve se tut pour me laisser mijoter dans mon jus. De temps en temps, elle prenait quelques feuilles vertes ou de jeunes branches qu'elle glissait soigneusement entre les flammes où elles éclataient dans un nuage d'étincelles. L'odeur vivifiait mon cerveau et mes pensées les plus secrètes se mirent à tournoyer à la surface, toujours plus rapide, comme si ma tête allait éclater; elles luttaient pour s'échapper à toute force, tandis que la voûte de pierre me protégeait le crâne comme une main invisible. Mon visage ruisselait de sueur. Dans un petit chaudron bouillait un brouet d'herbes dont le fumet de terre humide me tranquillisait, m'endormait, faisait s'évaporer mes désirs, étalait devant moi tous mes mensonges comme les osselets blancs d'un crapaud.

Nous n'avions pas échangé un mot. La Louve ne m'avait rien demandé et je n'avais rien dit, sauf cette phrase qui m'émouvait tellement; et à peine l'avais-je eu prononcée que j'avais su ne pas être digne d'une réponse, d'aucune réponse. Je tremblais de froid.

Un bruit de sabots dans la forêt souleva l'inquiétude, puis un murmure de voix nerveuses parmi les *faidits* qui campaient devant la chaumière; un cliquetis d'armes et la porte s'ouvrit tout à coup : deux silhouettes enveloppées dans des draps blancs maculés de terre s'engouffrèrent à l'intérieur.

— Les enfants du mont!

Ils tiennent deux ballots à bout de bras, comme des trophées. La vieille femme s'est levée et les attend devant les flammes dansantes : prêtresse païenne devant l'autel.

La Louve lève son bâton de druide.

— *Salvaz!* murmure-t-elle d'une voix où se mêlent respect et soulagement.

C'est alors que les chevaliers me découvrent, moi le moine franciscain avec sa croix de bois sur la poitrine...

— Trahison! siffle le jeune homme entre ses dents, et un éclair de lumière joue sur son épée.

— *Salvaz!* — D'un geste vif, la Louve jette une poignée

de poudre dans le feu qui monte en crachant des étincelles ; puis un nuage de fumée blanche s'élève et me sépare de mon agresseur. Derrière la nuée dansante, je devine que le plus âgé des chevaliers a fait dévier le coup, je vois des étoiles de feu s'échapper du brouillard laiteux. Ma tête résonne comme une énorme cloche ; même dévié, le coup m'a projeté en arrière...

L'haleine tiède du printemps envahit tout le pays, nombreux sont ceux qui s'en rendent compte seulement maintenant que leur esprit est libéré. Dans sa douce splendeur, la paix revient dans les cœurs...

On m'arracha à ma profonde léthargie ; au plus beau de mon songe, je sortis de mon évanouissement. Je me retrouvai pieds et poings liés devant la chaumière, la tête endolorie, mais bandée. Il faisait encore nuit noire et Gavin Montbard de Béthune était penché sur moi.

— Je t'avais bien dit, frère Guillaume, qu'une brebis du troupeau de saint François ne devrait pas vagabonder la nuit dans la forêt obscure, ni s'aventurer dans la grotte de la Louve ? J'ai eu tout juste le temps de t'arracher aux serres du faucon et aux pattes de l'ours ! — L'étrange précepteur dans son manteau de templier me souriait en me montrant les deux chevaliers qui ne daignaient pas m'accorder ne serait-ce qu'un regard.

De la cheminée de la chaumière sortait encore à intervalles réguliers la même fumée blanche et laiteuse qui m'avait probablement sauvé la vie. Un signal pour d'autres yeux étrangers et lointains qui observaient du ciel la sombre forêt de Corret : « Montsalvat ! » Car de fait, cette fumée était un signal : peut-être indiquait-elle que l'évasion avait réussi ?

— Que vais-je devenir ? murmurai-je, nerveux mais sans crainte, seulement un peu étourdi. Ma tête ! Je ne peux même plus la toucher.

— Tu vas faire un voyage, répondit Gavin en arrachant une longue bande de ma chemise. Que faire d'autre d'un moine trop curieux qui se trouve au mauvais endroit au moment le plus mal choisi !

Autour de nous s'étaient levés les *faidits* dont j'avais vu les tentes devant la chaumière quand j'étais arrivé, comme un gros baudet que personne n'attend. Comme la première fois, ils me regardèrent sans affection ni compassion particulières.

Gavin me banda les yeux et j'entendis ces mots sortir de sa bouche :

— La Louve a soigné l'horion, que tu dois à ta curiosité démesurée, avec un remède de païen. Tu survivras au voyage ! — Puis on me détacha et on me fit monter sur un cheval.

— Je te conseille, petit mineur, dit la voix bourrue du vieux chevalier, avec un fort accent allemand, je te conseille de ne pas aggraver ta curiosité maladroite par une bravoure aussi stupide que mal inspirée, car...

— ...ton Ordre pourrait bien compter un martyr de plus sur sa liste ! continua le plus jeune qui avait voulu m'ôter la vie et qui ne semblait pas avoir vraiment changé d'idée. — Même si les gros ne sont jamais canonisés ! — Il parlait d'une voix gutturale, comme le font les Maures et les juifs, et ses paroles se perdirent parmi les rires des *faidits*.

— Il ne va pas s'enfuir, dit mon templier pour essayer de les calmer, et il donna un coup sur la croupe de mon cheval. Bonne chance, frère Guillaume ! Si tu ne réussis pas à entrer au ciel, peut-être nous reverrons-nous un jour ! Vive Dieu Saint-Amour !

LE TROU DES TIPLI'ES

Occitanie, printemps de l'an 1244 (chronique)

Nous chevauchâmes toute la nuit par des chemins sur lesquels nous ne fîmes apparemment que bien peu de rencontres. Le bandeau qui me couvrait les yeux glissa un peu, de sorte que je pouvais voir à gauche et à droite des étriers et des bottes dont dépassaient les manches de courts poignards, ce qui m'incita à continuer à tenir mes rênes d'une main ferme jusqu'à ce que l'aube pointe et que je puisse voir le sol de la forêt sous les sabots des chevaux. Comme personne ne me parlait, j'eus le temps de mettre de l'ordre dans mes idées, tâche rien moins que facile dans ce guêpier où je m'étais fourré. Je n'avais pas peur ; s'ils avaient voulu me tuer parce que j'étais un témoin encombrant, ils l'auraient fait tout de suite, et c'était d'ailleurs ce que ce faucon du désert aux passions aisément inflammables avait tenté. Seul un faux pas insensé de ma part pourrait donc provoquer à nouveau le danger, ou encore quelque événement imprévu qui leur ferait prendre panique. J'allais bien me garder du premier ; quant à l'autre, je ne pouvais que m'en remettre aux mains de la très sainte Mère de Dieu.

— *Ave Maria, gratia plena*..., murmurai-je. Qu'étais-je allé me perdre dans cette « ultime croisade contre l'hérétique Montségur » ? Saint François n'avait-il pas répété maintes fois aux frères que nous ne devions rechercher aucune sorte de « savoir » ni de « connaissance », nous contentant de vivre selon la parole de Dieu pour la répandre autour de nous ? Bien mal m'en avait pris de vouloir me convertir en un « grand cerveau » bouffi d'orgueil, d'avoir oublié mes obligations de serviteur humble et pauvre, une pauvreté que le « seigneur » Guillaume de Rubrouck avait méprisée, se couvrant ainsi de honte et d'opprobre. Qu'elles avaient été ridicules mes illusions quand, non content de prêcher en toute humilité l'Évangile de par les terres lointaines et sauvages, j'avais eu la prétention de répandre mes découvertes personnelles ! Quoique, dans mon for intérieur, j'étais heureux de pouvoir poursuivre mes rêves de missionnaire affranchi, habitant un monde meilleur, à savoir notre monde occidental, par exemple à côté d'une cheminée où flambe un bon feu, à l'abri des murs de la capitale, pratiquant la philosophie, stimulé par un bon verre d'un précieux vin de Bourgogne, après un succulent repas dans les cuisines royales où les domestiques m'écouteraient respectueusement et me garderaient avec plaisir les plus fines pièces de rôti parmi les restes de la table du roi, pour le plus grand bonheur de ce pauvre frère de l'Ordre des éternels affamés d'Assise. Mais la chance avait tourné et, au lieu d'être douillettement nourri sous les jupes tièdes de cuisinières du Louvre, je me trouvais à cheval, le ventre vide et le crâne dolent, sans savoir où j'allais ni quel était le destin vers lequel on me poussait à la pointe de la lance.

Soudain, quelqu'un prit mes rênes et arrêta mon cheval d'une main ferme, tandis que les autres faisaient halte eux aussi. On n'entendait que le renâclement des bêtes et les halètements des cavaliers. Mais dans le silence, je devinai bientôt le bruit d'autres sabots qui montaient vers nous de la vallée.

— La peste noire! siffla tout bas le gardien qui ne me quittait pas d'une semelle.

— Les corbeaux sont pressés d'arriver au supplice, murmura un autre, pour que les âmes en peine ne puissent leur échapper!

Le bruit des sabots et des armes qui s'entrechoquaient disparut enfin.

— C'est le seigneur inquisiteur, grogna l'Allemand qui nous guidait, et comme il est pressé! Mais ce qu'il cherche... — et ses éclats de rire brisèrent la tension qui régnait parmi le groupe —, nous le lui avons soufflé sous le nez! En avant! Et notre cortège se remit en marche.

Nous continuâmes toute la journée et encore la moitié de la nuit sans nous arrêter, à travers des forêts sombres, par des sentes sur lesquelles bien rarement nous rencontrions quelqu'un qui nous cédait le passage sans mot dire. Finalement, nous arrivâmes devant ce qui devait être un château, à en juger au claquement des sabots sur des dalles de pierre, ainsi qu'à l'ombre d'une voûte qui m'enveloppa.

Les chevaux s'arrêtèrent et une voix qui m'était inconnue prononça ces mots :

— Merci, mes frères. Je n'ai pu faire la route avec vous, car je serais resté là-haut, j'aurais voulu partager leur sort!

— *Insha' allah!* Nous n'en avons cure! répondit en riant le plus jeune de mes compagnons. Sigbert von Öxfeld tient bon au credo de son Ordre teutonique, et moi...

Il n'eut pas à en dire davantage, car tous éclatèrent de rire.

On m'aida à descendre de cheval et on me débanda les yeux. Nous nous trouvions dans la cour sombre d'un château qui ressemblait plutôt à un chantier de construction, bourdonnant d'une activité frénétique. A la lumière de flambeaux, je vis de gigantesques échafaudages, des tours de bois sur lesquelles tournaient des roues, des cordes qui déplaçaient et transportaient des augets, lesquels disparaissaient dans les profondeurs pour ressortir chargés de décombres et de pierres.

— Créan de Bourivan...

C'est sous ce nom que se présenta le chevalier qui nous attendait. Il n'était pas vieux, mais son visage couturé de cicatrices et ses cheveux prématurément blanchis me firent penser qu'il avait sans doute eu une vie mouvementée ; plus encore, qu'il avait beaucoup souffert. Ses yeux gris étaient remplis de tristesse et de lassitude, même en ce moment où il m'observait avec une extrême attention.

— Un moinillon d'Assise ! expliqua le jeune chevalier qui ne me quittait pas de ses yeux de faucon. Il s'est mis dans nos pattes quand les chevaux lâchaient leur crottin bien chaud. Montbard nous a donné l'ordre de l'emmener avec nous, plutôt que d'écraser sa cervelle de moineau...

— Le précepteur a donné son accord, intervint le chevalier plus âgé qui paraissait s'intéresser davantage aux travaux en cours qu'à la raison de ma présence.

— Le templier est un homme avisé ! s'exclama notre hôte. On voyage toujours mieux en compagnie d'un vrai franciscain ! Quant à vous, mon cher Constance de Selinonte, ajouta-t-il sur un ton badin, je voudrais vous prier de ne point utiliser l'image du crottin de cheval pour dissimuler que vous nous apportez le plus précieux des trésors !

Celui à qui il s'adressait s'inclina, la main sur le cœur, comme pour demander pardon. Créan coupa mes liens et ordonna qu'on me donne à manger.

— Ta vie, Guillaume, dépend de ta prudence. — Je me jetai avec une faim de loup sur le repas frugal qu'on me servit. — Si tu nous trahis, tu iras en enfer ; et sinon, nous te rendrons ta liberté dès que nous serons en lieu sûr !

Comme mon interlocuteur n'attendait pas de réponse, je me bornai à hocher la tête, sans ouvrir ma bouche pleine qui mastiquait de bon cœur, et je jetai un coup d'œil à la dérobée autour de moi. Ici, au plus profond de la montagne, sous la protection des hauts murs, ils cherchaient du minerai ou encore métal précieux, car les ouvriers qui travaillaient dans le trou étaient surveillés par des templiers armés comme

ceux qui, beaucoup plus haut, derrière les créneaux, observaient l'épaisse forêt qui nous entourait. Avaient-ils trouvé
un filon d'or ? Pourtant, je ne voyais pas de machines comme
celles dont on se sert pour laver le sable trouble, et personne
ne semblait s'en soucier d'ailleurs, mais les ouvriers utilisaient les meilleures pierres pour renforcer et rehausser les
murailles et bastions entourés d'échafaudages. Les sentinelles étaient déjà très haut au-dessus de nous, si bien qu'on
ne devinait qu'à peine leurs ombres dans la lumière vacillante des torches.

A part moi, seul le chevalier âgé semblait s'intéresser
aux travaux. J'avais vu juste en supposant qu'il s'agissait d'un
chevalier teutonique, puisque de plus il se faisait appeler
« Sigbert », mais sa présence ici, en Languedoc, était passablement étrange. Il se mit à parler avec les charpentiers et
mineurs. C'étaient des Allemands originaires d'une région
montagneuse. Je me retins et n'eus point l'audace de leur
faire comprendre que j'entendais parfaitement leur langue.
Les ouvriers répondaient par bribes et me semblaient fort
intimidés.

— Cette mine n'a pas de nom, répondit un charpentier.
Nous l'appelons : *trou des tipli'es* — je m'imaginai qu'il devait
sans doute s'agir du « trou des templiers ». — Pas loin d'ici, il
y a un village qui s'appelle Bugarach, mais on ne nous laisse
pas nous en approcher...

— Et puis ?

— Au travail ! fit une voix autoritaire venue d'en haut, et
les ouvriers s'éloignèrent aussitôt, avant que Sigbert ne
puisse leur poser d'autres questions.

Constance revint avec Créan et les deux ballots bien
attachés qui ressemblaient à deux gros traversins. D'entre les
linges, on démaillota les deux enfants qui pourtant ne portaient plus de langes depuis longtemps. Ils pouvaient avoir
quatre ou cinq ans, un petit garçon et une petite fille, elle
blonde, lui brun.

Je vis sortir Guillaume de Gisors par la porte de la forteresse, ce jeune templier que j'avais déjà aperçu parmi la suite
de la Grande Maîtresse et durant l'étrange rituel célébré
cette nuit-là dans la forêt. Il ne m'accorda pas un regard,
mais ses yeux se posèrent avec une tendresse infinie sur les
enfants qui paraissaient encore un peu endormis en raison

de la drogue qu'on leur avait administrée, à moins que ce ne fût simplement la fatigue. Ils me faisaient pitié. J'aurais voulu savoir leur nom. Peut-être n'étaient-ils même pas baptisés !

LE BÛCHER

Camp des Crémats, printemps de l'an 1244 (chronique)

Nous repartîmes avant l'aube. On ne m'obligeait plus à avoir les yeux bandés. Créan de Bourivan qui connaissait la région allait en tête ; il était suivi des *faidits* qui entouraient un chariot couvert d'une bâche dans lequel j'étais assis sur une litière de foin avec les enfants endormis. L'Allemand Sigbert et Constance, que je trouvais assez peu dignes de confiance, fermaient la marche.

Nous avancions rapidement en direction du sud-est par des chemins éloignés des grand-routes et des villes. Nous faisions halte chez des gens sûrs qui ne posaient pas de questions et qui ensuite nous accompagnaient souvent un bout de chemin avant de nous confier à d'autres. Ils devaient avoir quelque signe secret pour se reconnaître entre eux, car jamais je n'entendis quelqu'un poser de question, pas plus que je ne vis jamais Bourivan montrer un sauf-conduit quelconque. Tant et si bien que je ne songeais pas à un avenir proche ou lointain, mais que j'acceptais mon sort avec résignation, *insha' allah !* Au fond, j'étais heureux de participer à une mission secrète comme celles qu'on ne confie qu'aux plus nobles chevaliers.

Je me retournais souvent vers les deux enfants endormis, pensant à Montségur. Je ne sais plus aujourd'hui quelles impressions d'alors se sont confondues avec ce qu'on me raconta plus tard de l'issue du drame. Une puissante force m'avait arraché à un échiquier, une force à ce point surnaturelle qu'elle avait pu me prévenir avant coup, pour me jeter ensuite dans une autre partie qui déjà m'enfiévrait. Et de fait, mes visions ressemblaient aux délires qu'engendre la fièvre. Elles m'assaillaient en plein jour, assis sur mon banc, me plongeant dans un état de paralysie duquel je me réveillai plusieurs fois effrayé et trempé de sueur, pour aussitôt m'abandonner à elles de nouveau. Les visions de Montségur...

A la première heure, une poterne que personne n'avait remarquée s'ouvre. La trêve est finie. Le jeune comte Pierre Roger de Mirepoix sort, suivi de son épouse, de son frère et du seigneur du château, Raymond de Perella. Ils sont accompagnés de la plupart des chevaliers qui avaient défendu Montségur avec tant d'acharnement et de tous ceux qui avaient cherché refuge dans le château. Grâce à Gavin, je les connais presque tous par leur nom et, même si je ne les ai jamais vus de ma vie, il m'est facile, à moi spectateur qui reste au bord de la lice, d'attribuer à chaque personnage le titre qui lui revient. On dirait un cortège qui s'en va célébrer un joyeux tournoi, bannières ondoyant fièrement au vent. Escortés par les sergents d'armes et les troupes auxiliaires, ils emportent avec eux leurs possessions, leurs chevaux et leurs armures. Le sénéchal fait même défiler des *faidits* recherchés dans le pays tout entier. Mais tous doivent d'abord subir l'épreuve d'assister au spectacle monté par le seigneur archevêque.

Je suis le déroulement des événements, à contrecœur, car je n'ai point plaisir à être témoin de ce qui va suivre. Je m'y refuse, je le rejette...

... et je me retrouve en train de gesticuler dans le vide, assis sur le banc d'un chariot d'où j'ai failli tomber pour m'être abandonné en plein jour à un cauchemar. Effrayé, je me retourne vers les enfants, rempli de la peur absurde qu'ils aient pu retourner aux images de Montségur, que l'horrible danger dont je n'ai pu encore chasser le rêve ait pu se saisir d'eux, mais les enfants sont toujours là derrière moi, couchés dans le foin, et c'est à peine s'ils se retournent, agités dans leurs propres rêves. Je me rassurai en pensant que tout cela n'était qu'un horrible cauchemar et retombai dans un état de clairvoyance intérieure car, en vérité, oui je voulais voir, et ma terreur intime se transforma en curiosité inquiète...

Vers midi, les vantaux de la porte principale s'ouvrent tout grands et, à pas lent, en longue file, serrés les uns contre les autres en groupes de deux ou trois, les hérétiques descendent la pente pierreuse. D'abord les femmes, guidées par la belle Esclarmonde. Leurs vêtements sont de la couleur blanche des jours de fête, leurs regards sereins et même joyeux. En tête des hommes s'avance l'ancien évêque Bertrand en-Marti, entouré des *parfaits* et suivi des *credentes* pour qui leur entrée dans la communauté de l'Église des adeptes de l'amour courtois coïncide avec leur mort corporelle. Parmi eux, plus d'un chevalier et quelques écuyers ; aussi, plusieurs simples soldats qui ont décidé pendant la nuit de recevoir le *consolamentum* afin de partager le destin de leurs amis.

Un cortège solennel qui semble conduit par des anges descendus du ciel. Ils sont entourés d'une lumière semblable à une auréole de gloire et j'essaie de m'accrocher à cette vision précieuse, pour en ressortir comme d'une eau profonde et claire qu'illumine d'en haut un rayon de soleil ; je ne veux pas que la réalité brutale et cruelle fonde sur eux. Car moi, Guillaume de Rubrouck, je sais ce qui les attend : mes yeux ont vu l'énorme bûcher habilement dressé en un gigantesque carré de bois. Ce n'est pas tant la faible et sûrement inutile espérance que cette vision fasse rentrer l'un de ceux qui ont décidé d'accepter la mort sur le bûcher, repenti, dans le giron de notre sainte mère l'Église, unique et seule véritable, qui a guidé la main de ceux qui dressèrent avec tant de perfection le cruel échafaud, mais plutôt la satisfaction et le plaisir de pouvoir prolonger la souffrance des victimes en leur offrant un avant-goût des tortures de l'enfer.

Mais les cathares n'accordent pas ce plaisir au légat de Rome et à son inquisiteur : ils sont arrivés au terme de leur vie terrestre, ils savent que le passage sera une passion douloureuse, mais ils estiment que le prix du voyage est juste ; ils ne voient que le but, de l'autre côté du feu qu'il leur faut traverser.

Arrivés au camp, plus de deux cents hommes, femmes, vieillards et enfants montent en chantant sur les grands tas de bois dont on allume aussitôt les assises de paille.

Je m'imagine le noir inquisiteur arrivant au dernier moment pour exercer son terrible office : « Repentez-vous ! » crie-t-il aux enfants qui, pendus à la main de leurs pères ou portés dans leurs bras, défilent devant lui. « Faites pénitence ! » Arrachera-t-il les enfants à leurs mères pour les sauver de la terrible morsure des flammes ? Eh bien non, il les pousse même, l'écume à la bouche, pour qu'ils périssent tous sur le bûcher. « Brûlez tous ! » crie-t-il sans fin en martelant ses mots. Une épaisse fumée enveloppe bientôt le lieu du supplice et les flammes empêchent les condamnés de respirer, les étouffant parfois avant d'avoir pu s'emparer de leur chair.

Tremblant, je fixe mon regard sur quelques corps qui se convulsent et s'agitent, je veux voir comment s'évanouit la beauté pure d'Esclarmonde. Je n'y parviens pas, mais je ne peux non plus m'arracher à la vision du feu dont les langues ardentes veulent arriver jusqu'à moi. Alors que le danger croît comme un nuage de fumée qui s'étend, je ne me réveille que lorsque l'un des sbires de l'archevêque comprend que je suis moi aussi un hérétique, m'attrape par mes habits, me traîne et me jette sur le bûcher, et les flammes m'enveloppent, et je crie...

Je me réveille assis sur le banc, tandis que mes piaillements planent encore dans l'air, ainsi que je le vois aux sourcils froncés de Sigbert qui avait poussé son cheval jusqu'au chariot pour voir si les deux enfants allaient bien. Et j'ai honte. L'horrible son qui s'est échappé de ma gorge, à moitié étouffé, a dû les réveiller, car ils pleurnichent tout bas. Le chevalier teutonique me fait comprendre d'un regard que je dois prendre sur moi, mais mes pensées fiévreuses retournent déjà là-bas, pourvu que je ne laisse point transparaître l'horreur que je lis sur le visage des spectateurs affligés...

Ainsi donc, ce franciscain gros et gras, qui déjà aurait dû être en route pour reprendre son service auprès de son roi et que personne ne doit donc voir, se glisse parmi les spectateurs, se cache derrière eux pour scruter le visage pétrifié du seigneur du château, obligé d'assister à la mort de son épouse ainsi qu'à celle de sa vieille mère et de sa fille unique. Avec eux brûlent bien d'autres personnes de sang noble; toutes les femmes ont suivi leurs maris dans la mort, car elles les ont assistés de leur amour et de leur consolation aux jours de l'*endura*, les confortant dans leur décision.

Quand les cendres auront cessé de crépiter et qu'elles auront croulé sous leur poids, la fumée continuera encore à flotter pendant bien des heures dans ces vallées...

Mon courage resta longtemps obscurci lui aussi, comme sous un rideau pesant qui refuse de s'ouvrir. Et cette odeur! Cette horrible odeur de chair brûlée, une odeur que je ne pouvais chasser et que je retrouvais parmi les fleurs printanières et les herbes qui naissaient dans les champs. C'était une douce après-midi que celle du jour où Montségur s'était rendu; nous avions laissé derrière nous la forêt et nous traversions maintenant une région de prairies vallonnées. Impossible d'ignorer que les *faidits* étaient maintenant rentrés chez eux; leurs cris et leurs rires résonnaient sans crainte d'une trahison...

— Maman, maman! — Une voix geignarde d'enfant arriva à mon oreille. — Ma maman!

J'essayai de savoir s'il s'agissait du petit ou de la petite, mais sans me retourner, car je me savais incapable de résister à leurs regards chargés de tristes interrogations et de reproches. Ma propre situation me paraissait sans importance quand je la comparais au destin de ces petits êtres que j'avais à peine entrevus, quelques brefs instants, dans les bras des deux chevaliers. Ces deux enfants étaient la cause de la rigueur et de la méfiance dont ceux qui m'entouraient faisaient preuve à mon endroit, j'en étais aussi sûr que d'avoir vu la mort de leur mère sur le bûcher.

Que pouvait donc avoir à faire avec les hérétiques un Ordre qui avait juré obéissance au pape, comme celui des templiers? Ces chevaliers enveloppés dans leurs manteaux blancs sur lesquels s'étalait une croix rouge aux branches griffues n'avaient-ils pas conclu un pacte secret avec le diable? Ce château enchanté dans la forêt ne gardait-il pas l'entrée de l'enfer? Que pouvaient-ils bien chercher là-bas, dans les entrailles de la terre, avec l'aide des démons à qui ils avaient vendu leurs âmes? Et ces petits?

Je jetai un rapide coup d'œil derrière moi : la petite fille avait un profil délicat, un peu altier, et des boucles presque blanches tant elles étaient blondes; elle me regardait de ses yeux gris-vert, sans reproches ni plaintes, mais avec une vive animosité. Pour elle, je faisais partie des coupables, de ceux qui avaient fait le mal.

— Comment t'appelles-tu? lui demandai-je pour l'apprivoiser.

Une ombre de dédain durcit alors son regard et elle se pencha sur son compagnon qui pleurait tout bas. Elle le caressa comme une mère et je détournai les yeux, frappé par l'image de malheur que composaient ces deux enfants, semblables à une pietà qui risquait de se briser.

La fumée du bûcher me brûlait toujours les yeux, obscurcissait mon regard comme un brouillard, me piquait le nez sans vouloir disparaître, malgré tous les efforts que je faisais pour me convaincre, en me fondant sur la *ratio* et surtout sur le *de jure*, qu'il ne s'était rien produit d'autre qu'un *autodafé* au cours duquel avaient péri brûlés quelques hérétiques qui s'étaient entêtés à finir ainsi leurs vies. Comment penser qu'ils étaient des victimes? Des victimes sacrifiées à qui?

XACBERT DE BARBERA

Occitanie, été de l'an 1244

La petite troupe poursuivit sa route tout droit, en direction de l'est, au lieu de redescendre vers la côte. Créan de Bourivan craignait que les ports voisins ne fussent surveillés, même si les templiers avaient fait courir le bruit que les fugitifs de Montségur s'étaient échappés en traversant les hauteurs des Pyrénées.

Mais la traversée du Roussillon fut elle aussi difficile. Les *faidits* durent plus d'une fois mettre pied à terre pour pousser le chariot dans lequel voyageaient Guillaume et les enfants. Les sentiers pierreux serpentaient à flanc de montagne, ce qui présentait l'avantage de permettre de surveiller tous les mouvements dans les vallées, mais ne laissait en revanche pas la moindre chance de se cacher si un ennemi venait à leur rencontre. Et c'est ainsi qu'au détour d'un rocher, ils se trouvèrent soudain face à face avec des chevaliers vêtus de riches armures.

Sigbert et Constance brandirent leurs épées et s'approchèrent avec leurs chevaux du chariot. Mais les *faidits* poussèrent des cris de joie quand il virent les étrangers et se mirent à agiter leurs armes en guise de salut :

— Lion de combat! s'écrièrent-ils. Ami et protecteur! — Un personnage barbu à l'aspect sauvage s'approcha alors au grand galop du chariot et de son escorte.

Créan tira sur les rênes de son cheval, mais sans relever sa lance.

— Nobles seigneurs! s'exclama le barbu. N'ayez crainte! Nous voulions simplement nous assurer que les enfants du Graal ne passeraient pas au large du château de Quéribus sans jouir de l'hospitalité de Xacbert de Barbera.

Et sans attendre de réponse, la troupe se remit en marche, menée par les chevaliers inconnus.

Si le châtelain avait semblé à ce point honoré de la présence des enfants qu'il était allé jusqu'à leur présenter ses respects, son comportement par la suite n'en montra rien. A peine Xacbert eut-il convaincu ses hôtes surpris de franchir les hauts murs de son château qu'il s'empressa de conduire Sigbert, Créan et Constance à la cave que protégeait le massif donjon pour leur faire goûter ses nectars. Quant aux autres, les *faidits*, Guillaume et les enfants, il se borna à donner à ses serviteurs quelques ordres brefs pour qu'on s'occupe d'eux.

Il fallut que le moine insiste pour qu'on prépare un bain à ses petits protégés qui voyageaient depuis dix jours. Il resta seul avec eux pendant qu'on s'affairait aux préparatifs.

Xacbert invita les chevaliers à s'asseoir autour de la table et les échansons accoururent aussitôt avec des cruchons de vin.

— Au Saint Graal et à ses héritiers! s'exclama le seigneur du château. Il but et passa la main dans sa barbe fleurie pour essuyer quelques gouttes de vin. Seul Sigbert parvenait à suivre sa cadence. Constance goûtait le vin du bout des lèvres, sans même s'être assis. Créan refusait avec politesse mais fermeté de boire quoi que ce soit.

— Je ne voulais pas vous offenser, Bourivan, dit Xacbert d'une grosse voix bourrue. Je continue à voir en vous un fils d'Occitanie et j'avais oublié que vous aviez choisi une autre vie.

Créan sourit.

— Le jeune garçon indomptable qui lutta à vos côtés, Xacbert, pour la liberté de son pays, s'est converti depuis longtemps à une vie d'ascèse...

— ...même si son corps l'entraîne souvent sur d'autres chemins! lança Constance. Mais je suppose qu'il doit se sentir comme moi en ce moment : plus que d'arroser nos gorges, nous avons besoin de liquide pour nous laver le corps; un bain d'eau chaude nous conviendrait mieux à présent que le plus frais des vins.

Xacbert parut légèrement offensé de cette proposition qui menaçait de gâcher ses agapes. Mais il donna aussitôt des ordres pour qu'on prépare la salle de bains.

— Vous aurez de l'eau et *du vin*! insista-t-il.

— Je vous remercie de la peine que vous prenez pour nous qui sommes des étrangers, dit Constance qui ne se laissa pas ébranler, ajoutant avec une pointe de malice : — Nous ne savons pas grand-chose les uns des autres, pas même quels chemins nous ont amenés à nous rencontrer ici.

— Nous sommes des chevaliers au service d'un Ordre invisible, le reprit Sigbert en levant sa coupe en direction de Xacbert, et nous obéissons sans poser de questions.

Silencieux, Créan se tenait à l'écart. Mais Constance n'était pas d'humeur à faire taire sa curiosité.

— Je ne vais pas vous interroger sur le mystère du Saint Graal, dit-il, puis il but une longue gorgée, pour tenter de réconcilier Xacbert et Sigbert, mais vous pourriez peut-être nous dire quelque chose de ces gens qui donnent son fondement à cette légende, laquelle à son tour...

— Légende? La famille du Graal n'est pas une invention! l'interrompit brusquement le seigneur du château. Les nobles Trencavel étaient des hommes et des femmes en chair et en os, et je les ai moi-même connus.

— Racontez-nous! dit Sigbert en tendant sa coupe pour qu'on la remplisse. Notre Wolfram von Eschenbach nous a légué le chant de celui qui « coupe par le milieu », le simple Parsifal...

— Mais il n'avait rien d'un niais, rétorqua Xacbert avec indignation; bien au contraire, il était trop bon pour ce monde. — Le seigneur de Quéribus se plia aux vœux de son auditoire, en bon chroniqueur qu'il était, d'autant plus volontiers que Créan s'approchait à son tour. — Les vicomtes de Carcassonne, alliés et parents de la maison d'Occitanie, étaient vassaux du roi d'Aragon. Vous saurez peut-être que j'ai servi moi aussi don Jaime le Conquérant...

— Vous étiez de la conquête de Majorque! fit Créan d'une voix admirative, et Xacbert continua toutes voiles au vent :

— Mais c'était déjà vers la fin. — Il but un long trait, puis continua : — Au début, nous avons été de la croisade de Simon de Montfort. Le bon Trencavel, Roger Raymond le deuxième, que vous autres Allemands appelez « Parsifal », défendait Carcassonne. Cette vieille forteresse des Goths, qui avait même réussi à résister à Charlemagne, paraissait imprenable. Elle était remplie de réfugiés cathares que le bon vicomte refusait de livrer. Le légat du pape lui offre de parlementer.

« Un jeune templier, Gavin Montbard de Béthune, lui donna alors l'assurance d'un sauf-conduit, mais la parole donnée ne fut pas tenue : le noble Trencavel fut fait prisonnier, jeté au cachot et mis à mort. Les secours du roi d'Aragon arrivèrent trop tard. Les Français devinrent maîtres du pays, faisant de l'Occitanie une province dont ils bannirent les *purs*.

Les serviteurs annoncèrent que le bain était prêt. De fort belle humeur, Xacbert s'empara de sa coupe, puis demanda à ses hôtes et aux échansons de le suivre avec les carafes. Empruntant escaliers et corridors, ils arrivèrent à la salle de bains, installée dans une grotte percée dans le rocher, où un grand baquet fumant les attendait.

Ils se déshabillèrent.

Le seigneur du château se tourna vers Sigbert :

— J'espère que le seigneur de Bourivan, sobre comme il est, ne va pas boire de cette eau, car il nous obligerait à nous baigner dans le jus de la treille !

Tous éclatèrent de rire et les hôtes plongèrent dans l'eau chaude où Créan les attendait déjà.

— Je suis toujours maître de moi, répondit-il avec suffisance, et le serai encore plus après cette mise en garde. Je suppose qu'il y a bien longtemps que vous ne foulez plus vous-même le raisin, Xacbert, car vous avez oublié comme le jus est poisseux.

— De fait, l'eau est peut-être meilleure pour les pieds, renchérit Sigbert, mais pour le gosier, je préférerai toujours le vin. Approchez votre coupe, jeune émir, dit-il à Constance, et faites-nous l'honneur de boire vous aussi : les lois du Coran ne sont pas encore arrivées jusqu'à Quéribus !

Le jeune homme s'accroupit à côté d'eux.

— Vous vous trompez, bon seigneur. En son temps, Roland fit sonner l'olifant non loin d'ici. — Mais il souriait.

De sorte que seul Créan continua à résister quand les échansons remplirent à nouveau les coupes. Quelques servantes s'approchèrent du baquet et commencèrent à frotter le dos des chevaliers avec des brosses et des linges de lin grossier, puis firent pleuvoir sur eux des seilles d'eau claire.

— Après la chute de Carcassonne, continuait Xacbert, je me suis retiré pour la première fois par-delà les Pyrénées et j'ai guerroyé avec don Jaime contre les infidèles ; pardonnez-moi le mot, mon seigneur, dit-il en se retournant vers Constance, après quoi le seigneur pape voulut bien lever l'excommunication qui pesait sur l'opiniâtre hérétique Xacbert — et son rire tonitruant de guerrier résonna de nouveau. — De retour dans mon Languedoc natal, je rejoignis avec Olivier de Termes la suite du fils de Trencavel, Raymond Roger le troisième, et nous tentâmes de reprendre Carcassonne. Le jeune vicomte trouva la mort là-bas, Olivier se soumit à Louis et je me retirai dans ce château. Depuis lors, on donne pour éteinte la souche des Trencavel, mais la rumeur court depuis longtemps parmi les *faidits* qu'on élevait deux enfants à Montségur, les scions de la famille. Le fait qu'on vous ait envoyés, nobles seigneurs, à leur rescousse me permet d'espérer que je vivrai assez vieux pour voir...

— Et vous croyez pouvoir résister dans Quéribus jusque-là ? demanda Sigbert après avoir pris une bonne lampée de vin. Sa coupe vide dans une main, il se mit à faire clapoter l'eau du bain. — C'est ici le dernier refuge des *purs* dans l'océan qu'est la France.

— Et que m'importe ! Le rocher de Quéribus restera terre du Languedoc — jusqu'à ce qu'il sombre !

Il leva sa coupe et but à son destin, tout en regardant Créan d'un air de défi :

— La même position que tint le seigneur Lionel de Belgrave, là où l'on vous apprit à manier l'épée !

— Belgrave est aujourd'hui une ruine dont plus personne ne prononce le nom, répliqua Créan d'une voix ironique ; et il ne reste plus qu'un fort bon vin pour garder le souvenir de cette souche glorieuse.

— Ainsi, donc, buvons au moins aux temps d'autrefois ! s'exclama Xacbert. Souvenons-nous comme nous avons cabossé le heaume de Montfort devant Toulouse : *E venc tot dreit la peira lai on era mestiers / E feric lo comte sobre l'elm, qu'es d'acers...* se mit à chanter le lutteur barbu. Créan, qui connaissait la *canço*, se joignit à lui :

— *Que'ls olhs e las cervelas e'ls caichals estremiers, / E'l front e las maichelas li partie a certiers, / E'l coms cazec en terra mortz e sagnens e niers !*

Ils levèrent leurs coupes et se mirent à boire.

L'ÂNE DE SAINT FRANÇOIS

Quéribus, été de l'an 1244 (chronique)

« Faites boire vos chevaux au château, l'eau y est bien meilleure », avait dit le châtelain barbu aux *faidits* avant de s'éloigner, s'inquiétant des montures mais pas le moins du monde de notre bien-être à nous, puis il avait piqué des deux pour monter avec le groupe des chevaliers par le défilé qui entaillait le rocher.

Nolens volens, nous suivîmes dans le chariot, même si un puits au bord du chemin, avec sa margelle et sa corde prête à puiser l'eau, semblait nous inviter à nous rafraîchir. Mais il était sans doute plus avisé de ne pas faire fi du conseil de Xacbert de Barbera.

Au prochain détour du chemin, je vis se dresser devant moi une tour gigantesque, comme je n'en avais encore jamais vu ; éclat de pierre que l'on aurait dit planté par un poing géant au sommet d'un versant à pic pour se moquer de tout ennemi. Encombrée de réfugiés cathares, la cour du château était assez exiguë. Mais je vis aussitôt qu'il régnait encore parmi tous ces gens un esprit de lutte bien différent de la résignation évidente, de la sublimation qui émanaient des occupants de « Montsalvat ».

Le traitement rude que l'impatient guerrier nous avait dispensé m'avait déplu, non pas pour ma personne, mais bien pour les enfants — à dire vrai, nous avait-il même traités de quelque façon ? —, lui que je voyais disparaître dans la tour avec ses nobles chevaliers. Toujours assis sur mon banc, j'exigeai des serviteurs accourus par curiosité qu'ils nous préparent un bain chaud.

— Alors, il faudra prendre la peine de transporter votre bedaine jusqu'à la salle de bains, me répondit une servante avec un rire insolent. Nous vous y brosserons avec grand plaisir et vous aspergerons d'eau chaude et froide jusqu'à ce que le sang vous bouille !

— On verra bien qui est la plus dure, de ma brosse ou de votre..., se moqua une autre tandis que ses compagnes éclataient de rire.

— Tu verras bien si elle est dure, fis-je en élevant la voix, si tu entres avec moi dans le baquet ! — Chacun sait que seule la *provocatio auctoritatis* peut avoir raison de l'insolence. — Et puis, j'exige que tu apportes le baquet jusqu'ici, car je veux prendre un bain en plein air. — Elles s'éloignèrent en jacassant, mais apparemment disposées à exaucer mon vœu.

— Je veux aller au petit coin ! fit une voix derrière moi.

C'était le garçon. Je me laissai glisser du banc et l'aidai à descendre.

Aussitôt, la petite se leva elle aussi. Ses yeux semblaient vouloir me transpercer :

— Et qu'est-ce que tu crois, que je ne fais pas pipi moi aussi ?

Je lui offris donc mon bras, mais elle insista pour sauter toute seule à terre. Au dernier moment, je parvins à retenir au vol son petit corps.

— Yeza sait faire toute seule ! me reprocha-t-elle avec un léger zozotement, tandis que le garçon me prenait par la main. Nous nous approchâmes du mur. Les deux enfants me regardèrent avec une grande curiosité. — On va voir qui fait plus loin ! dit Yeza. Et comme son compagnon s'apprêtait à sortir sa petite quéquette de son caleçon et qu'après tout je voulais me gagner leur confiance, je soulevai ma robe et sortis ma bombarde.

Nous nous mîmes à pisser contre le mur, et je perdis. Ensuite, je dus encore m'accroupir pour tenir compagnie à Yeza et, comme il ne restait pas un brin d'herbe dans la cour du château, je sortis de ma poche quelques feuilles de tussilage dont j'ai toujours une provision avec moi, par mesure de précaution. J'essuyai son petit derrière et nous nous fîmes amis, du moins le pensai-je.

— Je m'appelle Roger Raymond, dit le garçon. Mais je te permets de m'appeler simplement Roç !

— Roc ! répétai-je.

— Non, *Rodsh* ! reprit Yeza que l'émotion faisait zézayer, et souviens-toi que mon vrai nom est Isabelle. Et toi, comment tu t'appelles ?

— Je suis frère de l'Ordre de saint François, commençai-je à raconter.

— Tu t'appelles Guillaume, m'apprit Roç, et Sigbert dit que tu es un âne.

J'avalai la couleuvre et les ramenai au chariot dans lequel ils remontèrent sans faire de difficultés. Mais dès qu'ils furent juchés là-haut, ils se mirent à braire à tue-tête pour se moquer de moi : « Hi-han, hi-han ! »

— Je vais vous raconter l'histoire de saint François et des ânes ! — Et je grimpai sur le banc pendant que les petits se tortillaient à mes pieds en hurlant « hi-han ! », à moitié ensevelis sous le foin. — Un vieil âne...

— Guillaume ! Guillaume ! s'exclamèrent les deux enfants.

— Très bien, Guillaume, le vieil âne, repris-je avec résignation, se plaint à saint François de sa malchance...

— Hiii...! voulut continuer Yeza, mais Roç la bourra de coups de coude pour la faire taire et je pus continuer mon récit :

— « J'ai passé ma vie à porter de lourds fardeaux, j'ai bien mal au dos, ma peau est toute trouée, mes oreilles déchirées, mes dents jaunes, ébréchées. La nuit, je pleure parce que j'ai faim... »

— Mais s'il peut manger autant d'herbe qu'il veut! intervint Roç.

— Quand on le laisse faire, répondis-je. « Jamais on ne m'ôte mon bât, on me charge de sacs et de paniers qui me font crouler presque par terre, je dois monter et descendre les montagnes, et en plus, on me donne le bâton quand je voudrais tomber de fatigue, de douleur dans tous mes os, de la brûlure de mes plaies couvertes de mouches, car ma pauvre queue ne peut plus les atteindre. Je suis la créature la plus misérable de la terre. Frère, aide-moi! »

— Et il l'a aidé? demanda Roç qui m'écoutait avec attention, tandis que Yeza ramassait des fleurs sèches parmi les brins de foin.

— Les larmes montèrent aux yeux de saint François quand il vit la peine de l'âne, et il le consola. « Pense, lui dit-il, pense à Dieu et imagine-Le devant toi. N'a-t-Il pas la bouche comme la tienne, déchirée et dolente? Ne vois-tu pas ta tristesse dans Ses grands et beaux yeux, sous les cils soyeux? Et tes oreilles? Jésus lui aussi a des oreilles assez grandes pour entendre tes plaintes jusque dans Son ciel; Lui aussi a dû supporter qu'on lui arrache la peau pour porter sur ses épaules la souffrance du monde, et Il a reçu des coups comme toi. Lui aussi crie dans sa douleur « hi-han! », car il souffre comme toutes les créatures. Celui qui insulte Dieu en usant de ton nom ne sait pas que Dieu sourit, car pour Lui, ton nom est une louange. » Et depuis, tous les ânes sont heureux et braient en chœur : « Hi-han! »

— Alors, tu aimes bien être un âne, Guillaume? me demanda Roç avec le plus grand sérieux.

— Je ne sais pas, répondis-je pensivement. Que puis-je souhaiter de mieux si Dieu lui-même est un âne!

Yeza me tendit le bouquet qu'elle venait de faire.

— Tu n'as pas besoin de les manger, Guillaume, si tu n'en as pas envie, mais tu peux les sentir — et avec la rapidité de l'éclair, elle me prit par le cou avec ses petits bras et m'embrassa.

— D'où vient donc cette légende blasphématoire, car je ne crois pas qu'elle soit de votre saint d'Assise? lança la voix amusée de Constance qui écoutait à mon insu.

— Vous avez raison, dus-je lui avouer. Elle est du frère Roberto di Lerici qui a reçu pour sa peine quarante coups d'une lanière de peau d'âne et qui a dû ensuite rester quarante jours sous le bât.

— Dans mon pays, on lui aurait coupé la tête : « Point de figure ni d'image ne fera... »

— Guillaume n'est pas un âne! — Roç était prêt à me défendre devant l'autre.

Constance se mit à rire :

— Ah, les chrétiens! Vous êtes capables de brûler les purs parce qu'ils vous paraissent hérétiques, et dans le même temps, vous faites de Dieu tout-puissant un personnage familier, semblable à un père, à une mère, à un fils, aux animaux de la ferme...

Confus, je me tus. A mon avis, celui qu'ils appelaient Constance et à qui certains de ses compagnons donnaient parfois le titre de « prince » venait d'Orient; de toute évidence, il était musulman. Et c'était précisément pour cette raison que j'étais furieux de ne rien trouver à lui répondre.

Sur ces entrefaites, les valets déposèrent un énorme baquet devant le chariot, et les servantes apportèrent des seilles de bois suspendues à un *juk*, comme nous disons dans les Flandres, débordant d'une eau fumante.

Mais avant qu'on ne remplisse le baquet, Créan et Sigbert sortirent du donjon. Notre guide nous gratifia d'un regard sévère qui nous gâcha notre plaisir. Il aida l'Allemand à monter à cheval. Apparemment, Sigbert avait avalé une abondante quantité de vin; il était le seul à avoir accompagné le seigneur du château dans ses débordements. Créan était aussi sobre que Constance.

— On ne trouve plus guère par ici de chevaliers de l'empereur aussi solides *inter pocula*! — D'émotion, Xacbert de Barbera se moucha dans un immense tire-jus; il baisa la main des enfants, puis donna à Sigbert qui se balançait sur sa monture quelques tapes amicales sur la cuisse, et nous quittâmes Quéribus en direction du nord-est sans avoir pu nous baigner, mais accompagnés d'une escorte que le maître du château insista pour mettre à notre disposition.

LES GITANES

Camargue, été de l'an 1244 (chronique)

Au fur et à mesure que nous quittions les terres d'Occitanie, Créan recherchait plutôt la protection de la forêt. Avec maintes précautions et souvent en mettant pied à terre, nous suivions le cours de petits ruisseaux et dans plus d'un défilé nous dûmes envelopper de chiffons les roues des chariots. Ainsi nous pûmes traverser la région provençale.

Les petits qui ne fermèrent pratiquement pas l'œil conversaient à voix basse en langue d'oc, sans doute pour que je ne puisse pas les comprendre. De temps en temps, je leur souriais pour leur donner courage.

Yeza paraissait la moins craintive des deux. Parfois, elle tendait un bras consolateur à Roç qui, effrayé, s'aplatissait sur le foin chaque fois que nous rencontrions une charrette ou un cavalier.

Sur le même chemin que notre petite troupe circulaient de plus en plus nombreux des gitans à la peau basanée. Vêtues d'habits aux couleurs criardes, leurs femmes se serraient presque toutes avec un tas respectable d'enfants sur des charrettes chargées d'ustensiles de ménage et de toutes sortes de marchandises : nous étions en Camargue !

Yeza monta avec moi sur le banc pour observer avec curiosité le va-et-vient de ces gens. Mais aussitôt, Sigbert le grognon approcha son cheval et m'obligea à cacher les enfants pour que personne ne les voie. Yeza obéit et retourna se blottir à l'arrière, après lui avoir tiré la langue derrière le dos.

Il faisait nuit quand nous arrivâmes devant un campement de gitans accroupis autour d'un feu. Nos *faidits* n'échangèrent que quelques mots avec le chef dans une langue que je n'avais jamais entendue, mais ils furent suffisants pour dissiper leur méfiance. Fièrement, les gitans repoussèrent les pièces d'or que Créan leur offrait et ouvrirent leur cercle pour nous inviter respecteusement à partager leurs rôtis de lapins et de porcs-épics relevés de pointes d'ail, d'oignons piqués de clous de girofle et de racines de fenouil des champs.

Créan eut une conversation avec l'aïeul du clan qui parlait un peu le français et je pus entendre l'homme le mettre en garde contre les gens du roi qui construisaient une cité neuve sur la côte de « sa » Camargue : un port fortifié comme un gigantesque château fort, avec des rues et des maisons de pierre, ce qui semblait indigner tout particulièrement les gitans. On y voyait fourmiller partout une multitude d'artisans étrangers qui débitaient des arbres et fendaient des pierres, ainsi que des soldats qui au lieu de monter la garde allaient chasser les ânes sauvages et les jeunes femmes de sa tribu. On attendait l'arrivée prochaine du roi qui désirait s'assurer par lui-même de la progression des travaux.

Deux autres étrangers assis devant le feu tendirent l'oreille tout à coup, puis se mirent à chuchoter entre eux. J'avais l'impression qu'ils parlaient l'arabe. Leur comportement un peu singulier n'échappa point non plus à l'œil toujours vigilant de Constance de Selinonte qui alla s'asseoir à côté d'eux, comme par hasard. Mais comme il ne leur adressait pas la parole, je n'accordai pas autrement d'importance à mes observations. Comme il était l'heure de se coucher et que je cherchais un endroit tranquille, je fus sans le vouloir ni le savoir témoin d'une dispute à voix basse entre mes chevaliers.

— Ce sont des Assassins, chuchotait Constance, et la main du vieux Sigbert se posa instinctivement sur son épée.

— Que nous importe ! fit Créan pour calmer les deux

hommes. Mais j'eus l'impression que cette découverte lui était à lui aussi infiniment désagréable.

Pour la première fois, je trouvai que Sigbert était un peu nerveux.

— Ils ne seraient pas ici sans une mission précise...

— Un vieux et preux chevalier de l'Ordre teutonique est certainement une cible de choix pour leurs poignards! lança Constance d'une voix moqueuse. A ta place, je ne fermerais pas l'œil cette nuit...

— Tant qu'ils ne nous dérangent pas, conclut Créan, mieux vaut faire comme s'ils n'existaient pas! — De toute évidence, notre guide ne croyait pas utile de parler plus longtemps d'un sujet qui l'irritait plus qu'il ne l'inquiétait. — Bonne nuit, messires!

Après avoir bordé tendrement les enfants qui commençaient à voir en moi une sorte de grosse nourrice, j'essayai de prier. Pour qui? Pour moi? J'aurais peut-être encore pu fuir à la faveur de la nuit. Mais j'étais au milieu d'un pays sauvage dont les habitants ne l'étaient pas moins, et la bure d'un frère franciscain, pour pauvre qu'il soit, ne me paraissait pas une protection bien sûre. Et si je rencontrais des gens de mon roi Louis, quelle explication donnerais-je à mon pieux souverain? Que j'avais été enlevé par un groupe de templiers, de chevaliers de l'Ordre teutonique, de *faidits* et de sujets du sultan, par l'entremise d'une sorcière recluse dans la forêt, la Louve, un nom qui était sûrement arrivé jusqu'à ses oreilles?

Et puis, il y avait les enfants. Qu'allaient-ils devenir? Je me mis donc à prier pour eux, puis je m'efforçai de trouver le sommeil, malgré Montségur qui s'introduisait constamment dans mes visions comme des nuages cherchant à cacher la lune. Le Saint Graal serait-il une « chose » qui dans les profondeurs les plus secrètes de l'esprit, où je n'étais qu'un étranger, se montrait capable d'unir des chevaliers militants d'ordres chrétiens aux adeptes de l'Église de l'Amour courtois? Roger et Isabelle étaient-ils « enfants de l'amour »? Et de quelle sorte d'amour? Au point qu'au service de leur cause puissent s'unir des représentants d'intérêts si contraires, et même des ennemis de la foi, pour mener à bonne fin une mission de sauvetage comme celle que nous exécutions? Était-ce là l'« excellence », *ex coelis*, qui les distinguait ? Roger, le garçon que même les *faidits* n'appelaient jamais que Roç, était de caractère timide, secret, mais je le voyais souvent prendre un air de dignité grave. Sa peau mate et ses yeux bruns indiquaient une origine méditerranéenne ; il pouvait s'agir d'un fils d'Occitanie puisqu'il parlait couramment la langue d'oc, à la grande satisfaction des *faidits* qui le traitaient comme un petit roi. En revanche, par son aspect, Yeza était plutôt un corps étranger ; et son caractère, espiègle, bien différent de celui que montrent ordinairement les petites filles du Midi. Elle ne se comportait pas comme une « princesse » d'une terre située entre l'Orient et l'Occident, comme Constance l'avait galamment appelée un jour, mais plutôt comme un jeune garçon déguisé en fille qui ne rêve que de conquérir la gloire et de courir les aventures. Elle était entreprenante, éveillée, souvent insolente. Sigbert, le grand grognon, l'avais prise en affection particulière ; mais les deux chevaliers ne disaient jamais rien de ses origines et jamais je n'osai interroger Créan.

Une fois de plus, je m'assurai qu'ils étaient bien couverts. Profondément endormis, ils reposaient, les bras entrelacés. Un sourire flottait sur leurs visages las ; en vérité, il émanait d'eux un enchantement indescriptible qui me captivait.

Les *faidits* entonnèrent des chansons obscènes qui parlaient presque toutes du roi Louis et de ses petits curés. Longtemps, je restai éveillé. Puis d'étranges songes vinrent me troubler.

Derrière les tourbillons de fumée pâle du bûcher éteint qui passent devant le *pog* comme des nuages bas, le château se dresse, intact, contre le ciel qui à tous nous appartient. Aux hérétiques aussi ?

Quand le dernier occupant abandonne la forteresse, les Français, mercenaires en tête, montent à l'assaut de la grande porte ouverte. Le sac leur procure un riche butin, car les cathares n'ont rien emporté pour leur ultime voyage. L'archevêque arrive peu après, mais il ne trouve pas ce qu'il cherche, bien qu'il ordonne à ses soldats de fouiller partout. Il a beau les faire descendre au plus profond des caves et des grottes, et même plonger dans l'eau noire de la citerne : le mystérieux Graal, précieux trésor des hérétiques maudits, demeure introuvable et il ne reste plus personne à interroger.

Pierre Amiel est accompagné de son collègue, l'évêque Durand, qui a suivi d'un œil vigilant les travaux de démontage de son enfant chéri, l'*adoratrix murorum* installée sur la barbacane. Et maintenant, poussé par sa curiosité de technicien spécialiste, il désire jeter un coup d'œil aux murs qui ont résisté avec tant de vaillance aux coups de bélier de sa grandiose catapulte. Il se divertit de cette fouille inutile, de ces coups que l'on donne sur les murs, de ces perches qu'on enfonce dans la citerne et dans les décombres, du légat lui-même qui fait creuser quelques trous dans le sol pierreux de la cour du château. Ils ne trouvent rien. Ils ne font que tomber sur la sinistre image de l'inquisiteur, le moine dominicain apparu comme s'il était sorti du néant pour assister à l'autodafé des hérétiques, sans se présenter à personne, et qui maintenant cherche lui aussi quelque chose par ici. Mais quoi? Que veut-il découvrir?

— Vous désirez peut-être récolter ce que vous n'avez pas semé? demande d'une voix irritée le légat au sinistre religieux. Le trésor appartient à ceux qui ont combattu pour lui...

Le moine est un personnage de haute taille, de constitution forte et même massive. Il se dirige avec une lenteur calculée vers le légat à qui il n'accorde qu'un regard de mépris.

— Tout ce qu'on découvrira appartient au roi de France, répond-il avec aigreur, comme tout en ce monde! Mais vous ne trouverez pas vous non plus le trésor. Les âmes des pécheurs appartiennent à l'Église et, dans le meilleur des cas, les corps qu'elles ont habités.

— S'ils étaient hérétiques, ils ont péri par le feu! — Pierre Amiel est déconcerté, l'inquisiteur passe à l'attaque.

— Vous ne pouviez pas attendre une minute? s'emporte l'autre. Vous vous êtes jeté dans les bras de l'Inquisition de la pire des façons. Un ennemi juré de l'Église n'aurait pu vous causer plus grand préjudice. Vous avez fermé les bouches qui devaient parler, vous avez anéanti les cerveaux qui pouvaient savoir et qui savaient!

Le légat blêmit, son teint ressemble aux murs de pierre qui l'entourent; il cherche les mots qui conviennent pour répondre à l'insolent et le moucher. L'évêque Durand profite de ce moment de silence.

— Le symbole mystique de la félicité éternelle des *purs* s'est évanoui, ajoute-t-il à voix basse, comme s'il se parlait à lui-même, après s'être révélé à ses croyants et leur avoir dispensé une dernière consolation. — Qui ne le connaissait n'aurait pu savoir s'il parlait pour se moquer ou provoquer.

L'inquisiteur le regarde, non pas avec les yeux d'un ennemi qui jauge les forces de son adversaire, mais avec ceux du bourreau qui prend ses mesures.

— Vous vous écartez fort du langage habituel de notre Sainte Mère l'Église catholique, et vous rapprochez dangereusement des idées des hérétiques, Éminence ! dit-il à l'évêque d'Albi en guise de compliment pour son intervention avant de tomber derechef sur le légat comme le tonnerre déchaîné : — Vous avez sauvé le Saint Graal car il ne représente pas autre chose qu'un « trésor » pour votre entendement borné, vindicatif et, à ce que je vois, tout aussi avide d'or, à supposer que vous ayez bien sûr quelque entendement !

Pierre Amiel a eu le temps de rassembler ses forces.

— Et quelle est donc la vérité de ce maudit Graal ? le savez-vous peut-être ? aboie-t-il. Serait-ce quelque chose qu'on peut toucher, prendre avec la main ? Qui êtes-vous pour oser me parler sur ce ton !

— Vitus de Viterbe, répond tranquillement l'inquisiteur qui tourne le dos aux deux évêques.

Leurs images s'évanouissent devant mes yeux intérieurs et il ne reste plus que l'ombre noire et gigantesque de l'inquisiteur. Cette ombre grandit et grandit encore, tend les mains vers moi. Dans mon angoisse, je lui oppose mon crucifix de bois, mais il me brûle entre les mains et se transforme en une fontaine de lumière et d'étincelles qui m'aveuglent. Pourtant, je parviens à fuir cette obscurité troublante qui se dissout en fumée. Et c'est alors que je me rends compte que ce que je tiens entre les mains est le Saint Graal. Lorsque je l'approche de mes yeux pour mieux le voir — crainte et tendresse font battre mon cœur —, mes mains sont vides...

Par la miséricorde de la Mère de Dieu, je tombai enfin

dans un sommeil réparateur qui me sauva de la confusion de mes pensées hérétiques. La nuit était encore éclairée d'un beau clair de lune, quand Créan nous réveilla. Lui et ses compagnons portaient maintenant les manteaux blancs des templiers, tandis que les *faidits* étaient vêtus des capes noires des *armigieri* de l'Ordre, ornées de la même croix aux extrémités griffues ; tous ces vêtements étaient restés cachés sous le foin de mon chariot.

A l'aube, un épais brouillard nous surprit. Nous serrâmes les rangs, mais il m'était difficile de ne pas perdre de vue le manteau blanc de Créan qui marchait en tête. Tout à coup, nous entendîmes derrière nous des sabots et une voiture qui s'approchait à grand bruit.

— Place au prévôt du roi ! criait une voix rauque. Dégagez le chemin !

J'eus à peine le temps de ranger le chariot sur le côté pour laisser passer les soldats ; derrière eux suivait une voiture découverte où gisaient trois cadavres ; leurs blessures ouvertes et le sang qui couvrait leurs visages livides proclamaient qu'ils étaient morts sous les coups. Mais ce qui m'épouvanta le plus fut ce prisonnier dont les yeux perçants se fixèrent sur moi quand il me dépassa, comme si j'eusse été le diable en personne !

Je connaissais ces yeux et je me souvins qu'ils appartenaient à un étudiant que je comptais parmi mes camarades à Paris. Un garçon secret, toujours un peu mystérieux, qui s'éloignait des autres quand nous nous proposions de ne rien manquer des plaisirs qu'offrait la capitale. Ce jeune clerc avait appris mieux et plus vite que nous tous à parler l'arabe. Il portait toujours la même soutane élimée dont il ne se séparait jamais, autant que je me souvienne. Dieu nous protège !

Je fis rapidement le signe de la croix quand la troupe disparut, comme engloutie par le brouillard. Les *faidits* lâchèrent les armes qu'ils serraient avec tant de force l'instant d'avant. Le jeune prisonnier était chargé de chaînes. Ce devait être donc lui l'assassin ! Un serviteur de l'Église pouvait donc aller jusque-là !

SUR LES RIVES DE BABYLONE

Marseille, été de l'an 1244 (chronique)

Nous sommes arrivés à Marseille en fin d'après-midi. Je m'imagine que Babylone devait être ainsi, la Constantinople des Grecs, symbole de tous les péchés avant que la vraie foi catholique n'y remporte la victoire. Ce port provençal entouré de marécages ne fait pas partie de notre France chrétienne; il représente déjà l'Orient maudit, abcès sur le corps de l'intégrité occidentale. Nous y voyons des étrangers à la peau basanée et en longues robes qui ornent leurs cous de colliers d'ambre, de jaspe et d'ivoire et qui ne cherchent pas à cacher, honteux, leur différence, mais bien au contraire affichent avec impertinence leur impiété devant nos églises : à ce qu'on me dit, il s'agit de Siciliens, c'est-à-dire de sujets de l'ignoble empereur germanique! Certains sont même noirs comme le brai et portent des anneaux d'or aux narines. Mais il s'agit de pauvres infidèles qui ne rejettent pas Jésus notre Seigneur ni ne luttent contre Lui, puisqu'ils ne le connaissent même pas. De sorte que leurs âmes ne sont pas encore perdues, pour autant que ces sauvages possèdent une âme!

Notre groupe n'attirait pas l'attention dans le tohu-bohu des bazars remplis de cris et de l'odeur de poisson qui montait des marchés. Nous nous frayons tant bien que mal un chemin parmi les ballots de satin et de soie provenant de Damas, les sacs ouverts remplis d'épices et de bois de santal d'Alexandrie, les amphores débordant d'essences aromatiques de Tunis. Sur le quai s'entassaient des tonneaux, des caisses et des bourriches déchargés de voiliers récemment arrivés. On vendait les marchandises sur place au plus offrant, puis elles partaient sur les épaules des portefaix.

Le bateau que nous devions prendre n'était pas encore arrivé, comme l'apprit Créan à la porte d'une taverne, de la bouche d'un individu douteux qui disparut aussitôt dans la fourmilière de la foule. Il nous faudrait donc passer la nuit à l'auberge qui se trouvait tout près.

Le patron ouvrit toute grande sa bouche édentée quand il apprit, avec grande frayeur, qu'un groupe aussi distingué de voyageurs comptaient lui faire l'honneur de passer la nuit dans sa misérable hôtellerie. Une pièce d'or lui cloua le bec, mais le vacarme des blasphèmes, des cris des marins et des piaillements des filles de joie s'éteignit aussi dans la taverne. Un instant, le temps de boire un coup, et ce fut le silence total. Il faut dire que ce n'est pas tous les jours qu'un groupe de chevaliers templiers entre ainsi dans un bouge, encore moins en compagnie d'un franciscain qui sait se tenir comme il faut! Mais les bouches se rouvrirent bientôt et les regards se détournèrent de nous, à l'exception de ceux de deux personnages que je reconnus aussitôt dans leur coin : les deux Assassins!

On nous donna la meilleure table et ceux qui l'occupaient s'empressèrent de nous céder la place. Nous nous assîmes pour manger et bientôt nous partagions tous un excellent vin. Un forgeron toulousain et un ouvrier teinturier de la région de l'Ariège conversaient à voix basse à côté de moi, se plaignant des exactions de l'Inquisition dans leurs contrées :

— Ils vont jusqu'à chercher les enfants des hospices, et même des crèches paroissiales.

— Ils pourchassent tous ceux qui savent courir et parler, de trois à sept ans, à moins que les parents ne répondent de leur naissance et l'Église de leur baptême.

— Le roi Hérode n'a pas fait pire! beugla une poissonnière.

— Et ils sont encore plus cruels avec les nomades qu'ils soupçonnent de donner asile aux enfants des hérétiques. Pour leur donner une leçon, ils tuent les petits de ces tribus sous les yeux de leurs parents. C'est une honte!

Le forgeron se tourna vers moi :

— Prenez garde que ces deux enfants — et il montra Yeza et Roç qui, grâce à Dieu, étaient trop fatigués pour suivre la conversation de plus en plus animée dans le tumulte de la taverne — ne tombent entre leurs mains, si vous comptez vous aventurer en pays hérétique.

Je me gardai bien de leur dire que c'était précisément de là que nous venions, et je souris, un peu gêné.

— Ce sont des enfants chrétiens, murmurai-je, et de

bonne naissance. — D'un regard dans la direction des templiers, je soulignai la véracité de mes dires.

Sigbert et Constance sortirent pour prendre des nouvelles du bateau. J'emmenai les enfants se coucher dans un appentis où la femme de l'aubergiste entassa à la hâte un peu de paille fraîche. Ils avaient accepté avec un calme surprenant l'aventure qui les attendait, après que Créan leur eut parlé d'un long voyage au terme duquel ils retrouveraient les bras de leur nourrice. J'espérais qu'une brave femme me remplacerait bientôt, car je ne pouvais plus espérer rendre ces enfants à leur mère. A mon avis, cette femme ne pouvait être qu'une de ces hérétiques qui avaient préféré mourir sur le bûcher pour témoigner de leur foi, plutôt que de s'acquitter de leur devoir de mères, car s'il en avait été autrement, elle n'aurait jamais accepté qu'on enlève ses enfants !

Mais peut-être un autre danger les guettait-il ? Une vile persécution aux intentions assassines, comme celle dont on parlait dans la taverne. Pourquoi Hérode avait-il fait assassiner les enfants ? Pourquoi voulait-il s'emparer de l'enfant Jésus ? Et pourquoi l'Église envoyait-elle maintenant ses anges vengeurs pour tuer ? Les âges qu'on mentionnait correspondaient à peu près à ceux des deux petits.

J'avais pris bonne note de la mise en garde de tout à l'heure mais, ignorant tout de la situation véritable, je me faisais du mauvais sang. Yeza et même Roger trouvaient formidablement amusant tout ce qu'ils avaient vécu jusque-là ; ils ne pleuraient plus et leur curiosité était chaque jour plus difficile à satisfaire. Je répondais patiemment à toutes leurs questions, préférant presque toujours leur faire plaisir plutôt que de leur dire toute la vérité. L'Église n'enseigne-t-elle pas que mieux vaut pour l'esprit humain être heureux dans la foi que de trop vouloir en savoir ?

J'attendis qu'ils s'endorment. Au moment où j'allais rentrer dans la salle, la porte de la rue s'ouvrit : des soldats du roi ! Je vis les *faidits* faire le geste de prendre leurs armes, mais Créan les obligea à rester assis sur leur banc. Un seigneur de noble apparence franchit le seuil, il était accompagné d'une nombreuse suite dont un chevalier se détacha pour s'approcher de Créan.

— Ah, le seigneur de Bourivan ! Mais depuis quand appartient-il donc à l'Ordre ? s'exclama-t-il, apparemment surpris, mais sans manifester de méfiance excessive.

Créan resta parfaitement serein.

— Je suis en mission secrète !

— Mais nous servons toujours le même roi ? lui demanda le chevalier avec une certaine hésitation mêlée d'étonnement.

Je sortis vivement ma lettre de nomination portant le sceau du roi Louis que j'avais toujours sous mon habit et m'approchai en toute hâte :

— Nous rejoignons la Cour ! dis-je en faisant danser le document devant ses yeux. Et ces seigneurs m'escortent ! ajoutai-je avec l'air d'un homme qui connaît son monde. A qui a l'honneur de parler l'humble frère Guillaume, prieur de l'Ordre des minorites ?

Créan me présenta, passablement stupéfait, à son compatriote Olivier de Termes, et celui-ci s'empressa à son tour d'annoncer la présence de son noble compagnon, le comte Jean de Joinville, qui s'était rendu au port pour trouver passage à bord de quelque navire pour lui et son cousin, car ils désiraient, eux et leurs vassaux, accompagner le roi de France dans sa prochaine croisade. Créan pria les seigneurs de s'approcher de la table où les *faidits*, habillés en *armigieri*, leur cédèrent avec plaisir le terrain, car ils ne prisaient guère le voisinage des soldats français. Ces derniers formèrent alors une muraille protectrice — ou un mur de prison ? — autour de nous. Je refusai en toute humilité de m'asseoir avec eux, même s'il était vain de songer à la fuite. J'eus une pensée pour les enfants et je priai pour qu'ils soient profondément endormis.

— Et comment osez-vous, seigneur Olivier, conduire le noble sénéchal de Champagne dans cette mauvaise auberge ? — Créan avait retrouvé son sang-froid et il savait fort bien que l'attaque est la meilleure des défenses. Joinville répondit à la place de son second.

— Ainsi donc, en mission secrète... ! me fit-il avec un sourire auquel je répondis silencieusement en prenant mon expression la plus dévote, les mains jointes sur mon ventre.

— Nous venons précisément de voir sa très chrétienne Majesté, qui se trouve à Aigues-Mortes, nous expliqua-t-il aimablement, où il inspecte les ouvrages et nous a donné une fois de plus un exemple lumineux de son sens de la justice humaine et de l'ordre divin. Le roi Louis sortait de la chapelle, premier édifice construit dans la nouvelle cité destinée aux croisés, au moment où passait la charrette du prévôt de Paris, avec les cadavres de trois hommes tués par un prêtre, tous les trois sergents de la Couronne. Sa Majesté demande au prévôt qu'il lui fasse rapport et il apprend que les sergents avaient attaqué des innocents dans des rues désertes pour leur voler tout ce qu'ils avaient sur eux, mais que personne n'avait osé les dénoncer puisqu'ils étaient au service du roi.

Il me sembla que cet homme avait la langue bien déliée, ce qui n'était guère étonnant puisqu'il devait bien avoir des aptitudes politiques ou de bonnes relations pour être sénéchal. Quoi qu'il en soit, il nous fallut entendre dans ses moindres détails le récit de cette affaire criminelle, alors que nous étions sur des charbons ardents, moi du moins, terrorisé à l'idée raisonnable que les enfants, à moitié endormis, se présentent inopinément parmi nous, chose qu'ils aimaient faire, Roç quand il dormait mal et Yeza par simple curiosité. Créan s'efforçait lui aussi de dissimuler sa nervosité.

Joinville poursuivit son récit :

— Ce pauvre clerc chétif était lui aussi tombé entre les mains des sergents sans vergogne qui l'avaient dépouillé de tout, le laissant en chemise. Mais le prêtre, sans dire un mot, court jusqu'à l'auberge et revient armé d'une épée et d'une arbalète. Les trois sergents riaient encore quand une flèche transperça le cœur du premier. Les deux autres tentèrent de prendre la fuite. L'un voulut sauter par-dessus une palissade, mais notre prêtre lui coupa si proprement la jambe d'un coup d'épée qu'elle resta dans la botte. Puis il se lança aux trousses de l'autre qui criait au secours et lui fendit le crâne jusqu'à la mâchoire, après quoi, sans donner aucun signe de repentir, il se présenta devant le bras de la Loi. Et le prévôt put l'emmener sans qu'il oppose la moindre résistance.

Mon désir de voir l'histoire se terminer là ne fut pas exaucé. J'étais seul à m'être rendu compte que Constance et Sigbert étaient de retour, mais qu'ils étaient restés discrètement au fond de la salle. Le moment ne semblait guère choisi de les présenter eux aussi à notre comte ! Quels noms de guerre aurions-nous pu leur donner ? Les chevaliers templiers sont presque tous nobles de Franconie, mais on ne s'attend pas précisément à rencontrer en terre de France quelqu'un qui soit manifestement allemand, et encore moins un Sicilien, si tant est qu'il le fût vraiment! D'autre part, le péril ne venait pas tant de celui qui contait cette histoire truculente que d'Olivier dont le nom me révélait qu'il avait renié la cause cathare pour se mettre au service du roi. Un renégat veut toujours bien paraître devant son roi, plus que de mériter l'estime de ses pairs!

— « Jeune homme, dit Joinville qui citait les paroles du roi, vous devez à votre bravoure de pouvoir exercer à l'avenir votre charge pastorale. Mais à cause du courage dont vous avez fait preuve, je veux vous prendre à mon service, vous traverserez les mers avec moi. Quel est votre nom? » « Yves Le Breton », répondit à sa place le prévôt qui ne comprenait pas bien le nouveau tour des événements. « Je ne le fais pas seulement pour vous, Yves, mais aussi parce que je veux que tous sachent qu'aucun crime ne doit rester impuni dans mon royaume! » conclut le roi. Et tous ceux d'entre nous qui étions les témoins de cet acte digne de Salomon, nous avons manifesté notre joie en entendant la sentence du suprême arbitre.

Son histoire ronflante terminée, le comte regarda autour de lui, en quête d'applaudissements, puis se tourna vers Créan pour voir sa réaction, ce que voyant, je m'empressai de battre des mains. Joinville me remercia d'un sourire bonhomme qui incita le seigneur de Termes à nous confier à voix basse le véritable motif de leur présence en ce lieu, sans m'exclure du cercle de ses confidents :

— Et dire qu'un si bon sire est exposé à ce que le premier scélérat venu attente à sa vie! — réflexion à laquelle le seigneur de Bourivan ne répondit pas avec la consternation attendue.

Comme la réaction de Créan laissait à désirer, j'essayai d'attirer l'attention de notre interlocuteur tout en satisfaisant ma propre vanité. Je me penchai vers lui avec tous les signes du plus profond intérêt.

— Le Vieux de la montagne, continua Olivier d'un air de conspirateur, a donné pour mission aux plus fanatiques de ses fidèles de chercher le roi...

Tout à coup, Créan s'intéressait à la conversation.

— Comment donc? fit-il d'une voix incrédule, comme si ce que l'autre venait de dire dépassait son entendement.

— Le chef suprême de ces démons ne voit pas d'un bon œil que notre souverain prépare une croisade..

— ...et c'est la raison pour laquelle ils veulent l'assassiner pour mettre un terme à une vie si vertueuse, intervint Joinville en reprenant avec une satisfaction évidente le devant de la scène. — Nous savons que ces possédés n'hésitent pas à annoncer leurs crimes à l'avance, car ils se croient infaillibles dans leur exécution — il baissa la voix, car lui aussi semblait ne pas en mener large ; — et à ce qu'il paraît, on a déjà vu deux Assassins dans les parages !

J'ignorai le coup d'œil que me lança Créan, comme pour me conjurer de tenir ma langue.

— Il faut les rattraper et les mettre hors d'état de nuire avant que... siffla Olivier.

Enfin, je pouvais paraître comme le loyal serviteur de mon roi :

— Je les ai vus ! — et j'entendis mes paroles, lourdes de conséquence, se fondre en un lent murmure sur ma langue. — Je les ai vus ici, sous ce toit !

Je me retournai très prudemment, pour leur montrer subrepticement les deux étrangers. Tous avaient déjà la main à l'épée, mais l'endroit où je les avais vus assis était vide à présent. La tension tomba, non sans mal pour ma réputation ; tous se mirent à rire, à rire de moi, et lorsque chacun prit congé peu après, personne ne daigna m'adresser un salut.

Nous étions de nouveau entre nous. Sigbert et Constance nous apprirent que le bateau arriverait tôt le lendemain matin. Puis Créan se tourna vers moi qui, dans mon orgueil offensé, espérais entendre confirmation de mes dires et quelques compliments.

— Frère Guillaume, dit-il à sa façon tranquille, tu as agi avec intelligence en essayant de nous défendre loyalement, nous et les enfants, mais ta prétention de vouloir freiner le cours du destin est également le signe d'une grande folie, pour ne pas dire pire ! — Créan se retourna vers ses deux compagnons : — Il se peut qu'un franciscain puisse concilier avec le salut de son âme le fait d'aider des sbires, mais vouloir s'opposer à la *faida* ne peut que signifier vouloir mettre Dieu à l'épreuve ! La trahir est une offense qui ne peut se laver que par le sang ! Rends grâce à ton Créateur qu'il n'en soit rien résulté !

Sa véhémence déteignit sur moi et j'en oubliai ma situation :

— Des Assassins infidèles ! me rebellai-je. Les dénoncer était l'obligation de tout chrétien !

Créan prit sur lui et m'ignora pour s'adresser aux autres :

— Même un franciscain ne peut être aussi ignorant, quand bien même il n'aurait qu'une tête de linotte : les ismaélites sont des musulmans profondément croyants, certainement pas des infidèles ni des assassins pris de boisson ! Ils exécutent une mission qui obéit à une conception de la justice plus haute que celle de ce roi Louis, si mou qu'il admet que dans son royaume un prêtre devenu juge et bourreau soit donné en exemple ! Un roi qui livre les plus nobles de ses sujets à l'Église, à l'Inquisition et au bûcher ; un prétendu « saint » qui s'apprête à fondre avec une armée d'aventuriers sans scrupules, avides de richesses, sur un pays qu'il a baptisé « la Terre Sainte » pour souligner qu'il en revendique la possession alors qu'il ne fait autre chose que porter la guerre et la ruine dans ces contrées ! Pour ma part, je prie de tout mon cœur pour que ces deux hommes ne perdent pas la vie avant d'avoir accompli leur noble tâche !

Le seigneur de Bourivan s'était échauffé en parlant, et je crus préférable de ne pas l'irriter davantage.

— Et maintenant, Guillaume de Rubrouck, tu peux bien prier pour le contraire. Tu seras en compagnie de la meilleure société chrétienne, mais ne va pas t'imaginer, ni dans tes rêves ni dans tes délires les plus intimes, que Jésus-Christ soit à ton côté !

Je me tus ; j'avais l'air honteux, mais en réalité, j'étais troublé et blessé. Tête basse, une tête que personne ne prétendait couper, je me retirai dans l'appentis où dormaient les enfants. Créan est sans doute un renégat lui aussi, me dis-je, car autrement, il ne parlerait pas avec tant de flamme ! Tu as encore beaucoup à apprendre, Guillaume de Rubrouck.

Le lendemain, alors que nous tentions de fendre la dense marée humaine qui nous barrait la route, je regardais alentour pour voir si je voyais les deux étrangers. Les visages suspects ne manquaient pas : par exemple, des gens du Nord aux nez écrasés, aux cheveux blonds comme de la filasse noués en petites tresses, les yeux d'un bleu assassin ; ou les

Goths avec leurs gros nez qui prolongeaient un front étroit sous lequel nichaient leurs instincts primitifs ; ou les Byzantins aux nez crochus, courbés comme leurs poignards, remplis de fausseté — pas plus cependant que l'Arménien qui vous oblige à compter les doigts de votre main quand vous avez serré la sienne. Mais je ne découvris trace des Assassins, et j'en fus soulagé. J'étais presque sûr qu'ils ne s'étaient pas fait prendre par Joinville !

Constance nous conduisit tout droit jusqu'à un quai situé à l'écart, où nous attendait un voilier. A peine étions-nous montés à bord que les *faidits* se retirèrent en nous faisant leurs adieux, tandis que les enfants leur répondaient, très émus eux aussi. Le bateau prit la mer. Nous passions devant la dernière tour de vigie de la rade du port quand le gigantesque Allemand se dirigea vers moi :

— Personne ne doit tenter de s'opposer à une prophétie, surtout lorsqu'elle sort de la bouche d'une voyante comme la Louve : tu es devenu « gardien du trésor » et « voyageur jusqu'aux confins du monde » ; l'avenir dira si ton Église te poursuivra pour cette cause ou si ton roi t'honorera pour elle.

Je cherchai Créan du regard pour réclamer son appui, mais il était à la proue avec les deux enfants, le regard fixé sur la mer. Je supposai que lui aussi connaissait les paroles de la sorcière et je sentis en moi une grande frayeur.

— Mais dorénavant, continua Sigbert, le salut des enfants ne sera plus lié à ta personne, qui, par un stupide hasard (je ne peux croire que ce fut par prévision divine !), a croisé notre chemin, devenant témoin de leur sauvetage, cette tâche sacrée qui nous incombe.

Il s'approcha de moi qui me trouvais fort étonné, car je ne l'avais jamais entendu prononcer un si long discours. Il eut encore quelques paroles aimables :

— J'espère, frère Guillaume, que tu sais nager !

De ses mains gigantesques, il me prit par les épaules, comme s'il voulait m'embrasser, et Constance, qui s'était approché sans bruit, me tira les pieds par-derrière. Avec un geste grave et noble, ils me lancèrent par-dessus bord, comme on jette un filet rempli de crabes immangeables. Je me souviens encore des visages des enfants, des grands yeux effrayés du garçon, des mains de la petite Yeza qui applau-

dissaient ce qu'elle prenait pour un jeu amusant. Puis, bar-
botant comme un chien, j'essayai de regagner la rive avant
que ma bure trempée ne m'entraîne par le fond. Hors
d'haleine, je sentis enfin la terre sous mes pieds.

Une bourse rondelette m'atteignit.

— Prends, *poverello*! disait la voix de Créan. Nous, les
Assassins, on peut nous acheter, mais nous n'acceptons pas
les présents, encore moins qu'on nous laisse la vie!

J'étais mort de frayeur. A quelle horrible conjuration
avais-je assisté? Je me retrouvai sur la rive, tremblant de
peur et de froid, sans oser prendre congé en leur adressant
un salut. Peu à peu, ils disparurent sous mes yeux jusqu'à ne
plus être qu'un petit point sur la mer lointaine...

III

IN FUGAM PAPA

MAPPAMUNDI

Château Saint-Ange, été de l'an 1244

Les bateliers remontèrent le Tibre à la rame plutôt qu'à voile. C'étaient des pêcheurs d'Ostie, où le fleuve se jette dans la mer à côté de l'ancien port de Claudius, aujourd'hui pris dans la vase et à moitié enfoui sous le sable. Sans raison d'espérer un généreux pourboire en plus du prix convenu pour le passage, ils avaient accepté de transporter ce dominicain corpulent, d'âge indéfini, Français sans doute, qui n'avait qu'à peine répondu à leurs jérémiades avant de tirer sa capuche sur ses yeux, dissimulant la presque totalité de son visage dur. Pourtant, durant le voyage, ils sentirent se poser sur eux l'aiguillon de son regard vif, ce qui leur fit oublier leurs plaisanteries habituelles au point de se consacrer à leur travail éreintant presque dans la mauvaise humeur. Ils n'en furent que plus surpris lorsque le passager leur tendit une pièce d'or française avant de sauter à terre, juste au pied du château Saint-Ange. Ils le virent escalader la rive d'un pas énergique, puis arriver devant une porte haute et étroite qui s'abaissa soudain, sans qu'il eût tiré la corde de la cloche, formant un pont qu'il dut traverser avant que les murs n'avalent son ombre noire.

Vitus de Viterbe n'était pas français; il était originaire des environs du bastion le plus septentrional de l'État de l'Église. On considérait les Viterbiens, le plus souvent sans leur demander leur avis, comme des croyants fort dévoués au pape, réputation qu'ils tenaient de la famille des Capoccio. Vitus avait été à son service et il l'était encore quand le pape l'avait envoyé à Paris, non point tant pour garder l'oreille près des lèvres du dévot Louis que pour guider ses pas diligents sur le chemin de la droiture. Bien que confesseur du roi, Vitus était resté dévoué aux Capoccio. Et il était venu à Rome pour faire son rapport.

Il connaissait parfaitement ce dédale de passages et de rampes qui se succédaient à l'intérieur de ce mausolée que des générations de papes, cherchant à se protéger ou désireux de se retirer, avaient percé dans le mausolée d'Hadrien comme pour donner à ce ventre des intestins, des estomacs, des reins et des testicules arrachés à la terre. Le couloir qu'avait emprunté Vitus était faiblement éclairé par de petites lampes à huile, ce qui, même pour l'initié, en faisait une sorte de labyrinthe en trois dimensions qui monte lorsqu'on pense devoir descendre et qui s'élève en spirale ou contourne en zigzag les portes que le visiteur souhaite éviter, pour le conduire vers d'autres accès secrets.

Il ne rencontra pas un seul garde pour lui demander le mot de passe ni les armes qu'il portait sur lui, car le château Saint-Ange se garde tout seul. C'était le poste de commandement secret de la curie : dans ses salles à l'abri de l'humidité s'accumulaient les *archivi secreti* ; des caisses remplies de pièces de monnaie qui serviraient à alimenter les guerres s'entassaient derrière des grilles de fer dans une ancienne citerne vide ; et au plus profond de ses caves pourrissaient « pour un temps indéfini » certaines *personae sine gratia* que le Saint-Siège avait privées de la protection de sa main bienveillante.

Avec l'assurance que procurent de longues années de service, Vitus passa sous des arches soutenues par de gros piliers, des balustrades suspendues comme des ponts, desquelles des cabestans laissaient filer de grosses cordes pour déposer leur charge dans quelque cachette secrète, prit des escaliers qui montaient et des rampes qui descendaient vers des sorties invisibles à l'œil et dont seuls ceux qui pouvaient suivre le fil savaient s'ils ne donnaient nulle part ou s'ils débouchaient dans de nouveaux souterrains.

La grande salle du *mappamundi* s'ouvrit enfin devant lui. Les premiers êtres humains qu'il vit furent deux franciscains perchés sur un échafaudage qui se déplaçait devant une carte du monde recouvrant trois murs de la salle, du plancher au plafond. La carte commençait à son extrémité occidentale par l'océan, la mer universelle, avant qu'à côté de Djebel al-Tarik les déserts de Mirammamolin ne touchent *al Andalus*. A hauteur de tête se trouvait le *Mare Nostrum*, au-dessus de la côte de Mauritanie et de ses marchés d'esclaves; déjà au centre du mur, elle décrivait une courbe près de Carthage où régnait l'émir de Tunis, puis descendait vers la baie de la Syrte; elle remontait ensuite avec la Cyrénaïque, au-dessous de laquelle s'étendait le désert *(hic sunt leones)* jusqu'à la plinthe, puis quand on arrivait au troisième mur, apparaissait le delta du Nil qui se répandait dans le bleu de la mer et sur un bras duquel se nichait Le Caire, comme un bracelet de diamants, sans que le cours du puissant fleuve se perde totalement dans les sables assoiffés du bas du mur. Ensuite, elle repartait brusquement vers le haut, près de Gaza, et c'était la Terre sainte avec Jérusalem, la *Divina Hierosolyma*, entourée de la couronne radieuse que forment la ville de Damas, marché des épées fines et des tissus délicats qui est également la cité de saint Paul, puis la capitale babylonienne de Bagdad dont la splendeur fait pâlir les nombreuses autres villes du califat qui l'entourent; plus loin, à l'est, la *terra incognita* des Tartares qui ne bâtissent pas de villes; le long de la côte, c'est ensuite Tripoli, de réputation légendaire, les montagnes des Assassins et le très ancien patriarcat d'Antioche qui se termine — là où vivent les Arméniens, gens de peu de foi — par une grande masse de terre qui représente l'Asie Mineure. Dans ce bassin nage Chypre, comme un petit poisson, l'île d'Aphrodite. Une large langue de terre appartenant aux Séleucides s'approche du Bosphore, à côté de la Corne d'Or de Constantinople, tandis que la mer Noire n'est autre chose qu'un énorme lac au-delà duquel recommence l'empire des khans mongols dont la route de la soie se perd dans le vide.

A l'endroit où se pressent les îles grecques, la carte revient au mur central et continue avec l'Achaïe et l'Épire, en remontant la côte adriatique dalmate. L'ancienne Byzance, qui n'est plus aujourd'hui qu'un « empire latin » en décomposition, est suivie de la Hongrie, puis l'œil est attiré, à côté du patriarcat d'Aquilée, aujourd'hui tombé dans l'oubli, par les domaines de la Sérénissime. Vers le sud, la botte italienne, objet de tant de luttes, pend dans le bleu de

la Méditerranée ; au-dessus du revers dépasse la Ligue lom-
barde de l'empire ; le mollet se plisse avec le *Patrimonium
Petri* et la *Roma Aeterna, caput mundi*, comme une brillante
boucle ornée de joyaux ; plus loin, c'est le talon de l'Apulie, le
tibia napolitain et le cou-de-pied calabrais, domaine de
l'odieux Empire romain germanique dont la pointe semble
repousser le royaume de Sicile comme une pierre gênante.
Plus au nord dansent la Sardaigne et la Corse, dans l'emprise
de la houle génoise. Mais revenons en arrière pour prendre
au nord : derrière la cordillère des Alpes se trouvent à l'est
les duchés de Souabe, de Bavière et d'Autriche ; suivent les
royaumes de Bohême et de Pologne ; et plus loin reprend ses
droits la steppe sauvage des Mongols qu'on appelle ici la
« Horde d'Or ». Les terres de leur empire sont si vastes qu'il
suffira de dire que le *mappamundi* n'est pas capable
d'embrasser leurs confins ! Au nord se trouvent les îles des
Danois et des Vikings dans leurs mers de glace, tandis que si
nous traversons les terres de Saxe, nous arrivons avec notre
gigantesque doigt invisible, passé le Rhin, dans les pays
d'Occident.

Notre doigt pointe, au-delà de la Lorraine et des
Flandres, vers l'intérieur de la France, jusqu'à Paris. De
l'autre côté du chenal des Normands, nous voyons une tache
de terre tordue qui représente l'Angleterre, enferrée dans
une perpétuelle dispute avec la rebelle Irlande, et l'orgueil-
leuse Écosse. Si nous laissons la Bretagne pour nous tourner
vers le sud, nous trouvons l'Aquitaine, terre d'amour, nous
arrivons à Toulouse, l'hérétique, et au-delà des Pyrénées,
nous touchons l'Aragon chrétien, à jamais tourmenté par la
très chrétienne Castille, tandis qu'*al Andalus* accueille
confortablement le califat islamique.

— Un jour, le poing armé de notre *reconquista* chassera
les Maures, par Gibraltar, là même où ils sont arrivés, et
nous les bouterons hors de l'Ibérie, comme on exprime le
blanc d'œuf sucré avec une poche de pâtissier, et nous écri-
rons même le mot « Christ » en lettres indélébiles dans leurs
déserts de sable !

Le franciscain qui prononçait ces paroles enthousiastes
en grimpant à l'échelle était un petit chauve rondouillard
dont les yeux très bleus flottaient au milieu d'un visage
cireux. Il avait les pommettes saillantes des gens nés sur les

marches orientales de l'empire, où la mission des franciscains consistait à recruter leurs adeptes les plus fidèles.

Benoît de Pologne s'enflammait, révélant un étrange mélange de haine pour les infidèles et de rêves gloutons.

— Écoute, Lorenzo, dit-il en se tournant vers son compagnon, plus fragile que lui, et arrête de te lécher les doigts ! — Il détestait qu'on se moque de lui. — Nous les viderons de leur sang avant qu'il caille dans leurs veines avec la chaleur, ou avant qu'ils meurent noyés. Mais je crois qu'ils mourront plutôt de soif, car leurs puits sont empoisonnés par leur foi mauvaise ; ou qu'ils mourront de faim, car le cœur du Sauveur, ils ne peuvent...

— Frère, lui répondit en souriant du haut de l'échafaudage le compagnon qu'il avait appelé Lorenzo, tu ferais mieux de sortir un petit quignon de pain de ta poche avant que tu n'ailles t'imaginer le corps de notre Seigneur en forme de rôti dominical !

Benoît pivota sur les talons et découvrit entre les colonnes un étranger qui étudiait silencieusement la carte du monde, sans leur avoir dit *Pace e bene !* ni adressé la moindre salutation. Vitus était convoqué dans cette salle, mais comme il était en avance, il devait supporter le bavardage des deux franciscains pour sa peine. Comme il leur avait fait comprendre qu'il n'appréciait pas leur compagnie, les franciscains se sentirent l'envie de distraire leur hôte taciturne.

Entre-temps, Benoît avait rejoint son compagnon sur l'échafaudage branlant qui se trouvait devant la partie droite du volet central, là où passe la limite orientale du Saint Empire romain germanique. La mappemonde était faite de fines lames de peuplier montées sur un fond de chêne et peintes très soigneusement avec de belles couleurs à la chaux, mais elle ne montrait que peu de détails géographiques, sauf lorsqu'un fleuve ou une chaîne de montagnes coïncidait avec une frontière, car elle servait avant tout à marquer les changements des frontières féodales. Les deux moines étaient occupés à effacer sur les marches germaniques orientales les traces qu'y avaient laissées les incursions des Tartares, trois ans plus tôt.

Des pièces de bois ventrues, fixées par des aiguilles pointues et couronnées d'une croix, représentaient les

abbayes, évêchés et autres possessions ecclésiastiques ina-
movibles, sauf lorsque le malheur voulait leur perte, leur
incendie ou leur transformation en mosquées, alors que les
limites des seigneuries laïques étaient des pions mobiles que
l'on pouvait déplacer avec leurs armées, représentées par de
petits étendards. Lorenzo sortit d'un panier quelques monastères qui s'y trouvaient et les sema sur la Silésie dévastée,
tandis que Benoît réussissait à faire prendre la fuite à toute
une armée de Mongols commandés par Baton.

— Si ton empereur hérétique avait aidé mon roi,
comme l'ont fait les chevaliers de l'Ordre teutonique, le duc
Henri ne serait pas mort à Liegnitz, et il aurait...

— Si, si et si, l'interrompit brutalement Lorenzo. Si
notre seigneur le pape n'avait pas convaincu Frédéric de ne
pas intervenir, nous ne serions même pas arrivés aussi loin,
et dis-moi, l'empereur n'a-t-il pas lancé un appel à tous les
princes de la Terre pour qu'ils s'opposent sans tarder aux
envahisseurs ? Tout bien pesé, c'est sa réputation de guerrier
qui les a mis en fuite !

— Ne me fais pas rire ! répondit Benoît en s'occupant de
ses étendards mongols qu'il retira de la Hongrie. En fuite ? Si
c'est vrai, pourquoi sont-ils tombés sur le pauvre roi Béla
dont ils ont laissé le frère pour mort sur les rives du Sajo ?
C'est seulement quand notre seigneur le pape a menacé de
s'allier avec le roi-prêtre Jean qu'il a finalement réussi à
chasser cette canaille.

Lorenzo d'Orta, mince comme un clou, le crâne couronné d'une tignasse de cheveux frisés, autrefois blonds
mais depuis longtemps gris argent, n'acceptait pas que le
Polonais le contredise ni ne l'ébranle dans sa fidélité à
l'empereur :

— Le seigneur Grégoire a quitté ce monde quand il a su
l'horreur de leurs crimes et aucun chrétien n'a vu de sa vie le
visage du roi-prêtre Jean ! Je vais te dire ce qui a fait trembler et fuir ces Mongols...

— Dans son aveuglement, c'est l'empereur germanique
qui a appelé les infidèles pour la honte de toute la chrétienté,
lança d'une voix sèche, presque colérique, le visiteur qui se
tenait au pied de l'échafaudage, et s'ils sont repartis, c'est à
cause de la mort d'Ogodaï, leur grand khan. Il n'y a pas eu
d'autre raison ! — Vitus était contrarié, car en vérité il n'avait

aucune envie de faire la leçon aux franciscains. — Ils reviendront dès que le *kuriltay* aura élu son successeur. Et une fois de plus, nous n'aurons rien à leur opposer !

— *Il nous reste toujours la parole du Christ !*

Sur la galerie qui saillait de l'unique mur vide de la salle s'était ouverte une porte dérobée et une mince forme s'était approchée de la balustrade.

— Le Cardinal gris ! murmura Benoît, effrayé, et il faillit se signer.

Enveloppé dans une cape de couleur anthracite, une capuche lui dissimulant pratiquement toute la tête, le personnage se cachait en plus derrière un de ces masques dont on se sert en temps de carnaval. Mais ce masque de couleur gris souris n'était en rien fait pour provoquer le rire. Même l'intrépide Lorenzo se sentit intimidé.

— Sa Sainteté a nommé douze nouveaux cardinaux, annonça le masque à Vitus du haut de la galerie. Rendez-vous aux archives des affaires de l'empire, où le frère Anselme vous montrera votre travail. — Puis il congédia d'un geste autoritaire Vitus qui se dirigea aussitôt vers l'endroit qu'on lui désignait. — Et quant à vous, frère Benoît, fils fidèle de l'Église — le cardinal lança une liasse de feuillets que le Polonais s'empressa de ramasser —, vous inscrivez les noms des élus dans le registre, et vous, Lorenzo d'Orta, vous pouvez prendre le chemin du cachot et y rester jusqu'à ce que la soif vous fasse boire l'eau qui suinte sur les murs, pour vous apprendre à tenir votre langue. — L'ombre grise fit demi-tour et se retira.

— C'était sûrement Rainier de Capoccio, grogna le petit frère puni en descendant docilement l'échelle. Personne ne déteste autant l'empereur que lui !

— La paix ! siffla Benoît, visiblement terrorisé. Tu finiras par perdre la vie avec tes bavardages.

— Et toi, tu deviendras le gratte-papier des cardinaux ! se moqua Lorenzo quand il vit le Polonais, pâle et inquiet, avec sa liste à la main ; car il savait parfaitement que Benoît ne pouvait même pas écrire son propre nom, encore moins celui des autres. — Dépêche-toi donc ! ajouta-t-il avec une brusquerie bonhomme. Donne-moi cette liste et apporte-moi une plume, de l'encre et une chandelle au cachot. Je vais te tirer de là.

— Merci, frère, murmura Benoît en jetant un coup d'œil craintif autour de lui. Je t'apporterais aussi avec beaucoup de plaisir un peu de pain si...

— ...si tu n'avais pas tellement peur de cet épouvantail qui nous surveille !

Benoît baissa la tête.

— C'était peut-être Jocobo de Preneste ? ajouta-t-il, poussé par la curiosité.

— Voyons donc ! Il est presque mort, comme le Colonna qui a disparu si soudainement en février, après l'avoir précédé au poste macabre de *spaventa passeri* ! Non, c'était bien Capoccio !

Benoît se boucha les oreilles pour ne pas entendre les insolences de son compagnon qui sortit par l'escalier du fond en chantonnant allégrement.

La lumière du soleil qui entrait par une ouverture ronde au sommet de la coupole tombait sur les bibliothèques entre lesquelles Vitus se promenait en compagnie du moine Anselme, dominicain comme lui et frère cadet du célèbre André de Longjumeau.

— *Omnes praelati / Papa mandante vocati / et tres legati / veniant huc usque ligati.*

— On a beau jeu de railler le perdant, Fra Ascelino, répondit Vitus au jeune homme. Ce fut un dur coup pour le saint-père et la cause véritable de ce que son cœur affaibli n'a pu continuer à battre en ce bas monde, tant l'avait affecté l'infamie des Pisans et d'Enzo, le bâtard impérial...

— Mais il faut reconnaître que son ennemi juré a fait un coup de maître : pensez donc, séquestrer en haute mer et sur des galères génoises les pieux prélats en route pour un paisible concile au cours duquel ils auraient très vraisemblablement condamné le Germain... !

— Ce fils de bouchère est condamné de toute façon, et même s'il a dû libérer ses prisonniers l'an passé, ceux qui ont survécu aux tortures le haïront jusqu'à la mort ; ils viennent justement de nommer douze nouveaux cardinaux, et aucun d'eux n'est précisément l'ami de Frédéric... !

— Galfrido de Milan, par exemple ? lança Anselme sur un ton moqueur en le regardant du coin de l'œil. Le cardinal-évêque de Sabine n'a jamais été considéré comme l'ennemi du Germain. Serait-ce la raison pour laquelle Célestin IV a dû quitter ce monde après un pontificat de quatorze jours seulement?

— De fait, beaucoup nous abandonnent ces temps-ci, se lamenta Vitus. Non seulement nous avons perdu par deux fois notre pape au cours d'une seule année, mais notre ami Frédéric porte encore une fois le deuil, pour son plus grand chagrin, d'une de ses maîtresses morte en couches, tandis que son fils aîné choisissait le suicide pour ne pas avoir un père aussi monstrueux que l'empereur.

— Vous devez bien le haïr, répliqua Anselme sans détours, pour être aveugle au fait qu'une méchanceté ne fait qu'en attirer une autre.

— Innocent IV, notre nouveau pape, a immédiatement confirmé l'excommunication prononcée par son grand prédécesseur Grégoire. Prétendriez-vous défendre un homme que le pape a condamné? Je vous rappelle à l'ordre, Anselme de Longjumeau!

— Loin de moi cette intention, répliqua Anselme avec condescendance, sans se laisser impressionner par l'autre. Je ne fais que conserver un sain *sensus politicus*. Et compte tenu de vos responsabilités dans l'*Ecclesia catolica*, j'espère que vous avez toujours présente à l'esprit la sécurité du saint-père. N'avez-vous pas aidé vous aussi le seigneur Rainier lors de la trahison de Viterbe?

— Et j'en suis fier! répondit Vitus avec des yeux furibonds. Toute fourberie, toute trahison dirigée contre l'Antéchrist et ses fidèles me rapproche davantage du royaume des cieux!

— Frédéric vous aiderait avec grand plaisir à y arriver tout de suite, murmura sèchement Anselme; dommage qu'il fasse aussi payer les autres.

— Mais de quel côté êtes-vous donc, frère?

— Je suis un *canis Domini*, comme vous, mon frère. Mais dites-moi, que puis-je faire pour vous aider dans votre noble entreprise? Comment puis-je vous servir?

Le ton ironique que son interlocuteur avait adopté pour changer de sujet éveilla la méfiance du Viterbien. Mais le Cardinal gris ne lui avait-il parlé de ce frère du même Ordre comme d'un homme digne de toute confiance? Comme si ses doutes avaient trouvé un écho dans une oreille avertie, une voix venue de nulle part s'éleva.

— *Parle, Vitus de Viterbe! Mettrais-tu en balance ta méfiance et ma confiance?*

Vitus sursauta. Fra Ascelino lui souriait béatement.

— Il s'agit des enfants, murmura le Viterbien. Les bâtards hérétiques, les enfants illégitimes de l'empereur germanique.

Vitus commença à exposer la trame d'une conjuration.

— Ils ont réussi à s'échapper de Montségur! Un certain Guillaume de Rubrouck, encore un de ces moineaux déloyaux de l'ami des oiseaux d'Assise, a disparu du camp sans laisser la moindre trace la nuit même où le château se rendait. Je ne veux pas dire par là qu'il soit mêlé au complot, mais...

— *Est-ce là une raison pour baigner le Languedoc dans le sang des orphelins du même âge? On t'appelle Hérode, et par tes actes tu as déshonoré et entaché de scandale le nom de l'Église!*

Vitus voulut se défendre :

— Une fois vérifiées leurs identités, nous avons remis chacun des enfants recueillis à leurs parents, à l'hospice ou à un monastère, sans leur faire le moindre mal. Vous voyez comme on calomnie l'Inquisition!

— *Il n'y a pas de fumée sans feu, dit le peuple. Et les hérétiques affirment triomphalement : Vous voyez ce qu'est la sainte Église catholique, qui assassine vilement les enfants! Et toi, tu as toujours les mains vides!*

— J'ai fait surveiller tous les ports! répondit Vitus, penaud.

— *On les a vus à Marseille*, continuait la voix du personnage invisible, une voix qui ne dissimulait pas sa déception. — *Réfléchis bien à ce que tu vas faire maintenant!*

Vitus avala sa salive et regarda autour de lui, puis en l'air. Mais il ne vit que des armoires et des bibliothèques remplies de documents confidentiels, de rapports d'agences et d'espions, de dossiers personnels, de faux et de sentences secrètes, de bulles officielles et de traités jamais publiés.

— J'ai pensé qu'un franciscain traître ne pouvait vraiment faire autre chose que d'accourir à l'unique refuge qu'il lui reste : Élie de Cortone..., répondit-il, accablé.

— Tranquillisez-vous, frère, nous surveillons le Bombarone, intervint Anselme. Mais il est fort probable qu'ils se seront servis de ce frère mineur pour nous lancer sur une fausse piste. Quel que soit l'auteur du projet, il n'aurait pas confié son exécution à des mains si...

— Vous avez raison! — Vitus faisait maintenant pleinement confiance à son interlocuteur et aurait voulu continuer à parler, mais Anselme le fit taire brusquement. Il avait entendu un craquement. Les deux religieux découvrirent bientôt derrière une bibliothèque un Lorenzo accroupi au sommet d'une haute échelle, hirsute comme une chouette, quelques feuilles sur les genoux, en train de dessiner à la craie rouge. De toute évidence, il croquait les dominicains sur le vif.

— Descends de là! lui ordonna Anselme.

Lorenzo prit le temps d'achever son œuvre de quelques coups de craie audacieux.

— Et tu ne devais pas être au cachot? fit Anselme négligemment, tout en lui prenant ses feuilles.

— Jusqu'à ce que je lèche l'eau sur les murs, répondit Lorenzo en souriant. Et c'est ce que j'ai fait, le temps d'entrer et de sortir.

— Le cardinal est au courant? répondit Anselme en essayant de se montrer sévère.

— Le cardinal sait toujours tout, répondit Lorenzo d'un ton léger.

Vitus regarda le dessin, un portrait ressemblant, quoique un peu caricatural, de sa propre personne. Mais pas trace d'une esquisse d'Anselme, pas même une première ébauche. Et le détail retint son attention.

— Comment se fait-il? lança-t-il avec sévérité au petit frère mineur.

— Votre crâne a beaucoup de caractère, le flatta sans vergogne l'artiste qui ne quittait pas des yeux les fortes mains du dominicain. Et je n'ai pas pu résister.

Vitus fit grincer ses puissantes mâchoires, plutôt embarrassé, puis lui rendit la feuille d'un air bienveillant.

— Lorenzo d'Orta jouit de la liberté qu'apporte la période du carnaval, expliqua Anselme en souriant. La routine de ce château dans lequel nous sommes nuit et jour au service de la curie, attelés à une tâche aussi secrète que lourde de conséquences, nécessite de temps en temps quelque petite provocation rafraîchissante pour que nous n'en venions pas aux coups!

— Je regrette vivement ma méfiance du début, grogna Vitus dès que Lorenzo se fut éloigné. Je suis absent depuis si longtemps que je ne connais plus les us et coutumes du vieux château Saint-Ange. — Anselme lui sourit pour lui donner courage. Vitus se méprit aussitôt et continua sur le ton d'une conversation amicale : — Dites-moi, que savez-vous ici de ces enfants, Fra Ascelino ?

— *Vous en savez plus qu'assez ! Suffisamment pour vous atteler à la mission qu'on vous a confiée ! Frère Vitus de Viterbe, on vous attend dans la salle du* mappamundi !

Comme auparavant, la voix du Cardinal gris ne trahissait aucune émotion. Mais Vitus savait parfaitement avec qui il traitait. Et il fut heureux de pouvoir s'en aller. Ce Lorenzo d'Orta pouvait bien jouir d'une certaine liberté, il arrivait à d'autres qu'une parole mal à propos soit la dernière de leur vie. D'un geste, il prit congé de son compagnon de l'Ordre et sortit de la salle des archives des affaires impériales.

Dans la grande salle, Benoît de Pologne lavait les dalles à grande eau. Lorenzo avait fait tomber du haut de l'échafaudage un seau de peinture rouge dont les éclaboussures arrivaient jusqu'à Naples ; la Terre Sainte était même tachée, tandis qu'un filet rouge, certainement répandu par le seau dans sa chute, partait de l'est, traversait Bagdad et venait toucher la Sicile.

Vitus s'arrêta quelques instants, indécis, devant le *mappamundi* ; il songeait à ce que signifient grandeur et décadence, à tout ce sang versé, quand un rouleau de parchemin atterrit à ses pieds. Il comprit qu'il recevrait dorénavant ses ordres par écrit, afin qu'*il* puisse mieux exiger des comptes de lui. Il se baissa pour ramasser le rouleau. Quand il se releva, son regard tomba sur le Christ crucifié, dans un coin. Et il s'apitoya sur son sort.

LE DÉLIRE DES PERSÉCUTÉS

Sutri, été de l'an 1244 (chronique)

J'avais peut-être échappé aux eaux de Marseille, mais j'avais perdu le courage de vivre. Je n'osais plus me présenter devant le sénéchal, encore moins devant les yeux de mon roi. Les quelques jours que j'avais passés à voyager en compagnie des enfants avaient coupé le fil de tout ce qui avait été ma vie antérieure. Je me hissai sur le rivage comme le naufragé sur une île inconnue. Certes, j'avais été contraint et forcé, et j'aurais pu citer à comparaître la vieille sorcière comme témoin devant un tribunal, mais qu'étais-je allé faire chez elle? Et Gavin? Il me désavouerait et me livrerait même à un tribunal de l'Inquisition. Au mieux, on me ferait assassiner dans une prison secrète. Je m'étais comporté comme un *idiota* et, je n'avais en réalité plus d'identité. Je l'avais perdue. Je pouvais désormais dire à tout venant que je m'appelais Guillaume de Rubrouck, originaire des Flandres, puisque je ne pouvais même plus rentrer dans mon pays où je n'aurais fait qu'attirer honte et opprobre sur mes parents.

J'étais sur le point de me rejeter à l'eau quand je vis qu'un navire marchand de Pise passait non loin de moi. Les Italiens se réjouissaient fort de ma mine et ne semblaient guère avoir pitié de moi qui n'étais autre chose pour eux qu'un moine dégoulinant d'eau. Je cachai ma bourse, unique preuve tangible de ma vie passée, sous ma bure et je sautai à l'eau; une fois de plus, je pataugeai jusqu'à m'agripper à la première rame qu'on me tendit, puis des mains amicales m'aidèrent à grimper à bord.

Sur le bateau, j'essayai de me rendre utile dans la mesure de mes moyens et je me mortifiais par des jeûnes librement consentis, mais je devais passer le plus clair de mon temps à prier, pour le marchand, un certain Plivano, sous prétexte que nous naviguions dans les eaux génoises! En fait, nous doublions les îles et leurs garnisons la nuit pour nous cacher le jour dans des baies abritées, ce qui ne l'empêchait pourtant pas d'avoir affreusement peur.

Finalement, ce fut la Toscane. Avant de remonter l'Arno à la rame, les marins me laissèrent sur la rive, croulant sous les cadeaux, car le marchand pensait que je lui avais porté chance. Le plus précieux d'entre eux était un manteau rouge de brocart, doublé de soie, et un habit de velours de la même couleur. On m'avait aussi fait cadeau de chausses et de bottes de maroquin. Je me sentais comme un artiste, comme un de ces célèbres portraitistes italiens que j'avais vus à la cour de Louis et qui recevaient une pluie de pièces d'or pour chacun de leurs suaves coups de pinceau, car les princes et la fortune leur souriaient. Vêtu de mon nouvel habit de voyage, je me voyais donc comme un de ces beaux messieurs. Je jetai aux orties mon habit de franciscain qui de toute façon empestait l'eau de mer. Et je ne gardai que la croix de bois.

Je longeais la côte et, quand je vis que les pêcheurs qui réparaient leurs filets levaient les yeux, surpris, et me demandaient de les bénir, ce que je fis de bonne grâce, je compris qu'ils continuaient à voir en moi un serviteur de Dieu. Je priai l'un de ces braves de m'indiquer l'auberge la plus proche.

Devant une bâtisse solitaire en bordure de la via Aurelia qui mène à Rome, je vis une voiture étrangement décorée de clochettes et de rubans de couleur. Il s'agissait d'une voiture à deux roues, fermée juste derrière le siège du cocher par une bâche semblable à une tente.Un valet bossu mais de forte constitution pansait le cheval. Il me dévisagea de la tête aux pieds.

La salle était vide. J'attendis quelque temps avant que l'aubergiste n'apparaisse, ébouriffé, remontant ses chausses. Il s'approcha de moi en traînant les pieds dès qu'il me vit, me prenant sans doute pour un voyageur de haut rang. Je lui demandai une chambre à l'étage, commandai un cheval pour le lendemain matin et réclamai qu'on me monte sans tarder vin, pain et fromage.

L'homme, peu enclin au bavardage, ne prit même pas la peine de me remercier. Peut-être mon arrivée l'avait-elle tiré du lit où il s'amusait avec sa femme. Pourtant, il restait là, jetant des regards d'un côté et de l'autre, jusqu'à ce que je me sente obligé de lui tendre une pièce d'or. Il la cueillit au vol, me fit un stupide clin d'œil complice et se dirigea d'un pas lourd vers l'escalier. *Pace e bene!*

A peine m'étais-je allongé sur le lit que la porte s'ouvrit sur une merveilleuse dame qui me salua en ces termes :

— Bonjour, bel étranger !

Elle apportait tout ce que j'avais demandé sur un plateau qu'elle tenait sur son opulente poitrine, si bien que mon regard se fixa, au-delà du fromage, sur cette généreuse offrande que la toile contenait à grand-peine. La créature avait les cheveux noirs comme le brai et des yeux qui lançaient des éclairs dangereux. Elle posa le plateau par terre, devant mon lit, avec des mouvements si lents et provocants que nos têtes faillirent s'entrechoquer lorsqu'elle se releva en riant.

Sans même une question, elle prit une de mes jambes et, d'une volte rapide, l'immobilisa entre ses cuisses, puis retira la première botte avec ses mains prestes. Quand vint le tour de la seconde, elle me lança un regard aguichant par-dessus son épaule et je m'exécutai. Mais au lieu de se saisir de ma seconde jambe, elle leva ses jupes et se présenta à mes yeux, toute nue, merveilleuse et bien ronde. Mes mains ne m'obéissaient plus : elles s'ébranlèrent comme deux jars pris de boisson.

— La botte, messire ! gazouilla-t-elle en écartant si légèrement les jambes que je crus perdre la tête. Tremblant de tout mon corps, j'avançai le bout de l'autre botte à travers l'arc de triomphe qui s'ouvrait devant moi, prometteur de plaisirs sans fin, et je m'efforçai, tout ému, de ne point toucher la délicate frondaison qui poussait dans cet obscur jardin des délices. Puis ses fesses se refermèrent comme une porte marmoréenne, ses jupes tombèrent, sa chair se pressa autour de ma jambe et c'est à peine si je me rendis compte qu'elle m'enlevait la seconde botte.

Elle ne libéra pas ma jambe pour autant, mais se pencha, toujours de dos, et au glouglou que j'entendis, je compris qu'elle servait du vin. Elle relâcha ensuite la pression de ses cuisses, laissa ma jambe tremblante glisser tout le long du bord intérieur de sa peau tiède jusqu'à toucher de nouveau le sol, et se retourna vers moi, un verre dans chaque main. Elle m'en tendit un, s'assit à côté de moi dans le lit et nous commençâmes à manger.

— Je m'appelle Ingolinde de Metz, fit-elle en tournant vers moi un visage radieux. Ingolinde, *la grande puttana !*

ajouta-t-elle tandis que je hochais la tête, ravi. Après avoir
ôté la croûte, elle coupa le fromage en petits morceaux
qu'elle me glissait dans la bouche.

— Tu peux m'appeler Guillaume, lui dis-je avec toute la
suffisance dont j'étais capable, et nous pouvons aussi bavarder en français...

— Je l'imaginais bien, Guillaume, c'est à Paris que tu
auras appris les manières! gazouilla Ingolinde.

Elle avait aussi apporté quelques grappes de raisin. Elle
saisit un grain entre ses dents, puis l'approcha de ma bouche
dont les lèvres s'ouvrirent avidement. Elle laissa alors échapper le raisin avec grande habileté et je me trouvai prisonnier
de ses merveilleux seins dans le vallon desquels l'assoiffé que
j'étais trouva le splendide fruit qui crève entre les dents.
D'autres raisins roulèrent sur mon corps et se perdirent dans
mes chausses, mais la dame de Metz veilla à ce que pas un
seul ne se perde. Avec l'habileté d'un coupeur de bourses,
elle défit mes vêtements, libéra mon estoc, le baisa en guise
de salut, retroussa ses jupes et l'introduisit dans son souterrain humide et prometteur. Puis nous nous consacrâmes à
fouler le raisin à folle allure.

Depuis que l'on m'avait banni des chambres de bonnes
du palais royal de Paris, des doux ventres des aimables cuisinières, des chairs maigres et dures des blanchisseuses qui ne
prenaient jamais le temps de se relever pour badiner, des
femmes de chambre et de leurs petits rires qui, par égard
pour l'empois de leurs robes, ne toléraient de se faire
secouer que debout dans un coin, depuis ces parages bien
connus où l'on m'avait permis d'entrer pour trouver mon
plaisir, je n'avais pas réussi, ni au camp ni durant mon dernier voyage par terre et par mer, à me mettre une dame sous
le corps. Et dire qu'à présent j'étais enterré sous cet immense
brin de fille!

Ingolinde de Metz savait pourquoi elle s'adonnait à la
prostitution. Et elle me le fit savoir aussi. A peine avions-
nous éclusé tout le vin et croqué tous les raisins, alors que je
pensais déjà que je ne la reverrais pas vivante qu'elle ralentit
sans cesser de rire la cadence de nos efforts, mais sans donner non plus le moindre signe de vouloir respecter les
cloches qui appelaient à la prière de l'Angélus, ni d'amener à
son terme mérité notre besogne. Par ailleurs, mon estoc n'est
pas de ceux qui se retirent de suite.

Comme si elle avait deviné la divergence qui se manifestait entre la chair et l'esprit, elle me fit cette promesse :

— Demain, tu n'auras pas besoin de cheval. Je t'emmènerai où tu voudras. Mais cette nuit, je veux encore être ta monture ! — Et elle m'embrassa sur la bouche avant de me laisser le temps de lui répondre.

— Je m'en vais voir le pape ! — Ces mots m'échappèrent de la bouche, car jamais je n'avais pensé à pareille chose. Mais au lieu de l'impressionner comme je m'y attendais, *la grande puttana* partit d'un franc éclat de rire.

— Et moi aussi ! s'exclama-t-elle en descendant de mon corps. A demain matin donc — elle m'envoya un baiser —, à demain soir ! — Après quoi elle sortit de ma chambre aussi fraîche qu'elle y était entrée.

J'étais trop fatigué ne serait-ce que pour me déshabiller et je m'endormis aussitôt. Mais mon sommeil fut agité et je me réveillai avant le lever du jour.

J'allai au puits et tombai sur l'aubergiste grognon qui, comme la veille, me fit un clin d'œil complice et flatteur. Je lui donnai encore trois pièces d'or en lui montrant bien clairement la voiture de la prostituée et je demandai qu'on m'amène le cheval, un triste haridelle accompagnée de son valet pataud. Silencieusement, je quittai l'auberge avec eux, croyant encore entendre les ronflements d'Ingolinde, pour continuer ma route en direction du sud.

Je n'avais pas la moindre idée de ce que j'allais faire de ma vie, et je me disais : « Tu finiras mal, Guillaume ! » Mais mes doutes connurent une fin inespérée quand nous arrivâmes dans la région étrusque de Tarquinia sans nous être fait attaquer par les bandits, qui étaient légion, surtout dans les Maremmes. Peut-être mon habillement était-il trop voyant pour inspirer confiance, peut-être faisait-il craindre que je sois une sorte d'appât sur lequel referme le piège. Toujours est-il qu'aucun de ces effrontés brigands de grand chemin ne voulut tendre la main pour m'attraper. Pourtant, je n'avais que Filippo pour toute compagnie, que le valet courtaud qui trottait silencieusement derrière moi et savait mieux s'occuper du cheval que de ma personne.

Soudain, une troupe de cavaliers du pape apparut devant nos yeux ! Je ne me sentis pas rassuré, car je ne cessais d'avoir mauvaise conscience de porter un habillement

qui ne convenait pas à ma personne. Pourtant, le capitaine
me fit la révérence, puis me dit, avec une ombre de reproche
dans la voix :

— Pardonnez, mais vous voyagez avec une légèreté de
cœur excessive ! Votre Éminence ne devrait pas aller sans
escorte. Il y a longtemps que les autres seigneurs cardinaux
ont retrouvé le pape à Sutri. Permettez-nous de vous escorter !

Ma frayeur redoubla : le brave homme me prenait pour
un cardinal et voulait me conduire tel que j'étais devant le
saint-père. Je restai bouche bée, ce qui leur parut naturel de
la part d'un étranger, et j'entendis encore qu'on me demandait :

— D'où venez-vous avec tant de retard ?

— Les Pisans..., commençai-je à expliquer.

— Ah, ces maudits criminels ! m'interrompit fort oppor-
tunément le capitaine. Vous pouvez rendre grâce au Seigneur d'avoir échappé aux pirates, encore que ce pays soit
dangereux lui aussi, ajouta-t-il en faisant valoir ses intentions protectrices. Il est infesté de troupes impériales.

Je rendis sa liberté à Filippo en lui payant la haridelle
un prix qui lui aurait permis d'acheter, dans mon village, un
attelage de quatre chevaux. Il osa cependant protester, mais
le capitaine le mit en fuite sans ménagements.

— Encore un de ces brigands de Pisans ! Vous pouvez
vous estimer heureux qu'il ne vous ait pas coupé la tête et
volé votre bourse pendant la nuit !

Nous chevauchions en silence vers l'intérieur des terres.
Complètement abasourdi, je ne pensais qu'à une seule
chose : impossible de me présenter devant le saint-père ; je
ferais honte à mon Ordre si je me présentais en cet appareil !
Sans compter les inquiétants interrogatoires auxquels on me
soumettait ! Je tombais de Charybde en Scylla ! Si au moins
je n'avais pas jeté aux orties mon habit de franciscain ! Saint
François, c'est ainsi que tu châties les orgueilleux ! Comment
me défaire de ces vêtements rouges comme l'enfer qui me
brûlaient la peau, comment les troquer contre une quelconque guenille ! Si j'avais croisé quelque pauvre franciscain
en chemin, j'aurais tenté de feindre un embarras pressant, ce
qui ne m'aurait guère été difficile : il y avait longtemps que
mes intestins se rebellaient de peur et d'énervement ! Sois

courageux, Guillaume, garde la tête froide : aucun franciscain n'accepterait d'abandonner son habit marron, la tenue
de cérémonie des pauvres, pour celui que tu portes, et il
serait bien étrange de tomber sur un frère aussi faux que toi !

— Comment se fait-il que le pape soit à Sutri ?

A peine avais-je laissé échapper ces mots de ma pauvre
bouche que je m'en repentis aussitôt. Un cardinal doit savoir
pourquoi le pape quitte Rome, mais le capitaine m'accorda
un sourire bienveillant.

— Vous ne l'auriez pas trouvé à Civitacastellana, car le
noble seigneur de Capoccio pense que la forteresse n'est pas
assez sûre pour héberger en toute quiétude Sa Sainteté... —
Il me toisa d'un regard curieux dont je choisis de penser qu'il
ne visait que ma personne. Pour toute réponse, je ne sus que
lui faire un clin d'œil complice.

— A fort juste titre, je suppose, puisque le cardinal n'a
cessé d'irriter l'empereur allemand ! ajouta-t-il en donnant sa
propre opinion, maintenant qu'il se sentait en confiance
avec moi. Quand quelqu'un agit aussi mal que... — mais il
hésita, ne connaissant pas mon point de vue.

— Je suis français, et du nord, m'empressai-je de le rassurer, et toutes ces intrigues romaines...

— Moi, je suis génois, fit-il, heureux de la possibilité
que je lui donnais de s'ouvrir ; il ne fait pas de doute que
nous défendrons le pape Innocent, autrefois notre vénéré
seigneur évêque et, à ce titre, bon ami de l'empereur, même
si ce dernier a toujours donné la préférence à Pise. Mais
nous ne sommes pas ennemis de l'Empire !

— Pour le bien de toute la Chrétienté, soupirai-je en
prenant l'air d'un cardinal responsable, sur les épaules
duquel reposent les préoccupations de l'Église, l'un et l'autre
devraient s'entendre !

— Vous avez parfaitement raison, Éminence, car dans
les rangs des cardinaux, et pardonnez-moi si je répète la *vox
populi*, il y a quelques loups plutôt noirs qui n'ont rien de
brebis ! Et ceux-là veulent l'éviter à tout prix. Le saint-père
s'est rendu à Civitacastellana parce que beaucoup d'hommes
raisonnables comme vous, Éminence, le pressaient de
conclure un accord avec l'empereur. Frédéric est descendu
de Toscane comme une lionne à qui l'on a enlevé ses petits,
pour arracher Viterbe aux griffes du pire de tous les loups,

votre collègue Rainier de Capoccio qui s'est emparé de la
ville pour son bénéfice personnel et de la façon la plus
infâme...

— Et le pape n'a pas pu...? demandai-je, indigné, car
j'ignorais ces détails mais ne pouvais le montrer.

— Le saint-père n'a eu d'autre choix que de détourner
les yeux. Mais il a réprimandé le cardinal en public et châtié
les Viterbiens, qui à vrai dire n'y étaient pour rien, en les
frappant d'un impôt extraordinaire...

— ...qui est venu remplir ses coffres de guerre, ajoutai-je en me fiant à mon intuition.

Le capitaine acquiesça, à la fois réprobateur et compréhensif. Puis il s'étendit davantage sur la situation du pape :

— Innocent craint vaguement de devoir un jour affronter Frédéric...

— Une crainte parfaitement justifiée, vu la méchanceté
du Germain, fis-je en ajoutant à la conversation un grain de
sel qui eut l'heur de plaire.

— ...l'empereur serait capable de séquestrer Sa Sainteté! D'autre part, continua le capitaine qui était fort bavard,
il a peut-être peur qu'il lui arrive la même chose qu'à son
prédécesseur, quand celui-ci a voulu montrer des dispositions pacifiques à l'égard de l'empereur...

— ...et qu'il fut rappelé à Dieu d'une manière aussi
subite que surprenante !

— Le Cardinal gris ! murmura l'homme, et ce fut la première fois que j'entendis parler de l'institution la plus mystérieuse d'une curie dont la vocation était à la fois politique et
séculière, d'un personnage qui incarnait la soif du pouvoir et
qui, apparemment, était le cauchemar du pape sur lequel il
faisait peser une menace jamais formulée. — Ce n'est que
tant que le saint-père parviendra à maintenir l'excommunication de Frédéric qu'il pourra être sûr de continuer à vivre !
me confia le capitaine de l'armée papale, et je compris enfin
le dilemme, me rendant compte aussi qu'il ne serait pas si
simple de sortir de ce bourbier.

— Or la levée de l'excommunication est précisément la
condition *a priori* qu'impose l'empereur, devinai-je, confiant
dans ma bonne étoile et cherchant à donner une conclusion
digne à notre entretien.

Le moment était bien choisi, car le château de Sutri

apparaissait devant nous entre les arbres. J'aurais aimé en savoir plus sur les fines toiles tissées par la curie, mais mon capitaine partit au galop pour reprendre la tête de sa troupe, sans doute par respect pour le redoutable Rainier de Capoccio qui, à ce qu'il paraissait, tirait les fils avec plus de force que tout autre simple cardinal. Et de ces mêmes fils, selon tous les indices dont je disposais, pendait aussi mon seigneur, le pape. Guillaume de Rubrouck, pensais-je, petit frère vêtu d'une pourpre usurpée, tu n'es qu'un grain de poussière que ces seigneurs piétineront par inadvertance, sauf si tu t'avises d'attirer leur attention et de les déranger, auquel cas ils t'écraseront comme un pou. Une fois de plus, je me sentais bien mal. Ce sentiment fut renforcé par la vision de ces murs noirs qui se dressaient, menaçants, derrière d'autres murailles de pierres carrées recouvertes de mousse qui devaient remonter bien avant l'Empire romain. Des pierres volcaniques, me dis-je tout à coup, semblables sans doute à celles des portes occultes de l'enfer par lesquelles sort le démon pour s'emparer de la Terre, entraîner les pauvres âmes qui tombent entre ses mains par légèreté, curiosité ou mauvaises mœurs chrétiennes. Pauvre de toi, Guillaume; le plus probable est qu'il a déjà flairé ton arrivée! Nous longions un amphithéâtre romain qui se découpait sur les murs sombres. Il me fit penser à ces lieux où sorcières et gnomes célèbrent leurs sabbats, où Belzébuth fête la nuit de Walpurgis après être sorti des grottes et des profondeurs de sa forteresse pour fondre sur sa proie en se gaussant et en se riant d'elle!

Nous chevauchions dans un profond défilé dont il était impossible de s'échapper avant d'arriver sur les hauteurs du château. Mon escorte descendit de cheval et me fit la révérence. Je la rémunérai généreusement en mettant la main à ma bourse tandis que les gardes de la porte levaient leurs lances pour me saluer. Puis je m'avançai dans l'entrée pavée de pierres.

Je franchis ainsi sans encombre le deuxième poste de garde. Je désirais presque qu'on me découvre, qu'on me démasque, qu'on me jette au profond d'un cul-de-basse-fosse! Tout plutôt que cette terrible scène dans laquelle le destin poussait, sans la moindre miséricorde, le pauvre Guillaume de Rubrouck devant le trône de Sa Sainteté, vêtu comme un paon pomponné d'un rouge aussi vif que le feu.

Je cherchais désespérément une dernière occasion de fuir ces lieux, mais je ne voyais que des serviteurs qui couraient de toutes parts, des diacres qui me saluaient dévotement, des gens d'armes dans tous les coins. Comme il m'aurait plu de pouvoir m'éclipser derrière la porte d'une de ces salles, sauter par la fenêtre dans les douves du château, m'enfermer en quelque lieu où l'être humain accourt quand la nature le presse...

A l'activité frénétique que je voyais grandir autour de moi, je compris que je m'approchais chaque fois plus de l'endroit marqué pour mon exécution. C'est alors qu'un jeune dominicain au visage pâle et intelligent s'approcha.

— Pardonnez mon audace, Éminence, mais il est urgent que vous changiez d'habits !

Je tremblai jusqu'au plus profond de moi-même. Je me sentais pris. Mon esprit n'était plus que confusion quand je m'entendis dire, obéissant sans doute au diable qui se cachait sous ces vêtements :

— Mon fils, je dois voir le saint-père !

Étais-je fou de provoquer ainsi mon destin ? Par chance, le jeune dominicain, nullement impressionné, me sourit avec la condescendance d'un homme qui doit être patient avec les cardinaux, surtout quand ils ne comptent pas tant d'années et sont déjà aussi corpulents que moi, représentant parfait du prélat sans mérites qui ne pense qu'à se remplir la panse !

— Le saint-père vous attend en équipage de voyage, dit-il d'une voix ferme en faisant signe à un page de s'approche. — Conduisez le seigneur cardinal dans une chambre libre et trouvez-lui des vêtements — puis il me toisa de son regard pratique et ajouta avec une note de compassion dans la voix : — des vêtements convenables !

Il me laissa aux mains du page après avoir pris congé d'un léger signe de tête.

— A vos ordres, Fra Ascelino ! s'empressa de répondre le page, puis il me montra le chemin et me poussa presque dans un réduit où il n'y avait qu'un lit et une chaise :

— Il faut nous dépêcher, car ils sont sur le point de partir !

Je soupçonnai une occasion unique et sortis ma bourse.

— Ne serait-il pas possible de me procurer un simple habit de franciscain... ?

— Nous avons de tout ici, Éminence, répondit-il en prenant la pièce. Mais en fait, vous ne devriez pas porter de vêtements eccla-eccli-ecclésiastiques, bégaya-t-il, un peu honteux. Il faudrait avoir l'air d'un homme du monde...

— Si je tombe entre les mains du maître de ce monde, il me reconnaîtra sous n'importe quel vêtement, le rassurai-je. D'autre part, mon désir est de me présenter devant le trône de mon Créateur vêtu de l'habit le plus humble ! terminai-je mon discours avec beaucoup d'aplomb

Impressionné, le jeune homme sortit à toute vitesse.

Je ne parvenais pas encore à croire ma bonne fortune. J'ôtai aussi vite que je pus mon habit rouge que je jetai à terre. Mais je ne voulais pas non plus me montrer ingrat, car ce costume m'avait transporté sain et sauf jusqu'en ce lieu. Je le ramassai donc et l'étendis soigneusement sur le lit. Qui sait, peut-être pourrait-il m'être utile un jour. Mais d'autre part, il semblait préférable de ne pas laisser de traces. J'ouvris la porte d'une armoire maçonnée dans le mur, d'où sortit une vapeur de pourriture humide qui venait d'une fente dans les planches formant le fond. Ces planches coulissaient de côté... S'agissait-il de l'entrée d'un passage secret ?

Si je ne prenais pas la fuite à l'instant, je ne pourrais jamais plus reprocher quoi que ce soit à mon Père céleste. Je m'avançai donc, vêtu simplement de mes chausses, mais dès le premier tournant, je compris que la fuite s'arrêtait là, devant une autre cloison de bois, peut-être le fond mobile d'une autre armoire. Au moment où j'allais battre en retraite, j'entendis un bruit de voix.

— ...*et le vaniteux seigneur de Cortone a mordu à l'hameçon ?*

— Élie n'avait d'autre ambition que de satisfaire son souverain, Éminence ! — Je reconnus la voix du jeune dominicain qui m'avait séquestré tout à l'heure, Fra Ascelino ! — Je crois savoir que ce soir même, à la nuit noire, trois cents cavaliers turcs fondront sur ce château pour faire prisonnier le seigneur pape !

Je me sentis baigné de sueur : une conspiration contre le représentant suprême de la Chrétienté était en marche, et moi, Guillaume de Rubrouck, un personnage qui en réalité n'aurait même pas dû exister, pris entre la pourpre et l'habit, pour le moment vêtu seulement de ses chausses en plus

d'être coincé entre deux armoires, j'étais l'unique témoin qui
ne pouvait intervenir. Il me fallait retourner sur mes pas
avant que le page... mais ma curiosité prit le dessus.

— *...et quand va arriver le messager, que j'espère voir saigner de toutes les blessures subies au combat, porteur de cette
nouvelle de Civitacastellana ?* — La voix de l'autre personnage
avait quelque chose qui me perçait les os et je me mis à
trembler.

— Quand vous voudrez, Éminence, répondit le dominicain. Je collai l'œil contre une fente, soupçonnant que cet
homme était le terrible Capoccio, ou même le Cardinal gris
en personne ! Mes dents se mirent à claquer. Je ne voyais
qu'une main qui sortait d'une manche et un peu du profil du
maigre religieux, à quoi je devinai qu'il en baisait l'anneau.

— *Attendez, Anselme de Longjumeau*, fit la voix de
l'autre. *Que sont devenus ces enfants que l'empereur germanique a fait sortir de Montségur ?*

La réponse tarda un long moment, tandis que je suais
sang et eau. Cette fois, le démon m'avait bien cloué avec sa
fourche ! Mais en même temps, je me mis à trembler de
froid.

— Il n'est pas du tout sûr que Frédéric sache quelque
chose, répondit le dominicain, pensif. Il est vrai que deux
chevaliers qui lui sont fidèles se sont présentés là-bas : l'un
de l'Ordre teutonique, Starkenberg, et un infidèle que notre
protecteur suprême de la Chrétienté a armé chevalier de ses
propres mains...

— *Je sais*, répondit la voix du cardinal, *c'est le fils du
vizir. Dommage que nous ne puissions faire bon usage de ce
renseignement ici et maintenant !*

Je crus entendre un soupir. Par contre, ces paroles me
soulageaient grandement. Ils étaient donc sains et saufs, au
moins pour le moment ! Et personne ne disait rien de moi ?
Mon orgueil s'en offensa, mais je ne savais si m'en lamenter
ou au contraire m'en réjouir. Ces deux hommes qui parlaient
derrière le fond de l'armoire ne donnaient pas l'impression
de beaucoup s'intéresser à un petit franciscain qui, en
connaissance de cause ou pas, avait participé à une conjuration si extraordinaire contre l'Église.

— *Ce qui m'intéresse n'est pas d'où ils viennent ni le chemin qu'ils ont pris, mais leur future destination. Pourquoi les
Français se donnent-ils tant de mal pour les sauver ?*

Le silence qui suivit cette question me laissa le temps de craindre à nouveau pour le sort des petits auxquels de si tristes sires prêtaient tant d'attention.

— *Vitus de Viterbe lui-même semble avoir oublié pourquoi nous l'avions envoyé à la cour de Paris. Il se comporte comme s'il était émissaire du roi en mission spéciale! Il n'a rien d'autre en tête que ces enfants!* — Le cardinal semblait vivement contrarié.

— Le roi Louis ignore le péril que ces enfants peuvent représenter pour la maison des Capet...

— *Qu'ils auraient pu, bien entendu* — son Éminence s'autorisa l'espace d'un instant une réaction qui semblait humaine —, *mais plus maintenant que vous*, canes Domini, *avez réussi à retrouver leur trace!*

— Pour l'heure, nous l'avons reperdue — Fra Ascelino fit cet aveu avec autant de désinvolture qu'il le put. Puis ce fut encore le silence.

On frappa à la porte.

— Nous avons intercepté une missive destinée à Élie de Cortone...

— Donne, dit Fra Ascelino, mais apparemment le cardinal la lui arracha des mains; quelqu'un ouvrit la porte de l'armoire.

— *Nous verrons cela plus tard...* — et un rouleau de parchemin vint atterrir contre ma poitrine.

Mon sang s'était figé, car la lumière subite m'avait presque aveuglé et j'avais eu grand peur qu'on me découvre.

— *Faites en sorte qu'elle parte avec les bagages et qu'on me la présente plus tard!* ordonna Son Éminence, apparemment tracassée par d'autres problèmes, et la porte de l'armoire se referma d'un coup.

Le cardinal avait retrouvé ses manières inaccessibles et sa voix glacée de tout à l'heure.

— *Je constate que l'empereur ne sait rien; le roi ne sait rien à rien; le pape ne sait rien, du moins à ma connaissance, et mon service secret a si peu à faire semble-t-il qu'il invente une conspiration dont on ne sait même pas...*

— Pardonnez-moi, Éminence, mais il y a d'autres puissances...

— *...je vous prie de ne plus vous égarer en pensant à eux, Anselme de Longjumeau*, l'interrompit avec rudesse la voix glacée du cardinal, *et de vous consacrer enfin à ces tâches qui en ce moment sont les plus urgentes!*

Silence, bruit de pas, une porte qui se referme.

Et j'étais là, en chausses, possédé par tous les démons. Selon toute apparence, le ministre général de mon Ordre, Élie, avait été destitué et se trouvait menacé d'excommunication. Mais il était toujours un personnage, naturellement... Et si je m'adressais à lui? Un certain écrit, dont il devait sûrement regretter la disparition, pourrait m'attirer son affection. Je cherchai à tâtons dans l'armoire le rouleau de parchemin, avec les précautions qu'on prend pour toucher un serpent venimeux. Puis, faisant provision de courage, je le glissai dans mes chausses, n'ayant d'autre endroit où le cacher. S'ils me pinçaient, j'étais perdu de toute façon et je pouvais être sûr de la corde qu'ils m'attacheraient au cou pour que je ne tombe pas au fond du vide. Alors, quelle importance s'ils me pendaient comme espion ou comme voleur? Et que pouvait bien peser un simple larcin dans une situation semblable!

Je revins en toute hâte à mon cagibi et me jetai sur le lit à l'instant où le page arrivait en courant:

— J'ai trouvé un habit noir. Il n'y en avait pas de marron à la bonne taille, mais je ne pense pas que ce soit important!

Pour lui, peut-être pas. Mais moi, je me posais des questions, sans pourtant pouvoir le laisser paraître. Je pris donc l'habit du bénédictin.

— Attendez ici qu'on vienne vous chercher! m'indiqua le garçon en refermant la porte.

Guillaume de Rubrouck dans l'antichambre du pape. Était-ce un clin d'œil du destin? Fallait-il que je lui confesse mon histoire, déchargeant ainsi ma conscience? Me libérerait-il de mes doutes...? ... *en Tes mains je confie mon destin...!* Oui, c'était bien cette route que je devais prendre, car c'était à cette fin que le Seigneur m'avait placé à la croisée de ces chemins. Les voies du Seigneur sont insondables, mais j'allais suivre leurs indications, maintenant, ici, dans l'instant. N'était-ce pas mon obligation que d'informer le saint-père de ce que d'autres ourdissaient dans son dos?... Le Seigneur m'éclaire et me protège, je lui obéirai!

J'ouvris la porte avec beaucoup de précaution et me glis-

sai dans le corridor. L'agitation qui régnait tantôt dans le
château s'était un peu calmée. Une étrange tension saturait
l'air comme souvent avant l'orage. Mon âme elle aussi réclamait une purification! J'avais toujours rêvé de voir le saint-
père dans une salle haute et claire, aux murs tendus de coûteux tapis contant l'histoire glorieuse de l'Église et de ses
martyrs, sous des plafonds couverts de fresques aux joyeuses
couleurs représentant des scènes de puissance et de gloire
célestes. Au lieu de cela, je me trouvais à présent au carre-
four de corridors sombres dans lesquels filtrait à peine un
rayon de soleil. Les premières salles que je traversai ensuite
d'un pas hésitant étaient austères, dépouillées de toute déco-
ration, pâtissant même d'un certain abandon. Le même
groupe de gardes qui tantôt m'avait rendu les honneurs ne
me barrait peut-être pas la route, mais l'officier ordonna
qu'on fouille mes vêtements au cas où ils dissimuleraient des
armes. Le rouleau de parchemin que j'avais glissé dans mes
chausses résista à l'épreuve; loin de me brûler la peau, il me
faisait plutôt l'effet d'un morceau de glace dressé là où mon
membre occupait habituellement sa place.

On m'emmena comme un prisonnier vers des chambres
que l'on avait provisoirement transformées en bureaux.
Dans mes habits de cardinal, j'aurais pu les traverser tête
haute, en tête basse, perdu dans mes méditations!

Jamais je n'aurais imaginé ainsi l'antichambre du trône
de Sa Sainteté: une cheminée à moitié en ruine dans
laquelle des bûches trop humides envoyaient à l'intérieur
une fumée bleutée, faute de tirage; des soldats qui jouaient
aux dés dans un coin; au centre, comme une barrière, une
grande table de chêne couverte de taches de graisse, de
flaques de vin rouge et de miettes de pain, derrière laquelle
un secrétaire hautain demanda ce que je désirais, sans lever
les yeux. Les mots me manquèrent.

— Qui vous a convoqué? lança-t-il avec lassitude après
m'avoir adressé une brève invitation exprimée en ces
termes: — Suivant!

— Mon âme est dans le trouble, répondis-je sans
m'écarter de la vérité. Il me lança un bref coup d'œil désap-
probateur.

— Rien d'étonnant dans cette maison de fous, railla un
autre scribe qui s'éloignait à grands pas, les bras chargés de

rouleaux de parchemins. Et il me fit un sourire d'encouragement.

— J'ai besoin d'aide..., dis-je pour donner suite à ma
déclaration spontanée.

— Par tous les saints ! Ce n'est pas le moment de présenter des requêtes ! siffla un prélat maigre à l'oreille du secrétaire avant de passer au large et de disparaître par la porte
ouverte qui conduisait aux salles du fond. Celles-là mêmes
auxquelles j'allais pouvoir accéder, une fois traversé le pur-
gatoire. Dans ma folie, j'avais imaginé qu'on me conduirait
tout simplement devant le saint-père et que celui-ci, lorsqu'il
me verrait, abandonnerait son trône et ferait se relever le
moine de Rubrouck, agenouillé devant lui, en déclarant
quelque chose comme : « Enfin, tu es là ! » Puis il ajouterait :
« Explique-nous ce qui pèse sur ton âme, Guillaume ! » Si
c'était bien ce que j'avais cru, j'étais totalement dans l'erreur.
Et puis, comment le saint-père allait-il me reconnaître si je
n'étais même pas vêtu de l'habit marron des franciscains ?

Le secrétaire tambourina sur sa table, m'arrachant à
mes songeries.

— Je dois savoir ce que deviennent ces enfants, murmurai-je dans mon désespoir. J'ai fait une étrange rencontre
que je ne peux confier qu'à l'oreille du saint-père, je veux me
confesser à lui !

Plusieurs de ceux qui étaient là levèrent les yeux au plafond noirci, d'autres semblaient vouloir mourir de rire. Mais
le secrétaire n'en était apparemment pas à son premier
oiseau égaré.

— Le saint-père est en réunion, une réunion importante, me fit-il savoir, à moi, moine ahuri, sur un ton aimablement protocolaire. Si vous pouviez coucher par écrit
votre requête, en décrivant exactement la vision que vous
avez eue, ainsi que les frais engagés jusqu'à présent pour
ladite cause, nous la soumettrions à Sa Sainteté ! — Et il crut
m'avoir éconduit avec ces paroles.

C'était sans compter avec mon opiniâtreté flamande.

— Mais c'est qu'ils sont en chair et en os, m'indignai-je
en haussant le ton, et je dois le dire au pape lui-même — ces
derniers mots s'éteignirent en un murmure, car ma propre
audace m'effrayait.

De la pièce d'à côté, derrière la porte, s'éleva une voix
que je reconnus comme celle de Fra Ascelino :

— Quelles nouvelles apporte-t-il ?

— Urgentes et secrètes ! lui cria le secrétaire.

L'autre insista :

— Il est blessé ?

Incrédule, le secrétaire regarda mes mains et mes pieds, comme s'il espérait y découvrir les plaies du Christ. Je lui montrai en souriant mes paumes.

— Non, il est frais comme un gardon !

— Alors, jetez-le dehors en lui bottant le derrière !

Je les pris de court et, avant qu'on ne puisse m'attraper, je sortis en courant de cette salle remplie d'individus aussi présomptueux que dangereux. Arrivé à la porte, je faillis bousculer un messager qui saignait au front et au bras. Son pourpoint de cuir était déchiré. Il était suivi d'un groupe de soldats agités qui ne savaient s'ils devaient l'aider ou l'empêcher d'entrer. L'homme se frayait un chemin vers l'antichambre de la salle des audiences.

— Trahison, trahison ! gémissait-il. L'empereur... !

Le secrétaire se leva d'un bond :

— Arrêtez-le !

Je crus qu'il parlait de moi et, pris de panique, je traversai des corridors, descendis des escaliers et fis irruption derrière les gardes surpris qui étaient justement occupés à fermer les lourds vantaux des portes.

Et c'est ainsi que je m'échappai de ce maudit château ! Qui m'avait dit de fourrer le nez dans cette tanière ? Je glissai sur des pierres, trébuchai sur la racine d'un arbre, sentis le feu dans ma tête et restai ainsi étourdi, pratiquement sans connaissance.

Je me souvins alors de la chaumière de la Louve, du coup, des flammes qui montaient au ciel ! Un bruit de sabots et d'armures me ramena à la réalité. Il y avait un arbre devant moi et je donnai alors la preuve d'une agilité insoupçonnée, compte tenu de ma corpulence, car je grimpai aux branches en étouffant mes gémissements. Ce n'est que lorsque je fus à l'abri des regards de mes poursuivants, très haut au-dessus du sol, que je m'arrêtai à penser. Le diable te poursuit, Guillaume, mais une fois de plus tu as réussi à échapper à ses griffes ! Le souffle me manquait encore quand je me rendis compte que la nuit tombait déjà et que les feuilles m'entouraient amoureusement de leur ombre. Seigneur, loué sois-Tu !

Confiant en I.H.S., je grimpai encore plus haut, jusqu'à pouvoir regarder derrière les murs. A toutes les fenêtres du château, on voyait des lumières, des mouvements de torches et d'ombres, on entendait des cris et des ordres, et même des plaintes. Mon imagination m'aida à voir la chambre à coucher du pape et les camériers qui s'efforçaient d'aider Innocent à s'habiller, tandis que le cardinal Rainier insistait dans l'antichambre pour qu'ils se pressent et que son chien de garde, Fra Ascelino, sillonnait hors d'haleine les corridors et les salles afin de réunir mes collègues déguisés. Le pape lui non plus ne se vêtait pas en grand apparat, mais prenait l'habillement d'un simple voyageur. Ses cardinaux et prélats l'entouraient à présent, tous vêtus, comme lui, d'habits discrets et, à part quelque précieuse épée qui dépassait ici ou là, à part les anneaux qu'ils portaient au doigt, on aurait pu les prendre pour une bande de chasseurs. Les chevaux piaffaient dans la cour du château, renâclaient, s'ébrouaient. Les archers étaient montés aux créneaux. A peine osais-je respirer, car au moindre bruit ils m'auraient transformé en un saint Sébastien avant que je ne retouche terre.

La porte s'ouvrit; un détachement sortit, suivi de la garde en armes. Il devait être là où le tourbillon était le plus dense et les boucliers tenus le plus haut, le pauvre pape tombé aux mains du diable! Où l'emmenait-on cette fois?

La troupe infernale disparut dans l'obscurité de la nuit, accompagnée d'un grand tumulte de sabots et d'armes, jusqu'à ce que les dernières torches n'éclairent pas plus que des vers luisants. Les archers descendirent des murailles en plaisantant.

— Le diable emporte avec lui notre seigneur le pape!

Je n'y comprends toujours goutte, mais il en fut pourtant ainsi.

La grande porte refermée, j'osai descendre de ma cachette aérienne et me mis à marcher sans savoir où porter mes pas.

À LA CROISÉE DE DEUX FUITES

Civitavecchia, été de l'an 1244

Le bateau qui leur fit traverser la mer Tyrrhénienne depuis Marseille comptait un équipage de six hommes intrépides, de sorte que les trois chevaliers et leurs montures complétaient amplement la cargaison, sans compter les enfants, même s'ils ne pesaient guère. Mais l'embarcation était vieille et, quand ils accostèrent à l'île d'Elbe pour prendre une dernière fois de l'eau et des provisions, Créan de Bourivan la fit recalfater à la poix et à la résine, car le port de Civitavecchia était encore assez loin au sud. L'équipage étranger était commandé par un certain capitaine Ruiz et jusqu'à présent les hommes ne s'étaient pas mutinés, car on leur avait promis une solde si généreuse s'ils débarquaient leurs passagers au lieu convenu qu'après ce voyage, chacun pourrait acheter son propre bateau, et que le capitaine pourrait en acquérir trois, même s'ils affirmaient que l'or n'était pas le plus important pour eux et pour l'accomplissement de leur mission. Ils disaient être originaires d'*al Andalus* et parlaient entre eux un dialecte saupoudré de sonorités grecques que seul Créan comprenait, non sans mal, grâce au séjour qu'il avait fait en Achaïe. Mais qu'il fût leur interlocuteur montrait bien que ces hommes et lui-même appartenaient d'une façon ou d'une autre à cette vaste fraternité des corsaires goths qui couvrait toute la Méditerranée. Le fait est qu'ils ne semblaient pas connaître la peur, même s'ils multipliaient les précautions pour ne pas rencontrer d'autres nefs génoises ou pisanes.

A la hauteur du cap du mont d'Argent, ils constatèrent que la cale s'inondait de plus en plus, sans qu'ils puissent découvrir une voie d'eau, et ils durent se mettre à écoper. Les enfants ne semblaient pas avoir peur : ils jouaient à cache-cache entre les chevaux qui leur plaisaient apparemment beaucoup et, armés des petites assiettes dans lesquelles ils mangeaient, ils participaient de bon cœur à la dure tâche des marins qui tentaient de rejeter l'eau à la mer.

Mais elle montait de plus belle et Ruiz décida de mettre le cap sur la côte. Il était midi et un vent favorable les poussa en biais vers une plage.

— Tarquinia est là-haut, expliqua Ruiz. Encore quelques milles, et peut-être...

— Nous n'y arriverons pas, grogna Sigbert. Il faut descendre à terre.

Créan réfléchit un moment.

— Faites coucher les chevaux et couvrez-les de filets avant qu'on nous voie de la rive !

— Dans ce cas, reprit Ruitz, il serait préférable d'amener les voiles et de pêcher au moins avec un filet, sinon nous risquons d'attirer l'attention — et ils suivirent son conseil.

Pour Roç et la petite Yeza, l'expérience fut particulièrement intéressante, car ils pouvaient enfin voir de près les grands yeux des chevaux, observer leurs naseaux, leur mettre du foin dans la bouche et jouer avec leurs corps puissants, profitant du fait que les adultes n'étaient plus en mesure de les surveiller. Ils se cachèrent avec les bêtes sous le filet et se mirent à les consoler en les caressant et en tripotant leurs corps nerveux sous la robe lisse, essayant de retenir leurs queues impatientes.

— Attention aux sabots ! leur dit Constance, et Roç répondit, offensé :

— On ne va pas leur faire mal !

— Allez, cachez-vous et restez tranquilles ! s'exclama Créan.

Et le bateau s'approcha ainsi, à la rame, traînant derrière lui un filet, jusqu'à ce que la côte apparaisse. Mais ce qu'ils y virent les fit s'arrêter aussitôt. Des cavaliers parcouraient en tous sens la route de la côte et, chaque fois qu'ils croyaient la plage enfin libre, un autre groupe d'éclaireurs apparaissait sur les collines, comme si ces hommes attendaient quelque chose : une attaque ennemie, mais venue de la terre plutôt que de la mer.

— Trop d'honneur pour nous ! ronchonna Sigbert qui, pendant que deux marins attachaient le filet, écopait l'eau à côté de Constance.

— Pourvu que la pêche soit mauvaise, plaisanta Constance, car cette gondole finirait par couler ! — Mais le danger n'était pas grand, car ni Ruiz ni ses hommes ne semblaient connaître grand-chose à la pêche.

— L'un de nous doit descendre à terre et se rendre à Civitavecchia pour parler à nos amis, dit Créan. Qui sait ce qui se passe là-bas. Ces mouvements de troupes ne me disent rien de bon.

— Je vais y aller à la nage, proposa Sigbert qui ôtait déjà sa chemise. J'emporterai avec moi quelques plies et perches pour les vendre au marché...

— Par Allah! Les vrais pêcheurs vont bien t'aimer, se moqua Constance. Et puis, tu n'auras qu'à ouvrir la bouche pour qu'on sache que tu es allemand, et les cavaliers que nous avons vus sont des soldats du pape...

— Et toi, Faucon rouge, tu t'en tirerais encore moins bien. On te soupçonnerait aussitôt d'être un espion et, à supposer qu'on ne te pende pas, tu causerais des problèmes considérables à l'empereur si tu tombais entre leurs mains! Je vais y aller moi-même! — En fin de compte, Créan était le chef de cette expédition et pouvait décider ce que bon lui semblait.

— Quand la nuit commencera à tomber, vous vous approcherez à mille pieds du phare; là, je viendrai vous repêcher avec une autre embarcation.

— J'espère bien que non, fit le jeune émir qui était en humeur de plaisanter. Pourvu que le bateau tienne bon jusque-là!

— Eh bien, écopez sans vous arrêter un instant! répondit Créan en se lançant à la mer. Très vite, la tête du nageur disparut dans la lumière du soleil couchant.

— C'est dangereux de se noyer? demanda la petite Yeza au chevalier de l'Ordre teutonique.

— Seulement si tu avales trop d'eau, fit le vieil homme pour la rassurer en caressant ses cheveux blonds.

Tous les hommes écopaient. Ruiz fit griller sur un feu les premiers poissons qui s'étaient pris par distraction dans le filet, en dépit des protestations de Roç qui supportait mal qu'on tue quelques poissons vifs et agiles en les assommant, pour les ouvrir ensuite avec un couteau et les mettre à griller sur le feu, car il était très sensible. Il ne voulut pas manger avec les autres. Et ce n'est que lorsque Yeza, plus compréhensive, lui glissa dans la bouche quelques succulentes bouchées qu'il consentit à les avaler.

Ils s'étaient éloignés à nouveau de la côte et se dirigeaient lentement vers le sud.

Dans le port, la vie semblait suivre son cours, mais les habitants avaient naturellement remarqué ces cavaliers qui s'approchaient des murailles pour disparaître ensuite, comme s'ils voulaient mettre les défenses à l'épreuve avant d'attaquer. Ils étaient convaincus que Civitavecchia était toujours fermement aux mains du pape qui avait de bonnes raisons pour ne pas relâcher son emprise, puisque le port d'Ostie, plus proche de Rome, était toujours exposé aux caprices des municipes romains qui n'ont jamais été trop grands amis du pape. Et particulièrement depuis qu'Innocent avait pris le chemin du Latium au nord, la curie utilisait l'ancien port étrusque comme principal nœud de communication pour ses voyages.

Au matin était arrivé un voilier en provenance de Beyrouth qui amenait de Terre sainte deux hauts dignitaires de l'Église. Le capitaine du port leur avait annoncé qu'ils pouvaient attendre là en toute quiétude l'arrivée du saint-père qui ne tarderait pas, mais ils avaient insisté pour qu'on les escorte jusqu'à Civitacastellana, sachant de source sûre qu'Innocent s'y trouvait.

La hâte qu'ils avaient d'être reçus par le saint-père ne les empêcha cependant pas de réclamer, dans la taverne du port, une dégustation de vin de Toscane. Stimulé dans son patriotisme, l'aubergiste leur offrit donc, à titre gracieux, le meilleur vin de sa cave qu'ils apprécièrent tant qu'il fallut ensuite les aider à monter à cheval, puis les attacher pour qu'ils ne tombent pas de leurs montures.

Quand ils eurent quitté les lieux sous les risées méchantes, dodelinant sur leurs chevaux, la petite foule des clients apprit de la bouche des marins comment ils avaient échappé au terrible malheur survenu en Terre sainte, un récit qui les fit frissonner.

Le second maître était le meilleur conteur. Il avait la peau noire comme du brai et portait un petit anneau d'or dans une narine, plus un autre très grand à l'oreille droite. La gauche lui manquait.

— Les chorasmiens — et le mot roula sur sa langue avec un son sinistre —, une tribu de cavaliers sauvages, chassés par les Tartares encore plus terribles qu'eux — et il mastiquait ses mots comme de la viande crue —, ont envahi la Syrie. Comme Damas leur semblait trop bien défendue, ils ont fondu sur Jérusalem où tous dormaient paisiblement, sans soupçonner le moindre danger — il leva les yeux au ciel et l'on ne vit plus que du blanc dans ses orbites; prenant la garde par surprise — et il expliqua, en se caressant la gorge, ce qui était arrivé aux malheureux —, ils ont défoncé les portes, violé les nonnes, massacré les prêtres et tous ceux qui n'ont pu se réfugier dans la citadelle, sans même descendre de leurs rapides coursiers, pour ainsi dire; au grand galop! — L'aubergiste offrit au conteur et à ses amis une nouvelle tournée. Le marin continua, se délectant de son propre récit : — Faute d'une armée chrétienne, le commandant de la ville a demandé l'aide de ses voisins musulmans...

Ce fut le tollé général quand on apprit dans l'auberge que les chrétiens avaient sollicité l'aide des infidèles.

— Quelle honte! Et où étaient passés nos chevaliers croisés?

Le second maître réclama le silence.

— Les musulmans ont refusé de défendre les chrétiens, mais la population civile de la ville a quand même pu se réfugier dans la tour de David où elle a trouvé le salut. Les juifs se méfient et restent chez eux. Six mille chrétiens se replient en toute confiance à Jaffa, ou Yafo comme nous disons nous autres. Voilà, et que voulez-vous que je vous dise? Ils n'étaient plus que trois cents à leur arrivée!

Des cris de rage, d'indignation et de désolation s'élevèrent aussitôt : « Jérusalem est donc perdue? » « Oui, définitivement perdue! » « Le Saint-Sépulcre n'est plus qu'un tas de ruines! »« Que Dieu nous pardonne nos fautes! » « Ah, Sion bien-aimée! » Beaucoup pleuraient.

Incapable de retenir ses larmes, l'aubergiste remplissait les verres des marins. Tous répandaient des pleurs brûlants; les lamentations et les plaintes sortirent des murs de la taverne et s'étendirent comme les bras d'une pieuvre invisible jusqu'aux moindres passages et ruelles de la cité.

Un point se détachait sur la mer étincelante : le petit bateau de Marseille qui portait les enfants à son bord. Sous le commandement de Sigbert, le gigantesque chevalier teuton, l'équipage continuait à écoper sans prendre un instant pour souffler, mais les planches pourries laissaient passer des torrents d'eau et leurs forces menaçaient de fléchir.

— Bientôt, nous n'aurons d'autre choix que la gueule du loup ou le gosier des requins, plaisanta Constance pour que la tristesse générale ne tourne pas au désespoir.

— Ou un bateau va s'approcher et nous sauver de tous les périls..., répondit Sigbert qui devait rêver debout, mais il montra la mer où l'on voyait au sud une voile poindre à l'horizon. Et pas seulement une, mais plusieurs! Le vent gonflait les voiles des bateaux qui filaient droit sur la petite barque et l'on devinait clairement des croix blanches sur l'étoffe lie de vin.

— La flotte génoise! cria Sigbert, furieux. Plus de signaux! Faites coucher les chevaux!

Plus vite dit que fait, car les animaux, lassés d'être à moitié couchés dans l'eau, résistaient. Constance les força à rouler sur le flanc et les enfants s'assirent entre leurs têtes pour les rassurer et les caresser tendrement, tandis que les marins les couvraient à nouveau d'un filet. Ruiz lança un autre filet à l'eau et dirigea son bateau de façon à l'écarter de la route que suivaient les navires, vers le port de Civitavecchia.

A la consternation de tous, le filet se remplit aussitôt et Sigbert, pour ne pas éveiller les soupçons, ordonna qu'on le remonte à bord. La petite barque, déjà surchargée par les chevaux et l'eau qu'elle prenait, se remplit d'un essaim de poissons argentés qui frétillaient, vibraient et sautaient en l'air, mais l'abondante prise fit que son secret resta caché à la vue des Génois qui passèrent tout près. Les hommes saluaient et Sigbert, Constance et les Marseillais, tous torse nu, agitèrent joyeusement la main.

— Jetez tout ce poisson à l'eau! cria Constance dès que la flotte se fut éloignée. Ou nous coulons! — et il se mit à jeter à la mer la précieuse cargaison, à pleines brassées, à l'exception de quelques petits poissons que Roç et Yeza voulurent protéger d'un commun accord pour qu'ils puissent poursuivre leur existence dans la mare qui s'était formée à côté de la quille.

Tous recommencèrent à écoper. Mais le niveau de l'eau ne baissait pas, bien au contraire, et ils attendaient avec angoisse l'obscurité de la nuit.

Le pape Innocent IV et sa suite, dont le cardinal Rainier de Capoccio, avaient chevauché à bonne allure toute la nuit et même le lendemain, presque sans souffler, et ce n'est que lorsque le soleil de midi darda à plomb ses rayons qu'ils se refraîchirent brièvement dans les thermes romains de la colline de Tolfa, arrivant à la nuit tombée au port fortifié de Civitavecchia.

Vitus de Viterbe les y attendait avec l'imposante flotte génoise qu'il avait amenée de Rome. Elle comptait vingt-trois galères, chacune dotée de plus de cent rameurs et d'innombrables gens d'armes.

Mais au lieu du joyeux enthousiasme — Sa Sainteté croyait la population comblée par sa visite inattendue —, il trouva une Civitavecchia abattue et affligée par la perte de Jérusalem. On pouvait aussi soupçonner que régnait çà et là un mécontentement secret car, si ce n'avait été de la lamentable dispute entre Frédéric et la curie, l'empereur aurait pu intervenir depuis longtemps en Terre sainte, évitant à la Chrétienté cette horrible honte. Tels étaient les sentiments du petit peuple qui pâtissait de ce qui était arrivé. En revanche, les forces vives de la cité, et jusqu'à la délégation des Génois récemment arrivés avec l'amiral à leur tête, jugèrent qu'il ne s'agissait que d'un stupide contretemps qui ne les empêcherait pas de saluer l'arrivée du saint-père par une fête et un banquet. Mais Innocent possédait le don de deviner les désirs et les craintes du peuple. Il célébra donc une messe en plein air au cours de laquelle il se lamenta avec amertume de la perte des Lieux saints et jura solennellement qu'ils seraient repris.

Le cardinal Rainier se couvrit la tête de cendres, *coram publico* et à côté du pape, même s'il désirait en secret envoyer au diable cette ville de Jérusalem qui suscitait tant de compassion, alors que le plus grave danger était sans nul doute la persécution maligne dont l'Église souffrait de la part de l'empereur germanique, cet *incubus* de la Chrétienté. A peine se fut-il relevé qu'il sécha ses larmes et fit tomber les cendres, convoquant aussitôt devant lui Vitus de Viterbe. On avait peut-être perdu Jérusalem, mais ici il en allait du destin de l'*Ecclesia romana* !

Le cardinal reçut son « bourreau » — comme l'appelaient quelques mauvaises langues du château en parlant de l'étrange relation, ou plutôt de la disproportion, qui existait entre une tête intelligente et une main brutale — sur les murailles de la forteresse portuaire, préférant ne pas être vu en public avec Vitus.

— Mon *Morgenstern* ! dit Capoccio à son sbire qui montait l'escalier de fort méchante humeur ; un accueil qui faisait chaque fois trébucher Vitus comme dans un piège, peut-être parce qu'il espérait que cet homme si proche du pouvoir, froid comme un glaçon, laisserait paraître un jour un peu d'affection pour sa personne. Mais en réalité, le puissant ne voyait dans l'autre qu'une masse d'armes, utile à l'occasion.

— Notre importante armée se divertit dans le port, lui reprocha le cardinal d'une voix cassante, au lieu de former un cordon armé autour de la ville !

— Les murs nous protègent..., commença Vitus pour se défendre, mais le cardinal le fit taire aussitôt :

— ...les murs ne feront pas vraiment obstacle à l'empereur quand il aura eu vent de la fuite d'Innocent !

— Et pourquoi l'empereur voudrait-il l'empêcher de fuir ? L'Antéchrist va sauter de joie !

— Vitus ! — Le cardinal le regarda, surpris, comme chaque fois qu'il découvrait un peu plus la profonde ignorance du Viterbien. — L'empereur ne veut pas chasser le pape. Il veut qu'il reste sur son trône de Rome, mais par la grâce de Frédéric, comme prêtre suprême du Saint Empire germanique, ni plus ni moins ! Il veut un pape obéissant et au service de l'empereur germanique ! dit Capoccio d'une voix cinglante.

— Je crois qu'il serait capable de l'assassiner ! gronda Vitus. La vie d'Innocent, pardon, du saint-père, ne pourrait pas être en sécurité un seul instant !

— Je vois que tu n'entends ni l'un ni l'autre : un pape mort n'intéresse pas le Germain, car le suivant pourrait être encore plus rétif ! L'empereur veut un pantin couronné de la tiare et assis sur le trône de saint Pierre, pas un martyr en exil qui risque d'appeler à la révolte !

— Et que veut le pape ?

Capoccio ne répondit pas. Anselme de Longjumeau apparaissait justement en haut de l'escalier.

— Fra Ascelino ! s'exclama le cardinal avec bienveillance et peut-être avec soulagement ; il appréciait l'ambition du jeune et brillant dominicain. Venez donc donner au seigneur de Viterbe un quart d'heure d'instruction sur les conflits d'intérêts entre l'Église et l'Empire. Allez !

Il recula et s'assit sur un créneau, tandis que le dominicain s'inclinait devant Vitus dans un geste exagéré de courtoisie.

— La papauté, commença-t-il sa péroraison, doit se libérer de l'étreinte germanique qui, par le nord, a poussé ses marches jusqu'à Spolète et la Tuscia, alors qu'au sud continue à pousser la mauvaise herbe du royaume normand, dont la croissance sauvage étouffe déjà Gaète — Ascelino se racla la gorge et regarda Vitus qui supportait son discours tête baissée, comme un bœuf.

— Si nous voulons conserver le patrimoine traditionnel de l'Église, il faut ouvrir l'une de ces deux pinces qui le menacent. Et tant mieux si nous ouvrons les deux ! Aucun accord n'est possible avec les empereurs germaniques : ils ont déjà goûté aux fruits du pouvoir avec trop d'ambition et de succès...

Le cardinal reprit alors la parole tandis que ses yeux allaient et venaient, pensifs, de Vitus à son instructeur, puis erraient sur le port et la mer :

— Autrement dit, quand on voit qu'il est impossible d'étêter un arbre, il vaut mieux couper son tronc, avant que ses racines n'écrasent les murs de la petite église !

— Supposons que le grand jardinier y parvienne, fit Vitus pour le flatter, qu'arrivera-t-il du jardin d'Europe, où toutes les plantes poussent pêle-mêle ?

— Nous enverrons une bouture en Sicile, et peut-être même une autre à Naples, nous prendrons soin d'elles, répondit Fra Ascelino en souriant. Une haie impénétrable de cités libres en Lombardie, et cela pourrait bien signifier que de l'autre côté des Alpes n'importe quel rejeton indompté du clan peut se proclamer roi ; mais s'il aspirait à la dignité d'empereur, il devrait se prêter à un bon émondage et se présenter à Rome avec, en guise d'offrande, une corbeille de fruits choisis pour s'incliner devant la plus belle et la plus resplendissante de toutes les fleurs...

— Je ne vois pas Frédéric dans cette humble posture, osa intervenir Vitus, mais un regard cruel du cardinal le fit taire aussitôt.

— Alors, les chats pisseront sur ses racines ! — la voix du

jeune dominicain avait monté d'un ton. — Les pucerons mangeront ses pousses. Les chenilles et autres insectes dévoreront ses feuilles, les oiseaux du ciel picoreront ses fruits et les bêtes sauvages briseront ses branches ! Et la nuit venue...

— ...vous couperez le tronc ? dit Vitus d'une voix railleuse.

— Plutôt vous, Vitus de Viterbe, l'homme des viles besognes, le reprit d'une voix glaciale le cardinal qui, depuis son mur, n'avait cessé de les observer. — Mais l'heure de la justice n'a pas encore sonné.

Ascelino continua, les joues en feu :

— Et c'est pour cette raison que nous sommes obligés de transplanter pour quelque temps le symbole de la pureté et de la bonté célestes. La rose chrétienne de Rome et sa roseraie doivent se réfugier dans le jardin du dévot Louis.

— Alors, dépêchez ! l'interrompit le cardinal qui descendit de son mur, et faites en sorte que nous puissions procéder à cette transplantation avant que le Germain...

— Son armée se repose une fois de plus de la défaite subie devant notre héroïque Viterbe ! intervint Vitus qui tentait de redresser la tête.

— Disons plutôt qu'il a préféré jusqu'ici ne pas attaquer pour ne pas nuire aux négociations, soupira le cardinal qui renonça à continuer, plus parce qu'il avait compris que Vitus ne serait jamais un utile statège que par compassion pour cette ville qui les avait vus naître tous les deux.

— S'il prend la route pavée de Tarquinia, Frédéric peut être ici plus vite que nous ne le souhaitons. De fait, c'est précisément ce que j'étais venu vous dire, conclut le dominicain qui baisa l'anneau du cardinal, puis disparut par l'escalier après s'être légèrement incliné dans la direction de Vitus.

Celui-ci dépassait d'une tête le cardinal, et pourtant, ils se ressemblaient comme deux frère, si ce n'est que les traits du premier étaient plus grossiers, plus frustes. Vitus se redressa devant l'autoritaire Capoccio, avec l'air d'un élève qu'on réprimande.

— Oui, père, je ferai ce que...

— Ne m'appelle pas père, même quand nous sommes seuls ! La force de l'habitude implique l'erreur !

Mais la réprimande incita le fils à se rebeller.

— Éminence, grommela Vitus, j'espère pouvoir vous

donner un jour que j'espère pas trop lointain le titre de
« saint » apposé devant « père ». D'ici là, vous devrez vous
contenter du dernier en sa forme simple quand nous
sommes en *privatissime*. Ne serait-ce que pour honorer ma
mère !

— Tu es aussi têtu qu'elle ! répliqua le cardinal en riant.
Si ce n'est qu'au lieu d'avoir la tête vide, la tienne ne pense
qu'à des bêtises ! Allez, au travail !

Vitus ressemblait maintenant à un taureau furieux.
Comme il détestait son père ! Non seulement parce qu'il refusait de reconnaître en lui son fils, ce qui n'aurait pas été difficile, mais aussi parce qu'il profitait de ces liens du sang
pour continuer à le traiter, lui qui avait passé la quarantaine,
comme un petit paysan de rien, comme un valet de ferme
inculte.

De la salle des fêtes s'éleva une voix qui semblait légèrement avinée : « L'âme vole comme l'oiseau / libéré du lacet
du chasseur / dont les nœuds ont cassé ! »

— Ils fêtent leur fuite comme si c'était une victoire !
lança Vitus avec amertume. Ils ne seraient pas si joyeux s'ils
savaient qui est le vainqueur !

Mais celui auquel s'adressait cette remarque fit comme
s'il n'avait rien entendu. Comment pouvait-on être assez stupide pour dire pareilles bêtises ! Sans doute ne vivrait-il pas
bien vieux. En tout cas, il ne s'élèverait jamais. Dommage !

— Que fais-tu encore ici ? cria malgré lui Capoccio à
son fils bâtard. Tu attends que je te mette dehors ?

Il sentait la colère le gagner.

— Ce sont plutôt ces gens là-haut que vous devriez jeter
dehors, lui répondit Vitus avec insolence. A votre rang
revient l'honorable tâche de sonner la fin de la fête, car le
danger pointe là-bas, sur la mer. Il grandit à chaque minute
que nous passons ici à bavarder. La flotte des Pisans a coutume de prendre les poissons cardinaux dans ses filets, sans
attendre un ordre de l'empereur pour oser le faire !

— Celui qui n'a pas de jambes doit avoir une tête. Tu as
raison, mon fils, fit Capoccio en regardant dans la direction
du port. Et quelle pêche extraordinaire ! Non seulement
l'unique amiral de Gênes se trouve-t-il pris dans le filet, les
ouïes battantes — l'image semblait plaire au cardinal qui
parvint cependant à le dissimuler —, mais jusqu'au *Vicarius*

Petri, exemplaire unique, vision de magnificence, s'agite dans les mailles! Mais non, pas aujourd'hui, pas ainsi! Je ne devrais ni le penser ni le dire!

Comme si Vitus eut percé ses pensées traîtresses — on savait qu'à la curie le moindre poisson est aux aguets pour voir comment manger plus petit ou plus haut que soi —, il se dit que la pourpre lui siérait fort bien à lui aussi. Mais son entrée dans cet aquarium de *papabile* dépendait pour le moment de ce que son ambitieux père pût demeurer encore suffisamment longtemps à son poste de brochet qui surveille les carpes et qui, vêtu de ses plus beaux ornements, n'a pas à se défendre des morsures avides de ceux qui viennent derrière.

— Éminence, reprit-il en rentrant donc dans le rang, je propose que, pour déjouer d'éventuelles attaques venues de la mer, tous les bateaux de pêche sortent avec l'ordre d'escorter les galères génoises jusqu'en haute mer. Les Pisans auraient du mal à découvrir une flotte qui s'éloigne en pleine nuit. Et d'autre part, pour l'affronter, ils auraient absolument besoin de tous leurs vaisseaux.

— Je suppose que tu n'espères pas de compliments, mon fils, si ce n'est la fierté de t'entendre nommer ainsi. Allez! Au travail, Vitus. Il est temps!

Le cardinal lui tendit la main pour le baiser de rigueur, puis Vitus de Viterbe disparut dans la nuit.

Le banquet touchait à sa fin. Les soldats, placés en double cordon autour du port et de la cité, ne laissaient plus entrer personne. On sortit les pêcheurs du lit, au milieu des lamentations des épouses qui craignaient le pire. Il fallut pousser les plus réticents à coups de bâton jusqu'aux bateaux où on les obligea à se préparer à prendre la mer. Peu après, le pape accompagné de l'amiral se dirigea vers la galère de ce dernier, tandis que les cardinaux montaient à bord des autres navires. L'escadre appareilla. De fait, entourées de cette nuée de bateaux de pêche, les galères génoises n'étaient pas faciles à repérer. Les marins hissèrent plus de cent voiles et des milliers de rames commencèrent à soulever une forte houle dans la baie du port. Puis la flotte majestueuse glissa rapidement sur la mer plongée dans la nuit.

— Allons dormir — le cardinal avait observé la manœuvre avec une satisfaction évidente. — Je veux dire, je vais dormir. Toi, tu fais le guet!

Vitus n'avait pas espéré autre chose :

— Nuit et jour !

— Et tu me réveilles à la moindre alerte !

— Je ne vous réveillerai que si l'empereur lui-même se présente, Éminence, car je vous souhaite un repos mérité !

Les pêcheurs se séparèrent des Génois. Puisqu'ils étaient à pied d'œuvre, ils amenèrent leurs voiles et jetèrent leurs filets. Et comme si le saint-père qui fuyait au même instant sur la mer leur avait accordé une bénédiction extraordinaire, la pêche fut abondante pour tous.

Dans l'agitation générale des pêcheurs trop heureux de ramener des filets pleins à craquer, personne ne s'inquiéta de cette barque étrangère qui s'était mêlée aux leurs et qui suivit la flottille quand celle-ci rentra au port, aux petites heures du matin. Personne ne prêta attention au fait qu'elle avait à son bord trois chevaux avec leur harnachement et trois chevaliers avec leurs armures. Ces derniers revêtirent de nouveau la tunique blanche des templiers et débarquèrent en pleine Civitavecchia, à peine leur embarcation toucha-t-elle les galets de la plage. Personne ne remarqua non plus les ballots que deux d'entre eux portaient dans leurs bas.

Les soldats qui surveillaient le port s'étaient retirés quand ils avaient vu rentrer les pêcheurs, pour essayer de rattraper le sommeil perdu durant la nuit. Vitus fit une dernière fois le tour des postes de garde pour ordonner qu'on ne laisse entrer personne avant que le soleil ne brille haut dans le ciel, puis il alla dormir dans l'une des tours.

Et c'est ainsi que les trois chevaliers, montés sur leurs chevaux, traversèrent la cité dont les habitants s'apprêtaient à retrouver le sommeil. Ils venaient de sortir par la porte sud quand quelqu'un leur ordonna de s'arrêter. Les mains de Constance et de Créan se posèrent aussitôt sur leurs armes, mais le vieux Sigbert les calma. Il fit appeler le lieutenant qui commandait la barrière. L'homme se présenta, à moitié endormi, l'esprit un peu brouillé.

— Tu te souviens de la consigne ? lui lança Sigbert.

— Ne laisser entrer personne !

— Parfait, mon garçon, grogna le chevalier, spécialiste du *codex militiae*. Quelque chose à signaler ?

— Non, messire !

— Alors, continuez ! dit Sigbert d'une voix bienveillante. Et il fit un geste hautain au lieutenant endormi qui ne cessait de regarder, un peu inquiet, les deux ballots où se cachaient les enfants. — La consigne est la consigne ! Ouvrez l'œil ! L'ennemi ne dort pas !

Au même moment, Yeza sortit d'entre les couvertures que Créan tenait dans ses bras et fit une grimace au jeune lieutenant.

— Et ces enfants ? osa demander ce dernier.

— Nous avons l'ordre d'aller les faire baptiser, répondit Sigbert d'un air féroce en faisant le geste d'éperonner son cheval.

Mais Yeza ne put faire taire son caquet :

— Nous sommes des petits hérétiques !

Roç que Constance tenait sur sa selle se réveilla.

— Où est papa ?

Les soldats du pape encerclèrent la petite troupe.

— Ne faites pas attention, dit Sigbert d'une voix autoritaire pour rassurer les hommes du guet, il veut parler du saint-père.

— Pape-le croque-mitaine ! s'entêta Roç et les soldats éclatèrent de rire. Sigbert leur lança quelques pièces et ils s'empressèrent d'ouvrir la barrière pour laisser passer la petite troupe. Quant au lieutenant, il s'était suffisamment réveillé pour noter dans son registre : « Dans la matinée du vendredi jour de la saint Jean-Baptiste de l'an de grâce 1244, ont quitté la cité un maître templier et deux chevaliers du même Ordre, emportant avec eux deux enfants des deux sexes. »

Peu après, les cavaliers quittèrent la via Aurelia qui mène à Rome et s'enfoncèrent vers l'intérieur des terres.

LE BOMBARONE

Cortone, été de l'an 1244 (chronique)

Juste au-dessous de Cortone, là où les routes de Sienne et de Pérouse rejoignent celles d'Arezzo et d'Orvieto, se trouvait la taverne du Veau d'Or.

Elle n'avait rien d'extraordinaire, bien au contraire. Ce n'était qu'une masure passablement délabrée, que personne d'ailleurs ne se souvenait avoir jamais vue autrement. La taverne avait aussi son « auberge », ce qui voulait dire que dans les communs, en réalité les écuries, on te laissait dormir par terre, à moins d'acheter à Biro, l'aubergiste, quelques bottes de foin qu'il vendait au prix du fourrage. La nourriture qu'il servait à ses hôtes était si misérable que jusqu'aux franciscains préféraient aller mendier quelques os et croûtes de pain avant d'entrer chez lui. Et pourtant, Le Veau d'Or était toujours bondé et beaucoup logeaient pendant des semaines et même des mois entre ses murs.

La raison de cet engouement était Biro, unique centre sûr et absolument neutre de communications entre les Apennins et les monts albains. Moyennant espèces sonnantes et trébuchantes, le client obtenait ce qu'il voulait : nouvelles, rumeurs, livraison discrète de messages ou suppression des mêmes, fausses informations, et discrétion. Le montant donné décidait du traitement accordé par rapport aux autres qui demandaient la même chose ou son contraire !

Le lieu lui-même était d'une certaine façon régi par une perpétuelle *tregua Dei*, une interdiction absolue d'engager le combat. Et ce n'était pas que Biro et ses valets fussent particulièrement dévots; la pauvre chapelle en ruine qui se perdait parmi les bâtisses à moitié effondrées ne témoignait pas en tout cas de leur piété : la cloche ne sonnait que pour annoncer une nouvelle de grande importante dans la vaste salle de la taverne.

La pire engeance s'y retrouvait : mercenaires qui fuyaient l'Empire, sicaires de la Sérénissime, espions de la curie et agents de Palerme, tueurs à gages qui allaient remplir leur mission ou offraient leurs services, voleurs en cavale et traîtres en rupture de ban, mandataires chargés d'embaucher mercenaires et cantinières, saltimbanques et diseuses de bonne aventure, maquereaux et prostituées ; tous s'y réunissaient et se traitaient les uns les autres avec la plus grande confiance, car presque tous n'étaient que de passage, en quête de quelque chose. Les valets du tavernier jetaient dehors sans hésiter quiconque se mettait en tête de faire du scandale, non sans casser au passage quelques côtes au présumé fauteur de troubles ; et si quelqu'un n'était pas content du traitement et s'avisait de sortir le couteau, on pouvait faire une croix sur lui sans que personne demande jamais plus de ses nouvelles.

Telle était la règle de Biro, telle était sa loi. Sous sa protection, frères mendiants et prélats gros et gras, riches commerçants et honorables paysans pouvaient faire halte dans son auberge et respirer avec terreur ou mépris, mais de toute façon avec ivresse, l'air sauvage et épais d'un monde immoral, pincer le nez et poursuivre ensuite leur chemin, satisfaits de leur propre décence, heureux de ne point appartenir à ce monde. Le fait est que Biro, ses hôtes et ses clients, parmi lesquels il faisait de fort délicates distinctions, étaient habitués à voir de tout, ce qui faisait sa renommée.

On m'avait recommandé, comme on recommandait sûrement à quiconque ne savait ce qu'il voulait ni où il voulait aller, d'aller faire un tour chez lui au cours de ma traversée de la Toscane. Biro était debout devant la porte de sa taverne quand j'arrivai, encore vêtu de l'habit noir des bénédictins, et que je descendis du cheval acheté grâce aux réserves que je conservais encore dans la bourse rondelette du capitaine pisan. Je n'hésitai point à la montrer à Biro pour lui donner à entendre que je désirais obtenir quelques renseignements de lui.

— Tu m'as tout l'air d'un franciscain déguisé qui n'ose pas se présenter devant son général, me dit Biro en me tutoyant comme il en usait avec tout le monde, ce qui faisait partie de son négoce et de sa célébrité. Son sourire me fit rougir. — Et justement aujourd'hui, tout le monde se presse pour lui rendre ses devoirs !

Il donna un coup de dents dans la pièce que je lui avais donnée, puis la glissa dans sa poche. L'or me donnait droit à quelques informations.

— D'importantes visites? Nous avons ici le patriarche d'Antioche, accompagné de l'évêque de Beyrouth. Ils n'ont même pas réussi à arriver jusqu'à Civitacastellana où ils voulaient voir le pape, figurez-vous? — Biro s'amusait fort à raconter les mésaventures des deux dignitaires tout en n'étant pas peu fier qu'ils se soient arrêtés au Veau d'Or. — En chemin, ils sont tombés entre les mains d'une avant-garde de l'empereur!

— Quels écervelés! — Ces paroles m'avaient échappé, mais la réaction de Biro me rassura.

— Aux innocents les mains pleines! L'officier impérial les a envoyés à Viterbe où l'un des juges du tribunal suprême de Frédéric commande le siège...

Je ne souhaitais pas qu'il me prenne pour un papiste endurci.

— Et cette fois, leur ange gardien les a abandonnés?

— Pas du tout, répondit Biro en riant. Ces deux-là n'en ont vraiment pas besoin. Ils sont plus innocents que des anges. Et cet homme avisé, au lieu de les faire prisonniers en les entendant clamer leur volonté de voir le pape, au lieu d'en finir avec eux, cet homme les a fait remettre à Élie, le conseiller de l'empereur, pour qu'il se débrouille avec ce casse-tête.

— Et le général les a...?

— ...ne leur a pas encore vu le bout du nez, car leur goût pour notre vin toscan est plus fort que leur désir de voir le saint-père. Ils sont attablés ici depuis hier... — et, d'un air satisfait, il montra la porte de la taverne d'où sortait un brouhaha de voix. On aurait cru à l'ouverture du concile du Latran et à la fermeture du bazar de Constantinople, tout à la fois. — Et les voilà assis, en train de boire, de se lamenter et de raconter des histoires comme s'ils étaient des conteurs orientaux!

Je voulus entrer aussitôt, mais Biro me retint par mon habit:

— Si tu entres habillé ainsi, ils vont croire que tu es un émissaire du saint-père et tu ne pourras plus te débarrasser d'eux.

— Alors, inversons les rôles, lui répondis-je, et présentez-moi plutôt comme un moine pécheur qui espère obtenir par leur entremise la bénédiction et le pardon du pape.

— C'est bien ce dont tu as l'air ! affirma l'aubergiste rusé en me poussant dans la salle. Personne ne se retourna. Tous semblaient suspendus aux lèvres de ces hauts dignitaires de l'Église qui, malgré la longue barbe blanche de l'aîné et l'espèce de chaudron posé à l'envers que le second portait sur la tête, n'offraient pas une image particulièrement édifiante. La tête, sans doute alourdie par les vapeurs du vin, posée sur un bras lui-même accoudé sur la table, chacun empoignait de l'autre main son gobelet.

— ...et au lieu de revenir aussitôt occuper la sainte cité de Jérusalem...

— ...car les sauvages chorasmiens sont repartis plus loin, une fois satisfaites leurs envies d'assassinat, d'incendie et de pillage, continua son compagnon en balayant d'un grand geste les planches de chêne, humides de vin.

— ...pour s'offrir aux Égyptiens, le corrigea l'homme à la barbe blanche. Et qu'est-ce que je voulais dire à propos de Jérusalem ? — Pour retrouver le fil de ses idées, il prit une bonne lampée au milieu des rires. Puis il continua tout bas : — Ah ! Je me souviens : ils rassemblaient une armée, celle des barons de Saint-Jean-d'Acre...

— Six cent dix-sept chevaliers — son compagnon remontait sur la brèche et je remarquai que son ivresse se manifestait par une minutieuse exactitude des détails —, en plus des Ordres militaires qui dépendent directement du pape...

— Nous devons nous présenter au saint-père ! se souvint le vieillard. Une dernière tournée, et ensuite...

Ce fut à nouveau l'hilarité générale. Cette louable intention s'était sans doute déjà manifestée maintes fois pour se noyer ensuite dans le bon vin toscan.

— Soit trois cents chevaliers pour chacun des Ordres, un peu moins pour les Teutons...

— Combien au total ? — L'addition présentant des difficultés, le public tenta de prêter main-forte, mais ne fit qu'ajouter à la confusion. A chaque gorgée que les deux hommes buvaient, leur langue se déliait davantage. — En tout cas, une armée gigantesque !

— Et puis, il faut compter la grande levée de musulmans que fera l'Ismaël de Damas...

Cette précision parut incroyable aux vignerons, éleveurs

et honnêtes artisans de Toscane. Non, ils ne pouvaient y croire. Mensonge!

— Mais ils vont se battre contre nous! s'exclamèrent-ils. Contre!

— Non, ils se battront à nos côtés! — L'homme à la barbe blanche donna un coup de poing sur la table qui fit vaciller les gobelets. — Ils sont nos alliés!

— Et nous comptons aussi sur Mansur Ibrahim, prince de Homs, et sur ses troupes, ajouta son compagnon.

— Mais comment est-ce possible! s'exclamèrent les braves gens. Et on appelle ça une croisade!

— Oui, jusqu'à An-Nasir d'El Kerak, ennemi acharné des chrétiens, qui s'est présenté avec ses bédouins pour grossir la troupe...

Tout le monde se pressait maintenant autour de la table. Et on ne tarda pas à conclure que ces deux-là étaient des charlatans venus d'Orient, des bouffons qui racontaient des sornettes pour se moquer, de fieffés menteurs! Et les rires repartirent de plus belle.

— Qu'est-ce qui va se passer ensuite? — ils les poussaient à poursuivre leur incroyable récit. — Ils se prennent tous par la main et ils se mettent à chanter ensemble?

— Mais si c'est la vérité! insista le patriarche aux cheveux blancs dont quelqu'un avait renversé le gobelet. — Ils marchent tous ensemble... — L'évêque prit les gobelets et les disposa en ordre de bataille — tous ensemble, ils vont marcher contre l'ennemi commun : l'Égypte...

Le public resta coi.

— Contre le sultan du Caire! Son armée — et il continuait à disposer des gobelets pour représenter la bataille pendant que les autres le regardaient faire, fascinés — est toujours inférieure en nombre, même avec les renforts des chorasmiens — il retira un pichet des alentours de Jérusalem, représentée par une assiette pleine d'os de poulet —, mais ils sont commandés par un tout jeune émir qu'on appelle Rukn ed-Din Baibars, dit « l'Archer ». Il y a eu une fameuse rencontre dans les dunes de Gaza...

— Continuez, continuez! réclamaient les auditeurs, incrédules et déconcertés, quand les soldats d'Élie entrèrent dans la taverne. Ils fendirent la foule et prièrent les deux hauts dignitaires de l'Église, en des termes qui ne laissaient pas place au doute, de les suivre sans perdre de temps.

Les gens protestèrent, mais personne ne leva la main pour les protéger. Les deux conteurs n'étaient peut-être rien d'autre que des chevaliers d'industrie, des saltimbanques rompus à raconter des histoires à dormir debout, comme cette incroyable fable de chevaliers chrétiens et d'infidèles luttant coude à coude ! Impossible, tout simplement impossible !

Pourtant, Biro retint l'escorte et les soldats acceptèrent avec grand plaisir son invitation ; le sergent y consentit même, croyant peu prudent de la refuser net. Et c'est ainsi que les deux dignitaires de l'Église furent eux aussi autorisés à prendre un dernier coup.

L'aubergiste me fit signe d'approcher et me dit :

— Prends le chemin du château. Comme ça, tu pourras te joindre à ces messieurs sans attirer l'attention, car le Bombarone ne reçoit personne. Je vais les retenir encore quelque temps !

Je le remerciai d'une autre pièce d'or et partis à toutes jambes.

Le château des barons Coppi de Cortone se trouve à mi-pente des collines qui le dominent. Un double mur sinueux l'unit au palais de la cité tout en protégeant l'entrée. Je montai par le chemin qui conduisait à la porte, toujours vêtu de l'habit noir qui m'était étranger.

En vérité, il nous est strictement interdit, à nous autres frères mineurs obéissant, sous peine d'exclusion de l'Ordre, de nous mettre en rapport avec Élie de Cortone, notre ancien ministre général, excommunié à deux reprises. Mais personne n'allait me reconnaître sous cet habit. D'autre part, je n'étais plus à un péché près quand ma conduite m'en avait fait commettre tant d'autres.

Je n'étais pas encore arrivé en haut que passa à côté de moi, brimbalant sur les pavés, une voiture escortée de soldats qui portaient l'enseigne d'Élie, le dissident de l'Église. A l'intérieur, les deux hauts dignitaires se trouvaient dans un état plutôt lamentable, ce qui apaisa ma conscience. Ils étaient ni plus ni moins saouls comme des bourriques ! Il fallut les sortir de la voiture et les conduire au château. Comme personne ne s'occupait de moi, je pus les suivre, comme si je faisais partie du groupe.

Et c'est ainsi que je me présentai devant Élie qui nous reçut assis derrière une table dans la pièce richement décorée dont il avait fait son cabinet de travail, sans même prendre la peine de se lever pour nous saluer. Il nous désigna des sièges, aux deux ecclésiastiques et à ma modeste personne, avec un geste hospitalier quoique rempli de suffisance, puis attendit notre requête. De mes deux compagnons, il n'obtint que quelques rots et petits rires assez infantiles.

Le regard d'Élie se posa alors sur moi qui ne pus que hausser les épaules.

— Ce n'est point que je vous rende responsable de leur état, me dit-il alors, mais vous devriez au moins me les présenter !

Je baissai les yeux, honteux. Il pensa certainement que je n'étais pas tout à fait sobre moi non plus, mais le fait est que je ne connaissais pas les noms de ces personnages et que je ne désirais pas lui raconter ma propre histoire en présence de tiers.

C'est alors que le sergent d'armes annonça d'une voix de maître de cérémonie :

— Son éminence Alberto de Rezzato, patriarche d'Antioche ! — et il désigna le maigre vieillard à l'abondante barbe blanche qui regardait furieux autour de lui, sans sortir de son mutisme. — Son excellence Galeran, évêque de Beyrouth ! — Se sentant interpellé, l'évêque ouvrit la bouche :

— Nous voulons voir le saint-père !

Élie le regarda, surpris :

— Mais avec grand plaisir ! dit-il en se prêtant avec une souplesse admirable à un jeu dont le but et les règles lui étaient inconnus. Informez-moi de la situation dans notre précieuse Syrie, où je fus un temps custode. Naturellement, vous ne me ferez savoir que ce qui convient à mes oreilles. Combien de fois n'ai-je pas regretté ses enchantements et ses délices, son pacifique...

Alberto l'interrompit par ce qui ressemblait fort à une éruption de colère :

— Pacifique ? s'exclama-t-il d'une voix sarcastique. Jérusalem est perdue, le royaume est au bord de l'abîme, les infidèles triomphent !

Et Galeran ajouta son grain de sel dans un pleurnichement pathétique :

— Dans les dunes de Gaza, à côté d'Herbiya ou de La Forbie, comme nous disons, notre réputation de combattants bénis de la bonne fortune a été taillée en pièces! Le maître du Temple et son maréchal y sont tombés; celui des Hospitaliers a été fait prisonnier. Imaginez! Ils ont réussi à se sauver et à emmener à Ascalon trente-trois templiers, plus vingt-six chevaliers de saint Jean et trois chevaliers teutons! Nous sommes perdus, sanglota-t-il, si vous n'accourez pas à notre secours.

— Combien de fois n'avons-nous pas supplié le saint-père, mendié son aide? s'indigna à son tour le patriarche qui se leva en chancelant un peu. A présent, j'exige de celui qui est à la tête de la Chrétienté qu'il rassemble ses forces et les envoie au pays qui devrait être pour lui aussi un objet sacré, ce pays dont la protection et le salut nous furent confiés à tous en son temps par son grand prédécesseur Urbain — sur ce, il lâcha un grand rot —, au lieu de poursuivre ici ses disputes égoïstes avec l'empereur et le reste du monde. Si ses accusations contre l'empereur germanique sont justifiées, je lui prêterai avec plaisir ma voix au concile pour condamner celui-là à ne pas dépasser ses justes limites; mais Innocent, notre père à tous, a le devoir...

Galeran confirma les paroles de son confrère et essaya de se lever.

— Nous voulons voir le pape.

Élie frappa dans ses mains et une femme bien en chair accourut avec une carafe de vin et des coupes. Je me joignis à eux et bientôt, à part quelques sorties occasionnelles d'Albert et les lamentations répétées de Galeran qui ne cessait de manifester son désir d'être enfin conduit devant le pape, nous n'eûmes plus grand-chose d'intérêt à nous dire.

Avant qu'ils ne tombent de leurs sièges, le Bombarone ordonna à sa gouvernante, une certaine Gersande, de sortir les deux hommes de la pièce, avec l'aide des soldats, pour qu'ils puissent cuver leur vin. Puis il se tourna vers moi.

— *Pax et bonum*. Estimé Élie, ne faites point cas de mon habit. Je suis frère mineur, aussi bien ou mal que vous!

Il me laissa continuer.

— Je suis le frère Guillaume de Rubrouck et je me trouve dans l'embarras. Je vous supplie de m'aider! — Puis je changeai de tactique, comprenant qu'il n'y avait pas moyen de l'émouvoir. Je lui contai toutes les aventures que j'avais vécus entre Montségur et Marseille, puis je lui parlai de mon voyage en mer et de mon intention de me confesser au pape.

Élie me laissa parler, mais se montra de plus en plus inquiet, surtout quand je lui exposai mes pauvres suppositions, plutôt que conclusions, sur l'origine des enfants.

— Ce sont des enfants royaux, affirmai-je péremptoirement, en partie pour effacer du même coup mes propres doutes avec cette première phrase. — Et ils sont promis à un grand avenir, ajoutai-je encore avec enthousiasme. — Cette histoire ne nous rappelle-t-elle pas la nuit de Bethléem? La constellation des astres, la persécution par les sbires d'Hérode! Saint Georges et saint Michel, les anges gardiens déguisés en chevaliers — et plus je parlais, plus mon discours se faisait véhément —, la nef salvatrice. N'est-ce pas à Marseille que Marie-Madeleine est descendue à terre?

— Certes! Et toi, tu as fait le plongeon!

— Ils m'ont jeté par-dessus bord!

Élie me fit taire. Il se leva et sortit plusieurs volumes des rayons qui garnissaient le mur. Puis il les feuilleta:

— Et que crois-tu, frère Guillaume: de quelle souche royale sont-ils issus? Sont-ils frère et sœur? Quels traits les distinguent?

— Ils s'aiment comme frère et sœur, mais ils sont très différents l'un de l'autre par le caractère et le physique. Pourtant, ils se ressemblent aussi! — Je m'efforçais de lui donner une description exacte de Roger et de la petite Yeza quand je vis qu'Élie s'irritait de mes explications ampoulées et d'ailleurs tellement contradictoires. — Je me permets d'observer, osai-je finalement ajouter, que les circonstances indiquent le lieu: le château des hérétiques, et nous disent qu'ils doivent être de sang cathare et occitan...

— Et pourquoi pas un faux pas d'un chevalier de la célèbre table ronde du roi Arthur! se moqua le Bombarone, mais je pris sur moi pour ne pas montrer mon irritation.

— Pourquoi pas? N'y a-t-il pas des gens de bon entendement, et je vous compte parmi eux, qui affirment que la véritable origine du Saint Graal est l'expression *sang réal*?

— Mystique hérétique, grogna Élie avec mépris. On aurait dû les brûler avec les autres sur le grand bûcher!

— Vous ne parleriez pas ainsi — et je sentis monter en

moi la colère à voir sa cruauté — si vous aviez pu les tenir dans vos bras! Je ne vous dirai pas un mot de plus. Je me repens...

— Je voulais simplement m'assurer de tes sentiments, frère Guillaume; je voudrais encore retourner un peu tes suppositions. Les chevaliers? Tu dis qu'ils sont fidèles à notre empereur. Mais je peux t'assurer et te confirmer mille fois que l'empereur ne désire pas orner son chapeau de plumes hérétiques, encore moins sa couronne! En ce moment, du moins, il n'a rien à voir avec eux!

— Pourtant, il doit bien y avoir...

— Laisse-moi terminer : il peut s'agir d'enfants de sang royal, germanique, et même de sa propre chair et de son propre sang! — Manifestement, il pesait plus ses pensées que ses paroles. — Si ce n'est qu'en ce moment il n'a d'autre choix que de le nier, et même de persécuter ceux qui le proclament! — Il remplit ma coupe et je compris qu'une sorte de machination prenait forme. — Je me suis chargé de bien des tâches que l'empereur doit refuser en raison de son rang et de sa situation. Ce ne serait pas la première dynastie pour laquelle des serviteurs fidèles doivent exécuter, dans le dos du souverain insouciant et même contre sa volonté, des choses qui en fait servent à le maintenir sur le trône. Ne l'oublie pas, Guillaume! — Il leva sa coupe et nous bûmes, réconciliés. — Qui sait si ce n'est pas la Divine Providence qui t'a conduit chez moi plutôt que devant Innocent?

J'avais l'impression de m'être assuré définitivement de sa bienveillance. Il rappela Gersande, la superbe femme qui non seulement était sa gouvernante, mais semblait aussi jouir de toute sa confiance.

— Laisse dormir les patriarches tout leur saoul. Ce sont mes hôtes, et ils le resteront tant que je pourrai éviter le contraire. Dis à l'aubergiste du Veau d'Or qu'ils peuvent boire leur content à notre compte, car il faut faire l'impossible pour les empêcher de voter en faveur d'Innocent, pour empêcher qu'ils s'unissent tous contre Frédéric!

— Ils seront très bien ici parmi nous! l'assura Gersande. A moins qu'ils n'aient une attaque ou que leur foie ne s'engorge définitivement, ils seront toujours ici quand vous rentrerez d'Apulie.

— J'emmène Guillaume avec moi, l'informa le Bombarone qui ne m'en avait pas touché mot. Tout à coup, je comprends mieux l'étrange désir de mon vieil ami Turnbull qui insiste pour me revoir pour ainsi dire au bout du monde, en Apulie ! — Malgré tout, Élie semblait bien pensif. Ces raisons ne devaient pas lui paraître bien claires, même avec mon récit et l'histoire des enfants. — Je n'aime pas l'idée de t'enchaîner, Guillaume, dit-il enfin. Mais tu dois être un hôte invisible : je ne veux pas qu'on puisse te voir dorénavant, tu auras disparu de la face de la terre. Nous partirons en voyage dans quelques jours.

Je me levai et me rendis compte alors que quelque chose me dérangeait dans mes chausses. Le parchemin ! Je l'avais complètement oublié. Mon Dieu ! Je ne pouvais quand même pas relever mon habit devant mon ministre général pour me mettre la main entre les cuisses. J'avais honte. J'aurais voulu que la terre m'engloutisse.

De fait, c'est ce qui arriva, du moins en ce qui se réfère à la partie de la terre que baigne le soleil. On me condamna à vivre dans les catacombes des cuisines et des caves. Mais notre voyage tardait toujours davantage, de même que je tardais moi aussi à remettre au Bombarone la missive qui lui était destinée, comme je me l'étais proposé.

Dès que je m'étais trouvé seul, j'avais sorti le rouleau à la lumière du jour. Je dois dire cependant qu'on ne pouvait plus vraiment parler de rouleau : ce n'était plus qu'une sorte de vilaine motte informe qui de plus sentait fort mauvais. Il m'était impossible de la remettre en cet état ni d'expliquer comment elle en était arrivée là. Je cachai donc le parchemin en espérant que le Seigneur ou la très sainte Vierge m'éclairent sur la façon de le faire apparaître soudain sur son écritoire, transporté comme par la main d'un ange, un peu froissé mais débarrassé de cette odeur révélatrice. Je n'osais pas non plus l'ouvrir pour le lire, si bien que j'ignorais tout de l'importance qu'il pouvait avoir.

Je dormis mal ces nuits-là. Aucune idée sensée ne me passait par l'esprit. Les semaines passaient. Elie me faisait perdre patience en évoquant le départ prochain, et moi, le « rassurais » en continuant à attendre un signe du ciel.

IV

LA PISTE PERDUE

CONTRE L'ANTÉCHRIST

Aigues-Mortes, été de l'an 1244

Si les remparts carrés d'Aigues-Mortes furent plantés dans la mare sans vie des marais de Camargue, c'est que le roi Louis, dans son obstination dévote, ne voulait pas devoir compter sur Marseille, cité profondément pécheresse et par ailleurs indubitablement impériale, alors qu'il lui fallait d'urgence un port pour organiser sa croisade. Comme il pensait y réunir une armée gigantesque, il eut la clairvoyance, freinant son impatiente dévotion, de prévoir un possible retard de la part de ses vassaux qu'il avait invités à participer à la sainte croisade. De sorte qu'il entreprit de construire une vraie ville de solides bâtisses de pierre. Dans une de ces maisons, tellement semblables les unes aux autres, se trouvait réuni un cénacle de dominicains qui formaient pour moitié un tribunal de l'Inquisition, pour moitié une avant-garde du concile papal. Que le gibet fût installé devant leurs fenêtres ne semblait pas les déranger le moins du monde, pas plus que d'avoir sous les yeux les jambes ballottantes des pendus.

— Nous avons besoin d'un matériel présentable pour nous opposer à l'empereur germanique, déclara André de Longjumeau après avoir ouvert d'une voix solennelle la *seduta*. La volonté papale de tenir un concile pour détruire l'empereur est connue de nous tous, mais il serait préférable de disposer d'un matériel vivant que nous puissions présenter pour témoigner des iniquités et forfaits de l'Antéchrist !

Le cercle intentionnellement réduit de ses compagnons se composait de son frère cadet Anselme, également appelé

Fra Ascelino, un garçon ambitieux dont l'intelligence était très supérieure à celle de son aîné qui n'était qu'un paon vaniteux, de Mathieu de Paris, chroniqueur réputé qui tenait aussi les archives secrètes de la curie et avait l'oreille du Cardinal gris, et finalement d'une autre personne qui ne faisait pas partie de l'*ordo praedicatorum* et n'était pas non plus connue des autres : Yves Le Breton, qui était là en qualité d'observateur pour le compte de la couronne de France dans les domaines de laquelle avait lieu la réunion. Mais son poste honorifique ne l'empêcha pas d'ouvrir aussitôt la bouche, ni de s'adresser à l'aîné des Longjumeau avec une ironie à peine dissimulée.

— Innocent vient de se réfugier à Gênes, dit-il, et vous pensez déjà à une assemblée générale des cardinaux. Mais il faut les nommer tout d'abord. Et ensuite, il faudra qu'ils soient disposés à traverser les terres de l'empereur et à parcourir les mers pour exposer leur peau pour ce marché !

— Votre roi se montre mieux disposé que vous, Yves. Je vous dis que le concile se réunira, dussions-nous tarder un an à y parvenir, et en sol français s'il le faut !

— Sincèrement, je doute que vous atteigniez votre but, Monseigneur. Mais je ne veux point vous décourager, lui répondit Le Breton d'un ton railleur.

Fra Ascelino se sentit obligé de voler à la rescousse de son frère stupéfait :

— Nous, le sage frère Mathieu et un serviteur, avons établi un programme provisoire que vous, honorable frère, pour autant qu'il compte avec votre approbation, devriez soumettre au saint-père au moment opportun et lorsqu'il daignera considérer cette proposition. Il contient tous les thèmes et propositions d'un discours dont ses auteurs croient qu'il remportera le succès souhaité et nécessaire.

Il se tut et sourit, invitant habilement Mathieu à appuyer leur proposition commune, car il savait qu'André ne l'accepterait jamais si elle venait seulement de la bouche de son frère cadet. Par principe !

— Comme notre écrit renferme aussi quelques propositions qui se réfèrent aux gestes et à la mimique, et que personne d'autre que vous, André, ne serait capable de le faire comprendre en sa totalité au saint-père, je vous prie de m'autoriser à vous le présenter à deux voix : je me chargerai du texte proprement dit et Fra Ascelino des commentaires confidentiels..., finit par dire Mathieu après avoir lancé un regard en coin à Yves. André indiqua d'un geste qu'il n'y voyait pas d'inconvénient.

— *Intricata*, dans le château Saint-Ange, *composita et cantata* par des moines, qui plus est à voix alternées! Bien patient qui le supporterait, dit Yves d'une voix bourrue. Je reviendrai quand on parlera ici de choses sérieuses — et il se retira.

Outré, André fit signe de commencer la représentation. Mathieu et Ascelino se levèrent et posèrent sur le pupitre quelques feuillets couverts d'une écriture serrée.

— Nous commencerons par faire donner nos armes lourdes, annonça Mathieu en guise d'introduction, vu que les rois d'Angleterre et de France enverront leurs observateurs et que vous aurez constaté que ceux-là ne sont aucunement favorables à notre cause. Quant à l'empereur, il sera représenté par son meilleur juriste, juge de son tribunal suprême. Le terrain nous sera contraire et il est loin d'être acquis que l'empereur germanique soit finalement condamné, car certains de nos prélats pourraient hésiter; il nous faut donc empêcher qu'ils se laissent berner par de fausses protestations de bonne volonté et par des offres de solutions pacifiques.

— Imaginons l'entrée des assistants en habits de cérémonie, déclama ensuite Ascelino en s'efforçant de rendre de son mieux la majesté de la scène. La séance s'ouvrira par une invocation solennelle du Saint-Esprit; puis on insistera sur la prière commune pour se mettre dans le ton, suivie d'un silence prolongé, propice à la méditation. Le sermon ne devra commencer ni trop tôt ni avec une précipitation excessive!

Mathieu reprit la parole :

— Le sujet en sera celui-ci : « Vous tous qui parcourez ce chemin ardu, prêtez attention et voyez s'il est une douleur plus vive que la mienne! »

— Les lamentations de Jérémie! commenta Ascelino. Premiers sanglots, encore contenus!

— Exposition du thème, continua Mathieu qui était doté d'un organe puissant et agréable : — Sa Sainteté compare sa douleur aux cinq plaies du Crucifié. Première douleur : « celle que lui infligent les Tartares inhumains, résolus à détruire la Chrétienté. »

— Affliction émouvante ! fit la voix claire d'Ascelino. Nous pouvons supposer qu'elle trouvera un large écho !

— Deuxième douleur : « celle causée par le schisme de l'Église grecque orthodoxe qui, contre tout droit et raison, s'est séparée et éloignée du sein de sa mère, comme si celle-ci n'était que sa marâtre. »

— Profonde peine, commenta Ascelino. Souffrance patiemment supportée !

— Troisième douleur : « le fléau des diverses sectes hérétiques qui s'étendent comme des taches en divers lieux de la Chrétienté, plus particulièrement en Lombardie. »

— Indignation naissante, quoique retenue ! murmura Ascelino d'un air de conspiration. L'inquiétude pointe !

— Quatrième douleur : « celle causée en Terre sainte, où les infâmes Chorasmiens ont détruit la cité de Jérusalem, répandant à flots le sang chrétien... »

Mathieu fut interrompu par Yves qui ouvrait la porte, manifestement heureux de les déranger.

— Votre très efficace frère Vitus de Viterbe vient de faire prisonniers deux gitans qui affirment avoir vu des enfants en fuite ! — Et il poussa dans la salle Vitus qui, à son tour, traînait derrière lui les deux pauvres gitans ligotés avec des cordes. Tous trois étaient couverts de boue, comme s'ils s'étaient vautrés dans les marais de Camargue. Yves s'arrêta à la porte, indécis, et regarda derrière lui, en direction du gibet, comme s'il cherchait une potence vide, ce qui l'empêcha de voir le regard furtif par lequel Ascelino intima à Vitus l'ordre de garder le silence, tout en indiquant aussi à son frère André de s'abstenir de tout commentaire.

Pour plus de sûreté, Vitus lui-même exposa la situation :

— Ces gens ont accueilli les fugitifs. Il s'agissait de trois chevaliers de l'Ordre des templiers...

— Mais nous le savons depuis longtemps, cher Vitus ! s'empressa de l'interrompre Ascelino.

— Ce que vous ne savez pas, reprit Vitus, offensé dans son orgueil de chasseur, c'est que deux d'entre eux parlaient en arabe avec deux Assassins qui se trouvaient dans les parages.

Yves intervint d'une voix moqueuse :

— Ces deux ismaélites sont rentrés dans leur pays, chargés de riches présents de notre roi!

— Alors, je peux relâcher mes deux gitans? grogna Vitus, sans faire le geste de vouloir défaire les cordes des prisonniers.

— Non, répondit sèchement Yves. Toute participation à une conspiration visant à assassiner le roi est un acte de haute trahison. Ils devront mourir sur le gibet!

Les deux gitans ne comprenaient probablement pas le français, car ils ne bronchèrent pas. Ce fut Vitus qui protesta :

— Mais s'ils n'ont rien fait! Et ils ne savaient rien!

— Ignorance n'est pas excuse, répondit froidement Le Breton. Vous ne voudriez pas vous opposer à la loi?

— Vous ne devriez pas parler ainsi, Yves! — Le rouge monta au front de Vitus qui bouillait de rage impuissante. — Le roi lui-même ne vous a-t-il pas reçu les bras ouverts au lieu de vous livrer au bourreau?

— Et serais-je donc le roi? se moqua Yves en poussant les deux gitans hors de la salle. Mais de quels enfants en fuite s'agit-il donc, au juste? demanda-t-il en se retournant.

— C'est sans importance, s'empressa de répondre Fra Ascelino. Le fruit d'un faux pas dans la maison des Capoccio.

Les rires qui suivirent cette remarque, auxquels Vitus ne put participer, convainquirent Le Breton que l'affaire ne présentait pas d'intérêt et il sortit. Peu après, ils purent voir par la fenêtre le prévôt qui passait les cordes au cou des deux malheureux.

— Où en étions-nous? grommela André de Longjumeau.

— Aux épanchements de sang chrétien, répondit aussitôt Mathieu, la Terre sainte ravagée et souillée.

— Émotion qui croît et devient violente, continua Ascelino, si possible interrompue par des sanglots! Vers la fin, on pourrait répéter quelque exclamation, comme : « Pauvre et sainte ville de Jérusalem! » proférée d'une voix étouffée par les larmes, puis une pause : un silence qui permette de peser cette grande souffrance...

Des cris lamentables s'élevèrent au même instant derrière les fenêtres. Repoussant les gardes, des gitanes étreignaient les mains et la poitrine de leurs fils pendus au gibet. Puis les hurlements se transformèrent en pleurs et gémissements. Deux paires de jambes tressautèrent quelques brefs instants, puis s'immobilisèrent, pendant comme des branches mortes qui ne sont plus agitées que par le vent d'automne.

Ascelino continua :

— Jusqu'aux partisans les plus entêtés de l'empereur doivent se demander : « Comment donc est-ce possible ? » C'est alors qu'on commencera à formuler la réponse à voix basse...

Il fit un geste dans la direction de Mathieu qui, pensif, observait la danse derrière la fenêtre.

— Mais la cinquième et la plus profonde des douleurs est celle-ci : « par la faute du prince... »

— Pas question de donner de nom ! lui rappela Ascelino.

— « ...le prince qui aurait pu éviter ce désastre... »

— Et la suite restera en suspens, sans être dite : « Mais il n'intervient pas ! Pourquoi ? »

— ...bien qu'il arbore le titre de souverain suprême de ce monde, empereur de tous les rois... »

— Ce qui ne va pas plaire aux Anglais, et encore moins aux Français ! ajouta Ascelino d'une voix douce, comme s'il s'excusait de ses interruptions perpétuelles, mais Mathieu se contenta de sourire avec bienveillance :

— « ...un empereur qui devrait se faire le protecteur de l'Église du Christ, mais qui s'est en réalité transformé en son ennemi le plus acharné, qui persécute avec cruauté ses fidèles serviteurs, qui les livre en secret à leurs ennemis que nous avons mentionnés, favorisant en tout ces derniers, faisant cause commune avec eux sans la moindre vergogne et travaillant jour et nuit à la perdition de l'*Ecclesia catolica*, notre très sainte mère ! »

— C'est alors que le saint-père, intervint Ascelino d'une voix vibrante, ne pourra plus continuer, accablé par la douleur et la tristesse : pleurer ! pleurer ! Une vague de compassion doit engloutir le concile, en faire une fontaine de larmes ardentes et amères. Le pape ne doit pas céder ; il faut que quelqu'un le soutienne, sinon la douleur va le terrasser de tant pleurer ; si possible, il tombera à terre et y restera abîmé

en une muette oraison, seulement interrompue par ses sanglots et ses larmes, jusqu'à ce que tous les prélats qui
pensent et sentent comme le saint-père l'imitent et que leurs
adversaires n'osent plus ouvrir la bouche.

— Beau travail, Mathieu! le complimenta André. C'est
donc ce qu'on vous enseigne à Saint-Albans? — L'autre sourit humblement et fit un geste de gratitude dans la direction
du jeune dominicain que sa saynète semblait avoir épuisé. —
Mais beaucoup dépendra de l'art oratoire du saint-père. Par
ces simples indications, nous ne cherchons qu'à soutenir son
glorieux talent d'acteur, afin qu'il donne l'image d'un homme
accablé par la douleur et que les défenseurs de Satan
vacillent dans leur superbe, puis soient enfin terrassés.

Vitus, qui avait suivi non sans mal la représentation à
deux voix des frères, sans perdre son expression taciturne et
sévère, demanda alors la parole :

— Il serait encore mieux d'ajouter quelque chose, par
exemple d'accuser l'empereur d'avoir des bâtards hérétiques! Certains lui pardonnent ses amours et le fait qu'il
possède pratiquement un harem, mais avoir engendré un
mélange de sang royal et de sang hérétique provoquerait le
dégoût jusque chez ses royaux cousins!

— Bien pensé, Vitus de Viterbe! répondit André de
Longjumeau. Ce sera ta contribution à la déroute de l'Antéchrist. Mais à condition que tu réussisses à ramener ces
enfants à temps pour les présenter au concile, accompagnés
de leurs mères qui devront confesser avoir été les maîtresses
pécheresses de l'empereur!

UNE HISTOIRE DE HAREM

Otrante, été de l'an 1244

Le château faisait face à la ville sur les vestiges d'un
ancien temple grec. Il possédait son propre embarcadère et
surplombait l'antique port d'Hydruntum, comme s'appelait

le lieu aujourd'hui connu sous le nom d'Otrante, avant qu'il ne tombe d'abord aux mains des Arabes, puis des Normands. Dans un geste du cœur, Frédéric II avait cédé les places fortes extérieures de son domaine d'origine, en Apulie, à son ancien amiral Enrico quand il avait appris son mariage tardif avec Laurence de Belgrave.

Et c'était là que « l'Abbesse », titre sous lequel on connaissait partout cette célèbre femme, s'était finalement installée après des années turbulentes. Elle avait même conservé le fief à la mort du comte, à Malte, peu de temps après son mariage. La raison de cette concession n'avait pas été tant le respect qu'éprouvait l'empereur germanique pour la belle et énergique dame, dont il ne mit jamais la loyauté en doute, mais plutôt qu'elle l'avait sagement déchargé de l'éducation d'une petite fille recueillie à l'époque de son mariage. L'empereur avait de l'affection pour ses bâtards et il avait accordé à la petite Clarion des rentes convenables, de même que le titre de comtesse de Salente. La petite avait maintenant dix-neuf ans et une mère naturelle lui aurait certainement cherché un prétendant.

Pas Laurence qui avait passé *discretisssime* la cinquantaine sans perdre l'essentiel de ses charmes. Elle suivait en quelque sorte l'exemple de Circé, la grande sorcière, et même s'il était passé de mode de transformer les hommes en pourceaux, elle savait les rendre doux comme des agneaux ou des bœufs. Devenue plus sévère, elle avait depuis longtemps trouvé d'autres moyens pour soumettre les hommes à son autorité.

C'était une femme intelligente, plus que la majorité de ceux qui venaient lui demander conseil. Elle était puissante, car c'était elle qui avait le choix des armes avant la joute, sans que personne puisse savoir ce qu'il serait. Et de plus, elle jouissait de la protection manifeste de l'empereur. On murmurait qu'elle avait été sa maîtresse, la seule à avoir toujours refusé de lui donner une descendance. D'autres la considéraient comme une sorcière, et les habitants d'Otrante la craignaient. Mais pas un des cent soixante rameurs qui formaient l'équipage de sa trirème et qui vivaient là-bas avec leurs familles, consacrant la majeure partie de leur temps à la pêche, n'aurait eu l'idée de se rebeller contre leur maîtresse.

Au fil des années, la comtesse d'Otrante était devenue une institution semblable au phare entouré de ses fortifications, seule installation dont la comtesse assurait l'entretien du côté de la ville, en face de son château. Elle s'était détachée des intrigues féodales, de la politique des factions, des luttes de pouvoir et des guerres impériales, ce qui ne l'empêchait pas d'entretenir un réseau de relations qui dépassait de loin Otrante, l'Apulie et l'autre rive de la mer.

Mystérieux pouvoirs! Peut-être avait-elle partie liée avec le diable! Elle admettait qu'il y eût un évêque dans la ville et de temps à autre faisait un don à l'Église, mais le seigneur évêque ne pouvait mettre les pieds au château sans y être convoqué. Et il ne l'avait jamais été.

Laurence se trouvait sur la terrasse de son château à la normande, en conversation avec Sigbert von Öxfeld, commandeur de l'Ordre teutonique. Comme le Teuton n'était plus très jeune lui non plus, ils s'égarèrent un peu à parler des coups du sort et des malheurs du passé; puis, évitant soigneusement d'en dire trop, avaient démêlé un nombre infini de chemins communs que le hasard ou la divine Providence leur avait fait partager tout au long de leur vie. Ainsi donc, ils observaient les autres d'en haut, attentifs et vigilants, mais sans rien révéler de leurs sentiments.

— *Bismillahi al-rahmani al-rahim!*

Sur un terre-plein destiné à accueillir une catapulte, aménagé sur l'enceinte inférieure, ils voyaient prier deux hommes agenouillés dans la direction de La Mecque.

— *Qul a'udhu birabbi al-nasi...*

Ils avaient étendu par terre un précieux tapis et s'étaient débarrassés de l'armure encombrante qu'ils portaient en voyage, ainsi que de la tunique des templiers : Créan de Bourivan et Constance de Selinonte étaient vêtus de légères djellabas aux couleurs vives, si richement décorées qu'elles en étaient même provocantes. Mais dans le domaine de la comtesse, la tolérance n'était plus une question de courtoisie et de bonnes manières, mais bien l'élixir de vie dont la suzeraine avait plus besoin que tous ses hôtes et protégés.

— *maliki al-nasi, ilahi al-nasi...*

Le vent emportait le chantonnement des sourates à travers cours et jardins.

— *...min charri al-waswasi al-janasi; alladhi yususu fi suduri al-nasi, min al-dchinnati wa al-nasi.*

— Et vous avez appris l'arabe là-bas? — Laurence avait repris le fil de leur conversation après avoir jeté un regard perçant sur les jeux aquatiques qui se déroulaient à leurs pieds. Les perles d'eau brillaient au soleil, mais le bruit du ruissellement de la fontaine était couvert par le ressac qui venait emboutir le mur de protection, dans la partie basse du château.

— Eh bien, au début je m'y suis refusé, lui répondit Sigbert avec cet air pensif qui lui était coutumier. Je le croyais indigne d'un chevalier chrétien, ce que je prétendais être. Tant que j'ai fait partie de la garde de l'évêque d'Assise...

La comtesse l'interrompit, amusée :

— Ah!? Mais vous étiez donc avec Guido?

— Oui, quoique je l'aie plutôt mal servi...!

— Certainement pas aussi mal que ce gros monstre méritait pour sa gourmandise insatiable. Mon pauvre frère!

— Je vous demande pardon?

— Nous sommes nés de la même mère, un personnage étonnant en vérité, mais la semence de pères si différents a sûrement été la cause de cette *petite différence*! Les hommes! s'exclama Laurence sans témoigner d'un respect excessif pour l'autre sexe. Mais parlez donc, Öxfeld! Dites-moi, vous avez un frère aîné?

— Mais oui! — Sigbert était captivé par sa conversation avec cette femme dont il avait tant entendu parler mais dont il ne savait rien avec certitude. — Il s'appelait Gunter! C'est lui qui m'a emmené à Assise où j'ai été messager dans la garde épiscopale. Mais pourquoi cette question?

Pensive, Laurence regardait la mer.

— Parce que ce même homme a déserté pour me suivre à Constantinople! Sans doute pensait-il obtenir de moi une autre récompense que celle que j'étais disposée à lui accorder. Ensuite, il s'est mis au service de Villehardouin. Je n'ai jamais plus entendu parler de lui.

Ils se turent tous les deux. Sigbert fut déçu car, un instant, il avait espéré retrouver la trace d'un être qui avait disparu de sa vie.

— Mais je vous ai fait vous éloigner de votre propre histoire. — Laurence ne se sentait pas coupable, mais le silence qui s'était installé entre eux lui était désagréable. — Pourquoi avez-vous abandonné Guido et Assise?

— Par la faute des flèches de l'amour! répondit Sigbert
en riant; maintenant que tout cela faisait partie du passé, il
pouvait se moquer de lui-même. — L'évêque m'avait envoyé
au cachot, à juste titre. Anna m'a libéré et son geste m'a tellement surpris que nous nous sommes enfuis tous les deux.
Nous avions perdu la tête! Nous étions des enfants, nous
étions amoureux! Et nous étions victimes d'une fièvre dans
laquelle s'unissaient nos envies de courir le monde, notre
jeunesse et la reconquête de Jérusalem. La croisade des
enfants! Nous nous sommes laissé emporter par ce grand
vent de liberté et de foi, d'amour indifférencié pour Jésus et
pour nos propres corps...

Sigbert parlait des événements de l'an 1213, quand partout en Europe les enfants avaient fui leurs maisons à la
recherche d'une autre vie, d'une vie dans le Christ, d'un paradis rempli de plaisirs indéfinis, dans un vent de folie qui
balayait tout sur son passage.

— Au début, nous avons traversé ensemble le pays en
direction du sud et le pape nous a même reçus à Rome, mais
il n'a rien trouvé mieux que de nous recommander de rentrer chez nous. Nous avons donc continué jusqu'aux ports
du Midi. Anna avait quinze ans et moi à peine deux de plus.
Elle ne voulait plus être une petite fille et disait qu'elle ne
m'avait pas ouvert la porte du cachot, au risque de se faire
prendre, pour que je sois maintenant à son côté comme un
frère aîné, main dans la main. Elle voulait que je fusse un
homme. — Sigbert semblait ne pas très bien saisir le rôle
qu'avait alors joué le destin. — J'éprouvais un grand respect
pour l'amour vrai et peut-être voyais-je avec un certain
mépris l'amour charnel. Et puis, nous n'étions jamais seuls.
Anna ne s'en serait pas souciée, mais j'étais honteux à la pensée de nous unir à la vue de tous, comme beaucoup le faisaient pourtant. Et j'ai donc retardé la première nuit de
notre union charnelle, qui allait être la première pour nous
deux, puisqu'elle aussi était vierge, toujours dans l'attente
d'une occasion « plus digne ». Puis d'autres mouvements
sont apparus dans notre expédition, des novices maigres et
fanatiques, des nonnes pâles et tordues ont pris le commandement. Rigoureusement séparés par sexe, nous ne pouvions
plus nous voir qu'en cachette, à peine le temps d'un furtif et
rare baiser. Et c'est ainsi que nous sommes arrivés au port

d'Amalfi où on nous a fait embarquer sur des bateaux différents. Ensuite... — Sigbert s'interrompit dans son récit qui semblait lui coûter davantage qu'il ne l'avait imaginé au début. Mais peut-être aussi n'avait-il jamais eu l'occasion de raconter de façon si complète ce qu'avait été sa vie de jeune homme.

Laurence se garda d'insister, de l'importuner par des questions indiscrètes. Elle savait dans les grandes lignes ce qui s'était passé au cours de ces années.

— Et vous êtes tombés entre les mains des Maures marchands d'esclaves ?

— Oui, répondit Sigbert avec amertume. On nous a vendus, mais nous l'avons été par des chrétiens, quand nous avons embarqué. Je ne me faisais pas d'illusions sur le sort d'Anna. Je l'avais perdue de vue en quittant Amalfi. Ensuite, je suis arrivé en Égypte et j'ai été acheté par l'épouse d'un savant d'Alexandrie qui préférait ne pas m'avoir chez elle, du moins durant la journée, quand son mari était absent. L'homme me demandait donc de l'accompagner à la grande bibliothèque, sous prétexte de porter ses livres. Voyant que je m'intéressais à ses travaux, il me fit instruire dans les langues arabe et grecque et me prit parmi ses étudiants. Un jour, un émir fort érudit se présenta et découvrit avec fascination ma connaissance des œuvres les plus diverses et obscures qui se trouvaient dans cette bibliothèque, la plus grande du monde, où l'on pouvait fort bien s'imaginer passer le reste de sa vie à lire et à prendre des notes. Mon maître n'a pas pu s'opposer au désir, à peine insinué, d'un personnage de si haut rang. Et il m'a offert en cadeau, ou plutôt m'a échangé contre divers dons ou faveurs. J'ai eu de la chance : l'émir était un seigneur aimable qui n'entretenait pas de préjugés à l'égard des chrétiens...

— Et ensuite ? — Sigbert ne remarqua même pas que l'intérêt soudain de sa patiente interlocutrice dépassait la simple courtoisie. — Vous êtes donc arrivé au Caire ?

— Mon nouveau maître m'a aussitôt informé qu'il n'avait pas l'intention de m'employer comme esclave, d'autant moins que j'étais allemand, car il avait une grande estime pour l'empereur germanique et désirait apprendre sa langue. Il m'a donc présenté dans son palais comme son « répétiteur », afin que nul ne se méprenne sur ma situation.

Puis il a écouté mon histoire, comme je viens de vous la raconter. Sans doute en a-t-il été profondément ému, car il m'a pris dans ses bras en me disant : « Tu es un homme libre. Tu peux quitter ma maison quand tu le veux et je te récompenserai généreusement. Mais si tu préfères rester, cette maison est la tienne ! » Il avait toujours été fort aimable jusque-là. Mais je ne comprenais pas pourquoi il changeait tout à coup de ton, comme s'il était envahi par une vive émotion. C'est alors qu'il a fait chercher quelqu'un dans son harem et que j'ai vu entrer, sans le moindre voile, ma compagne Anna ! Tellement mince, tellement délicate qu'elle était sans doute déjà malade. Elle m'a souri et s'est accroupie aux pieds de son maître qui versait d'abondantes larmes. Muet de stupeur, je me cachais le visage dans mes mains au lieu de la saluer. Et ce n'est que lorsque le bras de l'émir s'est posé sur mon épaule que j'ai relevé les yeux. Un enfant se trouvait à présent à côté d'Anna. « Fassr ed-Din, notre fils », dit l'émir...

— ...*Qul a'udhu birabbi al-falqui, min charri ma jalaka*...

— ...et j'ai alors compris qu'il les aimait tous deux. L'enfant s'est approché de moi et je l'ai pris dans mes bras. « Allah t'a béni en te donnant ces parents, ai-je dit avec toute la solennité que je pouvais trouver en moi. Permets-moi d'être ton ami et ton aîné. » Le jeune garçon m'avait d'abord regardé comme un intrus, mais très vite il m'a accordé sa confiance. « J'ai toujours voulu être ami d'un chevalier de l'empereur ! » Je n'ai pas cru utile de le décevoir et je suis donc devenu le « chevalier Sigbert » bien avant de quitter Le Caire et d'entrer dans l'Ordre. Peu après mon départ, Anna est morte. Deux années s'étaient écoulées, et j'ai été pour Fassr son père et sa mère tout à la fois.

— ...*wa min charri al-naffathati fîl-uqadi, wa min charri hasidin idha hasada.*

Ils s'approchèrent alors du parapet et regardèrent dans la direction de la muraille où Créan et Constance avaient achevé leurs prières et roulaient leur tapis.

— Magnifique vision d'une possible *pax mediterranea*, fit la comtesse d'une voix à peine ironique. Un chrétien converti en ismaélite, même s'il est d'origine plutôt hérétique, et un musulman adoubé par l'empereur. Et les deux s'unissent pour prier le même Dieu...

— Rien n'échappe à votre sagacité, dit Sigbert comme s'il sortait d'un rêve. Vous savez donc qui est Constance ?

— Je ne sais s'il y a là de la sorcellerie, répliqua Laurence, mais tous ceux que je rencontre dans ma vie semblent liés les uns aux autres comme s'ils étaient prisonniers d'une même toile d'araignée. Je ne suis pas celle qui tisse les fils, ni l'araignée vorace qui suce le sang de sa proie, mais je constate que sous mes mains se croisent des chemins qui ne se seraient jamais rencontrés si les vies suivaient leur cours en ligne droite, comme on serait en droit de l'espérer.

— La magie est un don, pas un jeu. — Sigbert était encore trop pris par son récit pour comprendre les interrogations de cette femme. — Ce sera la vie extraordinaire que vous avez vécue et qui a fait de vous le phare et le havre de tant de gens, car autrement, nous ne serions pas ici, et encore moins les enfants !

— Ces enfants, dit Laurence, où sont-ils passés justement ?

— Ils jouaient tout à l'heure dans le jardin et ils se sont approchés furtivement de ce jeune couple... — il fit un geste en direction de la fontaine au bord de laquelle il avait vu Clarion assise un peu plus tôt et, à ses pieds, un adolescent dont le profil étranger avait aussitôt retenu son attention. Les deux petits couraient autour de la fontaine. Jeu ou chamaillerie, il aurait été difficile de le dire. Quant à Clarion, elle s'amusait avec le garçon, moins âgé qu'elle, comme une chatte joue avec sa proie. La comtesse en parut mécontente et une ride se creusa sur son front. Mais elle sembla ensuite se raviser. Puis, le visage sévère, elle se tourna vers Sigbert, comme si c'était lui qu'elle grondait.

— Hamo, mon fils, et Clarion ne forment pas un couple, quoiqu'ils ne soient pas frère et sœur non plus, même s'ils ont grandi ensemble.

— J'avais cru..., répondit Sigbert comme pour s'excuser.

— Vous avez le droit de penser et de supposer. — Laurence cherchait à changer de sujet. — Mais vous ne serez peut-être pas surpris si je peux maintenant achever votre récit, comme preuve de mes dons magiques en quelque sorte... — Elle sourit avec amertume. — Le nom de votre émir est Fakhr ed-Din. Le sultan l'avait chargé de pourparlers secrets avec l'empereur Frédéric. Il s'est ainsi gagné sa confiance et sa faveur, dont le signe visible a été que son fils préféré, Fassr, a été reçu à la cour de Palerme et armé chevalier de la propre main de l'empereur : Constance de Selinonte, votre filleul ! Et pour lui rendre la pareille, l'émir a envoyé à Brindisi comme dame d'honneur, à l'occasion des noces de l'empereur avec Yolande, la jeune reine de Jérusalem, la plus belle de ses filles, Anaïs, dont la mère descendrait du grand Salomon. Anaïs était à peine plus âgée que la jeune mariée, une petite de treize ans, mais elle était déjà femme, et de plus coquette et consciente de sa maturité. L'empereur, toujours entre deux vins, torturé par une sensualité aussi insatiable qu'insensible — et il était manifeste que ce genre d'homme n'inspirait que dégoût à Laurence ; « elle n'a jamais été l'amante de l'empereur », pensa Sigbert —, l'empereur n'a sans doute pas trouvé dans son lit conjugal de quoi satisfaire ses violents appétits, de sorte qu'il a bientôt délaissé Yolande. Elle a conçu son fils deux ans plus tard seulement. L'empereur s'est tourné vers les femmes de chambre de sa femme qu'il attendait devant la porte. Anaïs était différente des autres et elle ne se refusa point ; l'empereur la prit debout, *a tergo*, devant les autres, tandis que l'épouse, humiliée, sanglotait dans sa chambre, la tête enfouie dans ses oreillers. Enceinte, Anaïs n'aurait pas pu, cela aurait été impensable, entrer dans le harem que l'empereur entretenait à Palerme, quoique son père eût songé à cette possibilité, mais il aurait été à craindre que Yolande en profite pour se venger d'elle. Ils l'ont donc confiée à la vieille mère de l'amiral...

— Enrico Pescatore, votre époux ? fit Sigbert.

— Nous ne nous connaissions pas encore, répondit Laurence sans satisfaire la curiosité naissante de son interlocuteur. — Quand j'ai donné ma main au comte — et elle détachait ses mots pour bien montrer que, dans son cas à tout le moins, il ne s'était pas agi d'un mariage d'amour, encore moins de plaisir —, Clarion, la fille de l'empereur, avait déjà deux ans. Et c'est vers cette époque que Yolande est morte...

— En couches, à la naissance de notre roi Conrad, ajouta Sigbert, en partie pour montrer qu'il écoutait le récit.

— ...elle est morte en couches et Anaïs, que Frédéric regrettait beaucoup, a enfin pu entrer au harem. Clarion est restée ici et a été éduquée comme si elle était née de ma propre chair, à côté de Hamo que j'ai eu quelque temps plus tard...

— Ce qui veut dire que Clarion est la petite-fille de mon émir et la nièce de Constance, qui ne doit rien en savoir...

— Inutile qu'il le sache, répliqua brusquement Laurence, à moins que la petite ne se mette à le regarder de trop près avec ses jolis yeux. Mais j'espère que ce problème se résoudra de lui-même, avec votre départ prochain !

— Ce n'est pas une raison suffisante pour nous chasser de votre paradis, répondit Sigbert sans relever ce qui pouvait passer pour un affront. — A cet âge, toutes les jeunes filles désirent s'assurer de l'effet qu'elles produisent chez les hommes, ce qui ne veut pas dire qu'elles soient prêtes à s'abandonner au premier venu...

— Clarion se comporte comme une chatte en chaleur ! rétorqua la comtesse d'une voix irritée, et le regard qu'elle lança vers la fontaine ne fit rien pour la convaincre du contraire. — Elle ne verrait aucun inconvénient à commettre l'inceste pourvu qu'il lui procure du plaisir, autant avec le frère qu'avec l'oncle. Ce n'est qu'une garce lubrique !

Sigbert n'apprécia pas la façon dont s'exprimait la comtesse, mais il était trop occupé par ses propres pensées pour lui répondre.

D'en bas montait l'arôme du romarin sylvestre et du thym mêlé au goût salé de l'écume qui jaillissait entre les rochers. Plus haut, après avoir escaladé les murs, il se mêlait au parfum discret du jasmin, à l'odeur intense des iris mauve pâle qui endorment les sens. Ces invisibles nuages aromatiques enveloppaient le plaisir et la douleur comme une musique jouée en *pizzicato* sur la corde d'un luth qui aurait sonné quelque part et dont le son se serait évanoui entre les rochers et la mer.

LE SACRIFICE DE LA BACHELLERIE

Montauban, automne de l'an 1244

Le visiteur qui se frayait un chemin parmi les pierres destinées aux chapiteaux finement sculptés et aux fûts des colonnes, sur la place Saint-Pierre où l'on bâtissait la cathédrale, n'avait certes pas l'air d'un évêque. Monseigneur Durand était vêtu d'un habit marron qui aurait mieux convenu à un chasseur. De fait, c'était bien une chasse qui l'avait amené à Montauban. Arrivé seul, il avait attaché au pied du gigantesque échafaudage son cheval auquel pendait des gibecières pleines. Il demanda le maître aux tailleurs de pierres et on lui répondit d'un signe du pouce tourné vers le haut. Il entreprit alors l'escalade.

Alors qu'il montait, marche après marche, il se sentit rempli d'admiration devant l'audace et la sveltesse des piliers du chœur qui montaient sans appui jusqu'à au moins cent pieds de hauteur, avant de se réunir en arcs brisés. « Nous devrions oser quelque chose de semblable à Albi, se dit-il tout à coup. Nous le ferons ! » Il passa de l'échafaudage qui branlait un peu jusqu'à la passerelle installée sous le triforium et trouva là ce qu'il cherchait, l'entrée d'un étroit escalier en colimaçon qui se dissimulait parmi les arches. Il compta une soixantaine de marches tout en tournant dans l'obscurité, à en avoir presque le vertige, puis il ressortit à l'air libre à l'extrémité supérieure par où filtrait la lumière. La vue lui coupa le souffle : le squelette des hauts vitraux montait d'une bonne cinquantaine de pieds jusqu'au ciel qui semblait percé de leurs lances, un ciel que découpait le filigrane de l'œuvre. Monseigneur Durand regarda en bas, vers les eaux étincelantes du Tarn et, plus loin, derrière le vert sombre de la forêt de Montech, là où surgissait la chaîne bleutée des Pyrénées. Il continua à gravir prudemment l'escalier, les yeux fixés sur chaque marche, jusqu'à ce qu'il parvienne au point le plus haut où l'étroit saillant de la voûte avait été élargi de quelques planches. C'est là qu'il trouva le maître d'œuvre. Bertrand de la Bachellerie surveillait le démontage des échafaudages de bois, maintenant vides, qui avaient soutenu les arcs-boutants pendant la construction. Il s'approcha, hors d'haleine, mais le sourire aux lèvres :

— Cette œuvre si délicate, et pourtant de pierre, ne résisterait pas à un seul tir de catapulte, Maître, encore moins à un éternuement un tant soit peu vigoureux de mon *adoratrix* ! Je vous salue et vous présente mes respects !

L'autre l'avait à peine regardé ; ses yeux restèrent fixés sur la corde tendue de la poulie, jusqu'à ce qu'il voie le gros madrier déposé plus bas sur une plate-forme de l'échafaudage. Durand se rendit compte alors que le maître d'œuvre était encore assez jeune, en dépit de ses cheveux prématurément blanchis. La Bachellerie se déplaçait avec l'agilité d'un chamois bondissant parmi les rochers.

— J'espère que vous n'utiliserez jamais votre catapulte contre cet édifice, Monseigneur, répondit-il d'un ton railleur. Saint-Pierre est un mur solidement construit sur des fondations catholiques et je ne crains qu'une chose, l'hiver et ses gelées ! fit-il en montrant les arcs-boutants aux courbes audacieuses que les charpentiers libéraient de leurs coffrages de bois. Les hommes se déplaçaient au péril de leur vie tout en haut de l'ouvrage. Le maître s'approcha de l'évêque et lui tendit la main.

— Nous sommes en temps de paix, dit Durand. L'*adoratrix* destructrice repose, démontée et bien graissée, et j'espère ne pas avoir à la sortir de nouveau. Nous devrions nous occuper tous de bâtir pour honorer Notre Seigneur, comme vous le faites ici !

Mais La Bachellerie ne parut pas convaincu des intentions soudainement pacifiques de l'évêque, connu pour son humeur belliqueuse :

— Les murailles de Quéribus ne vous inspirent pas le désir d'essayer contre elles le pouvoir de conviction de votre *adoratrix* ?

— Ce n'est plus l'affaire de l'Église ; en tout cas, pas de l'évêque d'Albi ! La tâche incombe désormais au roi de France. Au pis-aller, peut-être au seigneur de Termes !

— Olivier ? demanda le maître à voix basse, et l'évêque se rendit parfaitement compte que ses traits se durcissaient. Sans attendre de réponse, La Bachellerie interrogea directement son visiteur : — Dans quelle intention venez-vous me voir, Excellence ? Ce n'est pas pour remémorer nos souvenirs de la dernière guerre ?

— Aimable euphémisme, Maître ! En vérité, si je suis ici, c'est parce que je suis un sincère admirateur de votre art de bâtisseur. Nous aussi, à Albi, nous nourrissons depuis longtemps l'idée pieuse...

Mais La Bachellerie l'interrompit :

— Il y a peut-être longtemps que vous la nourrissez, mais l'avarice et l'étroitesse d'esprit de vos riches bourgeois leur font poser leurs gros derrières sur des caisses et des sacs pleins de pièces de monnaie, au lieu de financer, pour le salut de leurs âmes, la construction d'une cathédrale souhaitée par l'évêque.

— Hélas ! soupira l'évêque.

— Mais je ne pense toujours pas que ce soit la véritable raison de votre présence ici...

Monseigneur Durand regarda longuement le paysage qui s'étendait au-dessous : la ville au bord de la rivière, les châteaux et monastères sur les collines, les villages où c'était jour de marché, les fermes dans les vallées, entre champs et forêts. Une image de paix, une image de décence et de dévotion à Dieu. Mais les apparences étaient trompeuses. L'esprit de l'hérésie continuait à couver sous ces toits de tuiles comme une fumée qui ne parvient pas à s'échapper. Et à l'abri des murs continuait de brûler le feu de la rébellion contre la domination des Français.

— Il y avait une fois deux enfants à Montségur, commença l'évêque, comme s'il racontait une histoire, un petit garçon et une petite fille...

— Vous avez fait la guerre à bien des enfants, lui répondit avec amertume le maître d'œuvre. J'étais trop occupé à protéger l'endroit où ils avaient trouvé refuge pour me soucier de chacun en particulier !

— Ah bon ! répliqua l'évêque. Il n'y avait pas de raison spéciale pour que le bâtisseur d'une église chrétienne abandonne son chantier, si ce n'est sa sympathie pour les hérétiques ?

Le visage empli de tristesse, La Bachellerie lui répondit, tête basse :

— Quand j'ai entendu dire que vous aviez quitté votre habit d'ecclésiastique pour manœuvrer une catapulte mortelle...

— Laissons là ces histoires ! l'interrompit Durand. Je ne suis pas venu faire le compte de nos prouesses guerrières à tous deux... — En un geste qu'il voulait amical, il posa la main sur l'épaule du maître et lui fit lever les yeux vers l'amplitude lumineuse du paysage. — Je vais commencer cette histoire autrement : il y a de cela environ cinq ans, une dame de haut lignage, à ce qu'on dit de la plus ancienne et haute noblesse de France, fit le voyage de Fanjeaux, sous bonne escorte, mais sans se faire connaître. Là, au monastère de Notre-Dame de Prouille, les nonnes prenaient soin d'une jeune fille, enfant de cette dame, rigoureusement cachée au monde extérieur, au point qu'on lui avait donné un faux nom, ce qui sans doute obéissait à une bien bonne raison ! — L'évêque regardait son interlocuteur du coin de l'œil, mais celui-ci laissait planer son regard sur l'horizon lointain où pointaient, derrière la brume, les cimes enneigées des Pyrénées. — On appelait la petite Blanchefleur. Jolie et sensible, elle avait eu ses seize ans cette année-là. La mère, que nous pouvons appeler en toute certitude « la duchesse » — et il essaya d'obtenir de son auditeur un signe d'approbation, mais La Bachellerie se bornait à observer le passage des nuages, — révéla à sa fille qui tentait depuis quelque temps de percer le mystère de ses origines — car à mesure qu'elle grandissait en âge et qu'elle progressait dans les arts de l'algèbre, elle pouvait bien calculer qu'au moment de sa naissance sa mère était veuve depuis déjà trois ans — quels étaient le nom et le rang de son père naturel. Mais, loin d'en tirer satisfaction et fierté, comme l'espérait la duchesse, Blanchefleur en conçut plutôt une certaine confusion qui s'accrut encore lorsque la duchesse l'informa de l'existence d'un projet dynastique fort important qui la touchait au premier chef, sans le lui exposer dans tous ses détails. Après s'être convaincue que la jeune fille était suffisamment mûre pour se marier et la laissant dans l'attente de son fiancé, elle repartit. Mais Blanchefleur avait des idées assez différentes sur son avenir. Si je le sais, c'est que j'étais son confesseur. Blanchefleur aimait, avec une flamme vertueuse mais follement décidée, un jeune noble dont le rang, comme elle finit par le comprendre, était sensiblement inférieur au sien et qui de plus était pauvre, si pauvre qu'il n'était même pas arrivé au rang de chevalier et préférait gagner sa vie par le travail de ses mains et l'ingéniosité de sa tête. Il voulait être maître d'œuvre et prêtait son concours aux travaux de restauration de l'église du monastère, une fondation qui datait de l'époque de saint Dominique. Blanchefleur et le jeune ingénieur se rencontraient parfois dans le jardin du monastère et rêvaient ensemble de construire des cathédrales de plus en plus hautes en certains lieux magiques que l'on pouvait calculer si l'on connaissait le cours des astres et dont l'équilibre entre ciel et terre, comme vous le savez bien, dépend entièrement de l'angle, de la courbe et de la grosseur des piliers, contreforts et points d'appui. De jour en jour, ils se rapprochaient davantage l'un de l'autre sur ce point et, tandis que le jeune architecte dessinait ses songes, son intelligente élève passait les nuits dans sa cellule à calculer les dimensions, les courbes et les charges. Au début, leurs rencontres furent le fruit du hasard, mais avec le temps elles se firent plus fréquentes, toujours secrètes comme on peut le comprendre, puis devinrent finalement régulières. Ils n'osaient pas encore parler d'un amour que tout étranger aurait deviné sans peine, mais ils l'exprimaient sous forme d'ébauches, croquis, notes et formules mathématiques qu'ils échangeaient en secret.

« Quand Blanchefleur sut de la bouche de sa mère que ce songe enchanté qui s'exprimait en équations de Pythagore, de Thalès et d'Euclide connaîtrait bientôt une fin abrupte, elle se décida à agir. Sa décision ne fut pourtant pas de révéler son amour à l'ingénieur de son cœur, mais bien de lui enjoindre en toute sérénité de l'aider à fuir du monastère, affirmant que tout le reste se résoudrait plus tard avec l'aide de Dieu.

L'évêque interrompit le flot bouillonnant de son récit, comme s'il espérait ou voulait que son auditeur muet dise enfin quelque chose, mais La Bachellerie continuait à regarder obstinément le paysage, et même s'éloignait encore, suivant le cours des nuages au-delà des montagnes, avec une expression qui disait clairement son refus. Monseigneur reprit donc, déçu dans son attente :

— De fait, tout se résolut avec l'aide de Dieu : Blanchefleur se rendit à Montréal où elle était convenue de retrouver le constructeur. Mais celui-ci ne fut pas au rendez-vous. Au lieu de lui, elle tomba dans les mains du jeune Trencavel, fils de votre Parsifal! — La Bachellerie ne faisait aucun geste qui pût faire penser que cette histoire le concernât le moins du monde. — Raymond Roger III s'apprêtait à reconquérir Carcassonne, son héritage paternel, et il avait installé là-bas son quartier général secret où il résidait, entouré de rebelles et de *faidits* qui lui étaient fidèles. Le vicomte, un chevalier dans la fleur de l'âge, nourri de l'image exaltante de son père mort dans des circonstances si tragiques, encore nimbé de l'auréole rayonnante, quoiqu'un peu ternie, du mythe du Saint Graal, traita sa belle prisonnière avec une parfaite courtoisie, jusque dans les loisirs que ses machinations de conspirateur laissaient dans ses pensées et dans son temps. Il ne la courtisa point et elle continuait à attendre son héros dont l'image pâlissait de jour en jour, car il n'arrivait pas et elle ne recevait aucune nouvelle de lui. La veille de l'attaque décisive de Carcassonne, Blanchefleur se livra de son plein gré à Trencavel et devint sa maîtresse. Le lendemain, le chevalier donna un baiser à la timide jeune fille qui, par sa délicatesse et son abandon, l'avait aidé à passer une nuit difficile, puis il se lança dans la bataille où il trouva la mort. Blanchefleur dut fuir avec l'aide des rares fidèles qui survécurent au combat, de village en village, de cachette en cachette, dans des contrées qui lui étaient étrangères et dans lesquelles, à part le camarade qui l'avait abandonnée, elle n'avait pas d'amis. Olivier de Termes, compagnon d'armes du malheureux Trencavel, trouva finalement à Montségur un refuge pour la femme qui était sur le point de donner naissance à un enfant...

— C'est faux! répondit La Bachellerie. Olivier l'a trahie par deux fois! C'est moi qui l'ai trouvée, misérable et moribonde, qui l'ai portée dans mes bras, car elle n'avait même pas de cheval, jusqu'en haut du château du Saint Graal. C'est moi qui, ne sachant aucunement comment agir lorsqu'un chevalier se rend coupable du rapt d'une femme, m'étais adressé auparavant à Olivier qui connaissait ma famille et avec qui je me savais uni par mes sympathies pour la foi des « purs » et par mon amour de notre patrie commune, le Languedoc, afin de lui demander conseil et assistance dans cette tâche qu'il m'était difficile d'accomplir sans son aide. Et Olivier prit effectivement les rênes en main. Ah! comme il les a prises! Derrière mon dos, il ourdit avec Trencavel, dont il faisait partie de la suite, la reddition de cette proie facile ; il me fit attendre à Villeneuse de Montréal — pas à Montréal tout court, je le sais fort bien ! — sans bouger, car il m'avait averti que des jours et des jours passeraient peut-être avant que la prouesse puisse se réaliser. Et c'est là que me découvrirent des inconnus qui me gratifièrent d'une solide rossée et me menacèrent de mort si je ne prenais pas le large, de sorte qu'il me fallut des mois pour retrouver enfin la trace de Blanchefleur en fuite. Olivier l'avait ignoblement abandonnée. Immédiatement après la conquête manquée de Carcassonne, il s'était mis à la disposition du roi de France, c'est-à-dire qu'il était passé à l'ennemi. Je n'ai plus revu Blanchefleur depuis, mais je sais qu'à Montségur elle a donné naissance à un enfant qui a reçu le nom de Roger Raymond Bertrand.

— C'est ce nom qui m'a fait penser à vous, dit l'évêque d'une voix presque éteinte. On l'a revue une fois depuis, sans l'enfant, dans la localité de Prouille, mais elle en est partie peu après pour s'enfermer dans un monastère inconnu, se protégeant ainsi pour le reste de sa vie de la curiosité du monde, mais surtout des investigations de sa mère. C'est tout ce qu'elle m'a confié.

Ce fut au maître d'œuvre de parler :

— Quels étranges tours a le destin. Peut-être Blanchefleur, quand elle choisit le père de cet enfant, a-t-elle dépassé de beaucoup les ambitions de sa mère qui, je suppose, prévoyait pour elle un mariage de haut rang. Une union de sang avec la souche presque éteinte des Trencavel est ce qu'on peut concevoir de plus proche de la lignée sacrée du Graal !

Sa voix était amère et l'évêque ne se crut obligé d'essayer d'abriter l'offensé sous l'ample manteau de l'Église :

— Il n'y a qu'un « sang sacré », celui de Notre Seigneur Jésus-Christ !

— C'est vrai, reconnut La Bachellerie.

— Le prêtre le montre aux croyants, enfermé dans le saint ostensoir.

Mais le maître d'œuvre secoua la tête :

— Ceux qui savent croient que le sang sacré coule dans les veines d'une certaine noblesse enracinée dans la famille du Saint-Graal. Cette famille est l'authentique héritière du Messie, issu de la souche royale de David !

— Et qui était donc la mère de votre Blanchefleur, puisque vous êtes si sûr que dans l'enfant Roger Raymond Bertrand se produit l'incroyable culmination d'une union de sangs royaux?

— Je l'ignore, et j'ignore aussi qui fut son père. Si je le savais...

— Et moi, je peux vous dire qui il était : l'empereur! En échange, je veux que vous me révéliez le secret de la duchesse.

— Eh bien, vous en serez pour votre peine. Je ne l'ai jamais demandé et je mourrai tranquille sans jamais l'avoir su!

Les yeux des deux hommes se posèrent sur une voiture noire accompagnée de gens armés qui avançait vers le chantier, entourée d'un nuage de poussière.

— Certains n'épargnent aucun effort pour que vous parliez avant de pouvoir mourir en paix, dit l'évêque à voix basse, sans menace aucune, plutôt avec une sorte de compassion. Vous devriez fuir, Bertrand, car voici que vient l'inquisiteur....

— Il y a bien des questions qui n'ont pas de réponse, dit le maître d'œuvre, et il se pencha en avant pour suivre des yeux la sombre voiture qui s'était arrêtée devant l'ouverture destinée au portail. Les cavaliers descendirent de leurs montures et commencèrent à cerner le chantier. L'évêque voulut prendre l'architecte par la manche, sincèrement inquiet.

— Vous pouvez fuir par le petit escalier; vous trouverez en bas mon cheval, et une fois à Albi...

— Votre cathédrale, l'interrompit La Bachellerie d'une voix aimable, et un instant son ton conciliant dissipa les craintes de son interlocuteur, comme beaucoup d'autres cathédrales, ne sera jamais construite.

Avec cette dernière parole, il fit un pas en arrière comme s'il avait oublié, dans un moment d'absence, que le vide s'ouvrait dans son dos. Il tomba dans l'abîme, mais ce ne fut pas une chute libre : d'abord, il heurta l'arc-boutant qui le renvoya sur la culée, et il reposa même un instant sur la voûte de l'abside! Mais ensuite, comme si la main de Dieu eut décomposé les pierres, l'arc ébranlé commença à se fissurer et derrière le maître tombèrent les pierres soigneusement ajustées, d'abord une, puis deux, trois et finalement le reste. Leur chute étouffa le bruit causé par la rupture de l'arc-boutant qui oscilla, indécis, ne trouvant plus la résistance qui soutenait son poids, chancela et finalement s'effondra, après quoi le mur qui l'étayait, à son tour privé de soutien, tomba vers l'extérieur en un lent mouvement, brisant les culées des autres contreforts, les emportant avec lui comme un incendie qui s'étend de tous côtés avec le vent qui tourne. A droite et à gauche s'effondrèrent arcs, piliers, murs, dans un tonnerre de bois cassé, de pierres éclatées, laissant un tas de décombres d'où montaient des nuages de poussière, jusqu'à ce qu'il ne reste plus qu'une ruine du chantier de Saint-Pierre, à l'exception d'une tour qui demeura intacte au milieu du désastre.

LE GRAND PROJET

Cortone, été de l'an 1244 (chronique)

— *De profundis clamavi ad te, Domine...*
Mes journées dans la cave de Cortone commençaient par une prière matinale.
Au début, Élie venait encore me voir de temps en temps, s'excusant parfois d'avoir tant tardé à le faire, et il me parlait de ses projets de construction d'une église et d'un monastère consacrés à saint François. Il me montrait les esquisses et se plaignait des réticences de la communauté qui avait mis à sa disposition un terrain à bâtir mais retardait de semaine en semaine la signature de l'acte. Au bout de quelque temps, plus d'un mois, je ne le vis pourtant presque plus. Et quand il venait, il était pressé et nerveux, refusait de me parler, jusqu'à ce qu'il finisse par m'oublier complètement, apparemment.

Je m'étais familiarisé avec les vastes souterrains du château. L'après-midi, dame Gersande me laissait entrer et sortir à ma guise de la cave. A la nuit tombée, elle me permettait de prendre l'air quelques heures dans la cour de la cuisine. Ce qu'elle m'interdisait, en revanche, c'était de glisser la main sous ses jupes quand j'en avais l'occasion. Les dortoirs des servantes se trouvaient très loin, sous les combles. Gersande était une femme vertueuse, maternelle, charitable et pleine d'entregent, mais elle n'eut même pas l'idée de jouer avec cette partie de mon corps qui l'aurait tant désiré.

Je n'eus donc d'autre remède que de m'adonner à la boisson. Comme mon alcôve était proche du cellier, une légère vapeur vineuse flottait toujours au-dessus de mon lit, comme un doux oreiller de plumes dans lequel je m'enfonçais en fin d'après-midi — pour moi, la nuit ne servait qu'à pisser —, et je cuvais mon vin jusqu'à une heure fort tardive le lendemain. Tout ce temps, j'enviais grandement les deux prélats de Terre sainte qui quittaient tous les soirs « le Veau d'Or », vociférant plus qu'ils ne chantaient, pour s'écrouler sur leurs matelas. Je ne pouvais que les entendre, car il m'était interdit de les voir et encore plus de leur parler.

Mon embonpoint allait en augmentant et, si je m'en rendais compte, c'était surtout à cause des plaisanteries et des rebuffades des servantes. De sorte que mes instincts s'endormirent peu à peu, encore aiguillonnés à l'occasion par le souvenir de la belle Ingolinde, et j'en vins à ne même plus désirer leur donner du plaisir, dans leurs lits, dans la paille ou ailleurs, culbutées, debout ou assises. Un jour, je me souvins tout à coup du parchemin de Sutri. Mais loin d'être une pensée qui m'aurait transpercé comme une lance ardente, c'était plutôt une vague idée qu'il pourrait m'être utile pour changer quelque chose à cette existence somnolente d'amphibie que je devais supporter.

D'un pas traînant, j'allai donc voir dame Gersande et la priai de me procurer plume, encre et parchemin. Je voulais écrire, lui dis-je, composer des louanges au Seigneur, apaiser ma conscience. Je ne lui révélai point que je comptais faire une digne copie du message adressé à son maître, ce qui n'était d'ailleurs pas nécessaire, car elle fut aussitôt ravie de mon intention, pensant qu'elle me ferait changer d'attitude et que je cesserais de sourire lascivement en regardant les jupes des servantes tout autant que la sienne, quand je n'essayais pas de les soulever.

Ainsi donc, Gersande m'apporta ce que je lui avais demandé, plus quelques chandelles de suif. Et je me retirai avec mes ustensiles dans mon petit trou où je sortis le document que je gardais caché. Je le lissai de mon mieux et je me mis à lire...

« De plusieurs entrelacs est formé le sceau de l'Alliance secrète, le fer de lance de la foi surgit de la coupe du lys, le trigone sort du cercle et flotte sur les eaux. Celui qui est destiné à savoir saura qui lui parle !

Celui qui cherche la vérité fera bien de scruter la parole de Dieu telle qu'elle est écrite dans la Bible. En revanche, il fera mal de se fier aux pères de l'Église car, loin de chercher la connaissance comme lui, ils se bornaient à interpréter les Écritures à leur convenance.

Mais celui qui cherche la vérité peut aussi prier Dieu qu'Il lui permette de lire dans le grand livre de l'Histoire. Dieu n'écrit pas avec l'encre des *scribentes*, mais avec la vie des êtres humains et des peuples.

Quand Dieu voulut libérer le peuple d'Israël de sa situation de peuple élu, le libérer de cette charge écrasante qui ne lui permettait pas d'acquérir les forces suffisantes pour faire partager aux autres peuples le Dieu unique et vrai, quand Il vit que les âmes des fils d'Israël s'étaient endurcies comme le cuir devenu coriace au soleil, Il envoya Ses prophètes pour attester la grandeur de Son règne.

Le premier fut saint Jean le Baptiste. Mais ses clameurs se perdirent dans le désert, car le peuple se montra insensible et ses oreilles demeurèrent sourdes.

Ensuite vint Jésus, de la souche de David, qui donna sa vie. Mais ses disciples retournèrent dans leur bouche son message d'amour et falsifièrent l'héritage de son sacrifice. Et finalement Mahomet, qui montra aux peuples égarés le simple chemin qui conduit droit au paradis, sans faute ni pardon, par le moyen d'une vie sainte et juste sur terre.

De même que Dieu châtia Israël après la sortie d'Égypte, de même Il manifesta son mécontentement envers les musulmans depuis l'hégire, depuis leur sortie de La Mecque. L'héritage de Mahomet est désormais divisé entre ceux qui veulent écouter le message, la *sounna*, et restent aveugles à tout le reste, et les autres qui ont les yeux fixés, sourds à tout ce qui les entoure, sur le chemin de la *qiyas*, le chemin du sang. Dieu seul sait lequel de ces deux chemins est le bon. Les musulmans ne le savent pas.

Muet de colère est le Seigneur quand il voit la bête hideuse que les successeurs du Chrit ont engendrée dans le monde. De la même façon qu'ils se nommaient eux-mêmes de leur propre chef, ils fondèrent une Église qui s'engendre et se succède à elle-même. Mais Il se sert encore d'elle pour châtier les autres : pour disperser les juifs dans le monde et pour approfondir la division de l'Islam en exposant les deux branches aux coups que le monstre assène avec ses queues, tandis que ses tentacules étouffent, étreignent et volent tous les autres.

Mais la trace sanglante que la bête traîne derrière sa queue est aussi la promesse que Dieu, Notre Seigneur, n'oublia pas ses cruautés. Seul Dieu sait quand viendra le jour du Jugement dernier, mais ce jour viendra ! Car les atrocités des successeurs du Christ appellent la justice divine.

Ils commencèrent par nier l'humanité de Jésus de Nazareth. Dans leur délire et leur superbe, ils en vinrent à déclarer qu'il était Fils de Dieu et l'érigèrent en un second dieu. Non contents de cela, ils élevèrent sa mère au rang de Vierge d'origine divine, ce qui est moqueur la maternité; de cette façon, ils réussirent à remplir le temple qu'Il venait de nettoyer et qui devait être consacré à un seul Dieu, unique, introduisant une foule d'autels secondaires.

Ensuite, ils recherchèrent la faveur des Romains, car ils prétendaient que dans leur capitale, alors *caput mundi*, se trouvait le lieu où devait nicher le monstre ambitieux, afin d'étendre ses bras et d'attirer tous les humains en son sein, étranglant au passage ceux qui ne l'adoraient point.

Cette menace s'étendit aussi aux chrétiens qui avaient suivi le message de Jésus où il est dit : "Allez par le monde entier", pour enseigner Sa parole à ceux qui ont des oreilles pour l'entendre. Les disciples que le Seigneur envoya christianiser le monde furent au nombre de douze.

Saül n'était pas l'un d'eux et, sur le chemin de Damas, il ne devint pas un apôtre, mais Paul, le stratège. Ce fut Paul qui prit la lourde décision de pencher en faveur de la Rome des Césars plutôt que de Bagdad, berceau de l'Humanité ; plutôt qu'en faveur d'Alexandrie, dépositaire d'un trésor de spiritualité, encore moins en faveur de la Jérusalem des aïeux. C'est à lui que nous devons la croissance de la pieuvre, et non à l'honnête pêcheur que fut Pierre. Paul installa la bête là où elle ne pouvait que devenir un monstre.

Pour flatter Rome, les chefs de l'Église entreprirent de faire oublier que c'étaient les Romains, qui en application stricte de leur *codex militaris*, avaient crucifié Jésus de Nazareth, *Rex Iudaeorum*. Ils préférèrent attribuer l'assassinat du Messie à leur propre peuple, les juifs. Ainsi transformèrent-ils d'abord Jésus en un Dieu martyr, puis en un Dieu tout court, et ainsi sortit le premier nuage vénéneux de la gueule de la bête, un nuage qui depuis lors empoisonne en annonçant le malheur au monde entier, et ce même nuage de haine est celui qui rejette les enfants d'Israël et les enfants de leurs enfants. Rien n'unit tant qu'un ennemi commun.

La bête avait fait sien le message du Crucifié ; elle s'était emparée de Son corps en même temps qu'elle s'imaginait avoir aussi avalé Son sang. Rien ne mettait le monstre de Rome autant en fureur que de savoir que le sang de la maison de David ne s'était pas tari, que sa semence continuait à se répandre. Comme Jésus était Dieu pour eux, Sa descendance, du moins celle qui n'avait pas été divinisée avec Lui, fut déclarée abominable par la bête. D'où le fait qu'ils ont traité Sa femme de prostituée et qu'ils ont appelé Ses fils, Bar-Rabbi et les autres, voleurs de grand chemin. Et tout ce qui avait échappé à la justice crucificatrice des Romains disparut de l'Histoire sans laisser de traces.

Un destin semblable échut aux communautés des autres apôtres. A peine la bête était-elle sortie des catacombes, à peine s'était-elle hissée sur le trône de l'Église de l'État romain qu'elle lança une persécution féroce contre ceux qui, selon le monstre, s'écartaient de la vraie foi. D'abord on les traita de sectaires, puis on leur décerna l'épithète injurieuse d'hérétiques pour les clouer au pilori. Quiconque refusait de se soumettre aux exigences de l'*Ecclesia catolica* — tel fut le nom adopté par le monstre — qui entendait être l'unique détentrice des clés du paradis fut finalement condamné par elle. Dès lors, elle ne se contenta plus du pilori et commença à entasser paille et bois. La bête se lança sur les traces de l'empire et ne se borna plus à répandre son venin, mais usa du feu. Et c'est alors que s'embrasèrent les premiers bûchers.

Et le reste du monde ? Les disciples du prophète Mahomet, que Dieu envoya après Jésus — et Dieu savait ce qu'Il faisait —, furent traités d'infidèles. Et il y en eut toute une armée qui, s'ils se montraient dociles et acceptaient d'embrasser la croix, étaient autorisés à recevoir le baptême, alors que s'ils ne consentaient pas à la conversion, le mieux qu'ils pouvaient espérer était d'être aussitôt anéantis.

Nous savons depuis quelques années que, très loin vers l'Orient, vivent des peuples immenses, et que pour leurs souverains nous ne sommes, nous riverains du *Mare Nostrum* qui régnons depuis la *caput mundi*, autre chose que le "reste du monde". Qu'allons-nous faire d'eux dans notre vision du monde ; et à leur tour, que vont-ils faire de nous ?

La bête s'était assise sur une pierre déjà pourrie : l'Empire romain s'effondra.

La Rome orientale, Byzance qui, par sa situation entre l'Orient et l'Occident, représentait à l'origine la principale partie de l'empire, n'eut pas de mal à maintenir la séparation des pouvoirs terrestres et spirituels, tout en les réunissant en un même lieu. Les Byzantins se considéraient comme un rempart contre les peuples du soleil levant et en même temps comme des médiateurs.

Mais la bête s'était installée dans la Rome occidentale. Quand l'empire succomba, le pouvoir impérial passa d'abord aux mains des empereurs germaniques, guerriers invétérés, puis à celles du "Saint Empire romain" qui demeura aux mains des Teutons. L'Église, qui dès le début recherchait le pouvoir terrestre, n'était pas disposée à renoncer à sa primauté. Les "papes", puisque tel est le nom qu'ont adopté les grands prêtres du monstre, se sont affublés de la tiare, une triple couronne qu'ils portent sans vergogne pour faire étalage de leurs richesses : ils se considéraient comme les authentiques successeurs des Césars. Ces vicaires du Christ, représentants du Fils de Dieu, exigeaient l'obéissance et ordonnaient aux princes d'accourir devant leur trône pour leur rendre hommage. Le monstre exigeait du patriarche de Byzance comme de l'empereur germanique qu'ils s'inclinent devant son pouvoir. Et c'est ainsi que Rome a provoqué le schisme et la querelle des investitures : qui donne l'investiture à qui ? Le pape au Patriarche ? L'empereur au pape ?

Depuis la chute de l'Empire romain et l'avancée des peuples venus du nord et de l'est que l'on considérait comme des Barbares, la face de l'*orbis mundi* a changé. Cologne, Londres et Paris n'étaient plus des garnisons romaines, des avant-postes perdus dans la forêt celte ou germanique, mais les centres de nations puissantes. Charlemagne gouverna comme un César sur le monde connu d'Occident. Il est vrai qu'ensuite se formèrent des royaumes indépendants, mais au-dessus de tous se trouvait l'empereur, une institution de droit divin !

Dans la péninsule Ibérique et dans le sud de l'Italie, propriété de Byzance, l'Occident subissait les agressions de la force naissante de l'Islam. Ailleurs, l'empire s'étendait à l'est, soumettant les rois de Bohême, de Pologne et de Hongrie, devenus vassaux de l'empereur, en même temps que les missionnaires pénétraient plus au nord et que les marches frontières se transformaient en duchés.

Le roi de France aurait voulu faire la même chose que les Allemands, mais il lui restait peu d'espace et il n'avait pas l'autorité qui confère la couronne impériale.

Quelques régions du sud-ouest — Toulouse et le Languedoc — se montrèrent rétives à se soumettre aussi bien à lui qu'à Rome, là où le gnosticisme et le manichéisme s'abattirent comme la rosée sur la terre fertile, où le *sang réal* se transforma en "San Graal", le Saint Graal.

Selon la légende, c'est là que les fils de Jésus débarquèrent et furent accueillis par les juifs dans leur exil. Leur sang, celui des Belli, se mêla d'abord à celui des rois celtes, puis à celui des rois goths. La maison d'Occitanie, les Mérovingiens, les Trencavel et toute la noblesse du pays en sont issus. C'est là que naquit aussi le principe même de ce qu'est la noblesse : une distinction accordée par Dieu à certaines familles. Leur pays, un îlot de bienheureux qui pendant des siècles fut coupé du monde extérieur, qui possède sa langue propre, la langue d'oc, une terre avec ses lois propres, les *leys d'amor*, et sa religion propre, où il n'existait aucun pape et où le paradis était tout proche, fit don à l'Occident de la poésie de l'amour chantée par les trouvères. Cette terre, donc, est d'abord l'objet du regard envieux des Français, puis du regard louche de Rome, quand l'Occident se met une fois de plus en marche, déjà entré dans le second millénaire après la naissance du Christ, annonçant calamités et destruction des uns et des autres.

Il y avait bien longtemps que Rome n'était plus le centre de l'Occident. La péninsule Apennine n'était plus qu'une breloque. La Lombardie, en son temps le centre de l'empire, tentait de secouer le joug de Rome. Le *Patrimonium Petri*, comme le monstre avait fini par appeler son domaine, s'était transformé en un État propre, l'État de l'Église. Le sud du pays, le florissant mais sauvage et antique Royaume des Deux-Siciles, était tombé aux mains d'une poignée d'aventuriers normands qui avaient arraché leur proie aux Arabes.

Et les papes se retrouvèrent en marge de l'Histoire : une Histoire dont le centre se déplaçait toujours plus vers le nord, l'est et l'ouest, et ce n'est que de temps à autre que les puissants se souvenaient de leur existence et accouraient à Rome, presque toujours pour la mettre à sac.

Le monstre en eut assez et Rome provoqua alors, sans nécessité aucune, le schisme officiel. Byzance refusa de reconnaître dorénavant la suprématie du pape.

Une dizaine d'années plus tard éclata dans le nord de l'Europe une guerre qui allait avoir de graves conséquences. Les Normands traversèrent la mer et conquirent le royaume d'Angleterre, ce qui fit que les forces présentes en sol français se trouvèrent en état de déséquilibre et qu'elles se consacrèrent alors à résoudre leurs propres différends, sans se soucier ni de l'empereur ni du pape.

Une dizaine d'années plus tard, le pape Grégoire VII humilia le roi allemand Henri IV en le faisant attendre plusieurs jours devant le château de Canossa, avant de lever l'excommunication qui pesait sur lui. Henri se vengea en mettant Grégoire en fuite — lequel dut chercher refuge au château Saint-Ange —, puis en nommant un autre pape pour le sacrer empereur. Grégoire appela à son aide les Normands du sud de l'Italie, mais ils saccagèrent à ce point Rome que la population se souleva. Grégoire dut prendre la fuite avec les Normands, abandonnant la cité pour se réfugier à Salerne où il mourut.

Dans cet embarras, le successeur de Grégoire, Urbain II, lança au concile de Clermont son appel à la croisade. *Deus lo volt !*

Personne ne pourra dire si Dieu voulut cette croisade ; le plus probable est qu'elle fut un autre de ces fouets dont Il se sert pour châtier l'humanité, car ce qu'Il veut s'accomplit.

Le monstre, dans son entêtement, déchaîna cette avalanche qui n'allait apporter que sang, larmes, haines et folles ambitions. Peut-être pensait-il dans le secret de son cœur qu'un jour l'humanité indignée lui arracherait les membres, l'étranglerait et le ferait mourir sur le bûcher, mais il n'avait pas prévu que les humains regarderaient son œuvre avec indifférence et qu'ils finiraient même par l'oublier.

Ainsi donc, la croisade ne fut autre chose qu'une démonstration de force assez puérile de la part de la papauté qui voulait prendre la tête de l'Occident tout entier et obliger les princes à accourir au son de la cloche. Ce furent les deuxièmes et troisièmes fils des maisons régnantes, ceux qui ne pouvaient espérer un héritage ou un fief, qui cousirent la croix sur leur manteau et prirent la tête de ce flot. Ils furent suivis de l'armée des pauvres, des voleurs en fuite, des fiers-à-bras et des mauvais garçons, des brigands de grand chemin, des canailles et des joueurs, des malins et autres mauvaises graines, et à eux vinrent s'ajouter les femmes : celles qui étaient en vente et celles qui recherchaient une illusion, les lascives et les maternelles, les amantes et les trompées. Ensuite encore vinrent les moines et les curés, aussi bien les dégénérés que ceux qui brûlaient de réforme, missionnaires fanatiques et ceux qui espéraient de coquets bénéfices. Telle fut la marée des croisés qui traversa toute l'Europe.

Elle fut précédée partout des tueries les plus sauvages : la semence venimeuse du monstre portait fruit. Tuer les juifs était un bon exercice, puisqu'on pensait accorder le même traitement aux infidèles. Le monstre promit le pardon de tous leurs péchés aux rares qui acceptèrent de porter la croix parce qu'ils pensaient que c'était leur devoir de chrétiens. Mais les autres, mus par des motifs terrestres, comptaient gagner non seulement le salut de leurs âmes, mais surtout d'énormes richesses.

Beaucoup rêvaient du jardin de l'Éden, vidé de ses habitants depuis l'expulsion du paradis, et se l'imaginaient sous la forme de palais abandonnés où les attendaient ouverts des coffres remplis de trésors, d'or et de joyaux, et le monstre les laissait songer. D'autres croyaient que les "infidèles" les attendaient comme des enfants attendent leurs pères, le regard tourné vers la mer d'où viendraient les croisés. D'autres ne pensaient à rien et furent bien surpris de trouver sur ces terres une charpente féodale bâtie depuis déjà plusieurs siècles, une civilisation et une science fort supérieures aux nôtres.

Ceux qui n'étaient pas devenus aveugles, sourds et insensibles sous l'effet du venin répandu par la bête subirent la Terre sainte comme on reçoit une gifle en plein visage. Et pour le monstre aussi l'expérience fut un dur coup : d'Orient arrivèrent non seulement les parfums et essences aromatiques qui caressaient les pores occidentaux, non seulement les arts de l'amour, de la danse, de la musique, du chant et de la poésie, mais aussi l'esprit et les idées de la philosophie, la semence de la libre pensée. La bête eut beau gronder et cracher le feu, ces ferments n'allaient jamais plus abandonner les terres de l'Occident. Elle devina alors que les vents d'Orient disperseraient un jour son haleine vénéneuse, qu'elle ne pourrait se maintenir dans l'air limpide de la raison.

La première croisade prit fin avec la glorieuse conquête de Jérusalem. Les conquérants se baignèrent trois jours entiers dans le sang des musulmans massacrés, des juifs étranglés et des chrétiens tombés dans leur lutte pour la cité. Ensuite, ils proclamèrent le "Royaume éternel de Jérusalem" et distribuèrent terres, châteaux et cités aux nobles. Les pauvres qui les avaient suivis, quand ils n'étaient pas morts de faim, de soif, de chaleur ou de froid, au combat ou dans la servitude, restèrent ce qu'ils avaient toujours été.

Il fallut trois générations pour que le monde arabe se remette de l'horreur et s'unisse sous un seul commandement. Ce fut Saladin qui parvint à rassembler le pouvoir entre ses mains de la Syrie jusqu'au Caire. Mais ensuite ce fut le déclin rapide des chrétiens. A l'issue de la bataille des Cornes de Hittin ils perdirent Jerusalem. Mais pas comme ils l'avaient gagnée, tant s'en faut ! Saladin ne répandit pas le sang des vaincus. Les couvrit-il de honte ? Point du tout. Les chrétiens ne connaissaient pas la honte.

Ils survécurent. Sous les successeurs de Saladin, la puissance de l'Islam se divisa entre trois grands centres : Bagdad, la capitale suprême, trône du souverain de tous les croyants : le calife ; la riche Damas, forte dans son désir de liberté et d'indépendance, ouverte même aux chrétiens ; et finalement le siège du sultan, la puissante capitale du Caire, prisonnière d'un glorieux passé et de ses armées de mercenaires. Entre elles, beaucoup d'émirats petits et grands s'unissaient tantôt à l'une, tantôt à l'autre. Depuis longtemps déjà, il ne s'agissait plus d'imposer une foi et les conquêtes guerrières étaient choses du passé. On parlait plutôt de commerce et de ports. Ce n'était pas la paix, mais plutôt une suite à peine interrompue d'armistices : tantôt les émirats de Homs et de Hama payaient le tribut aux seigneurs chrétiens de Beyrouth ; tantôt les Assassins levaient des impôts à Sidon et à Tripoli. Les Anglais empruntèrent l'armée de Mossoul pour se battre contre les Français à Jaffa et à Tyr. Le roi de Jérusalem installa sa cour à Saint-Jean-d'Acre.

Cent ans ont passé depuis le début des croisades. Sous le soleil ardent des terres orientales, tous ont trouvé un lieu à l'ombre ; chrétiens et musulmans se sont accoutumés les uns aux autres. Mais voici que le monstre engendre un autre monstre, un cardinal comme le monde n'en avait jamais connu jusqu'alors : Innocent III.

La bête n'avait pas perdu son instinct. Elle devinait une menace naissante, soupçonnait que Dieu forgeait quelque part le fer qui pourrait lui trancher la gorge.

Ce fer était les Germains de la famille Hohenstaufen, la lignée qui rendit le royaume d'Allemagne héréditaire et qui, depuis le fameux Barberousse, héritait aussi du titre d'empereur. Le fils de Barberousse épousa la dernière princesse normande, héritière du Royaume des Deux-Siciles.

Et il se produisit alors ce que la bête avait toujours craint : le sud s'unit à l'Empire, *unio regnis ad imperium !* et le Patrimoine de saint Pierre se trouva pris en plein milieu de cette étreinte mortelle !

Le couple impérial annonça à Jesi la naissance de son fils : Frédéric II. Le pape Innocent, qui avait commencé son règne en revendiquant le pouvoir universel de la papauté, adopta le jeune prince ; la bête essayait de prendre Frédéric dans ses tentacules, de lui inoculer le venin de la soumission.

Innocent, assis sur le trône de saint Pierre, représentait la tête du monstre, grossie à un point inimaginable. Le monstre ne frappait plus à l'aveugle, mais attaquait au moment où l'on s'y attendait le moins, donnait des coups de poignard mortels qui faisaient trembler tout l'Occident.

Innocent usa de son astuce diabolique pour égarer la croisade suivante, entreprise avec l'aide d'une Venise désireuse de développer ses liens commerciaux avec la schismatique Byzance. Le patriarche de la Rome orientale qui avait été si longtemps une épine dans la chair de la papauté dut s'enfuir. Que la barrière dressée jusqu'alors par l'Occident contre l'Orient fut détruite de ce fait ne préoccupait guère le cavalier de la bête, rempli de haine.

Le coup suivant qu'Innocent assena avec toute sa méchanceté fut dirigé contre les hérétiques, les cathares d'Occitanie. Leur hérésie consistait à opposer le luxe et la magnificence de l'*Ecclesia catolica* officielle à la pauvreté et à l'austérité de ses propres prêtres ; aux menaces ténébreuses des dominicains la joyeuse certitude du paradis ; à la vénalité et au népotisme de l'Église catholique l'esprit de sacrifice librement consenti des "purs" ; elle ne pouvait que susciter le rejet chez la bête. L'heure de la vengeance avait sonné.

Et c'est ainsi que le monstre promit à la France des Capets des terres et des titres dans le riche sud-ouest et que l'appétit de pouvoir des rois de Paris l'emporta sur toutes leurs réserves. De sorte que se déchaîna la croisade contre le Saint Graal, aussi appelée croisade des Albigeois. Si le monstre méritait déjà son nom, il s'employa à en être encore plus digne, déployant une cruauté qu'aucune bête à ce jour n'avait montrée sur terre.

Le souffle ardent de la bête fit brûler les cités, envoya au bûcher catholiques, cathares et juifs. Tous au bûcher ! fut la consigne de Rome. Le Seigneur reconnaîtra les siens au jour du Jugement dernier ! Et le monstre rampa à travers le Languedoc, écrasa Toulouse et Carcassonne, étrangla Béziers et Termes, tortura dans les griffes de l'Inquisition, détruisit la civilisation de l'aimable Occitanie, réduisant à néant les hommes et leur langue.

Son appétit de sang innocent rassasié, le monstre se tourna vers le filleul. A la mort prématurée de ses parents, Frédéric était monté sur le trône alors qu'il était encore enfant. Certes, le jeune Germain s'était laissé empoisonner, au point de ne voir dans les cathares autre chose que des hérétiques qui méritaient la mort, ce qu'il continue de croire à ce jour. Mais l'idée fixe qu'il nourrissait sur le rang et la position de l'empereur lui permit de se soustraire à l'emprise de son tuteur.

Innocent mourut d'une attaque d'apoplexie. Le cadavre du monstre engendra aussitôt une nouvelle tête mortifère : Grégoire IX. Sous son règne continua sans pitié la persécution de l'empereur. Quant au pape actuel, Innocent IV, il a l'écume à la bouche quand il jure de détruire Frédéric et son nid de vipères. Pourquoi l'empereur ne rassemble-t-il pas toutes ses forces pour achever cette horrible bête, pourquoi n'allume-t-il pas un gigantesque bûcher dans le château Saint-Ange jusqu'à ce que ses murailles éclatent sous l'effet de la chaleur, pour ensuite répandre ses cendres à tous les vents ?

Nous sommes à l'aube d'une nouvelle croisade, une entreprise importante et soigneusement préparée par Louis IX, roi de France. Moi, auteur du présent mémoire, je me risque à prédire comment finira cette croisade : dans la catastrophe.

Jérusalem est perdue à tout jamais. Même si nous la reprenions, nous ne pourrions la conserver. Il ne suffit plus d'une croisade : il faudrait maintenir là-bas des armées gigantesques pour occuper la Terre sainte et défendre constamment le terrain conquis. Cent cinquantes ans de crimes et d'injustices, de menaces et de haines, ont provoqué tant d'amertume dans les deux camps qu'il est impossible d'imaginer la paix et la réconciliation.

Tout cela me remplit d'une inquiétude et d'une tristesse profondes. Pour quelqu'un comme moi, pour qui la Méditerranée n'est pas le *Mare Nostrum* des Romains mais le *media-terra*, le trait d'union et non le fossé qui sépare les pays d'Occident et d'Orient, le moment est venu de tenter de m'acquitter de mes responsabilités en essayant de contrecarrer le lamentable cours des choses.

Je suis fils de Languedoc, où je crois que se trouve le berceau de l'Occident; là précisément, et pas à Rome. Et depuis bien avant l'intronisation du monstre! Bien que son souffle venimeux m'ait poussé à m'exiler en Orient, je continue à penser comme un Occitan:

Je suis incapable de croire que la royauté élective soit l'expression de la volonté de Dieu. Je crois aux souverains oints par la grâce divine!

Pourtant, la dynastie dont a besoin l'Empire méditerranéen n'existe pas. Elle n'existe pas encore!

Seigneur, je te supplie de m'éclairer afin que je sache quels éléments de l'Occident doivent entrer dans le grand mélange, quelles veines doivent fournir le jus vital, quelles gouttes de sang sont indispensables pour parvenir à la divine combinaison. Seigneur, permets-moi de participer au *lapis excillis* afin de pouvoir réaliser le grand projet.

Sans nul doute, le fondement se trouve dans la descendance de la maison de David, dans la souche presque éteinte des Trencavel. Son droit incontestable remplit mon cœur d'orgueil. Son sang coule des deux côtés des Pyrénées et représente toute l'Occitanie.

Ensuite, nous avons la noblesse de France! N'est-ce pas le grand Bernard, de la maison Châtillon-Montbard, qui entreprit de fonder l'Ordre des templiers, qui reçut cette mission et qui s'en acquitta? Une souche dans laquelle on peut penser que les Normands gardiens du chêne de Gisors auront aussi leur place. Et nous inclurions ainsi l'Angleterre des Anjous et l'Aquitaine.

Quant aux Allemands, l'unique famille qui puisse entrer en ligne de compte est celle des Hohenstaufen; je suis sûr qu'ils ont l'ambition de s'unir au *sang réal*. Il y a chez eux une force que la maison d'Occitanie a perdue. *Stupor mundi*: Frédéric ne connaîtra pas son triomphe de son vivant, mais sa semence fructifiera dans les futurs souverains.

Aujourd'hui, je ne peux parler qu'au nom de l'Occident. Son sang, du plus haut lignage, a été sauvé; la combinaison avec l'idée de l'Empire désiré par Dieu s'est réalisée. Notre tâche consiste maintenant à parvenir à l'union avec la descendance du prophète Mahomet, les chiites. D'où notre pacte avec les Assassins de la tribu d'Ismaël, gardiens de l'autre sang. Alors se refermera le cercle sur l'origine aryenne commune, sur le grand Zoroastre, sur les enseignements de Mani : une union dynastique entre les descendants des deux prophètes unifiera dans le monde le califat avec l'empire et aboutira spirituellement à l'ultime *sublimatio* dans le Saint Graal.

Mais il faut encore créer cet empire, l'empire de la réconciliation entre l'Orient et l'Occident, l'empire des souverains de la paix. Quel en sera le centre ? Le nom de Rome a été souillé à tout jamais. Palerme ? Le monde arabe l'accepterait-il ? Ah, si nous pouvions au moins offrir à l'Islam son retour en Sicile, en égalité de droits et de conditions !... Mais la chose est impossible tant que régnera le monstre, aussi bien à Rome qu'en exil français.

Si l'on en établissait le centre à Jérusalem, les princes d'Occident ne pourraient s'entendre, comme on l'a déjà vu, à moins que tous ne s'attachent, avec leur patrimoine, leur pouvoir et surtout leur enthousiasme, à établir une fois pour toutes la *Divine Hierosolyma* de la paix. Mais n'en résulterait-il pas la répression des peuples arabes et de la foi islamique ? La supériorité de Jérusalem devrait donc être aussi reconnue par le califat de Bagdad et le sultanat du Caire, au lieu qu'ils se battent pour sa possession, et Damas devrait renoncer à son rêve d'une grande Syrie pour prospérer avec fierté à l'ombre des Lieux saints. On se l'imagine difficilement ! De même qu'il est difficile de concevoir que les chrétiens puissent s'accorder maintenant, alors qu'ils n'ont pas été capables de le faire pendant des générations, en présence de gens qui professent une autre foi. D'autre part, les musulmans eux non plus ne seraient pas disposés aujourd'hui à croire en l'honnêteté d'un tel changement, de sorte qu'il nous faut renoncer à Jérusalem.

Faudrait-il alors repenser toutes les religions ? En premier lieu, on doit exclure la bête, le monstre, de toute communauté qui pourrait se former. Mais l'Islam lui aussi donne des signes d'intolérance. Seule l'Église de l'Amour, celle du Saint Graal, s'offre pour accomplir une tâche si vaste, car elle entend retourner aux origines : Jésus de Nazareth, prophète, à l'égal de Mahomet, serait une prémisse acceptable même pour l'Islam. Le sang dynastique des deux prophètes existe encore, même en secret.

Nous sommes en l'an de grâce 1244. Le peuple d'Israël

continue à attendre le Messie et, selon l'Islam, six cent vingt-deux ans ont passé depuis l'hégire. La Chrétienté comme l'Islam pâtissent toujours dans les griffes du monstre, véritable et horrible châtiment de Dieu. Avec eux souffrent tous les chrétiens qui ont eu accès au message originel de Jésus de Nazareth dans toute sa pureté et qui essaient de vivre en secret selon ce message, ce qui leur vaut d'être persécutés et condamnés. Le monde attend.

Un est devenu deux; puis a doublé pour donner quatre qui fait huit avec le trois et le un, de même que quatre et quatre. Mille deux cent quarante-quatre. Six cent vingt-deux années après la naissance du prophète Jésus, le prophète Mahomet abandonna la sainte cité de La Mecque. Depuis lors se sont écoulées encore six cent vingt-deux années. 1244 est l'année de la perte définitive de Jérusalem par les chrétiens, de l'apothéose des "purs" de Montségur et elle marque aussi le seuil d'une nouvelle époque. Un nouveau royaume naîtra : l'Empire des rois de la Paix, l'Empire du Saint Graal. Sa lumière se répandra sur nous de l'obscurité où elle se cache. Sa réapparition sur terre est la condition préalable du règne du couple divin, des rois de la Paix, des "Intercesseurs".

Le lieu de leur règne, en revanche, est chose secondaire. Il est vrai que la mer Méditerranée doit se transformer en trait d'union, plutôt que d'être un fossé séparateur. Les cités sont abjectes. Mais il serait merveilleux de disposer d'une île en pleine mer. *Lapis ex coelis.* Une île? Chypre est trop loin de l'Occident, Rhodes trop grecque, de même la Crête, malgré ses très anciennes traditions. Malte? Sa situation de médiatrice est incomparable et ses temples montrent avec quelle complaisance Dieu la regarde. Un bateau? Un bateau qui se déplace sur la mer sans que personne sache où il est exactement. Ce serait le meilleur choix! Le couple souverain n'aurait à s'installer nulle part, ne serait pas contraint d'entrer dans un port pour chercher refuge, ne pourrait tomber entre les mains des puissances existantes. Une flotte royale en mer, toujours prête à lever l'ancre, toujours là quoique inaccessible, toujours présente quoique inabordable : autorité suprême, secret absolu.

Écrit de ma propre main en un lieu secret, transmis à l'ami par messager ce jour que j'ai appris que Montségur était tombé, mais que les enfants étaient sauvés. Que s'accomplisse le "grand projet", que le mont Sion en soit le gardien. »

Je n'avais même pas touché la cruche de vin que je m'étais préparée. Mais quand j'eus terminé, je bus une formidable rasade. Mon Dieu, quelle hérésie plus monstrueuse ! Ma tête était comme paralysée par ce que j'avais lu, par cette panique apocalyptique et ces visions étranges qui commençaient à pâlir déjà dans mon esprit, comme s'il refusait d'absorber pleinement ce qu'il avait lu. Puis je trempai la plume dans l'encre et commençai à copier.

J'écrivis, parfois sans savoir ce que j'écrivais, interrompu seulement par des massages toujours plus fréquents de mes doigts endoloris et par l'absorption occasionnelle et distraite de quelque aliment, et je continuai ainsi toute l'après-midi et toute la nuit, et encore le lendemain jusque tard, la deuxième nuit déjà tombée, quand je terminai enfin. Je travaillais à une œuvre sacrilège commandée par le démon. Lui, et personne d'autre, avait dû intervenir pour que je glisse cet écrit dans mes chausses. J'aurais dû le brûler. Mais j'avais beau retourner les chiffres, six et deux font huit et le deux est ce qui importe. Le couple des Rois de la Paix. Et 622 plus 622 font bien 1244 !

Ma copie devait présenter aussi bien que l'original à son époque, peut-être mieux même. Je roulai soigneusement les deux documents ensemble et les cachai sous mon matelas. Et comme si j'avais mérité une récompense pour ma bonne conduite, car presque trois mois s'étaient écoulés depuis mon arrivée à Cortone, des soldats d'Élie me firent cadeau de chausses de cuir pour monter à cheval, lesquelles je ne pus enfiler car elles étaient trop étroites.

Certes, je nourrissais toujours l'espoir de retrouver mon identité de franciscain tandis que je me promenais, que je dormais, que je me saoulais par-ci par-là, recouvert de l'habit bénédictin dont j'avais par-dessus la tête. Mais à présent, je m'en moquais éperdument, car enfin nous partions en voyage.

J'allai trouver Gersande dans la cuisine et la priai en toute confidence de m'aider à ajuster les chausses à mon corps avec une alêne, du fil et du cuir. Mais c'est dans la cave la plus profonde que je la trouvai, dans un endroit que j'avais jusque-là toujours vu fermé par une lourde porte de fer. L'air y sentait le moisi et la pourriture. Je vis plusieurs chauves-souris pendues au plafond. Un vieux maçon nettoyait un trou dans le mur sous l'œil vigilant de Gersande.

— Ce sont les vestiges d'un cimetière romain, me dit-elle d'un air de conspiratrice avant de me chasser. Mais tu n'as certainement rien perdu par ici, Guillaume. Va m'attendre dans la cuisine! — et elle me poussa dehors.

Comme on le comprendra, cet ordre était de nature à me faire m'éloigner d'un pas décidé pour revenir ensuite sur la pointe des pieds jusqu'à la porte de fer.

Gersande tenait dans ses mains un linge imbibé d'huile qu'elle avait prestement plié lorsque je m'étais présenté à l'improviste. Elle y gardait certainement quelque objet fort précieux.

— C'est un morceau de la Vraie Croix, disait-elle au vieux maçon que l'on considérait certainement comme une personne de confiance dans la maison. On dit que c'est un éclat du morceau que sainte Hélène a donné à son fils Constantin. Le Bombarone a reçu la relique de l'empereur Jean Ducas, en remerciement du mal qu'il s'était donné pour trouver à Vatatzès une fille de l'empereur Frédéric comme épouse — Gersande partit d'un rire moqueur, fort différent de celui que je lui connaissais, et je pus voir qu'elle tenait dans ses mains un petit coffret d'ivoire ouvré, lui-même enfermé dans une cassette d'ébène, pendant qu'elle montrait la relique au maçon.

— Et vous croyez à ces choses? demanda-t-il, apparemment fort peu impressionné.

— Ma situation m'y oblige, répondit-elle en faisant un clin d'œil au vieil homme. Ma foi est égale à la vertu que me prêterait un étranger.

Le maçon se mit à bêler comme une chèvre tandis que Gersande enveloppait soigneusement la cassette dans le linge.

— Cachez-le maintenant, Maître, personne ne doit le trouver. On sait que vous bouchez fort bien les trous sans qu'il y paraisse! — Ils semblaient s'amuser fort tous les deux.
— Le Bombarone part en voyage, ajouta-t-elle. Qui sait

quand il reviendra. Le morceau pourrait attirer certaines ambitions et je ne suis qu'une faible femme...

Je retournai silencieusement sur mes pas pour l'attendre dans la cuisine où je lui montrai mes chausses quand elle me rejoignit.

— Je vais vous les arranger avec grand plaisir! me promit-elle en prenant son air habituel de sainte nitouche, — et elle garda scrupuleusement ses distances pour me mesurer le ventre. — Qui sait combien de temps vous serez parti!

— J'ai bien hâte de faire ce voyage dans le Sud, lui répondis-je en me disant : « Qui sait si tu reviendras jamais! » Puis je lui tendis les chausses.

Pendant qu'elle cousait, je m'éclipsai, filai au pas de course dans mon alcôve, sortis de sous le matelas le parchemin original tout froissé, sans trop penser à son contenu qui me semblait sentir dangereusement le fagot. Je retournai ensuite avec le parchemin et une pièce d'or que j'avais prestement sortie de mon sac jusqu'à cette profonde cave dont l'accès m'était interdit. J'y arrivai au moment où le vieux maçon allait sceller la dernière pierre.

Je lui tendis la pièce et le priai de mettre aussi dans le trou du mur mon « testament », le premier mot qui me passa par la tête. Il s'exécuta sans broncher, même si l'aspect du rouleau froissé que je lui tendis dut l'étonner un peu. J'attendis qu'il rebouche la cachette aux reliques, puis je revins en toute hâte à la cuisine pour retrouver Gersande. Point n'était besoin de tant me presser.

Plus tard, je débondai mon tonneau préféré et passai toute la nuit à sauter et galoper pour mieux me préparer à notre chevauchée vers le sud. Une autre sorte de cavalcade m'aurait fort bien convenu, à vrai dire, mais la bonne Gersande ne voulut rien savoir.

Trois semaines passèrent encore avant que je puisse enfin serrer entre mes cuisses la croupe d'un cheval et partir en voyage avec mon Bombarone.

MORT À PALERME

Palerme, été de l'an 1244

Le soleil tombait à plomb sur Palerme. Les coupoles roses de la petite église de San Giovanni degli Eremiti, que l'on voyait du palais des Normands, procuraient un peu de fraîcheur aux salles de l'ancienne mosquée situées en dessous. Par la grille de la fenêtre ouverte de la sacristie, on pouvait voir les fruits charnus du figuier de Barbarie qui poussait dans le cloître.

— Il doit y avoir de cela trois ou quatre ans, murmurait le bénédictin. Une jeune fille et son père, tous les deux hérétiques, viennent supplier Frédéric d'aider Montségur contre la France et donc contre nous, l'Église de Rome, unique et véritable, et Sa Sainteté le pape.

— Une alliance avec l'Angleterre serait inconcevable ? lui répondit son homme de confiance, le sacristain, en consultant des annales. Après son séjour glorieux en Terre sainte, Richard de Cornouailles, frère de l'impératrice, rentre en mai de l'an de grâce 1241 et l'empereur le reçoit avec les plus grands honneurs...

Le bénédictin reprit avec avidité le fil de la conversation :

— ...et conformément aux mœurs orientales de cette putain de cour de porcs, il n'a rien trouvé de mieux que de procurer à son cher hôte et beau-frère...

— ...qui ne comptait pas plus de trente et un ans...

— ...une maîtresse de grande lignée pour la mettre dans son lit ! Ils ont de tout dans ce harem : une hérétique par-ci, une jeune infidèle par-là, en veux-tu, en voilà !

— L'empereur germanique était à peine rentré en avril du siège de Faenza où il était allé en compagnie d'Élie. Ils envoient Richard à Rome avec toutes sortes de pouvoirs, dans l'intention secrète qu'il comprenne par lui-même avec quel acharnement Grégoire persécute son ennemi Frédéric, l'Antéchrist... !

— ...pour se consacrer ensuite avec encore plus de

furie à saillir la « fille d'Arthur », cette princesse hérétique...

— ...à laquelle il reste pris comme un chien en chaleur...

— ...raison pour laquelle les intérêts anglais sont
maintenant solidement installés en Languedoc !

— Et l'hérétique, la chienne en chaleur, elle aimait
ça ?

— Je n'étais pas au lit avec eux, répondit le sacristain
avec une grimace. Mais toi, mon frère, tu devrais noter
tout cela, rouler le tout dans une peau de boudin et te
l'avaler tout rond !

Le bénédictin continuait son récit :

— Dans la chronique de la Capella Palatina, j'ai
trouvé une annotation selon laquelle l'impératrice était
morte en couches le premier du mois de décembre de la
même année. Ne pourrait-ce être Frédéric qui... — nous
savons tous que c'est un luxurieux et un débauché — vu la
grossesse avancée de l'impératrice... ?

— Tiens ta langue, mon frère, gronda le sacristain ; je
suppose que tu souhaites vivre encore quelque temps.

— Mon ventre sera une tombe silencieuse ; mon intes-
tin est le lieu tout trouvé pour garder une note concernant
ce bâtard.

— L'empereur a récemment invité deux hommes à sa
table. Il les a bien fait manger, puis il a envoyé le premier
faire une course et l'autre la sieste, à seule fin de savoir qui
des deux digérerait le mieux...

— Qu'est-ce que tu racontes ?

— D'après les médecins qui leur ont ouvert l'estomac,
il ne fait aucun doute que celui qui fait la sieste digère
mieux !

Le bénédictin avala le parchemin enveloppé dans la
peau de boudin. Puis il partit pour la Martorana, une
petite église que le peuple appelle aussi Santa Maria dell'
Ammiraglio, non loin de la cathédrale.

La femme voilée qui l'attendait, une ancienne femme
de chambre de l'impératrice Isabelle, était agenouillée en
haut de la nef. Le bénédictin s'avança vers un confession-
nal dont il savait qu'il n'était jamais occupé l'après-midi.
Quelques instants plus tard, la femme l'y suivit.

— Ce que vous cherchez, mon Père, lui dit-elle d'une voix haletante, s'est produit il y a deux années, ce qui correspond à ce qu'on vous a dit de l'âge des enfants. D'après ce que j'ai pu savoir par ma maîtresse, car l'affaire avait été arrangée par les Anglais, un certain Raymond de Perella, châtelain de Montségur, s'est présenté ici, à la cour, en l'an 1239, accompagné de sa fille et de sa suite. Esclarmonde était une jeune fille très belle, délicate et pure comme un ange. Ma maîtresse en conçut une certaine inquiétude, car elle savait d'expérience comment Frédéric traite les filles de ceux qui viennent lui présenter des requêtes.

« Mais cette fois, l'harmonie conjugale du couple impérial ne courait aucun risque. La vertu d'Esclarmonde était manifeste, même si elle évitait d'assister à nos prières.

« Il y avait cependant à la cour un jeune musulman fort bien fait, dans la fleur de ses vingt-six ans, que l'empereur appelait "Faucon rouge" et qu'il aimait comme son propre fils. Or donc, cet émir, un infidèle, tombe follement amoureux d'Esclarmonde et lui fait la cour, en respectant cependant toutes nos coutumes et traditions. Mais Esclarmonde, quoique aimable, le repousse et ne se résout point à entrer dans le cortège de l'émir aussi beau que combatif qui ne cessait de défendre ses couleurs aux tournois et de lui chanter des ballades de troubadours d'une voix fort agréable.

« En présence du père de la jeune fille, l'empereur lui demande d'une voix moqueuse si elle compte passer les meilleures années de sa vie en nonne. Esclarmonde lui répond qu'elle a consacré sa vie à un amour supérieur qui ne lui laisse ni le goût ni le loisir d'accorder ses faveurs à un homme. Elle dit être gardienne et servante du Saint Graal, puis presse l'empereur d'envoyer une troupe de chevaliers défendre Montségur. L'empereur n'apprécie point cette requête. Il répond qu'il ne désire pas défier l'Église, bien qu'elle se comporte en ennemie à son égard, ni déplaire au roi Louis qui, jusque-là, ne l'a pas trahi en l'attaquant dans le dos, même si le seigneur pape Grégoire l'a pressé de le faire. "Mais vous, Esclamonde, vous feriez bien d'ouvrir votre corps au plaisir, afin de donner à votre père et à son château un robuste héritier qui puisse vous défendre par la force contre vos ennemis!"

« C'est ainsi que cette conversation a pris fin. Faucon rouge a continué à faire sa cour et son amour suffisait à lui donner courage, même s'il comprenait fort bien qu'Esclarmonde ne le suivrait point en Égypte et qu'il ne se résoudrait pas lui non plus à vivre à Montségur.

« C'est alors que Hermann von Salza, grand maître de l'Ordre teutonique et seul véritable ami de l'empereur, est mort et que le pape a confirmé l'excommunication du Germain quelques jours plus tard. Je crois que c'était le Dimanche des Rameaux...

— C'était un Jeudi saint, la corrigea le bénédictin dont la voix trahissait une certaine impatience.

— Au début, Frédéric en a été attristé, puis furieux, avant de s'abandonner finalement à la colère et à la perfidie. Il pria Esclarmonde de se présenter seule dans ses appartements, sous prétexte de lui parler, et il a dû alors l'attaquer comme une bête. A l'aube le lendemain matin, il a fait conduire la jeune fille, son père et toute leur suite à bord d'un de ses bateaux qui a aussitôt levé l'ancre à destination de Barcelone, d'où les Aragonais les ont escortés jusqu'à Montségur. Esclarmonde n'avait pas crié ni ne s'était plainte, et on ne l'a jamais entendue dire un mot du viol dont elle avait été victime. Elle n'avait même pas pu prendre congé de son adorable jeune émir qui sombra dans une profonde tristesse, se reprochant ce départ si soudain et s'interrogeant sur les raisons qui pouvaient l'expliquer.

« A son tour, pour apaiser sa mauvaise conscience, Frédéric l'a armé chevalier durant les fêtes de Pâques, avec le titre de prince de Selinonte. Puis il s'est rendu à Pise pour voir Élie. Son vieil ennemi Grégoire était mort au mois d'août.

— En somme, si cette rencontre forcée a produit un autre bâtard de l'empereur, il est né entre la Nativité et les Rois à Montségur, au milieu des hérétiques.

— Nous ne savons pas si c'est le cas..., dit la femme en se relevant. Ma maîtresse n'a jamais voulu dévoiler le secret de ce qui s'était passé ni ne s'est intéressée à ses conséquences.

La femme sortit alors de l'église. Le bénédictin attendit quelque temps, puis il lui emboîta le pas dans la
lumière orangée du soleil couchant qui baignait Palerme.
Et il revint d'un pas pressé à San Giovanni.

Il trouva la nef de l'église vide, chose inhabituelle à
l'heure des vêpres. La porte de la sacristie était ouverte. A
l'intérieur, il découvrit le sacristain pendu au plafond, à
l'un de ces étais où sont fixées les chaînes de fer qui
retiennent les lampes à huile. La cordelette qui lui entourait le cou avait creusé un sillon dans la chair bleutée. La
langue pendante du pauvre homme était un peu plus
sombre. Au-dessous de lui se trouvait un tabouret renversé. Pourtant, la scène faisait penser davantage à une
exécution qu'à un suicide.

Ce fut l'odeur qui gêna le bénédictin, au point de lui
donner un violent mal de ventre. Il referma donc la porte
qui donnait devant l'autel et s'accroupit dans un coin.
Mais il n'avait pas encore fini de se vider le ventre qu'il
aperçut à travers la grille de la fenêtre, derrière laquelle on
voyait maintenant la noirceur de la nuit, une silhouette qui
frappa le signal convenu sur les barreaux. Le bénédictin se
releva en titubant et vit un moine dont le visage était
presque recouvert par sa capuche, rabaissée sur ses yeux.
Mais il ne désirait plus qu'une chose au monde : qu'on le
laisse seul avec le mort pendu à la chaîne et le bourreau
invisible qu'il devinait dans son dos.

Il glissa avec une certaine hésitation le parchemin
enveloppé dans sa peau de boudin à travers la grille et
l'homme encapuchonné s'en saisit aussitôt.

— Tu ne veux pas savoir où je l'avais caché ?
demanda-t-il pour éveiller la curiosité du messager. Tu ne
sens rien ? — Le bénédictin s'accrochait désespérément à
la grille. — Écoute, je sais tout ce qui s'est passé, nous
savons toute la vérité... !

Mais son interlocuteur avait déjà disparu dans l'obscurité.

Il voulut crier pour le rappeler, mais se ravisa. Il barri-
cada la porte et décida d'attendre la nuit. Une fois de plus,
il s'approcha de la fenêtre et regarda dans la direction des
cactus dont les fruits se dressaient sous la lumière argen-
tée de la lune. Les cigales ne chantaient plus.

Personne. Pas un bruit. Et pourtant, il savait que les sbires l'attendaient dehors. Il recula un peu, sans oser regarder le pendu. Puis il défit la barricade sans faire de bruit, comprenant qu'il n'avait d'autre choix que de fuir à la faveur de la nuit. Il n'y avait pas d'autre issue.

De nouveau, on frappait à la fenêtre. Le bénédictin s'approcha de la grille en trébuchant et colla son visage contre les barreaux.

Il vit un nez pointu et des yeux qui louchaient. Et il comprit trop tard que ce n'était pas ceux du messager.

Le serpent s'élança et, dans une morsure fulgurante, planta ses crocs dans ses lèvres. Le moine recula, chancela, puis tomba à terre.

JEUX D'EAU

Otrante, été de l'an 1244

— Vous aurez compris, dit la comtesse d'Otrante, que le destin ne nous accorde que peu de joies et beaucoup de peines ; et qu'en savoir trop peut même devenir une charge, « Μηδεν αγαν ! »

Le chevalier teutonique essaya de la consoler à sa manière un peu bougonne.

— Vous le supportez avec dignité et élégance, comtesse, et vous avez éveillé ma curiosité. Mais on ne voit toujours pas le bateau que vous attendez...

Il s'était approché d'elle et tous deux regardèrent la mer un moment. Comme Laurence ne répondait pas à son invitation, Sigbert von Öxfeld se sentit obligé de rompre le silence. Il le fit sans adresse, en cherchant ses mots.

— Quand l'empereur est finalement venu en visite à Jérusalem, mon émir m'a présenté au grand maître des chevaliers teutoniques, qui était là, lui aussi. On m'a aussitôt accepté dans l'Ordre — rien ne troublait le velours de la mer étale et bleue qui s'étendait au-dessous d'eux. — Mais je n'ai jamais rompu avec Fakhr ed-Din. A la mort du sultan el-Kamil, ami de Frédéric, son fils et successeur, Ayub, a nommé Fakhr grand vizir d'Égypte...

Si tous deux croyaient avoir une conversation sans témoins, ils étaient dans l'erreur. Les enfants s'étaient cachés derrière de grosses jarres ventrues de terre cuite qui bordaient le parapet et, comme d'habitude, c'était Yeza qui avait entraîné son compagnon. Les enfants étaient montés en escaladant les goulottes d'eau de pluie, ce que Laurence leur avait interdit mille fois. Puis ils avaient grimpé à quatre pattes sur le toit en surplomb et s'étaient ensuite hissés jusqu'au parapet par l'extérieur. Yeza avait ordonné à Roç de se poster sur les tuiles en pente, contre le mur, et de joindre ses petites mains pour lui faire la courte échelle. Elle était alors montée sur les épaules et la tête du petit qui chancelait sous son poids, avait grimpé en se cramponnant à la gigantesque bougainvillée qui poussait là, puis s'était enfin couchée derrière les jarres. Et elle n'avait pas fait la grimace quand le petit avait failli lui arracher le bras qu'elle lui tendait pour le soulever jusqu'à elle. Ils étaient restés là, accroupis, blottis l'un contre l'autre pour échapper aux regards des adultes dont les voix leur arrivaient de l'autre côté de la balustrade et des jarres qui les protégeaient.

Ils ne bougeaient pas et les lézards qui se réchauffaient au soleil finirent par revenir près d'eux, rassurés. Mais les enfants se figèrent encore plus lorsqu'ils se rendirent compte qu'on les cherchait. Il était difficile de les découvrir d'en bas; les couleurs de leurs vêtements se confondaient avec la végétation luxuriante et les fleurs, leurs pieds et leurs bras bruns se détachaient à peine sur le mur de brique, tandis que les branches des lauriers-roses, des jasmins et des hibiscus, agitées par le vent, projetaient leurs ombres frissonnantes sur le sol.

Ils finirent cependant par s'ennuyer et par avoir des fourmis dans les jambes.

— Je sais tout maintenant, murmura Yeza.

— C'est quoi un harem? demanda Roç, mais elle lui mit son doigt sur la bouche.

Ils rampèrent alors sur le ventre pour s'éloigner de la zone dangereuse et s'approcher de la haute citerne qui recueillait l'eau des pluies d'hiver, pour l'arrosage des jardins. Yeza savait comment ouvrir la chantepleure pour faire couler une bonne quantité d'eau par la goulotte de descente. Avec l'humidité, la mousse redevint glissante et ils purent se laisser glisser sur le derrière jusqu'en bas. Une énorme cuve les y attendait où Clarion leur avait dit qu'ils risquaient de se noyer, mais ce fut plutôt l'odeur de l'eau croupie et surtout le bruit qu'ils allaient faire qui poussèrent Roç à convaincre Yeza de ne pas mettre un terme à leur escapade par ce final qu'elle adorait.

— Si on tombe dans la cuve, on va avoir la fessée, murmura-t-il.

Pour éviter ce danger, ils freinèrent leur course un peu avant et sautèrent dans une plate-bande de fleurs dont la terre était bien meuble.

Yeza tira Roç à l'ombre des arcades. A travers le vert foncé des orangers, ils virent Constance et Créan s'approcher de la fontaine au bord de laquelle paressait Clarion.

Constance avait un luth à la main, dont il touchait les cordes avec autant de maîtrise qu'il maniait l'épée.

— *Oi llasso nom pensai si forte...*, chantait-il à la belle jeune fille en essayant de capter le regard de ses yeux de feu. Puis il s'assit à ses pieds et Créan prit place en face d'elle, sur la margelle. — *...nom pensai si forte me paresse lo dipartir di madonna mia...*

Contrarié, Hamo s'était éloigné quand il avait vu s'approcher les chevaliers qu'il admirait beaucoup, tout en étant furieux de l'intérêt qu'ils semblaient porter à Clarion. Pourquoi n'était-il pas encore un homme? Il serait alors un chevalier lui aussi et tout serait différent avec Clarion : elle l'aimerait et lui ne ferait aucun cas d'elle, mais prendrait son épée et son bouclier pour s'en aller en mer, en bateau. Longtemps, elle lui dirait au revoir de la rive en agitant la main et pleurerait son départ.

— Ah, toi qui me regardes de haut, jamais je n'aurais pensé, disait encore la voix mélodieuse du jeune émir, que tant me coûterait me séparer de ma bien-aimée :... *mi paresse lo dipartir di madonna mia.*

Mais le chanteur ne semblait pas souffrir beaucoup de son départ prochain. *Madonna mia!*

— Allez, on court à la fontaine pour faire enrager Clarion, proposa Roç. Et on va les éclabousser!

Mais cette fois, Yeza s'y opposa, à son grand étonnement.

— Non! Assez avec les bêtises de marmots! On va jouer à « la jeune mariée de Brindisi, toute nue »!

Roç ne l'entendait pas de cette oreille :

— Toute nue? Je croyais que c'était : « la nuit, dans le noir »!

— C'est pareil, la nuit, dans le noir; elle est toute nue de toute façon. Allez, déshabille-toi! — et, sans plus attendre davantage, elle commença à lui ôter ses vêtements en les tirant par-dessus sa tête.

— Et toi?

— Je suis l'empereur. C'est toi la jeune mariée! déclara-t-elle avec aplomb. Tu es debout devant la porte et tu dors!

Roç ne semblait pas tout à fait convaincu :

— Debout? — Mais il ferma les yeux.

Yeza s'approcha par-derrière et le prit dans ses bras.

— Tu ne dois pas ouvrir les yeux, murmura-t-elle, je vais te prendre debout.

— Et qu'est-ce que je dois te donner? demanda Roç, habitué à toujours faire ses quatre volontés.

— Donne-moi ta petite chaîne. Comme ça, nous serons mari et femme, et moi aussi je me mettrai toute nue.

— Un empereur n'est jamais tout nu! protesta Roç.

— Bien sûr que si, fit Yeza en commençant à se déshabiller. La nuit, ils sont tous tout nus.

Elle serra violemment Roç, sans oublier de lui ôter sa petite chaîne qu'elle passa autour de son cou. Puis elle courut vers la cuve, trop haute cependant pour qu'elle puisse se regarder dans l'eau.

Roç attendait toujours docilement, les yeux fermés dans le clair-obscur des arcades. Il avait un peu froid. Un petit coup dans les tibias que lui donna Yeza le fit tituber, mais réveilla aussi son instinct de défense, si bien qu'ils finirent tous deux par se battre et rouler à terre. Roç sortit victorieux du combat, mais il soufflait fort. Finalement, ils se retrouvèrent couchés l'un sur l'autre, écoutant les battements de leurs cœurs.

— Et maintenant? demanda Roç.

— Maintenant, c'est le matin et l'empereur, tout nu, abandonne la jeune mariée...

— Pas tout nu! Il fait jour. Tu n'apprendras donc jamais!

— On se rhabille, dit Yeza. On va faire une surprise à Clarion.

— On va lui cueillir un bouquet de fleurs!

Et bientôt, ils saccageaient les plates-bandes, définitivement réconciliés.

Clarion sentait que les yeux vert-de-gris de la comtesse étaient posés sur elle et ses joues la brûlaient comme si elle avait reçu une gifle. Elle s'était levée d'un air digne en voyant les deux chevaliers s'approcher.

Elle n'était pas sûre de ses préférences. Constance de Selinonte était sans aucun doute plus bel homme; jeune, mince, son air de bête de proie lui enflammait le sang, tout en lui faisant peur. Et puis, il la traitait comme une petite fille, une parmi tant d'autres qu'un chevalier bien tourné cueille d'un geste de la main.

Créan était très différent. Il n'était pas beau, son visage était couturé de cicatrices et ses cheveux grisonnaient déjà aux tempes. Il marchait le dos un peu voûté et semblait avoir connu bien des malheurs. On murmurait même qu'il avait perdu sa femme. C'était un homme silencieux qui l'écoutait sans lui donner l'impression de ne dire que des sottises. Et elle savait confusément qu'il la désirait.

— Jolie demoiselle..., commença Constance en jouant avec elle comme il jouait avec le luth qu'il tenait dans sa main fine, ta bouche brille à travers le vert de la végétation comme une dernière cerise oubliée dans l'arbre, mais le collier de perles de tes dents blanches est le lieu rêvé pour mordre dans le fruit mûr!

Clarion lança un regard décidé à Créan, tout en essayant de répondre à l'autre sans se rendre ridicule.

— Le faucon a beau jeu de se moquer, des hauteurs qu'il occupe, car il décrit ses cercles et vole où il veut et quand il veut. La petite cerise ne peut se cacher devant ses yeux, pour nombreuses que soient les feuilles qui l'entourent. Elle ne peut fuir. Elle doit attendre qu'on la cueille ou que le vent la fasse tomber de l'arbre. Elle ne peut s'embrasser toute seule !

— Vous êtes une enfant étonnante, Clarion de Salente, fit Créan en s'inclinant devant elle. Moi-même, je voudrais bien...

— Attention ! l'interrompit Constance. N'allez pas jusqu'au bout de votre pensée et ne relevez pas les yeux ! La gardienne de la cerisaie est justement au-dessus de vous et tient dans sa main experte une lance étincelante qu'elle est sur le point de lancer !

De fait, Laurence était apparue comme un lézard aux aguets au bord du parapet et elle avait vu que les deux chevaliers s'approchaient de sa fille adoptive. Clarion baissa les yeux et sourit pour remercier Créan.

— Vous êtes une poétesse de grand talent. Comme je voudrais posséder le don d'exprimer mes émotions les plus intimes avec des paroles aussi tristes qui persistent comme la rosée sur la cerise solitaire...

— Comme des larmes autour d'une bouche triste ! Créan, toi non plus tu n'es pas mauvais poète, se moqua Constance, et son rire franc détendit l'atmosphère. Les yeux d'émeraude de la gardienne avaient disparu. — Grâce à notre cher Sigbert, nous ne sommes pas obligés de faire aussi la cour à la vieille dame !

— Mais à moi non plus, Constance, rétorqua vivement la jeune fille, moins encore puisque vous en faites l'occasion de vous moquer de moi ! S'il vous plaît, Créan, pourriez-vous m'aider ?

Mais celui-ci avait déjà fait un pas en arrière.

— La vie saura vous aider, Clarion, vous êtes encore bien jeune...

— Pas tant que je ne sente dans mon corps, jour et nuit, mais surtout la nuit, l'odeur de moisissure et de pourriture qui règne entre ces murs. Savez-vous peut-être ce qu'est pourrir vivant? lança Clarion d'une voix irritée en tapant du pied par terre.

— Si vous me permettez, répliqua Constance, de jeter un regard indécent sur ce que je vois et de penser à ce que vous me cachez, je peux vous assurer, très belle Clarion, que le fruit trop mûr n'a pas même apparence !

— Ah, je vous remercie du conseil, mais j'aimerais qu'avant... Mon Dieu, ce que je ne voudrais pour rien au monde, c'est aller choir dans le lit d'un vieillard !

— Il faut avoir confiance dans la vie, s'empressa de lui répondre Créan, et Clarion en fut encore plus irritée. — Je devine qu'il vous sera donné de choisir entre bien des hommes.

— Si tous se comportent comme vous, Créan de Bou-rivan, vous qui vous bornez, comme si vous étiez invalide, à sentir au lieu d'agir, ou comme vous, vaniteux Constance, qui vous remplissez la bouche de mots au lieu de vous comporter comme un homme... Oh, mon Dieu, comme je vous déteste tous !

VALET DE DEUX MAÎTRES

Cortone, automne de l'an 1244

Au château de Cortone, debout devant l'immense âtre, Gersande, la gouvernante, remuait le contenu d'un minus-cule chaudron. Les bouches à nourrir n'étaient pas nom-breuses, car le château était presque vide.

Elle ne vit pas l'ombre menue, vêtue de l'habit marron des frères mineurs, qui, s'approchant furtivement d'elle par derrière, la capuche ramenée sur les yeux, se baissa et lui releva les jupes d'une main preste pour lui pincer vigoureusement les fesses. Gersande fit demi-tour et, sans rien voir d'autre que la capuche marron, s'exclama sans hésiter :

— Ah! Lorenzo — et elle serra le petit minorite contre sa poitrine —, comme je suis contente que tu sois là!

Lorenzo l'embrassa sans retirer la main du lieu conquis; au contraire, il serra plus fort encore.

— Moinillon lubrique! dit-elle en faisant mine d'être fâchée. Je me plaindrai au général quand il rentrera! Il y a une semaine qu'il est parti.

Lorenzo d'Orta apprit ainsi que le seigneur du château était absent et poussa avec encore plus d'énergie le siège de Gersande.

— Ma mignonne, tu sais bien que les franciscains sont des moinillons picoreurs!

Elle donna une tape énergique sur ses doigts insolents.

— Nous avons de la visite!

A peine avait-elle dit ces mots qu'ils s'étaient séparés. Alberto et Galeran passaient le seuil de la porte, le visage bouffi de sommeil et rougi par l'ivresse, parfaitement disposés cependant à donner un nouvel élan à leur ébriété. La vue de Lorenzo d'Orta leur fit cependant se souvenir du pape et du concile. D'une voix pâteuse, ils essayèrent de dire qu'il leur fallait voir sans faute le saint-père et que ce moine était certainement venu les chercher.

Lorenzo tourna les yeux vers Gersande pour réclamer son aide. La gouvernante murmura entre ses dents que ces corbeaux affamés ne devaient en aucun cas assister au concile et elle se mit à préparer un « déjeuner » pour les deux ecclésiastiques — pain, lard, œufs sur le plat et une énorme cruche de vin nouveau —, entraînant Lorenzo avec elle dans la cuisine.

— En réalité, je suis venu pour conseiller au Bombarone la plus grande prudence! confia-t-il à la gouvernante. Les gens du château Saint-Ange le soupçonnent d'avoir accordé l'hospitalité à un certain Guillaume et le Cardinal gris en veut beaucoup à notre seigneur Élie à propos de certains enfants...

— Je n'ai pas entendu parler d'enfants, lui répondit Gersande, mais votre Guillaume est bien venu ici, seul cependant, et le maître l'a emmené avec lui pour le présenter à la comtesse d'Otrante.

— Otrante? fit Lorenzo, apparemment impressionné, mais c'est...

— Au fin fond de l'Apulie, répondit Gersande en confirmant ses craintes. Au bout du monde!

— Alors, je ne peux plus rien faire — Lorenzo sortit de son habit le portrait de Vitus qu'il avait fait au château Saint-Ange. — Voici l'homme de main du cardinal, expliqua-t-il en le lui remettant, observe bien ce visage!

— Il est bien ressemblant! le complimenta Gersande. Tu as vraiment du talent, Lorenzo.

Rempli de fierté, le petit frère répondit tout bas:

— C'est un sujet dangereux. Je dois m'en aller à présent!

Dans la salle où les deux dignitaires de l'Église avaient recommencé à s'enivrer, on entendit un bruit comme si quelqu'un était tombé d'un tabouret en cassant une cruche. La gouvernante serra cordialement le moine dans ses bras.

— S'il te plaît, Lorenzo, dit-elle, sors-moi ces ivrognes d'ici. Ils inondent leurs lits de vomi tous les soirs. Ce sont des dégoûtants!

— Et où veux-tu que je les emmène?

— Au fond de la forêt, au fond d'une rivière, où tu veux, mais arrange-toi pour qu'ils n'arrivent jamais jusqu'au pape!

Et c'est ainsi que Lorenzo d'Orta sortit du château d'Élie, suivi du patriarche d'Antioche et de l'évêque de Beyrouth. Le moine ne savait trop que faire de ses compagnons, mais eux n'avaient qu'une idée en tête:

— Au Veau d'or.

— Encore un petit coup avant d'entreprendre un si long voyage, gentil frère!

Ne connaissant pas leurs habitudes, Lorenzo se laissa convaincre. Mais devant la taverne vers laquelle se dirigeaient Alberto et Galeran, déjà familiers des lieux, les trois hommes découvrirent un cheval noir solitaire, attaché, recouvert d'une couverture noire, qui leur fit une sinistre impression.

— L'*inquisitore*! leur annoncèrent des enfants intimidés qui jouaient par là, en leur montrant du doigt l'animal.

Mais un dominicain inquisiteur voyage rarement seul, et jamais dans l'exercice de ses fonctions, au cas où la population déciderait de le massacrer. Celui-ci devait donc pouvoir compter sur ses dons physiques et une force peu commune pour renoncer à une escorte. Ce devait être un loup solitaire ou le démon lui-même. Lorenzo ne fut pas surpris de trouver Vitus de Viterbe attablé dans la taverne presque vide.

Lui non plus ne fut pas étonné de le voir, mais plutôt mécontent :

— Et toi, que fais-tu ici ? grogna-t-il à l'adresse de Lorenzo, sans dissimuler son irritation.

— Son Éminence le patriarche d'Antioche ! fit le petit minorite en présentant Alberto, sans s'émouvoir du peu d'amabilité de l'accueil qu'on lui faisait. — Et l'illustrissime évêque de Beyrouth. Ils veulent que je les conduise auprès du pape.

Et Galeran de geindre aussitôt :

— Élie nous avait promis de nous mener au saint-père !

— Et au Saint-Esprit aussi ? se moqua Vitus, contrarié, sans se lever. Il avait du mal à comprendre que deux hauts dignitaires de Terre sainte puissent se trouver en ce lieu, accompagnés seulement d'un franciscain douteux qui, selon toute apparence, désobéissait de plus à l'interdiction d'avoir commerce avec le ministre général destitué. Ou bien effectuait-il une mission secrète dont lui, Vitus, ne savait rien ?

— Élie est parti vers le sud avec Guillaume de Rubrouck, répondit-il, en observant l'effet de ses paroles sur Lorenzo. — Mais le seigneur pape est en route pour Lyon où un concile va condamner l'empereur et ses amis ! — Vitus aurait voulu ajouter : « Ce qui t'arrivera bientôt à toi aussi, Lorenzo d'Orta ! »

Mais le franciscain ne se laissait pas égarer et il ajouta, toujours affable :

— Il n'y a point là contradiction, estimé Vitus !

Ils s'assirent à la table du Viterbien et l'aubergiste Biro leur servit une cruche de bon vin rouge avant qu'ils aient pu la demander.

— Le pape t'attend justement à Lyon, lança Vitus au

franciscain, pour t'envoyer avec une mission à Antioche...
— paroles qui jetèrent Lorenzo dans la plus profonde perplexité. Comment savoir si le dominicain était assez effronté pour inventer un mensonge aussi stupide! Vitus voulait certainement lui tirer les vers du nez. Lorenzo gardait son air aimable, mais la nervosité d'Alberto, pour ne pas dire son indignation, allait en augmentant.

— Et pourquoi donc? grogna le patriarche, ce qui incita Vitus à continuer avec un plaisir évident : — Pour qu'on applique ses instructions, à savoir que les Grecs qui reconnaissent la primauté du pape jouiront désormais de la même considération et des mêmes droits que les Latins...

— Je suis le patriarche d'Antioche! explosa Alberto. Le pape ne peut parler qu'avec moi. — Puis il rougit et sa barbe se mit à trembler. — Cette mission est parfaitement inutile, indécente et impardonnable — il suffoquait; — plus encore : inouïe! — Son compagnon se sentit obligé de voler à son secours d'une voix plaintive, comme en s'excusant :

— Un Grec est bien le meilleur ami de l'homme, mais... — Le patriarche ne voulut rien savoir de ses explications. — Le Saint-Siège ne peut ni ne doit mettre les orthodoxes sur un pied d'égalité avec ses fidèles serviteurs!

— Nous voulons voir le pape! insista Galeran que personne n'écoutait plus.

— Ce qui veut dire que je vais aller à Antioche? demanda Lorenzo, amusé.

— Non point! A Lyon! lui répondit Vitus, un peu perdu.

— Élie voulait nous conduire voir le pape, se lamenta Galeran. Alberto qui ne se fiait plus à personne fit alors part de sa dernière trouvaille :

— Si le ministre général lui-même a pris la route du sud, le pape pourrait bien ne pas être à Lyon.

Ni Vitus ni Lorenzo n'avaient envie d'expliquer à ces clercs égarés du Royaume de Jérusalem que le seigneur de Cortone et Sa Sainteté Innocent IV pouvaient suivre des chemins fort différents.

— Et toi, que cherches-tu ici? demanda Lorenzo à son adversaire. Tu venais voir Élie, peut-être?

— Je ne franchis pas le seuil de quelqu'un que l'Église a expulsé de son sein; bien au contraire... — Lorenzo lui laissa le temps d'inventer une excuse —, je suis justement en route pour Lyon!

C'était précisément ce qu'attendait le franciscain :

— Vitus, mon frère, si tu dis que tu es en route pour Lyon, je sais que tu sais que je ne peux pas te croire. Alors, à quoi bon dire que tu te rends à Lyon? — Fâché, Vitus voulut répondre, mais Lorenzo l'en empêcha. — Pourtant, je suis disposé à te croire. Et comme tu es en route pour Lyon, tu peux emmener avec toi ces deux seigneurs!

Il se leva et s'avança vers la porte.

— Où vas-tu? lui lança Vitus, inquiet.

— Où tu ne veux pas aller, répondit Lorenzo en se retournant, esquissant une révérence dans la direction des trois hommes encore attablés, puis il continua : — Je vais voir Élie, comme tu l'as certainement deviné!

Il referma la porte derrière lui, détacha le cheval noir et lui donna une tape sur la croupe. L'animal partit au trot sans demander son reste. Lorenzo prit d'abord la route d'Assise pour aller prier là-bas avec ses frères avant de continuer jusqu'à la côte adriatique. Malgré le détour, il arriverait plus vite à Otrante en bateau qu'à pied. Et de plus, un espion du Cardinal gris aurait ainsi plus de mal à le suivre.

La grande erreur de son seigneur et maître Élie était évidente : avoir entraîné avec lui ce Guillaume de Rubrouck douteux que les chiens de chasse sanguinaires du cardinal suivaient à la trace, comme il venait de le voir. Quelle erreur que de traîner avec soi de par tout le pays cet appeau voyant et de se diriger précisément vers le lieu où, selon toute vraisemblance, étaient cachés les enfants! Trop de prudence est aussi dangereux que trop d'intelligence! Parole de saint François!

Lorenzo s'éloigna rapidement de Cortone et ne mit son cheval au pas que lorsqu'il eut atteint l'étroit sentier qui traversait la montagne. Tout en bas, le soleil se reflétait dans le lac Trasimène. A dire vrai, il n'était pas totalement en paix avec sa conscience, en dépit de l'assurance qu'il avait affichée devant cet homme qui était certainement un sbire de la curie. Faire la sourde oreille au pape qui l'invitait à se présenter devant lui pour le charger d'une mission comme celle dont on lui avait parlé, sans motif apparent et en se rendant de plus coupable de possibles errements subversifs, pouvait fort bien lui valoir la mort. Et Vitus devait déjà s'occuper de mettre la machine en branle.

Le bruit d'un véhicule qui s'approchait à vive allure sur ce sentier solitaire le fit frissonner. Devait-il se cacher dans les buissons? Indécis, il regardait encore derrière lui quand il entendit le son de clochettes. Difficile de croire qu'il puisse s'agir d'un ennemi.

Alors que cette soudaine apparition du péché avait figé Lorenzo de peur et lui faisait garder les yeux à terre, la voiture fit volte-face en une audacieuse pirouette sur le sentier escarpé et s'arrêta à côté de lui.

— Montez! lui dit une belle femme à la beauté à peine fanée.

Lorenzo fit le signe de la croix pour mieux résister à la tentation et montra d'un geste décidé la direction opposée.

— Je vais à Assise!

— Taisez-vous! lui ordonna la femme à voix basse, et Lorenzo entendit alors, sans aucun doute possible, le bruit des sabots d'un cheval qui s'approchait. Il fit donc contre mauvaise fortune bon cœur et sauta dans la voiture où il plongea, tête la première, dans la mollesse des coussins qu'une main sage entassait sur lui, tandis que la voiture de la prostituée recommençait à descendre la montagne cahin-caha.

Le cavalier s'approcha et Lorenzo retint sa respiration. Tout près de son oreille, il entendit gronder la voix du Viterbien :

— Hé, la pute, as-tu vu un frère?

— Oh oui! répondit la brave femme en roucoulant comme une colombe, il courait comme s'il avait le diable ou le bourreau aux trousses!

Vitus lui répondit par un blasphème à peine audible, éperonna son cheval et disparut au premier tournant.

— Un bon frère dans le Christ doit toujours aller au-devant de ses poursuivants! dit en riant la sage pécheresse, puis elle donna à Lorenzo une tape sur le derrière pour lui faire savoir que le danger était passé. Lorenzo se redressa prudemment, sans sortir de son obscure cachette.

— Évitons les malentendus, lui dit la femme sans regarder derrière elle. Si je vous ai ôté du chemin, c'est seulement parce que j'ai l'intention d'obtenir de vous un renseignement...

Lorenzo s'approcha un peu, puis se mit à genoux en s'arrangeant pour rester caché derrière le dos de la prostituée.

— Je suis à la recherche d'un homme de qualité, reprit-elle, un homme qui était en visite au château du Bombarone dont je vous ai vu sortir. Il s'appelle Guillaume!

— Guillaume? répondit Lorenzo, incrédule, comprenant aussitôt de qui il s'agissait. Tu le connais?

Elle se retourna pour le regarder dans les yeux et Lorenzo découvrit la lueur dansante de l'amour dans ses yeux sombres.

— Supposons que je le connaisse, murmura-t-il pour gagner du temps. — Une idée absurde venait de germer dans son esprit. — Pourquoi le cherches-tu?

— Je veux le revoir! — Et la femme détourna tout à coup les yeux.

« Serait-il possible qu'une prostituée se mette à pleurer? » Lorenzo s'empressa de l'assurer de sa compassion, alors qu'en réalité il lui cherchait déjà une place dans ses projets.

— Décris-le-moi! — et il sortit une feuille froissée de son habit, puis chercha une craie rouge dans la bourse qui pendait à son cou.

— Il est jeune, il a le teint foncé, se remémorait Ingolinde avec délectation. Il a la peau fine, et dans ses chausses...

— Son visage! l'interrompit Lorenzo sur un ton de reproche.

— Il a le visage rond, une grosse tête, les cheveux drus, roux et ondulés, la bouche molle, un nez puissant légèrement crochu, les sourcils fournis...

— Continue! l'encourageait Lorenzo, tandis que sa craie courait sur le parchemin, corrigeait, soulignait. Les yeux?

— De grands yeux d'enfant, gris; non, plutôt pers.

— Clairs?

— Non, plutôt foncés, en forme d'amande. — La femme regarda avec intérêt le portrait que dessinait Lorenzo qui s'était assis à côté d'elle pour avoir plus de jour. — Le menton est plus saillant, mais rond, et le cou — la femme partit à rire — un peu plus court, plus comme un cou de paysan !

Lorenzo fit une dernière retouche, dessina des ondulations dans les cheveux et ajouta quelques ombres.

— Oui, c'est bien mon Guillaume ! s'écria la dame, ravie. Il faut me conduire à lui !

— Arrête le cheval ! fit Lorenzo en lui enlevant le portrait qu'elle considérait déjà comme sa propriété.

— Je veux l'acheter. Vous êtes un grand artiste !

— Parlons affaires, proposa Lorenzo. Je te montre le chemin et le lieu. En échange, je veux un renseignement...

— Donnez-le-moi ! s'exclama la femme en tendant la main, mais Lorenzo la faisait languir.

— Écoutez-moi bien : continuez sur ce chemin, sinon vous arriverez trop tard au nid et votre petit oiseau se sera envolé. — Lorenzo imitait le Maître —. Rendez-vous sans perdre de temps au port d'Ancône et demandez à voir le capitaine du port en personne. Dites-lui que le « général » vous envoie et que vous devez voir « l'Abbesse ». On vous trouvera un bateau. Et voici un peu d'argent...

Mais la dame de Metz ne voulut pas l'accepter.

— Vous pouvez garder votre argent. Je paie mes caprices. Mais donnez-moi le portrait !

Pendant ce temps, Lorenzo avait écrit quelques lignes en lettres grecques sur le papier, supposant à fort juste titre que la putain la plus dégourdie ne parviendrait pas à les lire : « La grande prostituée de Babylone cherche le père des deux enfants, dont elle sait qu'il est avec vous. »

— Cachez-le bien, dit-il à la femme. S'il tombait entre de mauvaises mains, votre dos magnifique et cette partie si sensible du corps qui en est le prolongement en subiraient les conséquences et deviendraient inutilisables pour l'exercice de votre profession, en raison des coups de fouet dont on vous gratifierait...

— Oubliez mon postérieur, même si j'entends bien l'utiliser pour protéger mon Guillaume ! répondit-elle en dissimulant le portrait sous ses jupes.

— Halte-là! s'exclama Lorenzo. Il faut d'abord que je pisse dessus pour qu'il ne s'efface pas complètement avant...

— Guillaume préférerait la mienne, maître. Croyez-moi!

Lorenzo se le tint pour dit.

— Une chose encore : une fois arrivée à destination, demandez la comtesse. Et ne l'appelez en aucun cas « Abbesse »! ajouta-t-il, amusé. Faute de quoi, vous recevriez des coups de fouet encore pires que ceux que les valets des bourreaux ont coutume de donner de si bon cœur! Vous devrez montrer le portrait à la comtesse. Ensuite, vous pourrez le garder!

— Ensuite, je me contenterai de l'original! répondit Ingolinde de Metz en riant.

Elle fit un signe à son cocher et la voiture dont les clochettes annonçaient partout l'arrivée de la prostituée s'éloigna, rubans de couleur voletant au vent, porteurs du message d'amour.

Ils étaient rentrés à Cortone et Lorenzo regarda quelque temps dans la direction de la voiture qui s'éloignait. Puis il poussa un profond soupir et décida d'aller faire un tour au château pour parler à Gersande, avant de se remettre en route, enfin pourvu de chevaux et de valets, pour se présenter devant le pape.

« Il faut quand même bien penser aussi à soi », se dit-il.

LA COMTESSE D'OTRANTE

Otrante, automne de l'an 1244

— Le bateau! Le bateau!

Roç et Yeza furent les premiers à le voir. Ils escaladèrent quatre à quatre l'escalier raide qui menait du jardin à la muraille de ronde.

Clarion se leva et les suivit, sans demander aux deux chevaliers qui se reposaient en plein soleil, couchés à ses pieds, s'ils voulaient l'accompagner. Constance lui avait chanté des chansons d'amour arabes, tandis que Créan la courtisait à sa façon tranquille mais plus insistante.

Quel jeu plus cruel ! L'art de faire la cour n'était autre chose pour ces deux hommes qu'une façon de passer de temps, car ils n'avaient aucune intention de concrétiser ces intentions déguisées sous des mots poétiques ni ces silences tellement expressifs.

Comme tant de fois pendant ce long été, la comtesse avait donné rendez-vous dans le bastion au commandeur de l'Ordre teutonique. Ils s'entendaient bien, même s'ils n'échangeaient guère de paroles, autant quand ils conversaient que lorsqu'ils regardaient la mer, respiraient les odeurs et observaient les couleurs dont se paraient peu à peu les feuilles, ou encore se bornaient à écouter le silence automnal.

La comtesse s'était approchée du parapet. Elle regarda dans la direction de la trirème, « son » navire, unique objet hérité de son époux qui lui faisait souvenir avec une certaine reconnaissance du vieux Pescatore. Les voiles étaient carguées, car il n'y avait presque pas de vent, mais elle glissait sur la mer comme un insecte qui aurait agité cent pattes à la fois.

Dans l'anse qui s'ouvrait sous le château, formant une sorte de petit port, on entendit le pont-levis s'abaisser vers le quai dans un grand bruit de chaînes. Puis les porteurs accoururent avec une litière. Laurence vit avec inquiétude que son fils était en bas.

— Vous devriez parler à Hamo, dit-elle sans retourner la tête. Il serait temps qu'il quitte pendant quelques années cette maison gouvernée par les femmes et qu'il aille se frotter au cuir et au fer dans d'autres châteaux, au lieu de rester dans mes jupes et d'épier le jupon de Clarion. Hamo a seize ans, mais il est trop délicat, trop mou, trop songeur. Il faudrait que le sable du désert et le sel de la mer lui tannent un peu la peau ; il faut qu'il apprenne à se battre, Sigbert, sinon il sera incapable de conserver Otrante quand je ne pourrai plus la défendre.

— Je peux l'emmener avec moi à Starkenberg, lui

répondit le chevalier avec franchise, mais uniquement avec son accord. Le travail en Terre sainte est devenu bien difficile, du moins pour l'Ordre teutonique, car Conrad délaisse son héritage, et nous, fidèles de l'empereur, nous sommes en minorité. Il faudra qu'il soit prêt à accepter le sacrifice et l'âpreté de notre vie !

— Parlez-en avec lui !

Laurence rentra au château d'un pas vif pour jeter un coup d'œil aux préparatifs. Tout était prêt pour la réception. Les serviteurs de la comtesse étaient parfaitement dressés.

— Oh ! s'exclama Yeza, ils les portent dans leurs bras ! Ils ne peuvent plus marcher ? — En effet, les porteurs étaient montés à bord avec la litière de la comtesse. Deux vieux chevaliers y prirent aussitôt place, échappant ainsi aux regards curieux.

— Ils ont vu que tu étais une petite curieuse. C'est pour cela qu'ils se cachent, plaisanta Constance pour se moquer de l'enfant, mais Yeza ne s'avouait pas facilement vaincue.

— D'en bas, ils ne peuvent même pas tirer une flèche jusqu'aux créneaux, alors personne ne peut me voir. Je ne suis pas assez bête pour me montrer là où n'importe qui pourrait m'atteindre.

Elle s'adressait maintenant à son compagnon de jeu qui s'empressa de descendre du parapet où il s'était hissé.

— Tu n'es jamais descendue là-bas, puisqu'on ne nous laisse pas y aller, fit-il d'un air soupçonneux, alors tu ne peux pas savoir s'ils nous voient ou pas. Et puis, les filles n'ont pas le droit d'être sur les murailles quand on fait la guerre !

— Sigbert m'a tout expliqué. Et il connaît la guerre, lui !

— Justement ! Nous ne sommes pas en guerre, malheureusement ! intervint Hamo qui était resté à l'écart.

— Tu ne devrais pas la souhaiter, lui dit Créan, mais Hamo frappa du pied, piaffant d'impatience.

— J'irai la chercher !

Clarion comprit son agressivité et voulut le prendre dans ses bras.

— Tu ne voudrais pas m'abandonner !

Mais Hamo se débattit et parvint à s'échapper.

— D'autres chevaliers donneraient leur vie pour te protéger !

— Clarion ! — c'était la voix autoritaire de la comtesse. Clarion s'éloigna des hommes qui l'entouraient et rentra dans le château par la porte de la tour. Créan la suivit à distance, car il ne voulait pas se trouver seul avec elle dans l'étroitesse de l'escalier en colimaçon. Il voulait voir son père, John, le tenir seul dans ses bras avant d'avoir à s'acquitter des rigoureuses obligations de la fraternité à laquelle il appartenait.

John Turnbull était ambassadeur émérite extraordinaire de l'empereur, commandant d'honneur de l'Ordre teutonique à Starkenberg et, à son âge avancé, puisqu'il avait atteint soixante-quinze ans, porteur et titulaire d'innombrables distinctions et charges dont la plupart étaient au plus haut point secrètes. Le titre qu'il prisait le plus, encore qu'il en eût porté bien d'autres au cours de sa vie, était celui de « comte du Mont-Sion ».

L'autre vieil homme que la trirème était allée chercher en Terre sainte était son supérieur immédiat, Tarik ibn-Nasr, chancelier des Assassins de Masyaf où la branche syrienne de cette secte avait son siège. Loin d'être un meneur d'hommes, comme le Vieux de la montagne, il avait l'air d'un vieux sage rabougri. Tarik était tout au plus un habile politique, ce qui convenait à une époque où il ne s'agissait plus de conquérir, de se répandre et d'asseoir son pouvoir en Terre Sainte, mais bien de survivre.

Le chancelier avait beaucoup d'estime pour Créan et il avait distingué ce chrétien converti à l'Islam en lui accordant toute sa confiance. Créan ne désirait pas lui donner de motifs de le réprimander, mais il ne voulait pas non plus renoncer à montrer à son vieux père combien de plaisir il avait à le revoir en vie. Réprimer ses sentiments était l'une des premières choses que l'on apprenait lorsqu'on s'initiait au système complexe et rigide des croyances des Assassins. Plus que les sentiments, ils entendaient cultiver l'ascétisme, la dévotion et l'extase. Un ordre du supérieur n'était pas un simple commandement, mais une tâche qu'il fallait accomplir avec toute la fougue de son cœur. Les Assassins avaient ainsi acquis la réputation d'une secte de fanatiques qui faisait oublier leur profonde religiosité et leur haute spiritualité que la plupart des chrétiens ne comprenaient pas ou préféraient ignorer.

Son père faisait exception. L'esprit toujours libre et rebelle de John, qui avait flotté tout au long de sa vie entre les mondes de la foi chrétienne originale, maintenant entachée d'hérésie, et le fondamentalisme islamique, avait bien vite influencé son fils unique, même si celui-ci avait tardé à rallier les Assassins ismaélites.

— Créan! — L'étreinte de John, qui l'attendait au pied de l'escalier, fut cordiale comme toujours, même s'ils ne se voyaient que rarement, mais le fils constata avec chagrin à quel point son père avait l'air souffreteux. — Tu n'as pas encore salué Tarik?

— Il ne m'a pas encore fait appeler! — John souffrait-il de ces pertes de mémoire propres aux vieillards? Sinon, il aurait dû savoir que Créan pouvait difficilement se présenter à son chancelier pour lui présenter ses respects.

— Nous avons encore le temps, répondit Créan d'une voix moins bourrue. Il ne pouvait plus se comporter à l'égard de John avec autant de désinvolture, ni croiser le fer avec son géniteur de la façon insolente qui lui était coutumière à l'époque où conformément aux vœux de celui-ci, il ne le nommait jamais « père », mais l'appelait par son nom de baptême.

— Allez, raconte-moi d'abord comment vont les choses, de l'autre côté de la mer!

— Les templiers contre les hospitaliers, Venise contre Gênes, Gênes contre Pise, plaisanta Turnbull, heureux d'avoir retrouvé le ton amical qui leur était coutumier. Mais dis-moi d'abord si les enfants sont en sécurité!

— Mais John! — Créan fut surpris de la question. — Tu sais qu'ils sont ici et qu'ils vont bien!

— C'est très important, extraordinairement important! Tu sais...

— Mais oui, je sais! C'est bien pour cette raison que tu as mis à ma disposition les plus valeureux chevaliers, pour que mon honorable mission s'accomplisse à la perfection et que la volonté du Prieuré soit ainsi faite!

— Bien, très bien, raconte-moi! — Les deux hommes

montèrent sur la terrasse maintenant vide et Créan raconta à son père les péripéties de l'évasion...

Les enfants étaient descendus à toute allure jusqu'à l'entrée principale dont les marches étaient si basses qu'on pouvait monter à cheval jusqu'à la grande salle des fêtes du château, chose qui les impressionnait considérablement. Constance et Sigbert leur en avaient fait la démonstration. Mais ce qu'ils voulaient à présent, c'était regarder la litière et observer de près les deux nouveaux venus.

Ils n'allèrent pas plus loin que le poste de garde du milieu où l'escalier dissimulait une trappe assez grande pour précipiter dans le vide un cheval avec son cavalier. Les gardes savaient fort bien qu'ils ne devaient pas laisser passer les enfants. Yeza et Roç étaient tout aussi au fait de cette interdiction. Ils attendirent donc, cachés dans les jambes des soldats, que la litière apparaisse au tournant. Ils ne virent que l'un des voyageurs, mais le coup d'œil suffit à Yeza pour pousser des cris d'admiration.

— Il a un turban, un vrai!

Pour sa part, Roç était plus préoccupé par la disparition de l'autre homme âgé qu'il avait pourtant vu monter dans la litière.

— L'autre est sans doute descendu devant l'escalier en colimaçon, dit-il d'un air entendu, mais il se mordit la langue quand il se souvint qu'il n'aurait pas dû avoir connaissance de cette entrée secrète.

Il courut derrière Yeza, partie gambader à côté de la litière qui montait l'escalier principal:

— Un vrai « musulman », avec un turban!

Tarik lui fit un clin d'œil, puis donna un coup de son bâton sur la cloison avant de la litière pour arrêter les porteurs. Il tendit la main à Yeza et la fit monter en lui indiquant le siège en face du sien. Il ne dit pas un mot, mais ils se sourirent tous les deux lorsque la litière se remit en marche au signal de deux coups de bâton.

Déçu, Roç resta en arrière. Mais quand il vit que les gardes ne faisaient plus attention à lui, il se glissa vers la niche qui abritait la statue d'un Amour grec et se mit à tirer sur l'arc de pierre. Il fit si bien qu'une fente s'ouvrit dans le mur. L'enfant était très mince et il lui suffit d'une fente pas plus grosse qu'un bras pour s'y introduire.

Roç respira l'air humide des passages et des escaliers dissimulés dans les murs, un endroit qui lui était familier et qui conduisait aux *intercapedine*, des cachettes ménagées parmi les plantes. C'était un autre monde. La seule chose qui le fâchait, c'était de ne pas avoir Yeza à côté de lui. Il aurait préféré lui expliquer les découvertes qu'il faisait, car elle aurait certainement su trouver le moyen d'en faire bon usage. Et puis, c'était quand même plus amusant de jouer avec elle, même s'il en avait parfois assez ! Roç soupira et continua sa ronde.

— ...l'Ordre peut devenir ta patrie ! entendit-il tout à coup.

Il y eut ensuite un long silence et, au moment où Roç allait poursuivre son chemin, il entendit la réponse de Hamo :

— Merci, seigneur Sigbert, de votre geste généreux, mais je ne me crois pas digne d'entrer dans l'Ordo Equitum Theutonicorum...

— C'est aux supérieurs d'en décider..., fit le chevalier en interrompant la timide réponse de son interlocuteur, mais il se trompait du tout au tout sur les pensées intimes du jeune homme.

— Est-il vrai que le nom complet de l'Ordre est celui d'Ordre des chevaliers et frères de la maison allemande de Notre-Dame de Jérusalem ?

Sigbert acquiesça d'un signe de tête.

— Pensez que ma mère m'a élevé de telle sorte que dans ma tête il y a place pour une seule « Notre-Dame ». Elle ne tolère aucune Marie à ses côtés, encore moins une Marie-Madeleine ! — Les paroles de Hamo étaient amères, et pourtant plus sereines que celles de Sigbert.

— Mais Hamo, il doit bien y avoir place dans ton cœur pour...

— Je n'ai pas de cœur, s'entêtait Hamo, et je ne veux pas avoir de patrie. Je veux m'en aller à l'étranger ! — Et quand il se rendit compte que le chevalier restait bouche bée, il ajouta encore : — Je suis un loup solitaire, je ne veux appartenir à aucun troupeau ni me soumettre aux mandements d'un Ordre. Otrante est devenue trop petite pour moi et la comtesse se trompe si elle croit que je prétends hériter d'elle.

— Réfléchis bien, reprit Sigbert d'une voix conciliante. Mais celle de Hamo était devenue cassante.

— Je vais m'en aller et je ne reviendrai jamais la voir ! Vous pouvez le lui dire ou pas, à votre guise !

— Une conversation entre hommes — Sigbert essayait de sauver ce qui pouvait l'être encore — doit rester entre hommes, Hamo. Et hommes, c'est ce que sont les chevaliers avant tout.

— Le temps nous dira si je serai un jour chevalier, car je finirai peut-être comme voleur, espion, assassin ou quelque autre gibier de potence, à moins que je ne me fasse découvreur de pays !

— Une bien vaste palette ! plaisanta Sigbert qui désirait mettre un terme à la dispute sur une note plus paisible. — Ainsi donc, nous nous reverrons peut-être : la Terre Sainte fourmille d'aventuriers et nombre d'entre eux finissent par devenir chevaliers. Les plus déçus se soumettent à la sévérité d'un Ordre, les plus dissolus finissent par connaître l'ennui du mariage !

— Parlez-moi de ceux qui ont su esquiver l'un et l'autre...

Roç décida alors de reprendre son excursion. Les histoires édifiantes de Terre sainte lui restaient en travers de la gorge ! Comme s'il n'y avait rien d'autre dans le monde ! Et puis, Hamo était un beau parleur qui voulait seulement se marier avec Clarion, même si elle ne voulait pas de lui, car elle le trouvait trop jeune. Yeza lui répondrait-elle la même chose quand il lui proposerait de la prendre pour épouse ? Il fallait bien y penser. Contrairement à Hamo, Roç trouvait qu'il avait du temps devant lui, beaucoup de temps...

Laurence entra dans le réfectoire et examina la table mise. Il était midi et elle n'aimait pas les repas lourds. Chacun allait se servir à sa guise. Il y avait une abondance de plats et de plateaux chargés d'appétissantes salades de poulpes et de moules, de calmars et de crevettes, d'artichauts à l'huile et au vinaigre de vin, d'olives, de sardines grillées et de tranches d'aubergine frites, de langoustes et d'espadons fraîchement bouillis et servis froid. De grandes

assiettes remplies de citrons et d'oranges, des cruches de
vin frais et d'eau claire alternaient avec les plateaux de
fruits de mer, répandant leurs odeurs réconfortantes. Tout
était prêt : il ne manquait plus que les hôtes. Laurence
s'approcha d'une haute fenêtre. Ce banquet allait être
aussi un repas d'adieu. En bas, dans le port, sa trirème se
balançait tandis que les marins achevaient de la nettoyer,
de la réparer et de la charger. Dans l'après-midi, elle
reprendrait la mer, emportant avec elle le seigneur von
Öxfeld et le comte de Selinonte. Leur mission remplie, Sigbert allait se retirer à Starkenberg, tandis que Constance
redeviendrait l'émir Fassr ed-Din. Mais tous deux iraient
d'abord en Syrie.

Le premier arrivé dans le réfectoire fut Tarik, le chancelier, qui entra d'un pas léger et humble. Laurence frappa
dans ses mains et une servante tendit à l'hôte un bassin
d'eau tiède dans lequel flottaient des pétales de rose pour
qu'il se mouille le bout des doigts.

— Grâce à vous, Excellence — et Laurence prit elle-
même une serviette pour l'offrir à l'invité —, je n'aurai pas
à manger seule. Les autres oublient leurs devoirs de courtoisie, me semble-t-il, et ne pensent qu'à la joie des retrouvailles ou au chagrin des adieux.

— La ponctualité doit l'emporter sur tous les sentiments, comme le respect de l'obéissance ! répondit Tarik.
Je vais punir Créan de Bourivan !

— Pardonnez-lui, je vous prie ! — Laurence craignait
avec raison que le chancelier ne tienne parole. — Il est
sans doute encore avec son père !

— Celui qui entre dans notre Ordre doit laisser derrière lui ses sentiments filiaux ; il lui reste encore à
l'apprendre.

— Mais vous ne le punirez pas, n'est-ce pas ? — Laurence savait que son charme faisait encore effet sur les
hommes.

L'Arabe lui sourit, comme il avait tantôt fait un clin
d'œil à Yeza, lorsque celle-ci, effrayée, avait vu la comtesse
qui l'attendait en haut de l'escalier ; elle était sûre de se
faire gronder. Tarik avait tiré le rideau avec la vitesse de
l'éclair pour que la petite puisse s'échapper de l'autre côté.
De belle humeur, presque joyeux, le chancelier leva le
pouce en signe de pardon.

— Ne vous méprenez point, comtesse : j'aime Créan comme un fils. Je l'ai accueilli à une époque difficile pour lui, quand on avait tué sa femme et qu'il avait dû fuir avec ses deux filles du château de Blanchefort...

— Et que deviennent les deux petites ? demanda Laurence pour donner un tour plus allègre à la conversation. Elles se sont mariées ?

— Pas précisément, répondit Tarik en souriant. Quand le malheur a frappé la famille et que le vieux John s'est montré parfaitement incapable de faire quoi que ce soit pour son fils, celui-ci m'a demandé mon aide. Je leur ai d'abord trouvé un refuge à tous les trois, en Perse où nous gouvernons et où nous avons notre principale maison. L'Inquisition poursuivait Créan avec tant d'acharnement qu'il lui était impossible de trouver un abri en terre chrétienne : il n'aurait pas été en sûreté même en Syrie. Ensuite, ce sont ses filles devenues adolescentes qui n'ont plus voulu s'en aller et qui sont entrées de leur plein gré dans le harem de notre grand maître...

— Étranges créatures, osa Laurence. Comment une femme libre peut-elle...

— Vous croyez donc qu'une femme peut être libre ? l'interrompit le chancelier d'une voix douce. Vous êtes une exception. Mais les autres ? Le harem offre une vie remplie de beauté, d'oisiveté et de sécurité. Et surtout, il protège du viol et de la violence.

— Si ce n'est que la pauvre femme doit être constamment disposée à se soumettre aux caprices de son seigneur, devant lequel elle devra feindre amour et même passion ! s'indigna Laurence.

— Vous ne connaissez point les règles d'un harem bien tenu. Éveiller la passion et la ressentir est un art qui se peut apprendre...

— Et l'amour... ?

L'homme sourit.

— L'amour va et vient, ce n'est pas un sentiment qui convienne au harem. Auriez-vous quant à vous résolu le problème de l'amour ?

Mais le vieux Turnbull et Créan faisaient justement leur entrée dans la grande salle. Alors que John prenait un siège, Créan s'arrêta derrière la chaise du chancelier. Le regard de Tarik ne révélait ni irritation ni complaisance.

Puis ce fut le tour de Sigbert qui s'inclina légèrement devant Laurence.

— Votre fils vous prie de le pardonner. Il est descendu au port pour s'occuper du bateau !

— Avez-vous pu lui parler, Sigbert ?

— Sans les résultats escomptés. Hamo est disposé à se salir les mains, mais pas sous le signe d'une croix noire tracée sur une étoffe blanche !

C'est alors que les autres se rendirent compte que Sigbert avait remis la tunique du chevalier teutonique, signifiant ainsi qu'il était prêt à prendre le départ. Mais pas Constance, qui venait d'entrer à toute vitesse, un peu échevelé.

— Les enfants sont fous d'énervement et de chagrin pour notre « désertion », comme Roç me l'a reproché, absolument furieux. Et Yeza m'a presque arraché les cheveux. Elle s'accrochait à moi. Son unique consolation est que Créan reste ici. Autrement, ils auraient voulu partir aussitôt avec nous. C'est ce que disait Roç en tout cas !

Laurence sembla un peu fâchée d'entendre ce récit devant témoins, impression qui se renforça lorsque Clarion entra et prit place sans mot dire à côté d'elle, les yeux rouges d'avoir pleuré.

Tarik rompit le silence tendu en s'adressant d'un ton enjoué à Créan :

— Je vous prie de prendre place avec nous, Créan de Bourivan, puisqu'ici nous ne sommes pas à Masyaf et que — il eut un petit rire tranquille que les autres notèrent avec soulagement — je suis ici incognito !

— Mais pourquoi donc ? dit le vieux John qui n'avait rien compris, sur quoi les autres éclatèrent de rire. Chacun se servit, on versa le vin et la séance se transforma en fête de famille.

Voyant que le soleil baissait, Laurence insista pour qu'ils partent. Les enfants entrèrent en courant. Yeza apportait trois lys, dont un jaune d'or qu'elle offrit à Constance et un blanc à Sigbert, après avoir grimpé sur leurs genoux à tous deux pour leur donner un baiser. Tous étaient curieux de voir qui recevrait la troisième fleur, une *Reine innocente* violet clair à l'odeur enivrante. Yeza fit le tour de la table et la tendit cérémonieusement au chancelier.

— Tu nous avais promis qu'on t'aiderait à faire tes bagages, lança Roç au milieu du silence en tirant Constance par le bras.

Laurence se leva de table. Elle s'approcha des fenêtres, accompagnée de Tarik et de John.

— Nous devons encore attendre Élie, dit John.

Créan accompagna ses amis jusqu'au port où la trirème attendait, prête à lever l'ancre. Les marins les saluèrent en dressant en l'air les extrémités lisses de leurs avirons.

Créan prit alors le gigantesque Sigbert dans ses bras :

— Je vous remercie de votre fermeté et de votre bon sens qui nous ont protégés de plus d'une erreur. Permettez que nous soyons amis, et je vous dis au revoir ! — Puis il prit dans ses bras Constance qui le devança en ces termes :

— Soyez remercié, Créan de Bourivan, pour cette aventure vécue ensemble et pour le fait que votre seigneur père ait jugé un infidèle digne de participer à l'évasion des enfants. Chaque fois que vous aurez besoin de mon bras, vous pourrez compter sur lui. *Allahu akbar !*

— *Wa Muhammad rasululah !* lui répondit Créan qui voulut s'éloigner quand Sigbert s'approcha.

— Nous avons tous servi un grand projet : nous avons été les roues d'une machine, même si elle n'a fait que commencer à s'ébranler. Nous ignorons la suite, nous ne voulons pas la connaître, et nous ne voulons pas non plus...

— Tu parles pour ton compte, l'interrompit Constance. Moi, je suis bien curieux de savoir...

Mais Sigbert ne permit pas qu'on oublie la solennité du moment :

— Jurons tous, ici même, que nous accourrons à leur service chaque fois qu'ils nous appelleront !

Il dégaina son épée et Constance l'imita. Créan n'étant pas armé, il tendit le bras en avant pour partager leur serment, triste de voir partir ses amis. Puis ils se retournèrent une fois encore pour saluer ceux qui les regardaient d'en haut.

Créan parcourut du regard les puissantes pierres du château, cherchant les formes menues et délicates de Yeza et de Roç qui regardaient certainement du haut de la muraille. Et de fait, ils le saluaient de loin.

— Quand je serai chevalier, dit Roç, personne ne pourra m'interdire de monter sur le bateau avec d'autres chevaliers.

— Moi, j'aimerais bien qu'on nous laisse descendre au port un jour, enchaîna Yeza. Il y aura toujours un bateau pour partir quelque part.

Hamo s'était approché d'eux.

— Je ne serai jamais chevalier, dit-il tout bas, mais j'irai dans des pays inconnus et je remporterai des victoires !

La trirème sortit de l'anse du port à petits coups d'avirons et, quand elle arriva en pleine mer, l'équipage hissa les voiles. Rapidement, elle disparut sous les regards de ceux qui la suivaient des yeux.

VOLEURS DE GRAND CHEMIN

Lucera, hiver 1244-1245 (chronique)

« Une chevauchée difficile nous attend jusqu'à Lucera, où nous retrouverons enfin des serviteurs loyaux à Frédéric », m'avait annoncé Élie. Cette ville sarrasine avait été fondée par l'empereur qui voulait disposer d'une colonie pour y installer les tribus islamiques vaincues en Sicile ; autrefois ses ennemies les plus féroces, mais aujourd'hui entourées de chrétiens hostiles, elles étaient devenues ses plus fidèles gardiennes et le défendaient au prix de leur vie.

Le sujet me préoccupait assez peu, car j'avais subi entre-temps de considérables altérations. Mon fessier n'était plus qu'une tumeur violacée et l'intérieur de mes cuisses était à vif, au point de rester collé à la selle quand j'en voulais descendre, même si j'écartais les jambes de mon mieux. La douleur était telle que je n'étais plus capable de crier, même si les larmes ruisselaient sur mon visage.

Les soldats d'Élie crurent y voir l'expression de mon grand repentir, car personne n'eut l'idée de penser que je n'avais pas passé de toute ma vie plus d'une heure ou deux à dos de cheval, sans dépasser le petit trot.

Nous étions sortis de Cortone, puis nous avions traversé la Pérouse impériale et, laissant Assise derrière nous, nous étions allés prier à la Portioncule pour donner publiquement témoignage de notre foi. L'évêque en poste, le frère Crescencio de Jesi, ennemi juré du ministre général expulsé, n'osa pas envoyer sa *guardia del corpo* contre nous car, parmi les frères, bon nombre étaient fidèles à Élie et une rébellion aurait pu éclater.

Le siège de Foligno était vacant, mais on nous recommanda de poursuivre notre route par Spolète, sans traverser les monts Sibyllins, en direction du sud. Le Bombarone dut renoncer à la commodité de sa litière pour monter sur la croupe d'un cheval que ses gardes tenaient prêt.

A Montereale, nous voulûmes nous diriger vers L'Aquila, mais l'intendant du château attira notre attention sur les troupes papales qui rôdaient aux environs et qui cherchaient à couper les voies de communication entre la cité et les forteresses d'Apulie, fidèles à Frédéric. Il nous proposa d'attendre là que des troupes provenant du sud eussent dégagé la route ou mis en fuite les soldats du pape.

L'espoir d'accorder quelques jours de repos et de guérison à mon postérieur couvert de cloques me fit presque pleurer de bonheur. Mais Élie décida de repartir aussitôt à travers les montagnes, par la région qu'on appelle le Campo imperial. Il nous fallut descendre et mener nos chevaux par la bride, ce dont je me félicitais alors que les autres juraient à qui mieux mieux. J'étais prêt à parcourir le reste de la route à pied, et même nu-pieds, plutôt que de subir ce tortionnaire qui se balançait et posait un pied devant l'autre comme pour me percer la chair avec des épines d'acier. Je jurai par la Mère de Dieu de ne jamais plus m'approcher d'une femme si au moins elle me conservait indemnes mes testicules et ma queue !

Le chemin était dangereux. Deux de nos hommes firent une chute mortelle chez un précipice. Nous gelions la nuit. Nos provisions étaient presque épuisées quand nous arrivâmes enfin en pays habité, sans avoir trop souffert de la faim.

Je n'avais pas encore eu l'occasion, ou plutôt le courage, de remettre à mon Bombarone ma copie du « grand projet », qui se trouvait bien emballée contre ma poitrine ; je comptais glisser l'objet dans ses bagages sans être vu pour ne pas m'exposer à des questions ou reproches désagréables. Ainsi, nous traversâmes sans grand encombre Popoli et Roccaraso ; nous montions au Castel del Sangro quand nous rattrapâmes sur le sentier du col deux franciscains qui demandèrent humblement de se joindre à notre troupe, déclarant qu'ils s'en allaient en pèlerinage à Saint-Nicolas de Bari. L'un d'eux, un certain Bartholomée de Crémone, était connu d'Élie qui l'appela Bart et lui souhaita la bienvenue. De l'autre, il ignorait jusqu'au nom : il s'appelait Walter dalla Martorana et me fit assez mauvaise impression, car il avait le nez semblable à un bec d'oiseau et louchait de l'œil gauche.

Élie me tint à l'écart des deux hommes et s'abstint de me présenter comme frère de l'Ordre. L'idée me traversa l'esprit de lui faire parvenir le rouleau de parchemin par l'entremise de Bart qui me paraissait être un brave homme.

Lorsque peu après nous fîmes halte pour la nuit dans une auberge située au pied du château et, où Élie se rendit puisqu'il était invité, je m'approchai de mon frère en religion.

— *Pax et bonum !* le saluai-je par distraction.

— Tu es donc l'un d'entre nous ? demanda Bart.

— Non ! répondis-je en reprenant mes esprits. Je suis le secrétaire du Bombarone et je voulais vous demander une faveur : j'ai rédigé une missive, une requête, et j'hésite à la remettre moi-même...

— Ton nom figure quand même au bas ? demanda le frère avec méfiance.

— Non ! répondis-je rapidement. Il s'agit d'une proposition à caractère général, pas d'une requête portant sur un cas d'espèce.

Bartholomée me dévisagea.

— Comment vous appelez-vous ?

« Oh, mon Dieu, me dis-je, s'il insiste pour lire cette missive qui est la preuve de la pire hérésie, du plus profond blasphème, je suis perdu. J'aurais dû la brûler. Ma propre écriture me brûlait maintenant la poitrine.

Jan van Flanderen fut le premier nom qui me passa par la tête ; c'était une base sur laquelle je pouvais assurer ma défense.

Tout à coup, le moine au nez pointu se mêla à notre conversation :

— Vous ne connaîtriez pas par hasard un certain Guillaume de Rubrouck ?

— Non, je ne l'ai jamais vu ; ou plutôt, je me trompe, murmurai-je, n'était-il pas étudiant à Paris ?

— Il a fait la campagne de Montségur — le regard louche de celui qui prétendait s'appeler Walter dalla Martorana semblait aux aguets.

— Contre qui ? Je ne connais pas ce noble seigneur ! mentis-je effrontément.

— Le château des hérétiques ! reprit l'autre.

— Je regrette, mais je n'ai jamais entendu parler de ce château. Il y a bien des années que je vis à Cortone, séparé du monde, absorbé par les études et les travaux du Bombarone !

— Donnez-moi ce parchemin, dit Bart. J'ai trouvé comment faire : demain matin, avant la première messe, je réveillerai Élie et je lui dirai qu'un messager est arrivé en coup de vent dans la nuit pour le lui apporter... Allons, donnez-le-moi... — Il s'arrêta, contrarié de son impatience. Je sortis le parchemin de ma chemise et le glissai dans la main qu'il me tendait. Il le rangea sans y jeter un regard. — ... Je lui dirai qu'il a remis cette lettre à son intention et qu'il est reparti aussitôt !

— Et si Élie vous demande de le décrire ? voulus-je savoir en me faisant l'*advocatus diaboli*.

— Un personnage sinistre, grand, osseux, avec un manteau noir et un cheval noir, déclara Bart avec un pouvoir de persuasion qui me parut considérable.

— Je vous en remercie — en vérité, j'étais grandement
soulagé.

— Couchons-nous de bonne heure, dit l'homme au
nez en bec d'oiseau. Il faudra sortir tôt de nos plumes
demain matin.

— Non, du foin! plaisantai-je, car on nous avait installés dans une écurie. Satisfait, je m'enroulai dans une
couverture et m'endormis aussitôt après avoir dit mes
prières.

Quand je me réveillai au matin, la place des deux
frères à côté de moi était vide. Je me levai d'un bond et
courus voir Élie.

— Bart et Walter sont venus vous voir? lui demandai-je, très inquiet.

— Ils sont encore sûrement dans les bras de Morphée,
opina le Bombarone qui était de méchante humeur. Le
soleil était déjà haut dans le ciel.

— Ils m'ont volé! Ou plutôt ils nous ont volés! expli-
quai-je dans mon demi-sommeil. Un cavalier est arrivé
hier soir; un messager porteur d'une lettre qui vous était
destinée. Ils ne voulaient pas vous réveiller. Mais maintenant, je comprends pourquoi! m'exclamai-je d'une voix
stridente.

— Et à quoi ressemblait ce cavalier? demanda Élie,
très pâle.

— Un homme noir, comme son cheval, une espèce de
brute! — Ces mots sortirent tout seuls de ma bouche et
dans mon esprit apparut tout à coup l'image du sinistre
inquisiteur de Montségur.

— Et par où est-il parti? — Élie me semblait très
inquiet, et même un peu désorienté, pour ne pas dire totalement bouleversé!

— Au bruit des sabots de son cheval, je crois qu'il a
descendu la route, mentis-je. Le Bombarone ne m'en
demanda pas davantage et ordonna qu'on selle les chevaux.

Nous n'avions pas fait deux milles que nous trouvâmes
un cadavre au bord du chemin : celui de l'homme au nez
pointu. Sa langue qui sortait de sa bouche était d'un noir

bleuté. Élie retourna le corps avec le bout de sa botte et examina la nuque du mort.

— C'est bien ce que je pensais, dit-il, puis il vomit.

Bien entendu, il n'y avait plus trace du rouleau de parchemin ni du frère Bart. Nous reprîmes notre route en silence. Élie commença à faire une fièvre.

J'avais perdu plus de douze livres quand nous entrâmes à Lucera. Les chausses de cuir que Gersande avait élargies pour moi étaient amples à présent, presque trop grandes.

Le capitaine des sarrasins eut pitié de moi et m'envoya le médecin arabe de la garnison. Celui-ci oignit mes blessures d'une pommade qui d'abord me brûla comme une lame de couteau chauffée à blanc, puis me procura un soulagement aussi rapide que merveilleux. Non content de cela, l'homme me promit aussi de me faire préparer une litière pour la suite du voyage. Je lui aurais baisé les pieds avec grand plaisir, tout infidèle qu'il fût.

— *Idha dsha'a nasru Alahi wa al-fathu...*

Nous restâmes plusieurs semaines avec les musulmans. Tout ce temps, le Bombarone tarda à guérir et, tandis qu'il reprenait ses forces, j'eus amplement l'occasion de m'étonner que l'empereur puisse permettre que toute une cité remplie d'infidèles priât cinq fois par jour, tous ses habitants tournés vers La Mecque, en plein milieu de terres chrétiennes.

— *...wa raita al-nas yadchulun fi din Alahi afwadshan, fasabih bihamdi rabbika wa astaghfirhu innahu kana tawaban.*

V

L'OREILLE DE DIONYSOS

LA FONTAINE

Otrante, printemps de l'an 1245

Il n'était pas encore midi et le premier soleil printanier n'avait pas atteint son apogée, mais ses rayons brûlaient déjà les murs du château d'Otrante. On n'était bien que dans l'ombre des cours intérieures et des arcades. Et même si l'on profitait mieux sur la terrasse de la légère brise qui montait de la mer, elle ne suffisait pas à protéger du feu que réverbérait le carrelage bariolé.

Le petit port situé au pied de la muraille extérieure était lui aussi silencieux et tranquille ; le château ressemblait à un lion vigilant qui aurait avancé la patte jusqu'au bord de la baie. Les pêcheurs dormaient dans leurs masures ; la trirème de l'amiral n'était pas encore rentrée de Terre sainte.

C'était une raison suffisante pour que sa maîtresse, Laurence, se lève sans cesse de son lit, écarte un peu les longs et sombres rideaux et regarde en direction du sud, vers cette mer bleue qui semblait infinie. Privée de « son » navire, auquel elle tenait comme à la prunelle de ses yeux, elle avait l'impression qu'il lui manquait une partie de son corps. Cette présence armée, prête autant à la défense qu'à la fuite, lui procurait un vif sentiment d'indépendance. Pouvoir abandonner à tout moment la terre dominée par les hommes pour l'ample perspective de la mer était pour elle la garantie d'une authentique liberté ! Elle se laissa retomber sur le tissu damasquiné, trop chaud à cette heure, de son grand lit solitaire et sentit avec dégoût glisser sur tout son corps des gouttes de sueur qui la chatouillaient. Elle essaya de ne penser à rien.

La jeune Clarion avait fait suspendre un grand hamac à l'ombre la plus profonde des arcades, là où l'évaporation de l'eau des citernes voisines faisait naître un léger souffle d'air frais. C'est du moins ce qu'il lui paraissait, et le doux balancement du hamac lui donnait aussi la sensation d'un petit courant d'air.

— Je vous croyais dans votre lieu préféré, murmura Créan, qui sans doute se croyait obligé de justifier sa présence. Le voisinage de la fontaine est sûrement le meilleur endroit par cette chaleur.

— Si vous étiez allé là-bas, Créan de Bourivan, vous y auriez trouvé les enfants. — Clarion s'étira, ce qui mit encore plus en valeur la belle animalité de son corps. — Et ils n'ont rien de mieux à faire que d'éclabousser ceux qui s'approchent.

Clarion faisait rouler son corps comme une chatte étendue sur le dos.

— Les bienheureux peuvent s'accroupir tout nus dans la vasque de la fontaine et jouir de la vie. J'envie leur paresse, fit Créan pour tempérer les reproches de la jeune fille.

Il s'allongea à ses pieds sur le dos et, d'un de ses orteils dressés en l'air, il se mit à balancer doucement le hamac. Il s'était interdit de s'allonger à côté d'elle, car il savait fort bien qu'il n'est de circonstance plus propice à l'union de deux corps que le partage d'un espace commun. Il se serait senti comme un poisson pris au filet, ou plutôt comme deux poissons avec elle. C'est ce qu'elle souhaitait, mais Créan n'était pas disposé à céder. Même par cette chaleur, elle aurait aimé sentir la brûlure encore plus intense de l'étreinte; elle était prête à se lancer dans les flammes ardentes de la passion et s'imaginait la sueur de ses pores couler en ruisselets entre ses seins, sur son ventre, le long de ses cuisses, sans pouvoir cependant éteindre le feu qui couvait dans ses entrailles et d'autres parties de son corps. Et là justement, à quelques empans à peine, elle voyait le gros orteil de cet homme qui pointait à travers les mailles et la balançait. Elle essaya de s'approcher de quelques pouces, fit jouer ses muscles, mais n'y parvint pas, sachant que même si elle arrivait jusqu'à lui, même si elle le touchait, même si elle l'embrassait comme pour le manger, il ne ferait que changer de pied, avec un sourire triste, et accrocher son orteil dans une autre maille.

Créan se rendait compte du désir de la jeune fille et il aurait aimé y répondre, car il ne méprisait pas sa beauté. Mais il ne voulait point le faire en un lieu où il était envahi par la sensation de se trouver prisonnier entre des murs étrangers, où Clarion le regardait comme si elle était plongée dans une de ces minces marmites de terre remplies de feu grégeois qui se brisent et répandent leur contenu au moindre contact, projetant des flammes que l'eau ne peut éteindre. Clarion de Salente n'était pas tant pour lui la fille naturelle de l'empereur que la fille adoptive parfaitement inabordable, l'esclave, le joyau, la complice et la compagne de la comtesse qui lui faisait l'effet d'un dragon tout à fait capable de garder son trésor. Il était même presque miraculeux que la petite princesse solitaire ne fût pas enfermée dans une solide tour dont la vieille sorcière aurait gardé les clés. Son regard monta jusqu'au donjon qui se dressait, inaccessible, au-dessus des toits de tuiles, des terrasses et des murs. En vérité, c'était un miracle que Clarion n'y fût pas enfermée !

Mais ce n'était pas seulement l'image jalouse de la comtesse qui le freinait et l'empêchait de céder aux avances impudentes de Clarion ; il y avait aussi la présence de son propre chancelier qui lui rappelait ses vœux. Personne ne l'avait obligé à l'époque à prendre cet engagement et il pouvait même s'en libérer à tout moment, mais pour devenir alors comme une pierre, comme une pomme pourrie : il tomberait du haut de plusieurs marches, il déchoirait de plusieurs degrés spirituels qu'il avait atteints à grand-peine, des états mentaux auxquels il avait réussi à se hisser et auxquels il se sentait à la fois libre et protégé. Comment aurait-il renoncé à tout cela pour quelques instants de plaisir charnel, d'ivresse des sens ? Le jeu n'en valait pas la chandelle, aucune femme ne méritait ce sacrifice !

Il savait fort bien qu'en gardant le secret il pourrait procurer une brève satisfaction à son corps, tromper ses supérieurs et, avec le plus grand plaisir de sa part, la comtesse également. Mais il n'ignorait pas non plus que Clarion, avec son avidité explosive, aurait gémi de plaisir, aurait révélé son triomphe en un cri qui aurait fait se réunir tous les habitants du château, pour ensuite se taire quand, la raison retrouvée, elle comprendrait qu'elle n'avait été pour lui qu'une distraction, un bref écart sur la route choisie, une rapide lampée d'eau fraîche en un moment où il avait soif et où une fontaine s'offrait à lui. Il avait appris à dominer son corps, alors qu'elle en était encore à connaître le sien. Créan sentit de la compassion.

Clarion était prête à souffrir, mais auparavant elle voulait cet homme, sans conditions, sans retenue, tout de suite ! sans précautions ! Ce n'était pas le moment d'avoir des égards, bigre ! Pas plus pour ses origines scandaleuses que pour ses liens avec Laurence et encore moins pour elle. Elle était plus forte que bien des hommes, plus forte peut-être que Créan. Et elle avait bien l'intention de tous les enterrer ! Clarion se demanda si du haut de son hamac elle allait cracher au visage de ce poltron, ou bien si elle allait se laisser tomber sur lui, lui rouler dessus et le violer.

— Clarion ! — La voix un peu aiguë de la comtesse les fit sursauter tous les deux. — Clarion ! Nous avons des invités ! — C'était bien sûr un prétexte, et les deux comprirent qu'il mettait un terme à l'intimité de cette rencontre.

Créan fut le premier à sauter sur ses pieds, mais il se pencha sur la jeune fille qui restait prise dans les filets du hamac et l'embrassa sur la bouche. Clarion lui saisit la tête à deux mains, comme si maintenant, dans cette ultime seconde, elle voulait entraîner vers elle tout le corps de cet homme. Créan résista. Le baiser dura un peu plus longtemps que prévu, surtout quand elle avança la langue comme pour lui montrer ce qu'elle attendait d'un homme expérimenté. Mais avant qu'elle ait pu se coller complètement contre lui, lui marquer les lèvres de ses dents et le visage de ses ongles effilés, préliminaires qui annoncent la prise de possession et qu'il craignait à juste titre, Créan parvint à retirer sa tête et à se relever, non sans lui laisser quelques cheveux entre les mains.

— J'ai envie d'un peu d'eau fraîche — ses paroles précipitées feignaient l'indifférence alors qu'il s'écartait résolument du hamac. Et c'est alors que Laurence apparut, en furie. — Il fait chaud, dit l'homme épuisé à la comtesse en la saluant, mais celle-ci parut l'ignorer et foudroya Clarion de ses yeux étincelants. — Je suppose qu'Élie est arrivé? — l'homme avait profité du silence pour poser une question qui lui paraissait utile et qui lui permettrait de s'éloigner au plus vite.

— Putain! entendit-il encore. Puis, pour toute réponse, le rire de Clarion. Et ensuite, le claquement d'une gifle en plein visage. Il ne vit point les larmes des deux femmes...

Mais alors qu'il battait en retraite, il tomba sur Hamo qui lui lança un regard hostile et glacé. Sans doute les avait-il espionnés. Sur ce point, la comtesse et son fils se ressemblaient: tous deux épiaient Clarion comme les chacals épient une gazelle dans le désert. A quoi passaient-ils leur temps quand il n'y avait pas d'invités au château?

Il n'eut pas le temps d'y songer car un jet d'eau froide l'atteignit en pleine figure. Yeza sortit de la vasque de la fontaine, riant aux éclats:

— Le premier rafraîchissement ne coûte rien! — et derrière elle apparut Roç avec une grosse louche de bois, annonçant la deuxième salve.

— Nous vendons de l'eau fraîche!

— Mais passer au large coûte aussi quelque chose! ajouta Yeza en continuant à éclabousser Créan avec sa main.

— Je ne suis qu'un pauvre pèlerin mort de soif! fit-il en prenant une voix de mendiant. — S'il vous plaît, je vous en prie, un peu d'eau fraîche! croassait-il.

— Les pauvres ne paient pas! déclara Roç à l'intention de Yeza qui tendit aussitôt à Créan la jarre de terre cuite. Créan but une gorgée, remercia et s'éloigna en traînant la patte.

— Dieu vous le rendra, mes bons petits enfants, vous m'avez donné un bien grand trésor...

UNE PORTE SANS LOQUET

Otrante, printemps de l'an 1245 (chronique)

Aux portes de Lucera, le capitaine des sarrasins nous avait procuré un guide qui connaissait si bien le chemin que la baie azur de l'antique Hydruntum apparut sous nos yeux au bout d'une semaine de voyage.

— Je ne comprends pas, me dit Élie qui avait approché son cheval de ma litière. C'était la première fois qu'il me parlait depuis notre arrivée à Lucera. Il était encore très pâle autour des ailes du nez. — Mon ami Turnbull me demande de lui rapporter à Otrante une lettre qu'il m'avait envoyée il y a six mois à peu près, vers l'époque où le démon t'a conduit à Cortone, Guillaume. Mais cette lettre n'est jamais arrivée entre mes mains. Et maintenant que nous sommes sur le point de franchir les portes d'Otrante pour rencontrer le comte du Mont-Sion... mais ce nom ne te dit sans doute rien, Guillaume, — je secouai la tête, tentant de feindre l'innocence — voilà que se présente le noir démon des enfers lui-même et qu'il m'apporte une missive dont j'ignore d'où il a bien pu la sortir. Si au moins il l'avait volée, on pourrait encore le comprendre. Mais voilà qu'un autre minorite, que je soupçonne depuis longtemps d'être plus proche du château Saint-Ange que de son général vient et la dérobe! Comment se peut-il que ce messager de malheur ne t'ait rien dit de sa mission?

Je continuais à secouer la tête, incapable de l'aider.

— Le messager nous observait peut-être; il se sera lancé à la poursuite du voleur et l'aura châtié. La missive pourrait bien nous attendre à Otrante, tentai-je de lui proposer en guise d'explication.

— Guillaume, tu dis des idioties.

Je crus la conversation terminée, mais sa voix retentit tout à coup:

— Attachez-lui les mains derrière le dos!

Ma dernière heure était donc arrivée. On me sortit sans ménagement de la litière pour me forcer à monter sur un cheval. On me banda même les yeux.

J'entendis Élie ordonner à un sarrasin de partir en avant pour annoncer notre arrivée, après l'avoir mis en garde :

— N'oublie pas que lorsqu'elle voit s'approcher de son château une troupe d'inconnus, la comtesse d'Otrante fait d'abord tirer avant de demander « qui va là ? »

Élie n'avait pas emporté d'étendard impérial et il était vêtu comme un simple chevalier armé en voyage. J'entendis que nous traversions un pont dont les planches étaient ferrées de clous. Puis l'on me fit monter une rampe de pierre, toujours attaché sur mon cheval. Après un bref échange en grec, c'est du moins ce qu'il me sembla, on me fit descendre et on me traîna en un lieu où on m'enferma.

On me détacha les mains, puis la porte se referma. J'enlevai mon bandeau et découvris une grande salle dont la fenêtre donnait sur la mer. Le soleil aveuglant y entrait à flots, mais elle était fermée par une grille. A part un lit, une chaise et une table, il n'y avait qu'une cheminée dans la pièce.

Je m'approchai de la porte avec une extrême prudence. En chêne massif, elle n'avait pas de loquet. Je retournai à la fenêtre et mis le nez entre deux barreaux de fer. En bas, dans le jardin, une femme de belle apparence s'approchait d'Élie d'une démarche souple. Ce devait être la fameuse comtesse. Svelte et altière, elle le salua sans grandes cérémonies. Sans doute se connaissaient-ils déjà. Puis elle lui présenta un vieil homme qui arrivait tout juste, faute d'avoir pu la suivre. Très maigre, il avait sûrement plus de soixante-dix ans. Sa chevelure d'un blanc de neige lui donnait l'allure d'un sage ou d'un artiste.

Puis ils disparurent de mon champ de vision. Je m'assis sur le lit et tendit l'oreille. J'entendais les coups de boutoir du ressac contre la partie basse des murailles et les ouvrages de défense du port que je ne pouvais voir d'où j'étais. Je n'apercevais que l'écume qui jaillissait à intervalles réguliers. Soudain, je remarquai que le tapis étendu devant le lit bougeait. Guillaume, tu as des hallucinations ! Me fiant à mon instinct, je levai cependant les pieds et me pelotonnai sur le lit, fasciné par ce tapis qui faisait tout seul des plis.

Le démon m'avait rattrapé ! Je fis le signe de la croix et fermai les yeux. Puis j'entendis un craquement. Je me couvris la tête avec la couverture et me figeai, terrifié. La sueur perlait par tous mes pores et je tremblais de froid, malgré la chaleur insupportable. Au bout d'un moment, je soulevai la couverture avec d'infinies précautions. Le tapis avait disparu! Mais pour ma peine, je reçus un coup qui venait d'en bas, de sous le matelas. Ma dernière heure était donc arrivée! Élie m'avait traîné en ce lieu pour qu'une horrible machine me fasse disparaître à tout jamais dans le château de la comtesse, sans témoins! Saint François, aide-moi donc à l'heure de ma mort!

Les démons arrachèrent la couverture par-derrière. Ils étaient partout et jouissaient de mon tourment. Je n'osais pas me retourner, même maintenant que la couverture avait disparu.

— C'est lui! dit une voix enfantine. Mais le malin peut se présenter sous bien des déguisements, même les plus difficilement concevables pour un bon chrétien.

— Guillaume? murmura une voix de petite fille, en frappant mon crâne avec un objet pointu. J'étais donc en enfer. On me ferait subir bientôt de féroces tortures en me pinçant avec des tenailles. Avec des aiguilles rougies au feu, on m'arracherait jusqu'à mon dernier cheveu, puis on m'enlèverait des lambeaux de peau. On me crèverait les yeux, on me couperait la langue et le nez. Quelque chose me chatouillait déjà dans les narines. Bien contre mon gré, je levai les yeux. Et devant mon lit, je vis Yeza à genoux qui tenait entre ses doigts un brin d'herbe avec lequel elle me gratouillait le visage. Très contente d'elle, elle riait: — C'est Guillaume! Tu peux sortir!

De sous le lit pointa d'abord la frimousse de mon petit Roç qui sortit ensuite de sa cachette, couché sur le dos.

— Aide-moi à tenir la trappe, autrement elle va me coincer les jambes!

Je me levai d'un bond, tirai le lit de côté et retins la trappe jusqu'à ce que l'enfant ait pu sortir les pieds. Puis je la refermai avec précaution et Yeza remit aussitôt le tapis sur les planches.

Les deux enfants s'assirent sur le tapis, les yeux fixés sur moi.

— Tu es notre prisonnier, fit Roç. Tu ne pourras pas t'échapper par ce trou, tu es trop gros!

— Mais nous pourrions le faire sortir d'ici, dit Yeza au petit garçon.

Un an avait passé et mes protégés désemparés étaient devenus de petits personnages qui semblaient avoir pris beaucoup d'assurance.

— Qu'est-ce qu'il faut que je fasse?

— D'abord, tu dois nous promettre de nous emmener avec toi!

— Et pourquoi ma mère n'est pas venue avec toi?

Yeza ne se plaignait pas, mais je sentis dans sa voix comme un reproche, d'autant plus que je ne pouvais lui dire la vérité, une vérité que j'étais seul à soupçonner. Je ne savais même pas qui était leur mère, si ce n'est qu'elle était sans doute au nombre de ces femmes suppliciées sur le bûcher, au Champ des Crémats.

— Votre mère... votre mère ne peut pas venir pour le moment. Elle n'a pas le temps, décidai-je de mentir.

— Nous le savons bien, dit Roç, déçu. Puis il montra Yeza d'un mouvement du menton. Sa mère à elle me disait la même chose!

— Vous n'avez pas la même mère? — J'avais toujours cru qu'ils étaient frère et sœur, mais je voulais profiter de l'occasion pour en savoir davantage.

— Nous ne savons pas très bien, répondit Yeza d'un air pensif. Mais s'il veut, on partagera la même! ajouta-t-elle, en veine de générosité.

— Elles voulaient toutes être ma mère, se souvenait confusément Roç. C'est pour ça que j'en ai aucune maintenant!

— Et votre père? demandai-je en feignant l'ignorance.

— Pas de pères! me fit savoir Yeza sur un ton décidé.

— Notre mère n'en avait pas besoin! — Roç semblait avoir opté pour une mère commune.

— Et en plus, c'était la guerre! ajouta Yeza.

Roç commença alors à décrire avec beaucoup d'animation tout ce dont il se souvenait du siège de Montségur.

— Ils tiraient sur nous avec de grosses, grosses pierres!

— Elles arrivaient en volant, renchérit Yeza. On aurait dit qu'elles tombaient du ciel!

— Ils tiraient avec des catapultes, expliqua patiemment Roç. On en avait quelques-unes nous aussi!

— C'était aussi dangereux que de se noyer! insista Yeza. Il fallait faire attention pour qu'elles te tombent pas sur la tête, comme à ce... — mais elle ne se souvint pas du nom.

— Et après? demandai-je, poussé par la curiosité. Personne ne vous protégeait? Ta mère... Je veux dire, votre mère?

— Elle n'avait pas le temps. Elle devait se préparer pour « être prête »...

— A quoi?

— Je ne sais pas, parce qu'ensuite on s'est endormis. Quand on s'est réveillés, on était avec toi.

— Et comment es-tu arrivé au château? voulut savoir Roç.

— Très simple, inventai-je sous le coup de l'inspiration. En pleine nuit, sans que personne me voie.

— Et personne ne t'a tiré dessus? demanda Roç, incrédule.

— Comme autrefois, du temps de la guerre..., renchérit Yeza.

— Je me suis dépêché et j'ai fait attention à ne pas faire de bruit!

Les deux enfants me lancèrent un regard incrédule, mais ils ne dirent rien.

— Très bien, Guillaume, opina Roç au bout d'un moment. Puisque c'est comme ça, tu seras sûrement capable de nous sortir d'ici. Parce que nous ne voulons pas rester!

Il avait parlé avec tant de détermination que j'en fus un peu inquiet, car je ne voulais pas les décevoir.

— Je ne sais même pas ce qu'on compte faire de moi...

— Pas difficile... — Roç se leva et me fit signe de le suivre. Je pensai d'abord qu'il se dirigeait vers la cheminée, mais le petit s'avança d'un pas décidé vers l'autre extrémité de la grande salle qui prenait là-bas la forme d'une voûte en quart de cercle, détail qui m'avait échappé. Un orifice s'ouvrait au sommet. Roç me tira jusqu'à ce que nous nous trouvions exactement dessous. Arrivé là, j'entendis des voix avec une netteté parfaite.

— ... Cher Élie, il n'était pas nécessaire non plus de le traîner jusqu'ici!

Il me sembla que c'était la voix du vieil homme que j'avais vu plus tôt, dans le jardin, en compagnie de la comtesse. Élie répondit :

— Je ne voulais pas prendre seul une décision dans une affaire aussi délicate. Et puis, cher Turnbull, votre message n'est jamais arrivé entre mes mains.

Deux et deux faisant quatre, je supputai que celui qu'on appelait Turnbull ne pouvait être que l'auteur du « grand projet ». Et il était clair qu'une conspiration contre tout ce qui avait été jusque-là ma vision du monde était en train de se tramer au-dessus de ma tête.

— Pour autant que je sache, cher Élie..., dit une voix inconnue où perçait une pointe d'accent étranger.

— C'est le « muselman », murmura Yeza pour m'aider, l'homme au turban! Un vrai turban...

— Tais-toi! la reprit Roç. On va plus rien entendre!

— ...vous avez la réputation d'un général qui n'hésite guère dans sa manière de traiter ses frères de l'Ordre... — il se racla la gorge et sa voix prit un ton glacé et mécanique. — Depuis le début, tous ceux qui participent à cette entreprise savent fort bien que quiconque la met en péril doit mourir!... — Sa phrase resta suspendue en l'air un instant, puis il continua : — Une personne de plus au courant de notre conspiration représente un danger. Il faut donc l'éliminer sans hésitation!

« Pauvre Guillaume, me dis-je, te voilà condamné à mort. » Je n'aurais pas dû faire confiance à Élie. A Cortone, j'aurais encore pu m'échapper assez facilement à la faveur de la nuit. Mais il était trop tard.

J'attendais qu'Elle dise quelque chose. Ce fut la comtesse qui prit la parole :

— Trop d'yeux l'ont vu arriver. Je pense qu'il serait peu avisé de le faire disparaître à Otrante. Nous attirerions sans nécessité les soupçons. Laissons-le courir et arrangeons-nous pour qu'il soit liquidé en chemin, loin de tous les regards... — Comme je la remerciai de ce sursis!

— Un accident de voyage..., acquiesça sans tarder la voix du vieil homme et Élie accepta avec soulagement l'offre salvatrice.

— Nous pourrions l'envoyer visiter le chantier de Castel del Monte, où mon empereur fait construire un pavillon de chasse. Il pourrait tomber d'un échafaudage!

— Pourquoi tant compliquer les choses? fit la voix claire et railleuse du musulman. Vous ne savez peut-être pas comment liquider un traître rapidement et sans attirer l'attention? Faites-moi confiance. J'ai des gens compétents à mes ordres. Et chacun sait que les occasions ne manquent pas d'utiliser leurs services!

— Mais que ce soit hors de mon domaine! insista la comtesse d'une voix ferme, presque inquiète.

— Aucune ombre ne viendra entacher votre fameuse hospitalité, chère comtesse!

— Eh bien, allons nous restaurer, mes seigneurs! — Nous entendîmes des murmures d'approbation, puis des pas qui s'éloignaient.

— Ils vont manger! dit Roç. Il faut y aller nous aussi. Autrement, ils vont nous chercher!

— Et qui va donner à manger à Guillaume? — Yeza montrait au moins une certaine compassion et se pré-occupait de mon bien-être physique, même si j'avais perdu l'appétit. Ma dernière cène!

— Après manger, ils nous envoient toujours au lit. Alors, on reviendra te voir! — Yeza retira le tapis, je soulevai la trappe et les enfants se glissèrent comme des serpents par ce trou qui, effectivement, aurait été trop étroit pour mon corps.

Je poussai ensuite le lit pour le remettre exactement au même endroit et me couchai. Je regardais le trou du plafond et m'imaginais qu'un serpent allait en sortir en balançant la tête, la langue tirée vers moi. Et je me dis que oui, c'était assurément le démon qui déplaçait les pions dans ce jeu.

Απαγε Σατανα! Je me levai d'un bond et m'emparai de ma chaise pour la lancer contre cette vision. Mais quand j'arrivai sous la voûte, le serpent avait disparu.

J'écoutai quelque temps, mais on n'entendait rien, sauf le bruit de la mer. Je m'approchai de la porte et collai l'oreille contre les planches. Rien! Aucun assassin ne s'approchait. Ils allaient m'empoisonner. Il fallait que je refuse tout aliment. Je me recouchai. Mais malgré tout, j'avais bien faim.

LE CHÂTEAU DE QUÉRIBUS

Quéribus, été de l'an 1245

— Il est indigne de la Sainte Inquisition de torturer sans interrogatoire!

Le valet qui brandissait déjà son fouet s'arrêta, perplexe, et la femme profita de l'occasion pour aider son mari que la voiture fermée avait traîné sur quelques toises, après qu'il fut tombé ou eut perdu connaissance. La voiture s'arrêta et la femme vit pour la première fois l'inquisiteur lorsqu'il en descendit.

Fulco de Procida ne correspondait en rien à l'image qu'on se fait communément d'un inquisiteur. Il n'était pas dominicain, il n'était pas maigre et il ne semblait rien avoir d'un ascète. Son visage était rebondi, bordé de bourrelets de graisse. On ne voyait pas non plus brûler dans ses traits le feu sacré du fanatisme. Son caractère était plutôt celui d'une brave brute, comme n'importe quel pêcheur napolitain.

Arrachés à leur lit, ils étaient encore en chemise de nuit, ce dont la femme avait grand-honte. On les avait obligés à abandonner leur chaumière et, sans leur donner aucun motif, sans les accuser de quoi que ce soit, on leur avait lié les mains avec des cordes qu'on avait ensuite attachées à la voiture. L'homme gémissait, sa chemise était déchirée, ses genoux et ses coudes en lambeaux saignaient.

L'inquisiteur regarda la femme. La camisole retenait à peine ses seins blancs sillonnés de veines bleues, tandis que les courbes voluptueuses de ses hanches se laissaient deviner sous sa chemise.

L'habit de l'inquisiteur indiquait qu'il était cistercien. Il jeta un coup d'œil autour de lui et vit qu'ils se trouvaient dans un paysage inhospitalier de montagne, un plateau apparemment dépourvu de population humaine et même d'arbres. Les pierres d'un puits qui se trouvait non loin du chemin l'attirèrent. Mais il ne porta aucune attention au grand donjon qui s'élevait derrière leurs têtes et qui, pour toute personne le moindrement intéressée, aurait indiqué la proximité d'un château. Il est vrai que les pierres et les murs se confondaient avec la ligne accidentée des crêtes, ce qui pouvait les dissimuler au premier coup d'œil.

Mais Fulco de Procida pensait à autre chose. Il ordonna aux soldats de mener le prisonnier au puits. Puis il s'assit dans l'ouverture de la portière de la voiture et dit aux deux greffiers qui l'accompagnaient qu'ils seraient plus à l'aise sur la banquette pour dresser leur procès-verbal. Les soldats se mirent en cercle et les valets se saisirent des cordes des victimes, attendant les ordres de leur maître.

— Vous avez été tous les deux serviteurs au château hérétique de Montségur, commença l'inquisiteur, plus comme entrée en matière que pour obtenir confirmation. — Au moment de la reddition, vous étiez de ceux qui ont préféré dire un Ave Maria pour avoir la vie sauve et retrouver la liberté...

— Nous sommes chrétiens! répondit l'homme, terrorisé. L'inquisiteur lui fit un mince sourire.

— Alors, vous allez faire de votre mieux pour faciliter mon travail et assurer la paix de vos âmes — sa voix qui semblait encore bienveillante au début était devenue sévère et sèche. — Qui sont ces enfants qu'on a soustraits au dernier moment au bras de la justice? Comment s'appellent-ils, à quoi ressemblent-ils, que savez-vous d'eux?

— Quels enfants? dit l'homme.

C'était exactement ce qu'il n'aurait pas dû dire. L'inquisiteur fit un signe à ses valets qui plongèrent la tête de l'homme dans la seille de bois qu'ils venaient de sortir du puits. Puis ils lui attachèrent les pieds à la corde et le firent descendre lentement dans le trou.

L'homme ne dit pas un mot, mais la jeune femme blonde aux gros seins commença à gémir. Ses yeux clairs se remplirent de larmes et d'horreur.

— Laissez-lui la vie sauve! supplia-t-elle. Il ne sait rien, il n'était qu'un simple soldat...

— Et vous, jeune dame? reprit Fulco d'une voix insinuante. Vous êtes prête à nous dire...?

— Sortez-le de là! cria la femme d'une voix perçante. Je vous dirai tout...

Elle s'arrêta, car un groupe de quatre cavaliers apparut au détour du chemin.

— Aux armes! cria le capitaine. Les soldats de l'inquisiteur empoignèrent leurs arbalètes et leurs lances. Grâce à la promptitude de leur capitaine, ils purent lancer une première volée sur les cavaliers qui durent retenir leurs chevaux caparaçonnés, puis se réfugier derrière un gros rocher. Protégés par les arbalétriers, les lanciers s'avancèrent jusqu'à la sortie du défilé et se cachèrent derrière des pierres de part et d'autre du chemin, prêts à repousser toute attaque avec leurs lances.

Les valets laissèrent retomber la seille qu'ils avaient à moitié remontée. Puis ils traînèrent la femme jusqu'à la voiture, la poussèrent à l'intérieur en bousculant l'inquisiteur, fermèrent la portière et fouettèrent les chevaux. Comme ce départ précipité se produisait loin de la vue des assaillants, la voiture put fuir tant bien que mal vers la plaine. Mais les cavaliers firent tomber un déluge de pierres sur les lanciers qui durent abandonner précipitamment leurs positions qu'ils croyaient sûres.

— Achevez-les à la lance! tonna une voix puissante du haut du rocher. Quand les soldats voulurent battre en retraite, ils furent attaqués par les cavaliers commandés par un homme à barbe noire d'aspect sauvage qui sauta du rocher avec son cheval, en plein milieu des fuyards.

— Xacbert de Barbera! s'exclama le capitaine, épouvanté. Sauve qui peut!

Les arbalétriers ne pouvaient tirer sans toucher leurs propres gens et, au corps à corps, les cavaliers avaient l'avantage de dominer leurs adversaires du haut de leurs montures. Ils commencèrent par briser les lances, puis fauchèrent ceux qui les portaient et arrivèrent ainsi au puits où les derniers soldats survivants de l'inquisiteur s'étaient massés autour de leur capitaine.

Les quatre chevaliers de l'Apocalypse cernèrent cette poignée d'hommes, comme des loups affamés tournent autour d'une bande de brebis égarées. Chaque fois qu'un soldat essayait de lever son arbalète, un coup d'épée lui fendait le crâne ou lui coupait le bras.

Quand le capitaine vit que ses derniers hommes mouraient sous les coups et que le terrible Barbera le menaçait en criant « Je te couperai les oreilles et le nez, maudit papiste! » il se jeta dans le puits.

LE TROU DE LA MURÈNE

Otrante, automne de l'an 1245

Créan s'était endormi dans le hamac. Il fut réveillé par une odeur entêtante, plus que par le picotement de ses paupières. Les yeux mi-clos, il devina une couronne de lys blancs qu'une main délicate avait posée sur son front.

Il crut d'abord que c'était Clarion qui voulait peut-être se moquer de son « innocence ». Mais quand il leva la main pour retirer doucement la couronne de fleurs, son geste s'arrêta net.

Sur sa poitrine, tout près de l'échancrure de sa djellaba, il y avait un scorpion.

Créan retint son souffle. Parfaitement réveillé à présent, il fixa les yeux sur l'animal, s'efforçant de ne pas ciller. Ils se regardèrent ainsi l'un l'autre et les secondes parurent à Créan s'écouler aussi lentement que les gouttes de sueur qui coulaient sur son cou.

Ce n'est qu'au bout de quelque temps qu'il remarqua que la queue dressée avec son aiguillon venimeux ne bougeait pas, pas plus que les antennes. Le scorpion était mort ! Il s'en débarrassa d'une pichenette. Encore un mauvais tour des enfants !

Il se tourna sur le côté pour descendre du hamac, mais se retrouva aussitôt la tête en bas, les mains tendues en avant. Ils l'avaient attaché ! Rien de plus irritant que de se trouver pris dans un filet, entre un ciel qui te retient et une terre sur laquelle tu ne peux pas poser le pied. Une situation ridicule ! Et pour comble de malheur, il vit apparaître à une fenêtre le visage de Clarion qui le regardait avec une expression apitoyée.

Patiemment, il dénoua les liens avec lesquels les enfants avaient attaché sa djellaba aux franges et aux glands du hamac, car il ne voulait pas les arracher. Une fois libéré, il pensa envoyer un salut à la belle jeune fille qui le regardait d'en haut, mais elle avait disparu dans les profondeurs du réfectoire.

Le chancelier n'avait pas demandé à Créan de les accompagner pour le repas de midi. Comme il n'avait pas envie de manger avec les enfants à la cuisine et qu'il ne voulait pas non plus mécontenter son vieux père qui ne comprenait pas bien la rigide hiérarchie des membres de l'Ordre des Assassins et qui aurait peut-être réclamé son fils jusqu'à le voir assis à côté de lui, il avait prétendu ne pas avoir faim devant le vieil homme.

Il passa devant la cuisine sans s'arrêter, refusant ce qu'on lui offrait, et ne fit pas le plaisir aux enfants de leur reprocher leur mauvaise farce. Il lui sembla d'ailleurs qu'ils avaient l'air plutôt tristes et qu'ils ne le saluaient pas avec leurs habituelles démonstrations de joie. Ils mangeaient leur soupe en silence et se regardèrent d'un air entendu quand ils le virent tendre le cou à l'intérieur. Quelles sottises préparaient-ils encore ?

Créan ne voulut pas entrer dans leur jeu. Il fit taire sa faim et se contenta de demander qu'on serve un bon repas à Guillaume dans sa cellule.

Il se demanda un instant s'il ne devrait pas l'apporter lui-même, mais il renonça à l'idée, ne sachant que répondre aux questions que l'autre lui poserait. Connaissant son chancelier, il était convaincu que Guillaume était un homme mort. Il refusait pourtant cette idée même si, lorsqu'il avait fait son rapport, mission accomplie, il s'était vu imposer trois jours de silence comme punition pour ne pas s'être débarrassé du frère au plus tard à Marseille. Pourquoi donc ce gros corbeau venait-il croiser pour la seconde fois le chemin des enfants, poussé par son flair insensé.

Créan se rendit au port par le sentier extérieur. Il y avait aussi un escalier secret qui descendait le long de la paroi rocheuse et menait directement à la baie, à l'abri des regards. Mais il avait le temps et il avait envie de respirer l'arôme de la végétation sauvage qui bordait le chemin, d'observer les lézards qui s'enfuyaient à toute vitesse devant lui, de se pénétrer des couleurs splendides des arbustes, des pierres et de la mer sous ce soleil radieux.

Arrivé en bas, il tomba sur Hamo qui chercha à se défiler. Créan tenta encore une fois de se lier d'amitié avec cet étrange garçon, car il commençait à trouver ridicule et embarrassante cette barrière de jalousie que l'entêtement de

Hamo lui faisait dresser autour de lui à cause du comportement de Clarion.

— Pourquoi ne pas nous baigner ensemble, proposa-t-il quand il vit que Hamo ne portait qu'un linge noué sur les reins.

Mais le garçon n'accepta pas la proposition :

— Je me suis déjà baigné. J'ai plongé jusqu'aux coraux. C'est assez pour aujourd'hui.

Créan ôta sa djellaba et eut honte de sa peau si blanche.

— Savez-vous seulement nager ? se moqua Hamo. Je n'irai certainement pas vous chercher. Et la mer est remplie de requins ! — Créan vit alors le gros couteau que le garçon avait attaché à l'une de ses jambes avec des lacets de cuir.

— Et pourquoi veux-tu qu'un requin ait envie de me mordre, si tu me trouves tellement répugnant ? lui répondit Créan qui sauta dans l'eau du haut du quai, tête la première.

Il fit quelques brasses énergiques, plongeant de temps en temps pour s'assurer qu'il n'y avait pas de requins dans les parages. Hamo n'avait pas exagéré. Les nombreux bateaux qui sillonnaient la mer autour du cap attiraient les prédateurs.

— Bien le bonjour, bel étranger !

Créan n'avait pas entendu le bateau s'approcher silencieusement, une barque à voile à fond plat, de celles qui transportent des marchandises. Agenouillée près du bord qui n'était pas très haut, une femme le regardait. A cause de la chaleur, elle avait remonté sa robe. Mais plus encore que ses jambes nues, ce furent ses seins ronds qu'elle offrait si généreusement à sa vue qui impressionnèrent Créan.

Ingolinde lui laissa le temps nécessaire pour digérer ce qu'il voyait. Sur le pont était arrimée la voiture de la prostituée contre laquelle des marins étaient adossés. Les grimaces et les gestes obscènes qu'ils faisaient en regardant le derrière qu'Ingolinde leur présentait laissaient croire qu'ils n'avaient pas eu motif de se plaindre de leur passagère pendant la traversée.

Toute peine mérite salaire. Ingolinde avait atteint son but. Elle montra à Créan, qui se cramponnait sous son nez à un hauban, un croquis tout froissé représentant Guillaume.

— Savez-vous si je peux trouver cet homme au château, là-haut ? gazouilla-t-elle, et ses mamelons pointèrent vers le château, par-dessus la tête de Créan.

— Il faut voir, répondit calmement Créan. D'abord, il faudrait qu'on vous permette de le chercher là-haut...

— On m'a dit de le demander à une comtesse pour laquelle j'ai un message...

— Ne serait-il pas préférable de me confier ce message? — Créan ne savait trop sur quel pied danser. Encore une piste que ce balourd de Guillaume avait laissée derrière lui! Tarik avait parfaitement raison. Avec son indécrottable stupidité, ce frère représentait un véritable danger!

— On m'a ordonné de le remettre en main propre à la comtesse. — Ingolinde se releva et glissa le portrait de Guillaume sous sa robe. — Le message en échange de Guillaume! dit-elle en regardant Créan avec insolence, les mains sur les hanches.

— Alors la première chose à faire, c'est d'accoster. Ensuite, je verrai ce que je peux faire. — Créan revint au rivage à la nage et sortit de l'eau en se tenant aux rochers.

Hamo avait observé la scène.

— Une rencontre avec une dame qui voyage seule? fit-il d'un air moqueur. Ma mère sera ravie de faire sa connaissance!

— De fait, répondit sèchement Créan. Car la visite n'est pas pour moi, mais pour la comtesse. Je vous prie d'aller l'informer qu'un message est arrivé à propos du moine d'Élie et qu'il ne peut lui être remis qu'en personne.

— Et pourquoi n'allez-vous pas porter vous-même ce message? s'entêtait Hamo. Vous croyez sérieusement qu'elle va se lever de table et descendre en courant pour présenter ses hommages à une femme comme celle-là?

— Comme vous voudrez, jeune homme! répondit Créan. Je vais faire monter la dame au réfectoire et je préciserai bien que c'est vous qui en avez manifesté le désir...

— Je n'ai pas dit cela, Créan!

— Vous n'avez pas de témoins, répondit Créan d'une voix glacée. Et d'autre part, je ne peux pas non plus prendre la responsabilité de vous laisser seul avec « une femme comme celle-là ». L'affaire est trop importante.

— Tout à fait! confirma Ingolinde que les marins avaient descendue à terre. La femme examina avec un plaisir certain le corps nu et bronzé de Hamo. Le garçon rougit, se trouva incapable de résister à son regard et prit la fuite.

— Vous ne m'avez pas encore dit si je pourrai trouver Guillaume ici. Il est toujours avec vous, n'est-ce pas ?

— Oui, en effet ! Mais je ne suis pas sûr qu'il vous reçoive maintenant, car il a l'habitude de faire la sieste.

— Dites-lui seulement ceci : Ingolinde de Metz l'attend dans le port ! — Très sûre d'elle, elle commença à faire les cent pas sur le quai, peut-être dans l'espoir que son bien-aimé puisse la voir d'en haut.

Créan remit sa djellaba et attendit en silence. Cette femme lui faisait pitié. Elle était aussi innocente que Guillaume et, comme lui, elle se trouvait prise dans une histoire dont son chancelier ne la laisserait pas sortir vivante, sauf s'il s'avérait qu'elle ne savait rien des enfants. Même ainsi, Tarik avait coutume de dire : « Deux précautions valent mieux qu'une. » Et il n'avait pas tort. Si lui, Créan, s'était débarrassé à temps de Guillaume, ce nouveau problème ne se serait pas présenté et Ingolinde de Metz aurait pu encore jouir de la vie de longues années durant...

FAUSSE PISTE

Otrante, automne de l'an 1245 (chronique)

Je me réveillai, car on frappait à la porte. Comme chaque fois, je pensai aussitôt qu'on m'apportait de la nourriture empoisonnée et décidai de ne pas y toucher. Mais je finissais toujours par la goûter, puis par l'avaler, et le fait est que j'étais toujours vivant. Je vis qu'on m'avait servi sur la table, comme d'habitude, et compris alors que les coups ne venaient pas de la porte, mais du plancher, sous mon lit. Je sautai à terre et aidai les enfants à sortir par la trappe.

— Et tu ne manges toujours pas ! me reprocha Yeza dès qu'elle vit les mets succulents qu'on avait préparés : langouste froide, veau aux aromates, olives hachées, fines herbes, oignons, huile et jaune d'œuf, pain grillé qui fleurait bon l'ail, saupoudré de petits morceaux de noix, figues du pays confites dans le miel, salade d'oranges et de citrons, plus tout un assortiment de pâtisseries et deux carafes de vins différents : le premier, blanc et sec, l'autre rouge très foncé, presque orange, doux et entêtant. Roç voulut se précipiter sur mon repas, car il voyait bien qu'il y en avait trop pour une seule personne, même pour un ventre vorace comme le mien, mais je lui arrachai des mains le beignet au crabe dont il s'était emparé, pensant qu'il était peut-être empoisonné. Roç fut très étonné.

— Laisse-moi goûter d'abord ! — J'essayais de lui faire comprendre la raison de mon geste. — Je veux être sûr que tu n'auras pas mal au ventre !

— Tu peux le manger tout seul ! répondit-il, fâché.

— Ne sois pas si gourmand, dit Yeza en volant à mon secours. Tu sais que Guillaume préfère manger froid.

— Je n'ai plus faim ! répondit Roç qui changea aussitôt de sujet. Une femme est arrivée qui t'a demandé, Guillaume — il me tint en haleine quelques instants. — La comtesse s'est beaucoup fâchée, elle l'a traitée de « courtisone », ou quelque chose comme dame d'honneur, et elle est allée la voir dans les écuries ; tu sais, dans ces grandes caves sous le château où on garde le fourrage pour les chevaux...

Bien entendu, je ne connaissais pas l'endroit, mais je me mis à songer à voix haute :

— Celles qui donnent directement sur la mer, sans qu'on ait à passer par le château ?

— C'est ça, confirma aussitôt Roç. Il y a une rampe par où le grain et tout ce qu'ils ont besoin pour manger arrive directement du bateau...

— Quand il y a un bateau ! fit observer Yeza. Mais je ne crois pas que cette dame soit montée par la rampe...

— Alors, elle a sûrement pris l'escalier juste à côté, un escalier que personne ne connaît.

— Et qui peut bien être cette femme ? insistai-je, sans avoir la moindre idée de qui il s'agissait. Vous l'avez vue ?

— Non, répondit Yeza. D'ailleurs, nous étions cachés

derrière le mur. Mais la comtesse était furieuse et elle a grondé le Bombarone de l'avoir amenée ici...

— Toi non plus, ils ne t'aiment pas! précisa Roç, sans me laisser deviner s'il était d'accord avec les autres ou s'il m'avait pardonné mon avarice.

— A nous, tu nous plais bien, Guillaume! — Yeza faisait de son mieux pour effacer tout doute dans mon esprit.

Roç se dirigea vers le fond de la salle, mais on n'entendait rien.

— C'est l'oreille du dieu du nez! m'expliqua Yeza.

— Tu veux dire son trou de nez! répondis-je pour plaisanter.

— Je te le dis, reprit Yeza, et Sigbert m'a tout avoué: c'est l'oreille du « dieu naseau », celui qui pense à toi quand tu éternues!

— Si Sigbert le dit..., répondis-je pour avoir la paix, et je les laissai à leurs croyances. De toute façon, c'étaient des enfants hérétiques et ici, au voisinage de la comtesse, il y avait fort à craindre qu'on ne les baigne pas précisément dans l'eau bénite.

— Tu sais que Créan est toujours ici? m'annonça Roç pour attirer mon attention. Mais ils ne le laissent pas monter dans la salle d'en haut. Ils le font attendre dehors, devant la porte! — Roç était fier de ces renseignements qui n'éclairaient guère ma lanterne.

— Et qui est le vieil homme?

— Celui-là est arrivé avec le « musuman » de Yeza, dans le bateau qui est reparti avec Sigbert et Faucon rouge.

— Qui est Faucon rouge?

— C'est le vrai nom de Constance; je veux dire que c'est comme ça qu'on l'appelle dans son pays, m'expliqua Roç; et le vieux, c'est le père de Créan, même si on l'appelle John pour que personne le sache!

— Et John est venu avec qui?

— Je te l'ai déjà dit, avec cet homme au turban très gentil! — Yeza ne comprenait pas que je puisse avoir tant de difficulté à m'y retrouver.

— Et qui est la femme qui me demande?

Nous entendîmes alors des voix et des pas au-dessus de nos têtes:

— ...et voilà que quelqu'un envoie une prostituée à mon

château et qu'elle me remet un portrait de votre moine, Élie
— la comtesse semblait bouillir d'indignation —, en exigeant
que je le lui rende. Je veux dire, elle exige que je lui rende ce
Guillaume en m'assurant qu'il y a un message important
sous le portrait, apparemment. Voyez vous-mêmes !

— Mais c'est du grec ! — Élie commença à traduire. —
« La grande prostituée de Babylone... »

— Quelle insolence ! explosa la comtesse.

— « ...cherche le père des enfants, dont elle sait qu'il est
avec vous. »

Ce fut le silence dans la salle.

— Il faudrait les attacher tous les deux à une meule de
moulin, cette femme de mauvaise vie et son moine indigne,
pour les jeter à la mer ! — C'était le « musulman très gentil »
qui venait de prononcer ces paroles.

— La grande prostituée de Babylone, expliqua Élie, ne
désigne pas la messagère, mais la curie, ce qui signifie que
nous sommes en danger. « Le père des enfants » désigne
Guillaume, car c'est l'unique personne qui, à la connaissance
de l'Église, s'occupe des enfants. Et naturellement, elle sait
aussi qu'il est ici, à Otrante.

Ce fut de nouveau le silence que vint rompre la voix du
musulman : — Mais d'où cette femme a-t-elle sorti le portrait et le message ?

— Un moine, répondit la comtesse, un franciscain aux
cheveux frisés qui apparemment a failli tomber entre les
mains d'un sbire du pape, expliqua-t-elle en achevant son
récit de la conversation qu'elle avait eue avec cette « insolente femme de mauvaise vie ».

— Je n'en connais qu'un qui réponde à cette description : mon homme de confiance au château Saint-Ange. —
Élie réfléchit un instant. — Mais Lorenzo devrait être déjà
parti à Lyon pour voir le pape...

— Bel homme de confiance ! se moqua l'homme au turban, comme l'appelait Yeza.

— Il a voulu me prévenir du danger, mais je n'étais plus
là — Élie ne se défendait pas. Les autres semblaient considérer qu'il avait commis une imprudence, qu'il aurait dû
m'envoyer dans un désert ou me garder prisonnier à Cortone, puisqu'il n'avait pas pu se décider à me faire empoisonner par Gersande. — Lorenzo n'avait pas de temps à perdre.

Et il était poursuivi. En fait, je crois qu'il a fait preuve d'intelligence en utilisant cette prostituée itinérante comme messagère au-dessus de tout soupçon, puisque Dieu a voulu que cette cantinière s'amourache du malheureux Guillaume. Mais j'y pense, comment s'appelle-t-elle ?

— Ingelise, Isalinde, quelque chose du genre. Une Allemande, répondit la comtesse d'une voix méprisante. Originaire de Metz !

Pour un peu, la surprise m'aurait envoyé à trépas ! Mais je me dis ensuite que c'était une bien agréable surprise ! Dans ma situation, toute main secourable ne pouvait que m'être utile. Cette femme serait peut-être mon salut. Sinon, nous allions mourir tous les deux...

LA MINE BORGNE

Occitanie, automne de l'an 1245

Le contact intime avec la chair de cette femme à peine vêtue — elle ne portait qu'une mince chemise de mousseline et s'appuyait contre lui pendant que la voiture descendait la côte à toute allure — faillit faire perdre la tête à l'inquisiteur. En tout cas, il en perdit certainement le sens de la chasteté que prescrit l'Église. La femme avait les mains liées et, en la jetant à l'intérieur, les valets avaient fait si bien qu'elle était tombée en plein sur les parties honteuses de l'homme dont elle avait essayé de se saisir en dépit des secousses. L'autre avait eu beau résister, prier et blasphémer, il avait senti croître son membre entre les mains de la femme dont la poitrine blanche s'écrasait sur son visage glabre. Fulco de Procida avait serré les lèvres afin d'empêcher sa langue de céder au plaisir que ses yeux fermés et son nez devinaient tout proche.

Quand les cahots se firent moins violents et que les craquements de la voiture se furent apaisés un peu, Fulco de Procida pensa que le pire était passé et la luxure abandonna d'abord ses membres, puis son esprit.

Dans l'ombre de la voiture, il tenta de s'écarter du corps de la femme et souffla furieusement quand il vit qu'elle restait immobile, comme épuisée après un acte violent auquel il avait participé sans en tirer profit. La poitrine blanche sillonnée de veines bleues de la femme palpitait, ses yeux remplis de larmes lui donnaient un regard aussi beau que celui d'une *madonna*; un regard lumineux que soulignait encore l'auréole de ses tresses blondes. Il sentit l'envie de remonter tendrement sa chemise sur son derrière pour la prendre *a tergo*, ne serait-ce que pour ne plus voir ses yeux inondés de larmes qui se posaient sur lui, remplis de craintes et d'angoisses, et même d'humilité.

La voiture s'arrêta et il passa la tête par la fenêtre.

— *Le trou' des tipli' es!* l'informa le cocher en montrant la forêt où s'élevaient des murs sombres et sinistres de basalte d'un bleu presque noir. — Une forteresse des templiers qui n'a vraiment pas la réputation d'être hospitalière.

— Nous n'avons pas le choix, répondit l'inquisiteur. Ils ne peuvent pas refuser d'héberger un fonctionnaire du pape.

La voiture continua donc en brimbalant vers le château dont les murs lisses paraissaient de plus en plus vertigineux et sinistres dans leur ascension vers le ciel à mesure qu'on s'en approchait. Dépourvus de créneaux et de tours, ils formaient un cube légèrement incliné qui se dressait comme un corps étranger au milieu des sapins, comme si un poing l'avait descendu du ciel pour le planter sur terre. Au fond d'une gorge encaissée déboutait un torrent sauvage qui avait imposé la construction d'un pont-levis; la grande porte qui s'ouvrait derrière dissimulait complètement l'intérieur aux regards curieux.

A peine la voiture de l'inquisiteur eut-elle franchi le pont pour s'avancer sur le terre-plein situé devant la porte qu'une herse tomba derrière elle et que le pont se releva, emprisonnant les voyageurs dans une chambre de pierre plongée dans le noir. Par une meurtrière, une voix leur demanda sèchement ce qu'ils voulaient.

Malgré sa colère, l'inquisiteur garda son sang-froid et déclina son identité :

— Un serviteur de la curie en mission extraordinaire — et il voulut qu'on lui dise le nom du château et celui du châtelain. L'inquisiteur Fulco de Procida demandait hospitalité et protection pour la nuit.

La voix du garde était parfaitement neutre :

— Le château n'a pas de nom et ce n'est pas un château. Il peut vous offrir la sécurité, mais pas le lit, pas même de foin ou de paille !

— Tant pis ! grogna l'inquisiteur, comprenant qu'il ne trouverait ici même pas un commandant disposé à le saluer. La herse intérieure se releva bruyamment, les vantaux de la porte s'ouvrirent et la voiture put sortir de son étroite prison pour pénétrer dans la cour de la forteresse. C'était un carré vide d'où ne montait aucun escalier vers le sommet de la muraille ; seul le côté du fond, tourné vers la montagne, présentait quelques ouvertures, maintenant fermées, suffisamment vastes pour laisser passer une charrette. A une certaine hauteur s'ouvraient dans ce même mur quelques meurtrières qui semblaient faire office de fenêtres.

Deux sergents vêtus de manteaux noirs frappés de la croix rouge aux branches griffues s'approchèrent de la voiture :

— Vous allez franchir la quatrième porte de l'Apocalypse et traverser la grotte de l'Évangile apocryphe ; ensuite, vous prendrez à gauche dans la seconde mine de la Prostituée de Babylone, puis la première entrée à droite, et vous vous trouverez dans la cathédrale de la Grande Bête. Vous pourrez vous y reposer avec toutes les commodités que vous emportez avec vous. A six heures du matin, vous devrez nous quitter !

— Je vous remercie de tout cœur, commença l'inquisiteur, mais le plus jeune des deux sergents lui coupa la parole :

— Vous pouvez garder vos remerciements pour vous. Et souvenez-vous bien des consignes !

— Le moindre écart par rapport au chemin prescrit, ajouta l'aîné des sergents d'une voix sévère, aurait de graves conséquences. Bonne nuit !

Grinçant des dents de colère, l'inquisiteur fit signe à son

cocher d'avancer, espérant qu'il se souviendrait de la route indiquée. Une main invisible ouvrit la quatrième porte et ils entrèrent dans le souterrain.

Il faisait un froid désagréable dehors, mais l'intérieur de la montagne était illuminé par la chaude lumière d'innombrables lampions suspendus au rocher qui donnaient aux grottes l'aspect d'un royaume enchanté. Les galeries se resserraient parfois pour ne plus laisser qu'un étroit passage, puis s'ouvraient en vastes salles où des lacs reflétaient les splendides stalactites qui pendaient du plafond, tandis que les stalagmites croisaient au-dessus en prenant d'étranges formes.

Ils arrivèrent ainsi au temple de la Bête. C'était une grotte aussi haute qu'une cathédrale, pourvue de colonnes et de piliers, au fond de laquelle on voyait une statue qui ressemblait à un sphinx à tête de bélier : c'était l'autel d'une divinité terrifiante à laquelle le jeu des lumières donnait un relief qui paraissait presque menaçant. Fulco se signa machinalement quand il la vit en descendant de voiture.

Puis il ordonna à ses serviteurs de faire sortir la femme de la voiture et de l'attacher aux roues de telle façon que le moindre mouvement des chevaux l'écartèlent.

— Continuons l'interrogatoire, dit-il d'une voix sourde. Attaché entre les roues, le corps généreux de la femme ressortait encore davantage à travers la chemise et les lumières vacillantes stimulaient l'imagination de l'inquisiteur. Tout à coup, il eut l'impression que ce visage délicat lui adressait avec ses yeux clairs une invitation au plaisir, une promesse de séduction. Ne lui offrait-elle pas ses lèvres brillantes ? — Votre mari ne savait rien ? La vérité, c'est qu'il n'a pas parlé assez vite, se moqua-t-il avec une satisfaction visible. Mais vous, Alfie de Cucugnan, vous en savez davantage et vous brûlez du désir de me le dire.

La femme s'était remise à pleurer quand l'inquisiteur avait mentionné la mort de son mari, mais ses larmes ne firent que mettre l'autre en appétit.

Il donna un signal et le cocher fit avancer les chevaux, arrachant presque de l'épaule un bras de la malheureuse, tandis que l'autre était tiré vers le bas, ce qui fit casser les lacets de sa chemise, libérant complètement ses seins. Les roues revinrent à leur position première et la chemise glissa peu à peu sur les hanches de la femme, révélant son ventre rond, puis le promontoire de son sexe dont la toison aux boucles d'or n'était pas assez dense pour le protéger du regard fixe de l'inquisiteur et de ses valets. Désespérée, la femme ferma les cuisses; sa respiration de plus en plus haletante soulevait ses seins.

— Je... j'étais la nourrice des enfants! expliqua-t-elle, presque en criant. Je les ai eus ici, collés contre ma poitrine, ils ont bu le lait de mes seins! criait-elle maintenant à ses bourreaux. Que voulez-vous savoir de plus?

— Qui est la mère? haleta Fulco, profondément troublé. Une envie soudaine lui commandait de s'approcher d'elle devant ses hommes, de sortir de ses chausses son membre raidi et de l'introduire dans la vulve dorée que lui offrait le corps tordu de la femme. Mais il parvint à se dominer. — Qui est la mère? cria-t-il encore.

— La fille de..., gémit la femme; mais elle s'interrompit, car elle venait d'apercevoir derrière ses tortionnaires un templier qui lui faisait signe de se taire, un doigt posé sur la bouche. Et il souriait pour l'encourager, comme s'il voulait lui dire que ses souffrances allaient bientôt prendre fin.

L'inquisiteur se retourna à demi et vit de l'or, un morceau d'or scintillant sous forme de lingots bruts, que le templier transportait nonchalamment dans une corbeille plate.

— Je ne veux pas vous déranger dans l'accomplissement de votre devoir, murmura le templier comme s'il voulait continuer son chemin.

— Que transportez-vous donc? demanda Fulco en l'arrêtant.

— Oh! répondit le sergent, les lingots tombent des murs dans certaines galeries, un peu plus loin; il y en a tellement que nous avons du mal à les enlever. Et vous savez comme l'*aurum purum* est pesant! — puis il poursuivit tranquillement son chemin.

L'inquisiteur était un peu perdu.

— Fille de qui? demanda-t-il enfin, mais la femme ne disait rien et ses gémissements reprirent de plus belle. La fille du châtelain? — il avait compris que la persuasion donnerait de meilleurs résultats que la torture. — Esclarmonde de Perella? — Elle hocha la tête en sanglotant. — Et ils sont tous les deux ses enfants? Ce sont des jumeaux? — La

femme lui sourit, comme si c'était elle qui avait eu le bonheur d'être doublement mère. — Qui est le père, et comment
s'appellent les enfants?

— Personne n'en a jamais parlé, répondit-elle dans un
murmure. Esclarmonde n'a jamais parlé d'un père...

— Un ange peut-être! se moqua l'inquisiteur. Pourtant,
l'immaculée conception est un privilège de Marie et de
l'Église. Qui était l'amant de l'hérétique?

— Je n'en sais rien! soupira la femme en rougissant.
L'inquisiteur fut à nouveau tenté de s'en remettre à ses chevaux pour continuer l'interrogatoire. Finalement, c'était
peut-être le meilleur moyen de découvrir la vérité. Mais la
femme continuait : — Personne de Montségur en tout cas, je
m'en serais rendu compte...

Un autre templier entra dans la cathédrale; il traînait
une corbeille encore plus grosse et des pierres précieuses
brillaient au milieu de l'or : des morceaux de rubis rouge
sang, d'une clarté merveilleuse; des émeraudes récemment
extraites de la roche, des diamants d'une pureté cristalline et
d'une grosseur jamais vue. Les yeux de l'inquisiteur lui sortaient de la tête. Il suivit du regard le sergent qui s'éloignait
dans la galerie en tirant derrière lui son lourd chargement.

— De qui alors? Les noms! criait-il. Dis-moi leurs
noms, femme de mauvaise vie! Sinon...

La femme lui sourit derrière ses larmes :

— Roger Raymond Bertrand et Isabelle Constance
Ramona! s'exclama-t-elle fièrement.

Mais le premier sergent revenait et il laissa tomber ces
mots comme par étourderie :

— Si vous voulez, je me ferai un plaisir de vous montrer
la grotte où nous prenons ces trésors. — Et comme s'il se
rendait compte que l'autre, trop avide pour ne pas faire taire
sa méfiance, s'apprêtait à accepter son offre, il continua d'un
air de conspirateur : — Prenez la voiture avec vous, car c'est
très lourd. Personne ne saura jamais si vous en emportez un
peu comme souvenir, murmura-t-il avec un ricanement
engageant. Je vous montre le chemin. Suivez-moi!

Ils s'empressèrent de détacher la femme et l'inquisiteur
lui lança une couverture pour qu'elle couvre sa nudité. Puis
ils suivirent à pied la voiture. Le sergent les conduisit dans
un labyrinthe de galeries et de grottes, par un chemin qu'ils

n'auraient jamais trouvé seuls. La galerie était de plus en plus basse et étroite; des deux côtés, on voyait de fortes planches de chêne posées sur des pieux de bois qui protégeaient les ouvriers des chutes de pierres. Fulco jubilait intérieurement : « Nous sommes dans la chambre au trésor. » Sa soif d'or grandissait, comme celle de ses valets, eux aussi pris par la fièvre; ils poussaient sur les roues et tiraient les chevaux en trébuchant sur les bosses du chemin.

Finalement, la sombre galerie s'élargit en une petite grotte, éclairée par de rares lampes à huile accrochées aux parois, mais leur lumière faisait scintiller des éclats dorés qui se détachaient sur les fines pierres cristallines. Les valets commencèrent à fouiller parmi les gravats.

L'inquisiteur voulut se joindre à eux, mais son regard se posa sur la femme. La couverture entrouverte laissait voir ses cuisses et il s'approcha.

Il la prit par la main et elle se laissa conduire dans la voiture. Puis elle se glissa à l'intérieur, s'allongea et ouvrit ses cuisses dans le noir. Elle avait toujours les mains liées. L'homme baissa ses chausses mais, quand il sortit son membre, dut bien constater qu'il était flasque. — *Vasama la uallera!* blasphéma-t-il en dialecte napolitain, mortifié de cette faiblesse de son corps.

La tête de la femme reposait au fond de la voiture, auréolée de ses tresses étalées. Furieux, il évita son regard; s'il l'avait regardée en face, il aurait vu qu'elle le scrutait avec des yeux froids et cruels. Elle lui tendit les mains, apparemment bien disposée, et il la détacha avec des gestes malhabiles.

Elle prit alors timidement le membre que l'homme lui montrait dans son poing fermé. Puis elle se laissa glisser hors de la voiture et s'agenouilla à ses pieds. D'en haut, il ne voyait que ses cheveux lorsqu'elle se pencha en avant, mais il entendit clairement sa voix à son oreille :

— Je t'ai menti!

— Ne commence pas à raconter des histoires! gronda l'inquisiteur.

— Roger et Isabelle ne sont pas des jumeaux, reprit-elle sans s'émouvoir. Avant l'accouchement d'Esclarmonde, et tout le monde était au courant au château, on a amené dans le plus grand secret une jeune fille noble, très avancée dans sa grossesse. Avec l'aide d'une sage-femme, les médecins ont fait en sorte que les deux femmes mettent au monde en même temps — Fulco crut constater que la résistance de la femme, si elle résistait encore, avait considérablement baissé. Il poussa son sexe contre son visage, jusqu'à le glisser entre ses dents. — Je dois continuer, monseigneur?

L'inquisiteur balançait entre le doute et le désir, la rage et le péché; entre l'accomplissement de son devoir et le temps qui filait. Il y avait tant d'or à ramasser là-bas!

La femme lui épargna la peine de se décider:

— Esclarmonde a mis au monde une petite fille et l'on a déposé l'enfant de l'autre côté d'elle dans le berceau, un garçon. Quand je...

— Monseigneur! appela le cocher à voix basse, navré de déranger son maître dans l'exercice des devoirs de sa charge, cette mine est borgne, c'est un cul-de-sac, et le templier n'est pas revenu...

— Cherchez-le! gémit l'inquisiteur, de moins en moins sûr du secret qui importait le plus: l'origine des enfants, la provenance de l'or ou l'ultime satisfaction que procure le ventre d'une femme?

— *La uallera!* s'écria-t-il, puis il se prit les couilles, fit basculer la tête de la femme en arrière en la tirant par les cheveux, et introduisit son membre dans sa bouche ouverte et tremblante. Il sentit le mouvement de la langue et ferma les yeux. Les mains de la femme coururent sur son corps, remontèrent jusqu'à sa tête et l'attirèrent vers le bas; ses doigts le caressaient, palpaient ses tempes. L'homme sentit que le sang faisait enfler son membre qui se durcissait. — Continue! cria-t-il.

Au même instant, elle le mordit. Ses dents se plantèrent dans ses testicules gonflés et, tandis qu'elle tirait et mordait, elle lui enfonça les ongles des pouces dans les yeux, tout en essayant de lui arracher la chair des joues avec ses autres doigts.

Le hurlement de l'inquisiteur se transforma en un râle d'agonie. Ses bras se mirent à tournoyer comme les ailes d'un moulin, car il ne savait si se porter à la défense de son sexe ou protéger ses yeux ensanglantés. Finalement, la femme lui donna un coup et le fit tomber à la renverse sur les pierres où il resta à se tordre en hurlant de douleur.

Elle cracha du sang, sauta par-dessus l'inquisiteur et, avant que les valets épouvantés se puissent tendre la main pour se saisir d'elle, elle s'enfuit en courant par la galerie qu'ils avaient prise en arrivant. Elle avait l'air d'une folle quand elle tomba sur les deux sergents qui abattaient les étais de l'entrée de la mine à grands coups de masse. Les madriers s'effondrèrent, puis on entendit un craquement dans la pierre et une montagne de décombres s'effondra dans un bruit assourdissant.

L'inquisiteur et ses domestiques furent ensevelis dans la grotte avec la voiture et les chevaux. Pas un bruit ne sortit à l'extérieur. Une pierre défonça le crâne du prêtre. Les domestiques moururent des jours ou même des semaines plus tard dans cette mine noire, quand la viande des chevaux fut complètement pourrie.

HISTOIRES DE FEMMES

Otrante, automne de l'an 1245 (chronique)

Le petit reptile sortit la langue et happa adroitement la mouche, au moment où l'insecte allait prendre son vol.

Si les mouches se posaient sur le mur chaulé, c'est qu'elles étaient attirées par des restes odorants de caillebotte au miel et de figues écrasées dans des plats posés par terre. Les enfants avaient laissé la vaisselle sur le sol pour faire plaisir au gecko. Mais le timide animal avait un peu tardé à accepter l'invitation et Yeza avait eu du mal à s'empêcher de le caresser. A plat ventre, Roç faisait fuir les mouches vers le mur. Totalement absorbés, les deux enfants se demandaient si la patience du reptile l'emporterait sur la nervosité des insectes.

J'avais approché une chaise dans le coin du « dieu naseau » et je prenais connaissance avec un soulagement croissant de choses que, par ailleurs, j'étais heureux que les enfants n'entendent pas.

— A ce que je vois, disait le vieux John, nous ne pouvons pas éviter pour le moment de laisser la vie sauve à Guillaume de Rubrouck. Le seul danger immédiat vient des sbires de l'Antéchrist qui cherchent les enfants et voudraient tant avoir leur sang. Les bourreaux du pape sont peut-être sur le point d'arriver, ou peut-être même sont-ils déjà ici, cachés dans le château. Nous devons mettre immédiatement en sûreté le *sang réal*... — Tremblante d'émotion, la voix de John paraissait sur le point de se briser.

— Ne craignez rien, maître vénéré, l'interrompit Élie. Il n'y a pas de danger pour le moment : Otrante est sûre...

— A l'intérieur comme à l'extérieur, s'empressa d'ajouter la comtesse. Je peux compter sur la loyauté de mes gens : avant de me trahir, ils préféreraient mourir sous la hache du bourreau ! Comme ils seraient prêts à tailler en pièces les traîtres !

— La situation est grave, fit à son tour le musulman avec calme. L'heure n'est pas à chercher des coupables, mais il est clair que la cachette des enfants n'est plus un secret !

— Il faut les mettre tout de suite en lieu sûr ! grogna le vieux John. Vous, Tarik, chancelier des Assassins, vous qui avez juré d'assurer le salut du sang sacré...

— *Maestro venerabile*, l'interrompit Tarik d'une voix patiente, n'ajoutons pas de nouvelles erreurs à celles déjà commises. Il est vrai que Guillaume doit sortir vivant d'Otrante avec les enfants. Mais, doit-il nécessairement s'agir des mêmes enfants ? Qui les connaît ? Personne, sauf nous. Je veux dire qu'il devrait être possible de trouver un garçon et une fille à peu près de la même taille et du même âge. J'envoie tout de suite mes gens...

— Un moment, fit la comtesse. Tarik, j'apprécie votre compétence et votre esprit de décision. Mais nous mettrions inutilement Otrante en émoi si nous nous commencions à voler des enfants comme des pirates. Le peuple me condamnerait et, pis encore, il commencerait à murmurer, à calomnier. Et finalement tous nos efforts auraient été vains. Cependant, reprit-elle après un instant de silence, il se trouve que j'entretiens un orphelinat dans le port. Vous pourrez aller y chercher ce qu'il vous faut; personne ne s'inquiétera de la disparition de deux de ces malheureuses créatures. Et nous aurons deux bouches de moins à nourrir!

— Ah! Laurence, murmura Élie, que devrions-nous sans votre force et votre sagesse!

— Ce que vous êtes à présent, Élie, de faibles hommes!

Le chancelier des Assassins préféra mettre un terme à la dispute qui s'annonçait:

— Dans ce cas, comtesse, offrez-moi votre bras puissant et accompagnez-moi chez vos protégés : il n'y a pas de temps à perdre!

Le bruit des voix qui s'éloignaient nous empêcha de nous rendre compte que quelqu'un était entré dans la pièce. C'était un tout jeune homme.

— Voilà Hamo, annonça Roç, le fils de tante Laurence. Le jeune homme nous regardait sans mot dire. Depuis combien de temps écoutait-il? Les enfants me parurent un peu troublés; peut-être avaient-ils saisi un détail ou un autre de ce que j'avais entendu par l'oreille du « dieu naseau ».

— Ils veulent nous emmener? demanda Yeza, très excitée. Tu as entendu, toi aussi?

Roç prit un air important:

— Ils veulent se débarrasser de nous! — Puis il ajouta après mûre réflexion : — Encore heureux que Guillaume parte sur le même voilier que nous!

— Mais si le bateau n'est pas encore revenu, protesta faiblement Yeza.

— Que tu es bête! Ils vont prendre celui de cette étrangère. Tu sais bien qu'ils ne l'aiment pas du tout. On parie?

Ce fut au tour de Hamo d'ouvrir la bouche et il me fit l'impression de raisonner comme un adulte:

— Vous devriez sortir tout de suite d'ici. On ne doit pas vous trouver dans la chambre de Guillaume. Et d'ailleurs, comment êtes-vous entrés?

— Par la porte, comme vous! m'empressai-je de répondre, tout en partageant son avis. Vous devriez vous en aller — et quand je vis qu'ils hésitaient, j'ajoutai pour leur donner du courage : — Vous savez maintenant que nous allons faire un autre voyage très amusant et que nous resterons ensemble — les enfants retrouvèrent aussitôt leur bonne humeur et sortirent en courant de la pièce dont Hamo n'avait pas refermé la porte.

— Vous pourriez vous enfuir vous aussi, Guillaume! fit-il d'une voix grave. Profitez donc de l'occasion!

Mais je ne voulais pas. Je me sentais obligé de veiller sur ces enfants, autant parce qu'ils me donnaient le titre de « père » que parce que je leur tenais lieu en partie de mère, un rôle auquel je m'identifiais bien davantage, soit dit en passant.

— Et vous, jeune seigneur, comment se fait-il que vous vous intéressiez tellement au sort d'un humble frère comme moi? demandai-je prudemment.

— Je déteste la façon dont ils prétendent diriger le destin des autres. Écoutez!

Restés seuls dans la grande salle, John et Élie étaient revenus à portée de notre « oreille ».

— Je mets mes soldats à votre disposition et nous devrions proposer à Tarik de nommer Créan commandant, disait le Bombarone. Le groupe, avec Guillaume et les faux « infants », devrait traverser tout le pays en direction du nord en se faisant remarquer le plus possible. Je propose même qu'ils passent près des limites du *Patrimonium Petri*, mais pas au point d'être attaqués et capturés, car nous ne tenons pas à ce qu'on voie la tête de ces pantins. Nous voulons simplement faire courir une rumeur pour qu'elle arrive jusqu'au château Saint-Ange, aux oreilles du pape...!

— Excellente idée, cher Bombarone, fit John de sa voix rocailleuse, tellement bonne que je me demande pourquoi je n'y ai pas songé plus tôt. Mais si vous aviez expédié Guillaume en enfer ou au pays des Mongols quand il était encore à Cortone...

— Vénéré maître, répondit Élie, un peu embarrassé, comment aurais-je pu laisser partir Guillaume sans votre autorisation? Je ne pouvais pas non plus le laisser à Cortone. Nous savons maintenant que les papistes s'y promènent comme s'ils étaient chez eux...

— C'est ce qui arrive lorsqu'on laisse la maison aux soins des domestiques! — Le vieux John avait réponse à tout.

— Je ne pouvais qu'obéir à vos *preces armatae* par lesquelles, usant de vos prérogatives, vous m'avez ordonné de me présenter ici au nom de l'Ordre que nous servons tous les deux ! J'ai dû peser la situation et j'ai pris la décision qui me paraissait la plus judicieuse. J'espère que vous pourrez me pardonner !

— Le Prieuré ne pardonne pas les erreurs et notre pacte avec les Assassins garantit le sérieux de notre entreprise ; pourtant — et le vieux John décida de se montrer plus humain, attitude que lui permettait sa charge puisqu'elle le plaçait au-dessus de la critique des simples mortels, mais pas de tous cependant —, vous ignoriez qu'on poursuivait Guillaume. Il est vrai que si ce moine est toujours vivant, c'est mon fils Créan qui en est responsable. Vous ignoriez que les enfants étaient ici, à Otrante. Il y a des avantages à ce que tous ne sachent pas tout, mais aussi des inconvénients. Celui qui ne sait rien ne peut rien dévoiler. Vous étiez dans l'ignorance et vous n'avez donc pas trahi, mais la chance vous a abandonné. Votre erreur vous poursuivra toujours. Mais en ce qui me concerne, je vous absous.

Élie resta un moment silencieux.

— *John Turnbull, comte du Mont-Sion, vénérable maître, vous êtes un homme sage. Vous savez que ma vie appartient à l'empereur. Vous avez pris en compte le rôle de votre propre sang dans cette affaire. Mais comment n'éprouvez-vous pas de compassion pour Guillaume qui lui non plus n'a pas trahi et qui est dans l'ignorance de tout ?*

— Parce que nous devons obéir aux signes que nous envoie Allah, fit tout à coup la voix cassante de Tarik. Comme le dit si bien votre philosophe Boetius, quand la roue du destin entraîne un homme, mieux vaut tuer de suite le malheureux, avant qu'il ne cause de plus grands malheurs ou qu'il ne vienne perturber le cours des événements. Et quand une mouche tombe par deux fois dans la soupe, *venerabile*, il faut punir le cuisinier qu'il l'a repêchée la première fois sans la tuer !

C'est alors que John Turnbull intervint, et l'on pouvait voir à sa voix qu'il se sentait offensé dans son autorité :

— Nous avons trouvé une meilleure solution, meilleure même que le *status quo ante*...

— Le mieux a toujours été l'ennemi du bien ! lança Tarik sur un ton railleur, mais John continua sans broncher :

— Comme nous avons besoin d'un commandant avisé et énergique, nous avons pensé à Créan...

— En aucun cas! répondit âprement Tarik. J'ai déjà eu lieu de me repentir d'avoir mis Créan de Bourivan à la tête de cette mission. Il semblait être l'homme de la situation, puisque ces régions lui sont familières. Et pourtant, il n'a pas été à la hauteur au moment crucial. Ne tentons pas une nouvelle expérience. Nous savons mieux maîtriser nos émotions que vous autres en Occident, où l'on a coutume de donner la possibilité de se racheter pour des motifs purement sentimentaux. Je vous rappelle que c'est moi qui commande à Créan, *venerabile* John Turnbull!

— Pourtant, je désire vous exposer notre plan, éminent chancelier, intervint Élie, de méchante humeur cette fois. L'épée de Damoclès n'étant plus suspendue au-dessus de sa tête, le vieux Bombarone refaisait surface, il avait retrouvé son ancienne arrogance. — En ce moment même où nous perdons notre temps à discuter, notre bien-aimé saint-père envoie des missions partout dans le monde; il envoie mon frère Lorenzo d'Orta à Antioche, de même que le dominicain André de Longjumeau. L'un pour négocier avec l'Église grecque, l'autre pour que les jacobins reconnaissent sa suprématie. Et il veut aussi envoyer le frère d'André, Anselme, en Syrie et à Tabriz...

— En quoi cela nous concerne-t-il? aboya Tarik.

— Attendez: le franciscain Giovanni del Piano di Carpini est sur le point de partir en mission au pays des Tartares, par le sud de l'Allemagne et de la Pologne. Sa destination est Karakorum et la cour du Grand Khan...

— Et alors?

— Nous ferons en sorte qu'il emmène avec lui Guillaume et les enfants; ainsi, nous pourrons être sûrs que tout le monde parlera de leur voyage pendant deux ans. Les bonnes âmes seront émues et, s'ils ne reviennent pas, tout le monde les pleurera; ce qui importe, c'est que personne ne doute qu'ils ont entrepris ce voyage, absolument personne! Pian est au-dessus de tout soupçon, surtout et avant tout aux yeux du pape et de sa clique! Ce qu'il faut à présent, c'est conduire Guillaume et les enfants au point où leurs chemins se croiseront. Et plus nous attendons, plus cette possibilité s'éloigne!

— J'ai besoin de Créan pour d'autres tâches, répondit sèchement le chancelier.

— Je les conduirai, moi! — C'était la voix de Hamo que j'entendais là-haut. Je ne l'avais pas vu se retirer, mais il avait probablement suivi toute la conversation.

— Attends dehors qu'on t'appelle! lança aussitôt la comtesse, sans que sa voix indique si elle était fière que son fils veuille quitter la maison ou si la mère en elle se rongeait d'inquiétude. Laurence prit l'initiative avant que la discussion ne recommence.

— Messires sont servis!

La salle d'en haut me sembla se vider aussitôt. Peu après, on me servit à moi aussi un copieux souper et, comme j'avais maintenant acquis la certitude qu'on me ferait arriver vivant à la cour des Mongols, je m'empiffrai avec le meilleur des appétits. D'abord, ce furent des huîtres fraîches que je relevai d'un peu de poivre et de jus de citron. Elles eurent un sursaut, comme il se doit, et ma vitalité retrouva un nouvel élan. J'aurais aimé qu'Ingolinde soit en face de moi, nous nous serions mutuellement donné les mollusques en les faisant glisser de nos langues. Mais la brave fille de Metz était sans doute repartie, offensée et déçue. Je me consolai avec une excellente soupe de poisson. Je gobais les coquillages que j'ouvrais avec entrain, puis me régalai avec les pattes, les têtes et les arêtes. J'eus peine à profiter de la chair grasse de la murène, dans une sauce au fenouil et à la sauge, accompagnée de morilles spongieuses, car j'étais vraiment repu. Avec quel plaisir aurais-je chevauché Ingolinde, ma splendide prostituée! Mais je dus me contenter du dessert, des raisins que je consommai seul, sans avoir devant moi mes lèvres humides, sa poitrine abondante, son pubis obscur où les grains de raisin auraient pu danser, crever, s'écraser. Je les avalai sans joie et m'effondrai sur le lit.

Peu après, la porte s'ouvrit sur la comtesse et Élie. La comtesse était une femme impressionnante. Elle avait les cheveux roux, probablement teints au henné, très lisses et tirés en arrière, et ses yeux verts brillaient d'une lueur menaçante. Elle ne portait pratiquement pas de bijoux: à peine une bague de grand prix et un lourd bracelet.

Je me redressai en sursaut. Pendant ce temps, elle s'approcha de la fenêtre:

— Allez chercher Hamo! dit-elle à deux gardes qui encadraient la porte.

Élie examinait les restes de mon souper. Puis il me dit :

— Guillaume, j'espère que tu es bien rétabli, car tu vas repartir en voyage ce soir. — Je fis semblant d'être surpris et curieux. — Le fils de la comtesse prendra le commandement de mes soldats et j'attends de toi, pour ton propre bien, que tu te montres aussi compréhensif que tu l'as été jusqu'à présent. A la première tentative de parler à un étranger, ce sera la fin de ta jeune vie. A plus forte raison si tu tentais de fuir!

Je lui répondis avec toute l'obéissance que je lui devais :

— Vous pouvez être tranquille, mon général. J'irai où vous voudrez, quand vous voudrez et jusqu'au bout du monde, mais permettez-moi d'y aller à pied! Ne m'obligez pas à m'asseoir encore sur un cheval! Je n'y résisterais pas et je préférerais une mort subite; un coup de poignard en plein cœur me plairait plus que ces milliers de poignards que je sens encore dans mon... — je retins ma langue à cause de la présence de la dame, une dame qui avait lancé un regard sévère dans ma direction quand j'avais commencé ma requête.

— Il n'a pas de souci à se faire pour son gros cul, dit-elle en s'adressant à Élie. Vous pourrez emmener une litière de plus : une pour les enfants, l'autre pour lui. Ainsi, ils attireront encore plus l'attention! — Élie acquiesça, et moi aussi qui débordais de gratitude.

— Tu vas retrouver le frère del Piano di Carpini et tu vas le suivre jusqu'à la cour du Grand Khan. Tu peux traîner les enfants jusque là-bas ou t'en débarrasser en territoire mongol. Ce qui importe, c'est qu'ils disparaissent sans laisser de traces et que tu reviennes sans eux!

Hamo était entré dans la pièce et il avait dû entendre la fin de la conversation. Il se tourna vers Élie :

— Guillaume ne m'inquiète pas. Il a parfaitement compris son rôle. Ce sont les enfants qui me préoccupent. Pendant le voyage, au moins tant que nous serons exposés à la lumière publique, sous la surveillance vigilante des agents du pape, il serait utile d'avoir une accompagnatrice...

— Non! s'exclama la comtesse d'une voix perçante. Non!

— Si fait! répondit fermement Hamo d'une voix cruelle. S'ils se sentent bien, s'ils ne manquent de rien, ils se tiendront tranquilles. Mais s'ils sont malades et s'ils pleurent parce qu'ils ont mal quelque part, la populace pourrait se soulever et l'on risquerait de découvrir leur identité; un danger que... que nous devons absolument éviter!

L'homme au turban, qui était .entré silencieusement dans la pièce, prit alors la parole :

— Bien pensé et bien parlé, jeune homme. Je vois que vous êtes le digne fils de votre mère et je retire le reproche que je vous ai fait de manquer de maturité. Ce qui vous manque, et ce n'est pas votre faute, c'est l'expérience. Nous ne devons pas prendre de risques inutiles!

Hamo s'inclina légèrement :

— J'exige que Clarion nous accompagne pour s'occuper des enfants!

— Il y a trois gardiennes à l'orphelinat et je dispose aussi d'un couvent de nonnes où tu pourras choisir qui tu voudras. Elles ont plus d'expérience des enfants que...

— J'insiste pour que ce soit Clarion, répondit Hamo en se tournant vers Tarik, sans même un regard pour sa mère. L'entreprise est si importante et secrète que je ne peux m'engager à rien si ma mère refuse que Clarion soit du voyage.

Silence. La comtesse regardait par la fenêtre, mais ses mains tremblaient imperceptiblement sur la grille, les jointures blanches à force de serrer si fort.

— Je vais en informer Clarion, dit-elle enfin, la gorge sèche. Elle se préparera tout de suite à partir, continua-t-elle d'une voix plus neutre, mais sans se retourner vers nous. Puis elle sortit en coup de vent.

Elle n'oubliera jamais ce que lui a fait son fils, me dis-je alors; cette femme sait haïr...

— Suivez-moi maintenant, Guillaume. — Hamo avait déjà pris le commandement. — Je veux éviter qu'ils vous voient encore ici. — Je compris qu'il voulait parler des enfants et je lui donnai raison en mon for intérieur. Des adieux m'auraient déchiré le cœur, car je savais qu'ils espéraient voyager avec moi.

— Guillaume, reprit Élie, je dois m'en aller maintenant. L'empereur a besoin de moi. Fais honneur à notre Ordre des frères mineurs — et il me donna quelques petites tapes sur l'épaule, ce qui me parut bien peu en regard du guêpier dans lequel son initiative me fourrait. Mais nous servons tous un maître. Dans son cas, en comptant qu'il avait été chassé de l'Église, il lui en restait encore deux.

Escorté par des gardes, je pris une enfilade de couloirs et d'escaliers pour arriver dans une partie du château qui donnait sur la mer. Les lieux semblaient pratiquement abandonnés. Il s'agissait sans doute des écuries dont m'avait parlé Roç. Mais il y régnait à présent une grande agitation. C'était un va-et-vient constant de valets qui préparaient les animaux et leur donnaient du fourrage. Des soldats entraient et sortaient de l'arsenal.

Jusque-là, je n'avais jamais vu les troupes qui défendaient le château. Sans doute n'avaient-elles accès au corps principal du château qu'en cas d'attaque ou de siège. Je fus surpris du nombre des soldats et officiers qui peuplaient ce souterrain.

Hamo, qui suivait notre groupe, ordonna aux gardes de nous laisser seuls.

— Je ne suis pas un bourreau, Guillaume, et encore moins le vôtre. Vous avez bien mangé, et en abondance. Je vous laisse le soin de décider de ce que vous voudrez faire de cette heure qui vous reste avant votre départ, dans l'intérêt de votre digestion !

— Je compte bien me soulager le ventre le moment venu, l'assurai-je. Hamo éclata de rire.

— Je ne parlais pas simplement de vos vents, mais aussi de vos petites affaires de cœur ! — J'étais confus, mais ne comprenais toujours pas ce qu'il voulait dire. Et mon désarroi grandit encore avec la suite : — Personne ne vous surveillera, mais n'oubliez pas que la règle tient toujours : un seul mot, et votre mort serait inévitable. Pas seulement la vôtre d'ailleurs, mais aussi celle de la personne qui aurait entendu ce mot !

Il me poussa dans une pièce et referma la porte derrière mon dos. Devant moi, dans la pénombre, je vis Ingolinde couchée sur un tas de paille.

— Cher Guillaume, enfin tu viens me retrouver ! — La femme ouvrit les bras, prête à m'attirer sur son sein merveilleux qu'elle avait complètement dénudé. Je mis un doigt sur mes lèvres et tentai de lui expliquer par gestes qu'on m'avait interdit de parler. Elle dut me croire fou, que la prison et la torture m'avaient fait perdre la tête. — Mon pauvre petit! Qu'est-ce qu'on t'a fait?

Je résolus de lui fermer la bouche, car même une question qui demeure sans réponse peut en dire long; or je ne voulais pas mourir, et moins encore maintenant! Je me jetai à côté d'elle dans l'herbe sèche et nous roulâmes sur ce lit blanc et odorant qui est un aiguillon si plaisant pour la peau nue. La bonne fille de Metz comprenait que j'étais pressé; elle écarta ses cuisses douces et attira à elle le trappiste que j'étais involontairement devenu. Je la chevauchai comme s'il s'agissait d'une question de vie ou de mort, avec d'autant plus d'intensité que je pensais à l'avenir qui m'attendait, car après le premier assaut — pendant deux ou trois semaines, je n'avais eu entre les cuisses autre chose qu'un dos de cheval —, je compris à mon grand chagrin que des mois d'abandon solitaire m'attendaient à présent. Quand je sondai pleinement la tristesse de semblable perspective, mes mouvements se firent moins précipités, mais à son tour, cette lenteur fut ce qui enflamma ma dame, laquelle se contentait généralement de jouissances rapides. Elle se mit à gémir. Ses beaux yeux se remplirent de larmes; elle criait de plaisir et je continuais à la monter sans savoir que faire, pensant à mon morne avenir, aux nuits glacées que j'allais passer dans les montagnes lointaines, rocailleuses et vides de tous êtres humains; à la soif et à la chaleur dont je souffrirais dans la forêt et le désert; et peu à peu, mes forces m'abandonnèrent, me laissant raide comme une trique, en train de besogner dans une sorte de piétinement mécanique. L'herbe sèche bougeait un peu avec moi, mais Ingolinde tremblait de plaisir comme si elle jouissait sous les assauts de régiments entiers, de hordes de Tartares; elle tressautait, se tordait, se cambrait; finalement, elle retomba dans le trou d'herbe sèche où nous avions fait notre nid comme des lapins. Ses seins frémissaient.

Elle ouvrit des yeux encore humides et me sourit.

— Salut, bel étranger!

Je l'embrassai tendrement sur la bouche, sans abandonner son corps, et même en me préparant à une nouvelle cavalcade. Mais on frappait à la porte.

— C'est l'heure, Guillaume !

Ingolinde me regarda comme pour me demander quelque chose, mais je ne voulais pas prolonger nos adieux. Je me levai, fis tomber l'herbe de mon habit et la laissai couchée sur le lit de nos plaisirs. Sans regarder derrière moi, je refermai la porte. Les soldats qui montaient la garde ne me firent pas savoir s'ils avaient vu ou entendu quelque chose, ou les deux. Ils me conduisirent en silence jusqu'à la porte principale.

Il faisait déjà nuit noire et quelques torches éclairaient à peine la voûte de la porte. Le pont-levis n'était pas encore abaissé. On me dit d'attendre. Je montai dans la litière qui m'était destinée et je m'endormis aussitôt.

AIGUES-MORTES

Aigues-Mortes, automne de l'an 1245

— Vous êtes une femme libre, vous pouvez aller où bon vous semble, Roxalba Cécilie Stéphanie de Cab d'Aret, dite la Louve !

L'inquisiteur qui présidait le tribunal était monseigneur Durand, évêque d'Albi. Un crochet de fer sortait d'une de ses manches et son cou était pris dans un collet de cuir rigide qui l'empêchait de bouger la tête. Mais ses yeux brillaient en parcourant la salle, montrant à l'évidence que son infirmité ne l'avait pas dompté.

— C'est Peire Vidal qui vous a donné ce nom, n'est-ce pas ? plaisanta-t-il en s'adressant à la femme qui s'était levée et qui montrait de fortes dents entre ses lèvres rouges et charnues.

— Cet imbécile a senti des désirs d'amour pour moi, répondit-elle d'une voix méprisante, et il s'est déguisé en loup. Mes clients l'ont laissé mal en point...

— ...pendant que vous vous amusiez avec Raymond-Drut, l'infant de Foix ? demanda l'évêque, curieux et malveillant.

— L'infant portait la poésie à la pointe de sa lance et il ne me cassait pas les oreilles avec ses chansons !

Le greffier posa sa plume et récita d'une voix monotone le procès-verbal de l'interrogatoire duquel il ressortait que la Louve exerçait d'innocentes activités de cueilleuse de simples, avec en conclusion cette phrase salvatrice : « ... elle sait le Credo, elle a pu réciter l'Ave Maria, elle a été respectueuse envers les prêtres présents, *ergo* elle professe, sans l'ombre d'un doute, la foi de l'Église catholique. »

La Louve regardait dehors par la fenêtre de la modeste maison de pierre qui se trouvait sur la place du marché d'Aigues-Mortes où l'on voyait, à côté du gibet, un pieu noirâtre dressé au milieu d'un tas de cendres encore chaudes. Pour cette fois, elle avait échappé à un sort cruel.

— Vous pouvez vous retirer, Madame, répéta Durand d'une voix courtoise, ou vous pouvez assister à l'interrogatoire suivant, pour vous faire une idée du combat que mène l'Église pour faire resplendir la vérité.

La Louve hésita, puis elle finit par s'asseoir. En plus de l'évêque d'Albi, qui l'avait convoquée comme d'autres suspects des environs de Montségur, des comtés de Foix et de Mirepoix, capturés dans les bois et grottes du pays, le tribunal se composait de Vitus de Viterbe, envoyé de Rome, et d'Yves Le Breton, représentant du roi de France. Il y avait encore trois assesseurs dominicains, un greffier et une douzaine de soldats de l'inquisiteur.

La Louve sentait les regards curieux, malveillants et même déçus des spectateurs dans son dos, presque uniquement des femmes de la garnison, ainsi que des fourriers et maréchaux-ferrants de l'armée qui tuaient le temps ici sans croire vraiment au début prochain d'une nouvelle croisade ; mais ils auraient bien voulu entendre une condamnation, voir comment on rallumait le bûcher. Et il y avait bien des gens qu'ils auraient voulu voir brûler !

Mais l'évêque fit évacuer la petite salle et le public s'exécuta en maugréant. Les soldats eux-mêmes durent se retirer.

Le greffier s'éclaircit la gorge :

— « Rapport de Palerme, commença-t-il. Esclarmonde de Perella — personne ne se rendit compte que la Louve tendait l'oreille, ou quelqu'un le vit-il ? — La susdite a copulé en cette ville avec Frédéric l'excommunié, pendant longtemps empereur et Antéchrist, lui qui mérite notre condamnation ! Le fruit de leur union : encore une fille bâtarde, née dans la forteresse aujourd'hui détruite de Satan, qui n'a jamais été baptisée. Son nom : Isabelle Constance-Raymonde. »

— « Isabelle » signifie qu'elle prétend à la couronne de Jérusalem ; « Constance » est le symbole du pouvoir du sang de son procréateur uni à celui de sa mère, car le fait que celle-ci soit normande établit un lien avec l'Aragon, expliqua l'évêque, et « Raymonde » représente la lignée occitane de la parturiente ! — L'amertume de l'infirme commençait à percer sous ses paroles de plus en plus véhémentes. Yves Le Breton haussa les épaules de dégoût et sortit.

Le greffier semblait avoir hâte de livrer l'information qu'il avait sous les yeux :

— « Procès-verbal de l'interrogatoire rigoureux de Mora de Cucugnan, cuisinière dans la forteresse de Satan et sœur de la nourrice du lieu, et conclusions complémentaires de son excellence monseigneur Durand, lequel a été libéré par décret extraordinaire du *secretum confessionis*, lut-il d'un trait. Les yeux brillants, l'évêque attendait avec impatience d'entendre la relation de ses propres investigations, si chèrement payées. La Louve était très attentive elle aussi, quoiqu'un peu inquiète. « Une femme appelée Blanchefleur, dont la mère inconnue appartient à la noblesse française et dont le père est Frédéric lui-même, si bien qu'elle était déjà une bâtarde, a couplé avec le dernier des descendants de la lignée des Trencavel, auparavant vicomtes de Carcassonne, appelé Roger Raymond Bertrand. »

— Dans ce cas, le nom de Roger est à la fois celui de son procréateur et de ses deux grands-pères, s'empressa de préciser l'évêque, et il en va de même du nom de Raymond ; quant à celui de Bertrand... — l'évêque semblait en proie à une lutte intérieure — ... il n'a pas d'importance en vérité, s'excusa-t-il pour justifier son hésitation.

Le silence pensif de Durand et l'indignation croissante

de la Louve furent interrompus par la conclusion furieuse de Vitus de Viterbe :

— Il est clair que nous sommes en face d'une intention certainement monstrueuse de l'empereur germanique de porter un coup en plein visage à notre Sainte Mère l'Église, puisque ce suppôt de Satan a tenté de mêler sa semence à celle des hérétiques et qu'il y est parvenu ; il garde le secret aujourd'hui, mais il présentera demain ses enfants comme les souverains d'un « monde nouveau » ; un monde dans lequel le rang de grand-prêtre, ou de grande-prêtresse, se confondra avec celui de souverain temporel. Une papauté hérétique associée à l'Empire germanique, à tout jamais !

L'évêque l'avait écouté avec étonnement :

— Vous auriez dû présenter cette thèse au concile, Vitus. Mais vous arrivez trop tard. Tout a été parfaitement ficelé à Lyon.

— C'est vrai. L'Église et le pape ont remporté une grande victoire. Mais l'Antéchrist n'a pas été détruit, et sa progéniture est toujours vivante !

— Avez-vous jamais songé, Vitus de Viterbe, répondit l'évêque, songeur, qu'il pourrait y avoir une autre interprétation ? Que nous pourrions être ici en présence d'une conspiration universelle par laquelle Satan, avec l'aide du sang des hérétiques et d'autres auxiliaires encore pires, veut unir son infâme semence avec celle de celui qui étale son pouvoir dans tout l'univers ? Car même si la toile impériale s'étend aujourd'hui de Lübeck à Saint-Jean-d'Acre, de Nicée à Saragosse, quand Frédéric ira en enfer, peut-être ses héritiers se soulèveront-ils, sans plus prétendre défendre l'Empire romain germanique, mais pour brandir des bannières bien différentes : celles des armées du prince des ténèbres ! Je vous préviens : on a conclu un pacte secret pour cueillir le pouvoir. La descendance de l'empereur servira à d'autres fins : le nouveau couple de souverains est le fruit d'un « grand projet » exécuté de propos délibéré...

Durand s'était échauffé en parlant ; la Louve s'étonna de ne pas le voir se lever d'un bond, car sa griffe de fer dessinait d'étranges lignes en l'air. Elle supposa que son autre bras était paralysé. Quand l'évêque se mit à réciter, le regard exalté : *Uf einem grüenen achmardi truoc si den wunsch von pardis daz waz ein dinc, das hiez der gral!*, la Louve se leva de son banc. Ses yeux lançaient des éclairs.

— Vous visez trop haut et vous vous trompez de cible, messires : à moins de faire leurs les coutumes et traditions des pharaons, vos futurs souverains impériaux ne pourront pas se marier : ils sont frères, frères jumeaux !

— Gardes ! s'écria Vitus, et les soldats accoururent aussitôt à son appel. Arrêtez cette femme !

— Ce n'est pas nécessaire ! gronda la Louve. Si vous ne voulez pas que je vous arrache les yeux, ne vous approchez pas ! Vous me voulez morte, ou vous voulez ma confession ?

— Laissez-la parler ! ordonna l'inquisiteur, et Vitus accepta.

— Le fils de Blanchefleur est mort-né : j'ai moi-même préparé le brouet pour provoquer l'*abortus*. Et on m'a donné le *fœtus* en paiement de mes services.

— Sorcière ! s'écria Vitus. Maudite sorcière !

La Louve lui rit au nez en montrant des dents de bête sauvage :

— Esclarmonde a mis au monde des jumeaux nés de ses relations avec un palefrenier du château...

— Misérable menteuse ! hurla Vitus. C'était l'empereur !

— Elle a inventé l'histoire du viol par le Germain parce qu'elle craignait la colère de son père. Elle m'a demandé conseil quand il était trop tard ; trop de temps avait passé pendant le voyage. Nous avons tout fait pour détruire cette vie naissante, ce qui n'a pas été sans conséquences, mais la grossesse était trop avancée et Esclarmonde une femme robuste. Les deux enfants que vous cherchez sont les deux malheureux bâtards de l'hérésie, et ils sont nés idiots !

— Approche-toi ! fit l'inquisiteur en ramenant vers lui sa griffe de fer. Qui t'a payée pour avorter la petite Blanchefleur ? cria-t-il au visage de la Louve comme un serpent crache son venin. Une dame de haute naissance ? fit-il d'une voix éraillée. Tu l'as vue ? — La Louve secoua fièrement sa crinière noire. — Elle est arrivée en litière ?

— Non, répondit la Louve, très calme.

— C'était elle, c'était elle ! explosa Durand.

Vitus fit un signe aux soldats qui vinrent se placer, deux à gauche, deux à droite, à côté de l'évêque qui continuait à piailler. Puis ils soulevèrent sa chaise tous en même temps. Les jambes de Durand ne le portaient plus. Ils l'emmenèrent dehors.

— Non, répéta la Louve. Blanchefleur ne savait pas qu'elle avait un enfant mort dans son ventre quand on me l'a amenée. Je n'ai commencé l'avortement que lorsque j'ai été sûre que la fille du château allait avoir des jumeaux.

Intrigué par la sortie spectaculaire de l'évêque, Yves Le Breton était rentré dans la salle et il entendit la fin du récit. La Louve termina sa déclaration en confessant, sans crainte :

— Quand elle s'est réveillée, Blanchefleur ne s'est pas rendu compte que l'enfant qu'elle avait à côté d'elle n'était pas le sien !

— C'est une infanticide qui mérite d'être passée au fil de l'épée, et c'est aussi une sorcière qui doit périr par le feu, dit Yves. Livrez-la-moi !

— Elle n'a commis aucun assassinat, répondit Vitus, et c'est à l'Église de déterminer si elle est sorcière ou pas.

Il tourna le dos à Yves Le Breton et ordonna aux gardes de ligoter la Louve qui cette fois ne se défendit pas.

Ils sortirent de la salle, Vitus la fit monter sur un cheval et ils franchirent les murs d'Aigues-Mortes. Ils traversèrent la Camargue encore en fleurs, comme en été, parmi les arbustes odoriférants et les bosquets de bouleaux vert tendre, jusqu'à arriver au bord d'un vaste étang. Ils n'avaient pas encore échangé un seul mot.

— Tu veux m'ôter la vie, dit la Louve, et le ton de sa voix n'était pas celui d'une interrogation. Vitus hocha la tête sans la regarder. Elle prit les devants et s'avança vers l'eau. Les oiseaux s'envolèrent devant elle.

— Tu n'es pas capable de me dire la vérité, dit Vitus, et je dois trouver ces enfants.

— Il faudra vraiment te donner du mal, répondit la Louve en s'arrêtant.

Elle avait sans doute plus de cinquante ans, mais c'était encore une belle femme. Il s'approcha d'elle par-derrière, prit son cou dans ses mains fortes, posa ses pouces sur la vertèbre de la nuque et poussa jusqu'à ce qu'un craquement lui indique qu'il avait brisé l'os. Il attacha ensuite deux grosses pierres au cadavre de la femme qu'il traîna dans l'étang, de l'eau jusqu'aux cuisses. Puis il revint à son cheval et repartit au trot.

L'inquisiteur et ses assesseurs, le greffier et le procès-verbal qu'il avait dressé, n'arrivèrent jamais à Albi. On murmurait que des *faidits* poussés par Xacbert de Barbera les avaient massacrés quand ils avaient vu que la Louve n'était pas avec eux.

DES LITS VIDES

Otrante, automne de l'an 1245

Seules les hautes fenêtres de l'aile du château où se trouvaient les appartements de la comtesse étaient éclairées. Dans sa chambre à coucher, Laurence scrutait, à l'extérieur, l'obscurité, la mer. Derrière elle, Clarion arpentait la pièce en tous sens, sortant des armoires et des coffres des vêtements qu'elle suspendait devant elle pour voir s'ils lui allaient. Elle les rejetait parfois, en prenait d'autres, rangeait rubans, ceintures, mouchoirs et bourses dans des malles de voyage dont beaucoup étaient déjà prêtes pour le départ.

— Tu penses peut-être m'abandonner pour toujours ? se moqua Laurence. Pour ta mission de gardienne de deux orphelins sans nom, tu n'as pas besoin d'emporter avec toi un trousseau de princesse !

Clarion resta de glace ; l'air buté, elle continua à faire ses bagages.

— Dans deux ou trois mois tout au plus, tu seras de retour ici, voulut la convaincre la comtesse. Tous ces bagages ne vont que t'encombrer ; et tu n'auras même pas l'occasion de mettre de si belles robes ! — Laurence se promenait parmi les malles et les paquets qu'elle gratifiait parfois d'un coup de pied méprisant.

Sans s'interrompre, car elle était en train de vider des

cassettes de bijoux sur le lit pour y faire un choix, Clarion lui répondit :

— D'abord, ce n'est pas moi qui vais porter les bagages. Il y a des animaux et des domestiques pour cela. Ensuite, même si je ne peux porter un beau vêtement qu'un seul soir, je ne regretterai pas d'avoir pris cette peine !

Laurence s'arrêta devant elle, de l'autre côté du lit. Elle avait du mal à contenir son irritation :

— Dois-je comprendre que tu vas chercher un mari ? — Elle glissa sa main parmi les colliers, les broches et les bagues, dérangeant le tri méticuleux de Clarion, pour prendre dans le tas un bracelet d'or : — Tu ne penses quand même pas que je t'ai fait ces cadeaux pour que tu te pavanes devant les hommes, pour que tu cherches à leur plaire par des moyens malhonnêtes ?

— Pourvu que je plaise à un seul, ne serait-ce qu'une seule nuit... — Clarion ne put continuer, car Laurence lui donna une gifle retentissante.

Clarion serra les dents ; ses yeux lançaient des éclairs.

— Si un de ces objets t'appartient, Laurence, prends-le, je t'en prie. Je...

— C'est toi qui m'appartiens ! — Laurence bondit et tomba sur le lit comme une tigresse en prenant Clarion par les hanches. Stupéfaite, la jeune fille lâcha les bijoux qu'elle tenait dans ses mains et se pencha vers la comtesse. Les deux femmes roulèrent sur le lit, sans se soucier des pointes et aspérités des bijoux, aiguilles et boucles.

— Tu m'as ordonné de partir en voyage, sanglota Clarion. Tu aurais pu me l'interdire, tu aurais pu me protéger...

Laurence l'embrassa sur les lèvres, puis se redressa en soupirant.

— Je n'y peux rien. Le Prieuré ne m'aurait jamais pardonné un refus.

Clarion se releva à son tour en essuyant ses larmes.

— Je ne serai pas absente longtemps, Laurence, et si nous devons tous faire des sacrifices, autant ne pas nous compliquer inutilement la vie.

— Toi aussi tu aurais pu refuser, dit Laurence pour excuser son emportement. En pure perte, sans doute, mais tu aurais montré que tu m'aimes, moi seule !

Clarion caressait les cheveux de la comtesse qui s'appuyait sur elle.

— Je serai bientôt de retour auprès de toi, je serai de nouveau ta maîtresse, ton trésor, ta petite pute dévergondée! — Elles éclatèrent de rire toutes les deux. — Mais j'y pense, que veut donc cette prostituée? se souvint tout à coup Clarion qui recommença à mettre de l'ordre dans les coffres. Pourquoi poursuit-elle avec tant d'acharnement notre petit frère?

Laurence était revenue devant la fenêtre, mais elle ne put distinguer la petite barque de la fille de joie. On ne voyait que les feux de l'entrée de la baie.

— Cette femme a l'insolence d'exiger que nous lui remettions Guillaume et elle refuse de s'en aller sans lui. Pour éviter les ennuis, Hamo l'a autorisée à rester cette nuit encore.

— Et demain matin, nous serons loin avec son amant. Elle va avoir une bonne surprise! lança Clarion d'une voix amusée.

— Demain matin, je la mettrai à la porte!

Clarion, que Hamo avait informée du but du voyage, voulut ajouter son grain de sel :

— Fais-lui dire que Guillaume s'est enfui avec les enfants pour lui échapper. Plus on parlera du voyage du frère Guillaume de Rubrouck, plus vite et mieux nous atteindrons notre but. C'est pour cette raison que j'emporte tellement de vêtements et de bijoux, pour attirer l'attention sur nous autant que possible!

— Mon trésor, tu es et tu resteras toujours ma petite pute! — Laurence prit dans ses bras sa fille adoptive et elles s'embrassèrent avec la fureur de deux personnes qui se noient. Leurs mains couraient sur leurs corps avec une fébrilité croissante. Elles semblaient prêtes à retomber sur le lit, mais Clarion eut la force de s'écarter.

— On m'attend!

La comtesse appela les porteurs et les deux femmes s'enfoncèrent dans les couloirs obscurs du château, silencieux et plongé dans la nuit, jusqu'à la porte principale où Élie attendait pour donner à Hamo ses derniers conseils et instructions. Laurence prit congé de Clarion avant d'arriver devant la herse. Elle n'avait pas l'intention de faire ses adieux à son fils.

Dans la chambre plongée dans le noir qui avait été celle

de Guillaume, la trappe dissimulée sous le lit vide grinça légèrement.

— Guillaume? murmura la petite voix de Yeza. Guillaume!

Pas de réponse. Le clair de lune filtrait à travers la grille de la fenêtre. Yeza secoua la trappe de toutes ses forces, jusqu'à la faire cogner contre le matelas. Son inquiétude grandissante devint bientôt de la peur.

— Il est parti, dit-elle d'une voix inquiète à Roç qui la tenait.

— Tu es sûre?

— Il ronfle quand il dort. Ils l'ont emmené!

— Allons au bateau, Yeza! dit Roç d'une voix rauque. Et il tira très fort sur les pieds de la petite. La trappe se referma d'un coup au-dessus de leurs têtes. — Au bateau! gronda le petit garçon, furieux mais content de lui. Souviens-toi, je te l'avais bien dit!

Ils rebroussèrent chemin à quatre pattes par le passage, puis arrivèrent devant une ouverture percée dans le mur par laquelle on pouvait voir le bateau qui attendait le long du quai. Il était encore là.

— Allons-y! dit Roç avec toute son énergie. A nous, on ne nous raconte pas d'histoires!

Et ils descendirent l'escalier dissimulé dans le mur, les mains tendues devant eux car il faisait noir comme dans un four.

— Je vais prendre des affaires dans notre chambre, annonça Yeza d'un air de conspiratrice. Elle était toujours la première quand il s'agissait de se lancer dans une aventure ou de tenter une prouesse. Roç était l'homme des préparatifs et de l'exécution.

— Tu vas à la cuisine, lui ordonna-t-elle, tu prends du jambon et des pommes. Il nous faudra quelque chose à manger!

Roç accepta cette répartition des tâches et se contenta de lui donner un conseil :

— Emporte des vêtements de laine et des couvertures; la nuit, il fait très froid en mer — il lui fallait bien montrer que lui aussi pouvait penser à certains détails.

— On se retrouve à côté de la rampe, près des greniers à fourrage, derrière les écuries, murmura Yeza. L'escalier est trop dangereux; nous pourrions rencontrer quelqu'un.

— Ensuite, on prend le passage secret et on sort juste au-dessus du bateau...

— Ou bien on tombe à l'eau! — Alors que Yeza, fantasque et turbulente, faisait preuve aussi d'une saine méfiance, Roç se transformait, au fur et à mesure qu'il jouait son rôle d'investigateur attentif et persistant, en un aventurier hardi et impétueux. Mais ni l'un ni l'autre n'était peureux.

— A l'eau, non! dit Roç.

— Mais nous sommes jamais descendus jusqu'en bas! insista Yeza.

— Je le sais bien, mais ça ne fait rien! — Roç tenait bon.

— Je sais que c'est dangereux, comme quand on se noie, reprit Yeza d'une voix tranquille. — Et c'est pour ça qu'on aime ça! — elle partit d'un rire clair dans la nuit. — Surtout parce que personne n'en saura rien!

Roç avait une réserve:

— Il faut quand même en parler à Guillaume! Il devra nous trouver une cachette!

— Tu dis des bêtises, répondit Yeza. — D'abord, on se cache tout seuls dans le bateau; ensuite, quand on est en mer, on sort et on va faire une surprise à Guillaume! Tu vas voir comme il va être content!

Roç savait qu'il était inutile de la contrarier.

— Dépêchons-nous, autrement il serait bien capable de partir sans nous!

Il avait toujours le dernier mot. Les deux enfants se mirent au travail.

LA LITIÈRE

Otrante, automne de l'an 1245 (chronique)

Il était depuis longtemps passé minuit quand nous nous mîmes en route. Je venais de me réveiller lorsque ma litière s'ébranla. Je vis une jeune fille monter dans l'autre et pensai qu'il s'agissait de Clarion, la demi-sœur de Hamo, ou du moins la belle-fille adoptive de la comtesse.

On lui tendit deux ballots, ce qui me rappela la façon dont Yeza et Roç étaient sortis de la chaumière de la Louve. Maintenant que je connaissais les enfants, je savais qu'ils auraient absolument refusé qu'on les emballe de cette façon. Quand allais-je les revoir ? J'avais la conviction que ce n'était pas la dernière fois que nos chemins se croiseraient. La France était loin, comme son pieux roi, et même Montségur. Si les enfants ne me l'avaient pas rappelé (le fait est qu'ils souffraient encore d'avoir perdu leur mère), je l'aurais oublié depuis longtemps. Je m'étais plongé dans une nouvelle vie, j'étais en réalité une autre personne qui portait par hasard le même nom que l'ancien Guillaume. Étrangement, j'étais protégé de Dieu, alors que je ne l'avais jamais moins bien servi de toute ma vie ; je priais rarement, je ne me souciais nullement de Son existence, et pourtant, Il m'accordait des plaisirs qui ne provoquaient chez moi aucun repentir et qui surtout me donnaient confiance en moi.

Tout bien pesé, je n'avais pourtant que peu de motifs d'entretenir une telle assurance. Un voyage rempli de fatigues et semé d'aventures dont j'ignorais encore tout m'attendait très certainement. Notre première destination allait être Lucera. Nous devions y laisser les soldats de la comtesse qui nous accompagnaient pour prendre avec nous des troupes de la garnison sarrasine, afin de ne pas priver Otrante de ses défenseurs. Les sarrasins nous escorteraient jusqu'à Cortone où Élie avait déjà envoyé ses instructions pour notre première halte.

— Nous aurons alors franchi la partie la plus dangereuse des Abruzzes, une région très troublée où soldats papaux et impériaux s'affrontent constamment dans d'incessantes escarmouches. Ensuite, tous les autres cols que nous emprunterons pour traverser les Apennins et les Alpes sont solidement tenus par l'empereur. Oublions pour le moment les vacillations des Lombards ! — Hamo avait poussé son cheval à hauteur de ma litière dès que nous étions sortis d'Otrante. J'avais l'impression qu'il n'était pas mécontent d'avoir en ma personne un interlocuteur compréhensif et grand voyageur, sans être obligé de jouer devant moi le rôle du commandant supérieur et omniscient, comme il le faisait devant ses hommes dont certains étaient déjà avancés en âge.

Il y avait par exemple un simple sergent, un vieil homme aux jambes torses qui avait l'air d'un pirate, Guiscard l'Amalfitain, à qui Hamo se confiait souvent. Le Normand avait servi feu le comte comme marin et il avait parcouru la Méditerranée d'un bout à l'autre avant de jeter l'ancre au château d'Otrante où il était devenu le maître d'armes de la comtesse.

— Guiscard a le génie des cartes ; les terres et les déserts sont gravés dans sa tête comme d'autres gardent en mémoire l'*Enéide* de Virgile ; en quelques traits, il te dessine sur le sable des rivières, des montagnes et des cols, des routes et des passages, et les distances et proportions sont toujours exactes, comme tu le verras certainement par toi-même, me disait Hamo de cet homme.

Il s'avéra bientôt que son principal défaut était de se croire capable de tout ; n'importe quelle folie lui paraissait normale, n'importe quelle idiotie était pour lui irrésistible. La folie ondoyait au-dessus de sa tête comme une bannière et, pire encore, se répandait dans le jeune cerveau de Hamo comme un boisseau de puces.

Je me trouvais dans une situation difficile : d'un côté, j'étais prisonnier ; de l'autre, le destin avait disposé que je participe aux aventures qui nous attendaient. Je ne voulais pas me confier à Hamo, car tous ses actes me paraissaient dictés par son orgueil blessé et sa vanité insensée. De plus, il n'avait pas l'expérience des dures réalités d'une entreprise guerrière et manquait tout simplement de bon sens. Le sergent, en revanche, avait tout vu ; la guerre était son métier. Malheureusement, il s'obstinait à courir les aventures, même quand le destin en avait disposé autrement.

Si j'avais pu me tenir à l'écart, je me serais senti comme un grain de blé entre deux meules. J'aurais alors pu croire que mon conseil serait comme l'eau qui lubrifie l'une ou l'autre pierre. Mais comme j'avais décidé de ne pas fuir de cette aventure, il m'était impossible de jouer le rôle d'un âne indifférent.

Je considérais que la commodité de la litière était une sorte de premier prix pour mon attitude positive et ne me souciais pas du reste de ce qui touchait à mon bien-être personnel. La vie d'un prisonnier est très certainement plus horrible quand il perd l'espoir et sa personnalité pour se fondre en une espèce de masse grisâtre. Mais quand on fait contre mauvaise fortune bon cœur, on peut jouir du respect et de la considération des autres, avec les bons traitements qui en sont la conséquence logique. J'étais donc parfaitement capable de m'imaginer en train de passer le reste de ma vie en qualité de prisonnier spécial. Il n'y a danger que lorsque l'intérêt de tes supérieurs pour ta personne s'éteint, car alors ils te laissent tomber, y compris dans la mort, alors que si tu continues à faire partie de l'armée grise de la masse sans nom, tu as toujours la possibilité de survivre. Mais quelle sorte de vie serait celle-là ?

Au petit matin, nous passâmes devant les murailles de Lecce. Les paysans qui se rendaient au marché ôtaient leurs bonnets pour me saluer...

UN RÉVEIL DÉSAGRÉABLE

Otrante, automne de l'an 1245

— Les enfants ! Les enfants ont disparu !

La comtesse fut tirée d'un profond sommeil par les cris et les lamentations des femmes de chambre et des servantes. Le soleil était haut dans le ciel. Elle sauta à bas de son lit et repoussa ses caméristes, baigneuses et habilleuses pour se précipiter vers la chambre des enfants. Il n'y avait plus de couvertures sur les lits et il manquait quelques vêtements.

— Que faites-vous plantées là ? cria-t-elle à la cuisinière, à la nourrice et à la gouvernante. Cherchez-les !

Elle fit appeler les gardes, mais personne n'avait vu les enfants de la matinée. Elle laissa entrer les soldats dans les jardins intérieurs et dans les appartements où il leur était habituellement interdit de mettre les pieds.

Créan arriva lui aussi. Il voulut réveiller aussitôt Tarik, mais la comtesse s'y opposa.

— J'ai un horrible soupçon! lui confia Laurence lorsqu'ils se trouvèrent seuls. Dieu a voulu nous punir! — Elle tremblait de tous ses membres. — Créan, croyez-vous possible qu'on ait échangé les enfants, je veux dire qu'on ait pris les vrais pour les faux?

Créan secoua la tête, mais il n'était pas facile de rassurer Laurence.

— Hamo aurait osé me voler non seulement Clarion, mais les enfants aussi?

— Certainement pas! Il me semble que nous devrions commencer par interroger les domestiques qui s'occupent d'eux.

Mais cet interrogatoire n'apporta pratiquement rien de nouveau.

Tout ce que Créan put savoir, c'était que les enfants avaient été très sages à l'heure de se mettre au lit, contrairement à leur habitude, comme l'expliquait la nourrice en larmes qui allait toujours les border et essayait sans succès de leur faire dire leurs prières, ce qu'elle avait réussi la veille à son grand étonnement.

La comtesse prit Créan à part:

— Vous vous êtes occupé de tout hier soir. Pensez-vous qu'il y ait la moindre possibilité qu'on ait pu substituer les enfants?

— Non, répondit Créan sans hésiter. — Hamo a fait venir les autres enfants hier soir au château. On leur a donné un puissant somnifère avec leur souper. C'est lui qui avait la clé du réduit où ils ont dormi. Et la pièce est vide à présent!

Laurence était furieuse de ne pas avoir surveillé personnellement le départ. Qui avait examiné les enfants emmitouflés dans des couvertures que l'on avait tendus à Clarion quand elle était dans sa litière? La comtesse avait suivi l'opération du haut de sa fenêtre!

— J'ai interrogé les cuisinières qui les ont sortis du grenier à fourrage, dit Créan. Une erreur ou un échange aurait certainement attiré leur attention...

— A moins qu'elles ne soient de mèche avec...

— ...avec les enfants! — Créan venait d'avoir une idée.
— Mais oui, ce sont eux la clé de l'énigme! Ils adorent Guillaume. Ils se seraient mis en tête de partir avec lui...?

La comtesse était terriblement fâchée. Ses yeux flam-
boyaient :

— Et qui voudrait s'en aller avec un moine si laid?
D'abord, cette stupide prostituée qui arrive...

— Un instant! s'exclama Créan. Et si cette femme était
encore dans le port?

— J'espère bien qu'elle a mis les voiles! tonna Laurence.
Sinon, elle va avoir affaire à moi...

— Au contraire, vous devriez prier pour qu'elle soit toujours là! répliqua Créan. — La clé de l'énigme est peut-être
là!

— Gardes! appela la comtesse en suivant Créan qui se
dirigeait déjà vers l'escalier descendant au port. Suivez-moi!

Avant qu'elle ne prenne la tête de la petite troupe, une
femme de chambre parvint à lui jeter une cape sur ses
épaules. La nourrice, la femme de chambre et la gouvernante, dans tous leurs états, lui emboîtèrent le pas.

Ingolinde avait bien dormi. Lorsqu'elle se réveilla dans
le lit installé dans sa voiture, elle n'avait qu'un espoir en
tête : tenir Guillaume dans ses bras aujourd'hui encore. Bien
sûr, il y aurait sans doute quelques difficultés à surmonter.

Qu'importe si, Guillaume à peine sorti, une demi-douzaine de soldats étaient entrés dans son refuge pour se satisfaire à la va-vite avec elle sans ménager les plaisanteries
grasses, puis l'avaient forcée à se lever, pour la pousser par
la trappe d'une glissière à fourrage. Protégée des échardes de
bois par le foin qu'elle avait sous le derrière, elle avait atterri
comme une fleur sur le quai, juste devant sa barque.
Combien de petits obstacles ne faut-il pas surmonter dans la
vie! Bah! ils ne diminuaient pas la grandeur de son amour.

Elle s'étira et décida de sortir de son rafiot. Ses marins
la saluèrent par quelques quolibets peu respectueux. Ils la
connaissaient intimement et elle savait leur rendre la monnaie de leur pièce, capital et intérêt. Mais ses pensées étaient
avec Guillaume.

Elle allait descendre sur le quai quand elle vit s'ouvrir à
grand bruit un portail dans le rocher.

La comtesse en sortit à vive allure, accompagnée de Créan, seul à s'être conduit correctement avec elle. Ils étaient suivis de soldats et de plusieurs femmes qui gesticulaient comme des folles.

— Où sont les enfants? l'apostropha la comtesse en furie. Vous les avez enlevés!

Ingolinde n'allait pas se laisser impressionner par cet oiseau défraîchi, quoique l'expression furibonde de la dame vêtue seulement de sa chemise de nuit lui fît prendre quelques précautions.

— Puisque vous venez avec toute votre suite, Madame la comtesse, vous auriez pu venir avec Guillaume aussi!

Laurence dut prendre sur elle, ou plutôt Créan dut la retenir pour l'empêcher de se jeter à l'eau et d'aller étrangler de ses propres mains cette insolente.

— Nous cherchons les enfants, expliqua Créan. Ils ont peut-être cru que Guillaume était avec vous...?

Ingolinde n'y comprenait goutte, ou bien faisait l'innocente avec un talent consommé.

— Mais quels enfants? Je n'ai pas d'enfants. Quant à Guillaume, vous savez parfaitement bien qu'il ne peut pas être avec moi!

— C'est vrai, reconnut Créan. Le fait est que nous ne comptions pas précisément le voir...

— Mais moi, si! — Ingolinde était de tempérament combatif, mais elle comprenait aussi qu'elle avait bien fait de ne pas descendre de son bateau.

— Donnez-moi mon Guillaume, et nous pourrons parler! eut-elle le front d'exiger.

Les gardes se précipitèrent sur les amarres pour ramener le bateau à quai, sous les yeux des marins qui n'osaient résister. Finalement, la barque vint donner sur les rochers. Les soldats montèrent à bord.

— Vous ne trouverez rien! s'indigna Ingolinde qui suivait tranquillement la manœuvre, très sûre d'elle.

— Les voilà! s'exclamèrent les soldats qui étaient descendus sous le pont. Quelques instants plus tard, ils remontaient en traînant derrière eux Yeza, à moitié endormie, et Roç qui se débattait comme un beau diable.

Ingolinde était terrifiée. Les hommes firent la chaîne pour descendre à terre les deux enfants qui atterrirent finale-

ment dans les bras de la nourrice et la gouvernante. Morti-
fiées, elles s'en allèrent avec eux. Laurence toisait la prostituée des pieds à la tête.

— Je pourrais vous faire fouetter!

Ingolinde se redressa.

— C'était ce que vous faisiez quand vous étiez abbesse?
répondit-elle sans ciller.

Sa sortie produisit son petit effet.

— Allez au diable! répondit Laurence en se retournant
lentement. Faites en sorte qu'elle disparaisse de ma vue! dit
elle d'un air las à Créan.

Elle semblait avoir vieilli de plusieurs années. Suivie des
femmes restées avec elle, elle s'avança vers le portail percé
dans le rocher. Ingolinde s'adressa à Créan d'une voix si
forte que la comtesse ne put éviter de l'entendre :

— Je ne m'en irai pas d'ici avant qu'on me rende mon
Guillaume!

Et elle restait là, les mains sur les hanches. « Ce n'est pas
une mauvaise femme », pensa Créan avant de lui annoncer
une nouvelle qui allait sûrement lui causer une cruelle
déception.

— Guillaume est parti en voyage cette nuit. Il serait inutile de l'attendre — il baissa le ton, car la femme lui faisait
pitié. — Et puis, la comtesse n'hésitera pas à faire donner ses
catapultes, et je vous assure qu'elles visent juste. Même si
vous ne perdez pas la vie, la barque et tout son équipage ris-
queraient de couler!

Les marins qui l'avaient entendu commencèrent aussitôt à lever l'ancre. Et Ingolinde se retira dans sa voiture de
prostituée, en larmes.

VI

CANES DOMINI

LE LOUP SOLITAIRE

Castel del Monte, automne de l'an 1245 (chronique)

Ma litière se balançait comme un bateau en haute mer. Les cavaliers poussaient les chevaux et ceux qui, plus en avant, tiraient la voiture dans laquelle voyageaient Clarion et les enfants. Je n'étais pas mécontent de ne pas avoir à me trouver en face de ces petits, car l'idée de traiter ces jeunes corps comme s'il s'agissait de marionnettes me paraissait indigne et répugnante. Mais j'étais encore plus fâché que toute cette mise en scène m'empêche de jeter un coup d'œil à la belle Clarion. A cheval, Hamo tournait autour de notre groupe comme un chien de berger nerveux surveille son troupeau de brebis et veillait à ce que personne ne puisse voir la jeune fille pour le moment. Les rideaux de la voiture restaient toujours baissés. Nous passions sous les murs de la forteresse Goia di Colle quand Guiscard aux jambes torses marqua le pas pour que Hamo et mes porteurs le rattrapent.

— Ne regardez pas, dit-il à voix basse, mais en haut de la colline, un cavalier, qui nous suit depuis quelque temps, est en train de nous observer.

Malgré sa mise en garde, je tournai lentement les yeux dans la direction qu'il venait d'indiquer et je vis la silhouette d'un homme à cheval, enveloppé dans une cape noire, qui observait sans bouger la progression de notre troupe à ses pieds. Il était d'une taille imposante et quelque chose d'inquiétant émanait de ce personnage. Je me souvins alors que cet homme m'était déjà apparu dans mes songes les plus obscurs. Fumée, feu? Machinalement, je fis le signe de la croix.

Hamo avait lui aussi jeté un coup d'œil à la dérobée.

— Guiscard, dit-il d'une voix ironique, tu crois qu'un espion du pape oserait entrer en Apulie où il sera sûrement pendu à la première branche s'il tombe entre les mains des impériaux?

— Cet homme n'est pas un espion ordinaire, répondit l'Amalfitain. Il est vêtu comme un inquisiteur. Et il ne semble avoir peur ni de Frédéric ni des autres démons! — Il éclata de rire. — Messire, vous vouliez attirer notre attention, eh bien, c'est chose faite.

Je regardai encore là-haut, mais le cavalier avait disparu. Ce n'était pas la première fois qu'il croisait mon chemin et ce ne serait pas la dernière, comme j'allais l'apprendre plus tard, mais c'est cette fois-là que son image sinistre se grava dans mon esprit. Si Hamo ressemblait à un jeune chien et nous à des brebis, Vitus ne pouvait être autre chose que le méchant loup. Mais nous avions Guiscard avec nous, le spadassin d'Amalfi que la comtesse nous avait laissé à contrecœur pour nous accompagner. Les cicatrices qui labouraient son visage témoignaient des multiples aventures qu'il avait connues tout au long de sa vie. Et notre voyage semblait éveiller en lui un intérêt croissant.

— Nous devrions prendre à l'ouest, dit-il à Hamo qui n'était pas d'humeur à écouter des conseils.

— Nous prendrons le plus court chemin jusqu'à Lucerne, répondit-il à l'Amalfitain.

— Vous êtes le chef, répliqua Guiscard qui s'éloigna de nous, non sans ajouter : Vous faites exactement ce que souhaite l'ennemi!

Hamo se tut. Je tentai d'intervenir en ménageant sa susceptibilité :

— Considérez les conseils de ce vieux soldat comme des cadeaux, plutôt que de vous en offusquer : la gloire sera toujours la vôtre.

Mes paroles eurent de l'effet. Hamo éperonna son cheval et prit la tête de notre troupe, sans doute pour ne pas donner l'impression de m'avoir écouté.

Un peu plus tard, nous prîmes en direction d'Altamira et, dans l'après-midi du lendemain, nous arrivions à Castel del Monte, une forteresse que l'empereur faisait construire dans les forêts de Monte Pietrosa où il avait l'une de ses chasses favorites.

J'avais alors parcouru une grande partie de ce qui constitue notre monde, mais je n'avais que rarement vu aussi magnifique paysage. Le château fort rehausse une colline avec la légèreté d'une couronne qu'on viendrait de déposer et l'on aurait cru que l'empereur allait à tout moment passer au grand galop pour la reprendre dans son gantelet de fauconnier, puis la déposer ailleurs pour en jouir à sa guise. La forteresse est en réalité un pavillon de chasse fortifié, pour le plaisir et la méditation ; sa forme d'octaèdre — le huit est le nombre de la perfection, m'avait autrefois enseigné le frère Umberto — est d'une parfaite harmonie dans laquelle chaque tour d'angle se fond dans le tracé de la muraille. L'édifice à deux étages seulement est d'une noble simplicité ; il enferme une cour intérieure dont le sol recouvre une gigantesque citerne. Mais ce n'était pas seulement les détails architecturaux, les escaliers en colimaçon, le parfait équilibre des volumes dépourvus de tout ornement dans une esthétique aussi pure dans ses dimensions que dans son nombre — quand reverrai-je une œuvre semblable ? — qui inondèrent mon esprit de dévotion tout en faisant tressaillir mon cœur de plaisir ; c'était la noblesse dans son expression la plus pure qui nous parlait du haut de ces murs quand nous les aperçûmes dans le lointain.

Le soir tombait lorsque le maître d'œuvre nous autorisa, non sans hésitations et inquiétudes, à gravir des escaliers qui nous conduisirent au sommet de l'une des huit tours jumelles. Nous étions trois : Hamo, moi et le vieux Guiscard. Nos yeux parcoururent les collines des environs. Et il était encore là. Sous les arbres qui bordent la rive du lac, le cavalier croyait pouvoir échapper à nos regards.

— Nous nous sommes suffisamment écartés de notre route, maugréait Hamo. Et tout cela pour égarer cet ange gardien que nous envoie le pape !

— C'est le premier pas vers la réussite, répondit sèchement le vieil homme. Si vous daignez m'accorder un ou deux verres de vin, jeune seigneur, je vous expliquerai mon plan.

La nuit tombait de plus en plus vite, de sorte que nous descendîmes dans la cour du château, où, parmi les gardes de l'empereur, les cavaliers d'Élie et notre troupe d'Otrante, les maçons, charpentiers et tailleurs de pierres, avaient allumé des feux, tandis que les pêcheurs et paysans des environs venaient offrir leurs marchandises et que les jarres de vin commençaient à circuler. Quand la méfiance initiale du commandant, née du détour que nous avions fait depuis notre point de départ, pour rejoindre notre destination supposée, se fut enfin apaisée, il nous permit de passer la nuit derrière les murs. Il montra même à Hamo une pièce couverte pour nous mettre à l'abri. Puis il nous proposa aimablement d'envoyer ses hommes se saisir de notre poursuivant, mais Hamo refusa d'un air un peu gêné et, comme l'explication qu'il donnait ne paraissait pas du tout satisfaisante, j'intervins pour demander qu'on ne pende pas l'espion du pape à l'une de ces tours inachevées, au risque de priver les hommes de l'empereur d'un moment de plaisir. Le commandant regretta notre décision, mais nous fit apporter une jarre de vin avant de se retirer.

Guiscard félicita notre jeune comte :

— Vous avez eu raison de ne pas faire taire définitivement la langue qui doit parler de nous à Rome. Vous avez tout le talent qu'il faut pour être un grand chef !

Hamo sourit, un peu confus, et je crus bon de jeter un peu d'huile sur le feu :

— Seigneur, acceptez le conseil d'un soldat chevronné et prenez-le au sérieux : cet homme est toujours vivant, ce qui prouve qu'il sait fort bien quand sortir la tête, quand l'utiliser pour réfléchir, et même quand la cacher sous son aile !

— Les temps ne sont pas sûrs, renchérit Guiscard, satisfait de mes paroles, les poignards et les bourses s'en donnent à cœur joie !

Impatient d'en savoir plus, Hamo l'invita à exposer son plan :

— Parlez, vous n'aurez pas à vous en repentir !

— Demain matin, vous pourriez envoyer nos gens d'Otrante à Lucera ; de là, une compagnie de sarrasins partirait en direction de Rieti...

— Et nous resterions sans protection ? lança Hamo sans réfléchir.

— Nous aurons encore les soldats d'Élie ! — Le vieux

soudard ne se laissait pas démonter, et je dois dire que moi aussi je m'intéressais à ses plans. — Demain, on va relever la garde ici. Une troupe de soldats impériaux va donc se mettre en route pour Bénévent avec armes et bagages...

— Vous voulez donc vous rapprocher de la mer? — Hamo se méfiait encore, mais l'idée commençait à lui sourire.

— Vous, jeune seigneur, vous devrez prendre tout votre temps. C'est moi qui devrai me dépêcher pour prendre de l'avance et tout préparer!

— Vous allez nous manquer, Guiscard, lui dis-je, ce que je pensais effectivement, car si je restais seul avec Hamo, aussi braque qu'un jeune chien de berger, quelles folies n'allait-il pas faire, plus par indécision que pour courir l'aventure.

— Vous n'avez qu'à suivre mon plan, répondit l'Amalfitain pour me rassurer, puis il se retourna vers Hamo : Avant de partir, vous ordonnerez aux soldats de votre mère de faire une battue. Notre sinistre ami l'inconnu doit avoir l'impression que nous l'avons pris en chasse. On ne l'attrapera pas, mais on taquinera un peu ce loup solitaire. Tout ce qu'il me faut, c'est le temps de m'échapper vers la côte sans qu'il s'en rende compte. Car au bout d'un certain temps, très vite peut-être, notre ombre comprendra avec fureur qu'il s'est fait berner. Il sèmera ses poursuivants et essaiera de vous retrouver...

— Et jusqu'où voulez-vous que nous allions?

— Vous changerez constamment de route, tantôt en direction de Bénévent, tantôt en direction de Salerne, comme si vous vouliez le semer, ce qui l'irritera encore davantage et le blessera dans son orgueil. Il sera à bout de nerfs...

— Et moi aussi! soupira Hamo avec un certain découragement. Mais répondez-moi : jusqu'où irons-nous?

— Lorsque vous serez arrivés au petit trot à Salerne, vous vous séparerez des troupes impériales, vous éperonnerez vos chevaux et vous filerez à marche forcée à Amalfi. Là, vous monterez immédiatement à bord du bateau que je vous aurai préparé et nous mettrons aussitôt les voiles!

— Et tu crois que nous aurons ainsi semé celui qui nous poursuit? demanda Hamo, encore méfiant.

— Si telle est votre volonté, jeune seigneur, répondit Guiscard, vous ne le reverrez jamais plus. Je vous assure que les murènes de notre baie ne laisseront pas un seul morceau du cheval et de son cavalier pour rappeler leur existence. Il n'en tient qu'à nous !

— Ce projet me semble à la fois trop simple et trop précipité ! répliqua nerveusement Hamo. Je voulais laisser une trace à travers tout le pays, pour que Rome gaspille sa salive à parler de nous...

Une lueur étrange passa dans les yeux gris de Guiscard le Normand.

— Je vous remercie, jeune seigneur, du défi que vous me lancez et je le relève avec grand plaisir. Puisqu'il en est ainsi, nous doublerons le cap de Sorrente et nous nous cacherons là. Notre ami louera le premier bateau qu'il pourra trouver, ce qui devrait lui coûter fort cher, et il se lancera à notre poursuite. Il naviguera jusqu'à Ostie, jour et nuit, sans prendre de repos, car il sera pris de panique ; puis il fera sortir la flotte papale du port du Tibre pour barrer la route entre Civitavecchia et l'île d'Elbe, afin de s'assurer que nous ne débarquions pas en Toscane ou que nous ne nous réfugions pas à Pise. De plus, il lâchera les meutes du pape pour former une deuxième barrière entre Viterbe et Orvieto, car il supposera non sans raison que nous voulons arriver au plus vite dans la région de Pérouse fidèle à l'empereur, ou bien à Cortone où Élie observe lui aussi les consignes impériales...

— Et comment voulez-vous que nous arrivions là-bas ? demandai-je, un peu effrayé, car au moins je connaissais ces pays dont il parlait, alors que Hamo n'avait jamais été plus loin que Naples où il avait accompagné une fois sa mère. Tout ce qui se trouvait plus loin lui était aussi étranger que la mer glacée du Nord ou l'océan qui s'étend au-delà de Djebel al-Tarik.

— Nous remonterons le Tibre jusqu'à Rome, jusqu'au port qui se trouve à côté de l'île aux Lépreux !

Je restai sans voix.

— Rome ? — Hamo était séduit. Le plan commençait à lui plaire, comme s'il était le fruit de son invention. — Passer par Rome ! Traverser l'antre du lion !

Le vieux Guiscard était enchanté de voir que son coup

de main, à la façon des anciens Vikings, était si bien accueilli :

— C'est le dernier endroit où ils pensent nous voir apparaître et quand on finira par se douter de quelque chose, nous serons déjà en route pour Rieti, par les Monts Tiburtins !

— Où nous attendent les sarrasins, ajoutai-je, ne serait-ce que pour montrer que j'étais capable de suivre la conversation.

— Ils sont notre réserve et ils ne devront intervenir que si nous sommes poursuivis. Au pire, il faudra les sacrifier pour rejoindre Spolète, Pérouse et enfin Cortone !

— Il en sera fait ainsi ! nous ordonna Hamo, transformé en foudre de guerre, même s'il était bien loin de dominer la situation. Le coup de main sur Rome l'avait touché droit au cœur. Je n'en menais pas large quand je pensais que j'allais devoir passer sous les murs du château Saint-Ange. Et je pensais aussi à la figure sinistre de notre poursuivant qui ne donnait pas l'impression d'être homme à se laisser tromper aisément. Dans ma prière, je demandai au Seigneur de le châtier en le rendant aveugle.

De toute façon, la tactique du vieux corsaire amalfitain m'avait convaincu moi aussi : agiter le chiffon rouge devant le taureau, le piquer, l'irriter, le mettre à bout, jouer avec ses nerfs jusqu'à le faire écumer de rage et d'impatience, émousser ses sens jusqu'à ce qu'il s'affaiblisse et n'ait plus qu'une idée fixe : qu'il se passe quelque chose, que quelqu'un se présente pour qu'il puisse se précipiter sur lui. Et quand ce dernier élan s'épuise, le moment est venu de donner l'estocade, claire et vive comme un rayon de soleil. Sa dernière ruade s'achèvera dans un vomissement de bile jaune, car il aura depuis longtemps perdu la tête. Dans son dernier sursaut de colère, il commettra erreur après erreur, tandis que nous cueillerons, la tête froide, sans être inquiétés, les fruits de la victoire. Amen ! Et nous allâmes nous coucher.

A minuit, des voix venues de dehors me réveillèrent.

— L'empereur ! Ils ont destitué l'empereur ! — Guiscard s'approcha de nous. — Le concile du pape à Lyon a dépouillé Frédéric de tous ses titres et dignités. Mais le Germain s'en moque éperdument... — Guiscard retourna se coucher dans son coin : — On dirait des chiens qui aboient à la lune...

— ...pendant que la caravane passe, ajouta Hamo. Bonne nuit, messeigneurs !

Je restai éveillé assez longtemps. Je n'étais pas si sûr que cet événement soit sans importance pour nous...

LE PROSCRIT

Jesi, automne de l'an 1245

Élie de Cortone, privé de ses propres soldats, ne parvint pas à rassembler une escorte à Lucera ni à lever des troupes aux environs. Partout en Apulie, les fidèles partisans de l'empereur restaient dans leurs forteresses, dans l'attente des événements.

Le Bombarone rallia donc une troupe qui s'apprêtait à remonter la mer Adriatique en direction du nord, sous le commandement d'un des amiraux de Frédéric, pour s'assurer du port d'Ancône, si important pour l'empire. Rendus làbas, ils ne seraient pas loin de l'une des frontières du Patrimonium Petri. Sans écouter les conseils de ceux qui voulaient l'en dissuader, le Bombarone y abandonna l'armée impériale et prit la route de Cortone, accompagné de quelques hommes.

Ils traversaient la ville de Jesi, pas très loin à l'intérieur des terres, quand une troupe de gens en armes apparut dans la rue qui débouche sur la Piazza delle Signoria : des soldats du pape ! Les cavaliers formaient cercle autour de la voiture d'un légat.

Tandis que chacun retenait son cheval, empoignait sa lance et mettait la main à l'épée, le légat descendit de sa voiture sans montrer la moindre peur. Élie le reconnut aussitôt :

— Lorenzo d'Orta !

Et celui-ci le salua à son tour :

— Mon général ! dit-il sans se soucier de la surprise de ses compagnons, des frères franciscains et des soldats dont les boucliers étaient ornés des clés de saint Pierre. Et il commença à traverser à pied la place déserte pour se diriger tout bonnement vers le groupe rassemblé autour de l'odieuse bannière impériale.

Élie descendit à son tour de cheval et s'avança à pas comptés, toujours soucieux de sa dignité, à la rencontre du petit moine. Tout à coup, les deux hommes ne surent qui devait saluer l'autre en premier : le simple frère son « ministre général », même destitué, ou le minorite Élie, bien qu'excommunié, le légat du saint-père. Et ils restèrent là à se regarder, perplexes.

Ce fut Lorenzo qui rompit le silence :

— Je m'en vais en Terre sainte, dit-il en regardant son interlocuteur en face. Je vais m'embarquer à Ancône.

— J'en viens justement, lui répondit Élie, et je ne suis pas sûr qu'un légat du pape y soit bien reçu en ce moment. Le port est solidement tenu par l'empereur !

Lorenzo lança à Élie un regard inquiet :

— Je viens de loin, de Lyon. Ils vous ont attendu plusieurs jours. Finalement, ils vous ont excommunié. Mais je suppose que vous ne vous en souciez guère.

Élie n'était pas homme à révéler facilement ses émotions, encore moins sa perplexité. Il serait monté au gibet avec cette même expression mélancolique que beaucoup taxaient d'arrogance.

— Le pape avait déjà essayé de le faire l'an dernier, à la mort de mon successeur, l'Anglais Aimone. Innocent croyait tenir le pouvoir entre ses mains et il avait convoqué rapidement un chapitre général à Gênes. Mais il avait quand même dû accepter ma lettre de disculpation...

— Cette fois, il n'y a pas eu de pardon pour l'ami notoire de l'empereur !

— Ce n'est pas la première fois que la chose m'arrive ! — un sourire triste parcourut les traits fins d'Élie.

— Mais je suppose que ce sera la dernière, le consola Lorenzo. Cette fois, ils vous ont même expulsé de l'Ordre !

— Personne en ce monde ne peut me retirer mon ordination de prêtre ! s'indigna le Bombarone. Nous verrons bien qui est le meilleur chrétien...

— Le *Pontifex maximus* s'arroge le pouvoir d'en décider : il a destitué l'empereur !

— Il fallait s'y attendre, répondit Élie d'une voix lasse, et pourtant, la chose me paraît abominable ! Mais racontez-moi donc toutes les frasques de notre Sinobaldo di Fieschi.

— Je vois là-bas le banc et la table d'une taverne, dit Lorenzo. Permettez que je m'humidifie le gosier et que je boive à la santé, même à voix très basse, de Frédéric qui a trouvé la phrase parfaite pour qualifier cette farce : « Je rends grâce à ce prêtre que je devais honorer jusqu'à présent, car dorénavant, je n'ai plus aucune obligation de l'aimer, de le vénérer ni d'être en paix avec lui ! »

— Buvons donc à sa santé, Lorenzo ! dit Élie.

Les deux hommes ordonnèrent à leurs gens de mettre pied à terre aux deux extrémités de la place, puis ils allèrent s'asseoir à la table.

— Le seigneur Sinobaldo a fait son entrée avec toute l'*innocentia* dont cet hypocrite peut faire preuve quand il s'agit d'imposer sa volonté. Un tiers seulement des prélats se sont présentés : les Allemands, les Hongrois et les Siciliens étaient absents, à l'exception de l'archevêque de Palerme qui a couru à la défense de l'empereur. A la droite du pape, il y avait l'empereur latin Baudouin qui n'a aucun pouvoir, Raymond VII de Toulouse qui a perdu son comté et le comte Raimond-Béranger de Provence...

— ...que le Seigneur a puni en lui donnant quatre filles qui voudraient toutes être reines ! enchaîna Élie, et ils levèrent leurs coupes.

— A sa gauche, continua Lorenzo, les patriarches de Constantinople, d'Aquilée et d'Antioche...

— Ah ! Cet ivrogne de barbu a donc réussi à arriver à temps au concile ? — Le Bombarone semblait contrarié et Lorenzo eut l'intelligence de taire qu'il avait finalement eu pitié du vieil homme et qu'il l'avait accompagné de Cortone jusqu'à Lyon. Il s'empressa de changer de sujet :

— Le seigneur pape a prononcé un sermon lamentable dans lequel il s'est abaissé à comparer ses souffrances avec les plaies du Christ sur la croix : les dévastations des Tartares, le schisme des Grecs qui, dans leur insolence, ne reconnaissent pas sa primauté, le fléau de l'hérésie qui prétend savoir comment doit se comporter un vrai chrétien, et enfin la conquête de Jérusalem...

— Comme si ce n'était pas justement la curie qui a empêché et qui continue d'empêcher l'empereur de faire une croisade en Terre sainte! dit Élie, et Lorenzo hocha la tête.

— Finalement, Sa Sainteté a parlé du sujet qui touche le plus son cœur aveuglé par la haine : sont inimitié avec l'empereur. Comme si les vannes de la *Cloaca Maxima* s'étaient ouvertes, un flot d'insultes a commencé à pleuvoir sur le Germain. Les sarrasins de Lucera! Son harem de Palerme! Le mariage de sa fille avec l'empereur schismatique des Grecs! Il est vrai qu'on attribue cette union à votre médiation, Élie.

— Je le sais. Malheureusement, le Vatatsès traite si mal la petite qu'Anna a dû se plaindre au patriarche, reconnut Élie à regret. Jouer les entremetteurs est bien compromettant, Lorenzo!

Les deux franciscains vidèrent leurs coupes d'un air soucieux et commandèrent une autre tournée.

— En tout cas, le pape a su éveiller la compassion; il pleurait à chaudes larmes et les sanglots étranglaient sa voix. Le patriarche d'Aquilée a voulu parler en faveur de l'empereur, mais le pape a aussitôt poussé des cris et menacé de lui retirer son anneau...

— Brave homme que notre duc Berthold! Et notre premier juge, il n'a rien fait pour défendre son suzerain?

— Oh si! Le seigneur Thaddée de Suessa a prononcé un habile plaidoyer qui réfutait point par point les accusations. Il a même porté un coup à la clique des Fieschi en leur reprochant leur négoce d'usure et leur népotisme, plus le fait qu'ils sont cause de grand scandale chez les Français et les Anglais. Thaddée a réussi à interrompre les délibérations du tribunal...

— Tu dis bien, Lorenzo : un prêtre corrompu et avide de pouvoir a l'audace de jouer à l'empereur!

— Malheureusement, notre seigneur Frédéric continue à ne pas prendre cette affaire au sérieux, sinon il serait monté à Turin avec toute son armée et il aurait mis en fuite cet essaim de mouches répugnantes! Il est clair d'ailleurs que le pape craignait un coup de main et qu'il a grand peur de finir ses jours en martyr!

— Ce qu'il ne faut pas! répliqua Élie. Un homme aussi au fait des choses du monde que le seigneur Sinobaldo croit certainement que toutes ces histoires de saints ne sont que des aberrations. Il aurait certainement envoyé notre cher saint François au bûcher pour hérésie!

— Il a également accusé l'empereur d'être un hérétique quand le concile a repris ses délibérations et il a de nouveau fondu en larmes. Le seigneur Thaddée lui a offert des garanties de paix, des indemnités, une croisade que l'empereur proclamerait immédiatement, mais en vain. Les papaux ont tous observé la consigne : détruire l'Antéchrist. Et grâce à son entêtement, on a fini par descendre les torches pour les éteindre sur les dalles du sol. Frédéric a été destitué et dépouillé de toutes ses charges et dignités!

— Quel triomphe pour tous les ennemis de l'empire et de la Chrétienté! Quel spectacle plus lamentable! dit Élie, ému et furieux.

— J'étais à Turin avec Mathieu de Paris quand l'empereur a reçu la nouvelle. Il était hors de lui. Il a réclamé à grands cris sa couronne et se l'est mise sur la tête : « J'ai trop longtemps été l'enclume! s'est-il écrié en lançant autour de lui des regards qui faisaient peur. Maintenant, je veux être le marteau! »

— Il est clair, dit Élie, qu'on va maintenant s'empoigner et se meurtrir à qui mieux mieux, car qui pourrait le jeter *realiter* à bas de son trône, le dépouiller de son pouvoir impérial! Oui, il le faut, je pars immédiatement pour Cortone et...

— Nous y sommes passés hier, lui dit Lorenzo. Gersande, votre gouvernante, m'a fait savoir que la commune, malgré l'hostilité qu'on essaie de semer dans tous les esprits, a accordé les fonds nécessaires pour l'achat d'un terrain destiné à la construction d'un monastère et de l'église Saint-François...

— Enfin une bonne nouvelle par ces temps si funestes! s'exclama Élie qui vida sa coupe. Je ne dois plus perdre un instant...

Mais Lorenzo le retint :

— Attendez! Gersande m'a également dit, et je crois que sa peur était justifiée, qu'il serait préférable de ne pas vous précipiter à Cortone ces temps-ci; les papaux de Viterbe prennent position autour de la ville et elle craint qu'ils ne soient là pour votre tête, sur l'ordre du cardinal Rainier de Capoccio. — Lorenzo jeta un regard rempli de commisération sur la petite troupe de soldats que la Bombarone emmenait avec lui pour toute protection. — Vous feriez mieux de retourner à Ancône et d'attendre là-bas...

— Ma place est à côté de l'empereur ! répondit Élie dont l'enthousiasme faiblissait cependant. Il ne se sentait pas l'âme d'un héros. Mais il retrouva un regain d'ardeur : — Pour le moment, le plus important est de défendre Frédéric devant nos frères, pour qu'ils ne succombent pas à la tentation de participer à la campagne d'isolement de l'excommunié. Je suivrais avec grand plaisir ton conseil sincère, Lorenzo... — et il en arriva à son véritable but : — Et si tu oubliais un moment ta mission papale pour venir au nord, en Lombardie, dans ce pays rebelle, pour visiter les monastères de nos frères franciscains et leur parler *pro imperatore*... ?

— Et *pro Elia* par la même occasion ? répondit le petit frère avec un sourire. Mais le Bombarone ne le comprit pas.

— Il y aurait aussi un travail très important pour toi dans le sud de l'Allemagne : faire en sorte que notre frère Pian ne parte pas à l'est avant que Guillaume de Rubrouck ne le rattrape. J'y pense, il est arrivé à Cortone ?

— Aucune nouvelle de lui et, pour ma part, l'idée de traverser les Alpes ne me dit pas grand-chose. — Il se leva. — Je prends sur mes épaules la responsabilité de jouer quelque temps en Italie le rôle de missionnaire, pour vous et pour la bonne cause de l'empire, mais je le ferai en prenant mes précautions — le frère mineur souriait —, car si je n'étais pas prudent, je serais moi aussi frappé d'excommunication si le pape apprenait que je néglige ma mission...

Élie se contenta de ce résultat. Il faillit embrasser Lorenzo, mais les deux hommes se souvinrent qu'on les regardait et ils renoncèrent à tout geste confraternel.

Sur le point de s'éloigner, Lorenzo ajouta encore :

— J'y pense, Guillaume ne pourra pas rattraper Pian qui devait partir de Lyon juste après moi ! Vous devriez convaincre Guillaume que c'est une folie que de vouloir traverser les Alpes en plein hiver !

— Les voies du Seigneur sont... — Élie ravala le reste, car Lorenzo était déjà loin. Et puis, il n'était pas convaincu de pouvoir imputer à Dieu la responsabilité de toutes ces manigances terrestres. Que Guillaume fasse comme bon lui semblerait. L'important n'était pas le but, qui d'ailleurs était inexistant, mais le branle-bas de combat qu'allait provoquer sa troupe. Et si ce malheureux paysan des Flandres disparaissait à tout jamais, enterré sous la neige, ce serait aussi un effet de la volonté de Dieu!

Et tandis que la troupe du légat prenait la direction du nord, comme Élie put le constater avec satisfaction, il était toujours là sur la place du marché de Jesi, indécis. Il se souvint alors avec un frisson que, plus d'un demi-siècle plus tôt, c'était précisément là qu'était né Frédéric, sous une tente dressée à la hâte : *stupor mundi!* L'astre le plus éblouissant de son époque avait-il dépassé son zénith? Et lui, Élie, pouvait-il se risquer à rester fidèlement au côté de l'empereur, même au déclin de sa puissance, ou le moment était-il venu de faire la paix avec l'Église, malgré l'état lamentable dans lequel elle se trouvait, malgré l'indignité du prêtre qui présidait à ses destinées?

Il se souvint des travaux de construction de l'église, entrepris à Cortone. Loin d'être une marque d'obstination, comme ses ennemis essayaient de le faire croire, cette œuvre n'était-elle pas aussi un signe de réconciliation? Élie vieillissait et il ignorait combien d'années lui seraient encore accordées. Plus que d'obtenir la levée de son excommunication, il voulait pouvoir achever la maison de Dieu qui serait en outre le digne écrin de la relique de la Sainte Croix qu'il avait rapportée de Byzance. Et par-dessus tout, elle devait être le symbole de son adhésion à saint François, démontrer au monde futur, puisqu'il ne pouvait le faire devant cette humanité insensée qu'il avait été son lot de connaître, que le frère Élie et le *santo poverello* étaient inséparables. En cet instant, il aurait aimé poursuivre son voyage vers Cortone toute proche pour voir comment progressaient les travaux, mais il n'en avait pas le courage. Et puis, il ne voulait surtout pas rencontrer Guillaume dont il était sûr qu'il portait la *iellasur* le front comme un troisième œil, un *mal' occhio!* Il ne voulait absolument pas être vu en compagnie de ce gros crapaud qui ne savait que porter la guigne. Le gros moine pataud courait à sa perdition avec ses faux « enfants du Graal ». Élie ne voulait absolument pas tremper dans cette histoire!

Et cette dernière conclusion fut définitive. Il fit demi-tour et rentra à Ancône.

L'AMALFITAIN

Amalfi-Rome, automne de l'an 1245

Vitus de Viterbe n'avait pas fermé l'œil de toute la nuit. Il y avait trop de mouvement sur le chantier du Castel del Monte. Comme il aurait aimé se glisser à l'intérieur et mettre le feu, pour le simple plaisir de contrarier le Germain détesté ! Mais il se retint. De toute façon, Frédéric n'allait pas pouvoir profiter beaucoup de son château ces temps-ci, même s'il en faisait revêtir les salles de marbre rose, s'il le décorait de précieux tapis et tapisseries que lui envoyait son ami le sultan, s'il le remplissait de statues païennes que sa flotte allait repêcher au fond de la mer. L'Antéchrist allait perdre le goût de s'amuser à chasser au faucon, ou de se promener avec les dames de son harem !

Vitus avait décidé de frapper là où l'empereur était le plus vulnérable : il allait lui voler ses enfants, les fils de son propre sang ! Et il l'obligerait ainsi à s'agenouiller, l'hérétique, l'Antéchrist... Vitus se voyait déjà triomphant devant son père. Les bâtards du Germain, emprisonnés dans les plus profondes oubliettes du château Saint-Ange, seraient des otages précieux aux mains du Cardinal gris !

La haine l'empêchait de dormir, même si la fatigue lui brûlait les yeux qu'il tenait fixés sur l'ombre noire du Castel del Monte. Plus il la regardait, plus elle lui faisait penser à une prison en construction, et plus il aimait ce qu'il voyait. A l'aube, une troupe sortit en désordre du château et partit au

trot en direction du sud, ce que Vitus prit pour une simple
ruse. Il ne pouvait savoir qu'il s'agissait de soldats déserteurs
qui, après avoir appris la terrible nouvelle de la destitution
de l'empereur, s'étaient entendus avec leurs capitaines pour
ne pas continuer avec Hamo en direction de Cortone, préférant rentrer au plus vite pour se mettre à la disposition d'Élie
dont ils savaient qu'il se dirigeait vers Lucera. Craignant que
Hamo ne leur donne des ordres contraires ou que ses gens
ne les empêchent de partir, ils avaient préféré s'éloigner
rapidement sans prévenir.

Hamo choisit lui aussi de penser que la fuite de ces
hommes vers le sud était une ruse. Mais il était trop orgueilleux pour modifier « son » plan. Guiscard insista cependant
pour qu'il garde au moins avec lui les hommes de sa mère,
mais le jeune comte préféra s'adresser à la troupe rassemblée.

— Qui veut rester avec moi, s'écria-t-il, qu'il fasse un
pas en avant ! Les autres peuvent rentrer chez eux, comme je
vous l'ai promis.

A part Guiscard, à peine huit hommes décidèrent de le
suivre. L'Amalfitain réussit quand même à convaincre Hamo
d'envoyer un groupe à Lucera pour prévenir et il fit jurer aux
autres qu'avant de rentrer ils donneraient la chasse à l'espion
du pape qui les suivait depuis des jours, comme chacun
savait. Ils se déployèrent donc, en désordre et sans véritable
chef, et partirent à la recherche de Vitus.

Sans même un froncement de ses sourcils fournis, le
vieux loup ne tarda guère à tendre un piège à l'un de ses
poursuivants qu'il arracha de son cheval et fit tomber par
terre. Le couteau sous la gorge, l'homme lui donna tous les
renseignements dont Vitus avait besoin. Vitus avait déjà
appris que la garde de l'empereur serait relevée ce jour-là
par des gens venus de Bénévent. Il ne lui manquait plus que
de savoir quel était le message envoyé aux sarrasins de
Lucera. « Rieti ! » haleta l'homme avant que Vitus ne lui
tranche la gorge.

Quand il revint au Castel del Monte, en prenant grand
soin de ne pas se faire voir, le chantier était déjà désert. Il
réprima son envie érostratique de mettre la torche à
l'ouvrage à moitié achevé, fit demi-tour et, bride abattue, traversa presque toute l'Italie jusqu'à Viterbe, en évitant Rome.

A Viterbe, il prit le commandement de la garnison des Capoccio et, avec une armée formée à la hâte, se dirigea à marche forcée par la Via Salaria vers les monts de Rieti pour y tendre une embuscade aux sarrasins fidèles à l'empereur qui allaient arriver de Lucera.

Vitus était persuadé que les enfants et le frère Guillaume seraient avec eux. L'ennemi voulait lui faire croire qu'ils se dirigeaient vers la mer, mais le plus logique était qu'ils prennent à Bénévent la route du nord qui conduisait directement à Rieti en passant par l'Aquilée. Le soldat d'Otrante ne lui avait pas menti ; la direction concordait, même si les deux groupes allaient se réunir bien avant pour entreprendre l'aventure de la traversée vers le nord. Le loup pouvait attendre, et il attendit...

Mais les sarrasins n'apparaissaient pas. Quand les messagers venus d'Otrante arrivèrent à Lucera, la nouvelle de la destitution de Frédéric les y avait précédés. Le commandant aurait voulu être agréable à la comtesse, en souvenir de leur ancienne camaraderie, mais il jugea plus prudent cette fois de ne pas disperser ses troupes et d'attendre les instructions de l'empereur. Il répondit donc par la négative aux gens d'Otrante, en les assurant qu'il en était navré.

Vitus renforça sa surveillance. Sans aviser le cardinal ni le château Saint-Ange, il fit sortir une partie de la flotte papale du port d'Ostie et patrouilla le long de la côte, vers le nord, comme l'avait prévu Guiscard. Le Viterbien déploya aussi l'armée papale en une longue ligne et, pour éviter que ses proies ne traversent la montagne par les petites routes, il envoya ses avant-gardes jusqu'au lac Fucino et sur les versants des Abruzzes. Mais il ne trouva aucune piste, n'entendit aucune rumeur sur les sarrasins ou les enfants ; absolument rien...

Le petit groupe venu d'Otrante avait suivi une autre route. Quand Guiscard, resté avec Hamo, avait vu que leur poursuivant n'était plus sur leurs traces, il avait pris la tête des sept hommes qui étaient encore avec eux. Les troupes impériales continuèrent par la Via Appia jusqu'à Bénévent, puis filèrent directement vers la côte.

A Amalfi, une flotte pisane venait d'arriver de Terre

sainte et ses commandants furent indignés de la façon dont
le concile de Lyon avait traité leur empereur. Même si les
deux républiques maritimes s'étaient plus d'une fois battues
en mer Tyrrhénienne, car les Normands d'Amalfi étaient
considérés comme des Vikings, autrement dit des pirates,
par les sacs à poivre de Pise qu'on traitait à leur tour de che-
vriers sardes puisqu'ils étaient les maîtres de la Sardaigne,
aucune des deux ne voulut être en reste à l'heure de proclamer leur fidélité à l'empereur. Les consuls de la ville et l'amiral de Pise se mirent bientôt d'accord. Et quand Guiscard se
présenta, il lui suffit de murmurer quelques mots à propos
des « infants de l'empire » pour qu'on ne parle plus d'un seul
bateau, mais uniquement de ceux qui ne pourraient participer à l'attaque de Rome.

Tandis que Clarion surveillait les deux paquets, car tous
voulaient toucher les « infants de l'empire », les bateaux
levèrent l'ancre : les grands d'abord, puis les petits. Hamo,
Clarion, les enfants, Guillaume et Guiscard restèrent
ensemble, alors que les hommes d'Otrante montaient à bord
des barques amalfitaines. Et c'est ainsi qu'ils partirent à
toute voile...

Vitus, le loup affamé, faisait toujours le guet dans les
montagnes de Rieti, surveillant le col d'Ombrie. Quand le
bruit arriva à ses oreilles qu'Élie avait débarqué à Ancône,
entouré d'une importante armée, il se demanda s'il ne ferait
pas mieux de renoncer à son entreprise, sans connaître
peine ni gloire, avant que ses communications avec Rome ne
soient coupées, même si le Bombarone ne voulait peut-être
que s'assurer de son domaine de Cortone.

De toute façon, il savait que les enfants n'étaient pas
avec lui ; du moins, ses espions ne lui avaient rien dit à ce
sujet. Et pourtant, c'était quand même une possibilité ; et
dans ce cas, lui, Vitus, n'aurait été qu'un sot, se serait laissé
berner comme les petits voyous de la ville mènent par le
bout du nez un paysan mal dégrossi avec leurs innombrables
stratagèmes ! Mais il était trop tard pour barrer la route de
Cortone au Bombarone, outre le fait que personne en
Ombrie ne lèverait la main pour aider les papaux. Au
contraire ! Ces gens-là étaient tous des criminels à la solde de
l'empereur, des gens sans foi ni loi !

Et tandis que Vitus ratiocinait, un messager portant les couleurs des Capoccio s'approcha de lui, couvert de sang : on attaque Rome ! Les Pisans avaient incendié ce qui restait de la flotte dans le port d'Ostie et ils remontaient maintenant la côte en pourchassant les bateaux qui naviguaient encore sous la bannière papale ! De leur côté, les pirates normands remontaient le Tibre et menaçaient d'arriver sous le château Saint-Ange ! La population fuyait la ville à flots et la curie s'était retranchée dans le château ! Vitus aboya ses ordres pour qu'on rassemble son armée, tout en s'imaginant le cardinal, qui aimait dire la messe à Saint-Pierre lorsque le pape était absent, en train de traverser le *borgo* en courant, jupes retroussées, pour se réfugier dans la forteresse. Sans flotte et sans armée, la ville était à la merci de l'ennemi, et tout cela parce que lui, Vitus, poursuivait comme un chien enragé on ne savait trop quels enfants hérétiques ou impériaux, car tout le monde savait bien que l'empereur, lui-même bâtard d'une bouchère, engendrait autant d'enfants que voulait bien en produire son maudit membre circoncis.

Eh bien non, il ne pouvait certainement pas se présenter ainsi devant son père. Il fallait chercher l'affrontement ; la tête d'Élie et les cadavres des enfants étaient le moins qu'il puisse déposer aux pieds du cardinal, avant d'offrir son dos nu aux coups de fouet qu'il avait amplement mérités.

Il se disposait à donner des ordres pour marcher vers le nord quand un autre messager lui fit savoir qu'il devait immédiatement rentrer à Rome...

LA GRANDE MAÎTRESSE

Château Saint-Ange, automne de l'an 1245

Le seigneur Rainier de Capoccio, cardinal diacre de Santa Maria in Cosmedine, avait célébré la messe à Saint-Pierre, privilège qu'il s'arrogeait chaque fois que le saint-

père n'était pas *intra muros*. Il donnait la bénédiction à quelques paysans venus de Viterbe lui présenter leurs respects
quand il entendit les premiers cris devant la basilique.

Aussitôt, il pensa à Frédéric. L'empereur s'était emparé
de la ville, lui-même ou son bâtard fou d'Enzo ! Sans plus se
soucier de sa dignité, il se dirigea en toute hâte vers l'entrée
percée dans le mur du *borgo*, le corridor fortifié qui facilitait
la fuite des papes et conduisait directement au château
Saint-Ange. Retroussant ses robes de cardinal, il traversa à
toute allure le passage qui dominait les toitures et ce n'est
que lorsqu'il se trouva presque arrivé au château qu'il osa
jeter un coup d'œil par une meurtrière.

Il vit alors, dans le coude du Tibre, l'ombre fantoma-
tique des longues barques des pirates, ainsi que le feu et la
fumée qui montaient des rives jusqu'à l'hôpital Santo Spi-
rito. Les assaillants ne rencontraient pas beaucoup de résistance ; ils avançaient et le cardinal voyait les fugitifs courir à
ses pieds dans les rues en criant. Il ne perdit pas davantage
de temps, traversa au pas de course la salle du *mappamundi*
et arriva au mur d'enceinte circulaire. Il put voir qu'on char-
geait les catapultes et que les archers étaient à leurs postes,
ce qui lui permit de ralentir un peu ses pas. Il arriva enfin,
légèrement essoufflé car il n'était plus si jeune, au long escalier qui conduisait à ses appartements privés.

Une fois arrivé, il se débarrassa de ses habits sacerdotaux et s'habilla de la soutane anthracite, plus commode,
devant laquelle tous tremblaient de frayeur. Fort commode,
ma foi ! Les gardes n'avaient pas le droit de monter au sommet de la muraille circulaire, car il détestait voir les soldats
l'observer dans la petite cour où, en de rares occasions, il
aimait à se promener, plongé dans ses méditations. Mais
cette fois, il fut rassuré de voir qu'il y avait des gens en armes
là-haut. Son regard se posa ensuite sur la cour, « sa » cour
où personne n'avait le droit de mettre le pied !

Dans la cour il y avait une litière noire.

Tout à coup, le Cardinal gris se sentit mal, il frissonna.
Peut-être s'était-« elle » déjà emparée du château, peut-être
préparait-elle déjà le lieu de son supplice ? « Elle » ne pouvait être venue que pour assister à son exécution.

Il se redressa. Il savait que tous attendaient de lui qu'il
se comporte avec dignité, même à l'heure de sa dernière

heure. N'était-ce toujours pas lui qui commandait dans le mausolée d'Hadrien?

Au diable les gestes héroïques! Il ne voulait pas mourir! Il jeta avec prudence encore un regard en bas. Il ne vit ni escorte de templiers, ni bourreau. Quant à ses soldats qui montaient la garde derrière les créneaux, ils ne s'intéressaient qu'à ce qui se passait sur le Tibre.

Le cardinal se souvint que, tout près de l'endroit où se trouvait la litière, il y avait un escalier taillé dans la masse du mur. Autrefois utilisé pour descendre du sommet de la muraille dans la cour, il en avait fait murer la porte pour empêcher les gardes de l'emprunter et de le déranger par leur présence. Il y avait un accès dérobé à mi-hauteur de l'escalier, si bien qu'il pourrait s'approcher sans qu'elle puisse se saisir de lui.

Il jeta un dernier regard en bas. Les rideaux de la litière étaient tirés; rien ne bougeait, pourtant il le savait, « elle » était là et l'attendait. L'attente était un élément important de son inquiétant pouvoir.

Le cardinal sortit de son vestiaire et s'enfonça dans les corridors qui lui étaient réservés — il ne se sentait plus tout à fait en sécurité à présent. Et quand il se glissa dans l'obscurité, il eut pour la première fois l'impression fugace de la terreur que le personnage du Cardinal gris inspirait chez les autres. Il commença à descendre l'escalier. Une puanteur insupportable le saisit à la gorge. Il n'avait pas songé que les gardes feraient de cet escalier muré leur cabinet d'aisances. Jurant intérieurement, il descendit parmi les excréments jusqu'à un endroit où une mince fente indiquait l'ancienne sortie. Il mit son masque devant son visage, encore qu'il aurait préféré se boucher le nez, et s'avança autant qu'il put dans la meurtrière pour se pencher dehors.

Le rideau noir bougea un peu. La personne qui occupait la litière lui montra brièvement sa crosse, comme il s'y attendait, puis il entendit sa voix:

— Rainier de Capoccio, fit-elle sur un ton de reproche, une odeur épouvantable sort de ce lieu où vous êtes. Vous êtes donc si malade que vous deviez me parler assis dans vos latrines, ou bien vous voulez me faire connaître le monde qui est le vôtre?

— Je ne sens rien! répondit le cardinal d'une voix ferme. Et je préfère ne pas être vu!

— Et ma compagnie?

— Non, car celui avec qui vous parlez en ce moment n'a pas de forme visible...

— Ah! *lo spaventa passeri!*, répondit-elle sur un ton moqueur. Le fantôme gris du château Saint-Ange! Et le vénérable seigneur de Capoccio? S'est-il envolé aujourd'hui ou bien fait-il dans son froc parce qu'une poignée de pirates amalfitains se donnent un mal de tous les diables pour remonter le Tibre à la rame. Ne craignez rien, le château est imprenable de l'extérieur; on ne peut l'éventrer que de l'intérieur, comme le couteau qui perce le ventre du crabe!

— Moquez-vous, vous êtes entre mes mains! Je n'ai qu'un mot à dire, et les archers qui sont là-haut transperceront de leurs flèches tous les cavaliers de votre escorte, comme autant de saints Sébastien, et votre tête sera...

— Vous commettez une double erreur: l'hydre fait toujours renaître une nouvelle tête et, au-dessus de la vôtre, deux de mes hommes sont prêts à arracher de la catapulte la plus proche une marmite de feu grégeois pour la lancer sur la meurtrière où vous vous cachez! En vérité, je m'attendais à une conversation un peu différente, à des retrouvailles qui finalement n'en sont pas, après tant de temps!

— Je ne savais pas à l'époque qui vous étiez. Mais maintenant, je le sais...

— Cette connaissance ne vous a toujours pas fait entendre raison.

— La connaissance ne procure que rarement plus de raison. En revanche, elle apporte la sécurité: je sais qui a parlé de vous sur son lit de mort...

Cette fois, elle l'interrompit sèchement:

— Même si vous saviez, vous ne pourriez pas parler. Si vous aviez parlé, il y a longtemps que vous seriez un homme mort!

— Alors, laissez les morts vous parler: quand le roi Philippe s'est senti proche de sa fin, le dauphin a envoyé une délégation en Italie, à Ferrentino, pour qu'elle y soit témoin de la réconciliation entre le pape Honorius et Frédéric. En cette occasion, l'empereur a juré comme bien d'autres fois d'organiser une croisade, et les Français ont renouvelé l'ancien pacte entre la maison des Capets et les Hohenstaufen germains. La délégation du roi était menée par une dame de la plus vieille noblesse de France, une veuve dans la fleur de l'âge. Elle voyageait dans une litière noire, escortée par des chevaliers templiers. Son nom et son visage sont demeurés cachés à la plupart des assistants...

— Les noms ne sont que bruit et fumée.

— Mais pas la chair dans son plein épanouissement. La femme était blonde, de ce blond argenté qui nous rend fous, nous les Romains, et fort belle ; une femme que tout homme aurait brûlé de posséder et de dominer. Mais cette femme avait un but bien arrêté, un but ambitieux. Sa rencontre avec l'empereur, qui avait perdu l'année précédente son épouse Constance, a eu des conséquences, voulues sans aucun doute : la dame a effrontément fait tout ce qu'elle pouvait pour devenir enceinte de l'empereur, même si l'on venait de négocier à Ferrentino le prochain mariage du luxurieux Frédéric avec la petite Yolande de Brienne, future reine de Jérusalem. Ni la présence du père, Jean de Brienne, ni celle du patriarche de Terre sainte, ni celle du légat du pape, Pelagius, ni celle du grand maître de l'Ordre des hospitaliers, ni celle de celui de l'Ordre teutonique, qui d'ailleurs avait ourdi ce honteux mariage, rien n'a pu empêcher que le couple d'amants, Frédéric et...

— Avant que vous ne perdiez le fil de vos idées, je dois vous corriger sur un point de détail : c'est moi qui ai convaincu Frédéric de se marier avec la petite Brienne !

— Comment vous croire ? Vous voudriez me convaincre que vous ne désiriez pas la main de l'empereur ?

— L'Église ne comprend rien à l'importance du sang ! Elle est incapable de penser aux exigences dynastiques et d'agir en conséquence.

— Si vous préférez, disons que la dame est rentrée après avoir réussi dans son entreprise. Sa fille naturelle a été confiée à des religieuses qui l'ont élevée au couvent de Notre-Dame de Prouille, sous le nom de Blanchefleur. Vous voulez en entendre davantage ?

— Je sais que vous avez suivi le fil jusqu'à mon petit-fils, avec les pires intentions naturellement. Vous en serez peut-être surpris, mais je peux vous dire que je me sens rassurée !

— Vous prétendez peut-être me nommer ange gardien de l'héritier de Carcassonne ?

— Son héritage est bien plus vaste ! Vous veillerez sur

lui jusqu'à la fin de vos jours. Mais naturellement, ceci ne vous libère pas de vos fautes passées, grâce auxquelles vous vous êtes déjà mérité l'enfer ! Vous vous sentez à l'aise, là où vous êtes, Éminence ?

— Vous savez où je suis.

— Parlons à présent du cheminement de quelqu'un qui a assassiné un pape, rien de moins : en route pour Pérouse ! Innocent III meurt subitement d'un coup de sang. Pour lui succéder, le conclave ne choisit pas votre mentor Ugolino, mais bien le vieil Honorius. Et celui-ci élève aussitôt l'assassin au rang de cardinal, puis s'entoure de précautions pour le reste de sa vie. De fait, il est mort dans son lit.

— C'est ce que vous croyez ! se moqua le Cardinal gris derrière son masque.

— A votre avis, le grand Innocent n'attaquait pas avec assez de force l'empereur honni ?

— Il avait fini par s'adoucir.

— Puis c'est le règne d'Ugolino, qui prend le nom de Grégoire IX, un homme dont l'âme était la jumelle de la vôtre par ses façons tortueuses et son absence de scrupules. Quand il est mort, ce qu'il a fait sans votre aide je suppose, le conclave a commis l'erreur de choisir le cardinal archevêque de Milan, Godefroi de Castiglione, un homme qui n'avait pas pris parti dans la dispute avec l'empereur. Il ne portait pas la tiare depuis quinze jours que votre poison a fait son effet, et la Chrétienté fort émue a salué en Sinobaldo Fieschi son nouveau pape, intronisé sous le nom d'Innocent IV. Combien de temps lui donnez-vous ?

— Il ne me dérange pas.

— Je sais, et à voir votre *vita sicarii*, il est clair que la seule chose qui vous intéresse est la destruction de l'empereur germanique. En une occasion, vous avez failli y parvenir — un petit rire fusa de derrière le rideau. — Vous auriez certainement été surpris que je ne remarque pas un détail de ce genre ; de fait, ils se gravent dans ma mémoire. Quand j'ai su que le *venefex* serait là, j'ai compris que mon projet était en grand danger. Le hasard a voulu que, peu avant de quitter la France, une noble dame du Midi m'a priée de l'emmener avec moi comme dame d'honneur. Cette femme avait une connaissance extraordinaire de la cueillette et de l'usage des simples, ainsi que la préparation de toutes sortes de potions.

Et surtout, elle était capable de déceler immédiatement la présence de n'importe quel poison. C'était une personne assez grande, d'une beauté âpre, une femme forte dont émanait une sensualité animale. Nous sommes devenues des confidentes.

— Que pouviez-vous savoir de moi? demanda le cardinal, méfiant.

— Je m'étais imaginé le grand empoisonneur de la curie comme un vieil homme bilieux, et j'ai eu la surprise de trouver devant moi le Romain passionné que j'ai connu à Ferrentino. Un conquérant! Ses yeux me déshabillaient et je me suis prêtée au jeu. Cette nuit dont vous vous souviendrez encore, Éminence, même de mauvais gré, vous avez cru trouver la porte de ma chambre ouverte; mais il n'y avait là que ma dame d'honneur, qui attendait votre assaut dans les meilleures dispositions du monde, pendant que je reposais à côté de Frédéric. Il faut dire qu'on n'avait guère de pitié pour votre ardent désir...

— Elle riait, cette femelle ne cessait de rire! gémit le cardinal qui se défendait furieusement. Elle s'est jetée sur moi comme un soldat!

— C'était sa manière, franche et ouverte, et j'ai ouï dire que vous y avez plutôt médiocrement répondu. Pourquoi cette éjaculation précoce? Votre coq n'intronisait plus? Comment ne l'avez-vous pas reconnue? Pauvres hommes! Elle était tout à fait disposée à vous recevoir, car la vierge s'enflamme pour le premier pic qui la possède, même s'il ne le mérite que rarement! Elle espérait tellement votre venue. Et plus encore, avait même pris ses précautions pour que vous ne l'engrossiez pas, mais elle ne s'attendait pas à ce que vous ne la reconnaissiez point.

— Elle est sortie en pleurant de la chambre, dit le cardinal d'une voix sourde, mais je vous le jure sur ce que j'ai de plus sacré: je ne comprends toujours rien à ce qui s'est passé, pas plus que je n'ai rien compris à l'époque, à Ferrentino. Je ne sais pas de quoi ni de qui vous parlez!

— On devrait vous emmurer vif là où vous êtes, pour vous donner le temps de vous souvenir. Avez-vous oublié la Maison du Seigneur, en 1207? Un jeune moine cistercien issu d'une riche famille, une noble famille de patriciens romains, les vrais seigneurs de Viterbe, assiste à la confé-

rence de la Tour de Pamiers. La grande Esclarmonde, prêtresse du Saint-Graal et, comme sœur de Parsifal, fameuse
protectrice des cathares, avait envoyé les invitations à ce
débat. Vous êtes venu accompagné de Dominique, car
l'exemple de pauvreté, d'austérité et de chasteté qu'il donnait
était à l'honneur à l'époque.

« Une lointaine parente d'Esclarmonde habitait le château de Pamiers, une jeune fille de treize ans. Vous n'avez
pas eu de mal à la séduire, car vous lui avez promis de vous
défaire au plus vite de l'habit, ce qui aurait sans doute mieux
correspondu à votre vraie nature, Rainier de Capoccio. Vous
lui avez aussi promis de l'emmener comme votre fiancée au
château de Viterbe. Mais une fois rentré à Rome, où la table
était toujours mise pour vous — à vrai dire, vous avez dû
partir à toute vitesse, chassé par un Dominique furieux de
découvrir que quelqu'un de son entourage avait sombré dans
le péché —, une fois rentré à Rome, disais-je, vous avez
oublié la jeune fille. Vous avez dit à tous que votre fils Vitus
était l'enfant d'une servante...

— Et vous prétendriez le nier? — le cardinal semblait
inquiet.

— Votre bâtard est fils d'une hérétique, et vous l'avez
toujours su!

— Prouvez-le!

— Vous voulez savoir qui a amené cet enfant à Rome
pour le laisser devant la porte? Saint Dominique lui-même,
qui avait un sens très aigu de la justice terrestre. Et c'est
ainsi que Vitus a été élevé au sein de l'Ordre et qu'il est
devenu ce qu'il est aujourd'hui : *canis Domini!* Le chien du
Seigneur!

— C'est ce que vous dites. Et puis enfin, combien de
filles ont été abandonnées par des moines qui avaient été
leurs amants!

— Peut-être, mais peu de cardinaux ont un enfant d'une
hérétique! Et pour vous rassurer, tout ce que je vous dis est
écrit et enregistré au Documentarium, en un lieu que vous
ne découvrirez jamais et que Mathieu de Paris ne connaît
pas non plus!

Un soupir de rage impuissante s'échappa de la poitrine
du cardinal :

— Cette sorcière! Si je l'avais reconnue, je lui aurais
tordu le cou...

— Vous ne l'avez pas reconnue, et c'est elle qui vous a empêché d'empoisonner Frédéric à Ferrentino. La gêne que vous avait laissée votre échec, car vous vous préoccupiez beaucoup de votre réputation d'amant irrésistible, vous a fait donner votre confiance à ma dame d'honneur à laquelle vous prodiguiez clins d'œil et flatteries, au point qu'elle obtint le privilège de voir passer entre mes mains toutes les coupes que vous remettiez à l'empereur. Elle a réussi à flairer le poison extrêmement subtil et mortel alors que la coupe avait déjà passé la censure de l'échanson impérial, et c'est alors qu'elle a trébuché et que l'occasion a été manquée !

— Personne ne peut m'accuser d'avoir essayé de tuer Frédéric, car il serait impossible de le prouver. Et par les temps qui courent, l'Église serait même capable de me proclamer saint pour un acte semblable ! Mais j'aimerais savoir une chose : qui était cette petite sorcière du château de Pamiers ? Je ne me souviens plus de son nom.

— Vous n'avez jamais demandé de ses nouvelles ! Mais elle, la pauvre, n'a jamais perdu l'espoir de revoir son fils : elle aurait voulu qu'il soit à côté de vous. Fort heureusement, ce spectacle lui a été épargné. Après la capitulation de Montségur, elle est entrée dans l'ombre et ce n'est pas moi qui vous révélerai son nom de guerre, pas plus que je ne vous aiderai à la retrouver pour assouvir vos désirs de vengeance !

La voix qui sortait de la litière se tut et Rainier de Capoccio resta muet lui aussi. Sans le vouloir, ils entendirent ensemble le tumulte grandissant du combat qui montait du fleuve, les cris et le fracas des armes qui commençaient à arriver jusqu'à eux. On avait peut-être commencé à se battre au pied du château, car sur le mur qui donnait sur le Tibre, on entendait des ordres criés d'une voix forte et le grincement des catapultes se faisait de plus en plus précipité. De temps en temps, des cris de joie montaient aussi de la plate-forme située au-dessus de leurs têtes, sans doute quand les servants d'une machine réussissaient à faucher un ennemi. Mais apparemment, l'ennemi ne tirait pas dans la direction des créneaux, car jusqu'à présent aucune flèche n'était tombée sur eux et aucun soldat n'avait dérangé le cardinal en s'abîmant au fond de la cour, pirouettant sur lui-même, hurlant comme un damné. Les pirates devaient sans doute essayer de faire une percée vers le nord et, une fois passé le château Saint-Ange, il était parfaitement possible qu'ils y réussissent, car il n'y avait aucune fortification ou mur d'enceinte pour les retenir sur les *prati* de la rive *trans-tiberim* qui s'étendaient derrière.

Le bruit baissa.

Le Cardinal gris reprit la parole :

— Vous devriez au moins satisfaire ma curiosité sur un point : qu'est-ce qui a poussé le Prieuré à mêler un sang qui était resté pur pendant des siècles en Occitanie, le Saint Graal, avec un alliage aussi vil que celui qui coule dans les veines des empereurs germaniques ? Où sont allés se nicher le bon sens dynastique et l'esprit de prévoyance ? S'allier avec une souche condamnée à disparaître ? Pourriez-vous me l'expliquer ?

— Vous avez peut-être raison en ce qui touche l'avenir des Hohenstaufen, car ils vont sur leur déclin, mais leur sang est digne et réunit celui de tous les ennemis des Capets ! Vous devriez savoir que ce détail a autant d'importance pour le Prieuré que pour vous la haine aveugle du Germain ! L'Église, la papauté, resteront entre les mains de la France. Et à elles deux, elles réussiront à détruire les Hohenstaufen. Mais nous, nous sauverons le sang !

— Vous êtes du côté de ces enfants ?

— Nous les protégerons et nous les garderons de tout mal jusqu'à ce que vienne le jour où se révélera leur destin. Vous connaissez le « grand projet », même si vous ne tenez rien de sûr entre vos mains. Le document que vous aviez obtenu par l'intermédiaire de vos agents est tombé entre les miennes, soit par hasard, soit par l'effet de la volonté de la Providence. Il n'est pas nécessaire que tout soit écrit ; moins de lettres et plus d'idées feraient le plus grand bien à l'humanité.

— Et si j'en avais fait faire une copie ? Le Cardinal gris ne voulait pas se rendre à l'évidence.

— Ce n'est pas le cas, répondit-elle froidement. Le document lui-même n'était qu'une copie, une mauvaise copie sans aucune garantie d'authenticité. De toute façon, vous contribuerez *nolens volens* à l'accomplissement du « grand projet ».

— Comment pouvez-vous penser que je fasse passer au deuxième plan ma loyauté envers l'*Ecclesia catolica* qui a fait de moi ce que je suis aujourd'hui, pour m'occuper de protéger ces pauvres enfants ?

— Ce n'est pas une question de foi, mais de raison : vous aimez le pouvoir et vous voulez le conserver. C'est pourquoi vous ferez en sorte que votre bâtard Vitus ne s'approche pas trop des enfants royaux. Vous recevrez d'autres instructions lorsque nous le jugerons opportun. Je n'ai plus rien à vous dire.

— Et si je refuse ? — La voix du Cardinal gris ne semblait plus aussi ferme.

— Vous perdriez la vie de la même façon que vous pourriez la perdre en ce moment. Mais auparavant, vous verriez de vos propres yeux mourir Vitus, abattu comme un renard enragé, et vous verriez s'éteindre la lignée des Capets. Alors, baisez la crosse et faites ce qu'on vous commande !

Une fente s'ouvrit dans le rideau noir et le bâton de commandement de la Grande Maîtresse sortit comme un serpent prêt à se faufiler dans l'étroite meurtrière.

— Otez de votre visage ce masque ridicule !

Le cardinal obéit et baisa l'extrémité de la crosse qui représentait un démon à cheval sur un bâton d'ébène, en position de coït. Elle lui présenta le derrière du démon et le cardinal colla ses lèvres en silence sur le morceau de bois ; quand elle retira le bâton, elle lui en donna sur le nez un coup qui fit jaillir un flot de sang. Il faillit crier de colère ; mais il serra les dents et, blanc comme un linge, continua à regarder droit devant lui par l'étroite meurtrière.

Deux jeunes hommes vêtus à l'arabe se laissèrent glisser le long de cordes qui descendaient du haut du mur au-dessus de sa tête. Agiles comme des chats, ils portaient chacun un singulier bâton : deux poignards réunis de façon que la lame de l'un entrait dans le manche de l'autre. Même s'il n'avait jamais vu le visage d'un assassin, il sut aussitôt que ces hommes en étaient. Ils s'inclinèrent devant la litière et disparurent.

Puis, de l'ombre du mur, sortirent huit chevaliers templiers, leurs épées au fourreau, qui poussaient devant eux Mathieu et les frères portiers en leur ordonnant silencieusement d'ouvrir. Huit sergents soulevèrent la litière et la firent sortir à pas comptés de son champ de vision.

Le cardinal écoutait sans bouger, effrayé par le silence

qui tout à coup entourait sa prison. Puis il entendit de nouveau, comme venu d'un autre monde, le fracas du combat
qui montait du fleuve et, au-dessus de sa tête, les cris et les
pas précipités des soldats postés sur le mur, le sifflement des
cordes des catapultes et le claquement sec des pierres qui
tombaient à l'eau.

La tête lui tournait un peu quand il remonta l'escalier. Il
n'avait pas la moindre envie de se présenter à ses hommes
pour leur donner courage. Il ouvrit furtivement la porte
dérobée à mi-hauteur de l'escalier et s'y glissa ; il la refermait
quand il vit un poignard fiché entre les poutres qui soutenaient les pierres parfaitement taillées. Il sentit une terreur
indéfinissable et il ne voulut pas en toucher le manche. Il le
laissa là.

Quand il arriva dans sa chambre, il trouva sur son lit un
petit pain encore chaud. Il s'empara des pincettes de la cheminée, puis le jeta dans la cour et regarda les pigeons qui se
précipitaient pour le picorer. Les volatiles lui hérissèrent à
ce point les nerfs qu'il souhaita presque que le petit pain soit
empoisonné. Mais aucun des pigeons ne tomba raide mort.
Ils continuèrent à roucouler, à battre des ailes et à picorer
jusqu'à ce qu'il ne reste plus une seule miette.

Il se sentit mal.

L'ASSAUT

Cortone, automne de l'an 1245 (chronique)

Quand nous vîmes que les Pisans qui nous précédaient
étaient vainqueurs et que des nuages de fumée noire nous
révélèrent le désastre subi par la flotte papale dans le port

d'Ostie, quand nous sûmes que les brigades d'abordage des Amalfitains, dans leur ruée sur les bateaux, avait été suivies par les lourdes trirèmes prêtes à éperonner les navires incendiés jusqu'à les couler, Guiscard nous donna l'ordre de nous coucher au fond de notre embarcation et il lança sur nous un tas de couvertures mouillées et de nattes d'osier. C'est là que j'eus ma première brève rencontre avec Clarion. Nous étions installés face à face, sans pouvoir nous voir dans le noir, mais je sentais sa peau toute proche et je pouvais entendre sa respiration. Dans un geste maternel, elle serrait les enfants sur sa poitrine : des enfants inconnus qui pleurnichaient tout bas, et c'est la dernière chose que je vis de mes yeux remplis d'envie avant que l'obscurité ne nous enveloppe.

Elle me lança un regard perçant qui ne m'encouragea pas du tout à tendre le bras comme par hasard pour tâtonner vers l'endroit où gémissaient les petits. Je laissai cependant tomber une main dans sa direction et je parvins à toucher les cheveux mouillés de l'un des enfants. Je le caressai doucement, et même avec tendresse, à défaut d'autres plaisirs inaccessibles.

Hamo avait décidé que lui seul parmi nous n'avait pas besoin de se protéger ni de se cacher. Il voulait voir les Amalfitains remonter le Tibre à toute allure dans leur barques à fond plat, même si le courant les obligeait à ramer fort. Dans chacune de ces embarcations, une trentaine de rameurs peinaient, auxquels il fallait ajouter vingt hommes en armes. Pour ne pas manquer complètement ce qui se passait là-bas, et aussi pour me soustraire à la proximité du corps d'une jeune fille que je n'osais de toute façon pas toucher, j'allais m'installer près du bord de la barque où je pouvais soulever un peu les couvertures.

Nous approchions des murs de la Ville Éternelle. Je la trouvai si imposante que la défier avec des bateaux aussi petits que les nôtres me parut être d'une audace inconcevable, même si nous avions l'avantage de la surprise pour nous tirer de cette incroyable entreprise.

Presque au ras de l'eau, mes yeux écarquillés découvrirent une image d'une beauté aussi terrifiante que celles qu'on voit parfois en rêve : les Normands étaient agenouillés dans leurs barques, à l'abri de leurs boucliers, leurs arcs bandés. Guiscard obligea Hamo à se protéger comme eux. A côté de nous naviguait la barque des sept hommes d'Otrante, tous debout, la main sur le pommeau de leurs épées. L'étendard de la comtesse battait au vent, dressé devant Rome.

— Nous allons doubler le port, disait Guiscard au-dessus de ma tête. Nous accosterons à l'île aux Lépreux!

Je me cachai aussitôt sous la couverture. La peur l'emportait de beaucoup sur ma curiosité. Quand je me recroquevillai, cherchant instinctivement à me protéger du danger qui s'approchait, je perdis une de mes sandales. Je tendis le pied pour la retrouver et touchai quelque chose de mou, une jambe nue. Mes orteils — heureusement que Clarion ne pouvait pas les voir, car ils étaient fort sales — remontèrent en palpant cette jambe et il me sembla qu'ils recevaient un accueil aimable; je crus sentir un frémissement d'excitation de cette chair qui poussait contre mon pied. Je pus ainsi explorer un genou et les petites extrémités de mes outils de marche continuèrent vaillamment le long d'une cuisse sans qu'on entende un cri d'indignation ni qu'une main brusque aille les arrêter. Je n'osais y croire, mais c'est alors qu'éclata au-dessus de ma tête un grand tumulte : les rameurs pressaient la cadence, des bottes me piétinaient nerveusement, des cris m'arrivaient de la rive, transperçant les couvertures dont l'obscure protection s'était transformée en un ciel pour moi. J'avançai énergiquement et mon pied se retrouva au paradis, au milieu d'une sorte de laine chaude et soyeuse; tout dépendait maintenant du gros orteil qui avançait seul à la recherche de l'entrée humide, impatient d'arriver à la source. Mais elle vint alors à sa rencontre comme un fleuve de lave brûlante, elle entoura l'intrus et parut l'absorber pendant que nous étions tous les deux secoués par les vagues agitées d'abord par mon pied, puis par toute ma jambe; des coups brefs, en mesure, comme ceux qu'on donne à une quenouille, binèrent ce jardin, montèrent et descendirent le lit de la fontaine, cherchant le plaisir qui réside dans le simple fait d'avancer, tandis que l'orifice d'entrée s'ouvrait de plus en plus et se frottait contre ma peau. Je ne sais jusqu'où nous serions allés si en cet instant la quille de notre bateau n'avait pas heurté la rive avec un fort craquement. Les hommes grimpaient et sautaient par-dessus nos corps et nos têtes. On entendait les hurlements des femmes et les jurons des soldats. Puis les Normands commencèrent à mettre à sac les magasins du port, pendant que les marchands abandonnaient leurs étals et les paysans leurs charrettes.

— Revenez! cria la voix de Guiscard. Il faut continuer, il faut dépasser ce château maudit!

Mais ses compatriotes firent sans doute la sourde oreille, car j'entendis peu après Hamo qui hurlait:

— Otrante! A moi Otrante! Des corps sautèrent alors sur nous et des jambes nous piétinèrent, me laissant pratiquement sans connaissance — même si de toute façon je ne voyais rien —, écrasant sur leur passage toute envie luxurieuse. Une lourde botte s'était posée justement sur ma jambe amoureuse et la douleur me fit la retirer prestement.

Plus vite encore qu'auparavant, nous remontâmes le fleuve à la rame et le silence s'épaissit autour de notre barque. Bientôt, on n'entendit plus que le clapotis de l'eau et les coups des rames.

— Le château Saint-Ange! — Guiscard murmurait tout bas ce nom qui lui inspirait manifestement du respect.

C'est alors que j'eus vraiment peur; je soulevai un peu la couverture et je vis devant moi la gigantesque masse ronde de ces murs imprenables et menaçants. Au même moment, je sentis une main qui se glissait comme un serpent sous ma bure et remontait le long de ma jambe, se transformant en un écureuil tiède qui jouait avec mon sexe et le faisait grandir comme un jeune champignon après la pluie, mais plus rapidement; avec la même célérité, le petit animal effronté se transforma en une moissonneuse habile. D'abord, elle se glissa le long de la tige pour l'explorer, puis l'entoura avec force. Puis, quand mon *fungus* eut pris tant de vigueur qu'on aurait dit une tour normande, Clarion décida de monter à l'assaut, sachant fort bien comment s'y prendre...

— Attention! Ils lancent des flèches! criaient des voix au-dessus de ma tête. Un étrange sifflement fendit l'air, un coup, puis plusieurs autres firent frémir la coque de la barque, un gémissement. Quelqu'un disait à voix basse: — Guiscard est blessé! — et je sentis ma tour s'effondrer, tandis que la main se retirait, refroidie par la déception.

— Ne vous occupez pas de moi, gémissait Guiscard. Faites débarquer les enfants en face! La douleur l'empêchait presque de parler.

— Nous ne t'abandonnerons pas ! déclara Hamo d'une voix ferme. Sans un instant d'hésitation, il avait pris le commandement.

— Vite ! grogna l'Amalfitain. Prenez ces charrettes abandonnées !

— Allons-y ! s'exclama Hamo pendant que notre barque heurtait la rive. Je rejetai les lourdes couvertures qui pesaient sur mon corps, je sautai à terre, les membres engourdis, mon pendentif viril brimbalant sous ma robe, et je voulus tendre la main à Clarion pour l'aider. Quelqu'un se mit à crier :

— Attention, nous sommes encore à portée des catapultes !

On entendit un vrombissement et, à l'endroit précis où j'étais allongé l'instant d'avant, une pierre tomba, détruisit la coque et brisa une rame comme un fétu de paille. Mais ensuite, je ne compris plus très bien ce qui se passait, car le gros bout de la rame me heurta la tête et je m'effondrai en avant, comme un sac mouillé...

TEMPÊTE EN APULIE

Otrante, hiver de l'an 1245-1246

— Tu dors ?

— Non, je pense à Guillaume.

— Tu es amoureuse de lui ? — Roç ne cherchait pas à dissimuler sa jalousie, mais il ne savait pas non plus quels étaient ses sentiments envers Yeza, si ce n'est qu'il ne la céderait jamais à personne. Et il se doutait bien qu'il y en aurait toujours d'autres pour la désirer, car Yeza voulait qu'il en soit ainsi.

— Non, répondit-elle d'une voix lente mais assurée. Mais c'est une honte de nous avoir laissés seuls !

Il faisait nuit à Otrante. Aucune lune ne se reflétait sur la mer et l'on ne voyait que de sombres nuages. Dans le lointain, sur l'autre rive, des éclairs déchiraient le ciel.

— Hamo et Clarion sont partis aussi, se plaignit Roç. C'est pas juste d'emmener d'autres enfants en voyage, alors que nous on doit rester ici !

— C'est ça qui me met en colère : les « enfants », c'est nous !

Songeur, Roç essayait de comprendre la situation et même d'excuser Guillaume :

— On l'a sûrement obligé à partir...

— Il aurait pu nous écrire ! — Yeza n'abandonnait pas facilement la partie. — Quand on aime quelqu'un, il faut le défendre !

Roç la comprenait, surtout parce qu'il se disait que si quelqu'un aimait Yeza, il devrait défendre son amour, par les coups s'il le fallait. Mais il souleva quand même une objection :

— Il n'est qu'un prisonnier !

— Nous aussi ! répondit Yeza, toujours aussi têtue. Dehors, la tempête s'approchait et l'on entendait gronder le tonnerre. — Si tu veux, tu peux venir dans mon lit. — Yeza savait que Roç avait facilement peur. Elle était fatiguée mais, comme il ne la laisserait pas dormir tranquille de toute façon, elle voulait bien le protéger. En fait, elle aimait bien que le garçon enlève sa chemise et se colle tout nu contre elle, même s'il manquait un peu de délicatesse. Mais elle ne lui aurait jamais avoué que ce geste l'excitait. En réalité, elle ne pensait pas à Roç dans ces moments-là. Mais à qui pensait-elle ? A Guillaume ? Non, sûrement pas ! C'était seulement la chair de l'autre, sa peau, ses tendons, ses cheveux, son odeur, le contact de ses doigts, l'avancée d'un genou, le frôlement d'une jambe, un chatouillement sur le ventre : tout cela lui plaisait, et elle soupçonnait qu'il pouvait y avoir autre chose encore, que l'avenir lui offrirait d'autres plaisirs. C'était une agréable certitude, doublée d'une certaine inquiétude, d'une crainte, d'un espoir, de rêves, d'émotions...

— Allez, couche-toi ! dit Yeza quand elle vit que Roç, immobile devant la fenêtre, restait à regarder la mer noire qui commençait à moutonner sous les premiers assauts de la tempête. Roç ôta sa chemise et son corps menu et musclé fut un instant illuminé par la lumière d'un éclair mais, au lieu de reculer, effrayé, il sortit sur le balcon pour s'exposer aux rafales de pluie qui s'était mise à tomber. L'eau crépitait sur sa poitrine. Yeza savait qu'il le faisait pour elle. Roç était un preux chevalier, le héros qui affronte les éclairs et la foudre. Elle pensa avec plaisir à la fraîcheur de sa peau humide.

— Roç! appela-t-elle, inquiète, et elle s'étonna de son envie de lui lécher la peau, de se sentir collée contre lui, contre son corps glissant. — C'est dangereux!

Dispensé de continuer à s'exposer au danger pour prouver son courage, Roç s'approcha du lit :

— ...aussi dangereux que se noyer! se moqua-t-il en secouant ses cheveux au-dessus du visage de la petite. Je t'apporte la pluie! — Mais au lieu de piailler, comme il l'espérait, Yeza ne bougea pas sous les fines gouttes qui lui tombaient dessus. Et il n'eut pas non plus à lui remonter sa chemise : Yeza était toute nue.

Un coup de vent poussa le rideau et le fit voler à l'intérieur. Pendant un long moment, on vit la mer agitée, illuminée par la lumière aveuglante des éclairs qui rivalisaient de force, pendant que la tempête soulevait des vagues écumantes qui déferlaient dans un bruit de tonnerre sur les murs extérieurs du château.

D'autres décharges invisibles claquaient comme des coups de fouet que le dieu de la tempête donnait, debout dans son char : un titan qui roulait sur le château, juste au-dessus des deux hommes assis à la table du réfectoire.

— Ce sont les tempêtes d'automne, expliqua John Turnbull, comme s'il voulait s'excuser devant Tarik du mauvais temps; mais ses pensées étaient ailleurs. — J'espère que le capitaine de la trirème aura eu le bon sens de se réfugier dans un port sûr. Nous les attendions ici pour demain.

— Il sait sûrement quoi faire! répondit Tarik, presque comme s'il reprochait au vieil homme ses inquiétudes. Le fait est que nous devons prendre une décision.

— Ah oui, les enfants, répondit Turnbull avec effort. Arrivent-ils à dormir avec tout ce vacarme?

— Peu importe s'ils ont peur ou s'ils s'amusent quand ils entendent le tonnerre en pleine nuit. — La voix de Tarik était devenue légèrement sarcastique. — Il s'agit de savoir s'ils seront en sécurité ici pendant longtemps, de savoir si l'empereur pourra tenir face au coup qu'on lui porte, ou si c'est la fin de l'Empire romain germanique en Sicile, et donc ici en Apulie.

Turnbull semblait recevoir une inspiration venue d'un lieu lointain et sa voix faisait penser à celle d'un oracle :

— Tant que Louis lui conserve son amitié, qui ferait un geste pour se soulever contre le royaume des Normands ?

— On a déjà proclamé un autre roi en Allemagne, répondit le chancelier des Assassins, encore que le fils en pâtira plus que l'empereur.

— Tant que Frédéric est en vie, fit Turnbull d'une voix ferme, il sera empereur et ne laissera personne rogner son pouvoir ; il ne cédera pas un pouce, pas une motte de terre, encore moins le domaine d'Otrante !

Le vieux John s'échauffait. Tarik voulut le calmer.

— Je pense seulement à cette situation nouvelle puisque, sur votre ordre, vénérable maître, je dois garantir la sécurité des enfants. Je dois être prudent, plus encore, méfiant au plus haut point !

— Le Prieuré de Sion a toujours apprécié, comme il le fera encore aujourd'hui, que votre Ordre ait accepté cette responsabilité, reconnut Turnbull. Si vous pensez qu'il est trop risqué de laisser les enfants aux soins de la comtesse...

— Je serais bien plus rassuré si je les savais sous la garde des Assassins à...

Un courant d'air agita les rideaux. Laurence avait ouvert la porte et le vent la fit se refermer en claquant.

— Pardonnez mon retard ! — malgré son manteau, ses cheveux et ses vêtements étaient trempés. — La trirème a pu se réfugier à temps à Tarente. Elle arrivera ici demain ! — Elle en bégayait presque, et les deux hommes comprirent qu'elle était ravie de savoir que son bateau rentrerait bientôt à bon port. La comtesse prit une carafe de vin et quelques coupes sur la desserte, puis servit ses hôtes. — Nous avons aussi des nouvelles d'Élie qui nous viennent d'Ancône : Hamo, mon fils, est en route avec le moine et les *pupazzi* pour Cortone, d'où ils poursuivront immédiatement leur route vers le nord. Ils ont aussi obtenu que Pian s'arrête dans le sud de l'Allemagne pour que Guillaume le rejoigne, mais il n'attendra pas bien longtemps...

— Est-il possible que l'influence du général sur les minorites ait à ce point baissé qu'ils ne lui obéissent plus *sine glossa* ? dit Tarik, sur un ton railleur.

— N'oubliez pas son excommunication et, plus particulièrement aujourd'hui, le fait que tout le monde sait qu'il est ami de l'empereur destitué ! — Apparemment, Turnbull avait pris au sérieux le persiflage du chancelier.

Laurence décida de mettre un terme à l'escarmouche :

— Ce qui m'inquiète, c'est que Élie ne dit pas un mot de Clarion...

— Et que voulez-vous, chère Laurence ? répondit Turnbull pour la rassurer. Dans ce monde d'hommes, on ne parle pas souvent des femmes, ce qui ne veut pas dire qu'elles soient sans importance !

Tarik jugea bon d'intervenir pour tempérer la maladresse du vieillard :

— En vérité, nous avons beaucoup de respect pour le beau sexe — et il s'inclina en souriant devant la comtesse —, et nous vous remercions de l'hospitalité que vous avez accordée aux enfants. — Laurence parut inquiète et détourna la tête, mais elle se mordit les lèvres et laissa son hôte achever sa phrase. — Cependant, nous devons vous informer de notre décision de sortir Roger et Isabelle de ce refuge.

La comtesse se maîtrisa et prit un siège, sans attendre qu'on le lui offre, en face des deux hommes. Elle sortit de sous son manteau un rouleau de parchemin dont elle brisa le sceau. Elle y jeta un coup d'œil, puis le poussa en travers de la table, avec une expression glaciale dans les yeux.

— Il porte le sceau de l'empereur, dit-elle négligemment; il s'agit d'une procuration générale qui m'autorise à parler en tant que représentante de l'empire sur cette question. Moi, une femme, Messire chancelier — la comtesse menait la conversation à présent. — Et pour qu'il n'y ait pas de malentendus, Messires, je ne me suis pas battue pour qu'on me confie la protection de ces enfants, surtout que — et elle regarda fixement Turnbull — le Prieuré a choisi dans cette affaire des alliés qui ne semblent pas se soucier excessivement de la vie d'autrui. Je crois avoir bien compris l'alternative, chancelier : l'obéissance ou la mort !

— Obéissance jusqu'à la mort! la corrigea le chancelier qui n'en dit pas davantage.

John essaya d'apaiser cette tension qui lui était pénible :

— Je suppose que la trirème nous apportera d'autres instructions demain matin. Attendons de voir ce que le Prieuré pense de la situation actuelle, puisque nous ne sommes tous que des exécutants...

Tarik intervint, nullement impressionné semblait-il :

— J'ai moi aussi mes instructions, clairement indiquées dans le contrat qu'on a signé avec nous : je dois prendre toutes les mesures nécessaires pour protéger les enfants!

— Nous tous qui sommes ici, répondit la comtesse, devons bien comprendre que tout ce que nous faisons doit l'être pour le bien des enfants, et pas pour nous prouver à quel point nous sommes fidèles à nos principes. Par ailleurs, je ne vois pas de danger immédiat. Je me garderai bien de sous-estimer la puissance de votre Ordre et la protection qu'il peut nous accorder, Tarik, mais il me semble que rien pour le moment ne nous oblige à exposer les enfants aux périls qui accompagneront nécessairement le début de la prochaine croisade de Louis. D'autre part, je suppose que la situation demeurera stable sur ces terres normandes. Qui voudrait arracher Otrante à Frédéric? — Laurence but une longue gorgée de vin, puis leva sa coupe. — Et si le Germain perd tout, jusqu'à ce dernier bastion, nous pourrons toujours fuir par la mer!

— La fuite est une affaire de femme! grogna Tarik. L'homme intelligent, lui, sait se prémunir!

Ils se regardèrent fixement par-dessus la table; aucun ne paraissait vouloir céder.

— Allons dormir, dit John d'un air conciliant, et demain nous prendrons une décision sage, l'esprit frais et dispos. La tempête s'éloigne, le ciel se dégage, je crois que nous aurons une bien belle journée!

Ils se levèrent tous les trois, se saluèrent et sortirent du réfectoire.

Il était encore très tôt. Une lueur pâle pointait à peine à l'horizon, annonçant une nouvelle journée. Le chancelier des Assassins entra en silence dans la chambre de son protégé,

mais le lit était vide. Créan était déjà sur la terrasse. Il avait
déroulé son tapis et se mettait à genoux pour prier.

Tarik s'installa silencieusement à côté de lui et les deux
hommes attendirent, faute de l'appel du muezzin, l'instant
de la première apparition de la boule de feu, vers l'orient.

— *Bismillahi al-rahmani al-rahim.*

— *Al-hamdu lillahi l-'alamin.*

— *Ar-rahmani-rahim.*

— *Mailiki jaumit din.*

— *Ijjaka na'budu wa ijjaka nasta'm...*

Les deux hommes récitaient tour à tour le chant d'invocation à Allah et leurs voix résonnaient, comme chaque
matin à la même heure, par-dessus les murs et la terrasse du
château qui dominait la mer.

— *...idina siratal mustaquim. Sirata ladsina an'amta
'alaihim, ghairi-l-maghdubi' alaihim wa lad daallin. Amin.*

Quand ils eurent terminé, le jour s'était déjà emparé des
créneaux, réchauffant leur visage et leurs membres engourdis, et le soleil les aveuglait en se reflétant sur le miroir de la
mer étale. Toujours à genoux, Créan attendait que son aîné
lui adresse la parole.

— Je crois que nous devrons finalement partir sans les
enfants — le chancelier plissait les yeux pour se protéger du
soleil éblouissant. — Mais nous n'en serons pas dispensés
pour autant d'effacer toutes nos traces derrière nous. Le
vieux John rentrera avec moi. Il est un peu sénile, mais il ne
livrera pas notre secret. Nous devons aussi nous fier à la discrétion de la comtesse, car elle va encore s'occuper quelque
temps des enfants. En revanche, le frère, ce Guillaume de
Rubrouck, ne sera plus qu'une charge et un risque inutile
une fois sa mission accomplie. Dès qu'il aura rejoint Pian, il
faudra l'éliminer discrètement, si possible sur les terres de la
Corne d'Or. Ce sera ton travail, Créan.

L'homme ne fut pas surpris de la mission qu'on lui
confiait et il était prêt à s'en acquitter, même s'il ne put
s'empêcher de frissonner un peu, comme chaque fois que ses
supérieurs décidaient de la vie des gens comme s'ils étaient
des pièces sur un jeu d'échecs dont la chute signifiait la mort
et non, comme on aurait pu le penser, leur mise de côté pour
la prochaine partie.

— Il ne sera pas facile de le rattraper, objecta-t-il, non

par insubordination, mais parce qu'il pensait aux distances et au temps dont il disposerait.

Tarik lui sourit :

— Je ne te dis pas de partir tout de suite au pas de course, le poignard à la main, mais simplement que tu es responsable de l'exécution de cette décision — le chancelier voyait bien que Créan se sentait mal à l'aise, mais pas un instant il ne crut qu'il puisse faire des restrictions mentales. — Otrante dispose d'une machine à signaux qui est encore intacte. Pourquoi ne fonctionnerait-elle pas maintenant ? Je suppose qu'elle est toujours installée dans la coupole de la grande tour ; et c'est pour cette raison que la porte en est toujours fermée.

Les deux hommes levèrent les yeux vers la plus haute tour du château qui se dressait, solitaire, au centre de la cour. On ne voyait qu'une seule porte, un peu en retrait sur la terrasse supérieure, une porte qui semblait donner sur le ciel plutôt que sur une quelconque salle.

— C'est certainement la comtesse qui garde la clé, dit Créan. Je vais lui demander de m'autoriser à utiliser le miroir et de m'en expliquer le fonctionnement.

— Fais comme bon te semble, répondit Tarik avec un sourire désabusé. Je suis sûr qu'elle me refuserait avec plaisir cette faveur si c'était moi qui la lui demandais !

Tarik sortit un écheveau de lacets de cuir de la poche intérieure de sa djellaba ; chaque lacet portait des nœuds de différentes grosseurs. Il les tendit un par un à Créan qui se les attacha autour des doigts dans l'ordre où il les recevait. Puis Créan voulut se lever, mais le chancelier l'arrêta.

— A part ce moine, il y a encore ces autres personnes qui l'accompagnent au pays des Mongols...

— Mais si elles ne savent rien, osa protester Créan. Hamo et Clarion sont seuls à savoir quelque chose...

— Et ce ne sont pas des personnes, peut-être ? rétorqua Tarik avec une froideur extrême. De plus, ils manquent totalement de maturité.

— Vous ne voulez pas...

— Je veux simplement être conséquent, répondit sèchement Tarik. Je sais aussi que ces deux-là n'accompagneront pas le moine jusqu'à la cour du Grand Khan, mais qu'ils rentreront lorsque nous ne serons plus...

— Nous?

— Durant notre voyage de retour, nous te laisserons quelque part dans le territoire sous souveraineté byzantine. De là, tu devrais t'assurer que nos instructions concernant le moine ont été exécutées à la lettre. Faute de quoi, tu devras pénétrer toi-même en territoire tartare pour accomplir la mission, même si ce doit être à l'arme blanche. Dans ce cas, tu n'auras guère de chance de pouvoir rentrer en vie. Les Mongols n'ont aucune sympathie pour l'Ordre des Assassins. Mais si tu ne remplis pas ta mission, Créan, moi non plus je n'espère pas te revoir dans le monde des vivants. *Insha' allah.*

Créan s'inclina très bas :

— *Alahumma a'inni 'ala dsikrika wa schukrika wa husni 'ibadatik*, fit-il en se redressant, le visage impassible, avant de s'éloigner.

POTS CASSÉS

Cortone, automne de l'an 1245 (chronique)

Quand je revins à moi, j'étais couché dans une charrette, sur une litière de paille; à côté de moi, deux des hommes d'Otrante geignaient tout bas. Ma tête me faisait l'impression d'une jarre dans laquelle on aurait fait entrer à coups de pilon la provision de beurre pour tout l'hiver; j'essayai de la toucher, mais au lieu de petit lait, ce fut du sang qui tacha ma main.

Je me redressai avec d'infinies précautions. Nous étions arrivés devant Cortone; je vis que Clarion était avec les enfants dans une autre charrette. La tête de Guiscard reposait sur ses jupes. Son visage tanné comme du cuir était très pâle et luisant de sueur. Nos charrettes roulaient sur le chemin empierré du château.

Tout à coup, Hamo arriva sur son cheval à hauteur de ma voiture :

— Vous avez manqué le meilleur, Guillaume. Nous avons traversé sans encombre la Porta Flaminia. Les gardes étaient tellement nerveux qu'ils ne contrôlaient personne parmi les gens qui fuyaient la ville. Ils nous ont seulement demandé si nous avions vu les pirates, par simple curiosité. Je leur ai montré les blessés — figurez-vous qu'un morceau de flèche était planté dans la cuisse de Guisard — et ils nous ont laissés passer. Dans un village, nous avons trouvé un rebouteux qui a su opérer et soigner la blessure. Ensuite, nous avons continué notre route droit au nord, en suivant le Tibre. Soudain, nous avons rencontré une troupe de soldats du pape, menés par ce sinistre cavalier qui nous avait pourchassés avec tant d'acharnement plus au sud. Je l'ai reconnu tout de suite, mais pas lui, heureusement ! Apparemment, nous n'étions pas dignes de ses regards ; à vrai dire, il y avait beaucoup de monde sur la route : en proie à la panique, toute la population abandonnait Rome. Aucun des soldats du pape qui venaient dans l'autre sens n'a pris la peine de fouiller nos charrettes qu'ils ont même failli pousser dans le fossé. Ils sont passés comme un nuage de taons furieux et nous avons continué notre chemin aussi vite que le permettait l'état de nos blessés. Vous ne faites pas partie des estropiés, Guillaume ! dit Hamo en concluant son récit décousu, mais le vieux m'inquiète.

Il éperonna son cheval et reprit la tête de notre troupe. Et soudain, nous revîmes l'étendard d'Otrante qui nous guidait. Quelle folie, pensai-je, que de ne pas avoir jeté ce chiffon délateur dans le Tibre, au plus tard à Rome. S'ils nous avaient faits prisonniers, nous aurions tous fini nos jours pendus au pont Saint-Ange, ou pire encore.

Les chevaux tournèrent, pour entrer dans le château d'Élie, construit sur une hauteur. La gouvernante, dame Gersande, nous attendait à la porte. On descendit Guiscard avec beaucoup de précautions et Clarion prit les enfants par la main. Sans m'accorder un regard — ou plutôt ses yeux me traversèrent comme si je n'étais que de l'air —, elle entra dans le corps de logis.

C'est alors que je me rendis compte que Clarion n'avait adressé la parole ni à Hamo ni à personne d'autre depuis notre départ ; je ne l'avais pas encore entendue plaisanter avec personne, pas même avec les enfants qui, mis à part de rares plaintes, supportaient tout en silence. Peut-être étaient-ils sourds-muets. Je ne les trouvais pas trop éveillés. La comtesse avait dû plonger la main jusqu'au fond de sa réserve d'orphelins pour en sortir deux petits malheureux auxquels les pires tourments n'arracheraient pas le moindre mot cohérent. Valeureux héritiers impériaux !

On m'appela pour souper à la cuisine, où Guiscard était installé, à moitié couché ; dame Gersande le faisait manger avec beaucoup de prévenance. Les enfants étaient déjà couchés.

Un message d'Élie, en Aquilée, était arrivé, informant qu'il était retenu là-bas sur ordre du pape, pour s'assurer de la loyauté de ce patriarcat de si grande renommée. Nous ne devions pas l'attendre, mais nous considérer en tout comme ses hôtes.

— Pour tout vous dire, me confia Gersande, des *zelanti* poussés par le pape, c'est-à-dire des gens à lui, imaginez un peu, ont attaqué l'ouvrage que le *Bombarone* construit de ses propres deniers en l'honneur de saint François. Ils voulaient détruire une église ! — Gersande n'en revenait pas d'une telle atrocité. — Mon maître a donc préféré pour le moment tourner le dos à ce lieu ingrat.

On nous donna à manger des *pasta ai fagioli* avec du fromage râpé, le tout arrosé d'un généreux filet d'huile d'olives pressées à froid, en plus de saucisses d'âne grillées dont Gersande coupait de petits morceaux pour les mettre dans la bouche de Guiscard. Grâce à ces soins, le vieux se remettait à vue d'œil, même si le moindre mouvement de la jambe semblait lui causer une violente douleur.

On avait servi le souper de Hamo et de Clarion sur la longue table du grand réfectoire. Les jeunes comtes, « frère et sœur » comme tout le monde le croyait, mangèrent dans un silence glacé ; du moins nous n'entendions pas un mot au début par la porte ouverte. De temps en temps, Gersande entrait pour remplir leurs coupes de bon vin toscan. Mais ils se réveillèrent ensuite, d'abord pour s'insulter à voix basse, puis à grands cris, sans aucune retenue.

— J'en ai assez, lança tout à coup Clarion, je n'ai plus envie de continuer cette folie!

Hamo parut heureux de l'entendre ouvrir la bouche et tenta de s'excuser :

— Il fallait attirer l'attention...

— Alors, j'aurais dû danser toute nue sur la place du marché! répondit Clarion.

Hamo essayait de garder son calme, car il comprenait bien que le vin montait à la tête de Clarion. Mais il voulut quand même s'expliquer :

— Ce qu'il faudrait, naturellement, c'est que les gens voient Guillaume avec les enfants.

Clarion éclata de rire; apparemment, elle avait l'impression qu'on la prenait pour une imbécile :

— Tu pourrais aussi faire danser le moine tout nu!

Ce coup bas était en fait dirigé contre moi, même si c'était Hamo qui en subissait les conséquences.

— Putain! s'exclama-il d'une voix forte, et aussitôt une pièce de vaisselle alla se fracasser contre le mur.

— Mon Dieu, le cristal de Bohême! geignit Gersande en tenant en l'air une rondelle de saucisse grillée piquée sur une fourchette qu'elle s'apprêtait à enfourner dans la bouche affamée de Guiscard. Je profitai de l'occasion pour me servir une copieuse portion de ces savoureuses *salsicce*.

Mais Hamo s'entêtait :

— Il faut toujours qu'une putain mal embouchée fasse du scandale quand elle se sait protégée par des hommes qui risquent leur peau pour elle!

— Je peux savoir pour qui vous avez risqué votre peau? répondit Clarion d'une voix aigre. Personne n'a vu Guillaume ni les enfants. Vous êtes entrés comme des bandits à Rome et vous en êtes sortis en rampant comme des voleurs!

— Il fallait peut-être nous laisser prendre? aboya Hamo. Ah, tu fais une bien grande stratège, Clarion de Selinonte!

Hamo était furieux, car la jeune fille n'avait pas tout à fait tort; il aurait dû au moins laisser la bannière à Rome, afin que leurs poursuivants aient la preuve tangible qu'ils s'étaient fait mener par le bout du nez.

— Nous repartirons demain, décida le tout jeune homme, et tu pourras faire ce qui te passe par la tête pour que tout le monde sache...

— Je ne joue plus! répondit froidement Clarion. Tu es fou si tu décides de partir sans Guiscard, qui est fou lui aussi, d'ailleurs, mais qui au moins n'est pas un jeune blanc-bec comme toi. Partir sans attendre qu'il soit guéri...

— Nous n'avons pas de temps à perdre. Guillaume et les enfants doivent rattraper Pian et continuer avec lui...

— Personne ne me fera sortir d'ici! répliqua Clarion.

— Alors, Gersande accompagnera les enfants!

— Gersande doit s'occuper de Guiscard... — Clarion ne voulait plus rien savoir.

Hamo était sur le point d'exploser :

— Je t'ordonne...!

— Tu ne peux rien m'ordonner. Tu n'es même pas le commandant des soldats qui me restent encore et qui vont m'accompagner pour rentrer à Otrante!

Une fois de plus, il y eut un grand bruit de vaisselle et de verre cassé. Gersande se signa. Guiscard fit la grimace et je remplis mon assiette. Le vin de Toscane, dont Hamo avait abondamment profité lui aussi, faisait son effet.

— J'ai la bannière, s'écria-t-il, et si vous partez tous, je prendrai des mercenaires à mon service! C'est moi qui ai l'argent. J'engagerai une nourrice pour les enfants et j'emmè-nerai aussi Guillaume avec moi. Tu veux peut-être garder le moine?

— Cherche donc une nourrice pour te border dans ta bannière, avec le moine tant que tu y es.

— Fais attention à ta langue, perfide! — et le garçon cassa un dernier verre, de sorte qu'il n'en restait probable-ment plus un.

— Enfantillages! fit Clarion en traversant la cuisine la tête bien haute. — Il vous conduira tous à la perdition!

La jeune fille était à peine sortie que Hamo apparaissait à la porte, titubant, la carafe vide à la main :

— Du vin, honorable dame Gersande! — La gouver-nante s'était levée d'un bond et semblait vouloir protéger Guiscard, comme une mère poule ses poussins, tandis que je plongeais le nez dans ma *pasta*. — Du vin! bredouilla Hamo. Vous allez peut-être aussi me refuser du vin?

Guiscard et moi levâmes nos coupes, récemment rem-plies.

— Aux faux enfants du Graal, entonna Hamo d'une voix

éraillée en buvant au goulot, et à toutes les femmes du monde !

Nous bûmes en silence et il se retira d'un pas mal assuré.

LES ÉCLAIRS

Otrante, hiver 1245-1246

— Le bateau, le bateau ! Le bateau est revenu !

Bondissant de joie, Roç et Yeza s'étaient avancés jusqu'au mur circulaire où une porte de fer les empêchait de descendre au petit port. Ils se hissèrent sur le parapet pour assister au débarquement des rameurs et des marchandises qui commencèrent à s'entasser sur le quai.

— Je vous ai vus arriver ! criait Yeza en faisant de grands signes aux marins qui grimpaient aux mâts pour défaire les voiles carguées et libéraient de leurs taquets de nage les avirons effilés.

— Mais tu dormais encore quand ils ont passé le cap, essaya de dire Roç pour tempérer son enthousiasme, mais sans succès.

Yeza ne voulait pas en démordre :

— J'ai vu le bateau arriver de la pleine mer, je l'ai vu !

— Ils ont passé la nuit à Tarente, dit Roç qui essayait encore d'imposer sa logique. Ils ont forcément fait le tour du cap ! Mais tu ne sais même pas où est le sud... !

— Un Maure, un Maure ! s'écria Yeza, folle d'excitation. Il a la peau noire et un anneau dans le nez !

— Tu veux dire un nègre ! précisa Roç, très calme, sans se rendre compte qu'une porte s'ouvrait derrière eux, laissant passer Laurence. Yeza la vit la première. Elle descendit du parapet et lui sauta au cou.

— Un nègre! Il est pour nous? — La comtesse parut surprise. L'idée ne lui était sans doute pas passée par la tête. Mais après tout, pourquoi pas? Les enfants avaient besoin de quelqu'un qui non seulement s'occuperait un peu d'eux, mais aussi qu'ils accepteraient davantage comme un compagnon de jeux que comme un gardien.

— Je vous le donne! dit-elle en croyant échapper par ces mots à l'explosion de joie des enfants quand Créan se présenta et pria la comtesse de lui accorder quelques instants. Roç et Yeza s'enfuirent à toutes jambes.

La lourde porte renforcée de plaques de fer, qu'on ne pouvait atteindre qu'au moyen d'une échelle car elle se trouvait très au-dessus de leurs têtes, s'ouvrit en grinçant. Personne ne l'avait utilisée depuis des années. La grosse tour normande était l'ultime refuge et il y avait des années que les habitants du château n'avaient pas soutenu un siège, en tout cas depuis que Laurence était maîtresse des lieux. Le dernier devait remonter à l'époque où les empereurs germaniques avaient décidé de se « charger » du château.

La comtesse monta devant Créan par l'étroit escalier en colimaçon jusqu'à un premier palier circulaire dépourvu de fenêtres. Là commençait une construction de bois qui, de plate-forme en plate-forme, n'était accessible qu'à l'aide d'une échelle que l'on retirait ensuite d'en haut. La lumière qui entrait en biais par les meurtrières révélait partout un épais tapis de poussière. Tout en haut, il y avait une dernière voûte de pierre avec en son centre un trou juste assez grand pour laisser passer une personne. Créan suivit la comtesse et, après avoir traversé plusieurs plates-formes au risque de se rompre le cou, percées d'innombrables meurtrières qui s'ouvraient dans toutes les directions, ils arrivèrent au sommet de la tour, protégé par deux rangs de créneaux.

Devant eux se dressait une gigantesque coupole de pierre dont l'assise était percée d'une sorte de trappe qui ne pouvait s'ouvrir de l'extérieur. Laurence poussa sur un créneau et un passage s'ouvrit.

Ils se glissèrent à l'intérieur en passant sous le mur. Il

faisait noir, malgré les minces rais de lumière que laissaient passer les fentes de la porte. Laurence chercha une chaîne de fer, tira, et la trappe s'ouvrit en grinçant, comme une bouche qui s'ouvre au soleil. A la lumière du jour, ils virent assis devant la trappe les deux enfants qui riaient à gorge déployée de la surprise des deux adultes.

— Comment avez-vous fait pour monter...? demanda la comtesse d'une voix sévère, mais elle se tut sans achever sa phrase. Yeza s'était mise à tourner comme une toupie pour décrire son ascension par un étroit escalier en colimaçon; elle tournait, tournait de plus en plus vite, jusqu'à se donner le vertige.

— Tu vas finir par tomber, dit Créan en la prenant par le bras.

— On monte beaucoup plus vite qu'avec votre échelle! expliqua Roç d'un air suffisant. Il y en a même deux : un qui descend à la cave et l'autre qui va peut-être jusqu'au port...

— Mais nous, on ne le sait pas, naturellement! s'empressa d'ajouter Yeza. En tout cas, il s'enfonce très profond dans la terre!

— Très bien, très bien dit la comtesse sans faire trop attention à cette description de passages secrets dont elle-même ignorait l'existence. Dans ce cas, vous allez pouvoir redescendre tout seuls!

— Et si on vous demande la permission de rester? — Yeza savait comment parler à Laurence. La comtesse avait du mal à lui refuser quelque chose, peut-être parce que la petite insistait pour être punie comme Roç chaque fois qu'on les grondait. Elle demandait même parfois à être punie à sa place. Laurence savait fort bien que la véritable coupable, l'instigatrice de toutes ces bêtises, était presque toujours la petite fille.

La comtesse interrogea Créan du regard. Il donna son accord d'un geste. Comment les enfants allaient-ils comprendre la nouvelle qu'il devait transmettre. Pas même Laurence ne pouvait déchiffrer le code des Assassins, malgré sa longue expérience des signaux.

— J'ai toujours eu envie de voir fonctionner le feu à signaux. On s'en sert en plein jour? dit Roç, ravi d'être autorisé à rester.

— Écartez-vous, leur ordonna la comtesse, et on ne rouspète pas!

Elle retira d'un bâti de bois qui se trouvait derrière elle une couverture de cuir mince, très usée, découvrant un miroir. Celui-ci se composait d'un grand nombre de petites plaques d'argent noircies par l'oxydation qui dessinaient une courbe lisse en suivant le contour concave du bâti.

— Nous n'avons plus beaucoup de temps, dit la comtesse en se tournant vers Créan qui cherchait à l'aider. Malgré son âge, Laurence n'était pas femme à attendre d'un homme qu'il lui vienne en aide pour lui éviter un effort physique. — Il ne fonctionne qu'à l'heure de midi. Il nous reste un quart d'heure pour tout préparer. — Elle prit un seau rempli de cendres de bois et donna des chiffons aux enfants :
— Vous voulez nous aider? Plus le miroir brille, plus les reflets iront loin. Comme des éclairs!

— Et on va aussi entendre des coups de tonnerre? demanda Yeza d'un air très sérieux en regardant les innombrables taches du miroir. Roç se mit aussitôt au travail, mais sans succès. Laurence lui montra alors comment faire. Elle cracha sur le chiffon, le plongea dans la cendre, puis étendit cette pâte sur le métal. Elle frotta un peu, et le métal se mit à briller.

— Il faut bien que la salive serve à quelque chose! gloussa Yeza qui se mit aussitôt à imiter la comtesse, tandis que Roç regardait encore les taches, sans trop savoir quoi faire. Puis, la comtesse se glissa derrière le miroir où un tabouret de bois était solidement fixé au bâti par des traverses. Le tabouret ne touchait pas terre, mais flottait au-dessus à environ un doigt de hauteur. Laurence chassa la poussière qui recouvrait le siège et les marques gravées par terre. Elle s'assit et vérifia le fonctionnement des deux chaînes qui coulissaient à sa gauche et à sa droite. Quand elle tirait sur une chaîne, la trappe se fermait; quand elle tirait sur l'autre, elle se rouvrait.

Créan avait nettoyé le haut du miroir que les enfants ne pouvaient atteindre. Il s'approcha de la comtesse, défit le premier lacet de cuir de son doigt et observa les nœuds. Laurence le regardait avec curiosité, mais elle fut incapable de découvrir une signification quelconque dans l'ordre et la grosseur des nœuds.

— Combien de longueurs différentes vous faut-il? demanda la comtesse, montrant ainsi qu'elle n'était pas une novice.

— Deux, répondit Créan, une courte et une longue!

— Vous êtes prêt?

Créan hocha la tête.

— Maintenant, dit la comtesse aux enfants, vous allez vous mettre derrière, pour que la lumière ne vous fasse pas mal aux yeux!

Roç et Yeza s'accroupirent des deux côtés du bâti. Les mains devant la figure, ils regardaient à travers leurs doigts écartés avec l'espoir secret de percer le mystère de ces « éclairs ».

Laurence ouvrit la trappe en tirant sur une chaîne, la laissa ouverte le temps de compter trois battements de cœur, la referma, compta à voix basse jusqu'à dix, ouvrit pendant encore trois battements de cœur, referma pendant trois, ouvrit pendant dix, puis attendit.

— C'est le signal pour la tour d'Avlona, expliqua-t-elle, il n'a rien de secret. On le connaît depuis l'époque de l'empereur Alexis.

Tous avaient les yeux fixés sur la mer dont la ligne d'horizon se confondait avec le ciel bleu. Mais on ne voyait rien. Laurence recommença : trois — une longue pause — trois — une courte pause — dix!

Ils attendirent encore, les yeux brûlant d'impatience.

— Là-bas! s'écria Yeza. Un éclair! — Et de fait, de l'autre côté de la mer Adriatique scintillait une lumière un peu confuse, mais parfaitement visible. Laurence vérifia le signal et donna confirmation : trois éclairs brefs, un long.

— Commencez! murmura-t-elle à Créan qui se mit à palper le cordon les yeux fermés pour dicter à la comtesse les signaux qu'elle devait envoyer.

Les enfants étaient fascinés. Ce n'était pas tant l'ouverture et la fermeture de la trappe qu'ils regardaient, mais le manège de la comtesse qui tirait sur les chaînes comme un marionnettiste furieux, jetant de temps en temps un regard derrière elle, sur les marques gravées à terre qu'un rayon de soleil parcourait sous la forme d'un point lumineux. Ils essayèrent de découvrir sur la voûte de la coupole l'orifice par lequel tombait ce rayon de lumière, mais ils n'y parvinrent pas car il leur aurait fallu se mettre sous le siège de la comtesse, ce qu'elle leur interdit d'une voix sévère.

Laurence commençait à transpirer. Elle semblait entrer

dans une sorte de transe. Les unités de temps de ses battements de cœur, d'abord murmurés, puis comptés à haute
voix et finalement criés, le cliquetis des chaînes, les brusques
mouvements qui lui faisaient changer de position ou déplacer son siège, et donc le miroir, le claquement des pièces de
bois de la trappe, tout cela faisait un vacarme incessant sous
la coupole que remplissait maintenant un nuage de poussière. Laurence toussait, la voix rauque, jetant de brefs coups
d'œil sur les lacets de Créan que celui-ci laissait tomber à
terre dès qu'il les avait lus, jusqu'à ce qu'il achève d'égrener
le dernier entre ses doigts. Un dernier coup de la trappe, et
ils se retrouvèrent dans le noir.

Lorsque leurs yeux reprirent l'habitude de l'obscurité,
Laurence était effondrée sur son tabouret. Elle respirait
laborieusement. La poussière retombait peu à peu.

Avec l'aide des enfants que l'étonnement avait rendus
muets, Créan recouvrit le miroir, puis tendit la main à Laurence. Cette fois, elle consentit à ce qu'on l'aide, mais pour
bien peu de temps, car elle voulut ensuite descendre toute
seule l'échelle, comme une jeune fille. Et elle n'attendit pas
non plus que Créan et les enfants soient arrivés en bas pour
courir à la citerne de la cour. Là, elle demanda qu'on lui tire
un seau d'eau dont elle se rafraîchit le visage avant de s'y
plonger les mains et les bras jusqu'aux coudes pendant un
long moment. Puis elle demanda à l'un des domestiques qui
l'entouraient respectueusement, mais aussi avec une certaine crainte, de dire à Créan de fermer lui-même la tour et
de lui rapporter les clés.

LES ENFANTS ROYAUX

Lombardie, hiver 1245-1246 (chronique)

— Les enfants royaux, murmurai-je, comme si je livrais
un secret à contrecœur, disent que vous ferez un très long
voyage, mais que vous finirez par vendre l'âne pour moins
que son prix.

Le paysan, qui était resté respectueusement debout devant mon « trône » en faisant tourner son bonnet entre ses gros doigts, voulut que moi, le grand mage Guillaume de Rubrouck, je lui dise encore quelque chose à l'occasion de cette ultime *audienza in pubblico* :

— Et je vais aussi trouver une femme ?

Moi, conseiller en toutes situations délicates de la vie, illustre sage, ultime gardien vivant du seau du mariage alchimique et adepte d'Hermès Trismégiste, sur le point de tourner définitivement le dos à l'Occident pour retourner à la cour du Grand Khan de tous les Mongols et Tartares, je posai les mains sur la tête des enfants qui se trouvaient à côté de moi, je fermai les yeux, et je fis attendre le paysan le temps qu'il fallait. Puis je me penchai vers le garçon qui fut cependant incapable d'articuler un mot, de sorte que je tendis l'oreille vers la petite fille qui chuchota qu'elle avait très envie de faire pipi. Et je me redressai pour proclamer :

— Au bout de la route, vous trouverez la jeune fille qui vous donnera un coup de main le jour et qui réchauffera votre lit la nuit !

Pour moi, la *consultatio* était terminée. Mais le paysan était encore soucieux :

— C'est vrai que je vais devoir vendre le baudet à bas prix ?

— Non, murmurai-je d'une voix menaçante, mais alors tu ne trouveras pas de femme !

Je le renvoyai avec ces paroles et il se retira avec son âne gris. Il avait payé d'avance plus qu'il ne tirerait jamais de sa bête.

Hamo, mon prince, me fit un sourire satisfait. Il avait été fort mécontent que notre traversée de l'Italie fasse si peu de bruit et il ne cessait de sentir comme une épine plantée dans l'âme les reproches de Clarion qui l'accusait d'avoir échoué. Il avait donc insisté pour que nous quittions Cortone au plus vite, grâce à Dieu généreusement pourvus d'argent et accompagnés d'un groupe de soldats. Élie, qui continuait à tenir la lointaine Aquilée pour son empereur, avait sans doute mauvaise conscience d'avoir chargé le jeune comte d'Otrante de ce difficile voyage et se sentait fort justement coupable de l'idée. Il avait donc envoyé une petite troupe d'hommes loyaux avec un message instruisant sa gouvernante de ne pas ménager les moyens qu'elle mettrait à la disposition de Hamo. Nous avions même trouvé une nourrice, une grosse femme fort laide. Non seulement avait-elle une tête porcine, mais deux grosses verrues poilues la rendaient encore plus épouvantable. Mais elle était bonne pour les enfants qu'elle serrait contre sa généreuse poitrine. Les petits ne changèrent pas de façon spectaculaire, mais ils cessèrent de se plaindre et commencèrent à exprimer par un timide bégaiement leurs modestes besoins.

Nous évitâmes les villes que nous savions ennemies de l'empereur et, quand nous arrivâmes devant les murs de Bologne, Hamo et moi nous creusâmes la cervelle pour trouver le moyen d'attirer sur nous l'attention du public.

— Nous risquons notre peau, Guillaume, se plaignait Hamo. Nous souffrons de la chaleur, les mouches ne nous laissent pas en paix, nous avons des ampoules aux pieds et nous souffrons mille maux encore. Nous nous traînons au milieu de la pierraille et des marécages, nous avalons de la poussière et nous avons tous la colique. Mais tout le monde s'en moque !

C'est alors que nous rencontrâmes la vieille Larissa et sa troupe, une tribu de gitans qui se prenaient pour des comédiens, même s'ils n'étaient capables de donner que des saynètes plutôt simplettes. L'arrière-grand-mère Larissa, complètement édentée, les cheveux blancs très clairsemés, lisait l'avenir dans les lignes de la main et prononçait des oracles ; ses fils, brus, petits-fils et arrière-petits-fils faisaient la roue, échafaudaient des pyramides humaines, se libéraient de nœuds très compliqués, crachaient le feu, faisaient disparaître en un tournemain les enfants en les transformant en lapins ou en colombes blanches, se battaient avec des sabres de bois, faisaient grimper les mioches sur les épaules des adultes pour se battre en tournoi avec des lances dont les pointes étaient sagement enveloppées de chiffons. Les filles se trémoussaient en jouant des cymbales et des tambourins ; leurs larges jupes volaient en l'air, mais elles ne montraient que leurs culottes. Personne ne les regardait, sauf quelques bergers qui malheureusement ne payaient pas. Les soldats riaient, lançaient des regards passionnés aux jeunes gitanes, leur faisaient des propositions malhonnêtes.

Nous décidâmes de faire halte. Hamo donna de l'argent

aux gitans quand il vit qu'ils menaçaient de recommencer leur numéro et que les hommes semblaient prêts à jouer du couteau. L'aîné des fils nous conduisit devant Larissa qui se plaignait qu'elle et sa famille allaient devoir mourir de faim, puisque les gardes de la ville les traitaient, bien qu'ils soient comédiens, comme s'ils étaient des gitans, les empêchant donc de se produire sur les marchés. Peut-être que lui, un jeune et puissant seigneur comme il était facile de le voir, pourrait leur faire ouvrir les portes de la ville ? Sur ce, elle se jeta à terre et baisa les bottes de Hamo.

Pour la première fois, j'eus l'occasion d'apprécier la fantaisie débordante du fils de l'Abbesse, la force de son imagination primesautière :

— Je voyage avec Guillaume de Rubrouck, un homme célèbre pour ses extravagances, dit-il à haute voix en me désignant avec le plus grand respect —, et deux princes du sang. — Les enfants regardaient autour d'eux, intimidés, puis ils allèrent chercher refuge contre les flancs puissants de la grosse nourrice. — Serait-il possible d'associer ce maître vénérable des arts occultes et les enfants de la couronne invisible à votre spectacle artistique ? Et même d'en faire le clou de vos numéros ?

La vieille femme ne comprit pas quelles étaient les intentions de Hamo, ou bien je ne pus saisir ce que sa bouche édentée, habituée aux oracles, prononça en guise de réponse, mais son fils aîné, Roberto, capable de briser des chaînes le torse nu quand il ne lançait pas des poignards autour d'une danseuse debout devant une planche, comprit aussitôt l'intérêt de notre proposition.

Et ainsi se forma la « Troupe extraordinaire et artistique du fameux prince d'Otrante ».

On m'affubla d'un ample manteau lilas orné d'étoiles d'argent et on me gratifia d'un chapeau pointu sur lequel brillait une demi-lune. On habilla les enfants de blouses de couleur et on jucha sur leur tête de petites couronnes qui semblaient d'or. Hamo déploya la bannière dont il n'avait jamais voulu se séparer. Un héraut annonçait notre arrivée et aucun garde n'osait nous refuser l'entrée, attitude à laquelle contribuait assurément le fait que nous laissions habilement tomber quelques pièces d'or où il fallait. J'avais de nouveau une voiture à moi sur laquelle j'étais assis comme sur un trône, car la vieille m'avait cédé sa place en même temps que le soin de prononcer les oracles, tandis que les enfants voyageaient dans une autre voiture, entourés de soldats, et que les petits-enfants de la vieille leur lançaient des pétales de fleurs.

Nous allions ainsi de marché en marché. Les bonnes gens nous regardaient, nous admiraient et murmuraient sur notre compte, car Hamo et Roberto rivalisaient d'ingéniosité de jour en jour, à qui inventerait de nouvelles légendes sur le grand mage Guillaume et les princes du sang. Notre renommée nous précédait et nous suivait comme la longue traîne d'un manteau royal, tissée, plus que de toute autre chose, de l'émotion que suscitait le but de notre voyage : la cour du lointain, puissant et sanguinaire Grand Khan.

Nous arrivâmes ainsi à Parme. Nous avions monté la scène, nous installions mon trône avec son baldaquin et je m'occupais à adresser de sages maximes à la foule curieuse, rendant secrètement grâce à Dieu d'avoir eu l'occasion d'étudier autrefois l'occultisme à Paris, ce qui m'était d'un grand secours à présent.

Au moment où une bourgeoise qui m'assurait être veuve me demandait conseil, assez honteuse du mal de bas-ventre qui l'affligeait faute d'un compagnon de lit, je vis devant moi, à l'autre bout du marché, un groupe de cavaliers, franciscains comme moi, qui escortaient un légat du pape, comme je le compris en même temps que mon sang se mettait à bouillir. Le nonce me regarda avec insistance. Puis il descendit de cheval et se dirigea vers moi.

— Beaucoup d'eau tiède, autant à l'intérieur qu'à l'extérieur, dis-je rapidement pour me débarrasser de la femme. Mais elle persistait à vouloir parler du robuste garçon dont elle désirait la compagnie pour ses nuits solitaires.

— Et la potion d'amour ? dit-elle tandis que le vieux franciscain s'approchait. Il était de constitution délicate, comme un petit oiseau, et il ne restait de ses cheveux qu'une couronne de bouclettes. Un sourire ironique flottait sur ses lèvres.

— Allez au bain tous les jours, bonne femme, vous y trouverez quelqu'un pour vous libérer du tourment de votre corps ! Elle s'éloigna en rougissant, juste au moment où mon frère s'adressait à moi.

Je lui souris avant de fermer les yeux et d'étendre la main pour chercher les couronnes des princes du sang. Le légat s'approcha si près de mon oreille que je sentis son haleine.

— Meilleurs souvenirs d'Ingolinde, murmura-t-il. Et comme je n'osais pas respirer, et encore moins répondre, il ajouta avec un petit rire : Tu es un bien étrange ornement pour notre Ordre, frère Guillaume, mais tu n'as rien à craindre de moi.

J'essayai de regarder sous mes paupières mi-closes. Ses yeux gris, entourés de petites rides qui dénotaient un heureux caractère, ne lançaient aucun éclair menaçant.

— Je suis Lorenzo d'Orta, dit-il à voix basse, et je m'en vais retrouver notre général...

— Élie est en Aquilée, lui dis-je, décidé à lui faire confiance.

— Je sais, chuchota Lorenzo. Je dois le mettre en demeure de se présenter devant le pape et en même temps — sa voix se transforma en un murmure imperceptible de conspirateur —, je dois l'informer qu'il ne doit pas s'approcher de Lyon !

— Élie n'aurait jamais pareille idée ! laissai-je échapper.

— C'est aussi mon avis, répondit Orta. Mais ceci veut dire qu'il va rester pour le moment sous le coup de la condamnation de l'Église.

— Mieux vaut être condamné par l'Église que jeté dans les oubliettes du château Saint-Ange !

— Il en va de même pour vous, frère Guillaume. Regardez par-dessus mon épaule, sans vous faire remarquer, dans la direction des arcades qui ferment la place. Vous voyez un personnage solitaire, enveloppé dans une cape noire ?

— Mon Dieu !

— Ou plutôt : mon diable ! me corrigea Lorenzo à voix basse, et il se mit à rire. — C'est Vitus de Viterbe — je n'eus pas le courage de rire ; une fois de plus, les événements me forçaient à me souvenir de Paris. — L'inquisiteur, ou plutôt l'homme de main du Cardinal gris, a grand hâte de vous emmener à Rome, vous et les enfants, entiers ou en morceaux, pour rentrer dans les bonnes grâces de son maître. Depuis que tu as eu l'audace de le berner sans vous laisser prendre, le pauvre Vitus n'ose plus se présenter devant son maître ; et maintenant, il est prêt à vous conduire en enfer !

C'était donc le nom du mystérieux étranger qui nous avait suivis à travers la moitié de l'Italie. Cette révélation ne me procura aucune allégresse.

— Qu'est-ce que je dois faire ? dis-je d'une voix plaintive. Comment nous échapper d'ici ?

Lorenzo me répondit d'une voix moqueuse :

— N'êtes-vous donc pas le plus fameux des mages ? C'est très simple : envolez-vous en fumée !

Je continuais à regarder du coin de l'œil dans la direction des arcades où l'on devinait dans l'ombre une forme noire qui semblait vouloir planter en moi un regard brûlant.

— Quittez la ville ce soir en direction de l'ouest, murmura Lorenzo. Il ne s'y attendra pas. Au bout d'un mille et demi, vous trouverez sur la droite un château incendié au bord du chemin. Je vous y retrouverai à minuit. Tuez quiconque arrive avant ou après !

Le seigneur légat me lança une pièce en paiement du délicat conseil qu'il m'avait demandé et rejoignit son escorte. Les franciscains s'éloignèrent en direction de la porte est.

Nous interrompîmes notre spectacle et nous demandâmes une auberge en nous renseignant sur le chemin à suivre auprès de tous les passants que nous croisions. L'aubergiste reçut le prix de la nuit. Puis je m'assis dans un coin avec Hamo et Roberto pour leur expliquer la suite des événements.

A la nuit tombante, Hamo annonça à l'aubergiste que nous avions changé d'idée et que nous allions poursuivre notre voyage vers l'est, de nuit. Nous le récompensâmes généreusement, non pas tant pour les mises en garde qu'il nous prodigua que pour le silence que nous lui demandions de garder. Puis il fallut réveiller les enfants, les femmes, les fils et petits-fils, et nous nous éloignâmes de l'auberge.

A l'endroit indiqué, nous tombâmes sur un berger qui nous remit un certain nombre d'habits de moine en s'adressant à nous en ces termes :

— Le frère Guillaume, le plus grand pécheur de la chrétienté, sera enchaîné et conduit dans le lieu où il subira le châtiment qu'il mérite ! Guillaume de Rubrouck, coupable du terrible péché de sodomie ! Voyez ce moine corrompu enchaîné à une femme libidineuse à tête de porc, voyez le fruit de leur péché : fils de porc, dirigez-vous vers les lacs du nord! Et n'épargnez pas les coups de fouet pour châtier la honte de notre Ordre, cet homme sur lequel cracheront les paysans! Évitez les villes!

— Tu n'es pas berger! m'exclamai-je.

— *Pace e bene!* me lança le minorite en riant, puis il disparut avec ses chèvres dans l'obscurité de la nuit.

Nous prîmes la route qu'il nous avait indiquée, mais il nous fallut prendre congé de Larissa et de ses comédiens. Ce furent des adieux émouvants que Hamo voulut égayer en donnant quelques pièces à l'arrière-grand-mère, laquelle à son tour fit pleuvoir sur nous bénédictions et vœux de félicité pour l'avenir.

Rien à voir, bien entendu, avec la volée de coups de fouet qui bientôt, de jour et devant les yeux étonnés des paysans en route pour le marché, allait pleuvoir sur mon dos. Roberto, un homme fort et robuste comme un ours qui resta pour nous accompagner et se montra un guide habile, se chargea d'être le bourreau. Je dois avouer que mon rôle précédent m'avait été beaucoup plus agréable. Les coups de fouet de Roberto faisaient beaucoup de bruit, au point de faire pleurer les enfants, mais les crachats, les œufs pourris et les tripes puantes qu'on me lançait au passage dans les villages, étaient bien vrais et témoignaient de la rancœur générale.

Nous pûmes ainsi longer les lacs bordés de hautes montagnes dont les plus éloignées étaient déjà couvertes de leur manteau de neige à leur sommet. Nuit après nuit, il faisait plus froid et la solitude se faisait plus grande. Nous ne tombions plus que sur des hameaux isolés dont les habitants s'intéressaient de moins en moins à nous, au point de ne même plus relever la tête du foin qu'ils coupaient. L'automne cédait la place à l'hiver.

DOUTES ÉDIFIANTS

Otrante, hiver 1245-1246

Le soleil se couchait déjà très tôt à Otrante, mais Laurence n'avait pas envie de se coucher. La journée avait été épuisante. Tous ses os lui faisaient mal et elle maudissait en secret ce moment où elle s'était laissé convaincre par Créan de transmettre des messages avec le miroir. Nouvelles et réponses étaient arrivées ensuite, ce qui l'avait obligée à faire plus d'une fois la pénible escalade pour installer le miroir et manœuvrer la trappe. Mais ce qui la fâchait le plus, c'était de ne rien comprendre à ce code secret que les Assassins utilisaient entre eux.

La comtesse traversa le château d'un pas énergique et entra dans la salle où Turnbull et Tarik l'attendaient.

— Nous sommes arrivés à la conclusion, dit John en l'accueillant, tandis que Tarik faisait un effort pour sourire, car il entendait bien transformer sa défaite momentanée en un avantage politique à long terme — que nos petits devraient rester ici pour le moment, jusqu'à ce qu'ils grandissent un peu et qu'ils soient capables de résister aux épreuves d'un long voyage.

Laurence ne montra rien du soulagement que lui apportaient ces paroles. Oui, les petits étaient une charge, même maintenant, alors qu'ils étaient si jeunes! Une charge dont le poids allait augmenter. En vérité, elle avait envie de se défaire d'eux avant le retour de Hamo et, surtout, avant de pouvoir tenir de nouveau Clarion dans ses bras. Mais Roç et Yeza étaient pour elle une garantie qui lui assurait dans une certaine mesure que rien n'arriverait aux membres de sa propre famille, dont Clarion naturellement. De plus, les petits lui plaisaient, elle appréciait leur caractère impétueux, leur spontanéité. La comtesse aimait les enfants à sa manière: Roç, pour sa pureté et son sérieux; Yeza la rebelle, parce qu'elle lui ressemblait. Mais elle ne se sentait pas d'humeur à donner son accord sur-le-champ et décida de faire semblant de se faire un peu tirer l'oreille.

— De quel long voyage parlez-vous donc? ne put-elle
s'empêcher de demander, sachant pourtant qu'ils pouvaient
ne rien lui répondre. Mais Tarik jugea bon de donner à la
comtesse une idée de l'importance et de la grandeur de
l'entreprise prochaine, afin qu'elle soit plus docile à l'avenir
et qu'elle comprenne mieux son rôle et ses responsabilités
dans le « grand projet ».

— Je vous suis reconnaissant, comtesse, d'accepter une
si grande responsabilité, commença le chancelier d'une voix
solennelle. Le berceau de l'humanité ne peut rester beaucoup plus longtemps entre les mains d'un calife qui ne fonde
son pouvoir que sur la *sounna*. Il faudra installer à Bagdad
une dynastie dont le sang descend en droite ligne du Prophète...

— Jésus aussi était prophète, l'interrompit Turnbull
d'une voix ferme. Pourquoi ne pas convenir d'une formule
acceptable pour tous, juifs et chrétiens ? C'est là précisément
que résident la grandeur et l'audace du « grand projet » :
créer un lien de sang entre l'Ancien et le Nouveau Testament, le Coran et les Prophéties...

— De sorte que vous ne prétendez même pas que les
enfants constituent un jour un couple souverain ? intervint
Laurence sans y avoir été invitée, tant son indignation était
grande. Je ne sais pas grand-chose du ventre et de la
semence dont ils sont issus, mais j'imagine qu'il sera difficile
de les considérer comme des défenseurs du chiisme! Quel
jeu comptez-vous donc jouer avec eux ?

— Nous, le Prieuré de Sion, lui répondit John d'une
voix cassante, et pour la première fois la comtesse sentit
l'haleine glacée de l'Ordre secret qui tirait les fils dans le noir
et faisait sortir les marrons du feu par d'autres, nous n'avons
jamais dit que nous en ferions un couple de souverains.
Nous avons toujours affirmé que c'était d'eux que naîtrait le
nouveau couple de souverains !

Turnbull se radoucit un peu, comprenant bien l'importance de ce qui était en jeu :

— Et ceci peut vouloir dire qu'il naîtra d'eux, ou peut-
être seulement de l'un des deux enfants...

— Et que deviendrait l'autre ? — la comtesse avait
maintenant l'air d'une lionne qui flaire la présence de chacals prêts à attaquer ses petits. Tarik le comprit.

— Vous espérez maintenant que je vous réponde à peu près ceci : « Le plus fort de la portée survivra, tandis que les autres périront ! » Je me trompe ?

— Continuez, découvrez vos intentions, chancelier ! — Laurence sentait grandir en elle l'humeur combative d'une lionne. — Et qu'arrivera-t-il au chiot inutile, au petit qui ne mérite pas de survivre ?

Tarik eut un rire cynique qui la mit encore plus en colère :

— Vous, chrétiens au cœur tendre, vous avez des monastères et des couvents pour régler ces problèmes ! Nous, barbares infidèles, nous tuons ceux qui nous dérangent, au moment opportun et sans attirer l'attention.

Laurence se sentit envahie par une grande tristesse ; d'une certaine façon, elle avait espéré que tout cela n'était qu'un mauvais rêve, une image façonnée par la profonde méchanceté qui se cache au fond de tout être humain.

— Vous croyez peut-être que je vous livrerai jamais ces petits pour sacrifier leurs jeunes vies à votre « grand projet » ?

— Je crois, dit John, que vous noircissez tous les deux la situation ! D'une part, il est certain que nous ne devons pas mettre en péril notre dessein, auquel nous avons tous juré de nous consacrer ; vous aussi, Laurence. Même au prix de commettre un péché, et verser le sang serait l'un des plus grands. D'autre part, il est entendu qu'aucun des enfants ne doit souffrir le moindre mal ! Vous savez que nous avons besoin d'eux !

— C'est vrai ! explosa Laurence. Vous avez encore besoin d'eux, mais pour combien de temps !

— Vous êtes dans l'erreur, répondit Tarik avec aigreur. Le sang versé est la pureté, le péché n'est que dans le mélange du sang élu avec un autre qui ne l'est pas ! — Le chancelier s'arrêta, pour voir si on allait le contredire. — Nous, membres de la secte d'Ismaël, nous sommes prêts à libérer Bagdad du joug du calife imposteur en l'attaquant de deux côtés, par la Perse et par la Syrie ; et nous sommes disposés à verser notre propre sang sacré car, même si nous sommes les descendants directs du Prophète, nous devons observer les lois du chiisme et les exigences que notre lignage issu de la maison royale de David nous impose...

— Sang sacré au pays des deux fleuves, ironisa Laurence, un pays protégé par les chevaliers francs du royaume de Jérusalem à l'ouest et par Alamut à l'est! Mais vous oubliez un détail, honorable chancelier : vos inquiétudes justifiées face au péril des Mongols. Vous voulez que ces enfants assurent aux vôtres, les ismaéliens, l'influence nécessaire et même la survie... — Les deux hommes comprirent que la comtesse avait l'étoffe d'un chef d'État, ce qu'il lui était arrivé de penser en plusieurs occasions. — Ce n'est que cet espoir qui vous pousse à les accepter, en dépit de leur sang pour vous infidèle!

— Nous tous ici présents avons nos raisons de tenir au bien-être des enfants. Mais bien d'autres mains invisibles s'intéressent à leur perdition et remueront ciel et terre pour ruiner nos projets! — Le vieux John Turnbull adressait sa harangue enthousiaste aux deux adversaires. — Nous devons donc unir nos forces pour assurer leur survie et leur avenir! — Sa respiration se fit haletante, car le vieil homme s'échauffait. — Qui s'opposerait à ce que Roç et Yeza soient élevés dans plusieurs religions, autant d'après le Coran que la Bible?

— Dès demain, je fais aussi venir le rabbin de Bari! ironisa Laurence, pensant que c'était sa meilleure arme. Mais elle pensa aussi à tout ce qu'elle avait fait pour écarter jusque-là moines et nonnes de toutes sortes; et il faudrait maintenant que des religieux fanatiques et des politiques égarés viennent semer le doute dans l'esprit ingénu des enfants...

Enthousiasmé par son idée, Turnbull continuait :

— Ils seront des souverains qui porteront en eux le royaume de Dieu. La catharsis de leurs parents sera la force motrice, car cette forme purifiée de christianisme unit en elle toutes les religions et parvient à les concilier, disait-il, intarissable, puis il ferma les yeux : — Je vois les enfants à Jérusalem, sur les lieux du Saint-Sépulcre, là même où Mahomet est monté au ciel, dans le temple de...

— Vous voulez dire que Roç serait pape et Yeza impératrice? l'interrompit Tarik d'une voix moqueuse, tandis que Laurence intervenait elle aussi d'une voix véhémente :

— Et le pouvoir universel du Prieuré pourrait enfin se manifester dans le lieu historique le plus approprié!

— Il ne s'agit pas de pouvoir ni de souveraineté : il s'agit des *leys d'amor* ! s'exclama John pour sa défense. La fin de toute violence, le retour à la terre promise...

— Ce sont les juifs qui vont être contents ! répondit crûment Laurence en montrant le parchemin des pleins pouvoirs impériaux, toujours déroulé sur le pupitre. Permettez que je vous donne le point de vue impérial, pour que personne ne dise ensuite que je me suis tue devant vos songes extravagants et vos châteaux construits sur le vent des conspirations : l'avenir appartient à l'Occident ! Le pouvoir suprême est celui de l'empereur. C'est à lui que doivent se soumettre les prêtres de toutes les religions — le sectarisme de ces deux vieillards l'irritait. — Mon vœu, c'est que Frédéric s'installe à Rome pour affirmer sa domination et pour que le monde sache d'où vient la lumière !

— Vous ne parviendrez jamais à unir ni à pacifier le monde si vous nourrissez ces intentions, — Tarik était furieux du spectacle que donnait la comtesse. — Et de plus, je doute que votre souverain pense de la sorte...

— Rome n'a été pour l'humanité que malheur, répression et haine ! renchérit Turnbull. Cette cité maudite est bien loin de la Terre sainte !

— Eh bien, Palerme alors ! proposa Laurence comme si il était en son pouvoir de changer la destinée de l'humanité d'un trait de plume. En Méditerranée, la Sicile est le maillon qui unit l'Orient et l'Occident ! — Puis elle se mit à douter des pouvoirs absolus qu'elle s'attribuait. — Pour autant que Frédéric veuille savoir quelque chose des enfants, bien entendu ; car même si l'on suppose qu'ils ont du sang des Hohenstaufen, ce qui reste à démontrer, ils ne sont toujours pour l'empereur que des enfants hérétiques, ce qui est la réalité !

— Ils sont les enfants du Saint Graal, ils sont le *sang réal* — John regrettait d'avoir laissé se poursuivre cette discussion. — Un jour, le monde nous remerciera d'avoir sauvé ce sang, peu importe le lieu où il se manifestera...

— Et sous quelle forme ! renchérit Tarik, en même temps qu'il le corrigeait. Ce sang est précieux et nous ne devons pas le verser. Au contraire, nous devons le préserver soigneusement jusqu'au jour où Allah nous révélera ses intentions !

— Loué soit Dieu, conclut John, soulagé, et prions pour la paix sur la terre et...

— Pour tous les hommes de bonne volonté! ajouta Laurence. Quand les enfants auront atteint un certain âge, peut-être jugeront-ils qu'ils ont leur mot à dire eux aussi!

La comtesse avait tenu à avoir le dernier mot, même si elle ne le prononça qu'en sortant, au moment de franchir le seuil. Si bien qu'elle ne put entendre ce que murmurait le vieux Turnbull :

— Si Dieu n'en décide pas autrement!

— *Wa 'tanbah kelab al-kaflah*, ajouta Tarik.

— Mais qui est ce roi qui est notre père? — Roç levait les yeux pour regarder Créan; il avait réussi à descendre l'escalier plus vite que cet homme aimable au visage triste et couturé de cicatrices qui les avait accompagnés depuis Montségur, puis à travers les mers, à qui il faisait entière confiance. Bien sûr, il était trop vieux pour être son ami, comme l'était Guillaume par exemple, tellement amusant! Créan donnait toujours l'impression de réfléchir intensément à quelque chose qui lui faisait beaucoup de chagrin dans le cœur.

— Tu m'écoutes? dit l'enfant. Tout le monde raconte que nous sommes fils de rois.

Créan prit son temps, profitant du fait que Yeza avait découvert un autre passe-temps : enjamber les garde-fous des paliers et se laisser tomber dans les bras tendus de Créan; ce jeu lui plaisait et elle poussait un petit cri de plaisir chaque fois qu'elle se laissait tomber dans le vide.

Ils étaient encore tous les trois à l'intérieur du donjon, dans la grande salle privée de fenêtres qui ne recevait de lumière que par en haut.

— Voyons un peu, dit Créan qui s'assit sur le dernier barreau de l'échelle de bois avant de prendre Yeza sur ses genoux. — Je ne le sais pas très bien moi non plus. Mais je crois qu'il s'agit plutôt de tous les rois...

— Le roi des rois? demanda Yeza, bouche bée.

— Celui-là, c'est l'empereur! la reprit Roç.

— Il y avait une fois un roi qui réunissait les douze meilleurs chevaliers de son royaume autour de sa table...

— Le roi Arthur! l'interrompit Roç, tout énervé. Alors, c'est lui notre père?

— D'une certaine façon, répondit Créan d'un air pensif. Mais il y a bien longtemps qu'il est mort...

— Il vit sur une montagne, lui apprit Roç, et il viendra le jour où...

— Je ne veux rien savoir d'un roi si vieux, déclara Yeza. — Je veux que mon père soit un héros!

Créan continua :

— Il se trouve que les terres qui entourent Montségur appartenaient autrefois à un jeune roi. On l'appelait Parsifal, un nom qui vient de *perce-val*, celui qui perce les montagnes. C'était un vaillant guerrier, mais...

— Mais? — Yeza était suspendue à ses lèvres.

— On l'a emprisonné!

— Exprès? demanda-t-elle. Qui ça?

— Sûrement les Français, fit Roç, pour ajouter son grain de sel. Ce sont des gens dangereux!

— Mais pourquoi, si c'était un héros? — Yeza était déçue que ce père fût lui aussi hors d'atteinte.

— Le roi de France, expliqua Créan, et le pape de Rome étaient très jaloux de ne pas avoir le même sang royal qu'Arthur et Parsifal...

— Autrement dit le nôtre! ajouta Roç.

Créan se leva et posa Yeza par terre :

— C'est pour cette raison que vous devez vous protéger contre tant d'ennemis.

— Quand je serai grand et que je serai chevalier, je les provoquerai en duel et je les battrai!

— Moi aussi, s'exclama Yeza, chacun se battra contre un ennemi! — Mais elle resta pensive, car elle ne parvenait pas à concilier cette perspective avec le rôle de femme auquel elle se savait promise. Roç lui avait fait entrer dans la tête que les femmes ne peuvent jamais devenir chevaliers, puisque les chevaliers servent les dames. Puis la petite ajouta d'une voix décidée : — J'empoisonnerai le pape quand il voudra se marier avec moi!

Créan se mit à rire et son hilarité redoubla quand Roç regarda avec surprise sa compagne pour lui dire :

— Laisse-moi ce travail, puisque c'est moi ton chevalier!

Puis ils tirèrent Créan pour lui faire descendre l'escalier en colimaçon, le dépassèrent et descendirent à toute allure l'échelle appuyée dehors contre le mur, dans l'intention de la retirer avant qu'il ne sorte par la porte de la tour. Mais Créan devinait leurs mauvais tours; il sortit plus vite qu'ils ne s'y attendaient et posa vivement le pied sur le premier barreau avant de refermer soigneusement la porte de fer. Les enfants s'enfuirent en courant.

L'AVALANCHE

Les Alpes, hiver 1245-1246 (chronique)

Nous pénétrâmes dans une vallée sur les versants méridionaux de laquelle les paysans cueillaient encore les dernières grappes de raisins qui avaient déjà subi plus d'une gelée nocturne, au pied de la majesté glacée des cimes blanches des Alpes. Une chapelle solitaire marquait le début de l'ascension du col. Je demandai alors qu'on me permette de prier Notre Dame avant de nous engager sur l'étroit sentier qui montait en serpentant au-delà des derniers pins et sapins vert sombre, vers les hauteurs battues par les vents. Je dois dire qu'ils accédèrent à mon vœu, car ma dévotion ne leur paraissait nullement excessive.

Il y avait déjà de la neige çà et là. Hamo ordonna qu'on m'enlève mes chaînes qui depuis longtemps lui paraissaient inutiles. Dans le misérable réduit qu'était cette chapelle, je trouvai un prêtre qui regarnissait d'huile une lampe votive. Il parut atterré quand il comprit que nous avions l'intention de franchir le col.

— Frère en saint François, me dit-il en faisant le signe

de la croix, vous devriez absolument éviter cette *via crucis*. Des *saratz* habitent là-haut. Aucun minorite n'est jamais arrivé vivant dans la haute vallée de l'Inn, de l'autre côté du pont.

— Les *saratz*? répétai-je amusé, car il n'y avait plus grand-chose pour m'effrayer à présent.

— On dirait des diables, ils courent sur la neige sans enfoncer, ce qui prouve bien qu'ils sont des démons! Ils peuvent flairer un minorite contre le vent, et ils n'ont de cesse qu'ils ne l'attrapent et le tuent!

— Ils ne le mangent quand même pas avec sa bure et tout le reste? demandai-je pour plaisanter.

— Hélas, mon frère, soupira l'ermite, si je pouvais vous montrer toutes les croix de bois, bâtons et besaces de pèlerins qui descendent tous les ans le torrent au dégel.

— Nous allons attraper un de ces démons, me moquai-je, et nous vous l'enverrons enchaîné sur un radeau!

Il insista pour nous bénir tous et se mit à pleurer quand nous reprîmes notre chemin.

Nous lui laissions la garde de la voiture qui nous avait transportés, moi, pauvre pécheur, ma femme lascive — ou plutôt cette bonne nourrice d'une laideur à faire frémir — et ces benêts d'enfants dont on me prêtait la paternité. Le chemin était trop escarpé et les pierres dont il était semé avaient formé de profondes ornières avec la pluie et la fonte des neiges.

Je ne voulus pas qu'on me remette mes chaînes, mais Hamo insista pour que la nourrice et les enfants soient attachés ensemble, afin qu'aucun de ces pauvres nigauds n'aille tomber dans un précipice.

Me souvenant des étranges mises en garde de l'ermite, je me dis — et le répétai à haute voix — qu'il serait peut-être plus sage de me défaire de mon habit. Je finis donc par l'échanger contre les vêtements du gonfalonier dont le gilet fermait bien mal au-dessus de mon ventre. Le pauvre diable avait froid et il fut ravi d'enfiler la bure marron de mon Ordre.

Nous n'avions pas beaucoup avancé et, au moment où nous entrions dans le dernier bosquet, je regardai une ultime fois en arrière. Je vis alors qu'en bas, à côté de l'ermitage, de nombreux cavaliers se pressaient autour de la voiture et faisaient sortir de force l'ermite de sa chapelle. A la tête du groupe, je reconnus l'ombre drapée dans une cape noire.

Nous pressâmes le pas, mais nos poursuivants entreprirent eux aussi l'ascension. Hamo donna l'ordre aux soldats de se poster derrière des arbres et de repousser l'ennemi en faisant tomber sur lui une pluie de flèches quand il serait à découvert. Le reste de la troupe — lui, Roberto, la nourrice, les enfants et le gonfalonier — fila à toute allure à travers les broussailles, vers le sommet, sans s'arrêter; je me retournai cependant et vis que nos archers couraient comme des lapins pour se cacher parmi les arbres.

Au débouché de la forêt, une profonde gorge s'ouvrit devant nous au fond de laquelle se précipitait un torrent. Deux troncs d'arbres couchés côte à côte faisaient office de pont. Je me sentis pris de vertige et demandai au gonfalonier qu'il me donne son étendard pour que je m'en serve comme d'un balancier. Il me suivit à quatre pattes. Roberto venait ensuite en tenant d'un bras robuste la nourrice enchaînée, suivi des enfants, puis de Hamo qui tenait l'autre bout de la chaîne. Malgré son embonpoint, la femme avançait courageusement, mais elle se garda bien d'ouvrir les yeux tant que Roberto ne l'eut pas déposée sur l'autre rive.

Roberto tirait sur la chaîne, car les enfants s'étaient laissés tomber à terre en hurlant, et il dut les traîner sur les troncs jusqu'à les amener en lieu sûr où ils continuèrent à pousser des cris que le rugissement des eaux étouffait.

— Il faut couper le pont! s'écria Roberto en se précipitant sur les troncs pour les déloger. Mais ils s'étaient solidement enfoncés dans la terre avec les années et refusaient de bouger. Roberto s'agenouilla pour les prendre à bras-le-corps. Les veines de son front se mirent à gonfler et, tout à coup, il réussit à les soulever en donnant une dernière secousse. Mais il perdit l'équilibre. Entraîné par le poids des troncs, il tomba tête la première dans l'eau profonde, sous nos yeux. Nous vîmes une seule fois reparaître ses cheveux entre les rochers et les troncs qui descendaient, emportés par les eaux, puis plus rien, seulement l'écume que lançait le torrent pendant que, devant nous, dans la forêt, brillaient les casques de nos poursuivants. Nous nous hâtâmes de gravir le sentier pierreux, pas tant poussés par la crainte d'être découverts que pour nous mettre hors de portée de leurs flèches. Quand je sortis prudemment la tête au-dessus d'un rocher pour les espionner, je vis Vitus de Viterbe qui réclamait à grands cris une hache. Et quand on la lui donna, il se mit à abattre le sapin le plus proche avec une telle fureur que le manche se brisa au ras du fer qui s'envola en décrivant une courbe surprenante avant de tomber dans les eaux turbulentes. S'il avait fait preuve de plus de patience pour abattre cet immense sapin, ils auraient pu très vite traverser la gorge et nous capturer. Mais vu la tournure des événements, ils décidèrent de battre en retraite.

Je fis mentalement une prière à la mémoire du brave Roberto, essayant pourtant de me convaincre qu'il avait peut-être pu se sauver en se cramponnant à une branche basse. Sinon, Dieu ait pitié de son âme!

Bientôt, nous vîmes des plaques de glace sur la pente rocailleuse qui se transformèrent ensuite en une chape dure qui recouvrait tout. De nombreux tas de neige amoncelés contre de grands rochers, dont certains se détachaient même de la paroi et dévalaient la pente dans un grondement de tonnerre vers la vallée, nous gênaient dans notre pénible marche. Nous avions de plus en plus de mal à respirer. Le froid se faisait mordant et la neige de plus en plus épaisse.

— Rebroussons chemin, Hamo, dis-je en essayant de me montrer humble pour ne pas blesser son orgueil et provoquer une réaction juvénile; il y a longtemps que nous avons perdu le chemin et nous ne pourrons bientôt plus continuer. Nous pouvons encore voir nos traces et nous sauver peut-être.

— Tu as raison, dit Hamo en regardant longuement la grosse nourrice qui tirait les pauvres enfants.

Au même instant, l'air se remplit de coups de tonnerre et de sifflements. Un nuage glacé balaya nos corps, nous empêchant de remplir nos poumons, mais je pus encore voir la nourrice qui volait comme une plume, entraînant les enfants avec elle. Ensuite, plus rien, si ce n'est une mer blanche de neige qui déferla avec une telle force qu'elle m'enterra en me faisant rouler sur moi-même. J'essayai de me cramponner à la hampe de notre étendard, sans plus savoir si j'étais au ciel ou enseveli tête en bas. Je crachais, je suffoquais. Était-ce donc l'enfer? A quoi bon se battre contre les anges? Le gros Guillaume poussa un dernier soupir, je perdis ce qu'il me restait de courage et je me sentis entouré d'un douillet édredon qui m'offrait enfin un paisible repos...

VII

LES SARATZ

LE CARDINAL GRIS

Château Saint-Ange, hiver 1245-1246

Les coups de fouet ne claquaient pas, ils s'abattaient sur le dos musculeux du délinquant. Ils sifflaient comme les rafales d'une tornade, s'arrêtant pour les compter en silence et laisser filer entre des dents serrées un souffle bruyant, puis, comme une pendule dans son horrible indifférence, ils lacéraient d'abord l'air, puis la peau. La chair qui recouvrait les côtes rougissait, enflait, s'ouvrait coup après coup.

— *Je ne te punis pas pour les avoir laissés s'échapper*, dit la voix d'un spectateur invisible qui attendait avec une parfaite indifférence l'affreux bruit du prochain coup, sans vouloir pour autant interrompre son discours, *mais parce que tu m'as humilié devant tout le monde !* — Et de nouveau, le sifflement et la rencontre de l'osier souple sur ce dos courbé ; le sang commença à jaillir, ajoutant le spectacle de son ruissellement au bruit.

— Ce n'était pas mon intention, parvint à articuler Vitus en essayant de dissimuler la souffrance que trahissait sa voix étranglée.

— *Trois coups de plus pour chacune de tes stupides excuses !*

Pendant les douze coups de fouet qui suivirent, Vitus eut le temps de réfléchir avec amertume au fait que l'expression « tout le monde » ne signifiait autre chose que la visite imprévue de la vieille dame dans sa litière, qui avait trouvé le Cardinal gris dans une situation incompatible avec sa dignité — *dieci* —, contretemps qui avait mis dans une position gênante le seigneur du château Saint-Ange — *undici* —, et raison pour laquelle on le châtiait à présent — *dodici* !

— *Désobéissance ? Incompétence ? Ou simple négligence ?* demandait la voix.

— Et la compassion, Éminence ! Pourquoi ne pas me chasser de votre service et me sacrifier comme un vieux chien ? — Vitus savait qu'il devait réprimer tout signe de rébellion, que seule la soumission totale pourrait émouvoir son bourreau et lui épargner d'être châtié jusqu'à en devenir infirme.

La voix du spectateur invisible changea de ton :

— *As-tu pensé qu'en réussissant à fuir vers l'Orient ils vont donner naissance à un mythe qu'il sera beaucoup plus difficile d'extirper de la Terre qu'il ne l'aurait été de tuer un moine et deux enfants ?* demanda-t-il avec lassitude. *Ces enfants qui sont maintenant entre les mains des Mongols pourront devenir demain le gage qui soutiendra leur aspiration latente à dominer le monde !*

— C'est une aspiration que les descendants de Gengis Khan ont toujours nourrie, et ils ne savent pas non plus qui sont vraiment ces enfants !

— *Celui qui a organisé leur fuite, et je ne parle pas du moine, fera ce qu'il faut pour que le Grand Khan l'apprenne en temps voulu.*

— Ou il ne le fera pas ! répliqua Vitus qui avait retrouvé un peu de son assurance. Cette entreprise est soutenue par des puissances d'Occident et elle n'intéresse que les Occidentaux. A mon avis, ils essaieront que les Tartares, dans leur ingénuité, élèvent les enfants sans avoir la moindre idée de la valeur et du destin de ces bâtards ! conclut-il, fier de ses réflexions.

— *Pas mal, Vitus !* le félicita la voix du personnage invisible. — *Parfois, tu fais preuve d'une ingéniosité dont l'honneur rejaillit sur celui qui t'a engendré !*

On frappait à la porte. Le moine qui jusque-là avait fait office de *frater poenitor*, la capuche baissée, tendit l'oreille.

— *Vous pouvez vous retirer*, dit la voix et, au grand soulagement de Vitus, son tortionnaire sortit tandis qu'entrait Bartholomée de Crémone, muni d'onguents et de bandes avec lesquels il commença à panser le corps meurtri, toujours couché sur le chevalet.

La salle où ils se trouvaient n'était pas un cachot, mais une salle des Archives pour les affaires de l'empire.

— Mais comment avez-vous appris, grogna Vitus qui se cambrait et sursautait chaque fois qu'on touchait ses blessures, que ce minorite flamand, ce Guillaume de Rubrouck, est arrivé en Allemagne pour rejoindre celui qui se fait appeler Pio Carpedies?

— Giovanni del Piano di Carpini a été custode de Saxe, puis pendant cinq ans le provincial d'Allemagne, l'informa Bartholomée. Tout le monde le connaît.

— N'était-ce pas Benoît de Pologne qui devait l'accompagner? — Vitus n'était pas d'excellente humeur, ce qui était compréhensible. — Qui a été témoin de la rencontre de ces deux frères de l'*ordo fautuorum minorum*?

Vitus détestait les petits frères mendiants qu'il comparait aux mulots des champs parce qu'ils fourraient leur nez partout. Ces bestioles creusent leurs galeries là où on s'y attend le moins et, si on marche dessus, on se tord la cheville et on se casse l'os de la jambe.

— Nous savons seulement que c'est un fait, de source sûre, répondit Bartholomée d'un air triomphant. La nouvelle nous est parvenue par André de Longjumeau, celui-là même qui négocie avec Ignace, à Antioche, la cause de la réunification.

— Ah! grogna Vitus, avec ce jacobin qui participe à nos processions sans abandonner la doctrine orthodoxe, mais qui tient avant tout à conserver son indépendance.

— Lui-même, confirma en souriant Bartholomée qui achevait de recouvrir le dos meurtri de compresses imbibées se teinture d'aloès et s'apprêtait maintenant à le bander. André l'a accueilli dans l'Ordre des dominicains. — La nouvelle n'ayant provoqué aucune réaction, Bartholomée revint au vrai problème: — André a appris par le chancelier des Assassins syriens que Guillaume et Pian sont ensemble à la cour du Grand Khan. Et s'il avait juré de garder le *silentium strictum*, il était bien le seul à le savoir!

Vitus se mit à rire mais s'arrêta aussitôt, car le moindre mouvement de ses côtes lui faisait un mal infernal. Puis il ajouta d'une voix moqueuse:

— Les gens de Masyaf sont toujours convaincus qu'ils entendent pousser l'herbe, même celle des steppes mongoles...

— *Tandis que là où le seigneur de Viterbe pose le pied,
l'herbe ne repousse jamais plus !*

La voix tonnait au-dessus de leurs têtes, même si on ne
voyait là-haut que des rayons chargés de volumes reliés en
cuir qui s'élevaient jusqu'au plafond.

— *Il pourrait être avantageux de la transformer en
momie*, reprit la voix qui cette fois s'adressait au moine infir-
mier, *mais nous pensons que vous avez assez joué les bons
samaritains, Bartholomée !*

Le moine ramassa ses ustensiles et s'empressa de sortir
par la porte qui se referma bruyamment derrière lui.

— *Carpe diem !* dit la voix. *Même si tu ne désires pas
cultiver ton esprit, il te ferait du bien de réfléchir, de penser à ce
qui est arrivé et surtout à ce qui va arriver. Je te laisserai le
temps nécessaire pour comprendre que c'est le* logos *qui doit
dominer l'*homo agens, *et non ses humeurs, Vitus !*

— Avez-vous jamais pensé, s'empressa de répondre
Vitus, que les autres, le Pri...

— *N'exprime jamais ce soupçon, jamais ! Même pas entre
ces quatre murs !* l'interrompit la voix furieuse du Cardinal
gris. *Garde-le pour toi, il en va de ta vie !*

— J'apprécie à sa juste valeur mon intégrité physique !
ronchonna Vitus. Mais avez-vous pensé que les « autres »
nous ont peut-être tendu un piège ? André n'est qu'un paon
vaniteux ! Vous croyez sérieusement qu'un chancelier des
Assassins, la secte la plus disciplinée qui existe sur Terre,
confierait à ce bavard un secret d'une telle importance, sans
même lui intimer l'ordre de garder le silence absolu ? Je crois
plutôt qu'ils sont tous de mèche ! Prêtez-moi la flotte et je
débusquerai les enfants de la cachette qu'ils n'ont jamais
quittée, Otrante !

Le Cardinal gris attendit un peu, au cas où il y aurait eu
une suite, puis proclama avec décision :

— *Tu ne sortiras pas d'ici tant que je n'aurai pas l'assurance que je peux te laisser partir sans que tu me causes ni préjudice ni humiliation !*

Et c'est ainsi que la conversation prit fin. Vitus sentit un
courant d'air glacé : une porte s'était ouverte puis refermée,
quelque part.

La pluie crépitait sur les murs lisses du château Saint-

Ange. Du fleuve, le visiteur nocturne ne pouvait voir aucune lumière. Ce n'était que lorsque les nuages effilochés laissaient filtrer un instant dans leur course précipitée le clair de lune hivernal qu'on pouvait deviner la porte étroite qui donnait sur le Tibre. Mathieu de Paris dut tirer plusieurs fois la corde de la cloche avant que la porte ne s'abaisse en grondant, formant un pont qu'il traversa avant d'être avalé dans la noirceur des murailles.

L'aile du bâtiment qui abritait le Documentarium, protégée par trois portes de fer munies chacune de leurs verrous, ressemblait à une tombe. Les portes ne s'ouvraient qu'au moyen de clés toutes différentes qu'il fallait manœuvrer simultanément de l'intérieur et de l'extérieur. Et ces clés à leur tour étaient confiées à des mains différentes. Toutes les lampes à huile restaient allumées en permanence et leur lumière était renforcée par des miroirs courbes qui concentraient leur faisceau sur les écritoires. Des moines gris au teint pâle qui sortaient rarement à la lumière du jour y surveillaient une armée de scribes esclaves, d'artistes chaldéens du « pays entre les deux fleuves « qui avaient étudié à Alexandrie, et de lettrés juifs venus d'Espagne. Ces spécialistes ne sortiraient du Documentarium que les pieds devant. C'était là qu'on préparait les bulles papales, qu'on copiait les contrats, qu'on rédigeait les dispositions testamentaires qui privilégiaient la curie, quitte à les améliorer parfois en supprimant détails inutiles ou gênants par la voie de l'*omissis*, ou en donnant plus de relief à tel ou tel terme un peu vaque. Non seulement les années changeaient-elles l'aspect des anciens parchemins qu'il fallait rajeunir, mais elles permettaient aussi d'adapter leur contenu à l'époque. Ce qui lors d'un concile lointain avait paru opportun pouvait des siècles plus tard s'opposer aux intérêts du *Patrimonium Petri*. Les scribes disposaient des sceaux, cachets et modèles des signatures de papes et légats depuis longtemps décédés, sans parler des encres, cires, cordons et marques de toutes les époques du secrétariat de la curie catholique et romaine.

— Son Éminence vous attend dans l'atelier des faux! dit Bartholomée au visiteur du soir. Il pouvait se permettre d'utiliser cette expression un tantinet péjorative devant le nouveau venu : non seulement Mathieu de Paris était-il le gardien suprême de cette institution si utile, mais il était aussi son index ambulant. Personne ne retenait aussi bien que lui faits et dates, personne ne savait mieux que lui où chercher pour élargir ses connaissances.

Bartholomée accompagna le frère dont les vêtements ruisselaient de pluie pendant le rituel de l'ouverture et de la fermeture des portes en le mettant au courant des derniers événements :

— Vitus a eu droit à trois douzaines complètes de coups de fouet. Et maintenant, il est aux arrêts ! — A sa grande déception, il n'obtint aucune réponse. Mathieu préféra s'abstenir de donner son avis.

Une fois dans le Documentarium, Mathieu se dirigea vers son écritoire et leva les yeux au plafond d'un air résigné.

— *Lorenzo d'Orta nous apporte-t-il une réponse à la bulle* Dei Patris Immensa *adressée par le pape aux Tartares ? De quand est datée cette bulle ?*

Sans réfléchir vraiment et sans nécessité aucune de consulter le moindre document, Mathieu répondit :

— Elle a été enregistrée le 5 du mois de mars de l'an passé, mais je n'attendrais aucune réponse écrite de ces barbares, Éminence. Par contre, je suis convaincu que Lorenzo apportera un message du sultan, adressé à Sa Sainteté, et l'on peut supposer qu'il sera plutôt incendiaire !

— *Il faudrait l'éviter, ou au moins atténuer le ton de cette missive, car il est également certain qu'une copie tombera dans les mains des Français...*

— Je prépare un nouveau texte... ?

— *Vous pouvez le préparer, et vous pouvez aussi songer au moyen de remplacer le document par un autre...*

— André ?

— *Il n'en est pas capable. Nous pourrions tout au plus l'employer comme messager involontaire. Il serait préférable de confier l'affaire à notre homme de Constantinople. La seule chose que vous devez faire, c'est vous arranger pour que Longjumeau et Orta se rencontrent.*

Mathieu fouilla dans les rayons jusqu'à ce qu'il tombe sur une sorte de parchemin identique à celle qu'utilisait la chancellerie de la cour du Caire. Il trouva même l'encre voulue. Puis il haussa un peu les mèches des lampes qui se trouvaient à côté de son pupitre.

— *Et ne soyez pas trop timide, Mathieu !* reprit la voix.

Mathieu crut entendre un rire étouffé, mais il se refusa aussitôt à y croire. Le Cardinal gris ne plaisantait jamais. Et cette voix qui tombait de l'obscurité continua : *Puisque nous intervenons dans l'histoire universelle, soyons énergiques! Même si l'on finit tôt ou tard par découvrir notre stratagème, il subsistera toujours un doute!*

Le courant d'air fit vaciller les flammes des lampes et Mathieu comprit qu'il devait se mettre à l'ouvrage.

LE PONT DES SARRASINS

Punt'razena, hiver 1245-1246 (chronique)

Je suis au ciel! Les blancs coussins qui m'entouraient et m'empêchaient de voir furent écartés par la main délicate d'un ange qui ôta jusqu'à la dernière plume cristalline, et mes yeux virent alors du fond des glaces un bleu si profond et si pur que je n'en avais jamais vu de pareil. J'en déduisis que je me trouvais dans l'Au-Delà, plongé dans un azur dense et lumineux qui m'accueillait pour me conduire devant Dieu — *Ma lahu lajm abyad bidscha adat al-chamra?* — Mais si seulement cela n'a pas été des visages qui forment cercle autour de moi, limitant ainsi ce que je voyais. — *Mithl khimzir al-saghir?* — A contre-jour, on aurait dit des masques démoniaques qui me regardaient avec curiosité et parlaient une langue que je n'aurais jamais cru entendre en ce lieu: l'arabe! — *Wa walfuf fi beraq al-qaisar!*

Puis des bras soulevèrent mon corps raide comme une poutre de bois, le couchèrent sur le dos dans un traîneau bas, le couvrirent de peaux et l'attachèrent. Et c'est ainsi que le corps pécheur de l'humble frère Guillaume de Rubrouck se mit à glisser, tiré par des démons velus, vers la destination qu'il méritait.

Pourquoi m'étais-je toujours imaginé l'enfer comme une suite de grottes obscures à peine éclairées çà et là par un feu? Dans le cas présent, l'enfer se présentait à mes yeux blanc comme la neige brillante et aveuglante, et pourtant flamboyant et chaud! C'est sûrement un des miracles de Dieu que la glace ne fonde jamais en dépit de tous les feux qu'on allume et Il voulait sans doute faire participer tous mes sens à son immense pouvoir avant de me rejeter loin de Sa présence.

Mais la conséquence logique de mon intuition était que je pouvais encore penser, si bien que je n'étais peut-être pas encore complètement mort? Les seuls êtres capables de dissiper mes doutes étaient ces petits diables qui m'entouraient et parcouraient avec moi l'immense plaine blanche sans s'enfoncer dans la neige. Je revis alors les cimes glacées qui se détachaient sur le ciel bleu et recouvrai la mémoire. Mais ces retrouvailles me demandèrent un tel effort que je dus fermer les yeux malgré moi, car ma volonté s'était affaiblie, je ne dominais plus mon corps, je ne le sentais plus, et je replongeai dans les édredons blancs...

L'enfer m'a attrapé! Autour de moi s'affairent des gnomes qui jettent de l'eau bouillante sur mon pauvre corps, pour me faire ensuite sursauter avec de soudaines frictions à la neige glacée. Je suis nu, sans défense. Ils sautent sur moi, me tordent les extrémités, m'arrachent la peau à coups de fouet, me tirent sur la tête jusqu'à faire craquer les os, m'emprisonnent les côtes quand j'essaie de respirer et je comprends qu'ils m'ont rendu la vie. Je commence à entendre leurs questions et ils répondent aux miennes.

L'avalanche m'avait enterré. La grosse femme et les deux enfants avaient été projetés dans une gorge profonde et leurs corps sans vie étaient encore sans doute là-bas où l'on ne pouvait aller les chercher. Au printemps, avec la fonte des neiges, les eaux glacées emporteraient leurs cadavres encore intacts, enveloppés de glace.

Moi, ils m'avaient tout de suite retrouvé, car le bout de la hampe de l'étendard dépassait parmi les amas de neige qui me recouvraient d'une épaisseur d'à peine une demi-brasse, même si j'avais bien failli mourir étouffé. Ils avaient vu aussi un moine s'enfuir, mais ils n'avaient pas cherché à le retrouver, convaincus que, tôt ou tard, il n'échapperait pas à son destin. Et sur ces paroles, le plus corpulent de ces gnomes laborieux me montra le cou d'un de ses compagnons en faisant le geste de l'étrangler ou de l'égorger, en tout cas rien qui laissât présager quoi que ce soit de bon.

— Un franciscain! dit-il d'une voix méprisante. Le fléau de Dieu! — Et les autres renchérirent.

J'aurais préféré me taire, mais je me souvins en tressaillant que personne n'avait parlé de Hamo.

— Vous n'avez sauvé personne d'autre?

Le gros homme qui ressemblait à un valet de bourreau me répondit:

— Firouz a vu un garçon s'enfuir en courant! — et il désigna un homme robuste, accroupi un peu plus loin, qui ne cessait de s'asperger d'eau.

L'homme poussa un grognement:

— Hélas, je n'ai pas pu l'attraper! Il est sorti tout seul de la neige et il est parti en courant avant que j'arrive. Mais j'ai quand même pris sa bourse!

Tandis que les autres riaient de plaisir, j'imaginais les gnomes accroupis en haut de la montagne, provoquant des avalanches ou lançant des rochers sur les pauvres — ou pas si pauvres — voyageurs pour ensuite les détrousser et même les assassiner. Comme s'il avait lu dans mes pensées, l'aide-bourreau m'en donna confirmation en penchant vers moi sa bonne grosse tête de paysan:

— Si tu es vivant, c'est à cause du drapeau!

— Tant mieux, répondis-je, pas tant surpris que curieux d'en savoir davantage.

— Il porte les couleurs de l'empereur Frédéric, notre souverain!

L'ancien du village, dont je n'avais pas encore vu la tête, avait ordonné qu'on me conduise chez un certain Xaver, dans l'étable de pierre qui se trouvait au-dessous de l'habitation et qui servait d'enclos pour les chèvres. J'étais à ce point épuisé que les hommes qui m'accompagnaient durent presque me porter dans leurs bras. Je n'eus guère le temps de penser à qui étaient mes hôtes, car je tombai presque immédiatement dans un profond sommeil dès qu'ils me couchèrent sur un tas de foin qui m'enveloppa de son odeur réconfortante.

Quand je me réveillai, le soleil était déjà très haut dans le ciel et les chèvres étaient parties brouter. Plusieurs jours avaient dû s'écouler. Je sortis à quatre pattes parmi les herbes et les fleurs sèches ; je vis alors que d'un rocher jaillissait une source dont une auge recueillait le précieux liquide, à côté de l'étable. La maison était adossée à la montagne et le passage central qui traversait l'étable montait légèrement pour déboucher, à côté du coin où j'avais dormi, au pied d'un escalier de pierre qui conduisait à l'étage. On entendait des pas en haut, mais je n'osai pas monter, en dépit des protestations de mon estomac.

Je découvris ensuite qu'il y avait aussi une échelle de bois qui montait du tas de foin vers une trappe qui s'ouvrait entre les poutres du plafond. De là, on avait accès à des pièces de viande fumée accrochées aux poutres et à d'énormes rayons où reposaient des meules de fromage. Dès que je sentis leur odeur aigrelette et entêtante, l'eau me vint à la bouche et j'eus l'impression que mes boyaux vides se nouaient.

Je serrai les dents et sortis en courant. Xaver, mon hôte, était assis devant la maison. C'était un homme aimable au visage ratatiné comme un cèpe frit dans l'huile. Il avait devant lui un plat rempli de caillé de chèvre, assaisonné de différentes herbes, et une miche de pain à peine sortie du four. J'avais les yeux rivés sur ces délices, comme un chien qui regarde fixement le billot du boucher.

— Alva ! appela-t-il avec une bonne humeur évidente. Notre marmotte est sortie de son sommeil hivernal et elle veut me prendre mon caillé !

Mais il n'attendit pas l'arrivée de sa femme et me tendit le pain et le plat. Je trempai un bon morceau de mie dans le fromage blanc, j'avalai le tout, je me léchai les doigts, puis je lui dis enfin :

— Loué soit Dieu ! — pour ajouter ensuite, un peu honteux — : Et merci à toi !

— Tu as entendu, Alva ? s'exclama mon hôte, toujours jovial. Le gonfalonier de l'empereur est un saint homme ! — Au milieu de ces montagnes blanches, son arabe me parais sait guttural et étrange, car dans mon imagination cette langue convient mieux aux sables du désert.

La maîtresse de maison sortit sous l'arche de la porte avec un autre plat de caillé, aromatisé cette fois non plus aux fines herbes mais au miel de sapin, et une cruche de lait frais. C'était une femme aux yeux sombres, à la beauté robuste; un voile dissimulait presque ses cheveux noirs. Quand elle se rendit compte de ma curiosité, elle leva un coin son foulard.

Son mari se mit à rire.

— Ce Guillaume est pire qu'un moine, il ne mange rien avant de faire sa prière !

La femme me lança un regard ardent, mais peut-être s'agissait-il d'un effet de mon imagination, car le fait de ne laisser paraître que les yeux excite l'imagination stimulée par le désir, ou peut-être y avait-il trop longtemps que je n'avais serré une femme dans mes bras. Le personnage que Xaver me faisait jouer en me traitant de saint homme n'était pas pour me déplaire, car ainsi je n'attirerais pas l'attention si, de temps en temps, obéissant à l'habitude, je me signais ou murmurais un *pax et bonum*, sachant pourtant fort bien qu'on n'aimait guère les franciscains par ici, comme j'avais pu le déduire aussi des commentaires de la *vox populi* dans le hammam, le bain de vapeur où on m'avait ranimé. Je demandai où se trouvait l'église.

— Nous avons une église là-haut, pas loin de la butte où se trouve la tour de guet. Mais comme nous n'avons pas de prêtre, nous nous en servons pour fumer la viande, ou bien comme entrepôt, parfois les deux ! — Mon hôte sourit, apparemment très satisfait de cet arrangement. — Vous devriez voir à quelle vitesse un frère minorite perd son âme hypocrite quand il est entouré de nos fumées. Souvent, ils préfèrent qu'on les pende dehors, plutôt que de se voir transformés en saucisse fumée ! — il riait en se donnant de grandes tapes sur les cuisses. — Et ils finissent par sécher au grand air de la montagne !

Je ris avec lui, car la peur provoque parfois cet effet qui à son tour nous fait retrouver notre courage.

— Tu veux dire que les frères franciscains vous ont apporté le christianisme et qu'ils ont construit l'église pour qu'ensuite vous les fassiez griller à petit feu ?

— Ils n'ont pas respecté la maison de Dieu! s'impatienta Xaver, d'ordinaire placide et bonhomme, avant de retrouver bientôt sa tranquillité. Dans notre tribu, il y a eu des missions depuis le règne de Lothaire, fils de Charlemagne; il y a aussi la chapelle San Murezzano, le premier martyr, un peu plus bas, au bord du lac; tu n'as qu'à traverser le pont, la forêt et le marécage...

— Et je ne me perdrais pas si j'allais la voir? demandai-je avec une humilité un peu appuyée, voulant ainsi savoir quel degré de liberté ils étaient disposés à m'accorder.

— Tu dois absolument suivre la piste dans la neige, sinon tu vas t'enfoncer. Nous avons des sentinelles aux deux bouts de la vallée, ainsi que sur le pont. Les sorties sont toutes gardées, jour et nuit! — Il parlait avec beaucoup de sérieux et même avec une certaine solennité. — La *guarda lej* s'occupe de l'ouest et la *guarda gadin* de l'est. On a parfois retrouvé au matin des sentinelles mortes de froid, mais personne n'a jamais réussi à traverser le pont des *saratz* sans se faire voir! Notre tribu garde le col pour l'empereur!

Il se leva et se redressa, bien droit, comme un soldat.

— En bas, en Italie, ajouta-t-il avec fierté, on l'appelle *diavolezza*, ce qui nous arrange bien, car plus d'un traître ou d'un messager du pape regarde à deux fois avant de prendre cette route, déguisé en moine mendiant, pour se rendre en Allemagne avec une pleine cargaison d'argent qui remplirait le trésor de guerre du *langrave* infidèle! Maudits traîtres! — Xaver donna un coup de poing sur la table, si fort qu'il fit sauter les plats vides. — Nous finissons toujours par les faire prisonniers! cria-t-il derrière mon dos tandis que je m'éloignais d'un pas vif.

Après avoir laissé derrière moi quelques ruelles tortueuses et les dernières maisons du hameau, j'osai enfin me retourner. Là-haut, à côté de la colline, je vis la tour de pierre où un homme faisait le guet et, non loin de là, une petite église elle aussi en pierre, mais dont la toiture semblait s'être effondrée. Un mince panache de fumée sortait du trou.

Les autres maisons du village étaient pour la plupart construites en pierres presque brutes au rez-de-chaussée; l'étage était fait de gros troncs assemblés et une robuste charpente soutenait une toiture de grosses pierres plates.

Chaque maison était percée d'une fenêtre fermée par une belle grille de fer forgé, ventrue en sa partie inférieure — aussi bien les maisons modestes comme la nôtre que les riches demeures en pierre de taille, crépies et parfois même décorées de peintures.

— Tu es surpris, pas vrai ? demanda Xaver quand il me rattrapa, haletant. Nos belles maisons ne feraient pas honte aux gens de Milan ou de Ravenne, et ils viennent même chercher nos *sgraffitisti* pour décorer leurs *palazzi* ! — Je m'arrêtai en voyant qu'il ne me lâchait pas d'une semelle, curieux de savoir jusqu'où allait son obligation de me surveiller. Mais en réalité, il m'apportait des bottes de peau et un manteau.

— Qui habite dans ces maisons ?

— Les familles les plus anciennes du village. C'est la cadette qui en hérite toujours, à son mariage. Les autres filles doivent se contenter d'une chaumière construite plus bas que les maisons de pierre pour ne pas leur faire d'ombre.

— Et qui vit derrière les grilles ?

— Autrefois, c'étaient les fenêtres du harem, répondit Xaver en riant. Aujourd'hui, elles servent à protéger la chambre de la fille cadette, pour que personne ne puisse entrer dans son refuge, même avec une échelle !

— Triste destinée ! murmurai-je en pensant aux jeunes filles, mais Xaver s'intéressait davantage au sort des hommes.

— Le garçon qui ne parvient pas à se marier avec une fille du village des *saratz* n'a d'autre choix que de quitter les lieux pour s'en aller servir à l'étranger.

Mais nous étions arrivés au pont, qu'ils appellent *punt*, lequel traversait la gorge escarpée en décrivant un arc audacieux. En bas, l'eau semblait bouillir, mais d'en haut, on ne voyait que quelques panaches d'écume, car le torrent avait si profondément entaillé le rocher que seul un mince voile d'éclaboussures s'élevait, coloré de toutes les couleurs de l'arc-en-ciel quand un rayon de soleil venait les frapper. Le *punt* était entièrement en bois et je ne compris pas pourquoi il était recouvert d'un toit. Même les côtés revêtus de bois n'étaient percés que de quelques meurtrières.

— C'est pour protéger les sentinelles de la neige, m'expliqua Xaver, et pour qu'elles puissent mieux se défendre en cas d'attaque surprise : aucun cavalier ne peut traverser le pont sans descendre de cheval !

— Et si toute une armée arrivait, avec lances et cata-pultes ?

— Le col est vraiment difficile. Et puis, dans le pire des cas, les gardes peuvent faire tomber tout le pont dans l'abîme, eux compris !

— Pas une très belle mort, murmurai-je pour moi-même, mais Xaver m'entendit et protesta.

— Un *saratz* veut seulement aller au paradis ! me reprit-il. Et ce n'est arrivé qu'une seule fois jusqu'à présent : quand le jeune Welf de Bavière, dont nous étions alors vassaux, a voulu empêcher le malheureux empereur Henri de rentrer par les Alpes, après l'humiliation de Canossa...

— Ils ont préféré mourir plutôt que de céder ?

— Pour résoudre ce cas de conscience, les *saratz* ont fait tomber le pont avec les gardes bavarois !

Je regardai le gouffre en silence et me souvins tout à coup de notre courageux Roberto.

Mais mon hôte voulait me consoler :

— Plus tard, sous la domination des Hohenstaufen, nous avons été directement soumis à l'empereur. Frédéric nous a accordé le même statut qu'aux juifs de l'empire : *Servi Camerae Nostrae*.

Xaver, à qui l'on témoignait partout un grand respect, me présenta la *guarda del punt* en ces termes :

— Voici Guillaume, mon hôte ! — et il annonça à tous que j'étais digne de confiance. Je pus ainsi traverser le sombre passage de bois pour m'aventurer seul dans la forêt voisine.

Xaver m'avait prêté une pelisse faite avec la peau de quatre marmottes. Elle me tenait bien au chaud, mais plus j'avançais, plus je m'enfonçais dans la neige, ce qui rendait la marche très malaisée. Je ne comprenais toujours pas comment les *saratz* parvenaient à se déplacer sur la neige. La seule explication possible était qu'ils avaient conclu un pacte avec le diable. Quelle autre raison auraient eu ces gnomes hérétiques de se réfugier dans pareil désert glacé ?

Puis la forêt s'éclaircit et je découvris une grande éten-due blanche devant moi : c'était le marécage dont m'avait parlé Xaver. Je vis au loin une chapelle perchée sur une petite éminence. Cette vision me redonna du courage et, faisant fi de la traîtrise du terrain, je poursuivis ma route, sans pouvoir compter désormais sur une piste marquée dans la neige, espérant que le gel aurait donné assez de solidité au terrain que je foulais.

Quand j'arrivai enfin à la chapelle, le soleil était déjà très bas dans le ciel. Il allait falloir que je me dépêche si je voulais rentrer avant la nuit.

Sans même un crucifix, l'intérieur de la chapelle était bien pauvre. Du bout du doigt, je dessinai une croix dans la poussière qui recouvrait l'autel et me mis à genoux pour prier. Mais la porte restée ouverte dans mon dos m'inquiétait. Même si je n'avais encore vu personne dans cette immensité, je ne cessais de me retourner vers ces lacs noirs qui semblaient ne jamais vouloir geler, malgré la saison. Ils me regardaient avec leurs pupilles noires d'une profondeur infinie, immobiles et pensifs. J'étais sûr qu'ils ne renverraient même pas le reflet d'un chrétien qui s'approcherait sans penser à mal, pour ensuite l'engloutir et l'avaler sans qu'une ride vienne troubler leurs eaux noires.

Œuvre du diable ! Par trois fois, je fis le signe de la croix en l'air.

C'est alors que je le vis s'approcher, ombre solitaire, capuche baissée qui ne laissait presque rien voir de son visage. Mais à mesure qu'il avançait, son habit ressemblait de plus en plus à celui des franciscains, de la même couleur que la robe marron du mulet qui trottait derrière lui, chargé de pesants fardeaux. Le moine tirait sur la longe de l'animal qui résistait même si on l'avait soulagé d'une partie de sa charge, comme je le voyais à la besace de pèlerin qui faisait ployer l'homme presque jusqu'à terre, cet homme qui jetait de temps en temps des regards inquiets autour de lui, comme s'il avait lui aussi conscience de la présence d'un démon qui le menaçait tant qu'il n'atteindrait pas le lieu sacré : l'asile de la chapelle.

Au moment où j'allais me lever pour lui prêter main-forte, je vis les démons sortir en bondissant de la forêt qui bordait le lac. Ils se jetèrent sur lui, lui arrachèrent sa besace et se mirent à danser joyeusement autour du prisonnier. Je ne pus reconnaître leurs traits, car ils s'étaient barbouillé le visage de suie et quelques-uns portaient des masques démoniaques. Mais leur chef me fit penser à cet homme taciturne, Firouz, que j'avais entrevu dans le hammam et qui maintenant nouait la longe du mulet au cou du minorite. Et ils tirèrent ainsi le moine et sa bête vers la forêt, tandis que les coups pleuvaient sur le dos du malheureux.

Terrorisé, je restai à genoux. Ce n'est que lorsque j'eus la certitude que ces gnomes démoniaques ne pullulaient plus dans le bois que je fis provision de courage et que je commençai à rentrer en toute hâte, en suivant les traces que j'avais laissées dans la neige.

Il faisait complètement noir sous les grands sapins, le soleil couchant se teintait d'orange et de rouge sang, tandis que les troncs d'arbres jetaient de longues ombres bleutées et violettes sur la neige. Je me mis à courir, je tombai et je finis par perdre les traces sur lesquelles je me guidais. J'entendis ensuite des clochettes, d'abord très lointaines, puis de plus en plus proches. Je crus que les démons m'avaient découvert et qu'ils se moquaient de ma pauvre personne qui errait dans la forêt comme la bête sauvage qui cherche de quoi manger et finit par tomber sur le chasseur.

Mais je vis plus tard qu'il s'agissait d'un troupeau de chèvres de montagne que deux jeunes filles vêtues de pelisses poussaient à travers les broussailles. Quand mon regard se posa sur leurs pieds, j'eus la certitude d'être en présence de filles de Satan lui-même. Leurs bottes se prolongeaient par des sortes de cadres allongés, tressés sur le dessus, dont le dessous ressemblait à de grandes assiettes recouvertes de cuir. Grâce à ces instruments, elles se déplaçaient sur la neige sans s'enfoncer. Le plus trompeur était leurs visages d'un rouge édifiant : naturellement, c'était le feu infernal qui leur mettait le rouge aux joues, mais leurs petits yeux qui brillaient avec insolence semblaient plutôt joyeux. De minuscules dents pointues comme celles des écureuils apparaissaient entre des lèvres étonnamment séduisantes. Mais pour le reste, je ne voyais nulle trace de chair humaine en elles, car elles disparaissaient complètement sous des peaux de lynx et de loups, sans nul doute leurs compagnons nocturnes avec lesquels elles s'accouplaient au plus profond de la forêt, à moins qu'elles n'eussent un bouc ou une innocente créature chrétienne pour s'amuser à y planter leurs ongles.

Elles s'approchèrent assez rapidement, d'humeur à se moquer de moi.

— Rüesch! s'exclama l'une d'elles. N'est-ce pas Maître Guillaume, votre hôte? — Et la plus jeune arrêta ses chaussures infernales si près de moi qu'elle m'éclaboussa de neige jusqu'au visage. Il est vrai que la peur m'avait fait mettre à genoux.

— Je m'appelle Rüesch-Savoign, dit-elle d'une voix aimable et agréable pendant que l'autre se tordait de rire, et je suis la fille d'Alva!

— La cadette? demandai-je malgré moi.

— L'unique! répondit-elle en riant, un peu intriguée. Et voici ma cousine Madulain.

J'étais toujours à genoux devant les jeunes filles : — Belle et jeune dame, dis-je, je vous suivrai comme une de vos chèvres si vous me faites sortir de cette horrible forêt.

Puis je me levai et fis tomber la neige dont j'étais couvert, tandis que les deux jeunes filles continuaient à rire.

— Vous ne pourriez jamais sauter comme les chèvres, plaisanta Madulain, même si nous vous encouragions avec le bâton! — et elle retourna s'occuper du troupeau qui continuait son chemin dans la direction habituelle, vers l'étable qui l'attendait.

Rüesch, qui ne devait pas avoir plus de quinze ans, eut pitié de moi.

— Je pourrais vous laisser mes brogues... — mais la cousine lui fit savoir d'un signe de tête qu'elle n'approuvait pas la proposition, si bien qu'elle renonça. — Vous n'avez qu'à suivre nos traces, et vous verrez aussi les crottes de biques dans la neige s'il fait noir, pour vous aider à retrouver votre chemin. — Et elle repartit en glissant sur ses brogues, derrière les animaux qui s'éparpillaient déjà parmi les arbres.

J'avançais plus facilement en suivant la piste de neige foulée qu'elles laissaient derrière elles, et je vis bientôt la fumée qui montait au-dessus des toits du hameau, éclairé par les derniers rayons du soleil couchant. Je traversai en hâte le couloir de bois du *punt* où les gardes ne manifestèrent aucune intention de m'arrêter et je commençai à gravir les étroites ruelles en pente, le souffle court.

C'était l'heure de la prière du soir, comme me le rappelèrent les trois coups d'un cor de montagne. Tous les hommes de l'endroit, presque tous artisans ou marchands, avaient étendu de petits tapis sur la neige et priaient en silence, à genoux, tandis que là-haut, sur la tour de guet, s'évanouissait le son profond du cor. Ils penchaient la tête dans la direction du col derrière lequel devait se trouver, bien loin, dans le plus lointain sud-est, la cité de La Mecque.

Je passai prudemment à côté d'eux et j'aperçus le feu de la forge ; l'odeur de résine des ateliers où l'on fabriquait les traîneaux me chatouilla le nez, comme l'arôme puissant de cuir des échoppes où l'on tressait les brogues. Je croisai des chasseurs qui ramenaient leur gibier suspendu à des lances, notamment de grosses marmottes transpercées d'une flèche. Mais je ne vis aucune femme, pas même les deux jeunes filles. Xaver était encore assis sur son banc devant sa maison, en train de surveiller un chevreau qu'il faisait lentement tourner au-dessus du feu en tirant sur une lanière de cuir enroulée sur une poulie.

— Je voudrais prier un peu à l'église, lui dis-je humblement en tournant la tête vers le lieu de culte.

— Pas aujourd'hui ! répondit-il brusquement. Tu pourras encore prier demain ! — et il me sourit. Voyant ma perplexité, il ajouta, comme pour me rassurer : — La réunion est terminée, les femmes rentrent. Je vis alors une procession de visages voilés qui se séparaient en petits groupes au pied de la côte pour se disperser ensuite dans le hameau. Dame Alva rentra un peu plus tard et commença aussitôt à nous servir la viande.

— Nous allons fêter la journée, dit Xaver en m'offrant un bon morceau de patte de chevreau. Le butin a été bon ! Le pape nous a encore envoyé soixante-dix quintaux d'argent et trois cents besants d'or, plus un mulet — il attaquait un cuissot du chevreau. Le minorite prétend que ce trésor est une « aumône », continua à m'expliquer joyeusement Xaver qui mastiquait avec entrain. — Comme si nous ne savions pas que saint François interdit aux frères d'accepter et de garder la moindre pièce de monnaie.

Dame Alva présenta avec un geste modeste une assiette vide dans laquelle son mari déposa plusieurs morceaux de chevreau, pas précisément les meilleurs, puis elle rentra dans la maison et Xaver poursuivit son récit :

— Le pauvre homme a cru malin de monter en longeant les lacs jusqu'à la vallée, pour contourner la *diavolezza*, et il est tombé directement dans les bras diaboliques de la *guarda lej* !

— Je l'ai vu, dis-je. Un vaillant serviteur du Christ.

— Un âne bâté ! précisa Xaver.

Je commençai à chercher la jeune fille des yeux, pensant qu'elle était allée à l'église avec sa mère. Et quand je regardai en haut, vers la grille de la fenêtre, je vis qu'elle était là en train de regarder en rongeant un os, sans cesser de sourire, ce qui donnait l'impression qu'elle tirait la langue à son père. Dès qu'elle se rendit compte que je l'observais, elle recula rapidement pour se fondre dans l'obscurité de la chambre qui s'ouvrait derrière elle.

Il faisait nuit noire et le feu s'éteignait presque. Xaver s'essuya la bouche avec les mains, alluma un bout de bois et me montra le chemin.

— Allons, Guillaume, dit-il d'un air solennel, Zaroth t'attend, l'ancien du village !

Nous descendîmes par les ruelles et je dus faire très attention pour ne pas glisser, car avec le froid de la nuit, il gelait dur. Au centre du hameau, nous arrivâmes sur une place presque plane, devant la maison du *podestà* ; un large escalier de pierre conduisait à l'étage où une porte de fer donnait sur une vaste salle. Les hommes de l'endroit buvaient du vin autour d'un grand feu.

— Le prophète n'a pas pensé aux croyants qui sont obligés de vivre entre la glace et la neige, chuchota Xaver alors que nous prenions place presque au fond. Nous, les *saratz*, nous n'appelons pas cette boisson par son nom ; nous la considérons comme un médicament contre le mal de gorge et les engelures aux pieds !

J'acquiesçai d'un geste compréhensif et acceptai le gobelet qu'on m'offrait. Puis je goûtai :

— Excellent liquide ! Où le trouvez-vous ?

— Il vient de la Valteline, la vallée qui se trouve derrière le col. En automne, nous aidons les vignerons pour les vendanges et nous troquons avec eux notre fromage de chèvre.

Zaroth, un digne vieillard à longue barbe, venait de nous apercevoir.

— Selon la décision du conseil des anciens, le sort de ce

moine infâme est maintenant tranché — et ces paroles pro-
noncées, il leva sa coupe richement travaillée. Saluons plutôt
un ami de l'empereur : Guillaume de Rubrouck, notre hôte.

Tous burent à ma santé tandis que je les regardais, intimidé.

— Guillaume est un saint homme, un chrétien, continua Zaroth. Je suis très heureux qu'un homme comme lui
puisse témoigner que les *saratz*, les gardiens du *punt*, ne
pourchassent pas ses frères dans la foi, mais seulement les
ennemis de notre empereur, les messagers du pape qui se
cachent sous l'humble habit des frères mendiants pour
commettre leurs méfaits. Et il est aussi sûr qu'ils méritent
l'enfer, dont nous leur offrons un petit avant-goût dans notre
fumoir, que nous nous méritons le paradis ! Ils burent, avec
un plaisir visible. — Sois le bienvenu, Guillaume !

Ils s'assirent ; je me sentais obligé de faire une dernière
tentative pour sauver la vie de mon frère :

— Ne serait-ce pas un meilleur témoignage — je faillis
dire : « de votre amour chrétien pour votre prochain, de la
supériorité morale des *saratz* que de renvoyer en Italie ces
traîtres à la cause impériale en leur coupant simplement,
disons, une oreille ou le nez — il fallait bien leur laisser quelque chose ! afin que tout le monde voie que... ?

— Mauvais conseil ! m'interrompit d'une voix furieuse
le robuste garçon qu'on appelait Firouz. Ils accuseraient
l'empereur : « Voyez ! C'est ainsi que l'Antéchrist punit les
pauvres minorites... » — Zaroth lui dit de se taire, mais en
pure perte — et nous perdrions le prix de leur tête, qui est,
comme vous le savez, la moitié de...

— Silence, Firouz ! tonna Zaroth qui se tourna vers moi
pour essayer de m'expliquer : — Ne croyez point que nous
agissons ainsi pour toucher la prime promise pour leurs
têtes : les revenus que nous tirons de ces actes, et l'occasion
ne s'en présente pas tous les jours, couvrent à peine les frais
de surveillance du col et de la vallée, une surveillance que
nous exerçons été comme hiver, le jour comme la nuit !

— C'est vrai, ce n'est pas une très bonne affaire ! murmura Xaver à mon oreille. Ce n'est intéressant que pour ceux
qui attrapent le messager et pour l'ancien, car ils touchent
chacun un dixième. Firouz est le chasseur le plus riche des
saratz !

Mais je ne voulais pas renoncer.

— Et si vous alliez les livrer à un tribunal de l'empereur... ?

— Ils subiraient le même sort, ou même pire! gronda Firouz. Et puis, l'empereur Frédéric est bien content qu'on le débarrasse de cette merde de papistes!

— Vive l'empereur! s'exclama Xaver avant que les hommes n'aient le temps de penser à se fâcher avec moi, et ils trinquèrent encore entre eux. Bientôt, tous furent pris de boisson. Mais chaque fois que mes yeux cherchaient Firouz, je voyais qu'il continuait à m'observer, pensif et sévère, bien résolu à me tenir à l'œil.

Quand les *saratz* commencèrent à rouler par terre, je pris Xaver par le bras et le traînai jusque chez lui, en haut de la côte. Quand nous fûmes arrivés, il écarta les jambes et se mit à pisser contre le mur de sa propre maison. Et à la vue de son instrument en pleine forme, une idée lui passa par la tête, ou plutôt pas très loin dudit instrument.

— Alva! cria-t-il. Alva, femme! Où es-tu? J'ai envie de toi! puis il s'élança dans l'étable, braguette ouverte, et prit l'escalier qui menait à sa chambre.

De mon côté, je cherchai le tas de foin et, sans même allumer une torche, je m'enroulai dans ma couverture. Pendant quelque temps, j'entendis grincer des planches là-haut, puis j'entendis une porte claquer et les derniers bruits s'éteignirent dans une sorte de murmure nocturne auquel se mêlaient les doux gémissements des chèvres qui avaient retrouvé le sommeil après notre irruption.

J'eus une brève pensée pour le frère qui n'était certainement pas très tranquille lui non plus, ainsi que pour le danger qui germait peut-être dans la tête de Firouz qui se manifesterait quand il découvrirait que je n'étais pas gonfalonnier de l'empereur, mais bien un vil franciscain dont, après deux années d'aventures, les cheveux avaient repoussé et recouvraient maintenant la tonsure. Je me souvins aussi dans mes prières des deux enfants ensevelis dans les glaces et de ceux qui profitaient du soleil d'Otrante, ainsi que de Hamo, dont j'espérais qu'il avait réussi à s'échapper, et enfin de Clarion que j'aurais voulu avoir à côté de moi sur le foin...

Les planches se remirent à grincer au-dessus de ma tête. Dans le noir, je vis apparaître sur les marches de l'escalier deux pieds nus suivis d'une longue chemise qui les recouvrit aussitôt tout à fait décemment, ne laissant plus rien voir. Et c'est ainsi que tomba à côté de moi, sur l'herbe sèche, la fille cadette de la maison.

J'ouvris la couverture et elle se glissa sans plus de façons à côté de moi. Elle sentait le caillé de chèvre.

— Alva tient compagnie à Xaver, murmura-t-elle à mon oreille. Et ils vont continuer jusqu'à ce qu'ils s'endorment et se mettent à ronfler, continua à m'expliquer la petite. Toi aussi, tu ronfles, Guillaume. Je t'ai entendu hier soir.

Je me décidai à la prendre solidement dans mes bras et je sentis contre moi sa chair ferme. Mais je ne parvenais pas à me souvenir de son nom. Elle remonta sa chemise jusqu'au cou et mes doigts purent se lancer dans une aimable diversion.

— Je voudrais savoir si tu ronfles quand tu es couché avec une femme.

— Dessus ou dessous? lui répondis-je pour plaisanter, et nous nous mîmes à rire.

Elle souleva la couverture.

— Je veux voir si tu as la peau toute blanche! m'expliqua-t-elle d'un air coquin.

— Mais nous sommes dans le noir, murmurai-je tandis que je sentais grandir mon membre. Il va falloir que tu ailles voir avec les doigts, Rüesch! Je venais de me souvenir de son nom : Rüesch-Savoign!

Rüesch-Savoign n'eut pas besoin de se le faire dire deux fois. Elle empoigna mon gland, me prit par les grelots, les mordilla, sa langue parcourut le tronc et, avant que je puisse me retenir, un flot de sperme s'échappa. Elle se précipita sur mon corps et, au moment où je croyais qu'elle allait m'ouvrir son jardin, je compris que ce qu'elle m'offrait était son petit cul juvénile. Je voulus glisser ma main par-dessous, étant donné que mes doigts avaient déjà préparé le terrain, mais Rüesch me repoussa en me donnant une tape :

— Nous sommes mariés peut-être? murmura-t-elle en faisant glisser ses fesses fermes sur ma verge humide et dure. Je la laissai faire en prenant plaisir à voir son excitation qui se traduisait par un léger mouvement de va-et-vient. Elle se montra bientôt mécontente de ma posture hésitante et parvint, avec quelques gémissements et halètements, à l'introduire de plus en plus profondément dans ses entrailles, jusqu'à ce que je l'attrape par les deux fesses et que je donne ce qu'elle méritait à la petite coquine. Nous roulions sur le foin, tantôt cavalier, tantôt monture.

— Dessus ou dessous ? répétait Rüesch en riant et il me vint une autre poussée de sève qui la fit se taire, haletante. Mais elle retrouva bientôt son souffle. Nous nous taisions pour voir s'il y avait du bruit là-haut. Rüesch me dit tout bas :

— Guillaume, tu es un vrai mâle ! et elle se mit debout pour uriner sur mon corps, peut-être dans le but d'exprimer ainsi son extrême satisfaction. Elle essuya ensuite avec une poignée d'herbe ce qui restait de mes éjaculations, se recouvrit de sa chemise et s'empressa de remonter l'escalier pour se réfugier dans sa chambre heureusement protégée par la grille.

— Rüesch, dis-je à voix basse, tu pourrais au moins me donner un baiser et me dire bonsoir !

— Tu es un brave homme, Guillaume, dit-elle en continuant à monter l'escalier, mais chez les *saratz*, les femmes n'embrassent que leurs maris !

FERS ROUGES

Château Saint Ange, printemps de l'an 1246

Vitus crut qu'une éternité avait passé quand la porte de sa chambre s'ouvrit enfin et que Mathieu de Paris, surveillant du Documentarium, l'informa que son *carcer strictus* était commué en *custodia ad domicilium*.

— Ce qui signifie que vous ne pouvez sortir du château sans autorisation spéciale...

Le moine préoccupé n'avait pas achevé sa phrase que Vitus passait en coup de vent à côté de lui.

— Où est le prisonnier que je vous ai envoyé?

— Dans le plus noir des cachots, comme vous l'aviez ordonné!

— Accompagnez-moi! Nous allons lui éclairer la cervelle pour la dernière fois!

— Je ne supporte pas la vue du sang! répondit un Mathieu épouvanté, mais d'une voix décidée. Pas même la vue d'une torture! Je vais vous envoyer le *castigator*.

— Non, le *carnifex*! répondit Vitus en éclatant de rire, laissant Mathieu derrière lui. Il savait parfaitement comment se rendre dans les profondeurs du château.

Roberto, l'homme fort comme un ours, capable de briser les chaînes, était inconscient quand on l'avait sorti avec l'aide de barres de fer des eaux glacées de la gorge. Toujours sans connaissance, on l'avait enchaîné et transporté dans une caisse semblable à un cercueil, jusqu'à ce que, des jours plus tard, affaibli par la faim et la soif, il se retrouve dans un lieu inconnu, plongé dans le noir, enchaîné à un rocher humide. L'eau qui suintait des murs lui permit de rester en vie.

Pendant bien longtemps, le bruit des gouttes fut la seule chose qu'il entendit, jusqu'à ce qu'un jour il voie la clarté lointaine d'une lumière. Des pas descendirent l'escalier qui conduisait à son cachot, tandis que les ombres des barreaux se déplaçaient à mesure qu'approchaient des flambeaux.

Vitus donna l'ordre de tirer les verrous et Roberto reconnut avec ses yeux fatigués et à moitié aveugles le « corbeau » : ce fantôme qui les avait poursuivis dans tout le nord de l'Italie, jusqu'aux Alpes. Et derrière lui, il vit le feu ardent qui serpentait dans une bassine de cuivre, les fers, les aiguilles pointues et les tenailles qu'un moine faisait chauffer avec des gestes adroits.

— C'est un robuste gaillard! dit sèchement Vitus à son valet dont les bras longs et les larges épaules attiraient l'attention malgré la bure et la capuche qui le cachaient presque entièrement. Il est capable de briser des chaînes et de soulever de gros troncs d'arbres. — Puis il s'approcha pour éclairer le visage de Roberto avec sa torche. Le prisonnier était debout, plus à cause des anneaux de fer qui retenaient ses mains que grâce à ses pieds qui le soutenaient à peine, mais il ne baissa pas les yeux. — Dommage que ces deux troncs formaient le pont que j'avais si grande hâte de traverser.

Il approcha encore la flamme et des gouttes de goudron tombèrent du flambeau sur la poitrine du prisonnier qui resta impassible.

— Dommage que tu sois un serviteur si fidèle de mes ennemis! Et même lorsque la petite flamme mit le feu aux poils de sa poitrine, soulevant des cloques, Roberto ne broncha pas. Vitus de Viterbe recula et se retourna vers la grille. — Fais ton office! lança-t-il au moine qui manipulait les fers rouges.

Il n'était pas encore arrivé au pied de l'escalier que l'homme enchaîné poussa un cri de taureau blessé:

— Seigneur, revenez et pardonnez à votre serviteur!

Vitus s'arrêta, un pied sur la première marche. Dans ses mains, le bourreau tenait de grands fers rouges menaçants, comme ceux dont on se sert pour marquer le bétail.

— J'aurais aimé disposer d'un serviteur aussi fort que lui, dit-il d'une voix forte, plus pour lui-même qu'à l'intention du bourreau. S'il était à mon service, il n'aurait pas besoin de parler, ni à moi ni aux autres, il n'aurait qu'à m'obéir aveuglément!

Le bourreau fit signe qu'il avait compris et sortit de la bassine l'aiguille et les tenailles. Mais Roberto n'avait pas abandonné la partie:

— Je vous servirai comme un chien fidèle, maître, je le jure! Je veillerai sur vous comme si vous étiez ma vie! Mais pour bien vous servir, j'ai besoin de mes yeux, je dois pouvoir aboyer et mordre. Un infirme ne vous servirait à rien. Autant mourir!

Vitus apprécia ces arguments simples avec lesquels Roberto essayait de protéger l'intégrité de son corps à laquelle il tenait plus qu'à la vie. Le prisonnier ne mendiait pas son pardon. Ce garçon n'était pas bête et il avait du cœur au ventre!

Le Viterbien se tourna vers le bourreau:

— Pour que tous sachent qui est son maître, marque-le

d'un *C*, comme dans Christ ou Capoccio — et, se trouvant spirituel, il éclata d'un rire dont les caves renvoyèrent l'écho terrifiant : — Un *C* sur la poitrine et la croix habituelle sur le front.

Sans regarder derrière lui, il se remit à monter l'escalier. Il espérait entendre le cri animal de l'homme quand on le marquerait, mais il n'entendit qu'un sourd gémissement.

Vitus de Viterbe eut un sourire de satisfaction, expression qu'on ne lui voyait que bien rarement.

Il revint par les couloirs sinueux du château dont le tracé lui donnait le mal de mer, surtout quand il n'était pas pressé et qu'il n'avait pas de but précis. Ses plaies avaient guéri et ses douleurs n'étaient plus qu'un souvenir, mais l'assignation à résidence lui pesait comme un châtiment sévère et perfide dont ne pouvait avoir eu l'idée que cet esprit démoniaque dont lui ne s'abaissait pas à chercher la cachette sur les toits ou dans les murs. Fatigué de tourner en rond comme un chien sans maître, il se retira dans sa chambre pour lécher les plaies de sa vanité blessée.

— *Eh bien*, se moqua la voix de l'Invisible —, *on s'est calmé?* — Allongé sur son lit, Vitus ne leva pas les yeux. — *Maintenant que ton saint-bernard est presque dressé* — continua la voix —, *tu n'aurais pas envie de repartir vers le nord? Tu ne voudrais pas en finir avec cette bande de* saratz *qui se cachent dans les Alpes? En fait, ce ne serait pas une mauvaise idée! Même si la curie ne se soucie guère qu'un frère minorite de plus ou de moins se perde, quand ce sont les deniers de l'Église qui n'arrivent pas à destination, et pire, quand ces mêmes deniers vont atterrir dans les goussets de l'empereur, on comprend qu'elle soit fâchée!*

Vitus soupçonnait un piège, mais il ne pouvait pas simplement se taire

— Je vous connais, Éminence, grogna-t-il. Vous voulez être sûr que les fugitifs n'ont pas pu se réfugier dans la région? — Vitus savait que le cardinal le mettait à l'épreuve, mais il ne put s'empêcher de provoquer le haut personnage. — En réalité, la seule chose que vous voulez, c'est que je me perde là-bas!

— *La .vérité, Vitus, c'est qu'ici non plus, tu ne sers pas à grand-chose. Pourtant, quand je pense à tous les pays que tu devrais parcourir, à tous les lieux où tu laisserais tes excré-*

ments, à tous les arbres que tu souillerais de ton urine, je crois presque que c'est ici que tu risques de faire le moins de mal.

— Je ne veux pas vous supplier, mais seulement vous proposer de ne pas nous envoyer, moi et mon chien, mordre les mollets des *saratz*, mais plutôt d'aller au sud aboyer contre la comtesse d'Otrante. Il est probable que les enfants ne sont jamais sortis de son château. Ils nous ont peut-être trompés et tout n'aura été qu'un mauvais rêve. Donnez-moi une flotte et je vous montrerai...

— *Discours stupide. Ton chien mériterait un meilleur maître. Tu ne fais que me donner des excuses pour te faire rattacher à ta longe !*

Et l'interrogatoire prit fin sur cette phrase : « Prison à perpétuité pour irresponsabilité perpétuelle. » Privé de tout moyen de défense, il ne lui aurait servi à rien de se mettre en fureur. Il fallait qu'il apprenne à être obéissant, jusqu'à faire de l'*oboedientia* une partie de sa chair et de son sang. Seulement d'y penser le rendait malade !

L'ÉGLISE FUMOIR

Punt'razena, printemps de l'an 1246 (chronique)

Le soleil se levait à peine que le son profond du cor de montagne me fit sauter à bas de ma litière d'herbes sèches. Pour les *saratz*, il leur rappelait de ne pas oublier la prière matinale ; pour moi, de me souvenir à la première messe. Dans ma lâcheté, je m'étais refusé tout l'hiver à me rendre à l'église pour voir le frère qu'ils y tenaient prisonnier. Mais une remarque de Xaver durant la veillée ranima finalement ma conscience. J'enjambai les chèvres qui ruminaient toujours couchées et j'arrivai à la fontaine où quelques filets d'eau achevèrent de me réveiller. Je sortis dans la rue encore plongée dans l'obscurité.

Je levais les yeux vers l'église quand je vis un groupe de jeunes sarrasins, menés comme toujours par Firouz, qui traînaient le minorite vers la vallée en tirant la corde qui lui liait les mains.

Je m'éclipsai aussitôt dans l'ombre des dernières maisons, non tant par crainte d'être vu que par honte de ne pas aider mon frère à l'heure de sa dernière heure. Je priai pour lui à mi-voix tout en continuant à monter. D'en haut, je les vis traverser le *punt*; mais ensuite, ils délaissèrent le chemin que je connaissais, celui qui s'enfonçait dans la forêt, pour prendre immédiatement à gauche.

Il y avait bien longtemps que je ne ressentais pas avec autant d'insistance le désir de prononcer les paroles du Messie, même en un lieu aussi peu sacré. Armé du courage du missionnaire, j'entrai dans l'église vide où ne m'attendait qu'une fumée bleue et âcre. Là où auraient dû se dresser l'autel et le crucifix en témoignage de la présence de Dieu brûlaient dans des *forni* creusés dans le mur des braises dont la fumée enveloppait des morceaux de viande suspendus dans l'abside.

Je n'aurais pas été autrement surpris de découvrir là-haut, pendu à un crochet, le corps torturé de mon frère, mais je l'avais vu de mes propres yeux sortir de ce lieu pestilentiel, sans doute annonciateur de la condamnation éternelle. Les yeux en feu et remplis de larmes, je cherchai une dernière trace de lui, au moins son nom, mais n'en trouvai aucune. Les murs étaient couverts de noms et de dates, bon nombre accompagnés des lettres « O.F.M. » et d'interjections désespérées, d'ultimes messages, comme « Dieu, Aie pitié de mon âme! », « Je remets mon âme entre Tes mains! », « Marie, prie pour ce pauvre pécheur! », ou simplement « INP + F + SS », ou encore l'humble inscription « INRI ». J'étais donc dans une chambre mortuaire et les malheureux qui, dans leur détresse, n'avaient eu que leurs ongles pour graver ces signes sur les murs n'en sortaient que pour se rendre sur les lieux de leur exécution.

Je n'eus pas bien longtemps pour examiner les inscriptions, car les femmes du hameau entraient de plus en plus nombreuses dans l'église, se mettaient à genoux sur le sol de pierre et, dans leur dialecte *saratz*, mêlé de termes latinisants, chantaient une mélopée dont les courbes ascendantes et descendantes ressemblaient à une lamentation funèbre. Elles cachaient leurs visages sous des foulards, mais je devinai qu'elles étaient toutes vieilles, de sorte que j'eus le courage de réprimer la tristesse et la mélancolie qui menaçaient de me paralyser dans ce lieu de mort et que je me dressai devant elles, en proie à une sainte fièvre.

— Vous demandez la paix du Seigneur? N'espérez pas que Dieu, qui est juste, vous l'accorde! Sa colère retombera sur vos têtes! Le fils qu'Il vous a envoyé pour vous donner la paix a été fait prisonnier par les sbires et sacrifié sur la croix sans que vous éleviez la voix. Inutile de vous agenouiller et de vous lamenter, plutôt que d'arrêter le bras des mercenaires de l'empereur en criant : « Tu ne tueras point! »

Dès les premiers mots, les ombres voilées avaient interrompu leurs lamentations monotones pour me regarder en silence, avec froideur et hostilité. Mais ensuite, elles avaient semblé se prostrer de plus en plus à mesure que mes paroles les fustigeaient comme un fouet.

— Jésus n'est pas venu dans cette vallée abandonnée par la main de Dieu pour que vous le trahissiez une fois de plus pour trente deniers d'argent, il est venu racheter vos péchés. Et votre faute est grande, et elle augmente avec chaque serviteur de Dieu qu'exécutent les mains de vos enfants. Le Seigneur ne dit-il pas : « A moi la vengeance »? Vous avez accumulé dans vos âmes d'énormes péchés qui pèsent plus lourd que les montagnes qui vous entourent. Repentez-vous, faites pénitence, ou le Seigneur vous condamnera! *Per omnia saecula saeculorum.* Amen!

Je me jetai hors de l'église, courus jusqu'au *punt*, poussai furieusement les gardes, qui d'ailleurs ne m'opposaient aucune résistance, et m'enfonçai dans la forêt jusqu'à ce que les premiers arbres me cachent aux yeux des sentinelles qui durent trouver la chose étrange. C'est alors seulement que j'osai souffler et tenter d'imposer la froide raison à ma fureur impuissante. Je sortis avec prudence de la piste de neige tassée qui conduisait aux lacs et j'essayai de traverser les broussailles et la neige profonde pour découvrir les traces des *saratz* et de leur prisonnier.

A chaque pas que je faisais dans l'immaculée blancheur hivernale, mon espoir diminuait de le revoir en vie. Mais je fus bien surpris de la vision qui s'offrit tout à coup à mon regard.

Je me trouvais dans une clairière où des plus grosses branches des sapins noirs pendaient les corps d'au moins une douzaine de franciscains, comme de longues pommes de pin d'une grosseur surnaturelle. Ils ne se balançaient pas, car pas un souffle d'air n'arrivait jusque-là; mais ils craquaient, la plupart étant enveloppés d'une épaisse couche de glace. La forme la plus noire, dont l'habit portait encore quelques taches de neige fraîche, devait être la victime la plus récente, le minorite au mulet. Je n'osai pas lui regarder le visage, je fis rapidement le signe de la croix et je rebroussai chemin, pressé de m'éloigner de ce lieu horrible dans lequel ne pénétrait pas le moindre rayon de soleil.

Non loin de là, j'entendis tout à coup le torrent bramer dans la gorge rocheuse. Trébuchant, tombant, je m'enfonçai sur mes jambes chancelantes dans la forêt jusqu'à ce que la lumière recommence à filtrer à travers les arbres et je me retrouvai dans un bosquet déjà moins touffu. Puis, dans une prairie un peu en pente, presque dépourvue de neige grâce à une heureuse conjonction des effets du vent et du soleil, j'entendis tinter les clochettes des chèvres qui paissaient dans l'herbe en exprimant leur contentement avec leurs habituels bêlements. Plus haut, là où la neige redevenait profonde, un groupe de jeunes filles s'amusaient.

Les folles pastourelles jouaient dans la neige, leurs brogues aux pieds. Elles glissaient ensemble, traçaient des courbes audacieuses en rivalisant toujours de vitesse, profitant de la moindre bosse pour changer inopinément de direction ou se laisser emporter par le vent et tomber dans la neige au milieu des cris d'encouragement ou des rires malicieux de leurs compagnes, tantôt sur le nez et tantôt sur leurs fesses dures. Mais aucune n'était aussi rapide, ne tournait avec autant d'agilité et ne sautait aussi loin et aussi haut que Rüesch-Savoign. Dans ses cabrioles les plus folles, elle atterrissait toujours habilement sur ses brogues, comme si elles faisaient partie de son jeune corps.

Je m'enthousiasmai au point de les applaudir et je réussis à me faire remarquer d'elles. Mais au lieu d'être heureuses de mes applaudissements, elles chuchotèrent entre elles, puis se baissèrent et se mirent à faire des boules de neige. Je n'avais pas encore bien compris leurs intentions qu'elles s'élancèrent toutes ensemble, semant la panique parmi les pauvres chèvres et m'accablant d'une grêle de boules de neige qui éclatèrent sur mon visage avec plus de force que je ne l'aurais cru possible. Et je dus retourner me réfugier dans la forêt, laissant derrière moi les rires moqueurs de ces amazones montagnardes.

J'eus du mal à retrouver le chemin du retour, craignant toujours de retomber sur les pendus. Épuisé, je regagnai enfin la piste de neige battue qui conduisait à l'église de saint Murezzano, premier martyr de la vallée, mais très certainement pas le dernier. Je n'avais pas fait deux pas qu'une flèche se planta avec un bruit sec dans l'écorce de l'arbre qui se trouvait à côté de moi, à la hauteur de ma poitrine. Je m'arrêtai, le cœur battant jusqu'au cou. A une cinquantaine de pas, Firouz sortit de la noirceur des arbres avec un cerf ensanglanté sur l'épaule.

— Je t'ai pris pour un cerf en train de brouter ! s'exclama-t-il sans la moindre trace de regret dans sa voix.

— Tu veux dire pour un âne ! — Je voulais lui rendre son insolence et j'arrachai donc la flèche du tronc en tirant fort, puis je la cassai sur mon genou d'un geste décidé.

C'est alors qu'apparut à côté de Firouz l'aide-bourreau trapu dont j'avais gardé mauvais souvenir depuis mon séjour dans le hammam. Il était chargé de deux autres animaux et son visage plutôt agréable de campagnard s'éclaira d'un sourire niais.

Firouz avait pris une attitude hostile, mais je poursuivis mon chemin. Quand je passais devant lui, sans baisser les yeux devant son regard méfiant, il grommela :

— Un accident est vite arrivé quand on va paître là où il ne faut pas !

— Évidemment, Firouz, répondis-je sans m'arrêter, surtout quand on tombe sur un chasseur qui tire d'abord et qui regarde ensuite !

— Tu ferais mieux de tenir ta langue ! me souffla-t-il en plein visage.

— Tu ferais bien de te rafraîchir le front avec un peu de glace, lui répondis-je par-dessus mon épaule. La cervelle n'en devient pas plus forte, mais certainement moins pesante ! Je crus qu'il allait me sauter dessus ou me tirer une flèche dans le dos, mais Firouz ne fit pas un geste et je pus poursuivre mon chemin.

Xaver m'attendait devant la maison avec un sourire préoccupé.

— Les vieilles du village sont folles de toi, Guillaume. Elles disent que tu prêches comme si tu étais l'ange qui garde la porte du paradis avec son épée de feu. Elles veulent que tu sois leur prêtre !

Je lui répondis avec prudence mais fermeté :

— Il est vrai que j'ai étudié la théologie, mon seigneur, mais pas pour finir mes jours à prêcher l'Évangile dans ces forêts enneigées et parmi ces âmes congelées ! Je préfère rester le soldat cultivé que je suis, même si je me fais parfois de la bile.

— Tu ne devrais pas avoir aussi mauvaise opinion des *saratz*, Guillaume, dit-il dans l'espoir de me convaincre. Quand le vent chasse la neige et que la glace se met à fondre, nos vallées se couvrent de fleurs splendides, et nos cœurs aussi se décongèlent !

— Jusqu'au retour de l'hiver ! répondis-je d'une voix moqueuse. Mais Xaver ne s'en émut pas.

— Il n'y a pas deux hivers semblables. L'empereur vaincra ses ennemis et le petit franciscain qui passera alors par ici pourra jouir à nouveau de l'hospitalité des *saratz*, comme auparavant !

— Et vous le ferez manger un bon jambon fumé dans une salle qui était autrefois la Maison de Dieu, vous le ferez coucher dans un lit fabriqué avec le bois des sapins où ses frères sont morts pendus, dont les plumes et les draps auront été achetés avec les primes payées pour leurs têtes ?

— Tout sera enterré et oublié, Guillaume, et je t'assure que tu te plairas avec nous ! — Je fis un geste pour le contredire, mais il m'arrêta. — Tu comprends notre langue, tu sais prêcher, tu pourrais occuper un poste qui te convienne. Pour nous, t'avoir comme ambassadeur pour nous représenter dans le monde qui nous entoure mais dont nous vivons coupés, c'est ce qu'il faut au peuple des *saratz* pour que le temps et ses changements ne nous laissent pas de côté !

— Si c'est le cas, vous feriez mieux d'ouvrir vos rangs au

lieu de répandre la terreur! D'accepter un peu de *civitas*, au lieu de vivre comme des barbares.

— Mais comme nous sommes étrangers et que nous ne professons pas la religion des chrétiens, nous serions rapidement soumis, opprimés et finalement chassés. Vous, les chrétiens, vous n'êtes pas, comment dire, vous ne péchez pas par excès de tolérance!

— Et nous ne sommes pas trop civilisés, Xaver, répondis-je en me mettant à rire. En vérité, nous avons peu de raisons d'être fiers de nous, et de celles-là, presque toutes nous sont venues des pays où vivaient tes aïeux. Mais c'est à vous de savoir si vous voulez continuer à être un corps étranger greffé dans l'Occident chrétien, comme nos croisés ont fondé des communautés qui continuent d'être une épine plantée dans la chair de l'Islam...

— ...ou ne pas continuer à l'être, fit Xaver d'un air pensif. Je ne sais pas quel sera le destin des *saratz* quand le gouvernement tolérant et généreux de l'empereur touchera à sa fin. Et si une Rome fanatique parvenait à le vaincre, nos jours dans cette montagne seraient également comptés...

— A moins de réussir à faire oublier d'où vous venez et quelles sont vos racines. Nettoyez l'église, enterrez les pendus, obligez le prochain franciscain que vous attrapez à enseigner l'Évangile à vos hommes, apprenez le latin et apprenez à prier!

— Tu vois que nous avons grand besoin de toi, Guillaume!

— Je ne suis qu'un voyageur, Xaver, et mon destin n'est pas de prendre racine quelque part. Je te donne mon conseil, comme un modeste présent en échange de l'hospitalité que tu m'as accordée dans ton foyer. Et ma foi, voilà que j'ai justement faim!

— Zaroth nous invite à partager son dîner. Sa femme ne lui laisse pas de répit depuis que tu as ému son cœur avec la foi chrétienne qui émane de tes paroles, et Firouz a fourni la viande pour célébrer l'occasion. Tout cela, en ton honneur!

Je décidai de laisser cet homme, que j'avais fini par apprécier de tout cœur pour sa droiture, croire que la femme de l'ancien avait interprété correctement mes paroles et que Firouz ressentait un besoin pressant de bien me traiter, et nous prîmes sans traîner le chemin de la maison du *podestà*.

Nous étions attendus, ce qui n'avait pas empêché les autres de prendre une ou deux coupes de vin.

— Nous vous souhaitons la bienvenue, Guillaume de Rubrouck. Écoutez la décision des anciens : si vous désirez une maison, les *saratz* vous en donneront une avec grand plaisir ; vous n'avez qu'à choisir une de nos filles qui sera votre épouse...

Zaroth interrompit sa péroraison, vaincu par une émotion intime ; il est vrai qu'il avait déjà passablement bu. Il leva sa coupe à ma santé, geste que tous les autres imitèrent de bon gré, sauf Firouz, détail qui ne m'échappa point.

— Vénérable Zaroth, me sentis-je obligé de répondre, si tu me laisses librement choisir ma demeure...

— Il en est ainsi ! confirma l'ancien avec une intonation solennelle.

— ...dans ce cas, je te prie de me céder l'église — un murmure respectueux s'éleva parmi les assistants. Et je continuai : — Mais si vous voulez que je sois votre prédicateur, je prie les anciens de bien réfléchir à leur proposition, car les *saratz* n'ont pas besoin d'un prédicateur plein de bonne volonté pour instruire leurs femmes, mais bien d'un homme de Dieu pour montrer le droit chemin à leurs hommes... — Je leur laissai peu de temps pour réfléchir à ce qui était quand même une menace pour leur vie traditionnelle. — Et je dois aussi peser votre proposition, car notre Église catholique interdit aux prêtres de prendre femme...

— Nous fonderons une église avec un rite spécial pour toi ! intervint Xaver en devançant les autres qui se mirent à rire en l'approuvant. Zaroth lui-même ajouta son grain de sel :

— Le prophète a pris femme, et même plusieurs, Guillaume, si bien qu'il n'y a pas d'empêchement !

Mais l'intervention de Xaver en ma faveur avait retenu l'attention et inquiété un membre du cercle des buveurs : Firouz ! Le garçon s'avança avec une certaine impétuosité et vint se placer entre l'ancien et mon hôte.

— N'oubliez pas, Xaver, que votre fille est ma promise !

Plusieurs se mirent à rire, mais se turent aussitôt pour écouter la réponse du père.

— Je sais que tu es son prétendant, Firouz, répondit Xaver sans perdre son calme, mais la fille cadette est libre de choisir l'homme qu'elle veut !

— Elle n'est pas la cadette! grogna Firouz. Elle doit se plier à mon désir!

— Rüesch-Savoign est la fille unique d'Alva, dit Xaver à l'ancien qui, déjà un peu éméché, semblait avoir besoin de temps pour réfléchir.

— Si elle est fille unique, alors elle est la cadette, déclara-t-il finalement d'une voix pâteuse. Mais aussi l'aînée.

— Et donc elle sera à moi! s'exclama Firouz.

— Jamais! répliqua Xaver en se dressant devant lui, et ceux qui les entouraient durent faire usage de la force pour les empêcher d'en venir aux poings, ce qui aurait été le simple effet de la règle qui interdisait sagement d'entrer avec des armes chez un ancien.

Zaroth intervint, mais ne trouva mieux que de me demander mon avis.

— Écoutons le conseil de Guillaume!

Je ne me sentais pas très à l'aise.

— Buvons d'abord un coup! dis-je pour gagner du temps et m'assurer l'approbation de presque tout le monde. Puis je me mis à réfléchir à haute voix : Considérons l'héritage : s'il n'y a qu'une seule fille, elle sera l'héritière! Personne ne pourra trouver à y redire et personne ne songerait à l'en priver du fait qu'elle est fille unique.

— Très juste! firent en chœur quelques buveurs qui me laissèrent ensuite continuer en m'écoutant avec beaucoup d'attention.

— Il ne fait donc aucun doute qu'elle a aussi le droit de choisir son époux!

Les applaudissements couvrirent les exclamations de colère de Firouz qui sortit en trombe de la salle.

Je lançai un regard soucieux à Xaver, mais il se contenta de hocher la tête pour me rassurer, me faisant comprendre ainsi que sa femme comme sa fille sauraient bien me défendre si ce prétendant furibond se mettait en tête de m'attaquer par surprise. Je décidai alors d'ajouter quelque chose et je repris le fil de mon discours :

— Il ne fait pas de doute que son droit l'emporte sur l'injustice dont souffrent les filles aînées quand elles doivent se contenter d'un homme qu'elles n'ont pas choisi! — Je leur fis ainsi savoir ce que je pensais de leurs coutumes et j'en profitai pour indiquer à Xaver que je désirais m'en aller sans

goûter la viande grillée qu'on venait d'apporter. Mais mon
hôte me murmura à l'oreille :

— Ce serait un signe de faiblesse que de courir maintenant derrière Firouz. Buvons et mangeons comme si de rien
n'était !

— Le fait est qu'il ne s'est rien passé, dis-je en lui cédant
un peu à contrecœur, sauf que tout le monde me considère
maintenant comme le prétendant de ta fille !

Il se mit à rire et nous prîmes place à côté des autres
pour manger et boire jusqu'à être aussi repus et ivres qu'eux.

Nous soutenant l'un l'autre, nous rentrâmes chez lui
d'un pas chancelant. Plongée dans le noir, la maison dormait, paisible et silencieuse. Mais en entrant au rez-de-
chaussée, je vis aussitôt qu'on avait retiré l'échelle qui montait de mon réduit à l'étage.

— Braves femmes ! marmonna Xaver qui avait remarqué lui aussi ce détail. Nous n'allons pas troubler leur sommeil — et il prit une voix conspirateur —, mais le fait est que
je prendrais bien encore un coup de vin !

Il me montra les rayons qui se trouvaient au-dessus de
mon refuge, là où s'entassaient fromages et jambons.

— C'est là que je le cache ! Mais il faudra grimper sans
l'échelle !

Je l'avais compris et je me penchai pour lui faire la
courte échelle. Xaver se jucha sur mes épaules et se mit à
fouiller là-haut, à côté du mur, sans que je puisse voir où,
mais de la poussière et de la chaux tombèrent sur ma tête.
Finalement, il me tendit une amphore cachetée qui vint
atterrir sur l'herbe sèche.

— Viens avec moi, Guillaume, dit-il avec un grognement de plaisir ; on va la vider là-haut, assis sur le poêle. Ici,
les chèvres seraient jalouses et elles nous gâteraient le bouquet du vin avec leurs pets !

Nous montâmes donc à tâtons l'escalier de pierre et,
pour la première fois, je pus jeter un coup d'œil furtif à la
porte renforcée de fer qui donnait sur la chambre des
femmes. Elle ne semblait pas de nature à céder facilement
aux coups de poing ou de pied.

L'autre moitié de la salle formait une spacieuse cuisine
dont le meuble principal était un poêle dont une partie traversait le mur, sans doute pour chauffer la chambre de la

mère et de la fille ; il arrivait à peine à hauteur d'homme et son sommet était plat, offrant ainsi pour les froides nuits d'hiver un lit idéal pour le seigneur et maître de la maison, comme en témoignait un monceau de peaux et de couvertures étalées là-haut, bien rangées par une main féminine.

A l'avant se trouvait la porte du foyer ; à l'arrière, des marches qui donnaient accès au lit du maître. Nous allâmes nous asseoir là-haut, les jambes croisées, et Xaver ouvrit avec beaucoup de précautions l'amphore couverte de poussière d'où s'échappèrent aussitôt des effluves enivrants. Renonçant aux cérémonies, nous nous mîmes à boire au goulot tour à tour, à petites goulées que nous faisions rouler dans nos bouches avant de les laisser descendre dans nos gosiers.

— Un délice incomparable, ce qu'on peut rêver de mieux — et Xaver se lécha les babines de plaisir —, comme ma petite. Je veux parler de Rüesch-Savoign, ajouta-t-il quand il ne vit aucun signe d'approbation sur mon visage. Tu l'as sûrement vue. Qu'est-ce que tu en penses ?

A peine avait-il prononcé ces paroles que nous entendîmes des coups en bas, dans l'enclos des chèvres, comme si quelqu'un était entré en défonçant les planches des cloisons, puis la voix de Firouz.

— Où tu te caches, Guillaume ?

De nouveau, un craquement, des planches qui volent en éclats et les protestations des chèvres dérangées dans leur sommeil.

— Si je te trouve avec ma fiancée, je te casse les os, je t'arrache les couilles et je t'écrase la queue... Où es-tu, fils de pute, cochon de chrétien qui essaie de t'installer par fourberie chez les *saratz* ? Sors de là !

Je voulus me lever pour dire à ce fou ma façon de penser avant qu'il ne transforme la bergerie en tas de décombres, mais Xaver m'arrêta. Il s'approcha de la fenêtre et cria d'une voix forte dans la nuit noire :

— Firouz, as-tu perdu la tête pour troubler la paix de ma maison ? Tu foules mon honneur aux pieds... — Apparemment, il espérait que l'autre sortirait dans la rue et que les voisins ameutés ouvriraient leurs portes. — Et surtout, Firouz : le grand chasseur est sur le point de perdre la face ! Si tu remets les pieds dans ma maison sans y avoir été invité, non seulement je te tuerai comme je suis déjà en droit de le faire, mais je demanderai au conseil des anciens de déclarer que tu as perdu ton honneur !

La menace était grave et tous le savaient bien. Je m'étais placé à côté de Xaver afin que tout le monde puisse me voir, sauf Firouz qui s'éloigna comme un chien battu, sans oser lever les yeux.

Xaver me sourit, mais j'étais loin d'être satisfait du tour que prenaient mes affaires. Comme Xaver avait refusé à Firouz le droit d'être son gendre, il m'obligeait avec l'aide involontaire de cet imbécile à jouer le rôle de prétendant déclaré de sa fille. Or, je n'avais pour le moment aucune envie d'aborder un sujet aussi délicat. Xaver était si énervé par le vin et la dispute qu'il aurait été capable de réveiller Rüesch sur-le-champ pour nous obliger à consentir tous les deux à la noce.

Je me contentai donc de dire « merci, Xaver » et, après une dernière lampée de ce vin dont il ne restait de toute façon presque plus dans l'amphore, j'ajoutai :

— Et maintenant, je suis fatigué !

Il m'accompagna jusqu'à l'escalier en tenant une lampe à huile. Je dus ensuite chasser les chèvres qui mangeaient le foin de mon lit. Je m'enroulai dans la couverture et me couchai en travers de l'ouverture de mon réduit pour qu'elles ne puissent plus fourrer leurs museaux dans ma paillasse.

Mais je ne trouvais pas le sommeil. Les chèvres tiraillaient mes cheveux et me léchaient le visage avec leurs langues râpeuses. Je n'aurais pas demandé mieux que s'ouvre la trappe que je voyais au-dessus de ma tête, et qu'en sorte Rüesch, la petite folle. J'avais très envie d'en faire une femme, ou au moins de lui donner un peu de poli avec ma langue, comme les chèvres le faisaient avec moi, jusqu'à ce qu'elle ressente ce plaisir qu'elle ignorait encore certainement... ou peut-être pas. Firouz ? Vu la manière dont se comportait cet imbécile, elle ne lui avait sans doute même pas fait l'honneur de son derrière. Et je me dis qu'elle ne dormait certainement pas elle non plus, car elle avait sûrement tout entendu, mais qu'elle se contenterait cette nuit-là de rester couchée à côté de sa mère, empêchée de jouer au petit cheval à moins de courir un grand risque. L'enfant avait de la sagesse. Le souvenir de ses seins durs et de ses fesses serrées, de sa sensualité, de son courage et de sa discipline qui ne le cédaient en rien à son insouciance juvénile, à sa joie de vivre et à sa franchise, et surtout à la porte de son paradis qui restait encore à ouvrir, excita ma virilité. Je sentis mon membre durcir sous la couverture, tandis que les chèvres continuaient à lécher le moindre pouce de ma peau suante qu'elles pouvaient atteindre avec leurs langues râpeuses.

J'écartai tout doucement la couverture pour ne pas leur faire peur, et...

... Rüesch !

CONJURATION BYZANTINE

Constantinople, palais de Calixte, été de l'an 1246

— Ce coup n'a pas de sens, cher cousin : si tu ne déplaces pas le cavalier, mon fou pourrait causer des ennuis à ton roi et à ta reine. Ma tour est prête.

Nicolas della Porta, évêque latin dans la cité grecque de Byzance, montra avec un sourire amusé le roi d'ivoire de son jeune adversaire qui se trouvait assailli par la reine d'ébène et par un pion noir. Sur l'une de ses mains délicates, méticuleusement soignées, brillait un lourd anneau épiscopal orné d'un rubis sombre magnifiquement taillé, entouré des éclats verts de plusieurs émeraudes.

— Si je déplace le cavalier, tu vas prendre ma tour et je ne pourrai pas fermer la brèche. Je te connais, oncle Nicolas ! — Hamo était vêtu d'une toge couleur de corail qui découvrait une de ses épaules brunes, vision qui causait plus de plaisir à son adversaire que cette partie tellement inégale.

— Tu te trompes, mon cher enfant, répondit l'évêque en

souriant, autant que lorsque tu m'appelles oncle — et il prit affectueusement la main brune du garçon pour lui faire déplacer la pièce. Tu te souviens que nous avons la même grand-mère et, οὐκ ἔστιν οὐδείς, ὅστις οὐχ αὐτῷφίλος — d'un geste vif, il poussa le fou blanc qui tomba de l'échiquier —, ma dame arrivera quand même à destination... *gardez!*

Hamo ne semblait pas trop contrarié. S'il acceptait de jouer avec Nicolas, c'était pour lui changer les idées et éviter qu'il ne le tripote constamment, sous prétexte de lui faire essayer de nouveaux vêtements. Il ne céda pas ici non plus et refusa d'abandonner la partie, pourtant pratiquement perdue. En désespoir de cause, il échangea les dames pour gagner du temps.

Mais l'évêque n'avait plus envie de continuer. Le défi qu'il voulait lancer à Hamo n'était pas de ceux qui se décident sur un échiquier. Son visage avait pris une expression ambiguë.

— Remis? dit-il, sachant parfaitement que, plus qu'une offre, il faisait un geste généreux. Puis il se leva.

Hamo regarda un instant l'échiquier et ses pièces en piteuse posture. D'un coup, il le renversa, effaçant ainsi les traces de son infériorité.

Nicolas le reprit avec un sourire :

— Il n'y a que notre empereur Baudouin pour être aussi impétueux que toi

Le regard de Hamo suivit les yeux de l'évêque sur l'échiquier de marbre, beaucoup plus vaste, qui couvrait le sol de toute la salle et qui, divisé avec un extrême élégance en carreaux noirs et blancs, représentait l'empire de Byzance à l'apogée de son étendue et de sa puissance, probablement à l'époque de l'empereur Justinien.

— Ces misérables restes, dit Nicolas d'une voix mélancolique, de notre « empire latin », je veux parler de ce que nous ont laissé les Bulgares et les Séleucides, sera très bientôt absorbé par les Grecs. Et ce sont eux qui mettront fin à mon séjour ici!

Hamo se leva et passa à côté de lui :

— Et Frédéric, que vous appelez empereur d'Occident, il ne peut donc pas venir à votre secours?

L'évêque, qui ne portait pas l'habit de son office mais une légère tunique de laine qui tombait avec souplesse, laissant deviner la délicatesse de ses membres, éclata d'un rire amer :

— L'empereur doit se battre pour conserver son propre pouvoir et nous ne pouvons pas compter sur lui. Et de plus, il a donné sa fille Anna au Vatatsès. Il fait davantage confiance aux Grecs, et il a parfaitement raison !

Ils s'approchèrent de la balustrade qui fermait la galerie située devant la grande salle, dans la direction de la Khrysoqueras, la Corne d'Or.

Ils contemplèrent en silence les coupoles des églises, les murs et les tours de la ville du Bosphore qui s'étendait à leurs pieds, le va-et-vient des navires dans le port, le pont de bateaux qui conduisait à la nouvelle ville de Galata. S'ils avaient laissé errer leurs yeux un peu plus à droite, ils auraient vu qu'ils avaient pratiquement à portée de la main l'autre rive du côté asiatique. Mais Nicolas se recula.

Le palais de Calixte se trouvait au milieu d'immenses jardins qui s'étendaient jusqu'à Hagia Sophia, la cathédrale de la divine sagesse, entre l'église de sainte Irène et celle consacrée à Sergius et Bacchus. Construit à l'origine pour les princes impériaux, le tuteur et beau-père de Baudouin, le vieux Jean de Brienne, l'avait mis à la disposition de l'évêque romain quand celui-ci avait refusé, avec le flair d'un bon diplomate, d'occuper le palais du patriarche réfugié à la cour du Vatatsès.

Les activités pastorales de celui qui représentait les intérêts du pape se limitaient à célébrer mariages, baptêmes et enterrements de plus en plus nombreux parmi la classe supérieure de la population étrangère qui professait la foi catholique romaine ; le peuple continuait à préférer ses popes orthodoxes. Nicolas della Orta avait eu l'intelligence de prendre pour principe de ne pas irriter le peuple ; il ne se rendait donc dans les églises les plus proches qu'à l'invitation expresse de ses collègues grecs. Le reste du temps, dans le beau palais mis à sa disposition, il se consacrait à la politique et à certains jeunes et beaux Hellènes.

Le souvenir de leurs corps bronzés fit sortir Nicolas de son demi-rêve pour le ramener à Hamo. L'idée d'inceste qui lui était associée le stimulait bien davantage que le garçon, si âpre de caractère.

— Nous sommes ici dans le « centre du monde », dit-il.

comme perdu dans ses pensées, en prenant le garçon par les
épaules. Les princes venaient ici jouer aux échecs, un jeu qui
leur procurait sous une forme divertissante une impression
de la puissance et de l'étendue de Byzance — il montra le
dallage de la salle, autour de laquelle des gradins s'élevaient
sur trois côtés, comme dans une arène —. Là-haut, sur la
galerie, on peut encore voir les perches de bois où l'on suspendait les vêtements et les armures des joueurs : blancs
d'un côté, noirs de l'autre. Seuls les écus des guerriers affi-
chaient les vraies armes des nobles contraints de jouer le
rôle de simples pions. On jouait gros, et toute la cour considérait comme un honneur de soutenir financièrement les fils
de l'empereur, embourbés dans une partie. Χρύσιον δ'οὐδὲν
ὄνειδος... — L'évêque sourit mélancoliquement en imaginant
ces distractions qu'il n'avait pas connues et qu'il lui serait
difficile de remettre en usage, étant donné sa charge. Tu verras là-haut les énormes costumes que devaient mettre les
pauvres tours, et les chevaux des cavaliers ; les favoris se battaient pour les voir.

— Et le roi et la reine ? demanda Hamo.

— Seuls les plus proches parents de la famille impériale
pouvaient jouer ces rôles, probablement vêtus d'habits précieux spécialement confectionnés pour l'occasion, répondit
Nicolas. De plus, on pouvait inonder tout l'échiquier, ce qui
devait donner du piquant au jeu. Tu vois que le sol s'enfonce
aux endroits qui correspondent à la mer Noire, à la mer de
Marmara et à la Méditerranée. On les remplissait d'eau, si
bien que les joueurs se mouillaient toujours les pieds, glissaient souvent en changeant de position et tombaient à l'eau.

— Pour ma part, je préférerais un vrai tournoi à ce jeu
qui me paraît un peu infantile !

— Mais les échecs sont toujours un divertissement stratégique pour l'esprit, un πολιτικός ! fit remarquer l'évêque à
son hôte impétueux qu'il considérait comme un petit
barbare d'Apulie. — Si j'ordonne à mon vassal d'aller
d'Antioche à Chypre, c'est au fond à peu près la même chose
que de faire passer ma tour de H1 en F1 ; je roque, comme
disent les Arabes qui sont des mathématiciens à l'esprit
froid. Ou si mon ennemi rappelle son ambassadeur d'Iconium
à Constantinople, la phrase est peut-être belle, mais au fond
elle ne veut pas dire autre chose que « il passe de C3 à C5 ».

— Je vois Otrante sur la carte, là-bas, tout au bout! Avec cette découverte, l'intérêt de Hamo pour le monde s'éteignit et le garçon se mit à bâiller d'ennui.

— Tu es fatigué?

L'évêque frappa quatre fois dans ses mains et un enfant apparut bientôt qui leur servit trois gobelets remplis d'une boisson chaude de couleur sombre.

— Bois! lui dit Nicolas qui porta avec de grandes précautions son gobelet à ses lèvres. C'est un poison, mais bien dosé, il réveille les esprits endormis!

Hamo refusa d'un signe de tête, regarda avec une certaine surprise le troisième bol, puis se coucha sur les coussins qui couvraient les degrés de marbre. L'évêque s'allongea à côté de lui.

— Puisque nous parlons d'Otrante, dit-il, tu ne voudrais pas au moins donner de tes nouvelles à ta mère? dit-il d'un ton qui montrait bien que ce n'était pas la première fois qu'il abordait le sujet et que le refus obstiné de Hamo lui était parfaitement connu. Le jeune homme ne répondit même pas. — Tôt ou tard, elle va apprendre que tu es ici, par des amis ou des ennemis. Et il me semblerait préférable...

— Je n'ai pas d'amis, lui fit savoir Hamo sur un ton impertinent.

— Eh bien, je dois te préparer à recevoir la visite de quelqu'un qui ne ressent aucune animosité envers toi, mais qui au contraire s'intéresse beaucoup à ce qui t'est vraiment arrivé là-bas, dans les Alpes...

— Qui? Hamo se redressa, méfiant, déjà sur la défensive.

— Le noble seigneur Créan de Bourivan!

— Lui? — Hamo n'avait pas du tout l'air enthousiaste. Je ne veux pas le voir!

— Mais lui veut te voir. De plus, il a le pouvoir et les moyens de l'exiger. Καὶ κύντερον ἄλλο ποτ᾽ ἔτλης.

Hamo arrangea sa toge avec des gestes affectés, puis frappa dans ses mains:

— Alors, qu'il entre! s'exclama-t-il, puis il ajouta à voix basse: avant que la coupe de la bienvenue ne refroidisse, et il désigna le troisième bol en imitant les gestes de l'évêque.

Créan entra par la terrasse, ce qui montrait bien que la scène avait été préparée. Il adressa à Nicolas un petit geste aimable, mais ne fit aucun effort pour briser le silence dans

lequel s'était enfermé Hamo. Il s'assit à côté de la table de
jeu et se mit à reconstituer l'ordre de bataille détruit.

Au bout de quelque temps, il s'adressa au garçon d'une
voix encourageante :

— J'attends tes explications. De toute façon, si tu as
conduit l'entreprise qui t'avait été confiée comme tu as joué
cette partie, je crois que nous devrons nous préparer au récit
d'une catastrophe...

— Une avalanche ! expliqua Hamo pour se justifier. Des
forces supérieures aux nôtres !

— Elles sont le plus souvent provoquées par la plus
totale irresponsabilité, répondit Créan d'une voix sèche. Ils
sont tous morts ?

— Et comment voulez-vous que je le sache ? se rebella
le garçon. J'ai été le seul à ne pas me retrouver enterré sous
la neige, et je me suis dépêché...

— ...de t'en aller, au lieu de voir ce qu'étaient devenus
les autres, le moine en tout cas... ?

— Vous espériez peut-être que je lui donne le coup de
grâce s'il respirait encore ? Hamo n'essayait pas de dissimuler sa colère, d'autant plus que Nicolas semblait malicieusement d'accord avec son inquisiteur et que les deux hommes
le considéraient, lui, Hamo, comme un minable qui n'avait
pas été à la hauteur des espérances placées en lui.

— C'était ce qu'on t'avait ordonné ! lui rappela Créan
sans prendre la peine d'en dire davantage. Donc, nous pouvons supposer que Guillaume de Rubrouck a disparu sans
laisser de traces ?

— Personne n'a été voir s'il avait laissé des traces ou
pas, intervint Nicolas. Le moine a peut-être poursuivi son
voyage jusqu'au bout. En tout cas, il suffit de pouvoir le supposer. Tant qu'un témoin ne démontrera pas le contraire,
cette version sera toujours plus plausible que celle d'une
mort définitive sous un tas de neige.

— Splendide. Ἀρχὴ ἥμισυ παντός, dit Créan, impassible.
En attendant, Pian et ses compagnons seront arrivés à la
cour du Grand Khan et, après avoir profité de l'hospitalité
des Mongols, ils finiront par penser au retour. Vous croyez
que cela signifie qu'il ne reste aucune trace de Guillaume et
des enfants ?

— Nous pourrions aussi le faire arriver plus tard, par

exemple, vous ne croyez pas ? — L'évêque ne semblait pas très sûr de ne pas divaguer. — De toute façon, il est impossible de voyager incognito dans l'empire de la Horde d'or ; les Tartares sont très pointilleux sur les formalités...

— Et ils ne consentiront pas non plus à confirmer une histoire criblée de mensonges, à moins de leur révéler tous les détails de notre plan, ce qui pourrait être extrêmement dangereux ! ajouta Créan.

Hamo prit alors la parole :

— Mais je pourrais me présenter comme témoin de ce qui est arrivé en réalité.

Il se rendit compte aussitôt que les deux autres ne semblaient pas prendre sa proposition au sérieux. Ils se contentèrent de sourire.

— Mon garçon, dit Nicolas della Porta d'une voix paternelle, tu fais partie du jeu et tu n'es donc pas digne de foi. Tu es même suspect ! Tu ne ferais que diriger à nouveau les soupçons vers Otrante, alors que nous faisons tout pour les en éloigner.

— Je me présente devant le représentant du pape et je jure...

Della Porta se mit à rire de bon cœur.

— Ce représentant, c'est moi, et je peux t'assurer que devant un tribunal de l'Inquisition, tu répéterais tout ce qu'on te soufflerait à l'oreille sans qu'il soit nécessaire de te faire subir la moindre torture. Tu trahirais ta propre mère, et les enfants par-dessus le marché. Oublie cette idée ! Il ne manquerait plus que ça, que tu tombes entre les mains de Rome !

— Il nous faudrait quelqu'un au-dessous de tout soupçon pour annoncer la mort de Guillaume au lointain pays des Mongols. Ce n'est qu'ainsi que plus personne n'aura l'idée de continuer à chercher ce que sont devenus les enfants royaux..., dit pensivement Créan.

— Et on ne pourrait pas acheter ce Pian ou le corrompre d'une façon ou d'une autre ? proposa l'évêque. Tout homme a son prix.

— D'abord, il faudrait nous assurer de sa personne quand il rentrera en terre civilisée, avant qu'il ne puisse parler à qui que ce soit... D'autre part, il ne voyage pas seul : il est accompagné de toute une délégation...

— Il n'y a qu'une seule personne avec lui, Benoît de Pologne, qui n'aurait pas dû survivre à la cuisine mongole. On pourrait croire à un effet un peu tardif! proposa Nicolas della Porta dans un bel étalage de cynisme.

Créan ne fit pas écho au sourire de l'évêque.

— Il faudrait que ce soit un loyal fils de l'Église, conclut-il avec ironie, mais il finirait de toute façon ses jours en témoin martyr, car il tomberait sous le coup de la *fida'i*. Une loi qui en ferait la victime par excellence!

Puis Créan se tourna aimablement vers Hamo qui, tout yeux, tout oreilles, avait suivi sa première leçon d'intrigue politique.

— Quoi qu'il en soit, je suis heureux de te revoir sain et sauf, car on racontait que tu errais comme un mendiant, perdu et en haillons, parmi les îles grecques, en mauvaise compagnie, et sous l'empire de certaines drogues orientales...

En entendant ces derniers mots, l'évêque lança au garçon un rapide clin d'œil de complicité, avant d'expliquer à l'émissaire des Assassins, avec une pointe de reproche dans la voix, mais sur un ton conciliant :

— Tout cela est du passé. Le pauvre garçon a dû arriver jusqu'ici par ses propres moyens et il ne pouvait pas choisir ses compagnons. Ce n'est qu'à son arrivée à Constantinople que j'ai enfin pu m'occuper de lui. Mais désormais, je me porte garant de son bien-être, si je peux ainsi rassurer tante Laurence.

—Je ne rentrerai pas à Otrante! marmotta Hamo comme un enfant capricieux.

— Personne ne t'y force! l'interrompit Nicolas. Puis l'évêque s'adressa à Créan en levant un sourcil ironique : — De toute façon, il me paraît singulier qu'un ismaélite se fasse du souci pour quelqu'un qui consomme du *cannabis sativa*, *vulgo* « haschich »... Ne serions-nous pas en face d'un de ces cas de fanatisme propre aux convertis? Hassan-i-Sabahh, dont vous vous faites si souvent le porte-parole, a lui-même encouragé la consommation de cette drogue!

L'effort que devait faire Créan pour avaler sans broncher la réprimande de l'évêque se lisait sur son visage. En fin de compte, il n'y parvint pas :

— Le *kif* est un état mental auquel on ne parvient sans

subir de dommages qu'après de longs exercices et par l'application d'une discipline. Je ne pense pas que vous en soyez le meilleur maître.

— Instruire les autres demande un talent exceptionnel, répondit della Porta d'une voix acide, et il est sage de ne pas abuser de ce talent. Je vous prie de me laisser, moi que vos enseignements ne peuvent plus toucher, la liberté de me tromper, et je vous prie aussi d'accorder à ce jeune homme — il montra Hamo — le droit d'apprendre par lui-même ce qui lui convient et ce qui lui plaît — Nicolas détendit l'atmosphère avec un rire aimable. — Γηράσκω δ' αἰεὶ πολλὰ διδασκόμενος... et si vous apportez quelque chose de bon d'Alamut ou, encore mieux, des superbes cultures des montagnes de Masyaf, je vais ordonner tout de suite aux pages qu'ils nous apportent les pipes!

Et voyant que Créan s'asseyait en regardant Hamo avec un soupir, puis fouillait dans ses poches, l'évêque battit des mains.

— Ὡς μέγα τὸ μικρόν ἐστιν ἐν καιρῷ δοθέν...

LES BERGÈRES

Punt'razena, été de l'an 1246 (chronique)

Les brises printanières s'étaient en allées ; le vent chaud avait fait fondre la neige ; les franciscains tombèrent des arbres les uns après les autres complètement pourris et décomposés, et j'obtins au moins qu'on leur fasse un enterrement chrétien dans le petit cimetière derrière l'église.

Au début de l'été, le nouveau fumoir conscrit en dur était terminé et l'intérieur de la chapelle ne portait plus

d'autre trace de son passé humiliant que les derniers messages gravés sur les murs par mes pauvres frères. Tous les
matins et tous les soirs, je prêchais l'évangile aux vieilles de
l'endroit, tandis que je passais mes journées à parcourir les
environs.

Quand le manteau de neige qui recouvrait les pentes disparut, un tapis multicolore de fleurs commença à poindre
sur les prairies de montagne. Les abeilles vrombissaient, en
quête de nectar, et de splendides papillons firent leur apparition ; les lucioles pullulaient à la nuit tombée. Et je jouissais
aussi du corps de ma jeune fiancée.

Rüesch continuait à descendre en cachette l'escalier
pour me rejoindre dans mon réduit parmi les chèvres, mais
tout le village devait être au courant de nos amours. Quant
aux parents, ils fermaient les yeux et me donnaient la main.
Nos fiançailles étaient chose convenue et nos noces paraissaient imminentes. Il ne fallait plus que le père se présente
devant le conseil des anciens pour lui demander son approbation. Xaver était prêt à le faire depuis un certain temps
déjà, mais il attendait que sa fille unique lui en fasse la
demande. De son côté, Rüesch voulait être sûre de moi ; non
pas de mon consentement résigné, mais de mes sentiments
et de mon cœur.

— Je suis une fille de la campagne qui vit dans un pays
étrange, dans un désert rempli de chèvres, en exil volontaire
au milieu des montagnes...

— Tu es primesautière et capricieuse comme tes
chèvres, lui répondais-je avec un sourire en la serrant contre
moi, mais tu as l'esprit aussi limpide que l'air de la montagne ; alors, fais ce qui te paraît bien, ma biquette !

Elle me donnait une bonne bourrade, fâchée.

— Guillaume, grondait-elle, agressive, je ne veux pas de
ta résignation, je veux que tu m'aimes avec allégresse et
enthousiasme !

— Rüesch, lui dis-je, et je glissai la main entre ses
cuisses qu'elle essaya aussitôt de refermer, si je commence à
crier d'allégresse comme tu le fais quand tu es avec tes
chèvres, Xaver va tomber de son poêle et Alva va tomber
sans connaissance — mes doigts continuaient à caresser et à
avancer jusqu'à ce qu'ils arrivent à l'humidité de son jardin,
prétendant se familiariser avec ces champs à peine labourés.

— Je vais te le dire tout bas dans le creux de l'oreille : je suis à toi !

La jeune fille me donna une tape sur la main et, quand elle vit qu'il n'y avait pas moyen, elle me la prit et la posa sur son ventre lisse et ferme, bien au-dessus de la toison convoitée.

— Tu as huit ans de plus que moi, Guillaume ; tu as voyagé dans le monde, tu as étudié à l'université, tu as enseigné à un roi...

— Je lui ai enseigné la langue arabe, l'interrompis-je. Tu la parles mieux que Louis !

— Mais je ne suis pas reine, me répondit-elle très sérieusement, ni une de ces belles dames de la cour. Comment as-tu pu me choisir, moi ?

— Rüesch, tu es ma reine ; chaque jour, je me mettrai à genoux devant toi et je te...

Elle éclata de rire.

— Tu feras mieux de t'agenouiller derrière moi, vieux cochon ! Quand je serai ta femme, je te permettrai de te coucher sur moi. Tu es content, Guillaume ? — Rüesh m'embrassa. — Dis-moi que tu es content !

— Aussi content que toi ! soupirai-je en l'attirant vers moi.

— Guillaume, reprit-elle, es-tu capable de renoncer à quelque chose ?

— Bien entendu ; je peux renoncer à presque tout, sauf à toi ! Je voulus la faire tourner pour la mettre dans la bonne position *a tergo*, comme le voulaient les règles de nos manèges prémaritaux, mais elle fit un écart inattendu, dérobant ses petites fesses pour les mettre à l'abri de mon membre dressé.

— Guillaume, dit-elle ensuite en s'agenouillant devant moi ; et ses mamelons foncés tremblèrent quand elle posa les deux mains sur mes épaules en me regardant d'un air interrogateur. Guillaume, je veux que père fasse l'annonce demain après-midi ; nous pourrions nous marier après-demain...

— Et tu te contenteras d'un vieux mari, Rüesch ? dis-je pour plaisanter.

— Écoute, murmura-t-elle, ce que je veux, c'est que tu me prennes pour la première fois la nuit de nos noces et que, le lendemain, Alva puisse sortir les draps et les montrer à tout le monde... C'est pour cette raison que je veux rester vierge cette nuit et celle de demain encore. C'est pour cela que je renonce! Tu comprends!

Je la comprenais, mais pas mon corps.

— Nous ne pourrions pas retarder le début de cette soudaine chasteté jusqu'à demain soir, puisque ta virginité n'en souffrira absolument pas?

Ses yeux se remplirent de larmes et elle laissa tomber ses bras.

— Tu ne m'aimes pas!

— Je t'aime trop, m'empressai-je de rassurer ma petite fiancée en lui couvrant le cou de baisers, puis ses yeux, son front et son petit nez, jusqu'à ce qu'elle se remette à sourire entre deux sanglots.

— Guillaume, tu es incorrigible! — Et elle me poussa si fort que je tombai à la renverse; puis elle s'empara du membre rétif, le corrigea d'un air hautain et, quand elle sentit qu'il était sur le point d'éclater en ardentes pulsions, l'enserra de ses lèvres, l'entoura délicatement de sa bouche et avala la lave brûlante que crachait mon volcan, sans qu'une seule goutte échappe à sa langue qui se mouvait en décrivant de rapides rotations. Ses yeux brillaient et ses lèvres luisaient de sperme. A n'en pas douter, c'était une bergère compréhensive.

— Maintenant, tu auras moins de mal à renoncer! déclara la chaste jeune fille, radieuse, tandis que j'essayais, hors d'haleine, de trouver un mot de remerciement. — De toute façon, c'est plus qu'assez pour moi, espèce de monstre!

J'essayais de me relever quand la trappe du plafond s'entrebâilla au-dessus de nos têtes. Alva passa la tête pour appeler sa fille avec une curieuse voix, comme on appelle un enfant qui continue à jouer dans la rue à la nuit tombée.

— Ne me touche pas! gronda Rüesch en faisant preuve d'une belle présence d'esprit. Et tandis que je me mettais debout, elle m'embrassa sur l'oreille en s'exclamant : — Je monte, maman! — et elle courut vers l'escalier en arrangeant sa chemise. — A demain, mon amour! murmura-t-elle avec une moue affectueuse quand elle fut là-haut, redevenue la fiancée modeste pour sa mère qui l'entendit me dire au revoir; et elle referma la trappe.

Je m'allongeai dans le foin. Je me fis un oreiller de mes bras et me mis à penser à elle...

L'été était arrivé dans la vallée, chaud et revivifiant. Dans la forêt, les champignons perçaient en poussant les feuilles tombées à l'automne, les ruches débordaient de miel et les petits fruits commençaient à mûrir. Le manteau de neige avait reculé jusqu'au sommet des montagnes et les filles montaient toujours plus haut avec leurs troupeaux, là où resplendissait la prairie alpine. Souvent, elles ne redescendaient pas au village pendant des jours d'affilée. Et ce n'est que lorsque les provisions venaient à manquer qu'elles envoyaient l'une des leurs au hameau.

Comme d'autres hommes du village, je me vis obligé de les suivre sur ces sentiers périlleux qui, contournant rochers et éboulements, surplombaient de profonds précipices. A part la messe du matin et celle de l'après-midi, j'avais l'avantage de ne pas avoir d'autre travail, si bien que je pouvais décider librement d'entreprendre ou pas ces escalades difficiles pour satisfaire mes instincts, ce qui suscitait l'envie des autres et plus particulièrement du rusé Firouz, le chasseur solitaire que je voyais souvent de loin, mais qui détournait toujours les yeux lorsque nous étions en face l'un de l'autre. J'étais sûr que plus d'une de ces pierres qui tombaient d'en haut quand je passais devant un rocher à pic ou au pied d'un éboulis avait été mise en branle par sa main.

Je retrouvais presque toujours Rüesch à midi, quand sonnaient les cloches, ce qui devint une sorte de rite pour nous qui nous donnions rendez-vous dans une cabane, un peu à l'écart. C'était un abri de fortune, au cas où la neige serait tombée à l'improviste, et elle était toujours pleine d'herbe sèche, avec quelques provisions pour les bergères. Nous nous étreignions sur ce tas d'herbes odorantes, comme si nous mourions de soif, pour rêver ensuite la main dans la main.

Un jour, il me sembla qu'elle s'était disputée avec sa cousine Madulain à qui elle avait confié son troupeau les premières fois, le temps de nos rendez-vous, car elle arriva à la cabane accompagnée de ses chèvres.

— Madulain est amoureuse de Firouz, m'expliqua ma fiancée.

— Tant mieux. Comme ça, il nous laissera tranquilles !

— Mais Guillaume, dit-elle en étirant ses jambes nues et en remontant sa robe à des hauteurs prometteuses, il y aura bientôt un an que tu es ici parmi nous et tu ne comprends toujours pas qu'il est fâché d'avoir perdu la face...

— Perdre une fiancée n'est pas une raison pour perdre la vie, fis-je en riant.

— La sienne, non, mais faire perdre la vie à l'autre, il trouve que c'est tout à fait justifié ! — Rüesch s'allongea sur le dos et remonta encore un peu plus sa robe, car elle savait ce que je voulais, et elle aussi voulait la même chose. — Il faudrait que je lui demande de se marier avec moi ; il pourrait alors me répondre que non et s'intéresser à une autre. C'est ce que Madulain exige de moi !

— Et tu ne perdrais pas ta jolie face à ton tour, sans doute ? répondis-je en me moquant, puis je lui relevai d'un coup sa robe par-dessus la tête. Et sous mes yeux se révéla la peau douce au lustre sombre de l'animal, sur la défensive et pourtant accueillant. Je me penchai sur elle, mais elle baissa sa robe.

— Les femmes n'ont pas de face à perdre ! répondit-elle avec gravité.

— Alors, pourquoi ne lui fais-tu pas ce petit plaisir ? Nous y trouverons notre compte nous aussi.

Rüesch me lança un regard féroce.

— Et s'il dit que oui ?

— Il faudra le faire jurer d'abord que l'idée ne lui passera pas par la tête...

Rüesh fut incapable de poursuivre son argumentation, car ma langue s'était introduite avec impertinence parmi les boucles, ce qui la chatouillait, m'assurait-elle toujours. Pourtant, elle essaya d'arriver jusqu'au bout de cette dissertation sur les us et coutumes, entre les petits cris excités et les rires étouffés.

— Madulain me l'a déjà promis, soupira-t-elle. Tu sais, Guillaume... ? — et ses paroles m'encouragèrent à poursuivre avec grand plaisir la tâche qui m'importait en ce moment, même si le problème de la face perdue de Firouz continuait à me poursuivre, me privant un peu de mon élan.

— Tu veux peut-être, dis-je après être remonté à la surface, en me servant cette fois de ma langue pour formuler l'idée que je venais d'avoir — que je parle à Firouz... ?

Au lieu de me répondre, Rüesch prit ma tête à deux mains et lui fit reprendre le chemin du potager qu'elle binait si bien; mais avant que je ne puisse plonger la bouche et le nez dans les buissons, le visage pétrifié de Madulain apparut derrière elle, dans le foin, couvert de brins d'herbes sèches, les yeux écarquillés. Avec une expression de prière muette, elle secoua la tête, me regarda avec des yeux suppliants et retourna se cacher comme si elle allait se noyer dans le foin.

Durant son apparition, je n'avais pas fléchi dans ma besogne, mais mon avidité, qui d'ordinaire excite les habiletés de ma langue que Rüesch appréciait tant, s'éteignit sans remède et les mouvements de mon corps cessèrent bientôt eux aussi. Rüesch n'avait rien remarqué, si ce n'est un manque d'appétit dont je n'étais pas coutumier.

— Ça ne fait rien, Guillaume, dit-elle d'une voix maternelle. Tu es fatigué de marcher — et elle m'obligea à me reposer, la tête entre ses seins. — Mais tu es tout essoufflé! fit-elle, inquiète de ma faiblesse, avant d'ajouter sur un ton affectueux : — Repose-toi maintenant; je dois m'occuper des animaux. Je viendrai te chercher ce soir et je t'accompagnerai à la maison.

Elle voulut me laisser dans la cabane, mais je me relevai d'un bond et la suivis, car je n'avais aucune envie d'avoir une discussion avec sa cousine qui, c'était clair, devait être très troublée.

— Je ne suis pas si fatigué, tentai-je de plaisanter, non sans mal. C'est l'âge! — Je donnai un baiser à ma fiancée compréhensive et me préparai à gambader comme un cabri sur le chemin pierreux du village, du moins je m'efforçai de le faire croire. Et je ne soufflai mot de cette « rencontre » à Rüesch.

VIII

LE SOLSTICE

LE TRÉSOR DE L'ÉVÊQUE

Constantinople, palais de Calixte, automne de l'an 1246

— Quel est ce bruit? demanda Créan sans s'émouvoir. — Hamo avait sursauté en entendant ce grondement
rauque qui avait ensuite grandi jusqu'à se faire menaçant.
— On le croirait sorti de l'enfer.

— C'est cet horrible Styx! répondit l'évêque avec une
expression de dégoût total. Un molosse, ou un mâtin napolitain, croisé avec un dogue de Louxor, comme ceux dont on
se sert au Soudan pour pourchasser les esclaves en fuite.
Bref, un animal absolument répugnant! Je n'en voulais ni à
la maison ni dans le jardin, mais apparemment cette
immonde créature a les faveurs de la cuisine. Nous l'avons
donc condamnée à vivre dans les couloirs souterrains qui
font le tour du labyrinthe. Je vois cette bête en rêve, et j'ai
peur de la trouver un jour à côté de mon lit, les babines
dégoulinant de bave, en train de me lécher le visage avant de
me mettre en pièces!

— La vérité, c'est que ce chien garde vos trésors. Autrement, il y a belle lurette que vous l'auriez sacrifié, ajouta
froidement Créan.

Hamo se mit de la partie:

— En fait, il a peur que son cuisinier l'empoisonne s'il
tue le chien; l'homme est follement amoureux de Styx,
même si la brave bête est probablement aveugle depuis le
temps qu'elle vit sous terre.

Les grognements reprirent, parfois accompagnés d'un
claquement ou d'un grand bruit de langue.

— La bête servira peut-être au moins à nous avertir
d'un tremblement de terre, voulut plaisanter l'évêque.

— Ou de l'arrivée d'un invité! s'empressa d'ajouter
Hamo au moment où entrait un page pour annoncer la présence d'un visiteur important, accompagné d'une suite nombreuse : le légat du pape.

Hamo se leva d'un bond, effrayé. Il ne pouvait s'agir que
de cet homme sombre dissimulé sous sa cape noire qui les
avait poursuivis à travers toute l'Italie jusqu'à ce qu'ils par-
viennent à se débarrasser de lui, grâce au sacrifice de
Roberto dans la gorge du torrent sauvage.

— Le sbire du Cardinal gris! bégaya-t-il, terrorisé. Pro-
tégez-moi! — et il se cramponna à Créan, mais l'évêque lui
fit un geste rassurant.

— Je ne crois pas qu'il puisse s'agir de « Vitellacio di
Carpaccio » — et il redressa le buste pour prendre une posture convenant à sa dignité épiscopale, tandis qu'il souriait
d'un air rassurant à ses hôtes, mais suffisamment préoccupé
pour sortir à la rencontre des nouveaux venus.

Il eut la bonne surprise de trouver devant lui Lorenzo
d'Orta, dont il avait fait la connaissance avant qu'il ne soit
investi de la charge et de la dignité de légat du pape. Lorenzo
rentrait tout juste de Terre Sainte et il était accompagné de
deux Arabes de haut rang, qu'il s'empressa de présenter à
l'évêque :

— Le noble Fassr ed-Din Octay, émir du sultan, et Tarik
ibn-Nasr, chancelier des Assassins de Masyaf.

Une fois échangées les salutations rituelles, comme ce
dernier réclamait avec une insistance qui frôlait l'impolitesse
de rencontrer Créan, Nicolas dut accompagner ses visiteurs
au « centre du monde ».

A sa grande surprise, Créan et le jeune émir se saluèrent
avec beaucoup de cordialité.

— Faucon rouge! s'exclama joyeusement Hamo en prenant dans ses bras le jeune et bel Arabe. — Puis il annonça à
voix haute : — Voici Constance de Selinonte, chevalier de
l'empereur Frédéric!

Mais celui qu'il présentait tempéra aimablement son
enthousiasme :

— Oublie tout cela, Hamo! Je voyage comme ambassadeur de mon sultan, et seuls mes amis doivent le savoir. Mon

voyage n'est pas officiel et il est même relativement dangereux. Ne courons pas inutilement après le danger.

Il fit un pas en arrière pour s'effacer et Hamo baissa la
tête, honteux. Une fois de plus, le monde des chevaliers lui
semblait régi par des règles compliquées, terni par des pratiques douteuses, au lieu de s'orner des plus simples vertus.

Constance fit un signe discret à l'évêque, tandis que
Tarik et Créan se retiraient dans un coin de la *loggia*. Hamo
resta donc seul avec le légat du pape, intimidé par l'importance du titre qu'il portait. Mais Lorenzo semblait de caractère plutôt enjoué. Ses yeux pétillaient de malice quand
Hamo, pour briser la glace, commença à lui expliquer sans
autre préambule comment les princes byzantins jouaient
aux échecs.

— Nous n'aurions jamais dû mettre ce jeune comte à la
tête de l'expédition, reconnut Tarik ibn-Nasr. Je suis le coupable, Créan. Et je mettrai ma tête aux pieds du grand
maître, ajouta-t-il froidement, sans prêter attention à
l'expression inquiète de son subordonné et disciple. Il n'y a
pas de doute, Guillaume est vivant! Il était raisonnable de le
chercher là où Hamo l'a vu la dernière fois : sur les marches
montagneuses des *saratz* qui tiennent les cols des Alpes, au
punt. Nous avons reçu une réponse positive à nos signaux
d'interrogation, ce qui veut dire qu'on le retient là-bas!

— Donc, ils pourraient nous le remettre! dit Créan pour
redonner courage à son chancelier.

— C'est encore à voir, répondit Tarik. En attendant,
Pian est sur le chemin du retour, accompagné de Benoît.

Les mains derrière le dos, il se mit à arpenter la *loggia*,
voûté, indifférent au paysage que la ville offrait à ses pieds. Il
a vieilli, pensa Créan.

— En somme, reprit Tarik avec mauvaise humeur, cette
fable que nous avions inventée à propos des enfants entre les
mains des Mongols est maintenant éventée...

— Ce qu'il faut, c'est que Guillaume et Pian finissent
par se rencontrer, comme le plan initial le prévoyait, car...

— ...c'est bien là l'unique bonne nouvelle que nous
apportons : personne, à part nous, ne sait où se trouve
actuellement Rubrouck. La prochaine apparition de cet

oiseau de malheur, et vous devez me jurer que ce sera bien la dernière, devra lever une fois pour toutes l'incertitude qui entoure le sort des enfants.

— Vous avez l'intention de les déclarer morts?

— Non, répondit Tarik, ce serait dangereux pour leur renommée; plus tard, on les traiterait d'imposteurs. Il me semble bien préférable de les conduire en un lieu vraiment sûr, le plus sûr et le plus spectaculaire de tous. Il faudrait annoncer qu'ils se trouvent en sûreté à Alamut, la cité des légendes et des mystères, d'où ils prendront un jour la tête de l'empire!

Le chancelier des Assassins voulut clore sa conversation avec son élève qui était pourtant un homme fait, mais Créan le retint encore un peu.

— Et pourquoi, vénéré maître, je vous demande pardon pour la naïveté de mes pensées, plus encore que pour mon audace, pourquoi ne pas oublier toutes ces chimères, ce Guillaume enterré dans les glaces et les neiges, ce Pian avec son Grand Khan, pourquoi ne pas emmener les enfants où vous voulez qu'ils aillent, à Alamut, un lieu qui, permettez-moi de le dire, me paraît aussi le plus approprié?

— Parce que le Prieuré trouve cette solution trop simple, répondit Tarik en souriant, simpliste même. — L'incompréhension se lisait sur le visage du jeune homme, mais il continua: — Tu connais l'histoire du chat et de la souris? Pas celle du chat qui attrape la souris et qui la mange! Voici la vraie: le chat donne un coup de patte à la souris, la laisse s'échapper, la lance en l'air, la guette: il joue avec la souris! Et comme il aimerait mieux le faire devant de nombreux autres chats qui seraient jaloux de sa proie! Voilà ce qui fait le vrai bonheur du chat.

— Alors, le Prieuré serait une espèce de roi des chats? s'indigna Créan.

— Ce n'est pas ce que j'ai dit, répondit Tarik avec un sourire amusé, car ce comportement serait en opposition totale avec les règles de l'Ordre auquel nous appartenons tous les deux. Ce que je ne veux pas, c'est continuer à jouer au chat pour qu'ensuite arrive un chien qui ne s'intéresse absolument pas au jeu, prêt à lui donner un coup mortel!

— Vous n'accordez pas trop d'importance au Capoccio?

Le chancelier voûté le regarda, surpris:

— Je pensais aux Mongols, précisa-t-il d'un air sévère, et à leurs idées sur la domination du monde.

Créan et Tarik interrompirent leur promenade impatiente et s'approchèrent de la balustrade d'où l'on voyait la vieille ville de Byzance et l'embouchure de la Corne d'Or : là où le Bosphore pointe avec hésitation en direction de l'Est, vers Alamut d'où émanent les forces spirituelles de la secte ismaélite et où commencent aussi les steppes de l'empire infini et pourtant rigoureusement discipliné des Mongols; c'était là que Pian allait bientôt réapparaître. Et derrière eux, dans le lointain invisible, ils observaient la chaîne des Alpes aux neiges éternelles, où Guillaume de Rubrouck croyait être en sécurité et oublié de tous, tandis que les *saratz* attendaient qu'on leur dise ce qu'ils devaient faire de leur hôte.

Les Assassins avaient le bras long, mais les fils tissés par le Prieuré étaient encore plus longs et fins, plus collants et tenaces; leur toile invisible embrassait tout, en Orient comme en Occident, sans que personne ne sache qui tirait ces fils.

— La domination du monde, reprit Tarik d'un air songeur, ne peut pas être un jeu, encore moins un jeu d'enfants — et il détourna les yeux de ces masses de terre qui se séparaient et des eaux qui les divisaient. — Aucun corps humain ne résiste à quatre chevaux qui l'écartèlent en tirant dans quatre directions différentes, comme plus d'un spectacle cruel nous l'a appris. Comment des enfants pourraient-ils soutenir cette couronne sans être déchirés?

L'évêque s'était dirigé avec le jeune émir vers la chapelle du palais de Calixte, une salle ornée de mosaïques dorées qui présentait l'avantage d'être cachée au cœur même des murs massifs. Bien peu de personnes connaissaient son existence, et même celles-là ne connaissaient qu'une entrée. En réalité, six portes y donnaient accès, plus une septième dissimulée sous un trône qui semblait fixe, mais qui en fait masquait un escalier menant à la grande citerne de Justinien. De là, on pouvait se rendre en bateau jusqu'au port sans être vu.

C'était dans cette chapelle que Nicolas della Porta entassait les trésors accumulés depuis plus de dix années au service de différents seigneurs, et souvent de plusieurs à la fois.

Le fait qu'il ouvrait son trésor à un étranger qu'il voyait pour la première fois était la preuve d'une relation particulière et franche avec son visiteur.

L'émir, amusé par la contemplation de toutes ces pièces précieuses que l'autre lui montrait, se tourna vers l'évêque :

— Vous pouvez ordonner qu'on apporte, pour le mettre en sécurité ici, le coffret à couverts que j'emporte toujours avec moi en voyage. — Voyant que l'autre faisait une moue dédaigneuse, il s'empressa d'ajouter : — Vous pourriez aussi fondre le métal, car ils sont en or massif !

Nicolas soupira, soulagé.

— Comment remercier mon seigneur et bienfaiteur, le vénérable Ayub, que Dieu lui accorde une longue vie...

Le jeune homme l'interrompit sèchement :

— Le sultan veut savoir où et quand partira la croisade du roi de France, au cas où notre ami Frédéric ne parviendrait pas à empêcher cette entreprise.

Nicolas della Porta resta songeur, mais pas bien longtemps. — Ὁ χρήσιμ' εἰδώς οὐχ ὁ πόλλ' εἰδώς... Le port de rassemblement sera Chypre. Les préparatifs demanderont encore deux ans. Mais personne ne sait combien de temps Louis restera là-bas, ni s'il sera possible de l'y retenir, ce que je me permettrais de recommander. Le sultan doit prévoir que le coup sera porté au cœur même de l'ennemi, c'est-à-dire Le Caire...

— Comment donc? demanda l'émir, incrédule. Le roi n'a pas l'intention de voler au secours de ses compatriotes assiégés à Saint-Jean-d'Acre?

Il y avait une pointe de commisération dans le sourire de Nicolas.

— Louis est pieux, mais point sot. La Terre Sainte ne peut être sauvée par une occupation temporaire, mais bien par la destruction de la puissance qui menace constamment ces possessions : l'Égypte !

— Vous auriez été un bon stratège, l'évêque, mais je ne sais si le roi est entouré de conseillers aussi intelligents et résolus que vous le seriez pour lui.

Nicolas della Porta sourit, flatté.

— Je regrette de ne pas avoir son oreille. Moyennant une bonne récompense, je lui conseillerais de renoncer à la croisade, ou encore d'en faire une sorte de visite officielle à

Jérusalem, déguisée naturellement en glorieuse conquête. Frédéric lui a déjà donné l'exemple!

— Mais le chef suprême des musulmans orthodoxes ne le permettrait jamais!

— Dans ce cas, l'Église ne manquera pas de pousser les Français pour qu'ils vous pourchassent, car Frédéric pourrait difficilement se mettre à son service, du moins ouvertement!

— Et au nôtre non plus! soupira l'émir. Vous pensez donc que la croisade est inévitable?

— Je peux vous assurer que mes paroles valent l'or que vous me payez. Permettez-moi de vous prier de m'accompagner à table, car je suis impatient d'entendre ce que Lorenzo d'Orta trouvera à nous dire pour nous divertir.

— Rien que je ne puisse vous dire moi-même; mais je reconnais que le seigneur légat habille tout d'un humour que pour ma part je perds de jour en jour!

— Tant que vous ne perdez pas l'appétit, fit l'évêque en riant, Ἄριστον μὲν ὕδωρ, ὁ δὲ χρυσός...

Il sortit devant son hôte et ils se retrouvèrent bientôt tous les deux dans le réfectoire du château dont les hautes fenêtres donnaient sur la mer de Marmara.

Hamo et Lorenzo interrompirent leur partie d'échecs, un jeu auquel le jeune homme commençait à prendre goût, d'autant plus que le légat n'était pas un adversaire coriace et qu'il gardait toujours sa bonne humeur, même lorsqu'il perdait; et aussi parce qu'il était intéressant de l'entendre parler avec tant d'émotion de son voyage en Terre Sainte, en se servant des pièces du jeu pour illustrer ses aventures.

— ...disons que la reine blanche représente Damas, dominée par Ismaël; à côté, les tours de Homs et de Kerak, sous le commandement de el-Mansur Ibrahim et de an-Nasir. Ces pions noirs sont les choresmiens sauvages qui espèrent obtenir du sultan du Caire, le roi noir que vous voyez ici, une récompense pour l'aide qu'ils lui ont apportée lors de la bataille de La Forbie, autrement dit Gaza, même si Ayub n'a pas la moindre intention de rien leur donner, même en songe, tandis qu'il pousse son armée sur Damas. Il commence par prendre Kerak à an-Nasir — vous voyez que je remplace la tour blanche par une noire; ensuite, Ismaël cède la ville de Damas — la dame blanche s'en va et le roi noir prend sa place — et il obtient Baalbek en guise de consolation. Ce cheval blanc qui revient donc!

Tarik s'était approché et suivait avec intérêt les explications que le légat du pape donnait sur cette lutte de pouvoir.

— Les choresmiens n'obtiennent toujours pas leur récompense et décident d'offrir leurs services à Ismaël. Dorénavant, ils sont donc blancs. Ismaël veut reprendre Damas avec leur aide, donc nous remettons ici la reine blanche, accompagnée de toute son armée! — Hamo suivait la démonstration avec beaucoup d'attention et Lorenzo prenait plaisir à décrire au garçon la versatilité des Arabes. — Mais Homs, blanche à présent, et Kerak, également blanche, supportent mal les choresmiens, encore moins bien que les Égyptiens, et passent du jour au lendemain dans le camp des noirs. Manifestement, Ayub a décidé de les suborner! Ils libèrent Damas avec les troupes égyptiennes. Ismaël prend la fuite — rendez-moi ce cavalier — et les choresmiens subissent une défaite écrasante. La tête de leur chef — tu dois imaginer que le fou blanc est décapité — est promenée triomphalement dans les rues et les rares survivants se réfugient sur les terres mongoles pour avoir la vie sauve. Le sultan noir domine donc maintenant la Palestine, le Liban et la Syrie! — La voix de Lorenzo avait pris une intonation sarcastique. — Et c'est pour cette raison que les forces de l'Islam paraissent unies et prêtes à en finir avec les chrétiens. Pourquoi envoyer un légat du pape en Terre Sainte? Pour obtenir que les popes de l'Église orthodoxe qui reconnaissent la primauté du pape soient respectés de la même façon que les prêtres catholiques romains, autant que la liturgie le permette! Κύριε ἐλέισον! — Et le légat termina ainsi son discours, avec une étrange expression d'amertume comique.

Tous l'applaudirent. Lorenzo leur donna encore un dernier exemple de ce comportement si absurde à ses yeux.

— Et les Ordres militaires? Les templiers ont l'air de corbeaux prêts à crever les yeux des chevaliers de Saint-Jean s'ils peuvent mettre la main dessus. La cité qu'ils occupent a beau être menacée, ils se battent dans les rues comme de vulgaires enfants. Les chevaliers teutoniques, à leur tour, excitent les combattants comme s'ils assistaient à un spectacle, et ils se saoulent par-dessus le marché! Les marins vénitiens, pisans et génois, passent leur temps à jouer du gourdin et du couteau dans les ports, à incendier les bateaux et les magasins des autres pour prendre l'avantage sur eux, alors qu'ils font tous d'immenses bénéfices. Et avec qui font-ils commerce? Avec les musulmans!

— Semer la division dans le camp de l'ennemı, c'est gagner à moitié la bataille, ajouta Tarik. En fait, il n'y a pas de meilleur allié.

— Et c'est pour cette raison qu'ils veulent une autre croisade pour remettre un peu d'ordre! grogna Lorenzo avec colère.

— Allah nous garde d'une croisade! lança le chancelier. L'équilibre de la paix ne pourra se maintenir que tant que les dissensions de ses ennemis s'équilibreront.

LE TRIBUT DE L'AMOUR

Punt'razena, automne de l'an 1246 (chronique)

Ainsi passa l'été, et les premières gelées matinales annoncèrent l'automne. Avant les grands froids, il fallait encore ramasser les dernières baies, noix et châtaignes, faines et glands, pour qu'ils ne pourrissent pas avec les pluies qui commençaient à tomber, dès le début mêlées à dₑ brèves bourrasques de neige.

Chaque jour, les montagnes montraient les capuchons blancs de leurs cimes. Il y aurait bientôt un an que je me trouvais parmi les *saratz*; les jours s'étaient succédé dans la joie et sans tristesse, comme se succédaient les couronnes de fleurs jaune paille cueillies entre les rochers que mes bergères tressaient pour mon plaisir. Dans les mains de l'une, c'était la couronne de mariée par laquelle elle voulait m'attacher ; pour l'autre, c'était un bouquet d'adieux, mise en garde muette qui me disait de m'en aller quand il serait fané. Les fleurs des deux avaient agrémenté mon existence, même si mes sentiments étaient mitigés. Personne ne semblait exiger de moi une décision et, s'il n'en avait tenu qu'à moi, bonne vie et bon amour auraient pu continuer pendant encore bien des étés.

Mais le jour de la noce approchait. Une fois de plus, je montai à la cabane où j'avais trouvé tant de distractions, à cette délicieuse auberge d'un double amour, refuge du plaisir et des passions. Je me souvins du rire joyeux de ma petite chèvre, la fougueuse Rüesch, mais son image fut rapidement remplacée par la mélancolie farouche, le caractère indomptable et la réserve apparente de Madulain, la chatte sauvage.

Ma princesse ! Je me souviens d'elle comme si c'était hier ! Je me rappelle comment elle avait surgi du foin, manifestant sa surprise en pinçant les lèvres, me faisant signe de ne rien dire. En cet instant, je m'étais transformé en son complice, en son conjuré et en traître. Peu après cette première rencontre, j'étais couché à l'heure habituelle dans le foin de notre nid d'amour quand le tintement des clochettes annonça l'arrivée du troupeau de chèvres. Je restai allongé en faisant semblant de dormir. Et je fus surpris de voir que les animaux entraient dans la cabane par la porte, car Rüesch essayait toujours, à coups de bâton, de les tenir à l'écart de la réserve de fourrage qu'on y gardait. Quelqu'un se glissa dans le foin à côté de moi. J'entrouvris les paupières et je vis devant moi les yeux violets de Madulain.

C'était une belle fille, élancée, plus grande que Rüesch, avec un visage doux aux pommettes saillantes, lèvres charnues, grands yeux qui contrastaient étrangement avec ses cheveux noirs. Elle avait l'air d'une étrangère : on aurait dit une princesse parmi les robustes montagnardes des *saratz*, toutes brunes, gaies et fortes. La voix de Madulain ne chantait pas non plus comme une joyeuse fontaine quand les jeunes filles se retrouvaient ensemble, car elle était plus songeuse que ses compagnes.

— Guillaume, me dit-elle, non seulement tu as une langue habile, mais tu as aussi l'oreille fine — elle ne s'approcha pas davantage, mais je sentis des flammes

s'emparer de mon corps; je ressentais une curieuse sensation, ma chair commença à bouillir. — J'ai bien regardé
Firouz... — je pense qu'elle ne put lire en moi beaucoup de
sympathie pour l'élu qu'elle avait autorisé à proclamer sa
flamme. — Il a une vraie queue de cheval. Je le veux pour
moi! Il veut bien, mais toi, Guillaume, dit-elle tristement, tu
empêches notre bonheur!

— Tu peux le garder s'il te plaît, l'interrompis-je avec
une certaine hargne, car je commençais à me sentir envieux
de cette brute avec sa...

— Tant que tu seras ici, il ne voudra pas de moi, car il
doit conserver ses droits sur Rüesch, même s'il ne l'aime
plus...

— Tu es sûre de ce que tu dis, Madulain?

La belle créature me regarda dans les yeux et sa mélancolie commença à envahir mon cerveau en y semant une
douleur insidieuse.

— La seule vraie certitude, répondit-elle, naît au
moment de l'union charnelle. Après la lune de miel, Rüesch
pourrait bien recommencer à s'intéresser à Firouz. Mais toi,
tu pourrais t'en aller avant la noce...

— Pas question, je vais rester et je vais la prendre pour
épouse! dis-je avec fermeté, mais Madulain ne perdit pas
pour autant son stoïcisme tranquille. — Des idées que j'étais
incapable de deviner trottaient dans sa tête.

— Je te laisserai mes brogues, murmura-t-elle, et elle
approcha sa grande bouche aux lèvres charnues et luisantes
de mon oreille. Je t'apprendrai à courir, à glisser et à sauter
avec eux. Il n'y a pas de chèvres de montagne ni de chamois
qui courent plus vite; celui qui chausse des brogues de neige
les dépasse tous...

— En réalité, Madulain, me défendis-je avec indignation, ce que tu veux en m'aidant à m'enfuir, c'est ne plus me
voir!

— Je suis simplement sincère avec toi, Guillaume,
chuchota-t-elle à mon oreille, et le serpent de la tentation
entra par mon conduit auditif.

Oui, je voulais m'enfuir, je l'avais toujours voulu, par
curiosité et par soif de liberté. Mais sans maîtriser l'art de
glisser sur la neige, je serais toujours prisonnier dans cette
vallée perchée sur les hauteurs.

— Je ne veux pas abandonner Rüesch : j'ai décidé de passer mes jours et mes nuits à côté d'elle, ici à...

— Tais-toi! murmura Madulain en me mettant un doigt sur les lèvres. Je te fais une offre qui est contraire à la loi. Le conseil des anciens me ferait lapider s'il savait. Tu as déjà vu lapider une femme?

— Je peux l'imaginer, Madulain, mais je ne peux pas te promettre que je vais m'enfuir. Au contraire, je te jure...

— Ne jure pas, Guillaume! — et elle se mit à genoux en s'étirant. — On t'arracherait la langue pour t'être parjuré — pour la première fois, ses traits mélancoliques furent traversés d'un sourire débordant de supériorité. — Si tu veux, nous pouvons conclure un pacte qui n'exclut rien : je t'apprends à te servir comme il faut des brogues...

— Et moi?

— Tu apprends à ma chèvre préférée à bien utiliser sa langue — et d'un mouvement lent et émouvant, elle écarta sa robe. Ses cuisses douces apparurent devant mes yeux et, sans la moindre honte, elle ouvrit mes basques que, bien entendu, je ne désirais pas réserver à la langue d'une chèvre, même bien rose et caressante.

Ainsi passa l'été. Mon corps s'amincit et devint svelte comme un jonc, car pour monter sur les champs de neige comme il le fallait bien, nous devions grimper toujours plus haut. Ma « maîtresse » — car Madulain l'était devenue depuis le premier moment, et moi son serviteur — aimait être sévère, aussi bien quand elle me faisait faire des exercices sur les brogues que lorsqu'elle commandait, exigeante et insatisfaite, à ma pauvre langue de se transformer d'abord en vassale, puis en une esclave perpétuellement à son service.

Nous nous retrouvions dans les cabanes les plus éloignées et parfois aussi sur un rocher nu au milieu de la neige glacée. Comme à force de tant grimper, courir et glisser, chutes comprises bien souvent, j'étais à bout de souffle après mes exercices, elle commença à exiger d'avance son tribut. Je me trouvais pris dans ses filets. Et elle ne donnait rien en échange; jamais elle ne posa la main sur moi; ni moi ni mon membre torturé ne pûmes jamais la toucher. Je lui avais vendu ma langue, comme on vend son âme au diable.

Madulain n'était pas une femme fatale, mais plutôt

froide et songeuse. Il est vrai qu'elle gémissait quand ma *lingua franca* la portait avec une grande maestria au comble de l'excitation, mais pas même, alors, ne me témoignait-elle d'affection. Après nos rencontres, je descendais les pentes en titubant jusqu'à la vallée, ou bien je m'endormais épuisé dans la cabane de Rüesch. Je devais redoubler et même retripler d'efforts pour que ma petite fiancée ne se doute de rien et surtout pour ne pas lui faire de peine.

La princesse Madulain commandait aux autres filles qui s'arrangeaient pour que Rüesch ne puisse pas nous découvrir ensemble, sa cousine et moi. Il y avait toujours un prétexte pour envoyer Rüesch au village lorsqu'il le fallait. L'ordre de me rendre là où m'attendait ma « maîtresse » était déposé devant la cabane, sous la forme d'une poignée de pierres qui, disposées d'une façon ou d'une autre, m'indiquaient la direction et le chemin. Comme personne n'osait monter avec les troupeaux sur les hauteurs qu'escaladait Madulain, nous étions sûrs de ne pas nous faire prendre.

A la fin de l'été, je dominais parfaitement cette étrange chaussure ; je me déplaçais sur les brogues avec une grande assurance et me risquais aux sauts les plus périlleux sur les promontoires rocheux, ou aux descentes les plus abruptes, entre les grosses pierres et les sapins, sans la moindre crainte. Le moment vint où ma maîtresse n'avait plus rien à m'enseigner. Pourtant, je continuais à accourir à son appel chaque fois qu'elle pouvait mettre la main sur moi, je souffrais tous les martyres pour arriver là où elle m'attendait, je crachais presque mes poumons, mais j'oubliais tout quand elle m'ouvrait son giron. Le plaisir de la servir n'était pas comparable aux petites joies prématrimoniales que Rüesch m'accordait, et si je l'aimais de tout mon cœur, et si je nourrissais les meilleurs sentiments à son égard, je me sentais malheureux.

J'avais une maîtresse qui n'exigeait pas la fidélité et ne semblait pas redouter le jour où elle devrait renoncer à mes services. Je jouissais donc apparemment d'une liberté totale, mais en même temps, j'étais tombé dans un piège. Il m'était impossible de savoir comment tout cela tournerait et je passai bien des nuits blanches, au début de l'automne suivant, à peu près comme je me trouve à présent. Les jours étaient de plus en plus courts, les troupeaux et les bergères descendaient des montagnes. De nouveau, Rüesch dormait presque toujours dans sa chambre et me rendait visite dans le secret qu'exigeait la loi, tandis que je rêvais à la *vulva* et à la *vagina* d'une princesse qui n'avait qu'une seule idée en tête, un *penis equestris* dont le porteur insistait pour se marier avec ma fiancée pour ne pas perdre la face et qui, dans son entêtement, n'avait aucune idée des plaisirs qui lui passaient sous le nez. Comment le destin allait-il exiger de moi que je me batte contre lui ? Comment accepter qu'il me donne une rossée ? Était-ce le moyen de défaire ce nœud qui étreignait et brouillait mon cerveau ? La chair est prompte, mais l'esprit est faible.

LE MENU

Constantinople, palais de Calixte, automne de l'an 1246

Le page les pria de passer à table. Quand ils furent dans le réfectoire, le « père de tous les cuisiniers », le célèbre Yarzinth, le domestique chauve de Nicolas aussi appelé « la langue », vint faire acte de présence, suivi d'un groupe d'éphèbes à demi nus qui portaient de grands plateaux d'argent.

Yarzinth annonçait les différents plats et leur composition : feuilles de vigne farcies au crabe dans une sauce au lait caillé, relevée à la coriandre et à la menthe ; piments tendres fourrés au blanc de perdrix haché et aux œufs de perdrix pochés dans le vinaigre ; escargots dans leur jus, assaisonnés à l'ail et servis dans des concombres évidés...

On servit un autre vin avant les plats principaux, du trébizonde foncé et résineux, plus robuste que le léger vin du Caucase qui l'avait précédé.

— Le Vatatsès refait les vies dans ses caves de Constantinople, avant même de prendre le pouvoir, plaisanta l'évêque. Vous n'avez ici qu'un petit échantillon de ce qu'il lui prend parfois l'envie de nous offrir, à nous, les Latins.

Tarik leva sa coupe :

— Si je vous connais bien, Éminence, je crois que nous pourrons continuer à jouir de votre compagnie en ce lieu, même sous la domination grecque.

— Je préfère occuper une charge incertaine à Byzance que d'être à Rome, perdu parmi tant d'autres qui se déchirent pour obtenir la pourpre, ou qui s'exposent à des morts encore plus désagréables, possédés par la vaine illusion de détruire l'empereur.

— Longue vie à Frédéric! — l'ambassadeur du sultan leva sa coupe. — Vous devriez prêter attention à la réponse que mon souverain envoie au pape. Le seigneur légat — et il montra d'un geste amical son voisin —, notre ami Lorenzo d'Orta, vous en communiquera la teneur. Nous l'avons apprise par cœur tous les deux pendant notre voyage en mer, mais ses dons déclamatoires sont sans conteste très supérieurs aux miens.

D'un geste vif, Lorenzo glissa entre ses lèvres une fleur de courge farcie d'une purée de foie de canard sauvage agrémentée de fritons savoureux, le tout enrobé de pâte et frit dans l'huile d'olive, puis il se leva.

— Je vais vous citer dans sa teneur littérale et originale la réponse du commandeur de tous les croyants, rédigée en langue grecque — et le légat du pape fit claquer plusieurs fois sa langue avant de commencer à déclamer avec le chantonnement d'un muezzin : — « Au noble, éminent, spirituel, aimable et saint Père, treizième apôtre, voix de toute la Chrétienté, commandeur de ceux qui vénèrent la Croix, juge du peuple chrétien, guide des fils du baptême, grand prêtre des chrétiens, que Dieu lui donne la force et le bénisse! » — et il donna un coup de dents dans un autre de ces beignets luisant d'huile —, « de la part du tout-puissant sultan, souverain de ceux qui commandent à ses peuples; lui qui maîtrise l'épée comme la plume, qui arbitre entre les deux principaux pouvoirs que sont la religion et la loi; roi des deux océans, souverain du nord et du sud; roi d'Égypte, de Syrie et de Mésopotamie; souverain de Médine, Idumée et Ofir; le roi al-Malik al-Salih Nadjm al-Din Aiyub, fils du sultan al-Malik al-Kamil, lui-même fils du sultan al-Malik al-Adil Abu Bekr Muhamed ben Aiyub Saif al-Din, lui-même fils du premier Nadjm al-Din Aiyub, que Dieu protège son royaume. Au nom du Miséricordieux! »

Lorenzo s'arrêta pour souffler, but un peu de vin, regarda avec satisfaction l'expression de ses interlocuteurs lassés d'avoir dû supporter un si long préambule, puis continua avec un extrême plaisir :

— « Sous Nos yeux est arrivé un écrit du pape précédemment mentionné, treizième apôtre, noble, spirituel, insigne et saint porte-parole de la Chrétienté, maître de ceux qui vénèrent la Croix, juge du peuple chrétien, grand prêtre des fils du baptême, que Dieu daigne lui accorder la bonté dans sa pensée et dans ses actes pour l'aider à favoriser la paix et à en protéger les fondements, ainsi que dans tout ce qui est à l'avantage de ceux qui professent sa foi et partagent ses coutumes, ainsi qu'à tous les autres! »

— Voilà une belle preuve de la tolérance du sultan, l'interrompit Créan en s'adressant à l'évêque. Comme l'Église qui se dit « unique et vraie » ferait bien de s'en inspirer!

Mais son supérieur le reprit avec rudesse :

— La tolérance est l'aliment des indécis, de ceux qui ne peuvent décider s'ils veulent mordre ou sucer, s'ils préfèrent manger chaud ou froid, s'ils ont la foi ou s'ils la perdent.

Lorenzo réprima toute envie de discuter davantage et continua son discours en imitant, avec une grande maîtrise, les cadences du chant grégorien :

— « Nous avons étudié minutieusement l'écrit mentionné et nous avons compris les arguments qu'il renferme, son contenu Nous a plu et Notre oreille a trouvé plaisir à sa lecture. Le messager que Nous a envoyé le saint-père est arrivé jusqu'à Nous qui l'avons reçu avec affection et honneur, respect et vénération. Nous l'avons appelé en Notre présence et Nous nous sommes inclinés devant lui. » Il faut naturellement prendre ceci au sens figuré, se permit d'ajouter Lorenzo avec un sourire : le souverain est resté assis sur son trône, pendant que je me jetais à terre devant lui.

Le légat du pape changea encore une fois de ton et continua d'une voix solennelle :

— « Nous avons prêté l'oreille à ses paroles et Nous avons accordé notre confiance à celui qui Nous a parlé au nom du Christ, dont Nous saluons la renommée. Quant à ce qui vous fait prononcer ces paroles de paix et de tranquillité, et qui vous incite à inviter les peuples à respecter la paix, Nous aussi désirons pareille chose et n'allons pas vous contredire, car c'est ce que Nous avons toujours voulu et désiré. »

Lorenzo vit qu'on servait le plat principal, des pintades farcies de raisins secs dans une pâte feuilletée saupoudrée de cannelle. Il huma avec avidité le parfum qui s'en dégageait et pressa son débit tout en scandant le discours avec encore plus d'insistance, car il en arrivait au cœur du message :

— « Mais le pape, que Dieu lui donne des forces, sait qu'entre Nous et l'empereur a été conclu il y a bien long-temps, dès l'époque du sultan al-Malik al-Kamil, Notre père, que Dieu lui accorde la gloire, un traité d'amitié et de concorde, et il sait que ce même traité existe toujours entre Nous et l'empereur déjà mentionné. Il Nous est donc impossible de convenir avec les chrétiens de quelque autre accord avant d'avoir entendu l'opinion de l'empereur et demandé son approbation. Nous avons donc écrit à Notre ambassadeur à la cour de l'empereur pour lui exposer point par point les questions que Nous a transmises le messager du pape. Notre émissaire... »

— C'est toi, Constance ! ne put s'empêcher de s'exclamer Hamo après avoir si longtemps gardé le silence, fâché contre lui-même d'être incapable de participer à la difficile discussion des chevaliers.

— ...est un homme de confiance du sultan : le noble émir Fassr ed-Din Octay, fils du vénéré vizir Fassr ed-Din, qui est ami de l'empereur d'Occident Frédéric, lequel en signe d'estime et de reconnaissance l'a fait chevalier en lui donnant le nom qui vient de sortir de ta bouche, mais qui, ici, est avant tout l'ambassadeur du sultan ! dit l'évêque en réprimandant son jeune ami. Combien de fois faudra-t-il te le dire !

Humilié, Hamo baissa la tête et décida de détester son cousin.

— « Et Notre émissaire, continua Lorenzo pour que la

pintade ne refroidisse pas trop, se présentera devant Nos yeux pour Nous informer, et quand il Nous aura fait son rapport, Nous agirons selon ce qu'il nous aura dit et ne Nous écarterons pas de ce qui Nous paraîtra utile, pour Nous et pour tous les autres; ainsi Nous gagnerons des mérites devant Dieu. Nous vous le faisons savoir et prions que votre patrimoine s'accroisse par la grâce de Dieu. Fait le septième jour du mois Muharram. »

— Il y a encore un post-scriptum, ajouta l'émir, et le voici : « Ne louons que Dieu et que sa bénédiction se répande sur Notre Seigneur Mahomet et sa descendance! Qu'il soit de notre côté! » — Mais Lorenzo s'était déjà jeté sur la pintade.

Suivirent des soles de la mer Noire, avec un accompagnement de petits calmars dont le jus noir, mêlé à des olives hachées, convenait à merveille au poisson, au point que le maître de maison, à son grand chagrin, accéda à la requête de ses hôtes et interdit qu'on apporte d'autres plats de la cuisine.

— Je veux arriver devant l'empereur! dit l'émir en louant ce qu'on avait servi jusque-là. Qui d'autre pourrait lui garantir que le sultan lui envoie vraiment ce message, et pas un autre?

— Yarzinth peut transcrire la lettre, je veux dire en établir une copie pour plus de sûreté, lui proposa l'évêque.

— Excellente idée, soupira l'émir en lui tendant la lettre du sultan. Mais mon estomac se rebelle.

— Cessons de tenter nos palais, renchérit le chancelier; nous sommes habitués à une vie d'ascèse et à nous abstenir de boire, ajouta-t-il en lançant un regard sévère à Créan, son subordonné. Mais nous ne voudrions pas que le légat en souffre — pour une fois, Tarik décida d'ébaucher un sourire.

— Son seigneur le pape va peut-être le mettre au cachot, au pain sec et à l'eau, pour le déplaisir qu'il aura à recevoir le refus que contient le message!

L'émissaire du sultan demanda la permission de se retirer et quitta la table avec une célérité inusitée. Yarzinth s'approcha de lui avant qu'il n'ait eu le temps de se réfugier au cabinet.

— La cuisine ne vous a pas plu? chuchota-t-il à son oreille avec un air de reproche.

— Μηδεν αγαν! lui lança l'émir, furieux, avant de s'enfermer.

L'évêque fit retirer les restes du banquet et il allait se diriger avec les deux Assassins vers sa chapelle privée quand il faillit emboutir le cuisinier qui revenait, tête haute. Indigné, Yarzinth avançait, le nez pointé vers son maître.

— Vous n'aimez peut-être pas la sole mitonnée? Les calmars dans leur encre n'étaient pas savoureux peut-être? Vous pouvez me faire exécuter, mais vous ne deviez pas interrompre avec tant de cruauté la succession parfaitement calculée des plaisirs du palais que j'avais préparée pour vos hôtes! Vous ne deviez pas repousser froidement les créations que je destinais à votre table! — Et le cuisinier se jeta aux pieds de l'évêque en lui offrant sa nuque.

— Mon intervention fautive dans le déroulement du menu, s'excusa Nicolas, n'a été dictée que par le souci de laisser au légat la possibilité d'au moins goûter les délices de tes desserts. Fais apporter les douceurs que Hamo aime tant! — il lui tendit la lettre adressée au pape —, et occupe-toi de faire avec ta maîtrise habituelle deux copies de cette lettre, de telle sorte que personne ne puisse les distinguer de l'original, avec le sceau parfaitement intact! Je sais que tu es un maître de ces menus travaux et que tu n'as pas ton pareil au monde! — Et sur ces mots de consolation, il renvoya Yarzinth.

Créan admira le luxe de la salle; Tarik se contenta d'y jeter un bref coup d'œil.

— Je vois que le saint-père n'oblige pas ses serviteurs à croupir dans la misère, observa-t-il d'une voix sèche. Ou s'agit-il des restes que le patriarche a dû laisser malgré lui?

— Tout est prêté, messires! A quoi servirait tant de luxe à un fidèle serviteur de l'Église qui ne désire autre chose que de connaître le royaume des cieux?

— Et l'empereur? Et le Vatatsès? S'ils apportent leur obole à la bourse épiscopale, c'est seulement parce qu'ils sont inquiets du salut de leur âme?

— Baudouin me paie pour que j'intervienne à Rome afin qu'il conserve son trône; le Grec me paie pour que je n'intervienne pas. Et c'est lui qui paie le mieux!

— Et que vous paie Aiyub?

— Il me paie ce que méritent mes humbles services...

— Nous, les Assassins, prévint Tarik, nous ne payons rien. Mais en échange, nous vous laissons la vie sauve !

— C'est trop de bonté de votre part, répondit della Porta avec une désinvolture apparente, mais le sourire malicieux qui traînait sur ses lèvres parut se crisper.

Sans s'embarrasser de préliminaires, le chancelier entra dans le vif du sujet :

— Créan va s'occuper d'amener Guillaume de Rubrouck ici ! Je vais faire en sorte que Pian di Carpini et son compagnon rentrent en passant par Constantinople. Le reste sera définitivement réglé !

— Et les enfants ? demanda Créan.

— Fassr ed-Din laissera des ordres à Otrante, quand il y passera pour aller retrouver Frédéric, afin qu'on les confie à la garnison de Lucera. Je les ferai chercher là-bas.

— L'émir s'y refusera, dit l'évêque, et vous savez qu'il peut le faire !

Tarik lui adressa un bref coup d'œil perçant.

— Alors, ce sera Lorenzo qui se chargera de cette tâche. Il ne peut pas refuser, lui !

— Le légat sera heureux de faire une halte à Otrante, et il donnerait beaucoup pour ne pas avoir à se présenter devant le pape, porteur de la réponse du sultan — Créan essayait d'évaluer la situation du point de vue de Lorenzo d'Orta. — Et il serait encore plus content si c'était l'émir qui portait la réponse à Sa Sainteté...

— Je suppose qu'il le ferait avec grand plaisir, déclara l'évêque. Il suffira de procéder à un échange !

Un regard de Tarik le fit taire.

— Et Hamo ? demanda l'évêque, intimidé cette fois.

— Il en sait trop sur le « grand projet » et il a été plus gênant qu'utile jusqu'ici. — Tarik réfléchit quelques instants. — Je pense qu'il profiterait d'un séjour prolongé de formation à Alamut.

— Il ne pourrait pas rester ici avec moi ? Je vous garantis...

— Quand tout aura été accompli, il ne restera plus personne à Constantinople pour savoir ce qui a été décidé !

— Sauf les personnes ici présentes, j'espère ! dit della Porta sur un ton badin, mais sa voix était inquiète. Σπευδε βραδεως ! Je suis prêt à payer un bon prix pour cette décision, ajouta l'évêque en montrant les trésors entassés dans la salle.

— Il est plus facile à un chameau de passer par un trou d'aiguille, commença à psalmodier Créan, qu'à un riche d'entrer...

Mais l'évêque l'interrompit :

— Vous savez très bien que ce καμιλος ne se réfère pas à votre animal quadrupède, mais à une étrave de navire, si bien que la question se résume à la taille du trou qu'il faut traverser...

— Il ne restera plus une personne vivante qui le sache, conclut Tarik, effaçant ainsi tout malentendu. De toute façon, une mutation vous attend : on vous destine à la Terre Sainte.

L'évêque s'abîma dans un profond silence.

— Vous voyagerez ensemble, dit sèchement le chancelier à Créan. Vous prendrez le bateau de la Sérénissime. L'ambassadeur et le légat descendront à Brindisi, toi à Venise. Le reste des ordres et des dispositions particulières te sera communiqué par notre ami et homme de confiance della Porta, quand tu reviendras dans cette ville avec le moine.

— Et si la comtesse refuse ? voulut savoir Créan, mais Tarik ne daigna pas lui répondre. — Il sortit de la chapelle sans un salut, suivi de son subordonné et de l'évêque, fort affligés.

De retour dans le réfectoire, le chancelier sortit trois écheveaux de cordons de cuir, différents tant par leur longueur que par le nombre de nœuds qu'ils comportaient. On aurait dit des fouets mal noués et privés de manches. Il remit les cordons à Lorenzo qui se montra surpris, avec cette prière pressante — *preces armatae* — de les remettre, sur la route de Rome, au commandant de la garnison de Lucera. Le nonce prit les cordons sans parvenir à dissimuler son déplaisir.

— L'empereur vous attend dans sa résidence de Foggia, dit aimablement le chancelier au jeune émir. Vous partirez demain, à l'aube !

LA VEILLE DES NOCES

Punt'razena, automne de l'an 1246 (chronique)

Je somnolais dans le foin tandis que les chèvres mâchonnaient et pétaient dans leur sommeil. Il faisait encore noir dehors, mais une faible clarté annonçait déjà le jour.

Tout à coup, les cors de montagne se mirent à sonner du haut de la tour. Le feu ou les ennemis ? me demandai-je aussitôt. Puis des voix s'élevèrent dans notre ruelle. Je crus entendre : « L'empereur ! L'empereur ! », mais ensuite se détacha la voix de Firouz, menaçante et tonitruante comme toujours :

— Où est Guillaume ? Où c'est qu'il s'est fourré ?

Apparemment, Xaver s'était approché d'un bond de la fenêtre de l'étage.

— Ne t'avise pas, Firouz..., cria-t-il en haut, furieux d'avoir été tiré de son sommeil nocturne, mais surtout de la présence du prétendant éconduit. Quand est-ce que tu vas donc comprendre, nigaud !

— L'empereur arrive ! se défendit Firouz. — Et, découvrant Xaver, il continua : — Par ordre de Zaroth, notre ancien, nous devons surveiller Guillaume pendant que Sa Majesté se trouve sur notre territoire !

— Guillaume n'a rien d'un tueur à gages ! s'indigna Xaver en prenant mon parti, mais en vain car Firouz était mieux informé que lui.

— On doit empêcher ton cher Guillaume de se faire voir ou de parler à quelqu'un !

Je sortis donc et tendis les mains pour qu'on me les attache, même si personne ne me l'avait demandé, occupés qu'ils étaient tous à me trouver une cachette.

— Dans l'église ?

— Notre souverain voudra peut-être aller prier !

Firouz fuyait mon regard et proposa d'un air hypocrite de me conduire au nouveau fumoir. Par chance, Zaroth arriva alors et me tendit la main comme pour s'excuser.

— Je me cacherai dans la forêt, proposai-je.

— ...et tu iras te jeter tout droit dans ses bras ! répondit l'ancien en écartant ma proposition irréfléchie. — Puis il s'adressa à mon rival : — Firouz, ta nouvelle maison est presque finie, et elle est vide — plusieurs se mirent à rire. — Nous allons enfermer Guillaume là-bas pendant quelques heures. Tu t'assureras qu'il est bien gardé et qu'il ne lui arrive rien de mal !

Je trouvais qu'ils lui faisaient la vie un peu difficile. Mais à ma grande surprise, Firouz ne s'indigna pas de la proposition et avala la couleuvre en silence. Je fis un salut à ma petite fiancée qui nous observait derrière la grille de sa fenêtre et me laissai conduire à la maison de pierre que Firouz s'était construite et qui se dressait fièrement sur un rocher, au-dessus *punt*.

Comme la maison n'avait pas encore de porte, ils postèrent un garde devant mais me laissèrent libre de mes mouvements à l'intérieur. De la pièce destinée au harem, je pouvais voir la gorge aux eaux écumantes tout au fond du précipice et surveiller les deux accès du pont couvert. Mon gardien était le neveu du podestat, il avait servi en Allemagne et il connaissait les affaires de l'empire ; de plus, il était rentré depuis peu au pays des *saratz* et il se mit à m'expliquer, apparemment sans aucune méfiance, ce qui se passait en bas.

Les premiers arrivés furent des chevau-légers qui descendirent du col et traversèrent le village. Ils ne portaient pas d'enseignes et n'étaient apparemment que de simples éclaireurs. Ils s'avancèrent jusqu'au *punt*, puis rassemblèrent les hommes du village et les divisèrent en deux groupes. Le premier — ceux qui formaient la milice, c'est-à-dire les artisans et les paysans, parmi lesquels Xaver — reçut pour mission de garder la traverse du village et la rive de la gorge qui se trouvait de mon côté. Le deuxième groupe, formé des chasseurs et des trappeurs placés sous les ordres de Firouz, partit en reconnaissance dans la forêt pour surveiller le chemin qui conduisait aux lacs et à la partie basse de la vallée. De ma cachette, j'entendais crier des ordres et je pouvais suivre leurs allées et venues.

Ensuite arriva l'avant-garde de l'empereur, formée de chevaliers avec leur escorte et des soldats. Ils se disposèrent en deux demi-cercles à gauche et à droite de notre accès au pont vers lequel plus aucun *saratz* ne put désormais s'approcher. Seule l'entrée du village restait libre. Peu après, on entendit le son des cors de montagne, de l'autre côté de la forêt, et je vis arriver une marée scintillante d'armures et de casques entre les arbres. Je vis aussi quelques bannières, mais sans pouvoir reconnaître les armes qu'elles arboraient.

Les chevaliers s'arrêtèrent à la lisière de la forêt et se déployèrent pour protéger les flancs. Les *saratz* qui revenaient déjà restèrent à distance respectueuse. Puis on entendit des fanfares dans la partie haute du village. Je courus à la porte et je vis défiler les gens de la suite de l'empereur, magnifiquement vêtus. Notre milice était alignée au bord de la route et saluait avec ses fléaux, faucilles, haches et marteaux. Tous ceux qui possédaient une lance ou une épée les avaient sorties à la lumière du jour, sans parler de quelques vieux casques et boucliers.

Un dromadaire apparut — animal inconnu de la plupart des villageois — sur lequel était juché un maure enturbanné qui tambourinait sur des timbales. Le hameau s'était transformé en une fourmilière de bannières et d'étendards parmi lesquels disparaissait pratiquement notre comité d'accueil, composé de Zaroth, qui tentait de garder sa dignité, et des autres anciens qui brandissaient la bannière de combat de la « garde du *punt* ». Mais les anciens furent repoussés par les sarrasins de l'empereur dont la garde s'approchait au pas de course.

Frédéric montait un cheval noir mené par quatre comtes. Tête nue, il ne portait pas de couronne et l'on voyait très bien ses cheveux roux. Comme son adversaire, le landgrave de Thuringe, n'était pas encore arrivé, les conseillers de l'empereur le firent s'arrêter et Zaroth put enfin lui présenter ses salutations de bienvenue.

Je pris mon poste d'observation derrière les grilles du harem d'où je pouvais parfaitement suivre le déroulement des événements.

En face, de l'autre côté du *punt*, un groupe de cavaliers approchait maintenant au grand galop, entourant sans doute Heinrich Raspe, le landgrave qui, sur les instances pressantes du pape, avait dû accepter qu'on le nomme roi d'Allemagne pour l'opposer ainsi à l'empereur. Mais le landgrave se sentait mal à l'aise dans ce rôle et il avait accepté de rencontrer en secret Frédéric quand celui-ci le lui avait offert, en dépit de ses conseillers qui l'avaient mis en garde contre une possible tromperie ou traîtrise. Raspe était un guerrier vaillant et, au fond, le fidèle vassal de son souverain. Et pourtant, il semblait hésiter encore avant de se diriger, comme il avait été convenu, avec une suite très réduite vers le pont couvert où la rencontre devait avoir lieu.

J'eus ainsi le temps d'observer l'empereur et son entourage de plus près. A ma très grande surprise, je découvris avec eux mon précepteur le templier, le noble seigneur Gavin Montbard de Béthune, accompagné du jeune seigneur Guillaume de Gisors. Leurs manteaux blancs frappés de la croix rouge griffue n'attiraient guère l'attention, car il y avait là de nombreux chevaliers de l'Ordre teutonique qui portaient eux aussi des manteaux blancs, mais marqués d'une croix noire de plus grande dimension. Je vis aussi — sans pouvoir entendre, malheureusement — que l'empereur prêtait l'oreille au seigneur Gavin. Frédéric se pencha vers lui et ils se mirent à rire. Une plaisanterie, peut-être? Sur les hésitations du landgrave? Mais en cet instant précis, celui-ci se détacha de sa suite, se défit ostensiblement de son épée et s'approcha du *punt*, accompagné de quelques hommes de confiance seulement.

Frédéric le fit attendre un peu avant de descendre lui aussi de cheval et de désigner à son tour ceux qui allaient avoir l'honneur de l'accompagner, parmi lesquels Gavin. Les autres formèrent un cercle serré, armes pointées au-dehors comme au-dedans, à la manière de ces colliers de punition qu'on met aux chiens, montrant ainsi qu'ils étaient prêts à se jeter sur quiconque voudrait s'en prendre à l'empereur. Une tension égale régnait dans le camp opposé et un lourd silence s'abattit sur le pont qui les unissait et la gorge qui les séparait quand les deux souverains — d'un côté l'empereur destitué, de l'autre le roi qui s'opposait au fils du premier, Conrad — disparurent sous le toit du pont.

Naturellement, les villageois se tenaient à l'écart. A peine les principaux personnages du spectacle eurent-ils disparu que les *saratz*, vieux et jeunes, rompirent les rangs qu'ils formaient des deux côtés de la route et, échangeant avec animation leurs impressions sur les événements, retournèrent à leurs étables et à leurs ateliers.

Xaver monta à ma « maison d'arrêt ».

— Officiellement, l'empereur quitte l'Italie pour assister aux noces de son fils Conrad avec Isabelle de Bavière — il bredouillait les nouvelles glanées çà et là. — Mais on l'a persuadé de rebrousser chemin, ici même, me dit-il d'un air de conspirateur. Alors, tu comprends bien que c'était naturel de vouloir avoir une conversation sérieuse avec le landgrave.

— Et lui, il est prêt à retourner d'où il vient? demandai-je, moqueur et incrédule. Il y a à peine quelques jours que l'archevêque de Mayence l'a couronné roi d'Allemagne à Veitsöchheim... — je faisais étalage des connaissances que je venais de soutirer à mon gardien.

— Le landgrave a bien honte, me confia Xaver, d'avoir tellement fâché son bon souverain...

— ...et il y a quelques jours à peine, à la fin de juillet, il convoquait à Francfort la Diète germanique qui a chassé de son trône le fils de l'empereur, lui causant une grande humiliation. — Je lui montrais que j'étais parfaitement au courant de ce qui se passait dans l'empire, car il y avait toujours des voyageurs prêts à bavarder sur les terres des *saratz*.

Xaver fut un peu déçu de voir qu'il ne m'impressionnait pas beaucoup avec ses pieuses fantaisies.

— En fait, la seule chose que veut Heinrich Raspe, c'est redevenir duc de Thuringe et rentrer dans les bonnes grâces de son empereur! conclut-il ses prédictions qui reposaient essentiellement sur la façon dont il souhaitait que prenne fin cette rencontre qui durait déjà depuis plus d'une heure.

— Tout est possible, le consolai-je, même si l'Église saura bien l'empêcher.

Il me laissa tout à coup, car les fanfares et les coups de timbales annonçaient le retour de l'empereur. La brusquerie avec laquelle Frédéric monta sur son cheval me montra que mon pessimisme était certainement justifié. De l'autre côté, on voyait le landgrave retourner parmi les siens, presque voûté, puis ils repartirent tous au galop, comme ils étaient venus.

Les *saratz* revinrent se ranger au bord de la route pour saluer et donner une digne fin à la rencontre. La brillante suite de l'empereur commença à monter vers le col et disparut bientôt dans les lacets, tandis que dans la forêt, de l'autre côté du *punt*, on pouvait voir des fanions se glisser parmi les arbres, jusqu'à ce que, là aussi, le silence du désert retombe comme s'épaissit la brume automnale à la chute du jour.

Mon gardien me dit que j'étais libre de mes mouvements.

Je tombai sur Zaroth qui, entouré des autres anciens, interrogeait quelques garçons qui s'étaient cachés parmi les poutres, sous les planches du pont.

— ...si les gardes vous avaient pris, grondait un ancien en donnant une taloche à l'un des coupables, ils vous auraient mis dans un sac de cuir, comme un chien, un coq ou un serpent.

— L'empereur vous aurait fait couper un pied ou une main, ou encore crever un œil! ajouta un autre d'une voix effrayante. C'est ce qu'on fait aux espions et aux traîtres!

Les garçons n'avaient plus très envie de dire ce qu'ils avaient appris, mais Zaroth caressa celui qui avait reçu la taloche; et finalement, il eut raison de l'orgueil de l'enfant.

— L'empereur a dit qu'il ne lui cédait pas la couronne; qu'elle revenait à Conrad.

Un autre lui coupa la parole:

— Et Raspe a dit que la couronne était profanée, qu'il n'en avait pas besoin pour être roi, qu'il lui suffisait d'avoir l'approbation du peuple allemand...

— ...et qu'un empereur excommunié ne peut plus être ni empereur ni roi!

C'était donc ainsi que tout s'était terminé: il n'y avait pas eu d'accord! Rome avait gagné.

— La Lombardie reste fidèle à l'empereur, et les Bavarois le reconnaissent eux aussi grâce aux liens établis par le mariage d'Isabelle, précisa Zaroth pour conclure le récit, ce qui veut dire que nous continuerons à vivre en paix, à surveiller le col et le *punt* au nom de l'empire!

Tous hochaient la tête, satisfaits, quand Xaver s'approcha.

— Une journée mouvementée! s'exclama-t-il avec une gaieté forcée. Alva vous invite tous ce soir à manger des petits chaussons devant chez nous!

Bonne nouvelle! J'aimais beaucoup les chaussons aux châtaignes arrosés de sucre et fourrés de compote de pommes, dans une pâte de farine de faines à laquelle on incorpore des œufs frais battus, des petits fruits rouges et

470 Les enfants du Graal

des noix émiettées. Ils crèvent à peine vous les mettez dans votre bouche et la moitié de la compote vous coule sur la barbe, les vêtements et les mains, mais tant pis, on peut toujours se lécher. On peut aussi lécher les moustaches de quelqu'un d'autre, jeu très apprécié des adolescents : pour eux, c'était la première possibilité de chercher une fiancée. C'était d'ailleurs une cérémonie traditionnelle au village, par laquelle la mère de la jeune fille donne à entendre que son enfant, avec cette nuit de fête, donne son consentement au prétendant. A son invitation, Xaver avait mis en branle mes noces avec Rüesch, noces qui auraient lieu irrévocablement le lendemain. Et comme tous paraissaient si contents, je devinai que le conseil avait dû en décider ainsi pendant que j'étais « retenu » dans la maison de Firouz et qu'on avait envoyé le garçon dans la forêt pour éviter le grabuge.

La tête vide, je m'éloignai sans savoir où aller. J'aurais presque voulu retourner me cacher dans la forteresse à moitié construite de mon rival. Il ne semblait plus guère probable que son propriétaire, après l'avoir bâtie de ses mains, décide un jour de l'occuper. On aurait plutôt dit la coquille abandonnée d'un escargot, tant elle respirait la tristesse d'un amour malheureux.

Ainsi donc, je dirigeai mes pas vers l'église en évitant délibérément de passer devant « ma maison » où Alva, très probablement aidée par l'obéissante Rüesch-Savoign, serait en train de préparer les petits chaussons. Les émotions de la journée, la visite royale et l'annonce des fiançailles, c'était trop pour elles. Elles n'allaient jamais être capables de passer toute la journée à jacasser sans arrêt, d'autant plus que les événements touchaient aussi leurs hommes. Je me suis donc dit qu'elles avaient dû préférer tout laisser entre les mains de Dieu pour mieux se consacrer aux préparatifs de la fête des petits chaussons. Ce village donnait aux femmes si peu d'occasions de mettre leurs vêtements de fête, leurs petits bonnets et leurs rubans, de se regarder les unes les autres, de se surpasser en beauté et en colifichets...!

Tandis que je montais les ruelles vers la montagne, je voyais en imagination ce qui allait se passer. Plusieurs murmuraient certainement contre moi, pensant que je n'étais peut-être pas un fiancé convenable. Il était clair aussi que je ne serais jamais aussi séduisant que ce maure qu'ils avaient admiré sur son dromadaire, en train de jouer des timbales. Près d'une année avait passé depuis mon arrivée et ils me considéraient presque comme l'un des leurs, si bien qu'ils allaient pouvoir m'admirer non seulement le lendemain, mais tous les jours, matin et soir, à la messe et au sermon, durant la prière et les chants. Ils seraient émus, ils trembleraient devant la gravité de leurs péchés, ils se repentiraient jusqu'au moment de franchir la porte de l'église et, pendant qu'ils descendraient les petites rues, ils laisseraient derrière eux toutes leurs pensées et leurs bonnes intentions concernant le salut de leurs âmes, pour se consacrer à leurs petites guerres et à leurs petites victoires entre eux ; aux herbes qui soignent la goutte et la rage de dents ; aux champignons broyés et à la corne de bouquetin moulue qui ravigotent pour l'amour et vous assurent un prompt héritier.

J'espérais donc me trouver seul, avec moi-même et avec mon Dieu, dans Sa maison, car nous devions discuter entre nous, puisque mon célibat se trouvait directement menacé. Pourtant, quand j'entrai dans l'église, je me trouvai en face d'un couple que je n'aurais jamais pensé voir là. Au premier rang, serrés l'un contre l'autre, l'air grave, Firouz et Madulain étaient à genoux.

Après un premier moment de grande confusion, je commençai le service comme à l'accoutumée. Firouz ne me quittait pas des yeux et, pour la première fois, je ne vis pas dans ses yeux la haine qui les habitait d'ordinaire : je n'y lisais que de la tristesse. Quant à Madulain, j'étais habitué à son regard qui, comme toujours, me transperçait et semblait dirigé vers un lointain inconnu...

— Guillaume, dit Firouz quand j'eus terminé l'invocation, tu es prêtre, non ?

Pas tout à fait, me dis-je.

— Oui, répondis-je cependant.

— Alors, tu dois nous marier. Madulain et moi, nous voulons quitter aujourd'hui ce village, cette vallée — la surprise m'avait rendu muet. — Je vous donne ma maison, à toi et à Rüesch-Savoign — l'idée que nous puissions jamais y être heureux me transperça comme un coup de lance. — Nous allons émigrer à l'étranger. Je vais m'engager comme soldat, ou bien gagner ma vie comme chasseur. Madulain est prête à rester à côté de moi pour partager cette vie. Nous te demandons ta bénédiction.

Et ils s'agenouillèrent devant moi avec tant de fierté et de résolution que mes mains tremblaient quand je mis l'étole, pris le crucifix et le leur tendis pour qu'ils y posent les lèvres. Il y avait deux alliances sur l'autel et je me demandai lequel des deux les avait gardées jusque-là, quels rêves et quelles angoisses les avaient entourées. Les doigts me brûlaient comme des charbons ardents quand je les leur tendis. Ils se les passèrent au doigt avec une telle expression de confiance et de tendresse que je ne pus m'empêcher de sentir un pincement de cœur.

J'enroulai ensuite l'étole sur leurs mains unies et je priai longtemps en silence. C'était moi qui avais fait irruption dans la vie de ces jeunes villageois, qui les faisais fuir d'un paradis auquel ils étaient habitués, et ils me pardonnaient! Mais ne devaient-ils pas leur rencontre à mon égoïsme, à mon refus de me sacrifier?

Ah, Guillaume, tu es un misérable, tu as une âme de marchand! Et il est juste que tu te sentes humilié maintenant devant un si grand amour! Et tu restes là avec tes intrigues, avec tes misérables petits profits, comme un manteau puant que tu devras toujours porter dorénavant. Tu resteras ici, tu épouseras la fille unique et cadette et, comme tu n'aimes pas travailler, tu uniras la charge de prêtre au joug du mariage sans te sentir mal à l'aise, étouffant le souvenir de ta trahison de l'*Ecclesia catolica* et de ta trahison de toi-même!

— Amen! fis-je en me débarrassant de mes doutes et de mes réticences. Que le Seigneur vous protège, vous et votre amour!

Les deux jeunes gens se relevèrent. Firouz s'adressa à moi sans laisser paraître ni envie ni tristesse:

— Quand demain soir tu porteras ton épouse dans tes bras pour lui faire franchir le seuil, souviens-toi de nous... — sa voix s'étrangla; l'émotion terrassait cette force de la nature. Je lui serrai la main en silence. Et ce fut Madulain qui termina sa phrase:

— ...parce que nous, Guillaume, nous dormirons à la belle étoile, en terre étrangère; mais pour la première fois, nous nous sentirons libres et heureux!

— Ne nous oublie pas! reprit Firouz, et je vis des larmes dans ses yeux tandis que nous sortions de l'église et que nous

nous arrêtions pour admirer le coucher de soleil dans la vallée. Mais ma princesse le reprit avec dureté :

— Oublie-nous ! — et, saisissant Firouz par le bras, elle me laissa planté là.

Comme dans un rêve, je traversai le cimetière où quelques croix de bois sans nom, marquées uniquement des lettres OFM, indiquaient les tombes de mes frères. Allait-on m'enterrer là pour mon dernier repos ? Pleuré par mes enfants et petits-enfants, et par ma petite veuve ? Rüesch-Savoign vivrait certainement plus longtemps que moi.

L'odeur des chaussons montait jusque là-haut. Je me dépêchai de rentrer à la « maison » et je trouvai une foule considérable devant la demeure de Xaver et d'Alva. On m'accueillit avec des regards de reproche et avec la triste nouvelle qu'il ne restait plus de petits chaussons. Je regardai les frimousses heureuses et barbouillées des enfants ; je vis que les vieux se léchaient les doigts et que plusieurs garçons léchaient ma fiancée. La coutume, sans doute ! Je lui fis un sourire et je ris aussi des plaisanteries grasses que m'adressèrent certains jeunes gens, puis je m'éclipsai dans mon refuge, avec mes chèvres.

La tête me tournait. Je tombai à genoux et la pressai avec force contre l'herbe sèche et odorante.

— Seigneur, fais savoir à Ton serviteur qu'il peut compter sur Ta bénédiction !

Je respirais pesamment en attendant un signe : une chèvre qui tiraillerait mon vêtement, une langue râpeuse qui me lécherait le visage... et tout ce temps, le coup de la perte de Madulain résonnait dans ma conscience comme un marteau. J'avais l'impression que mon ventre avait avalé tous les petits chaussons du monde, que je m'étais rempli la panse jusqu'à en crever. Mais au lieu d'une plénitude excessive, je ne sentais qu'un énorme vide, un trou noir !

— Guillaume ! — Xaver me donnait de petits coups insistants sur l'épaule. — C'est l'heure d'aller voir Zaroth — il avait l'air insouciant comme toujours, il ne partageait pas mon malheur. Et comment l'aurait-il partagé alors qu'il était sur le point de me donner pour épouse sa fille à laquelle il tenait comme à la prunelle de ses yeux ? Dehors, c'était l'allégresse générale et les hommes s'apprêtaient à bien s'enivrer.

— Écoute, Guillaume, ce n'est pas le moment de flan-

cher. Il faut que tu sois prêt à tout demain ! — De belle
humeur, Xaver se tapa sur les cuisses, puis il donna une tape
sur le derrière de sa femme au passage. — Demain, c'est la
noce sur la montagne, avec musique et danse !

Je le suivis au petit trot, encore passablement ahuri,
jusqu'à la maison du podestat où, comme c'était la coutume,
les hommes avaient déjà commencé à s'imbiber de vin mûri
au soleil de Lombardie.

Mon premier regard fut pour le pilier contre lequel
Firouz avait coutume de s'adosser en me regardant de ses
yeux fixes et brûlants. Sa place était vide. Son absence me fit
mal. Personne ne parlait de lui ni de ma princesse, la belle
Madulain. Sans doute s'étaient-ils déjà mis en route vers le
sud, avant la tombée de la nuit.

Des voix avinées m'arrachèrent à mes pensées. Je trin-
quai avec tous, résolu à les battre l'un après l'autre quant à la
quantité de vin que j'ingurgiterais ce soir-là. Xaver arrosa lui
aussi en abondance son rôle de beau-père d'un homme aussi
distingué que moi, qui savait lire et écrire, qui maîtrisait sa
langue en plus de celles des Français et des Romains, qui
savait chanter et prier en latin, et prêcher dans la langue des
saratz ! Quel gendre formidable ! Je buvais tout ce qu'on me
servait, je trinquais en vidant ma coupe d'un seul trait et,
comme je n'avais rien mangé, la boisson ne tarda pas à faire
effet.

Seul Xaver prenait la situation plus à cœur que moi.
Nous étions déjà sortis deux fois en titubant pour vomir à
distance respectueuse des murs de la maison et nous avions
uriné en nous jurant de ne plus prendre qu'un dernier coup
d'adieux avant d'aller nous coucher. A notre troisième rencontre au même endroit, appuyés l'un contre l'autre au point
que nous manquions de nous pisser dessus, je forçai ce qui
me restait de cerveau à inventer un truc : j'indiquai le mauvais chemin à Xaver et, au lieu de remonter en trébuchant
l'escalier de la salle de l'ancien, je l'entraînai dans la ruelle
qui montait chez lui. Et c'est ainsi que nous arrivâmes finalement à quatre pattes à la maison de mes très prochains
beaux-parents.

Là, Xaver reprit soudain courage et me força à grimper
à une échelle pour lui dénicher une minuscule amphore d'un
vin particulièrement précieux. J'ignore comment je parvins à

la trouver malgré les instructions confuses qu'il me donnait ; je sais seulement que je tombai de l'échelle au beau milieu du foin, sans briser l'inestimable récipient.

Titubant, nous allâmes finalement nous installer dans la cuisine, juchés sur le poêle. Xaver insistait pour que j'y passe la nuit. Laborieusement, il brisa le cachet de cire et de résine, vida l'huile qui occupait le col de l'amphore, huma profondément, puis tomba dans un sommeil si profond qu'on l'aurait cru raide mort. A peine eus-je le temps de lui retirer l'amphore.

J'étais toujours assis quand je vis la porte s'ouvrir doucement sur Alva en chemise de nuit. Sans dire un mot, elle grimpa sur notre couche et s'allongea à côté de moi après avoir avalé une bonne rasade de ce vin.

— J'ai encore fait quelques petits chaussons pour toi, Guillaume, ronronna-t-elle, satisfaite et maternelle comme une chatte ; je sais que tu les aimes beaucoup, et comme tu es arrivé en retard...

— Où sont-ils ? demandai-je avec empressement, mais Alva mit à nouveau la main sur l'amphore avec un geste qui fit glisser le cordon qui retenait sa chemise à l'épaule. Sa poitrine blanche et bien formée se trouva tout à coup à nu devant mes narines. — Ils sont juste dessous, dans le four, chuchota-t-elle au creux de mon oreille tandis que le vin coulait sur son cou, inondant ses seins ballottants. Comme ça, ils restent au chaud — elle prit un dernier coup de vin, soupira de contentement et releva sa chemise jusqu'au nombril. Mes yeux s'arrêtèrent sur la splendide vue qui s'offrait à eux. Xaver était profondément endormi et les petits chaussons étaient bien au chaud dans le four.

— Tu permets, Alva ? demandai-je en tremblant, et elle ferma les yeux. — Ses tresses étaient défaites et ses cheveux noirs retombaient sur un visage transfiguré par l'attente du plaisir.

Alva était une gentille femme. Je me penchai sur elle et jouis avec un frissonnement avide du léger contact de sa chair, mais ensuite je passai par-dessus son corps et me dirigeai d'un pas très hésitant vers la porte du four. Au bruit, Xaver se réveilla. Alva baissa d'un geste furieux sa chemise jusqu'au-dessous des genoux. Pour ma part, j'engouffrais déjà mon premier petit chausson. Il était encore aussi chaud que je l'avais imaginé ; la pâte s'était imbibée de la crème et du jus des petits fruits ; la purée de marrons était molle et les noix croquantes. Je ne l'avais pas encore gobé que ma main s'avançait prestement pour prendre le suivant.

C'est alors qu'apparut là-haut, sur le poêle, le derrière tout nu d'Alva et, avant que je puisse m'éloigner, elle lança un pet à mon visage barbouillé de compote. Ensuite, ma future belle-mère passa au large, sans me regarder, d'un pas énergique, et ce n'est qu'au dernier moment qu'elle se retint pour ne pas claquer la porte. Je secouai la tête, je recueillis les délicieux petits chaussons dans le pan de ma chemise et descendis pour retrouver la sécurité de mon abri, parmi les chèvres. Et quand je les ai eu tous mangés, je me suis endormi.

LE FRANCISCAIN A LE MAL DE MER

Mer Ionienne, automne de l'an 1246

Le rapide voilier vénitien était un de ces navires de guerre qui imposent le respect et que la Sérénissime utilisait volontiers pour naviguer entre la mer Adriatique, dont elle était la maîtresse incontestée, et les îles grecques, afin de montrer sa puissance aux Génois et d'affirmer sa présence croissante dans ces eaux. La république tyrrhénienne, sa rivale, guettait à son tour l'imminente décomposition de « l'empire latin » du faible Baudouin ; elle appuyait ouvertement le Vatatsès qui attendait son heure à Trébizonde, prête à lui apporter les capitaux nécessaires pour renforcer la puissance de Gênes dans une Byzance ressuscitée.

Mais Venise dominait encore les Dardanelles où elle

conservait un lucratif monopole commercial. Le capitaine du voilier se jugea honoré d'accepter à la dernière minute avant le départ pour Constantinople la présence d'un légat du pape à son bord, un légat qui n'était autre que le dominicain André de Longjumeau.

Les autres passagers, déjà inscrits et embarqués, ne semblèrent pas très contents de son apparition, car les us et coutumes sur qui était ami et qui ennemi allaient désormais les empêcher de traiter librement et amicalement les uns avec les autres.

Le dominicain apprit que l'un des voyageurs était un marchand qui se prétendait Arménien, ce dont le légat ne croyait pas un mot. De toute façon, il n'était pas chrétien, même pas chrétien arménien. L'imagination du légat n'était cependant pas assez exubérante pour imaginer, sous le déguisement du commerçant, un émir musulman chargé par le sultan d'aller voir l'empereur. Et le légat n'aurait jamais cru, même si des gens de toute confiance le lui avaient juré, que l'empereur avait armé chevalier, se faisant même son parrain, cet émir fils du grand vizir, en lui conférant de plus la dignité et le titre de prince de Selinonte.

En revanche, il aurait craint pour sa vie durant les heures de la nuit s'il avait connu l'identité de l'autre voyageur, un peu plus âgé que le premier, un Occidental à en juger par ses traits, mais qui par ses vêtements et ses gestes se comportait comme un Oriental. Lui aussi se présenta comme un marchand arménien, alors qu'il était en réalité un hérétique réfugié du Languedoc, converti à l'Islam et, comble de l'horreur, membre de la secte des Assassins.

Le troisième, par contre, était à tout le moins un *collega* du légat : un frère mineur en mission pour le pape qui avait le même rang que lui et qui rentrait de la cour du sultan. Il se rendait à Lyon pour faire rapport au saint-père.

Avant qu'André ne s'approche de son frère dans la foi, en un geste bien naturel et compréhensible — même s'il lui avait fallu dominer sa répulsion habituelle pour les franciscains qui ne se lavent pas trop souvent —, et tandis qu'il négociait encore avec le capitaine, les trois autres convinrent, par signes uniquement, de se retrouver sous la tente de poupe, plus élevée que le reste du bateau, d'où il était facile de surveiller les alentours sans qu'une réunion de passagers n'attire trop l'attention.

— Comment faire pour me débarrasser de ce chien ? grommelait Lorenzo d'Orta. Comment lui expliquer que je vais débarquer sur la côte d'Apulie, au lieu de l'accompagner voir le pape ?

— D'abord, faites attention à ce qu'il ne nous morde pas ! dit le jeune émir en riant. Souvenez-vous que nous ne nous connaissons pas. Et le plus sage serait d'oublier tout ce que vous avez entendu dire entre Otrante et Constantinople au sujet de votre frère Guillaume de Rubrouck.

— Mais n'oubliez pas, intervint à son tour Créan, que même si le pape dans sa lointaine Lyon vous a confié une mission délicate, il y a dans la curie et surtout parmi les pieux dominicains suffisamment d'individus qui ne vous font pas confiance, à vous, les frères d'Assise. Avant que le phare n'annonce Otrante, nous aurons bien trouvé quelque chose qui empêchera malheureusement les deux seigneurs légats de poursuivre leur voyage ensemble ! — Et Créan que l'on voyait rarement sourire fit un clin d'œil complice à Fassr ed-Din.

Lorenzo se sentait cependant de plus en plus nerveux.

— Vous allez vous approcher de votre frère dans le Christ et vous vous contenterez de nous saluer lorsque nous nous retrouverons à la table du capitaine, lui proposa le jeune émir.

— Et vous vous abstiendrez de vous lancer dans une conversation avec nous, les marchands voyageurs d'Orient, même si nos histoires vous font penser aux contes de Schéhérazade !

Lorenzo sortit de l'ombre de la tente. Le bateau était déjà sorti de la Corne d'Or et il voulait regarder les collines verdoyantes parmi lesquelles se détachait le palais de l'évêque. Il vit encore briller les coupoles de Hagia Sophia, puis Byzance disparut lentement devant ses yeux, jusqu'à ce que seule la longue muraille continue à longer encore quelque temps la côte toujours plus lointaine.

— Nous pourrions aussi faire comme le coucou et déposer dans le nid du légat un œuf appelé Guillaume, pour qu'il le couve parmi les plus hauts dignitaires de la curie, dit Créan à Fassr ed-Din, avec bonne humeur. Le pape lui-même pourrait s'asseoir dessus...

— ...jusqu'à ce que le « grand projet » se transforme en

dogme infaillible de l'*Ecclesia catolica* ? se moque l'émir. —
Puis il ajouta, en le menaçant du doigt : — Créan, vous venez
d'échapper à la cravache de votre sévère chancelier et vous
êtes déjà prêt à envoyer paître toutes les règles. Pour cette
fois, je ne veux pas être de la partie. Par respect pour l'empereur, je ne veux pas être mêlé à cette conjuration, et je ne
veux attirer l'attention d'aucune autre manière !

Mais Créan insistait :

— Je ne reconnais plus le Faucon rouge. Depuis quand
êtes-vous devenu colombe ?

— Depuis que je voyage en qualité de pigeon voyageur,
avec pour ordre formel de voler vite et sur tout sans attirer
l'attention sur ma personne, par exemple en criant *coucou,
coucou* !

— Pardonnez-moi, Constance — Créan admettait sa
défaite —, j'oubliais que les temps ont changé...

— Les temps ne font que prendre de l'âge, ce sont les
intérêts qui changent. Mais bien sûr — il faisait un effort
pour réconforter celui qui naguère était son supérieur —, je
vous aiderai avec grand plaisir par quelques mots bien choisis, pourvu naturellement qu'une bonne idée me passe par la
tête !

Créan trouva lui aussi qu'il devait encore réfléchir.

Ils étaient encore en mer Égée quand Lorenzo, visiblement agité, fit des signes discrets à ses deux amis pour qu'ils
viennent le retrouver sous la tente de poupe.

— Je suis tombé sur le seigneur légat en train de fouiller
dans mes affaires. J'ai cru voir entre ses mains la lettre
adressée au pape. Mais j'ai vérifié ensuite, et il ne manquait
rien. Pourtant, il devait certainement chercher quelque
chose...

— Vous avez la lettre sur vous ?

Lorenzo la sortit de sous son habit. Constance s'en saisit
et, d'un geste adroit, fit sauter le sceau du parchemin sans le
briser.

— Juste ciel ! gémit Lorenzo, atterré. Que va-t-on penser
de moi ?

— On va vous couvrir d'honneurs ! plaisanta l'émir, tandis que son œil de faucon parcourait le message. Je lis ici des

paroles bien dures de mon insigne sultan, dirigées contre
l'empereur qu'il accuse d'être ingrat et infidèle, comme si le
souverain était un musulman renégat qui non seulement
n'aurait cessé de trahir le Christ et son Église, mais encore la
vraie foi du Prophète...

— Peste! s'exclama Créan.

— Quelle perfidie! grommela Lorenzo.

— Écoutez ceci, reprit l'émir : « ...et pour ces raisons,
nous sommes disposés à négocier la paix avec le noble et
pieux roi de France, que nous considérons comme l'unique
et véritable souverain chrétien sincère, et à lui assurer par
voie de traité tous les lieux qui pour lui sont Saints. Nous
sommes également disposés à extirper de notre cœur la ville
de Jérusalem, de même que Bethléem et Nazareth, ainsi que
les cités et forteresses nécessaires pour leur protection et
tous les ports de mer indispensables pour commercer librement, jusqu'à El Gahza, que vous appelez La Forbie... »

— Mais alors, le vénérable Louis n'aurait plus à organiser de croisade! se moqua Créan.

— En effet, répondit Constance qui avait continué à lire
en silence. Mon seigneur insinue avec des mots bien choisis
que la Chrétienté aurait avantage à se passer du misérable
empereur qui ne sera jamais qu'une « honte pour les
croyants, avec qui il n'y aura jamais de paix sur terre ». Il ne
manque plus que le sultan propose au pape de se convertir
bientôt au christianisme!

— En d'autres termes, si Louis ne veut pas révoquer son
appel à la croisade, il n'aura d'autre choix que de changer de
cap et de débarquer en Sicile, résuma Créan.

— Très bien, dit l'émir qui ramollissait avec beaucoup
de soin le sceau à la flamme d'une chandelle pour recacheter
la lettre. Cette missive sera remise par notre cher Lorenzo,
qui n'a pas droit d'ailleurs à un seul mot d'éloge dans ces
lignes où il est tout bonnement décrit comme un partisan
obstiné de l'empereur : « Nous ne parvenons pas à
comprendre comment Vous avez pu choisir comme chef de
votre ambassade un personnage qui n'est pas digne de votre
confiance, et nous Vous considérons comme un ami
conseillé par de mauvaises langues qui Vous incitent à voir
en nous un ennemi, alors que l'ennemi véritable... » et caetera. Ainsi donc, ceci est la lettre que Lorenzo remettra à

Lyon, d'où elle sera naturellement portée à la connaissance et entre les mains de la couronne de France.

— Pas question ! s'indigna Lorenzo. Honorable Fassr ed-Din, vous êtes heureusement en possession de la copie de l'original, beaucoup moins amical, que nous avons fait faire à Constantinople. Je vous prie de me la remettre et d'informer verbalement l'empereur de ce qui s'est passé !

— Je vous la donnerais avec grand plaisir, ne serait-ce que pour vous épargner quelques désagréments dans les prisons papales, ou pire encore. Pourtant, j'aimerais montrer cette autre lettre à l'empereur et à mon sultan, pour qu'ils voient jusqu'où peut aller la curie ; mais je brûle aussi du désir de donner au seigneur légat un bon coup de règle sur les doigts. Quoi qu'il en soit, nous pouvons remplacer le faux par l'original, je veux dire par la copie parfaite qu'en a fait le cuisinier !

Ce qui fut fait. Sans plus compter dorénavant sur Lorenzo à qui ils demandèrent de continuer à se tenir à l'écart d'eux, Créan et l'émir se mirent à songer à un moyen élégant de berner le perfide légat.

Ils étaient arrivés en mer Ionienne quand le capitaine se décida enfin à inviter ses hôtes, les passagers payants, à prendre place à sa table. Jusque-là, il avait préféré manger tout seul, à l'ombre de la tente, ordonnant qu'on serve séparément les deux ecclésiastiques et les marchands arméniens en plein soleil. Quand ils se trouvèrent réunis autour de la table, le capitaine ne fit aucun effort pour animer la conversation, ce qui permit à Créan de s'adresser au dominicain.

— Un homme qui connaît l'Orient comme vous, fit-il avec une politesse exquise, après avoir feint de prier en silence et s'être signé à la manière des chrétiens arméniens, recevra certainement bientôt une mission plus importante du saint-père, comme par exemple — et il montra du menton Lorenzo qui gardait le nez dans son assiette pour ne pas pouffer de rire —, les deux frères mineurs Pian di Carpini et Guillaume de Rubrouck qui doivent être arrivés aujourd'hui à la cour du Grand Khan. Nous autres, Arméniens, tenons beaucoup à avoir les meilleures relations avec les Mongols...

C'est alors qu'il fut interrompu par André qui l'avait écouté attentivement en haussant les sourcils.

— Que savez-vous donc de Guillaume de Rubrouck ? demanda-t-il avec méfiance. Ce qu'on m'a dit de sa mission semblait tout à fait secret.

— Il se trouve, intervint Fassr ed-Din, que nous autres Arméniens sommes bien obligés de tendre l'oreille et de nous informer plus rapidement que vous, en Occident...

— ...et de réagir plus vite, ajouta Créan. Pour nous, c'est une question de survie, car nous serions les premiers à subir les conséquences si les Mongols...

— Soyez rassurés, répondit le légat qui s'enflait d'orgueil. Il est vrai qu'ils s'imaginent soumettre un jour aussi l'Occident qui n'est pour eux que le « reste du monde » — et pareille sottise le fit éclater de rire —, mais pour y parvenir, ils prétendent d'abord élever un couple d'enfants souverains que Rome — il se mit alors à faire des clins d'œil complices avec la suffisance de ces grands seigneurs qui veulent paraître bonasses tout en se rengorgeant dans leur vanité —, Rome, je dis bien, a fait parvenir chez eux avec une sage prévoyance, pour gagner du temps. Voilà la véritable mission de Guillaume de Rubrouck ! Je le sais de bonne source, ajouta-t-il comme s'il s'agissait d'un détail secondaire, car je l'ai appris personnellement à Masyaf de la bouche du grand maître des Assassins, Taj al-Din lui-même. — On voyait à cent lieues combien il était fier de connaître ce personnage, ce qui ne surprit pas qu'un peu Créan.

Celui-ci resta sans voix et le légat profita de l'occasion pour lui adresser la parole d'un air bienveillant :

— Ne vous inquiétez pas, l'Arménie est comme un chat qui retombe toujours sur ses pattes ! — et il partit d'un braiment d'âne, fort satisfait de son mot. — Depuis la mort de la reine mère Alice, vous gouvernez à présent même à Chypre, ce qui veut dire, compte tenu de la situation, que vous avez gagné par le fait même le trône de Jérusalem !

Son rire joyeux s'éteignit bientôt quand il vit que ni Créan ni l'émir ne semblaient apprécier assez vite cette précieuse information.

— Nous savons tous que la reine Stéphanie est arménienne ! ajouta-t-il d'un air légèrement réprobateur.

Fassr ed-Din intervint avant que la méfiance ne puisse s'installer.

— C'est évident! s'exclama-t-il en faisant semblant d'avoir été distrait, puisqu'elle est la sœur de Hethoum, notre roi!

— On ne peut jamais faire confiance aux Arméniens! lança tout à coup le capitaine pisse-froid. A l'exception des présents, bien entendu, ajouta-t-il pour réparer son manque de courtoisie.

Créan et l'émir saisirent l'occasion pour se lever de table, prétextant fort plausiblement qu'ils ne voulaient pas abuser de la proverbiale hospitalité des Vénitiens.

Ils s'assurèrent que personne ne les surveillait. Créan resta à faire le guet, tandis que Constance crochetait avec un fil de fer le coffre du légat pour y chercher la lettre. Il la trouva cachée sous la doublure de soie du couvercle, mais il continua à fouiller jusqu'à trouver parmi les possessions du légat un autre objet dont il avait besoin pour arriver à ses fins.

Il alluma une chandelle et sortit la copie qu'il avait demandée à Lorenzo. Il chauffa le cachet au-dessus de la flamme, jusqu'à ce que la cire commence à fondre, puis appliqua le sceau du seigneur de Longjumeau et attendit que le cachet durcisse. Un observateur distrait comme l'était manifestement André ne s'apercevrait pas du changement.

L'émir remit la lettre à sa place, s'assura qu'il ne laissait aucune trace derrière lui, éteignit la chandelle et alla retrouver Créan. Les deux hommes étaient heureux comme des enfants qui viennent de jouer un bon tour.

Pendant ce temps, toujours sous la tente du capitaine, Lorenzo d'Orta essayait de faire parler le légat.

— Parlez-moi un peu plus de ces enfants? susurra-t-il hypocritement au dominicain. — Mais celui-ci se faisait prier.

— Celui qui connaît tous les secrets, c'est votre frère de Rubrouck; c'est à lui que vous devez poser vos questions, pas à moi, répondit-il, de méchante humeur. — L'envie perçait dans sa voix.

— On dirait que ce Guillaume est comme une truite dans un torrent de montagne, on ne peut jamais l'attraper! lança Lorenzo en riant.

— De fait, grogna André, mais tout franciscain finit toujours tôt ou tard par se faire prendre par l'Inquisition. Bien entendu, je ne veux parler d'aucune des personnes présentes, qui peuvent être tout à fait excellentes! — Et ainsi prit fin cette tentative de conversation entre les deux seigneurs légats qui continuèrent à prendre leurs repas à part pendant le reste du voyage.

Le bateau voguait sur la mer Adriatique en direction du nord. Ils espéraient voir bientôt pointer à l'occident l'extrémité méridionale de l'Apulie.

— Regardez notre ami Lorenzo. Il doit maintenant manger tout seul sa propre pitance — c'était son compagnon « arménien » qui s'adressait à Créan. — Il est vrai que la cuisine du bord empire de jour en jour !

— C'est ce qui arrive lorsqu'on paie d'avance son passage à un Vénitien ! — Fassr ed-Din était toujours de bonne humeur. — Mais il me semble qu'il serait temps de remplacer l'eau potable, car elle est plus trouble de jour en jour — il avait parlé fort pour que le capitaine qui passait devant eux l'entende.

— Sinon, ce sera le typhus et la diarrhée ! renchérit Créan.

— C'est justement pour cette raison que nous faisons route vers Bari, les informa le capitaine avec hauteur. En attendant, messires voudront bien prendre leur mal en patience et s'abstenir de formuler des exigences excessives.

— Quelle bonne nouvelle, lui répondit l'émir fort courtoisement. Je pensais justement que je pourrais y débarquer...

— Mais si vous avez payé le passage jusqu'à Venise...

— Je ne veux pas vous déranger davantage, le coupa Fassr ed-Din, au risque de paraître impoli.

Créan s'était assis à côté de Lorenzo et avait avec lui une conversation qui devait sans doute porter sur l'apparition prochaine du cap d'Otrante. Lorenzo tomba dans le piège et se mit à scruter l'horizon qu'un brouillard voilait. D'un geste vif, Créan jeta quelques miettes dans sa soupe de poisson puante, si vite que même l'émir lui-même n'y vit que du feu. Le légat s'adressait justement à lui :

— Vous avez trouvé un moyen de nous débarrasser de cet horrible dominicain ?

Il avait à peine fini de prononcer ces mots qu'il commença à être secoué de spasmes ; son visage était devenu gris comme la cendre, ses yeux chaviraient, son front se couvrit de sueur. Lorenzo avala péniblement sa salive, puis il se dirigea d'un pas chancelant vers le bord.

— Faites-moi le plaisir de cracher dans le sens du vent! l'admonesta le capitaine qui s'approchait, soucieux uniquement qu'il ne vomisse pas sur le pont. — Soutenu par Fassr ed-Din, le légat effrayé lança à la mer le contenu de son estomac, totalement fluide.

— Ce n'est sûrement pas le mal de fer, grogna le Vénitien d'un air méfiant.

— C'est peut-être le typhus, murmura Créan, et le typhus est contagieux! Mais ne vous inquiétez pas; mon ami est médecin. Il a étudié à Salerne. Il sait parfaitement...

— Je m'en moque. Même s'il était le docteur Abu Lafia en personne, il faut qu'ils débarquent tous les deux au plus vite!

— Ne soyez pas inhumain! insista Créan. Vous ne pouvez pas permettre qu'une personne gravement malade...

— Je peux le faire et je le ferai dans l'intérêt de mon équipage. Le règlement m'autorise à le débarquer sans tarder, avec votre disciple d'Esculape qui est probablement infecté lui aussi. Et croyez-moi, je ne vais pas m'en priver!

Créan n'avait pas prévu que le capitaine aurait une réaction aussi prompte. Un bateau de pêche arrivait justement sous le vent. Le capitaine le laissa s'arrêter, manœuvra pour se ranger le long de son bord, puis donna l'ordre aux deux contagieux de passer dans l'autre bateau. L'émir avait compris que la main de son ami y était pour quelque chose et il n'opposa pas de résistance. Les caisses qui contenaient ses effets descendirent après lui. Bientôt, les pêcheurs disparurent en direction de la côte, tandis que le Vénitien s'éloignait des eaux impériales.

Au cours de la courte escale qu'ils firent ensuite à Bari, où la Sérénissime avait un comptoir, Créan espérait qu'André de Longjumeau débarque à son tour, puisqu'il avait manifesté cette intention. Mais le légat poursuivit son voyage par mer.

— Vous savez, dit-il à Créan, dès le début, j'ai eu du mal à faire confiance à votre compagnon. J'ai entendu parler tellement souvent d'Assassins déguisés qui n'hésitent pas à accomplir leurs honteuses missions, par le poison ou le poi-

gnard, en plein cœur de l'Occident! Cet homme m'a toujours
paru fort suspect. En fait, il a plutôt l'air d'un Syrien : ce nez
crochu, ces yeux perçants d'oiseau de proie! Je ne crois pas
non plus qu'il soit chrétien, pas même chrétien arménien! —
Créan sourit. Le légat s'échauffait de plus en plus : — Vous
êtes une brave personne, pieuse et sans malice, je sais juger
les hommes. Quand on est au service du saint-père, on ne
prend jamais assez de précautions, car l'empereur est
capable de toutes les vilenies. On vient justement de m'informer dans le port, et ils en étaient fiers, qu'il a engagé moyennant salaire des Assassins pour tuer le pape à Lyon. Apparemment, cette honteuse tentative a échoué et les sujets
impies de l'excommunié semblaient le regretter! C'est la raison pour laquelle je n'ai pas débarqué à Bari. J'ai allumé
trois cierges pour saint Nicolas, à la cathédrale, je lui ai
demandé pardon et je l'ai prié de me faire rentrer à bon port.
Je continue avec vous jusqu'à Venise!

— Vous auriez dû prendre un bateau génois, vous seriez
déjà rendu, l'interrompit Créan.

— Ah, Gênes! soupira le nonce. Combien de fois
l'avons-nous vue changer d'alliés? Combien de fois lui a-t-il
pris tout à coup de se porter à la défense de l'empereur?
Avec la Sérénissime, en revanche, on sait toujours à quoi
s'en tenir. Elle n'est pas à la traîne du pape et elle se moque
bien de l'empereur; Venise défend avec constance et fidélité
un seul intérêt : le sien! J'ai pensé acheter un sauf-conduit et
voyager par terre jusqu'à Lyon. Et vous?

— Mes affaires vont me retenir quelque temps sur la
lagune, répondit modestement Créan, impatient de voir se
terminer ce long voyage dont le plus pénible restait à faire.

LE GARDE-CŒUR

Punt'razena, automne de l'an 1246 (chronique)

Le Cor-vatsch, ou « garde-cœur », se dressait derrière la
guarda-lej, surveillant les lacs de la haute vallée et leur descente abrupte vers la Chiavenna impériale. Les *saratz* consi-

déraient la montagne comme un symbole de félicité et de fidélité conjugales. Les fiancés avaient coutume d'y monter dans les heures qui précédaient la noce pour s'assurer une dernière fois des sentiments de leurs cœurs. La montagne était âpre pourtant et n'avait rien d'aimable; son sommet toujours couvert de glace se perdait dans les nuages, même en été; en hiver, il était souvent pris dans de violentes tempêtes de neige. C'était maintenant l'automne et ses pentes avaient été les premières à se vêtir du blanc hivernal.

Comme d'habitude, Rüesch était montée avec le troupeau sur la montagne après avoir essayé en vain de me tirer de mes rêves pour que je l'accompagne. A midi, je voulus la rejoindre. Je la retrouvai, en suivant les traces laissées par ses chèvres, assise sur un rocher au milieu d'un grand champ de neige qui s'étendait jusqu'au fond de la vallée, jusqu'à la route de Bergell dont les virages se voient de là-haut, ses virages qui au bord du précipice longent les lacs où les *saratz* font le guet, pour monter ensuite vers le col de Julien, l'ancien passage de montagne qu'empruntaient les légions romaines.

J'avais un peu honte d'apparaître si tard devant elle. Le disque du soleil flamboyait dans le ciel d'un bleu de cobalt. Je suais par tous les pores après l'ascension et la beuverie de la nuit précédente. Et puis, je recommençais à avoir un creux. Rüesch remplit un bol d'eau fraîche et me le tendit avec un sourire qui me parut forcé.

— Ne bois pas si vite, Guillaume, me dit-elle avec une tendre prévenance, ne va pas me faire une attaque! — Tout en parlant, elle coupait du pain et du fromage. Puis elle enleva ses brogues et nous nous allongeâmes sur la roche sèche qui ressortait comme une île au milieu du champ de neige dont le gigantesque tapis recouvrait creux et bosses. Seules les chèvres continuaient à trouver des herbes appétissantes ou des petits arbustes qu'elles pouvaient mordiller. La lumière aveuglante me faisait mal aux yeux et je finis par les fermer; mais c'était aussi pour me soustraire aux regards de ma fiancée qui me semblaient contenir une interrogation.

Le cri lugubre d'un oiseau rompit notre silence. Rüesch se leva d'un bond, courut derrière le rocher et revint avec une hirondelle qu'elle tenait précieusement entre ses doigts délicats. L'oiseau saignait un peu à une patte, mais ses ailes n'étaient pas blessées. Nous lui donnâmes de petites miettes de pain imbibées de salive jusqu'à ce qu'il se remette à battre des ailes.

— Lance-la en l'air! dis-je à Rüesch qui me regarda d'un air si chagriné que je me tus.

— Si je la lance en l'air, dit-elle tout doucement, elle va croire que je l'oblige à voler. Si elle veut voler, elle n'a pas besoin que je le lui dise, mais je ne l'en empêcherai pas non plus. — Elle caressait la petite tête de l'oiseau et elle lui donna un baiser. — Si tu veux rester, petit oiseau, pour l'hiver ou pour toujours, je m'occuperai de toi et je te donnerai un nid douillet.

Alors, elle ouvrit lentement les mains. Je vis que ses doigts tremblaient. L'hirondelle fit un premier pas maladroit, étendit les ailes et se laissa tomber, mais au moment où elle allait toucher la neige, elle prit son envol et s'en alla.

Je restai quelque temps à la regarder disparaître, jusqu'à ce que le soleil m'empêche de suivre son vol. C'est alors que j'entendis un sanglot qui me fit redescendre sur terre. Rüesch pleurait à chaudes larmes. Je me contentai de lui caresser les cheveux, car mes lèvres auraient été incapables de prononcer la moindre parole. Elle repoussa brusquement ma main, sauta jusqu'à la source, puis s'aspergea le visage d'eau glacée. Ses yeux brillaient d'une étrange décision.

— Guillaume, dit-elle d'une voix ferme, tu sais très bien que les anciens ont interdit de te donner des brogues, de t'apprendre à t'en servir et même de t'en laisser aux pieds un instant. — Elle n'attendit pas ma réponse que j'aurais été bien incapable de formuler; elle se mit à genoux devant moi et commença à m'attacher les brogues aux pieds. Elle le fit avec tant de précautions et de délicatesse que je me sentis obligé de détourner les yeux. — Cette nuit, tu seras mon mari, continua-t-elle ensuite, sans se relever. Je prends le droit de laisser mon homme...

Elle dut s'arrêter, car la voix lui manquait. Mais elle avait atteint son but. Je la fis se relever et la pris dans mes bras.

— Rüesch dis-je dans un soupir, je ne veux pas te laisser. Je t'aime!

— Guillaume — elle était maintenant en face de moi et nous nous regardions dans les yeux —, tu sais que je t'aime, et je sais que tu m'abandonneras. Embrasse-moi sur la bouche! -- elle me prit la tête à deux mains et m'attira vers elle. Nous nous embrassions comme si nous allions nous noyer, sachant que mettre fin à ce baiser allait signifier l'adieu irrévocable. Elle me mordit la lèvre gentiment, en serrant les dents de plus en plus fort, sans la lâcher, jusqu'à ce que je ne puisse plus supporter la douleur et que je m'écarte d'elle.

— Va-t'en maintenant! dit-elle. Montre-moi ce que Madulain t'a appris!

J'étendis les bras et me trouvai aussitôt non seulement aussi maladroit sur les brogues que la première fois, mais sûr que je voulais rester avec elle, que je ne savais...

— Ne fais pas honte à ta maîtresse! me sermonna Rüesch, comme si j'étais la recrue qui fait son premier galop sur un champ de manœuvre, comme si ce n'était pas notre vie qui était en jeu, comme si ce n'était pas notre amour...

— Non! criai-je, pris d'angoisse, et je commençai à glisser; je voulus me laisser tomber dans la neige, mais l'habitude acquise par l'usage constant des brogues fut plus forte; elles m'emportèrent, droit comme un *i*, loin de ma petite fiancée toujours debout sur le rocher, qui me regardait, immobile, raide, comme pétrifiée.

— Rüesch! Je t'aime!

L'écho de la montagne me renvoya mes cris tandis que la petite ombre qui restait là-haut rapetissait de plus en plus, pour n'être bientôt plus qu'un petit point sur la neige. Devant moi s'ouvraient gorges et précipices vers lesquels je fonçais en hurlant, emporté par un sauvage désir de m'écraser et de mourir. Les larmes me brouillaient les yeux, le vent de la descente qui sifflait à mes oreilles m'empêchait de respirer, emprisonnait ma poitrine. Je me dirigeais à toute allure vers l'inconnu, vers une nouvelle aventure qui s'offrait à moi avec de nouveaux obstacles, vers des champs de neige vierge où mon passage soulevait des nuages de poudre blanche. Je pleurais et je criais en retrouvant la liberté!

IX

SUR LES TRACES DU MOINE

UN BAIN BRÛLANT

Otrante, automne de l'an 1246

La trirème sortit du port d'Otrante pour se porter à la rencontre du bateau de pêche, comme une murène assassine fonce hors de son trou pour attraper un petit poisson. Mais son capitaine reconnut Faucon rouge avant d'éperonner la barque; deux années plus tôt, il l'avait accompagné avec Sigbert, le commandeur, alors qu'ils rentraient de Saint-Jean-d'Acre. Il lui tendit courtoisement la main pour l'aider à monter à bord.

— Nous sommes en alerte; des traîtres à la solde du pape ont tenté d'assassiner l'empereur, lui annonça d'une voix indignée l'homme d'Otrante, mais la tentative a échoué.

Les pêcheurs hissèrent le moine malade à bord de la trirème, dans un filet. Lorenzo était toujours secoué de spasmes, mais le capitaine ne lui jeta qu'un regard distrait.

— Les Assassins ont pris la fuite et ils tentent de soulever notre pays. Quiconque leur fournit transport, gîte ou couvert subira le même châtiment qu'eux. Les habitants d'Altavilla ont payé cher le prix de leur trahison. Adultes et enfants!

Voyant que la trirème rentrait avec la barque, Laurence descendit au port avec sa fille adoptive. Clarion avait déjà vingt ans et le sang arabe qui coulait dans ses veines y prenait de plus en plus de vigueur. Ravie de cette rencontre, elle était rayonnante.

Fassr ed-Din, alias Constance de Selinonte, son jeune oncle, sauta agilement à terre, tandis que les marins déposaient doucement le pauvre Lorenzo sur le quai. Pâle comme la mort, le moine croyait sa dernière heure venue.

— Tu es d'une beauté resplendissante! Tu ressembles de plus en plus à ta mère! dit l'émir en la saluant. Mais tu as les yeux de l'empereur!

— C'est assez! intervint Laurence. Personne ne dira jamais que l'empereur est la beauté personnifiée.

Mais Clarion se rebiffa :

— Pour moi, c'est une fierté et un honneur que d'avoir hérité de son esprit et de son sang.

— Si par hasard tu as aussi hérité de son humanité et de sa bonté, tu pourrais t'occuper de ce pauvre Lorenzo; c'est un ami de Guillaume et il se rend à Lucera. Malheureusement, je ne peux pas attendre qu'il se remette; je dois aller voir immédiatement l'empereur à Foggia. Si votre trirème pouvait m'y conduire..., fit l'émir en se tournant vers la comtesse.

— Volontiers. — Mais Laurence se mordit aussitôt la langue; rien n'était plus difficile pour elle en ce monde que de se séparer de son bateau de guerre puissamment armé. — Mais je suis au regret de vous annoncer que vous ne l'y trouverez pas : Frédéric parcourt le pays de long en large comme un ouragan pour se venger des traîtres...

— Je saurai le trouver, répondit l'émir avant qu'elle ne puisse trouver une autre raison pour ne pas mettre la trirème à sa disposition.

— Vous laisserez le prince de Selinonte à Andria, devant la résidence de l'empereur, et vous rentrerez sans tarder! ordonna la comtesse avec un déplaisir évident.

Par une manœuvre habile, la trirème s'éloigna aussitôt du quai à la rame, tandis qu'on transportait Lorenzo au château. Restée seule, Clarion regarda le bateau s'éloigner.

— Les hommes! maugréa-t-elle. Un compliment à la sauvette, et ils repartent dans leur monde de chevaliers! Et moi? Nous, les femmes, nous n'avons qu'à attendre!

— J'ai demandé qu'on le plonge dans la baignoire — c'est avec ces mots que la comtesse accueillit Clarion. — Après ce long voyage en mer, les émanations de son corps dépassent et de beaucoup ce qui est naturel chez un frère mineur. — Laurence s'approcha de la fenêtre, comme si elle éprouvait un pressant besoin de respirer la brise qui rafraîchit en hiver le manteau de chaleur dont l'Apulie est le plus souvent couverte. Il a bafouillé quelque chose à propos de Hamo...

— Il est malade, Laurence! dit Clarion à sa mère adoptive dont la mauvaise humeur était plus qu'évidente. Je vais le voir tout de suite!

— Tu ne peux donc pas attendre! se moqua la svelte comtesse dont les cheveux teints au henné juraient avec ses vêtements simples et austères.

Et Clarion pensa que la comtesse ne cédait pas d'un pouce dans sa lutte contre l'âge. « Elle va réussir à m'éloigner du château, comme son fils Hamo. »

— Pourquoi donc! répondit-elle avec impertinence avant de pivoter sur ses talons.

— Ce n'est qu'un moine. Et de plus, il empeste. Mais toi...

— Je sais : je suis la créature la plus dévergondée sur terre, au moins entre Otrante et Foggia. J'aurais dû partir avec Constance! Bien sûr, c'est mon oncle, mais qu'importe! Je me serais donnée à lui sur la trirème, sous les yeux de tout l'équipage.

Et sur ce, elle sortit en trombe, car elle savait que la comtesse avait la main leste lorsqu'elle se laissait aller à ces sorties intempestives.

Assis dans un baquet d'eau fumante, Lorenzo se laissait frotter le dos par deux servantes, opération qu'il accompagnait de gémissements apparemment inspirés plutôt par le plaisir. Il allait mieux : les spasmes de l'estomac avaient sensiblement diminué et ses derniers malaises se dissolvaient dans la chaleur agréable de l'eau dans laquelle il macérait. Les enfants regardaient par-dessus le bord avec des yeux curieux et ils trouvèrent bien vite le courage de plonger les mains dans l'eau et de s'asperger, d'abord mutuellement, avant d'asperger le moine.

Avec sa couronne de cheveux frisottés et clairsemés, Lorenzo n'imposait pas précisément le respect.

— Cet homme qui était avec toi, voulait savoir Roç, ce

n'était pas Constance? Le Faucon rouge! ajouta-t-il quand Lorenzo ne parut pas comprendre aussitôt de qui il voulait parler. C'est son nom de guerre, précisa-t-il. C'est comme ça qu'on l'appelle à la maison...

Yeza, qui ne supportait pas que Roç fasse comme s'il était seul à tout savoir, ajouta son grain de sel :

— ...plutôt quand il est dans sa tente, là-bas, dans le désert où il chasse les colombes.

— Ne fais pas attention à elle, reprit Roç avec suffisance. Elle confond tout. Le Faucon chasse seulement les pigeons voyageurs qui passent devant le palais du sultan, pour lire ce que les autres écrivent. Il n'y a même pas de colombes dans le désert!

— Si, il y en a, répondit Yeza; il faut bien qu'elles survolent le désert comme elles survolent la grande mer pour arriver quelque part.

— Tu pourras attendre longtemps avant d'en voir une passer par ici.

— Mais il a une tente pour dormir en les attendant. — Yeza ne se laissait pas impressionner.

— Elle veut sûrement parler des mouettes. — Roç s'était retourné vers Lorenzo qui écoutait la dispute avec sourire amusé.

— C'était le Faucon rouge, répondit-il finalement à la question du garçon. Et il vous salue, comme Créan de...

— Comment? lança Clarion qui était apparue à la porte de la salle. Il n'a pas honte! — Et, les yeux étincelants, elle s'approcha du baquet dans lequel Lorenzo tentait de cacher sa nudité. — Vous voulez dire qu'il voyageait avec vous et qu'il n'est même pas monté nous voir? C'est bien lui, passer juste devant Otrante et ne même pas se montrer. Mais pourquoi?

— Je n'y suis pour rien! répondit le frère en souriant, d'un air contrit. Je suis ici par hasard, à cause d'un Vénitien qui voulait me jeter par-dessus bord. Créan a pu rester.

— C'est lui qu'on aurait dû jeter par-dessus bord, avec une meule autour du cou! C'est un ingrat!

— Elle est amoureuse, expliqua Yeza à Lorenzo qui semblait effrayé. — Son initiative faillit lui valoir une gifle, mais la petite l'esquiva avec agilité. — Tu es un ami de Guillaume? — Et ils commencèrent à éclabousser Lorenzo qui

ne répondait pas assez vite, ainsi que Clarion qui essayait de
les chasser de là.

— Je crois que Guillaume est chez les Mongols, fit
Lorenzo d'un air compréhensif. Nous nous manquons perpétuellement. La dernière fois que nos chemins se sont croisés,
c'était avec une voyageuse, une... — il hésita un peu à prononcer le mot, à cause de la présence des enfants — ...dévote
de l'*amur vulgus*...

— Je sais, gazouilla Yeza avec allégresse. Ingolinde, la
putain !

— C'est vous qui nous avez envoyé cette femme ? — Le
regard de Clarion se posa pour la première fois sur les
cuisses du moine. — Ne le dites pas à la comtesse. Elle serait
capable de vous jeter à la mer du haut de la muraille !

— C'était important, expliqua Lorenzo pour se
défendre, important pour Guillaume...

Puis ce fut un torrent de cris :

— Guillaume ! Guillaume ! Nous voulons revoir notre
Guillaume !

— Silence, et au lit ! — Clarion ne savait comment les
faire taire et elle fit semblant de s'intéresser elle aussi à Guillaume. — Quand pense-t-on qu'il reviendra du pays des
Mongols ?

— Il en a pour une éternité, dit Lorenzo en cherchant
des yeux quelque chose pour se couvrir quand il sortirait du
baquet assiégé. Ce pays est très loin...

— Loin comment ? demanda aussitôt Roç. Aussi loin
que Constantinople ?

— Dix fois plus loin, répondit Lorenzo qui souriait en
grelottant.

— Vous avez vu mon frère à Byzance ?

— Mais ce n'est pas ton frère, intervint Yeza avec son
sans-gêne habituel, et cette fois elle ne put éviter une
taloche.

— Laisse-moi tranquille !

— C'est que Hamo est amoureux d'elle ! crut devoir
expliquer Roç au moine.

— Hamo est encore mon fils, fit la voix autoritaire de la
comtesse. Et si vous commenciez par me donner à moi de
ses nouvelles ?

— Il est devenu un *vagabundus* ? — Yeza avait entendu

le mot dans les cuisines ou à la lingerie, ou peut-être dans la bouche des palefreniers.

— Il court les putains ? C'est un voyou, une gouape ? — Roç voulait s'informer sans perdre de temps, car il savait qu'ils n'allaient pas pouvoir s'échapper : la nourrice et les femmes de chambre attendaient, prêtes à les coucher.

— Demain, tu nous racontes tout, sinon, on te noie dans la baignoire ! cria Yeza tandis qu'on l'entraînait dehors par le bras.

— Votre fils vit dans le palais de l'évêque et il joue fort mal aux échecs ! se permit de dire Lorenzo pour rassurer les dames, impatientes d'avoir des nouvelles.

La comtesse poussa un cri strident :

— Ce n'est pas possible ! Avec mon neveu, le pédéraste ? — Un instant, on aurait cru qu'elle allait se jeter sur le religieux qui lui apportait de si mauvaises nouvelles. — Je préférerais savoir que ce garçon s'adonne à toutes les drogues de l'Orient !

— Mais voyons ! dit Clarion pour la calmer.

Pendant ce temps, Lorenzo avait retrouvé son sang-froid et acceptait la serviette que lui tendaient les servantes.

— Nous n'avons jamais parlé de ces détails ! — Il faisait de son mieux pour sortir du bain avec dignité. — Madame la comtesse, permettez à un vieux célibataire de sortir de la baignoire — il réussit à draper la serviette autour de ses hanches, debout dans le baquet —, car l'eau s'est refroidie. Et j'ai grand faim ! — Il enjamba le bord en s'appuyant sur les servantes qui chuchotaient et riaient, puis il s'approcha des dames qui avaient attendu le tout dernier moment pour détourner les yeux. — Permettez-moi de me présenter : Lorenzo d'Orta, de l'Ordre des frères mineurs, légat du pape en mission extraordinaire, de retour à la cour du saint-père...

— Un traître ! s'exclama la comtesse en faisant un pas en arrière.

— ...mais pour vous, continua Lorenzo avant que Clarion ait eu le temps de s'approcher de la porte pour appeler la garde, je suis l'homme de confiance de votre ami Élie de Cortone, et de plus... — il commençait à prendre ses vêtements posés sur une chaise, près du baquet, à côté desquels on pouvait voir trois cordons de cuir —, je suis aussi émissaire du chancelier Tarik ibn-Nasr de Masyaf ! — et il souleva alors les cordons pour les montrer aux deux dames.

— Mon bon et vieil ami Tarik! soupira la comtesse, soulagée. Venez donc.

LA SOURICIÈRE

Cortone, hiver 1246-1247 (chronique)

L'enthousiasme insolite qui s'était emparé de moi après mon évasion de la haute vallée des *saratz* tomba avec la même rapidité que la neige commença à se faire plus rare quand j'arrivai dans les basses terres. Très vite, mes brogues ne furent plus qu'une gêne. Je trébuchais de plus en plus souvent sur les pierres qui dépassaient de la mince couche de neige, au grand chagrin de mon nez, et je dévalai même plusieurs pentes raboteuses sur le ventre. Je finis par attacher mes chaussures de neige derrière mon dos afin d'avoir les mains et les pieds libres pour la descente.

Mais comme mon départ s'était décidé au dernier moment et qu'il s'était déroulé d'une façon totalement imprévue, j'avais oublié d'emporter des provisions. La faim commença vite à me tenailler, mais plus que toutes ces calamités, la mauvaise conscience me rongeait. Je m'étais affreusement mal comporté avec Rüesch et avec les *saratz* qui m'avaient accueilli avec tant de désintéressement et de cordialité. On pouvait même dire que j'avais agi comme un porc, que j'avais fait irruption dans leur paisible troupeau comme le pire des loups, que j'avais brisé le cœur de plus d'un, que j'avais foulé aux pieds sans vergogne les racines mêmes de leurs coutumes, abusé de leur affection, de leur générosité, de leur loyauté et de leur fierté d'une façon ignoble.

Je pleurais de honte tandis que j'avançais en trébuchant sur un étroit sentier qui longeait un précipice. Je m'arrêtai pour la première fois et je tournai les yeux vers les hauteurs où, contre un ciel bleu, au-delà des sombres forêts et des rochers noirs, se détachaient les cimes acérées des Alpes, formant une image claire et pure. C'était un tableau irréel, comme d'un autre monde, dont je m'étais éloigné mais qui paraissait pourtant si proche encore que j'aurais pu le toucher avec la main, même si j'en étais déjà très loin. Une fois de plus, je vis dans ma tête ma petite fiancée et je me dis que j'étais un poltron. La petite était une héroïne, elle avait fait face avec courage aux actes dangereux et humiliants pour elle d'un certain individu lamentable qu'on appelait Guillaume et, finalement, elle avait oublié tout égoïsme pour l'aider à se trouver lui-même. Je n'étais qu'un misérable qui ne méritait que le mépris. Que voulais-je donc vraiment? J'en vins à croire que mon esprit était malade. D'un côté, je cherche la commodité et le bonheur, la reconnaissance et la tendresse, comme on cherche une fleur rare dans le bois : une fleur qui jamais ne se fane, qui dégage un merveilleux parfum et qui de plus présente un merveilleux aspect avec ses couleurs, ses petites feuilles, ses boutons et son calice. Mais quand je la trouve, je ne trouve rien de mieux à faire que de la piétiner! Et de nouveau, je me retrouve sur la route, malheureux, sans savoir où je vais, couvert de plaies et de bosses, et bientôt sans doute je serai en haillons et moitié mort de faim. Qu'est-ce qui m'attend? A vrai dire, je n'en sais rien. Où m'en vais-je? Je le sais encore bien moins. Je sens seulement un vague picotement dans mes jambes, une sorte de paresse dans le ventre, un bourdonnement dans la tête qui me pousse à m'éloigner du passé, de la vie sûre, et à m'enfoncer dans l'incertitude... exactement ce qui m'a toujours fait tellement peur.

Quand la nuit commençait à tomber, je vis le feu d'un charbonnier dans la forêt; il était entouré de petits enfants, à côté de la couche de sa femme invalide qui apparemment ne se remettait pas de son dernier accouchement. Je ne fus pas capable de leur demander à manger. Je fis cadeau des brogues à la fille aînée, puis je m'éloignai en silence.

Quelques châtaignes et faines que l'automne avait laissées parmi les feuilles pourries et une gorgée d'eau de fontaine furent mon seul repas. Je dormis à la belle étoile et, continuant de la sorte, je m'éloignai des montagnes pour m'enfoncer dans la vallée du Pô. J'évitais les grandes villes car, même de loin, j'avais peur de ces charniers et de ces gibets dressés devant les murailles. Pas un seul de mes vêtements ne rappelait un frère mendiant ; je n'étais qu'un vagabond en loques et les citadins sont généralement peu courtois avec ces gens, comme me le rappelaient les échafauds bien garnis et les squelettes disloqués pendant aux grandes roues, d'où s'élevaient les corbeaux et les vautours quand s'approchait un être vivant.

Et c'est ainsi que je revis la vieille Larissa. Elle était suspendue dans une cage et ses orbites, vidées par le bourreau ou par les oiseaux, semblaient vouloir me percer d'un regard qui se défaisait en une grimace. J'étais sûr d'avoir retrouvé la famille de saltimbanques que j'avais accompagnée un an plus tôt, semant invention et divertissement sur notre route, en direction du nord. A côté de la cage pendaient tous les petits, comme une grappe, car l'unique corde qui entourait leurs chevilles délicates avait suffi à les faire périr, suspendus par les pieds. Quant à leurs mères, ces femmes jeunes et joyeuses, il n'en restait plus que des cendres sur des bûchers depuis longtemps éteints : un os ici, un crâne là-bas. Je ne me sentais pas le goût de chercher dans cette guirlande de suppliciés si j'y trouvais un homme de ma connaissance. Le moindre petit larcin commis par nécessité, pour apaiser la faim, comme un misérable jarret de veau couvert de mouches ou un bout de pain chaud, avait sans doute suffi pour qu'on organise la dernière représentation, dont le prologue avait été la sentence prononcée par un juge hautain au cœur dur, tandis que l'épilogue muet s'était résumé aux sombres manipulations du bourreau et de ses valets.

Je me mis à genoux afin de prier pour le repos de leurs pauvres âmes. Le souvenir me revint à l'esprit de la tête de Roberto qui émergeait pour la dernière fois des eaux tumultueuses de la gorge rocailleuse, après nous avoir sauvés par son courage de la persécution de Vitus. Dans Son infinie miséricorde, Dieu avait épargné au vaillant briseur de chaînes une fin humiliante et indigne. *Requiem aeternam dona eis, Domine, et lux perpetua luceat eis.* Amen !

Un passeur me fit traverser gratuitement le Pô quand il

comprit que ma proposition de ramer pour payer mon passage ne servirait qu'à faire couler la barque. Ensuite, je
m'enfonçai dans les montagnes des Apennins. Il pleuvait
beaucoup. Je souffris du froid et de divers autres malheurs.
Mais je fis aussi la rencontre d'un frère qui se montra disposé à m'aider et qui me fit cadeau d'une bure en invoquant
le nom de saint François; non parce qu'il reconnaissait en
moi l'un des siens, mais parce qu'à la longue, les peaux dont
les *saratz* m'avaient habillé étaient devenues de misérables
haillons. Pas un instant je ne lui fis savoir que j'appartenais à
l'Ordre et encore moins quel était mon nom, car j'ignorais si
la curie avait mis ma tête à prix, ou du moins si j'étais
recherché.

Je descendis vers la Toscane, je fis un détour par Florence, je traversai la vallée de l'Arno, je passai sous les
murailles d'Arezzo et je n'eus de repos que je ne voie briller
sous mes yeux le miroir du lac Trasimène.

J'étais de retour à Cortone, la ville d'Élie. Pour la troisième fois! Et je me dis que mes épreuves touchaient à leur
fin. Gersande — je me souvenais bien du nom de l'efficace
gouvernante — allait s'occuper de mon bien-être matériel et,
une fois retrouvées mes forces, je pourrais me présenter
devant mon général qui écouterait non sans quelque surprise le récit de mes aventures. Cette perspective me fit presser le pas et je me trouvai bientôt sur le chemin tortueux qui
monte des portes de la cité jusqu'au palais perché sur la colline. Je fus surpris de ne rencontrer aucun garde avant de
me trouver dans la cour même du château...

Partout autour de moi, je voyais des débris de meubles,
des traces d'incendie et de combat. Avant que la peur
n'étouffe ma curiosité — car j'eus un mauvais pressentiment
tout à coup —, je vis sortir du portail, à pas lents et noncha-
lants, quelques soldats du pape. Je voulus me cacher rapidement, mais ils s'emparèrent de moi et m'entraînèrent à l'intérieur, me tirant et me poussant dans ces couloirs que je
connaissais si bien. Soudain, je me retrouvai dans le bureau
d'Élie, devant un homme austère que je n'avais jamais vu en
face, mais dont je compris immédiatement qu'il s'agissait de
Vitus de Viterbe!

Il était assis derrière la table de travail du général et —
seul détail que je trouvai divertissant dans les circonstances —,

son propre portrait encadré était accroché au-dessus de sa tête, de sorte que ces deux paires d'yeux me regardaient comme ceux de deux vieux boucs à qui le ciel accorde, presque au terme de leur vie, la grâce d'une vision.

Vitus ne semblait avoir aucun doute lui non plus sur qui j'étais. Sa surprise était sans doute due davantage au fait que ses prières — ou plus vraisemblablement ses blasphèmes — se trouvaient ainsi exaucées au moment où il s'y attendait le moins. Quoi qu'il en soit, il me laissa le temps de me voir illuminé par l'idée soudaine que ce n'était pas lui qui m'avait cherché, mais moi qui l'avais enfin trouvé!

Je pris donc mon courage à deux mains et le saluai avec désinvolture:

— Je m'appelle Guillaume de Rubrouck, de l'Ordre des frères mineurs, et je me mets à votre service, noble Vitus de Viterbe! En quoi puis-je servir votre grâce?

A peine eus-je prononcé ces mots qu'il parut sur le point d'exploser. Son visage s'enflamma, pour prendre une couleur vermillon foncé; de sa gorge sortit un gargouillis, comme si on lui avait mis un crapaud dans le cou — le plus probable étant que ce crapaud était moi —, ce qui fit qu'il faillit bien périr. Ensuite, Vitus qui avait fait le geste de se lever de son fauteuil se laissa retomber et me regarda, incapable d'articuler un mot, avant de parvenir enfin à tordre sa langue pour prononcer quelques sons à peine audibles:

— Comment oses-tu, méchant vaurien, t'affubler du nom du célèbre et estimé franciscain dont tout le monde sait qu'il est parti, sur les ordres du saint-père, avec son frère dans l'Ordre, Giovanni Pian di Carpini, pour une importante mission en pays mongol, quand le plus probable est qu'il ne reviendra jamais de là-bas ou, s'il le fait, que ce sera porteur de la réponse écrite du Grand Khan à Sa Sainteté Innocent IV, père de toute la Chrétienté? Où est cette réponse? — Sur cette conclusion proférée à grands cris, sa voix qui avait pris de la force se cassa net. Je compris que son intention était de me faire peur, car ensuite, comme une tempête qui passe et se calme, il prit tout à coup le ton de la conversation innocente et m'invita même à m'asseoir. Le geste était habile, car je fus dès lors obligé de lever les yeux vers lui.

— Guillaume, reprit-il avec douceur, le fait que tu oses te présenter devant mes yeux montre seulement qu'ils ne

t'ont pas cassé les jambes avec une barre de fer. — Il sourit.
— Et le fait que tu sois assis à mes pieds signifie seulement
qu'ils ne t'ont pas fendu le derrière à coups de fouet, qu'ils ne
t'ont pas enfoncé un tube chauffé au rouge dans le cul et
qu'ils ne t'ont pas écrasé les testicules avant de les arracher.
Le fait que tu puisses me voir veut simplement dire que tu as
encore des yeux. Guillaume, mieux vaut que tu craches sans
te faire prier tout ce que tu as dans cette tête qui est la
tienne!

Je savais qu'il me tenait et qu'il ferait tout ce qu'il venait
d'énumérer si je lui montrais que j'étais capable de me laisser intimider.

— Vous voyez, Vitus, puisque vos yeux ne vous
trompent pas, que je ne suis plus chez les Mongols et, vu
votre perspicacité, que vous pourrez même en tirer la
conclusion que je n'y ai jamais été...

— Guillaume, est-ce donc là le service, me demanda-t-il
d'une voix basse à laquelle il prétendait donner une intonation préoccupée mais qui n'en paraissait que plus menaçante, que vous m'avez offert avec tant de générosité en fran-
chissant cette porte?

— Depuis cette offre, Vitus, il y a eu votre discours, lui
aussi très libre et sincère, dans lequel vous m'avez exposé
l'ordre des plats que vous préparez dans votre cuisine de tortures et qui ne témoigne pas, permettez-moi de vous le dire,
d'une imagination excessive. Ceci dit, j'espère que vous allez
m'offrir quelque chose à manger, car j'ai grand faim après ce
long voyage! — Je dois reconnaître que Vitus était parfaitement parvenu à dominer ses nerfs et qu'il me dominait donc
moi aussi. Mais ma vie était en jeu, ou du moins mon corps
encore intact. Le seul pari que je me trouvais capable de
faire n'était pas tant le fait de ma volonté que du tempérament de ce Guillaume qui, par miracle, était encore vivant.

Vitus frappa dans ses mains et Gersande se présenta à la
porte qui communiquait avec la cuisine. Comme c'était une
femme intelligente, elle dissimula parfaitement qu'elle me
connaissait, quoique je suppose qu'elle écoutait à la porte.
Elle se contenta de se plaindre des maigres provisions qu'il
lui restait et du mal qu'elle aurait à contenter Vitus et son
honorable invité.

Le nouveau maître de maison coupa court à ses lamentations.

— Pour nous, serviteurs de l'Église, le plus humble aliment est toujours un don immérité de Dieu! — Et il la renvoya sur ces paroles. Pourquoi cette femme ne l'avait-elle pas empoisonné dès le début! — Quant à votre long voyage, Guillaume, me demanda Vitus d'un air affable, d'où venez-vous en réalité?

— De là, honorable seigneur, où je vous ai perdu de vue. J'ai attendu une année et plus, mais vous ne reveniez pas. Je me suis finalement mis en route pour accourir...

— Mon cœur serait ému de pareille affection, m'interrompit-il, et je vis bien que son sang bouillait dans ses veines, si je n'avais pas gardé le souvenir de certain petit pont...

— Ah, le pont, fis-je pour me disculper, que ce pauvre homme pouvait donc être bête et maladroit! Je lui avais dit d'arranger les troncs afin de rendre le passage plus sûr pour vous et, au lieu de cela, il est tombé à l'eau avec eux. Que Dieu donne la paix à son âme!

Gersande entra avec des tranches de jambon, du vin et du fromage, en plus de quelques œufs sur le plat et d'une de ces salades qu'on appelle *puntarelle*, en nous demandant pardon de ne pas avoir d'anchois pour la garniture. Nous mangeâmes tous les deux de bon appétit, car nous savions qu'il nous restait encore pas mal de terrain à défricher.

— Et les enfants? demanda Vitus d'un air détaché, sans cesser de mastiquer, même si je savais qu'au fond c'était la seule chose qu'il voulait savoir de moi.

— Ah, les enfants! En réalité, je devais les emmener chez les Mongols... — Vitus fut sur le point de se fâcher mais, comme il avait la bouche pleine de salade, je pus continuer d'une traite: — ...mais vous me voyez ici devant vous, les mains vides...

— Je vous vois plutôt confortablement assis, en train de manger!

— ...et le plus probable est qu'ils se seront perdus...

— Vous ont-ils même accompagné? demanda-t-il avec habileté, à quoi je répondis par le coup suivant:

— Vous ne faites donc plus confiance à vos propres yeux, Vitus?

Il donna un coup de pied dans la table qui nous séparait et les assiettes encore pleines roulèrent à terre.

— Ça suffit! s'écria-t-il, furieux. Tu as assez mangé, suffit avec tes jeux et tes insolences! Je vais te dire où ils sont : ils n'ont jamais quitté Otrante! Tu as peut-être beaucoup voyagé, mais nous avons attrapé à Constantinople le fils de la comtesse, sans les enfants! Ils n'ont pas pu s'évaporer dans les airs; ce qui veut dire que tu nous as trompés pendant une année entière. A Byzance, les murs ont des oreilles et nous n'avons donc même pas eu besoin de torturer le jeune Hamo : un peu de cannabis a suffi pour le faire parler...

Il s'adossa d'un air satisfait dans son fauteuil en m'observant comme un énorme chat noir pourrait observer un petit rat des champs qui ne retrouve plus son trou. Je rassemblai mes dernières forces pour lui opposer une résistance, me disant que, s'il savait déjà tout, il ne prendrait pas la peine de parler avec moi.

— Loué soit le Seigneur que Hamo soit toujours vivant. Tous les autres sont morts. Je suis le seul rescapé. A ma connaissance, les enfants ne sont plus de ce monde!

— C'est ce que tu voudrais bien me faire croire, mais la vérité, c'est que tous ne sont pas morts, loin de là, même si c'eût été préférable pour eux. Et ceux qui sont morts ne sont certainement pas les enfants! — Il réfléchit un moment. — Ta présence ici, Guillaume, équivaut à la confession que, par pure stupidité, tu te refuses à faire. En fait, je n'ai plus besoin de toi. Je vais te faire jeter dans une prison sûre pour le temps qui me paraîtra convenable, et surtout, jusqu'à ce que j'atteigne mon but. Que je te torture à mort, que je te fasse mourir en te découpant en morceaux — ce que tu mérites amplement — ou que je t'étrangle de mes propres mains ne dépend pas de toi, mais uniquement de mon caprice. Alors, il ne te reste plus qu'à souhaiter que mon humeur me porte vers cette dernière possibilité.

— Dans ce cas, j'essaierai de me mettre en paix avec mon Seigneur, murmurai-je humblement en joignant les mains en signe de prière.

— Avec Dieu! gronda Vitus. Ton seigneur, c'est encore moi. Alors, prépare-toi à entendre comment va échouer votre tentative de sauver ces enfants d'hérétiques — il se rengorgeait, fort content de lui-même, et moi j'étais tout ouïe. — Ne dit-on pas qu'Otrante est imprenable, commença-t-il en se réjouissant à la perspective de mon horreur grandissante, aussi bien par terre que par mer ? — Il répondait à sa propre question. — De fait, l'empereur a tout lieu d'être fier de ce château et de compter sur la loyauté de la comtesse ! Même si l'ennemi arrivait en traînant sa propre chair et son propre sang, son fils unique, et qu'il lui coupait la tête sous ses yeux, Laurence de Belgrave ne remettrait pas les clés !

Vitus fit une pose pour s'assurer de l'effet de ses paroles. Il s'en tirait bien ; j'étais sûr qu'il était dans le vrai à propos de la comtesse et de son fils Hamo. Ces enfants étrangers seraient-ils plus proches de son cœur ? Mais je ne le laissai rien deviner de mes pensées.

Il continuait tout tranquillement, ce qui retint beaucoup mon attention :

— Mais s'il arrivait un ami, une personne de confiance de l'empereur, quelqu'un qui soit son égal pour la fidélité au souverain et aux bâtards de sang royal, quelqu'un qui soit de même rang, la comtesse ouvrirait les portes comme une vieille pute ouvre les cuisses, pour forte et nombreuse que soit l'armée qui accompagnerait le visiteur. Et c'est ainsi que nous entrerons dans ce trou pestilentiel où se cache la vieille sorcière ! Otrante tombera comme un fruit mûr, ou plutôt, comme un fruit pourri !

— Vous ne semblez pas avoir beaucoup de sympathie pour la comtesse, observai-je avec un soupçon de reproche dans la voix, mais un sourire de complicité sur les lèvres. Et qui serait ce bel amoureux que Laurence de Belgrave, qui n'aime pas du tout les hommes, laisserait ainsi entrer dans sa forteresse ?

Et il laissa échapper le nom :

— Élie de Cortone a fait la paix avec l'Église. Le pécheur a demandé pardon. Et le saint-père dans son infinie bonté a promis son pardon au repenti, en réclamant cependant comme minime paiement pour ses péchés qu'il se présente avec un groupe de soldats d'élite du pape, naturellement des mercenaires qui se déguiseront en Souabes, sous prétexte de renforcer les défenses d'Otrante contre toute attaque venue de l'extérieur. La comtesse lui cédera le commandement. Notre flotte entrera dans le port et réduira à l'impuissance l'équipage de la trirème qu'Élie n'aura pas prévu. De notre côté, nous nous occuperons des enfants.

L'ami de Cortone n'aura de cesse qu'il les mette en sûreté, car le pape lui a bien dit : « Sans les enfants, pas de pardon pour tes péchés ! » — L'homme partit d'un éclat de rire âpre et agressif. — Élie a demandé qu'on le laisse monter à bord, lui et ses soldats, une fois sa mission accomplie ; mais nous voulons devancer le jugement de l'empereur et nous coulerons aussi la trirème ; ainsi, personne ne pourra nous suivre ni se sauver ! Que penses-tu de notre plan, Guillaume ?

— Vous êtes le diable en personne ! — Le compliment fut à son goût.

— Mais je ne suis pas un pauvre diable, ni un diable imbécile comme toi. Le saint-père sait fort bien pourquoi il ne nomme jamais des franciscains inquisiteurs ! Gardes ! appela-t-il d'une voix impatiente en se levant. — Des soldats entrèrent aussitôt. — Enchaînez cet homme qui prétend être Guillaume de Rubrouck !

Ils s'emparèrent brutalement de moi, me traînèrent dans la cour et un forgeron qui s'affairait devant un feu posa si rapidement des anneaux autour de mes pieds, de mes mains et de mon cou qu'il ne prit même pas le temps de laisser le fer se refroidir. Le grésillement et la douleur cuisante que je ressentis dans ma peau éventrée me donnèrent un avant-goût des souffrances infernales que le Viterbien me préparait.

Mais ce qui me fit encore plus peur, ce fut un moine que je vis, accroupi, en train de faire chauffer des instruments sur ce même feu. Vitus s'approcha, donna quelques tapes amicales sur le dos voûté du gnome, dont le visage disparaissait complètement sous son énorme capuche, et lui dit :

— Attends un peu, Alban ! — Puis il s'assura de la solidité de mes chaînes, d'un air de connaisseur, avant de m'adresser la parole : — Je ne vais pas t'envoyer le bourreau avant demain matin — et comme je lui lançais un regard effrayé, il ajouta : — Pour te marquer, comme les autres prisonniers que tu trouveras dans le cachot ! — Il croyait me rassurer par ces paroles et je le remerciai en hochant énergiquement la tête, autant que me le permettait le collier de fer qui m'encerclait le cou. — Un grand *C* sur la poitrine, comme il sied à tout bon chrétien — les soldats qui l'entouraient rirent de la plaisanterie de leur maître —, et une croix sur un œil — les rires se transformèrent en braiments un peu contraints —, car un œil te suffira bien en bas ! — Et il continua, attisant l'allégresse générale : — Seuls les hommes de bien ont le droit de se promener à la lumière du soleil du Seigneur : toi, plus personne ne voudra jamais te voir. Geôlier ! s'exclama-t-il d'un air affable.

Les soldats s'étaient amusés, mais ils auraient préféré assister tout de suite à mon exécution. J'étais bouleversé. Mon espoir de le faire changer d'avis par mon insolence s'était révélé trompeur. J'avais toujours cru que Vitus était l'exécutant implacable de la volonté de la curie, dur et inflexible, ce qu'on appelle un *canis Domini* ; mais je savais maintenant que, plus que cela, il était le mal incarné et que sa position de pouvoir lui permettait désormais de satisfaire ses mauvais instincts sans aucun frein. Je lui lançai quelques malédictions qui ne semblèrent pas l'émouvoir outre mesure, car il me tourna le dos et rentra dans le palais.

Un violent coup sur les jarrets faillit me faire tomber sur le nez.

— Au cachot ! tonna une voix qui me parut familière : Guiscard ! — Mais avant que je ne puisse commettre l'erreur de montrer que je le connaissais, un deuxième coup de bâton m'atteignit aux mollets. Les soldats eurent ainsi une nouvelle occasion de se réjouir, car mon vieil ami me maltraitait avec sa jambe de bois, attachée juste au-dessous du genou.

Tandis qu'on m'entraînait dans des escaliers de plus en plus sombres et puants vers les profondeurs des souterrains, je me souvins de la flèche qui avait blessé devant le château Saint-Ange l'Amalfitain fou mais valeureux que nous avions dû laisser, atteint par une gangrène mortelle, entre les mains de Gersande. Il n'avait donc perdu qu'un mollet. Quelle chance !

Je reprenais courage. Guiscard avait toujours eu de bonnes idées. Il ne faisait aucun doute dans mon esprit que j'étais son ami et qu'il ne serait jamais du côté du Viterbien. Celui-ci lui ferait couper en petits morceaux les deux bras et la jambe qu'il lui restait s'il apprenait que cet homme était celui qui l'avait fait paraître à Rome, devant les yeux de ce qu'il y avait encore là-bas de la curie, comme un ours dressé à moitié idiot. J'étais content, et il y avait de quoi : Guiscard, geôlier aux ordres de Vitus et dans la maison d'Élie ! La situation me fit sourire intérieurement et j'acceptai sans m'émouvoir qu'on m'enchaîne à une roche humide dans ma cellule, derrière une lourde grille de fer que Guiscard ferma avec une brutalité merveilleusement feinte. Et je me retrouvai plongé dans le noir.

EXPÉDITEUR INCONNU

Château Saint-Ange, hiver 1246-1247

Ce même soir, Mathieu de Paris se dirigea vers le Documentarium, comme il en avait reçu l'ordre. Il avait fait en sorte qu'il n'y reste pas un seul moine copiste, chose qui n'était pas rare, et il avait la certitude que l'autorité supérieure avait ordonné une inspection pour s'assurer qu'on avait obéi à ses instructions.

Il s'approcha de son poste de travail, un peu surélevé, et remonta les mèches des lampes à huile pour que les écrans d'argent poli éclairent mieux le pupitre. Il aimait dire que les travaux les plus secrets sont ceux qui nécessitent le plus de lumière.

L'attente ne fut pas bien longue.

— *Prends de ce parchemin très coûteux!* fit la voix sur un ton aimable, *comme celui qu'on utilise à Jérusalem, je veux parler de ce parchemin du Caire que les templiers achètent...*

— Vous voulez dire du *papyros*? osa Mathieu. Dois-je en déduire que je dois écrire comme le Pri...?

— *Tu as deviné, mais pas tout!* — la voix semblait se divertir de l'intrigue : — *Imagine que nous ne voulions pas qu'on reconnaisse le scribe inconnu, mais que nous souhaitions qu'on le soupçonne!*

— Ce qui veut dire qu'il doit commettre quelques

erreurs. — Mathieu s'empressa de manifester qu'il était prêt et fier qu'on lui confie cette tâche qui commençait à l'amuser. — Les copistes les plus secrets dont on ignore jusqu'au nom se servent toujours pour les lettrines des pochoirs du temps du grand Bernard, que Dieu l'ait en Sa sainte grâce!

— *Gloire, Mathieu, en Sa sainte gloire!* le corrigea la voix, mais le moine fouillait déjà dans un des petits coffres à moitié dissimulés dans le mur derrière son écritoire et protégés par des grilles de fer et des serrures doubles.

— Nous avons par exemple ceux de la règle secrète de l'Ordre, murmura-t-il. Nous pourrions nous en servir — il revint avec une pile de minces planches de cuivre. — Tous recèlent, je veux dire d'une façon qui échappe à l'œil du profane, le symbole du lys au pied du druide. Nous prenons ceux-ci? demanda-t-il.

— *Parfait*, dit la voix; *je vois aussi que tu as choisi la bonne plume et l'encre que tu sais.* « A Louis Capet, neuvième de la lignée des honteux usurpateurs du trône de France! »

Mathieu écrivait à la hâte; les messages secrets, y compris les faux, doivent donner l'impression d'avoir été rédigés dans la précipitation, et il faut y incorporer corrections et ratures.

— *L'Occident ne se verra pas obligé de supporter le dixième, car le sang des mérovingiens est toujours vivant! Même si les aïeux pécheurs ont donné la mort à notre bon roi Dagobert, même si ton misérable père a mêlé par traîtrise le sang sacré de la maison légitime d'Occitanie avec celui de votre famille, après avoir assassiné, main dans la main avec Innocent le traître...*

La main du moine hésita.

— C'est bien ce que je dois écrire...?

— *Quand on veut insulter d'une façon qui paraisse sincère, il ne faut pas lésiner! Continue* : « ...le noble Trencavel, toi, misérable Louis Capet, tu as peut-être réussi à soumettre Montségur, lieu où était gardé le saint Graal, mais tu n'as pas pu retrouver le Graal lui-même, qui vit et continuera à vivre dans les enfants que nous avons sauvés et dont Frédéric s'est emparé par la violence et non sans égoïsme pour les faire grandir et les élever sous sa protection dans la forteresse impériale d'Otrante. Tu peux continuer à croire aux protestations d'amitié que t'adresse Frédéric et ne pas prêter attention aux liens*

*matrimoniaux qui l'unissent aux Plantagenêts ; tu peux mépri-
ser les liens familiaux qui unissent l'empereur aux Normands,
à la maison d'Aragon, et au futur souverain de Byzance. Les
enfants du Graal sont destinés à exercer à leur heure le pouvoir
qui leur revient, en commençant par le lieu où le sang sacré de
Jésus a pris racine pour la première fois ! Ne te laisse pas abuser par les rumeurs que l'empereur et le pape ont semées de par
le monde, car ces deux personnages ne suscitent que la haine
quand ils s'exposent à des yeux aveugles comme ceux que tu
leur prêtes. Selon la rumeur, les enfants royaux, ceux de la
souche sacrée, auraient été envoyés en compagnie d'un certain
frère séditieux au pays des Mongols, comme otages du traité de
paix et d'amitié qui permettra aux souverains de se partager le
reste du monde ; un reste dans lequel aucun lieu n'a été prévu
pour toi. Commence donc ta croisade : le sultan te réservera
l'accueil qu'il a promis à son ami Frédéric. Pars en Terre
Sainte : il sera préférable d'y rester, car tu ne pourras compter
sur un retour heureux à Paris. Tu mettras sans raison aucune
en danger les meilleures épées de France dans une lutte sanglante contre les honorables défenseurs de la vraie foi, tandis
que tes faux amis te poignarderaient dans le dos. Tu ne peux
empêcher le naufrage des Capets, car les enfants du Graal sont
entre les mains de l'empereur. L'avenir leur appartient ! »*

La plume du moine grattait sur le papier.

— Qui signe ? demanda-t-il d'une voix neutre quand il
eut mit le point final à la dictée en poussant un soupir.

— *Personne !* répondit la voix. *Dans le cas présent, la
menace anonyme est préférable, car on ne pourra même pas à
Paris imaginer le mobile de l'expéditeur !*

Impressionné, Mathieu ajouta encore :

— Si j'étais à la place de Louis, je retarderais la croisade
pour le moment et, même si je ne m'aventurerais pas dans
une guerre préventive contre l'empereur, j'étudierais au
moins les possibilités et les moyens dont je dispose pour protéger mes arrières.

— *L'auteur n'a pas besoin d'éloges, mais le copiste
Mathieu les mérite certainement,* dit la voix glacée et, même si
ce n'était pas la première fois qu'il prêtait sa plume au Cardinal gris, le frère eut un frisson dans le dos. — *Demain matin,
tu te rendras à Ostie et tu y attendras notre légat André de
Longjumeau que tu conduiras aussitôt là où le saint-père
l'attend.*

— Je sais, répondit Mathieu à qui ce genre de démarche n'était pas étranger.

— *Mais ce que tu ne peux pas savoir, c'est que quelqu'un s'adressera à toi pour te demander de lui indiquer le passage biblique le plus approprié pour le jour. Tu lui remettras la lettre cachetée; il te récompensera avec une bourse pleine de ducats...*

— ...que je rapporterai ici, s'empressa d'ajouter Mathieu. Quel sceau dois-je utiliser?

— *Celui de la vieille croix aux extrémités griffues,* lui répondit-on avec une pointe d'amusement. *Faisons tremper un peu les templiers dans le bain pendant que nous y sommes!*

Tandis que le moine faisait chauffer la cire du cachet, un léger courant d'air traversa le Documentarium; les flammes vacillèrent. Quelque part, on ferma une porte.

ROBERT, BRISEUR DE CHAÎNES

Cortone, hiver 1246-1247 (chronique)

J'ignore combien de temps je restai là dans l'obscurité, car mes yeux — je les avais encore tous les deux! — mirent du temps à s'habituer. Quelque part, très haut au-dessus de ma tête, pénétrait cette vague lumière nocturne que réfléchissent les nuages lorsqu'ils sont éclairés par la lune. A un moment, l'épais manteau s'ouvrit et le clair de lune, laiteux et froid, entra directement dans le cachot. Il devait s'agir d'une cave très profonde, derrière la lourde porte de fer que l'on ne m'avait jamais autorisé à franchir. Je me souviens que la relique de la Vraie Croix devait être cachée quelque part dans un mur, à côté d'un certain parchemin.

A la longue, je parvins à distinguer mon compagnon de cellule qui était recroquevillé par terre, immobile. Il tarda à lever lentement le front, marqué au fer rouge d'une croix qui se transformait en cicatrice blanche mais dont les bords étaient encore rouges et boursouflés. Bientôt, j'allais lui ressembler. Ou plutôt, non! Puisqu'ils avaient dans l'idée de me marquer la croix sur un œil.

J'eus la nausée à la pensée du fer rouge en forme de croix qui s'approchait. Je criai, je voulus me protéger le visage avec les mains, mais les chaînes que je portais aux poignets me faisaient mal et m'empêchaient de bouger.

— Tais-toi! dit l'autre prisonnier, et c'est alors que je le reconnus : c'était Robert, le briseur de chaînes, que j'avais vu se noyer sous mes yeux.

— Robert? murmurai-je, et la terreur me prit à penser qu'il pouvait exister des fantômes et des esprits, surtout dans les profondes oubliettes d'un château. C'est toi?

— Ne dis pas mon nom! répondit-il d'une voix haletante. Ils nous espionnent peut-être, il pourrait y avoir un trou dans le mur... Je ne te connais pas!

Pauvre homme! Je ne pouvais m'imaginer comment il avait pu tomber entre les mains de Vitus. En revanche, je comprenais sans mal ce qu'ils lui avaient fait. C'était un miracle que de le retrouver vivant, même s'il était clair qu'il n'avait pas subi la torture sans dommages pour son esprit simple.

Comme je détestais Vitus! Je devais m'enfuir et, pour y parvenir, j'avais besoin des forces de Robert, même mal en point comme il l'était.

— Comment t'ont-ils pris? lui demandai-je pour reprendre le dialogue.

— Pourquoi es-tu revenu? pleurnicha-t-il en guise de réponse. Maintenant, il va me juger et tu seras le témoin. Il va m'écarteler!

— N'aie pas peur, répondis-je dans un souffle, nous allons réussir à sortir d'ici!

— Oh oui, nous allons sortir! fit-il d'une voix remplie d'amertume. Demain matin, on va me sortir d'ici et quatre chevaux vont m'attendre dans la cour du château... Guillaume, j'ai peur!

— Allons, allons — j'essayais de le rassurer, mais l'angoisse me faisait mal à la grosse veine du cou.

— Toi, tu peux être tranquille, répondit-il d'une voix étranglée. Demain, ils vont seulement te marquer, comme tout le monde... — et Robert montra des ombres que l'on devinait dans le clair-obscur, derrière d'autres grilles, des ombres qui attendaient leur destin. — S'il m'a laissé un œil, c'est uniquement pour voir le derrière des chevaux quand ils vont les fouetter pour qu'ils se mettent à courir dans quatre directions...

— Tais-toi!

— ...et pour que je puisse voir qu'un bras s'arrache plus facilement qu'une jambe...!

— Ferme-la! m'exclamai-je avec colère. Nous allons nous enfuir cette nuit.

— Il faudrait d'abord tuer le geôlier! — L'esprit confus de Robert commençait à travailler dans le sens que je souhaitais : la peur de la mort est bonne conseillère. — Il fait sa ronde trois fois par nuit.

— Alors, nous profiterons de la deuxième, décidai-je d'une voix ferme. Tu auras le temps de te détacher, et moi aussi?

— Le premier jour, j'ai réussi à élargir mes anneaux aux bras et aux jambes. C'est du fer de mauvaise qualité! sourit Robert qui reprenait du poil de la bête. Il ne me reste plus que celui du cou!

Il enleva ses bracelets de fer sous mes yeux et passa ses deux mains derrière sa nuque. La croix de son front commença à enfler, puis la fermeture de l'anneau céda avec un claquement sec. Robert ouvrit les deux moitiés, se frotta le cou, sortit ses pieds de leurs entraves et s'approcha à quatre pattes.

— Assieds-toi! m'ordonna-t-il. — Maintenant qu'il avait les deux mains libres, ouvrir mes fers n'était pour lui qu'un jeu d'enfants qu'il aurait eu honte de présenter en public.

Nous remîmes nos anneaux pour qu'on ne s'aperçoive de rien à la première ronde. Il devait être minuit quand le vieux Guiscard s'approcha de nous pour la première fois avec une lanterne sourde. Il ne prit pas la peine d'ouvrir la grille et se contenta d'éclairer nos visages. Puis il repartit pour continuer sa ronde.

En réalité, l'idée de tomber à bras raccourcis sur mon vieil ami, dont j'imaginais d'ailleurs qu'il pourrait fort bien finir par nous aider, ne me plaisait guère. Mais j'ignorais jusqu'à quel point il était devenu la chose de Vitus. Et puis, il ne fallait pas oublier Gersande qui allait rester otage entre les mains de Vitus. Il suffirait d'un petit coup derrière la tête, asséné avec la chaîne que Robert enveloppait déjà dans une guenille, et le geôlier perdrait connaissance pendant quelques minutes, le temps de nous éloigner dans la direction d'Ancône.

— Quand il s'approcha la prochaine fois, murmura Robert, je vais l'attraper par la gorge quand il sera devant moi. Toi, tu le frapperas par derrière, parce que moi, je suis pas capable d'étrangler les gens...

— Robert, le suppliai-je, je n'ai jamais rien fait de pareil. Je ne vais pas pouvoir. Regarde comme ma main tremble.

— C'est vrai, pensa-t-il à haute voix, si je pense que le prix de ma liberté, c'est la vie d'un autre...

— Si tu m'obliges à le faire, le danger sera bien plus grand, car je ne saurai pas mesurer mon coup...

— Je préfère mourir demain entre quatre chevaux — Robert semblait être devenu une autre personne; voulait-il me donner un exemple vivant de l'esprit chrétien? — J'aurais voulu revoir ma famille, la vieille Larissa, les enfants...

— Tu ne les reverras plus, l'interrompis-je brusquement; j'avais la gorge nouée, mais mieux valait le lui dire maintenant que plus tard ou jamais. Ils sont tous morts, Robert, et ils avaient tous une croix marquée sur le front!

— Ce n'est pas vrai, Guillaume! Tu dis ça pour me faire changer d'avis, pour que je fasse ce que tu me demandes.

Je ne pus lui répondre, car la lanterne de notre geôlier apparut en haut de l'escalier. L'homme commença à descendre en faisant sonner sa jambe de bois sur les marches. Il ouvrit la grille de notre cachot et entra.

Comme prévu, Robert se mit à gémir :

— Mon cou! — ses plaintes semblaient convaincantes, mais Guiscard s'avança vers moi.

— Ne fais pas de bêtises, Guillaume! Et surtout, ne fais pas de bruit, chuchota-t-il en baissant la mèche de sa lanterne. Je vous ai entendus et j'ai décidé de m'enfuir avec vous. Quatre chevaux attendent devant une poterne du mur d'enceinte. J'ai dit à Gersande de sortir quand l'inquisiteur aura bu son vin. Il est toujours très prudent, mais cette fois, il a oublié de me faire boire le premier...

— Ne perdons pas de temps! dis-je en interrompant cette âme candide dans ses explications. Nous aurons bien des choses à nous dire quand nous serons sortis de Cortone. Mais pour le moment, je dois satisfaire un besoin qui me travaille depuis longtemps.

Guiscard devait penser qu'il s'agissait d'un besoin physique; je cherchai à tâtons dans les recoins voûtés qui, de ce côté, m'étaient inconnus, jusqu'à me retrouver devant la porte de fer; mais j'avais beau chercher dans le noir, tâter les murs ici et là, cogner dessus pour voir s'ils sonnaient creux, je ne trouvais pas la cachette. Le vieux maçon avait trop bien fait son travail. Déçu, je revins donc retrouver Guiscard.

— Gersande se cachera chez des parents à la campagne. Personne ne pourra la trouver là-bas, continuait à m'expliquer le vieux en nous conduisant par un corridor très bas qui menait à une porte en passant sous le château.

L'air de la nuit était frais et transparent comme de la glace. Déjà à cheval, Gersande nous attendait. Elle me tendit un sac rempli de provisions.

— Je vous connais bien, mon frère, gloussa-t-elle. Vous avez toujours faim!

Nous prîmes nos chevaux par les rênes et nous partîmes à travers champs jusqu'à ce que les habitants ne puissent plus nous entendre. Gersande nous fit un signe d'adieu et Guiscard lui répondit en lui envoyant galamment un baiser. Elle prit alors la direction de l'Ombrie; j'allais la suivre, mais Guiscard me retint en saisissant les rênes de mon cheval.

— C'est exactement ce que vont penser nos poursuivants. Non, nous allons partir dans l'autre direction, vers Pise. Là-bas, nous prendrons un bateau.

— Mais c'est deux fois plus long!

— Deux fois moins, Guillaume; pour les voyages par mer, tu peux faire confiance à un vieux Normand.

Nous partîmes donc vers l'ouest à marche forcée, à travers la Toscane. Nous continuâmes tout le reste de la nuit, en évitant Sienne. Au lever du jour, nous laissions Poggibonsi derrière nous. Guiscard proposa de laisser les chevaux s'abreuver à une source. Tout à coup, il éclata d'un rire tonitruant.

— Hé, Guillaume! C'était de la comédie! Mais s'il ne t'avait pas persuadé de t'enfuir cette nuit, Robert aurait passé un sale quart d'heure.

— Mais c'est moi qui l'ai convaincu de s'enfuir, répondis-je, indigné, ce qui fit redoubler les rires de Guiscard.

— Et qui t'en a donné l'idée? Vitus lui-même! Il a fait tout ce qu'il a pu pour que tu te décides à prendre la fuite dans la nuit...

— Pardonne-moi, Guillaume, dit alors Robert d'une voix enjouée, pardonne-moi de t'avoir trompé avec cette histoire d'écartèlement, même si toi aussi tu racontes parfois des histoires...

— Robert, répondis-je gravement, comme je voudrais que ce ne soit qu'une mauvaise blague, et peut-être même n'aurais-je pas dû te le dire, mais c'est la pure vérité : ils les ont tous tués misérablement!

Robert me regardait, bouche bée.

— Mes cousins? Mes cousines? Les petits!

— Tous; je les ai vus pendus. Ils devaient être là depuis deux mois!

— Et Larissa aussi? — Je fis un geste affirmatif, et Robert, l'homme fort, se mit à pleurer. — Je ne t'ai pas menti, Guillaume; la vérité, c'est que je n'ai jamais fait de mal à personne, même pas à un animal. J'ai toujours rêvé de vivre à la campagne du travail de mes mains et des fruits des champs, avec une brave femme que j'aurais aimée, que j'aurais bien soignée, qui aurait été gentille avec moi... — les sanglots et les larmes reprenaient. — Ce monstre m'a marqué au fer; toutes les portes vont se fermer devant moi maintenant, je n'ai nulle part où aller... j'aurais préféré me noyer!

J'eus alors une idée :

— Robert, tu saurais retrouver l'endroit où tu es tombé à l'eau, dans cette gorge...?

— Naturellement! répondit-il en me regardant d'un air perplexe.

— Construis un nouveau pont, ou trouve un autre moyen de traverser; prends le sentier qui monte au col et, quand tu recommenceras à descendre de l'autre côté, tu seras très près du *punt*, là où vivent les *saratz*. Demande la maison de Xaver et Alva. Ils ont une fille unique. Elle s'appelle Rüesch-Savoign. Tu tomberas amoureux d'elle dès que tu la verras. Tu seras son fiancé, tu te marieras avec elle et tu pourras vivre comme tu as toujours voulu le faire!

Les larmes me montèrent aux yeux à moi aussi pendant que je parlais du paradis perdu dans les montagnes. Qu'était devenue Rüesch? Combien de fois avais-je voulu revenir auprès d'elle, et quelle honte j'avais ressentie! J'avais maintenant l'occasion de faire tourner la roue de la fortune, de réparer mes propres erreurs et d'enterrer mes infamies sous un tapis de neige.

— Tu l'aimais? me demanda Robert avec délicatesse. Alors, comment veux-tu qu'elle m'aime, surtout maintenant que j'ai une croix sur le front? Et puis, je ne pourrai jamais arriver jusque-là!

Le désespoir l'avait repris. J'ôtai mon habit de franciscain et je le lui tendis.

— Baisse la capuche sur le front, et personne ne verra cette croix. Tout le monde croira que tu es particulièrement humble et pieux. Et Rüesch aimera ta cicatrice! dis-je pour lui donner du courage. Robert, tu diras que tu es mon frère, que tu m'as trouvé alors que je venais de me casser le cou en tombant d'un rocher avec les brogues. Tu m'as soigné pendant trois longues semaines, mais en vain. Je suis mort dans tes bras. Mes dernières paroles ont été celles-ci: « Va chercher ma petite fiancée Rüesch-Savoign, à qui j'ai fait bien du mal, et demande-lui qu'elle pardonne au nom du Messie à son pauvre Guillaume qui lui envoie maintenant son frère préféré pour qu'il occupe la place que l'égoïsme, la folie et le destin ont refusée au pauvre Guillaume de Rubrouck, à présent décédé. »

— Je ne serais jamais capable de faire un aussi joli discours, se lamenta Robert.

— Alors, dis simplement: « Guillaume est mort et il est désolé! » proposa Guiscard. Allez, il faut repartir!

Robert me donna son gilet et sa culotte.

— Laisse-toi guider par ton bon cœur, lui dis-je. Tu vas y arriver! — Je le pris dans mes bras en signe d'adieu et il poussa son cheval en direction du nord.

— Laisse-toi plutôt guider par ta queue! cria Guiscard dans son dos. La meilleure consolation pour une veuve! — J'espérais que Robert était trop loin pour avoir entendu ce conseil.

— Je suppose, dit Guiscard alors que nous continuions à trotter vers la côte, que tu peux monter à cheval et penser en même temps. — Il sortit de sous ses vêtements une lettre cachetée sur laquelle je reconnus la marque des Capoccio. — Inutile de l'ouvrir, expliqua Guiscard en riant, elle est adressée au capitaine du port d'Ostie et lui donne l'ordre de mettre un bateau à ta disposition. Je parierais qu'il demande aussi que ce soit le plus lent de tous ceux qu'il a sous la main ! — Je n'y comprenais plus rien. — Vitus veut certainement que tu ailles à Otrante et que tu penses le faire aussi vite que tes moyens te le permettent ; en réalité, il veut que ton voyage soit assez lent pour qu'il puisse arriver là-bas avant toi.

Je ne comprenais toujours pas et je répondis donc, un peu perdu :

— Mais si nous n'allons pas dans la direction de Rome !

— Je vois que tu as du mal à faire les deux choses en même temps, Guillaume !

— Guiscard, il vaudrait mieux que tu me racontes ton histoire depuis le début. Commence par ta jambe de bois.

L'Amalfitain se mit à rire et toucha son pilon.

— La précédente est devenue bleue, puis noire ; je savais que c'était la gangrène et que j'allais mourir, mais Gersande a appelé le soir même un médecin arabe d'Arezzo, accompagné d'un aide et de leurs ustensiles. Le médecin a dit : « Si nous attendons encore trois heures, il faudra lui mettre une jambe de bois ; encore trois heures, et tout son corps sera raide, et ce qu'il lui faudra alors, c'est un cercueil de bois. Mais si nous opérons tout de suite, il pourra conserver le genou. » C'est ce qu'ils firent. Ensuite, je suis devenu le sommelier d'Élie. Le Bombarone sait apprécier un bon vin et le travail me convenait. Plus tard, l'empereur l'a appelé à ses côtés, car il avait besoin d'un conseiller fidèle et il ne pouvait plus se fier à une bonne partie de son entourage. Les partisans du pape devaient attendre ce moment car ils sont tombés sur nous dès son départ. Apparemment, Vitus cherchait quelque chose ou quelqu'un ; il a retourné coffres et caisses, sans rien trouver, à ma connaissance. Gersande m'a présenté comme un vieux serviteur de la maison, ce qu'il a avalé tout rond. Et toi, tu es arrivé un peu plus tard. Pendant qu'ils te mettaient les fers dans la cour, il a appelé Robert qu'il promenait avec lui comme un chien en laisse, et il m'a donné l'ordre de l'enchaîner dans le même cachot, comme si tu étais un autre prisonnier, pour que tu saches quel destin t'attendait. Il t'avait tellement terrorisé qu'on pouvait espérer que tu machines quelque chose pour t'enfuir. En fait, c'était tout ce que voulait Vitus : que, poussé par la panique, tu coures chez la comtesse dans l'espoir qu'elle et ses fidèles prennent peur et s'enfuient en toute hâte.

— Et comment n'allais-je pas m'alarmer, après ce qui est arrivé au pauvre Hamo, après la trahison d'Élie ?

— Guillaume, me gronda-t-il gentiment, tu ne comprends toujours pas : Hamo n'est pas entre leurs mains et Élie ne fait pas cause commune avec eux ! Ils ignorent tous les deux ce qui se passe. Ce sont de pures inventions de Vitus, pour te faire mollir. Tu es la seule clé dont il dispose !

— L'Amalfitain me regardait avec pitié, tant je tardais à comprendre. — Alors, j'ai dit au seigneur Vitus, après avoir monté la scène dans le cachot avec l'aide de Robert et de quelques soldats, à sa satisfaction, « j'imagine que votre Robert peut jouer avec conviction pendant quelques heures le rôle d'un condamné à mort, mais ceci ne garantit pas la fuite et la réalisation de votre véritable objectif ! ». Vitus m'a alors fait confiance et m'a dit : « Dommage que toi, moitié invalide... » Et je lui ai répondu par une vulgarité, car c'est le langage qu'il comprend le mieux. « Mes cuisses serrent encore assez fort pour maîtriser n'importe quel cheval et n'importe quelle femme. Je suis capable de transporter ce Guillaume où vous voulez, même en enfer ! » Il m'a alors donné une bourse pleine d'or. « Tu liquides ce crétin de Robert d'un coup de couteau au cœur quand il aura joué son rôle ; quant à Guillaume, tu le conduis à Ostie et tu l'amènes devant le capitaine du port, avec une lettre cachetée que je vais te remettre. Ensuite, tu reviens et tu auras droit à une autre généreuse récompense pour ton aide ! »

C'est alors que j'interrompis Guiscard :

— Je suppose que la lettre dit aussi que celui qui accompagne Guillaume doit être liquidé sans tarder.

— C'est bien possible, mais ça n'a pas d'importance car les choses vont se passer différemment. Je t'expliquerai quand nous serons à Pise. Maintenant, il faut nous dépêcher, car la rapidité est la première condition d'un tour de magie :

c'est d'elle que dépend la surprise du public. Tout compte fait, nous n'allons pas priver le seigneur de Viterbe de l'effet de surprise, puisque c'est pour cela qu'il nous a payés.

Nous poussâmes nos chevaux et nous arrivâmes à Pise dans la nuit.

DÉSAGRÉMENT À OSTIE

Château Saint-Ange, printemps de l'an 1247

Les deux moines avaient tiré l'échafaudage vers le mur central de la *mappamundi*, là où s'étendaient vers le haut les pays germains et où la botte italienne venait ensuite s'ajouter, avec la Lombardie, au Saint Empire romain germanique.

— C'est dommage, se plaignait à haute voix le moine qui portait l'habit des franciscains, que ce soit justement maintenant, quand on s'apprêtait à couronner le landgrave, que cet horrible Conrad arrive en se battant la coulpe et la tête comme un damné et les fasse tous se disperser...

Son collègue, un dominicain, retira froidement la bannière et la figurine du cavalier royal sur la carte de Thuringe pour les laisser tomber dans le panier qu'il avait à ses pieds.

— Le landgrave Raspe n'a pas eu *le palle* de tenir tête à Frédéric et à son fils; le misérable est allé se cacher pour lécher ses blessures...

— Il est mort le cœur brisé, se lamenta le minorite. C'est un bien grand malheur.

Sans se troubler, son compagnon piqua une nouvelle figurine dans le territoire du comté devenu orphelin.

— Le duc de Brabant, reprit-il, prendra possession du

territoire, sous prétexte de protéger sa fille, épouse du défunt, mais peut-être voudra-t-il aussi...

— *Retirez-moi tout de suite ce Brabant, Simon de Saint-Quentin!* fit une voix venue d'en haut. — Le Cardinal gris s'était approché de la galerie et écoutait leur conversation. Terrorisés, les moines s'exécutèrent. — *Guillaume de Hollande est maintenant le plus proche de notre cœur! Ayez-le in pectore.*

Les deux frères s'empressèrent de vider le contenu de leurs paniers pour y trouver le candidat voulu, tandis que le regard du visage en lame de couteau dissimulé sous un masque gris se tournait déjà vers les territoires du nord de l'Italie.

— *Le moment est venu de nous montrer bienveillants pour la cité de Parme,* dit la voix au franciscain. *Vous me le rappellerez dans deux mois.* — Le minorite rentra la tête dans les épaules, comme si on l'avait frappé.

Un frère portier apparut sous les arches :

— Vitus de Viterbe est arrivé, dit-il timidement.

— *Conduisez-le aux Archives des affaires de l'empire! Et qu'il m'y attende!* — Le Cardinal gris lança encore un regard mécontent à la Méditerranée, s'éloigna de la balustrade et disparut par une porte invisible d'en bas, à côté d'une colonne.

Les cartographes n'osèrent pas lever les yeux avant d'avoir piqué un petit fanion et une croix sur la ville de Parme.

— Il n'a pas cru utile de mentionner que l'empereur a convaincu le Sud de souhaiter la bienvenue et de jurer fidélité à son fiston Carlotto, ricana tout bas Simon qui avait mieux gardé son sang-froid que l'autre.

— Il n'a pas dû apprécier, répondit Bartholomée, plus craintif, pour tenter de justifier l'attitude de son maître et seigneur.

— Mais le roi d'Angleterre est certainement très content, puisque l'enfant est le rejeton de sa sœur.

Rendu aux Archives des affaires de l'empire, Vitus se mit à faire nerveusement les cent pas entre les hautes bibliothèques.

— Soyez compréhensif, Éminence, dit-il d'une voix forte à un rayonnage vide, car il était habitué à ce que son supérieur, quoique invisible, l'écoute quelque part; je n'ai que peu de temps, car je dois prendre aujourd'hui même le bateau à Ostie...

— *Comment se fait-il que tu sois déjà de retour?* grinça la voix juste derrière lui. — Le Cardinal gris était entré sans bruit dans la salle et, derrière une bibliothèque chargée de livres, il montrait cette fois son visage. — Ne t'ai-je pas ordonné d'en finir avec cette bande de sarrasins qui vivent là-haut dans les Alpes?

Rainier de Capoccio, diacre cardinal de Santa Maria in Cosmedin, était en habit de cérémonie. Personne n'aurait pu soupçonner qu'il s'agissait du Cardinal gris, mystérieux gardien du Patrimoine de Saint Pierre, dispensateur de ses grâces et disgrâces. C'était un homme de haute taille aux traits accusés, les cheveux gris, mais dont le corps souple dissimulait l'âge, encore qu'on pût le situer vers la fin de la cinquantaine ou le début de la soixantaine.

— Ce n'est plus nécessaire, répondit Vitus pour se défendre, puisque Guillaume de Rubrouck est tombé entre mes mains à Cortone. Il n'a jamais été au pays des Mongols...

— Je le sais, il était chez les *saratz*! — le vieux Capoccio s'était assis sur l'unique chaise, ne laissant à Vitus d'autre choix que de rester debout devant lui, comme un novice. — Et qu'est-ce qui t'a conduit à Cortone? — le cardinal n'était pas de bonne humeur; il était même contrarié d'avoir à remédier aux initiatives de Vitus quand des décisions beaucoup plus importantes l'attendaient. — Réponds!

Vitus n'eut pas assez de jugement pour évaluer correctement la situation.

— J'ai voulu aller saluer Élie, car il a une excellente cave.

— Tu es fou! Juste au moment où nous préparons en secret son retour au sein de l'Église, tu vas mettre à sac son château...

— J'ai mis la main sur Guillaume! protesta Vitus, trop convaincu de l'importance de sa prouesse pour ne pas en faire étalage une fois de plus.

— Montre-le-moi! — Capoccio, dont l'esprit était occupé par d'autres problèmes bien différents et autrement plus actuels pour l'Église, commençait à perdre patience. Mais Vitus ne comprenait toujours pas que sa capture n'était en rien une victoire et encore moins une raison de pavoiser.

— Ce n'est pas tout! En ce moment même, il est en route pour Otrante, grâce à mon intervention, pour que la comtesse et ces enfants se précipitent hors de leur château comme des chauves-souris effrayées par la lumière du jour!
— Vitus croyait que son propre enthousiasme était la mesure de toutes choses. — Et c'est pour cette raison que je dois partir moi aussi sur-le-champ, conclut-il enfin.

Capoccio regardait Vitus en secouant la tête; il regardait cet homme qui était son fils et qui aurait dû se comporter comme un adulte. La lumière du jour! Cet horrible personnage n'aurait-il donc jamais la maturité qui lui ferait acquérir la supériorité intellectuelle propre à un Capoccio? En vérité, il allait devoir regretter toute sa vie ce faux pas.

— Et qu'est-ce qui te donne l'assurance — il s'efforçait de prendre un ton aimable — que ce Guillaume de Rubrouck, une fois en liberté, va se rendre immédiatement en Apulie?

— J'ai fait en sorte de lui échauffer la cervelle — Vitus en avait assez que ce vieux le traite toujours comme un imbécile. — Je l'ai incité à se presser par la menace et en l'informant qu'Élie allait partir pour Otrante...

— Elle est bonne! — le cardinal bouillait de rage.

— ...et j'ai soudoyé le sommelier du Bombarone, un homme de toute confiance, continua Vitus sans s'émouvoir, pour qu'il le fasse embarquer à Rome à bord du bateau le plus lent qu'il pourra trouver. Ainsi, j'arriverai à Otrante bien avant lui et je pourrai prendre la trirème par surprise — Vitus espérait recevoir maintenant au moins quelques compliments pour ses talents de stratège.

— Le sommelier! Tu as dû boire tellement de vin là-bas que ton cerveau s'en sera ramolli, grogna le vieux. Je vais te donner deux bateaux, pas un de plus!

On frappa à la porte et la voix du frère portier annonça le légat André de Longjumeau.

Vitus comprit alors pourquoi le cardinal l'avait reçu dans ses habits de cérémonie. Au fond, il avait toujours eu horreur de ces tactiques qui se voulaient intelligentes. Il fit le geste de prendre congé, mais le vieux lui ordonna de rester.

André entra alors, suivi du frère portier qui tirait un fauteuil pour le légat. Vitus était toujours debout.

— Ne vous ai-je pas envoyé Mathieu de Paris à Ostie, commença le cardinal après les salutations et l'accolade fraternelle, sans juger nécessaire de présenter Vitus, pour qu'il vous procure un bateau et vous fasse transporter sans tarder à Lyon, devant le saint-père qui vous attend avec impatience?

Le légat bouillait de raconter son histoire; il dédaigna le fauteuil qu'on lui offrait.

— C'est vrai, et Mathieu m'attendait sur le quai. Il venait de me saluer quand il s'est exclamé tout à coup : « Je dois voir des fantômes ou des mauvais esprits! Voilà Guillaume de Rubrouck, juste en face! Comment se peut-il qu'il soit déjà revenu de la cour des Mongols? Venez, André, allons le saluer et l'arrêter aussitôt! » Je lui ai répondu : « Mon bon Mathieu, trouvez-moi d'abord un bateau et vous arrêterez ensuite qui vous voudrez! » Mais Mathieu n'a pas voulu m'écouter et il m'a laissé en plan — indigné, le légat ne dissimulait pas son irritation —, puis je l'ai vu courir d'une traite vers le franciscain et le prendre aimablement par le bras. Ensuite, les deux hommes se sont éloignés en bavardant, comme si je n'existais pas, vers la capitainerie du port. Je vois ce Guillaume sortir un document et le tendre au capitaine; celui-ci rompt le sceau et lit deux fois le message, puis il appelle les soldats de la garde et fait arrêter Mathieu qui crie à tue-tête qu'il s'agit d'une erreur, que Guillaume de Rubrouck est l'autre. Le capitaine traite ce Guillaume avec une amabilité exquise et le conduit vers un bateau que je n'aurais jamais pris, car c'était le plus vieux de tout le port. Je commençais à perdre patience, mais le capitaine est un entêté. « C'est mon dernier bateau libre, seigneur légat! » avait-il le front de prétendre. « Je vous conseille de descendre dans une auberge à Rome pour quelques jours. Dès qu'une occasion se présentera, Excellence, je vous ferai prévenir. — Et celui-là? » lui ai-je dit en montrant un fin voilier prêt à prendre la mer, toutes voiles dehors. « Il a été promis pour une mission extraordinaire! » me répond sèchement cet insolent. « Je suis légat du pape, et je suis indigné! D'abord, la perfide Sérénissime ne me laisse pas débarquer en *terra ferma* pour poursuivre mon voyage par la Lombardie... » Mais il m'a interrompu : « Les Vénitiens sont malins et ils ne veulent pas qu'un légat soit inutilement exposé aux dangers qui le guettent. » Et moi : « ... ensuite, Venise m'oblige à faire une fois de plus le tour de la botte italienne, en payant le double du passage habituel et en naviguant dans les eaux de l'empereur, pour me laisser finalement en panne à Ostie, à cause des Pisans ! Et pour brocher sur le tout, vous, Monsieur le capitaine, vous me traitez comme un... » Les mots me manquaient, mais cette brute a eu l'audace de terminer mon discours : « Je vous traite comme un légat un peu perdu qui n'a pas été capable de prendre un bateau génois dès le début, en Terre Sainte ! — Effronté ! — Si vous voulez, vous pouvez porter plainte ! » Et c'est précisément ce que j'ai l'intention de faire à présent.

André de Longjumeau voulut se laisser tomber dans son fauteuil, car le récit de ses épreuves lui avait une fois de plus coupé le souffle. Et il voulait aussi manifester de cette façon sa ferme décision de ne pas bouger d'un pouce tant que le cardinal n'aurait pas remédié à la situation. Mais ce dernier se leva d'un bond et prit André par les épaules avant qu'il n'ait pu s'asseoir.

— Je vais vous faire donner le meilleur bateau possible et vous obtiendrez complète réparation pour toutes les souffrances que je vous avez subies au nom du Christ. — Ceci dit, il le raccompagna à la porte.

Vitus voulut les suivre, mais le cardinal lui claqua la porte au nez. La clé fit deux tours dans la serrure, pour bien lui faire comprendre que la plaisanterie venait de se terminer. Même si le vieux et lui avaient échangé plus d'un clin d'œil amusé pendant qu'ils écoutaient les lamentations du légat, dès l'instant où il avait appris l'arrestation de Mathieu, le cardinal avait repris son masque impassible de toujours.

Vitus se blottit dans le fauteuil destiné au visiteur, libre à présent, et se prit la tête dans les mains.

Mais le diacre cardinal de Santa Maria in Cosmedin, Rainier de Capoccio, seigneur de Viterbe, ne put se défaire aussi facilement du légat du pape.

— Où se trouve ce bateau que vous venez de me promettre ? s'empressa-t-il de réclamer. Je dois remettre des lettres importantes au saint-père...

— Que dites-vous ? répondit le cardinal. Vous parlez de la lettre que vous avez soustraite à Lorenzo d'Orta ?

— J'ai procédé à un échange, le corrigea le légat. De mes propres mains ! annonça-t-il en sortant triomphalement de sous sa robe la missive adressée au pape.

— Vous me permettez de la voir? demanda le cardinal, rempli de méfiance.

— Attention! N'abîmez pas le sceau! — André lui tendit le *corpus delicti* avec ses longs doigts raides. A peine le cardinal eut-il jeté un coup d'œil au cachet qu'il éclata d'un rire sardonique. Et il mit sous le nez du légat sa propre marque.

— Et ce serait le sceau du sultan du Caire?

André devint pâle comme la mort.

— Impossible! bégaya-t-il. — Terrorisé, il regardait le cardinal briser le cachet et dérouler la lettre. Une feuille s'échappa du parchemin et tomba à terre. Le cardinal la ramassa et se mit à lire:

— « Guillaume de Rubrouck salue Mathieu de Paris... »

Le rire du cardinal s'étrangla net. Il chiffonna la feuille et la jeta avec le parchemin aux pieds du légat. Puis, il fit demi-tour et sortit sans saluer.

Toujours assis dans les Archives des affaires de l'empire, Vitus tuait le temps en faisant son examen de conscience. C'était sa stupide vanité, son orgueil qui l'avaient poussé à vouloir prouver sa valeur au vieux en se présentant au château Saint-Ange pour lui faire rapport tout de suite, au lieu de se mettre en marche aussitôt pour Ostie...

— *J'attends*, fit la voix, froide comme un glaçon. *Que voulais-tu me dire, à part le fait que tu avais voulu mettre la main sur mon* Laus Sanctae Virgini?

Avant que Vitus ne puisse répondre — sachant à quel point Capoccio était capricieux quand il s'agissait de son bateau dont il n'accordait même pas l'usage au pape —, on frappa encore à la porte.

— Le secrétaire du capitaine du port! dit une voix. C'est urgent!

Vitus hésita.

— *Qu'il fasse son rapport!* — l'ordre fut prononcé d'une voix âpre mais égale. On tourna la clé dans la serrure et le secrétaire entra. C'était un homme âgé qui avait l'habitude de transmettre ses messages sans détours inutiles.

— Le capitaine du port fait savoir: le bateau remis en exécution de vos ordres à Guillaume de Rubrouck a sombré et il bloque maintenant la sortie du port. — Il ne fit pas attention à la pâleur de cendre qui avait envahi le visage de

Vitus et continua : — Un rapide voilier pisan s'est présenté soudainement par la mer et a pris Guillaume de Rubrouck à son bord. Puis il est reparti en direction du sud !

Le corps dégingandé de Vitus s'affaissa dans le fauteuil ; ce n'était après tout qu'un malheur de plus.

— Le capitaine du port se permet d'ajouter ceci : il a reconnu l'individu qui a attaqué, avec des complices, le bateau en question avant de défoncer la coque à la hache pour le faire couler, mais pas avant que ce même bateau n'ait fait une manœuvre hardie pour emboutir le *Laus Sanctae Virgini* et lui ouvrir le flanc : c'était Guiscard l'Amalfitain, ancien et tristement célèbre pirate, celui-là même qui, il y a deux ans, a attaqué le port et l'a traversé avec de longues barques pour remonter le Tibre et arriver ici, au château. Le seigneur capitaine est sûr de l'avoir reconnu, même si cet homme a maintenant une jambe de bois.

Le secrétaire avait terminé et attendait en regardant Vitus qui le regardait lui aussi comme s'il avait des visions, comme s'il voyait un squelette sortir d'une tombe. Puis il dirigea vers lui un doigt pointu, comme s'il allait le percer d'un coup de lance. Quand Vitus se cacha enfin la tête entre les mains, le secrétaire épouvanté se signa furtivement.

— Pour le reste, reprit-il quand il eut retrouvé son sang-froid, le seigneur capitaine, eu égard à ces étranges événements, demande qu'on lui confirme l'ordre d'exécution de celui qui accompagnait Guillaume de Rubrouck. Cette personne affirme être Mathieu de Paris et jure qu'il doit s'agir d'une méprise...

— *Vingt coups de bâton !* fit une voix qui effraya grandement le secrétaire. *Et qu'on l'envoie ici ensuite !*

Le secrétaire s'inclina dans la direction d'où semblait venir la voix, puis une autre fois devant Vitus, et ne fut vraiment rassuré que lorsqu'il eut franchi la porte. Une fois de plus, on entendit la clé tourner dans la serrure.

— Je vois comment tu choisis tes gens de confiance — la voix semblait venir de loin, et pourtant le cardinal avait repris sa place, incapable de dissimuler son immense déception. Mais la tristesse qui l'accablait n'annonçait rien de bon : non, il ne se sentait pas porté à la bienveillance ; il songeait plutôt à un dur châtiment pour ce malheureux, fils de son propre sang.

Il fallait couper ce lien qui durait depuis déjà une vie entière. Le *taglio*, pensa Vitus, la coupure définitive allait être irrémédiable; la question était de savoir où le pratiquer. *Testa o croce.* Dans le premier cas — couper la tête —, la sentence serait définitive; dans l'autre, il devrait porter la croix à tout jamais.

— Châtie-moi! dit Vitus. J'ai joué ma vie.

— Mille coups de fouet ne suffiraient pas pour compenser la douleur que tu m'as causée, Vitus; chaque jour de ton existence a été un châtiment pour moi. Il faut que j'y mette fin — et sa voix semblait lasse, creuse — je ne me sens plus capable d'inventer une réparation.

— Donne-moi un bateau et tu ne me verras jamais plus, à moins que tu ne sois disposé à accepter la tête de ces enfants, au lieu de ma tête imbécile. J'essaierai...

— Tu sais, Vitus, soupira le vieil homme, tu ne comprendras jamais ce qui est réellement important, essentiel. Le fait est que tu n'es pas le fils que j'ai toujours désiré, mais un simple bâtard. Je sais que c'est également ma faute, et ma mauvaise conscience y est certainement pour quelque chose si je te dis que je ne veux plus te voir...

— Alors, ne perdons pas de temps... — A peine Vitus comprit-il qu'il n'allait pas perdre sa tête qu'il ne pensait plus qu'à la proie sur le point de lui échapper. Le cardinal se mit à rire.

— Tu es incorrigible, et en cela, oui, tu es un Capoccio; tu as oublié que, grâce à tes avis incroyables, il y a longtemps que les petits anges se sont envolés.

— Je peux encore les rattraper...

— Non, tu ne peux pas, et ce n'est pas nécessaire non plus. L'Église ne peut pas perdre son temps comme tu perds le tien, car ta manière de penser lui est étrangère. Les enfants ne présentent pas de danger pour elle, en tant qu'enfants: le danger et la menace naissent des projets de ceux qui les ont en leur pouvoir.

— Vous les voulez vivants ou morts? — Vitus essayait de susciter des espoirs qui garantiraient son propre avenir.

— Je ne le sais pas encore, murmura le Cardinal gris après quelques instants de réflexion. Tant que je veillerai sur les destinées des successeurs de saint Pierre, je pourrai même imaginer une utilité pour eux dans notre domination terrestre. Mais si je venais à disparaître un jour et si des cervelles d'oiseaux, comme la tienne, obtenaient le pouvoir de disposer des choses, alors il serait préférable que ces enfants soient morts! — Et le vieillard éclata de rire, si fort que Vitus crut possible qu'il s'étouffe.

— Autrement dit, tu accordes à ma cervelle d'oiseau la liberté...

— Sous condition, répliqua froidement le cardinal. Tu prendras le prochain bateau disponible, celui-là même qui emmène le légat Anselme de Longjumeau en mer Noire, à Tabriz, pour qu'il présente ses compliments au Khan Baïtchou.

— Je vous remercie! s'exclama Vitus, satisfait et il se laissa directement tomber du fauteuil par terre, sans se mettre à genoux, s'étalant de tout son long sur le ventre, comme font les prêtres lors de la cérémonie de leur ordination. Et pendant ce temps, il pensait qu'il s'arrangerait avec Fra Ascelino, le frère cadet d'André de Longjumeau, qui venait de rentrer. Ils étaient de vieux camarades, même s'il existait entre eux une différence d'âge considérable, ou peut-être était-ce précisément pour cette raison : après tout, il était dominicain comme lui !

— Gardes, fit la voix avec indifférence, le seigneur Vitus de Viterbe est dépouillé de toutes ses charges et il ne dispose plus dorénavant d'aucun pouvoir de commandement au château, dans l'armée ou au port. Il sera emmené à Ostie dans les chaînes !

Le secrétaire du capitaine du port, qui avait attendu dans l'antichambre comme on lui en avait donné l'ordre et qui avait dormi un peu pendant ce temps, sortit de ses rêves et sursauta quand il entendit une voix aboyer à son oreille :

— Informez le commandant de notre port qu'il affecte Vitus de Viterbe, dès à présent, en le privant de tous ses honneurs et droits, au bateau du légat Anselme de Longjumeau quand celui-ci arrivera de Lyon. Pendant les six premiers mois, il travaillera comme esclave galérien.

— Un traitement particulier ? — demanda le secrétaire d'une voix neutre ; il était habitué à tout, y compris à la chute subite de seigneurs qui pouvaient hier encore transformer en enfer la vie d'un humble secretarius comme lui.

— Oui, répondit la voix, mais cette fois plus loin de son

oreille car il s'était respectueusement levé ; on indiquera au maître de nage qu'il ne devra pas laisser sortir le condamné de nuit ni dans le port, et qu'il devra toujours le faire surveiller, sans oublier le fouet !

— Le seigneur légat André désire être conduit à Lyon et le capitaine avait pensé...

— Non, répondit la voix, qu'il attende ! Nous tenons à ce que Vitus de Viterbe entreprenne son voyage sans perdre de temps.

GUILLAUME, OISEAU DE MALHEUR

Otrante, printemps de l'an 1247 (chronique)

Depuis ma « fuite » de Cortone et ma séparation d'avec le vigoureux Robert, je m'étais fié aux plans audacieux de l'Amalfitain pour notre voyage jusqu'à Otrante. Après son apparition belliqueuse à l'embouchure du port d'Ostie où Guiscard et moi avions été sauvés de la nef papale alors qu'elle sombrait, le rapide voilier pisan n'avait fait qu'une brève escale à Messine, puis il avait doublé au large le golfe de Tarente et fait route vers le cap de Leuca.

Guiscard insistait pour qu'on aille au plus vite :

— Tel que je connais Vitus de Viterbe, me confia-t-il, à moi qui souffrais d'un horrible mal de mer à cause de cette furieuse chevauchée maritime, il va faire couler complètement le bateau dans le port pour ne pas perdre de temps et se lancer à notre poursuite comme un requin blessé par un harpon.

— Surtout quand il saura que son fidèle sommelier est en réalité le timonier du diable en personne, répondis-je en gémissant avant de vomir par-dessus bord, en espérant comme toujours que cette fois serait la dernière.

La grosse tour de Santa Maria di Leuca apparut enfin devant nous et nous la doublâmes dans une manœuvre téméraire qui donna une nouvelle occasion à mon estomac de se retourner. Pourtant, je parvins à faire un sourire résigné à mon tourmenteur. Nous avions réussi, Vitus n'avait pas pu nous rattraper!

Il y avait deux ans que j'avais quitté Otrante. Je voyais maintenant pour la première fois de la mer la ville, la baie et le château. La puissante masse de ce dernier semblait dormir parmi les rochers et, s'il paraissait imprenable du côté de la terre, en le voyant ainsi de la mer, j'eus l'impression d'une bête sauvage aux aguets, menaçant d'un coup de patte mortel tout navire qui passerait devant lui. C'est alors que la redoutable trirème de la comtesse sortit du port fortifié. Elle fonçait vers nous, toutes voiles dehors, et ses rames brillaient d'un éclat meurtrier.

Le capitaine pisan s'empressa de hisser la bannière et la trirème vint se ranger le long de notre bord. On entendit des saluts et des exclamations de surprise quand les soldats de la comtesse reconnurent leur vieux contremaître, même s'il avait maintenant une jambe de bois. Pour montrer qu'il n'avait rien perdu de son ancienne agilité, comparable à celle d'un singe, l'Amalfitain saisit une corde qui pendait du mât et, d'un bond, comme tout bon pirate, atterrit sur la trirème où les rameurs l'accueillirent à bras ouverts et le lancèrent trois fois en l'air pour lui souhaiter la bienvenue.

Le capitaine pisan jeta l'ancre devant le quai, car Guiscard l'avait assuré que la comtesse paierait notre passage. Et c'est ainsi que nous nous présentâmes tous les trois devant Laurence qui me fit l'impression de ne pas avoir du tout changé et de ne pas être follement heureuse de me revoir.

Elle n'avait pas encore pu exprimer son déplaisir avec les mots voulus que la porte s'ouvrit à grand bruit devant les enfants qui se précipitèrent vers moi :

— Guillaume! Guillaume!

Ils faillirent me faire tomber. Ces petits enfants pâles et sans défense que nous avions sauvés trois ans plus tôt de Montségur étaient devenus de petits diables bronzés, forts et agiles. Insolente comme toujours, la petite Yeza faisait voler ses tresses blondes et elle essaya de sauter pour se pendre à mon cou.

— Si tu n'avais pas un si gros ventre, Guillaume! Comment font les filles pour t'embrasser? Dis-moi!

— Une fille qui se respecte, reprocha Roç à sa compagne, attend qu'on l'embrasse; en plus, Guillaume n'a pas besoin d'embrasser personne — pensa-t-il tout à coup, puisqu'il est moine!

— Ça n'a rien à voir, intervint Clarion, maintenant, ouste, dehors!

— Mais nous voulons que Guillaume vienne avec vous! ronchonna Roç, tandis que Yeza se cramponnait à mon bras comme si elle n'allait jamais plus le lâcher.

— Guillaume vient d'arriver et je suis sûre qu'il va passer la nuit ici, intervint la comtesse avec une expression assez peu amène. Alors, laissez-nous tranquilles pour le moment!

A la porte, les servantes faisaient déjà des signes timides aux enfants; de toute évidence, elles n'osaient pas les prendre par la main pour les emmener.

— Vous n'avez pas vraiment l'air d'être morts de faim, dit Laurence en nous regardant de haut en bas, moi et son contremaître dont les aventures lui avaient au moins rapporté une jambe de bois, alors que je n'avais rien fait d'autre que de conserver ma bedaine. — Elle examina ensuite le capitaine pisan, comme si lui et nous étions des mendiants. — Que puis-je faire pour vous avant que vous ne vous remettiez en route?

A peine avait-elle prononcé ces mots que la porte se rouvrit à la volée devant les enfants qui traînaient derrière eux un franciscain d'âge mûr. L'homme se défendait de son mieux en riant.

— Un ami à toi, Guillaume! annonça Roç en attendant mon approbation enthousiaste, car il ignorait que je ne redoutais rien tant qu'une rencontre avec un frère de mon ordre.

— Lorenzo d'Orta, dit la comtesse, légat du pape! — Je l'avais reconnu aussitôt. Quand nous nous étions vus à Parme, il m'avait informé de la présence de Vitus et nous avait aidés à fuir de la ville. Je le saluai d'un clin d'œil. — Et voici Guillaume de Rubrouck, ancien précepteur du roi de France, encore que pour l'instant il ne soit qu'un « fugitif », ajouta la comtesse avec une certaine coquetterie.

Le légat me salua fort aimablement, mais sans montrer que nous nous connaissions de longue date.

— Enfin je te vois en chair et en os, dit-il ensuite avec un rire franc. Tu sauras sans doute que tu es le franciscain le plus recherché de l'Orient et de l'Occident ! — Puis il se retourna vers les dames en battant excessivement des paupières. — Et si nous avons quelques ennemis communs, nous avons aussi le privilège de bellissimes amies, splendides représentantes du beau sexe ! — J'essayais désespérément de lui faire comprendre qu'il n'était pas avisé d'aller trop loin dans les compliments. — Gersande, la bonne Gersande, continua-t-il, et ses paroles roulaient comme un torrent, et aussi Ingolinde...

— Les enfants, l'interrompit la comtesse, c'est l'heure d'aller au lit ! — Ils lui obéirent, mais Yeza ne put s'empêcher d'ajouter d'une voix enthousiaste :

— Et moi ! Vous m'avez oubliée, moi aussi je suis une bonne petite pute ! — Clarion fit que la porte se referme au plus vite sur cette sale gamine.

— Vous aurez l'occasion de vous raconter vos histoires de femmes ! dit Laurence d'une voix cinglante. Nous sommes habituées au mauvais goût de Guillaume ; mais vous, Lorenzo, vous devriez avoir honte ! A votre âge, et dans votre qualité de *legatus papae* !

A ma grande satisfaction, mon frère ne sembla éprouver ni honte ni gêne :

— Le fait qu'Eros continue à me tenir compagnie me paraît être un honneur, d'autant plus que mes vœux prétendent m'éloigner de lui, comme un ange brandissant une épée de feu. Leur lutte est ce qui me fait rester jeune !

Laurence s'était approchée avec brusquerie de la fenêtre. C'était elle qui avait abordé la question de l'âge, ce qui la fâchait d'autant plus. Puis elle s'adressa au capitaine, d'une voix un peu altérée :

— Et qui vous paie vos amours à vous ?

Avant que le Pisan furieux ne puisse lui répondre, blessé dans son honneur, Guiscard intervint après être resté jusque-là silencieux, comme Clarion qui avait supporté en silence un spectacle pénible à ses yeux. Elle connaissait bien sa maîtresse.

— Il faut payer à cet homme le passage de Guillaume de

Rubrouck, de Pise à Otrante, et il a droit à la prime des voiliers rapides en mission spéciale.

La comtesse avala sa salive :

— Le comptable paiera ce qu'il demande, décida-t-elle,
pour l'aller comme pour le retour. Il emmènera avec lui le
seigneur légat et Guillaume qu'il déposera à Pise. De là, ils
pourront aller voir le pape, ou s'en aller au diable, à leur
guise !

— Vous êtes trop bonne, comtesse, mais dans les deux
cas, c'est le trésorier de la curie qui a le dernier mot, et la
curie a les moyens — Lorenzo d'Orta souriait jusqu'aux
oreilles tandis qu'il cherchait quelque chose dans ses poches
et que le Pisan prenait congé en s'inclinant légèrement,
accompagné de Guiscard.

Lorenzo sortit trois cordons de cuir remplis de nœuds et
les mit sous le nez de Laurence.

— Votre fidèle ami, le chancelier Tarik, m'a demandé
de les remettre à Lucera. Je n'ai pas le temps de le faire moi-
même. De plus, mon intuition me dit qu'ils ne signifient rien
de bon : un de ces lacets se rapporte certainement à notre
ami Guillaume, que Créan de Bourivan cherche en ce
moment, inutilement il est vrai, à l'extrémité nord du pays.
Le deuxième se réfère à vous, comtesse, ou peut-être aux
enfants ? Ce n'est que pour le troisième que je n'ai aucune
indication sûre...

Laurence avait pâli à la vue des lacets, mais elle se reprit
aussitôt :

— Vous ne savez peut-être pas, Lorenzo d'Orta, qu'un
de ces cordons se réfère toujours au messager lui-même ?
C'est la règle des Assassins, et il signifie presque toujours la
mort ! — Elle jouit un moment de la frayeur de mon frère
dont la mince couronne de bouclettes se mit à trembler un
peu. — Mais comme vous avez profité de votre vie jusqu'à un
âge avancé, il se peut que l'entrée au paradis ne vous soit pas
trop difficile — elle tendit sa main ridée au légat pour qu'il la
baise —, à moins que l'ange ne sorte avec son épée de feu
pour vous empêcher d'entrer ! — Indécis, Lorenzo remit les
cordons dans sa poche et sortit d'un air pensif. Quant à moi,
plus rien ne pouvait me faire peur.

Pourquoi ne pas repartir avec Lorenzo, me présenter au
roi et lui demander de me reprendre à son service, en

oubliant toute cette histoire comme s'il ne s'agissait que d'une faute vénielle? Mon frère franciscain, qui à présent avait rang de légat, accepterait de m'entendre en confession si je lui racontais ce qui s'était passé durant ces quatre années que j'avais vécu « dans le péché » ; il m'enverrait faire pénitence dans un monastère pour six mois, ou peut-être même trois seulement, et je pourrais ensuite retourner à mes études à Paris...

— Qu'est-ce que tu veux savoir de plus, oiseau de malheur? fit la voix acide de la comtesse qui m'arracha à mes élucubrations.

— Vitus de Viterbe, le sbire de la curie, sait que les enfants sont ici! dis-je pour essayer de justifier ma présence indésirable.

— Naturellement, il suffit de suivre tes traces d'éléphant! se moqua Laurence sans paraître impressionnée par le danger. Les gens du pape n'oseront pas attaquer Otrante...

— Cet homme est le démon en personne, il ne prendra jamais de repos et il est déjà en route..., répondis-je en bégayant.

— Et tu attends maintenant pour le dire! explosa la maîtresse du château, enfin hors d'elle-même. Tu en es sûr?

— Aussi sûr que peut l'être un éléphant!

Laurence ne me regardait toujours pas d'un air très aimable, mais au moins elle ne semblait plus me considérer comme une grosse mouche gênante.

— Laissez-nous seules, me dit-elle, puis elle se tourna vers Clarion.

— Demande à Guillaume d'attendre dehors, dit la jeune fille à la comtesse. Dis-lui de ne pas s'en aller! ajouta-t-elle, presque pour s'excuser du comportement de Laurence.

Je n'avais pas souvenir d'avoir vu Clarion de Salente aussi sérieuse, presque résignée, compte tenu du rôle que la vie lui avait fait jouer jusqu'alors. Elle devait avoir maintenant plus de vingt ans, mais on aurait pu encore la considérer comme une vieille fille. Je lui souris et sortis de la salle.

Comme on m'avait demandé d'attendre à la porte, il me sembla que je n'avais pas à m'embarrasser de scrupules et je me préparai à écouter ce qu'elles se disaient.

— J'ai reçu des nouvelles de Constance qui me

viennent de Foggia, expliqua la comtesse. Il me dit que l'empereur n'a pas l'intention de me confier l'éducation de tous ses bâtards. Il me demande si je compte établir à Otrante un nid de reproduction de son propre sang, et rien ne sert de te rebeller, car je compte bien faire le bon plaisir de Frédéric !

— Mon père l'empereur n'a pas pu parler ainsi de moi.

— Alors, tu le connais bien mal. Il a encore demandé si celle de Salente est trop laide pour trouver mari, ou si nous attendons peut-être qu'il t'en trouve un.

— Mon Dieu ! — Clarion tremblait. — C'est un monstre. Nous devons fuir !

J'avais tout entendu derrière la porte et j'eus l'impression que la comtesse avait transmis à sa fille adoptive le message de Faucon rouge — sûrement déguisé sous des paroles plus aimables que celles-là —, avec une satisfaction malsaine sous laquelle il me sembla deviner qu'elle avait un peu de chagrin.

— Nous devrions envisager cette possibilité..., reconnut-elle.

— ...avant que l'empereur n'exige qu'on lui remette les enfants, continua Clarion à sa place.

— Et avant que ce Vitus n'arrive ici. Je n'ai pas peur des sbires du pape, ni sur mer ni sur terre, mais je suis fatiguée des cris et du vacarme. Si Frédéric ne s'est pas soucié de nous jusqu'à présent, il va le faire maintenant, car ses nerfs doivent être à vif ! Il interviendra pour éliminer la cause de la dispute, dont la coloration hérétique ne lui convient pas de toute façon, redoublant ainsi ses efforts pour se réconcilier avec l'Église...

— Il enverra probablement Élie..., pensa tout haut Clarion, et j'eus peur en pensant aux pouvoirs d'invention infernaux de Vitus ; j'avais cru jusque-là son idée plutôt fumeuse.

— ...à qui j'ouvrirais la porte sans me douter de rien, enchaîna la comtesse avec colère. Mais que croient donc ces gens ! Je n'ai pas l'intention de renoncer à Otrante ; nous verrons qui est capable de me l'arracher !

Collé derrière la porte, j'étais fier de la comtesse d'Otrante et de la courageuse obstination dont elle faisait preuve pour défaire la toile tissée par les intrigues de Vitus. L'empereur et les quelques fidèles qu'il lui restait avaient mieux à faire que de se déchirer entre eux. Il n'y avait plus qu'à convaincre la comtesse de ne pas me mettre à la porte d'Otrante, comme on chasse un vieux chien. C'était dans ce château que je pouvais le mieux me protéger et leur être utile, sans parler des enfants qui m'adoraient!

Guiscard s'approchait en faisant sonner sa jambe de bois sur les dalles de marbre. Il était accompagné d'un messager sarrasin. Guiscard avait l'air grave et ne prêta aucune attention à ma curiosité manifeste. Il ouvrit la porte et poussa l'homme à l'intérieur sans annoncer leur arrivée. Cette fois encore, je pus tout écouter.

— Au nom de l'empereur, dit le messager, notre capitaine vous transmet ses salutations et ses hommages. Un régiment sera transféré de Lucera à ce château pour renforcer la garnison. Vous êtes priée de vous préparer à accueillir l'armée d'Élie qui a déjà quitté Ancône et qui s'approche par la mer.

Un silence mortel enveloppa quelques instants la salle. Puis la comtesse répondit d'une voix éteinte :

— Remerciez le capitaine de son aide et dites-lui qu'il peut disposer librement d'Otrante au nom de l'empereur.

Derrière la porte qui s'ouvrit alors devant l'Amalfitain et le messager, j'avais senti le terrible effort que faisait Laurence pour se maîtriser. Quand les deux hommes se furent suffisamment éloignés, elle éclata d'un rire strident qui couvrit même les sanglots de Clarion.

— Au nom de l'empereur! dit la comtesse d'une voix ironique. Ce que le pape et la curie n'ont pu obtenir et ce qu'ils n'obtiendront jamais — son rire avait maintenant en lui une sorte de rage infernale, et je fis le signe de la croix —, Frédéric y parviendra.

Il y eut un moment de silence.

— Qu'allons-nous faire? demanda timidement Clarion.

— Ce que nous allons faire, répondit tranquillement la comtesse, c'est partir à Constantinople! — Elle ouvrit la porte avec une telle violence que je faillis tomber à l'intérieur. — Guiscard! cria-t-elle dans le couloir, puis elle se tourna vers moi : Toi, tu viens avec nous! — Ce n'était pas du tout une invitation, mais bien un ordre. Elle était redevenue la vieille Abbesse!

— Guillaume pourra s'occuper des enfants, proposa Clarion.

— Que veux-tu qu'il fasse d'autre ! grommela la comtesse s'éloignant. Guiscard !

Je me dirigeai vers les appartements des enfants. Ah, Guillaume de Rubrouck, me disais-je, *et quacumque viam dederit fortuna sequamur* ! L'étude, la vie pieuse dans un monastère, ce serait pour plus tard : la vie m'appelait ! Constantinople !

Je réveillai les servantes qui dormaient dans l'anti-chambre.

Yeza et Roç attendaient, assis bien droits sur leurs lits. Ils n'avaient pas encore dormi.

— Allez, vous pouvez vous rhabiller ! — et je me mis à rire en les voyant. — Nous partons en voyage !

— Oh, Guillaume ! — Ravie, Yeza se jeta à mon cou.

Tout en refusant qu'une servante l'aide à enfiler son caleçon, Roç me fit une confidence :

— Rien qu'en te voyant, je pensais bien...

— C'est moi qui l'ai dit en premier ! hurla Yeza qui lais-sait la servante tresser ses cheveux blonds. Quand Guillaume arrive, il se passe toujours quelque chose.

— Avec Guillaume, on s'amuse toujours bien, reconnut à son tour Roç. Il faut que j'emporte mon sabre !

— Moi, j'ai un poignard ! — Yeza fouilla dans un coffre et en sortit un poignard arabe dont la lame incurvée était protégée par un fourreau magnifiquement travaillé. — Il est très, très bien aiguisé, et c'est un secret !

Roç était consterné, mais il ne lui fit pas le plaisir de s'enquérir du noble et irresponsable admirateur qui avait pu faire cadeau d'une arme semblable à une petite fille.

— Tu ferais mieux d'emporter tes poupées, lui dit-il avec rancœur, et il lança son sabre de bois dans un coin. Quand je deviendrai chevalier, j'en aurai un vrai.

— Avant, je te donnerai un arc et des flèches — je me sentais obligé de réconforter le petit, car Yeza déclarait déjà qu'ils avaient tous les deux passé l'âge de jouer à la poupée. Et sur ce, elle mit toutes ses poupées dans son lit, leur donna un baiser à chacune, puis leur tourna résolument le dos. Elle remonta sa robe et attacha son poignard à sa hanche pour que personne ne puisse le voir. — Guiscard l'Amalfitain est un excellent archer. Il t'apprendra ! dis-je à Roç qui ne savait toujours pas quoi emporter.

— C'est promis? dit Roç en me tendant la main. — Je vis une lueur étrange dans le coin de ses yeux.

— Parole d'honneur, répondis-je, et je les fis sortir de la chambre pendant que les servantes remplissaient une malle de vêtements d'enfants.

Yeza bondissait devant nous. Alors que la nuit était très avancée — je crois même que le soleil était sur le point de se lever —, le château bourdonnait comme une ruche et ses habitants trottaient comme dans une fourmilière qu'un passant — moi, peut-être? — a dérangée avec son bâton. Partout, on voyait des domestiques en train de traîner ou de porter coffres et ballots. Je me dirigeai avec les enfants vers le port où reposait la trirème. L'Amalfitain en avait reçu le commandement. L'ancien capitaine, un Normand français qui avait l'entière confiance de la comtesse, commanderait le château en son absence.

Sa jambe de bois solidement plantée sur la proue, Guiscard surveillait l'affilage des dents de l'éperon. Je fis monter Yeza et Roç à bord en insistant pour qu'ils ne dérangent pas l'équipage pendant le chargement, en d'autres termes qu'ils n'aillent pas se fourrer dans les pattes des hommes. Comme Roç insistait pour que je lui trouve tout de suite un arc et un carquois rempli de flèches, je partis me procurer ce qu'il réclamait.

Le navire pisan était toujours à quai; son capitaine bavardait avec Lorenzo d'Orta, sous la poupe de notre trirème. Quand il fut mis au courant du désir pressant de l'enfant, il fit signe à un de ses hommes qui sauta aussitôt à l'eau et s'approcha à la nage.

— Nous attendrons encore un peu, m'expliqua Lorenzo. Je crois qu'avec ces deux navires, nous pourrions tenir tête à n'importe quelle flotte papale, surtout maintenant que son navire amiral, le véloce *Laus Santae Virgini*, s'est fait casser les ailes à Ostie! — et il se mit à rire.

Le capitaine pisan acquiesça et remémora la scène avec plaisir :

— Nous avons bien bousculé la chère donzelle de Capoccio! Nous allons vous accompagner jusqu'au détroit de Messine. De là, vous arriverez sans encombre à Palerme.

Je crus préférable de ne pas le contredire. Peut-être leur avait-on dit que nous allions voir l'empereur en Sicile. Fort probablement, j'étais seul au courant du voyage à Constantinople, avec les deux dames qui descendaient maintenant les marches, après qu'on eut embarqué les derniers sacs, barriques et caisses et que tous les soldats et rameurs furent à bord.

En guise de salut, les rameurs du rang supérieur levèrent leurs avirons affilés comme des lances qui s'embrasèrent dans la lumière rouge et violet du soleil levant. Et voilà que le voyage t'emporte là-bas, Guillaume, vers le lointain et mystérieux Orient ! Et tu vas rester intimement uni et même attaché au destin et à la fuite de ces enfants que tu vois maintenant sur la proue à côté de Guiscard. Yeza se cramponnait à sa jambe de bois.

La comtesse monta à bord, suivie de Clarion. Elle était sur le point de donner le signal du départ quand un marin pisan apparut au milieu des eaux du port en tenant entre ses dents un arc plutôt petit, étrangement incurvé, et un carquois de cuir rempli de flèches ornées de plumes.

Le capitaine pisan remit les deux objets à Roç.

— C'est une arme comme celles qu'utilisent les Tartares, très légère. Ils peuvent tirer à dos de cheval. L'ami Guiscard t'apprendra à t'en servir, jeune chevalier.

Je le remerciai avec émotion de ce présent si bien choisi et je pris Lorenzo dans mes bras.

— Nous aurions bien des choses à nous dire, frère Guillaume, me dit-il en souriant. J'espère que nos chemins se croiseront bientôt !

— Je l'espère moi aussi, Lorenzo, et je suis heureux d'avoir fait la connaissance d'un autre minorite qui aime autant la vie que moi. Priez pour moi !

— Guillaume ! fit la voix autoritaire de la comtesse, et je fus le dernier à embarquer.

La galère s'éloigna prudemment à petits coups de rame. Le pisan levait l'ancre lui aussi.

Alors que toutes les rames étaient à l'horizontale, l'Amalfitain lui cria :

— Sortez d'abord ! Nous vous suivrons un peu plus loin !

Nous vîmes bientôt se gonfler la toile du voilier rapide qui nous distança comme une mouette s'élance devant un échassier. Je restai à côté des enfants pour saluer Lorenzo et, à peine le Pisan eut-il disparu derrière le cap de Leuca que Guiscard donna l'ordre d'accélérer la cadence et nous commençâmes à filer sur la mer en feu, vers le soleil, vers l'Orient.

UN CORDON À LA MER

Mer Ionienne, printemps de l'an 1247

Les voiliers du pape avaient eux aussi sorti toutes leurs voiles et avançaient bon train. Mais quand ils voulurent faire un large virage pour éviter le golfe de Tarente dont les eaux étaient impériales *per se*, le vent tomba et, avant d'atteindre le cap de Santa Maria de Leuca à la hauteur d'Ausentum, ils durent recommencer à marcher à la rame.

Parmi les bancs des galériens qui ramaient les pieds enchaînés, ce n'était que plaintes et gémissements. Le garde-chiourme y répondait immanquablement en faisant claquer son fouet.

Le légat du pape se retourna vers Vitus qui était enchaîné lui aussi :

— Je préfère aller me promener ailleurs, avant de recevoir moi aussi un coup de fouet! — et il se leva.

— Vous ne pouvez pas me laisser enchaîné ici, Fra Ascelino! l'apostropha Vitus. Avant d'arriver à Otrante, vous devez me remettre en liberté et me céder le commandement! Vous savez ce qui est en jeu!

— Il me plaît, celui-là, gronda le garde-chiourme attentif à la conversation, qui attendait seulement que le seigneur légat écarte son dos protecteur du prisonnier rebelle. Non seulement il demande la liberté, mais il veut aussi le commandement du bateau ! Ce ne serait pas de la mutinerie, par hasard ? — Et une fois de plus, il fit claquer son fouet en s'approchant d'un air menaçant.

— Laisse-le tranquille ! fit le légat pour défendre la victime choisie, tout en regardant en coin le fouet. Vitus est un pécheur repenti et seul Dieu connaît la juste mesure de son châtiment. — Puis il s'éloigna sans demander son reste, tandis que les rameurs faisaient de leur mieux pour suivre la cadence des claquements du fouet.

Fra Ascelino ne regarda pas derrière lui, si bien que Vitus, enchaîné à son banc, ne pouvait soupçonner qu'à chaque coup que recevait le galérien, un sourire satisfait élargissait les commissures des lèvres de son frère dans l'Ordre, à présent pourvu du titre de légat du pape. *Canes domini*, chiens d'un même maître, cela ne voulait certainement pas dire qu'ils devaient s'aimer comme des frères, loin de là ! Et puis, il aurait été bien difficile de demander au plus pieux des chrétiens d'aimer Vitus de Viterbe ! Ascelino s'avança vers le poste du capitaine, un Génois que la curie avait engagé pour cette mission, de la même façon que la seconde nef qui les suivait à peu de distance était elle aussi génoise. Pour des raisons bien compréhensibles, elles naviguaient sans arborer les bannières de la République ou de l'État pontifical.

— Votre galérien préféré désire vous parler, dit-il à voix basse, car il savait que le capitaine se mettait en colère dès qu'on lui parlait de Vitus. — Même si Ascelino lui avait prétendu que lui-même en était la raison, l'homme croyait savoir de source sûre à qui ils devaient cette course folle vers le sud de l'Apulie qui les avait empêchés de dormir de toute la nuit.

— Il n'a pas encore assez goûté au fouet ? marmonna le Génois épuisé en suivant à contrecœur son hôte de marque qui ne jugea pas utile de lui répondre. — On ne sait jamais ce qui peut arriver ; Vitus était le meilleur exemple de l'ascension, de la vanité, de l'irresponsabilité et de la chute. Ascelino se garderait bien de l'imiter et il se croyait parfaitement à l'abri ! Ce qui expliquait aussi pourquoi il favorisait cette conversation « officielle » entre le prisonnier et le capitaine.

— Nous allons bientôt arriver à Otrante. — Vitus ramait en essayant de dominer sa rage. — Libérez-moi, et je vous donne ma parole d'honneur !

— Non, répondit le capitaine, et nous n'accepterons pas non plus de faire un autre détour...

— Le seigneur légat peut vous l'ordonner! — Vitus haletait, furieux.

— J'ai l'ordre de conduire le seigneur légat en Syrie pour qu'il se rende ensuite à Tabriz, au pays des Mongols, et j'ai aussi l'ordre de ne pas vous laisser en liberté, Vitus de Viterbe, ni à l'aller ni au retour, dans aucun port et sous aucun prétexte.

— Alors, conduisez-moi à Otrante avec mes chaînes! répliqua Vitus qui essayait maintenant une autre tactique.

— Pour quoi faire? répondit dédaigneusement le Génois. Pour commencer, il y a longtemps que la trirème sera partie; et même si elle était encore là, ça ne changerait pas grand-chose. La forteresse est imprenable, même sans ses puissantes catapultes.

Vitus ne s'avouait pas vaincu :

— Nous pourrions l'attendre en mer, ou vous avez peut-être peur de la trirème de l'amiral?

Le capitaine ne mordit pas à l'hameçon.

— Pourquoi l'attendre? Si nous nous rapprochons trop de la côte, on va nous reconnaître; si nous restons au large, ils pourront s'échapper à la faveur de la nuit.

— Un bateau en vue! cria la jeune voix de la vigie. — Un voilier rapide doublait le cap et fonçait vers les deux navires en arborant ses couleurs.

— Un Pisan! — Le capitaine génois bouillait d'envie d'en découdre. — Hissez les voiles et montrez nos couleurs! cria-t-il. Ce qu'il peut faire, nous pouvons le faire nous aussi!

Ils hissèrent donc la bannière de Gênes à côté de celle où l'on pouvait voir les clés du *Patrimonium Petri*, ce qui indiquait la présence d'un légat à bord. Mais le Pisan répondit en envoyant le même signal.

— L'insolent! gronda le capitaine. Tu vas me payer cette tromperie! — et les deux Génois s'empressèrent de prendre le voilier en tenaille. — Si tu ne peux pas nous présenter un prêtre muni d'une lettre portant le sceau de notre seigneur le pape, nous allons t'envoyer par le fond où les poissons de saint Pierre pourront festoyer tout leur content!

— Il jurait, les yeux rivés sur le Pisan qui continuait droit sur les bateaux du pape.

Ascelino acquiesça d'un geste, car user par duperie des insignes papaux méritait un châtiment; et il était naturellement inconcevable qu'un légat du pape puisse poser le pied sur le pont d'un bateau de l'empereur! Et ils se rapprochaient donc rapidement les uns des autres.

— Dois-je les éviter? demanda le capitaine pisan à Lorenzo d'Orta qui se trouvait à côté de lui. Leurs bateaux sont trop lourds et trop lents pour nous suivre!

— Non, dit le franciscain. Nous allons les occuper un peu, jusqu'à ce que la trirème soit en sûreté! — A vrai dire, Lorenzo n'en menait pas large.

— S'ils nous attaquent des deux côtés en même temps, nous ne pourrons pas leur échapper! objecta le capitaine. Il ne reste plus qu'à leur jouer un tour!

Il donna un coup de barre et le bateau se cabra; un instant, on aurait cru qu'il voulait fuir. Les deux bateaux génois pressèrent à la limite la cadence de leurs rameurs, mais le Pisan manœuvra avec une très grande rapidité et se retrouva juste devant la galère capitane des Génois.

— Relevez les avirons! cria son capitaine, mais la seconde galère tarda à exécuter la manœuvre. — Le Pisan se glissa à toute allure entre les deux navires et l'air se remplit du crépitement des rames qui se brisaient d'un côté. Et ce fut l'image lamentable d'un rang de moignons de bois qui se présenta au Génois quand il regarda en blasphémant l'autre bateau. Le Pisan s'était échappé!

— Maintenant, vous pouvez parler tranquillement avec votre collègue! dit le capitaine pisan en riant, puis il décrivit une élégante courbe vers le large et revint se mettre à la hauteur de la capitane génoise.

Rassuré sur l'habileté du Pisan, Lorenzo craignait encore que leur puissant ennemi ne les aborde pour les faire prisonniers. Et tandis qu'ils s'approchaient des Génois, il laissa tomber furtivement les cordons de cuir des Assassins par-dessus bord, afin qu'ils ne puissent pas le trahir.

— Nous avons à bord Lorenzo d'Orta, légat du saint-père, hurla le capitaine furieux au bateau génois. Il rentre de Terre Sainte et se rend à Lyon! — Debout à côté du Génois qui grinçait des dents, Ascelino reconnut le personnage fluet du franciscain rebelle qui avait tellement attiré son attention au château Saint-Ange par son insolence et son espièglerie.

Mais il avait aussi parfaitement vu que Lorenzo venait de jeter quelque chose à la mer.

Fra Ascelino était bon perdant. Il s'approcha du bord et, tandis qu'il essayait de repêcher un des cordons que les vagues avaient repoussés contre son bateau, il dit d'une voix forte :

— Anselme de Longjumeau et Vitus de Viterbe, de l'Ordre des prêcheurs, vous souhaitent un bon voyage de retour. Tous les deux sont en route pour la Terre Sainte, sur l'ordre du saint-père ! — Ils se saluèrent de la main et le Pisan disparut bientôt en direction de la Calabre, tandis que le Génois faisait route vers le sud.

Ascelino descendit jusqu'aux bancs des rameurs et jeta à Vitus le cordon messager des Assassins.

— Avec les salutations cordiales de Lorenzo d'Orta, artiste peintre qui n'a pas eu le temps de faire votre portrait dans vos nouveaux atours !

— Vous auriez dû le noyer ! grogna Vitus sans le regarder. Si je n'avais pas été enchaîné ici, je l'aurais étranglé de mes propres mains.

— C'est précisément pour cela que vous êtes en train de ramer, répondit Ascelino avec un sourire, pour ne pas salir vos mains avec le sang du légat. Si vous le voulez, Vitus, je suis prêt à faire mes oraisons à côté de vous.

— Ah, allez au diable ! aboya Vitus, en proie à une colère impuissante. Comment aurais-je jamais pu croire qu'un frère de mon Ordre, et de plus légat du pape, soit incapable de s'imposer à ces Génois fanfarons, ces écumeurs des mers ! Un pêcheur des lacs de Viterbe n'aurait jamais perdu aussi stupidement ses avirons et tous ses moyens de gouverne comme l'a fait cet apprenti capitaine de la « République marine ».

Vitus était tellement furieux qu'il n'avait pas vu le capitaine et le garde-chiourme s'approcher dans son dos. Ascelino joignit les mains et s'éloigna en priant à haute voix. Ses « *Ave Maria, gratia plena...!* » furent bientôt couverts par la litanie des coups de fouet qui commencèrent aussitôt à pleuvoir.

X

CHRYSOKERAS

L'ABBESSE

Mer Ionienne, printemps de l'an 1247 (chronique)

La trirème glissait en direction du soleil levant. Le disque lumineux montait dans toute sa splendeur, transformant la mer légèrement moutonneuse en un tapis d'or pur qui s'offrait à nous devant nos yeux plissés. *Ex oriente lux!*

Quand il eut fait hisser toutes les voiles, Guiscard mit le cap au sud. Les enfants ne le quittaient pas d'une semelle, Clarion était allée dormir et je me promenais entre les rangs des rameurs qui avaient rangé leurs avirons le long du pont et qui maintenant se redonnaient du courage en criant à tue-tête et en poussant des exclamations grossières, heureux d'avoir réussi, dans un silence obstiné et à cadence forcée, à sortir de l'abri du port d'Otrante pour arriver au milieu de la *Mare Ionicum*. Hors d'haleine, ils s'étiraient et respiraient la fraîche brise qui parvenait jusqu'à leurs stalles, poussant devant elle des bouffées malodorantes et des odeurs de sueur qui montaient jusqu'au pont. Mais la plupart restaient pliés en deux, la tête baissée, enveloppés dans les couvertures qu'on leur avait lancées d'en haut.

Seuls les rameurs du premier rang qui manœuvraient les avirons en pointe de lance, à l'abri de hautes faux de guerre formant estacade, pouvaient voir la mer durant le voyage, et aussi les yeux de l'ennemi sur un bateau adverse. Ces hommes étaient les premiers à risquer leur peau, brandissant leurs terribles armes sous une pluie de flèches. C'était des aventuriers hardis, conscients de leurs responsa-

bilités et de leur rang par rapport à la troupe des mercenaires installés plus bas. Les *lancelotti* étaient l'orgueil de la
comtesse d'Otrante qui les connaissait tous par leur nom. Ils
étaient presque tous normands, et plusieurs venaient de
bonnes familles. La comtesse leur payait une bonne solde et
ils avaient leur part des sacs et des prises, comme les catapultaires souabes, les archers catalans et les marins grecs,
passés maîtres dans l'art de manœuvrer les voiles. A côté de
ceux-là, il fallait encore ajouter les sauvages maures, entraînés à l'abordage et au corps à corps.

Tout compté, Laurence disposait à bord de sa trirème
d'un équipage de plus de deux cents bras bien armés, en plus
du pilon de son capitaine. Cette jambe de bois valait à Guiscard plus de respect que toutes ses autres cicatrices et l'équipage la vénérait comme une relique. Plus d'un aurait voulu
la clouer à l'extrémité de l'éperon ou la hisser au grand mât,
à côté de la bannière d'Otrante.

Au poste de combat de poupe se trouvait la *cabana* de la
comtesse, percée de meurtrières pour les canons et prolongée par une toile de tente qui formait une terrasse couverte
quand il n'y avait pas d'ennemis en vue. Les marins achevèrent d'assujettir le gréement et déroulèrent des tapis sur le
pont. Laurence s'installa commodément sur le divan qu'on
lui avait préparé. Elle m'ordonna de m'approcher.

— Guillaume, dit-elle d'une voix éteinte, avec une douceur qui paraissait étrange chez cette femme, assieds-toi ici,
à côté de moi ! — Les émotions de ces derniers jours l'avaient
épuisée plus qu'elle ne voulait l'avouer, car elle n'était plus
toute jeune. Tu es presque de la famille. Les enfants t'aiment
beaucoup... Mais justement, qu'est-ce qu'ils sont en train de
faire ?

Je regardai dans la direction de la proue où elle ne pouvait pas voir grand-chose, en raison de sa myopie grandissante. Yeza était attachée au mât de misaine où elle servait
de cible à Roç. Mais je fus rassuré quand je vis que Guiscard
était avec eux et qu'il apprenait au petit à bien tenir son arc.

— Ils jouent avec l'Amalfitain, répondis-je d'un ton
dégagé, même si ma respiration sembla vouloir s'arrêter
quand je vis la flèche partir et se planter dans le bois en
vibrant, juste sous l'aisselle de Yeza. Il leur explique la
manœuvre du bateau, mentis-je en feignant l'indifférence.

— La trirème n'est pas une nef comme les autres, dit alors Laurence d'un air songeur, c'est un animal, un être fabuleux d'un autre monde. Quand je l'ai vue s'approcher de moi à toute allure pour la première fois, je me suis dit que la gorge de l'enfer s'était ouverte dans une gerbe d'écume au milieu de la mer et qu'elle allait nous avaler, moi et mon bateau. J'étais en fuite à cette époque. La capture et un jugement sommaire m'attendaient. Pourtant, je m'étais avancée très loin en mer Adriatique pour sauver mon demi-frère, comme me l'avait demandé l'ami Turnbull. Mon frère n'est jamais arrivé; les sbires du pape avaient assassiné le pauvre gros évêque, avant qu'il ne se décide à se mettre en route pour la côte. J'étais restée trop longtemps en mer et la murène est sortie en sifflant de son trou entre les rochers. Elle avait flairé une bonne prise. Et elle avait parfaitement raison, parce qu'en plus de la chiourme habituelle des corsaires, nous avions des filles à bord !

— Vous ne feriez pas la traite des femmes ?

— Du tout, je fais la traite des hommes ! — Laurence esquissait un sourire féroce. — Je n'étais pas une pirate inconnue qui se met au service de n'importe qui pour de l'argent. Et c'est pour cette raison que les Impériaux me persécutaient et que le Cardinal gris m'avait inscrite avec le qualificatif de « fausse abbesse et hérétique » sur la liste secrète de l'Inquisition, une menace pire que la simple excommunication. Bref, j'étais donc alors à la portée de l'amiral de Frédéric, Enrico Pescatore, dont la trirème était le navire amiral. Je nous voyais déjà tous, et moi la première, pendus aux vergues de mon pauvre voilier. J'ai interdit à tous le moindre acte de défense, dans l'espoir absurde d'épargner au moins au cou de mes filles la corde du bourreau. L'amiral, un vieux soudard célèbre pour sa cruauté, est monté à bord, s'est approché de moi l'épée à la main, puis est tombé à genoux, comme frappé par la foudre. Agenouillé à mes pieds, il m'a demandé ma main...

A mesure qu'elle racontait, la comtesse reprenait des forces; des étincelles brillaient dans ses yeux gris et je crus revoir en elle l'ancienne Laurence dont on m'avait tant vanté les charmes ensorceleurs et la sauvagerie.

— Bon, tu auras sans doute entendu dire, même si les rumeurs de ce genre ne sont pas précisément destinées aux oreilles d'un franciscain — et elle me sourit malicieusement, jouissant de ma timide confusion —, que les hommes ne m'émeuvent point — je fis un geste pour l'encourager à poursuivre. — Comme rien d'autre ne m'attendait qu'une large vue sur la mer, du haut du mât, avec pour tout orne-ment une corde au cou, je n'ai pas hésité plus qu'il n'était nécessaire. Mais à peine étais-je sûre de ma victoire que le démon s'est réveillé en moi : j'ai exigé qu'on me laisse le temps de mettre en ordre mes affaires personnelles avant la célébration du mariage. J'ai promis solennellement de me marier avec lui et j'ai juré par tous les saints que je me pré-senterais avant deux mois à Otrante pour la consommation de notre union. Cette seule idée me terrorisait au point qu'il me suffisait d'y penser pour presque perdre connaissance, car il y avait longtemps que l'amiral avait passé les quarante ans, même s'il était encore bel homme. Il avait écouté tran-quillement mes folies et mes audaces, bien exprimées avec la décence qui convient à une dame, et il m'a répondu alors : « Vous n'êtes pas précisément une sainte », puis il s'est arrêté pour jouir de mon tourment. « Vous devez me jurer sur votre *fica*, cette toison d'or qu'aucun homme n'a possédée à ce qu'on dit — quelques soldats se mirent à rire, mais il les fit taire d'un regard —, que dans sept semaines exactement, à compter d'aujourd'hui, vous serez à Otrante, couchée dans mon lit ! — Je jure par mon con, par mes nichons et par mon cul », répondis-je à haute voix sans que personne ne s'avise de rire, « que j'y serai et que j'ouvrirai les cuisses comme l'ordonnera mon seigneur et maître ! »

Elle espérait peut-être me faire rougir avec cette explo-sion de vulgarité dans une bouche comtale, car Laurence riait sans aucune honte en me regardant droit dans les yeux.

— J'ai connu sainte Claire, j'ai donc eu le privilège de côtoyer la sœur de ton saint, François, et je suis sûre qu'elle se serait exprimée différemment. Mais, comme on dit, j'avais la corde au cou, et tu sais certainement, Guillaume, comme le cul te pèse dans ce genre de situation. A chier dans ses culottes !

Je baissai les yeux.

— Enrico a fini par se convaincre que mes intentions étaient sincères et que nous nous étions compris. Il m'a baisé la main avec une extrême courtoisie. J'ai appris plus tard que, immédiatement après, il avait fait pendre les rieurs. Il m'a fait cadeau d'une bague de grand prix, bijou de famille des Pescatore que j'honore encore aujourd'hui. Regarde !

Elle leva sa main ridée et le joyau massif brillait de tous ses feux au soleil : c'était une aigue-marine ovale, entourée de saphirs, une pierre comme je n'en avais jamais vu par sa grosseur et sa pureté. Je l'admirai avec respect et dévotion, car en un sens il faut se gagner le plaisir d'écouter des *curricula* aussi extravagants. Mais c'est alors que j'entendis qu'on m'appelait à grands cris. Je me levai d'un bond.

— Que se passe-t-il ? demanda Laurence, surprise, car elle était encore plongée dans ses lointains souvenirs.

— On m'appelle pour manger ! bafouillai-je en simulant la honte, mais je pensais bien qu'il s'agissait des enfants.

— Je t'attends ici, dit-elle d'une voix hautaine, quand tu auras avalé quelque chose pour redonner des forces à ta chair si faible.

Elle pensait probablement à l'épée que cet amiral « bel homme » devait avoir dans sa culotte et dont elle allait désormais être menacée, plutôt que par la corde. Je remontai à grands pas les bancs des rameurs de la trirème, jusqu'à la proue où quelques marins et les servantes affolées se pressaient autour de Roç qui était allongé sur le pont et saignait d'une légère blessure au cou.

Yeza, le poignard encore à la main, était agenouillée à côté du petit et essayait de sucer le sang qui coulait de sa blessure. Elle gardait son sang-froid, mais en même temps il y avait en elle une sorte de désespoir sauvage. Et la bouche barbouillée de sang, elle murmurait :

— Oh, Roç ! Roç ! Si tu meurs, je me tue !

C'est alors que Guiscard arriva avec tout un chapelet de couteaux et un petit sac de simples.

— Il ne va pas mourir, rassura-t-il la petite en lui tendant un peu de mousse sèche. Tamponne sa blessure avec la mousse, dis un Ave Maria, et...

— Je sais pas les paroles, répondit Yeza qui, déjà remise, s'adonnait à sa mission de bonne samaritaine en obéissant aux ordres qu'on lui donnait.

— Alors, chante-lui une berceuse ! proposa l'Amalfitain, mais Roç, encore très pâle, reprenait déjà connaissance.

— Je suis pas un bébé, ronchonna-t-il, et je n'ai pas

besoin d'une nourrice! — Et sur ces paroles, il écarta la main de la petite et pressa lui-même le tampon de mousse sur sa plaie; puis il se releva et, d'une démarche encore un peu chancelante, alla se placer devant le mât, là où s'était produit le malheur. — Apprends-lui à lancer le poignard!

L'Amalfitain prit le poignard de Yeza et soupesa le manche dans sa main. Puis, dans un mouvement d'une rapidité extrême qui surprit tout le monde, il lança l'arme vers le mât et la lame vint se planter au-dessus de la tête de Roç, ne laissant qu'un espace de l'épaisseur du métal.

— Ce sont des poignards de jet, comme ceux qu'utilisent les Assassins, expliqua-t-il aux enfants. C'est pour cela que les manches sont si lourds et les lames relativement courtes. Sept doigts suffisent pour atteindre n'importe quel cœur! plaisanta le vieux soudard. Tu dois le tenir par le fil, continua-t-il en se tournant vers Yeza et, d'un seul mouvement, tu lances... — Un autre couteau se planta à côté de l'oreille de Roç, si près que l'enfant sentit le froid de l'acier. — Le mieux, c'est de le cacher dans son dos, dans la capuche ou dans les cheveux. Personne ne pensera que tu y mets la main pour sortir un poignard.

Comme s'il allait se gratter la tête, Guiscard sortit de sous sa nuque un troisième poignard qui apparut tout à coup planté dans le mât, de l'autre côté du jeune garçon.

— C'est mon tour! cria Yeza qui posa son poignard, pointe en avant, en équilibre sur ses boucles blondes tandis que tous la regardaient en silence. — Les yeux fermés, elle saisit lentement la pointe du poignard, puis lança furieusement l'arme, avec toute la force de son petit corps, en direction du mât. Elle se planta exactement là où se serait trouvé le cœur de Roç si celui-ci, au dernier moment et sur un signe de Guiscard, ne s'était pas laissé tomber à terre.

— Les filles et les poignards! soupira le garçon en levant les yeux au ciel, tandis que Yeza avait bien du mal à ne pas pleurer de rage.

— Moi aussi je sais tirer les yeux fermés! déclara Roç qui reprit l'arc et les flèches, m'obligeant à intervenir.

— Et si vous appreniez d'abord à tirer sur quelque chose qui ne soit pas une personne vivante? dis-je en souriant.

— Ce n'est pas la même chose, grogna Guiscard, il faut

que la cible soit vivante! — Mais il sortit de la poche une pièce d'or qu'il enfonça à coups de poing dans le bois où elle s'incrusta. — Le premier qui touche la pièce sans la faire tomber pourra la garder pour lui.

Les enfants poussèrent des cris de joie et retournèrent à leurs postes. Je partis retrouver Laurence. Je crus qu'elle s'était endormie, mais elle ouvrit les yeux dès que je fis mine de repartir sur la pointe des pieds.

— Guillaume, m'annonça-t-elle d'une voix décidée, je te nomme premier chapelain de ce navire. J'ai envie de me confesser à quelqu'un qui ne me soit pas trop désagréable!

Je m'accroupis à ses pieds, prêt à l'écouter, mais elle m'arrêta:

— Non, c'est moi qui vais me mettre à genoux; toi, tu vas t'asseoir ici. — Ce que je fis, puisque c'était elle qui commandait. — On m'a laissé mon bateau, continua-t-elle, et personne n'a touché à un cheveu de l'équipage, même si les soldats de l'amiral brûlaient de s'approcher de mes filles. J'ai pu m'en aller toutes voiles dehors et j'ai commencé alors à réfléchir au moyen d'éviter l'obligation que j'avais contractée, étant donné que j'avais donné ma parole de me livrer pour toute ma vie et de consentir au mariage...

— N'importe quel prêtre vous aurait libérée de cette promesse... voulus-je intervenir, mais elle me fit taire aussitôt:

— Ne me parle pas de ton Église de bigots, Guillaume! Le pacte que j'avais conclu avec Enrico ne bénéficiait pas de la bénédiction de l'Église et je ne pouvais pas compter sur une solution qui viendrait de celle-ci, car la seule réponse aurait été la promesse de l'enfer.

Je fis rapidement le signe de la croix, détail qu'elle préféra ne pas relever.

— Diables et pirates ont en commun le sens de l'honneur! J'ai pris le chemin de Constantinople, malgré les réticences de mes filles...

Laurence regardait la mer d'un air songeur et je me souvins tout à coup que nous faisions route encore une fois vers cette même Byzance de ses souvenirs.

— Nous avions dû quitter cette cité, ou plutôt la maison de passe du port qui était notre foyer — il y a de cela plus de vingt ans, mais il n'y en avait pas cinq à l'époque — en toute hâte et dans des circonstances contraires. Certaines des filles, tout en restant avec moi, s'étaient mariées dans l'intervalle et avaient eu des enfants, si bien qu'elles n'avaient guère envie de retrouver leur passé. Mais elles avaient peur également, car il n'est guère agréable d'être constamment torturée et marquée. Je leur ai donc dit ceci : « Les filles, les années ne vous ont pas embellies ; vous êtes trop vieilles pour atterrir au marché des esclaves, mais je crois que personne ne vous reconnaîtra, surtout si vous sortez vos vieux habits de nonnes de vos coffres et si vous vous abstenez de blasphémer, de cracher et de vous comporter comme des putains devant tout le monde ! » Et nous avons accosté le long des quais qui se trouvent à l'entrée de la Corne d'Or.

« Rendue là, je suis aussitôt allée voir une ancienne connaissance, Olim, le chef des bourreaux, qui nous avait déjà protégées dans des situations embarrassantes — comme tu le comprendras bien, en échange de quelques jolis garçons — ou qui, lorsqu'il ne pouvait faire autrement, ne marquait qu'un tout petit peu au fer rouge et dans un endroit qui n'attirait pas immédiatement l'attention. J'ai demandé à Olim de me montrer la prison, sans savoir encore très bien ce que je cherchais.

« Là-bas, j'ai vu un jeune homme qui m'a tout de suite attirée d'une curieuse façon, car il était différent des autres. Il semblait étranger : ses traits étaient ceux de quelqu'un venu du lointain Orient : front haut, yeux en amande qui me regardaient, songeurs mais sans tristesse ; il a souri en voyant ma curiosité.

« J'ai demandé à Olim ce qu'il savait de lui et il a commencé par me dire qu'il allait être décapité le lendemain. D'après lui, c'était un infidèle de l'Extrême-Orient où des peuples étranges vivent derrière la "porte de fer", au-delà du Gange ; des peuples qui se disent Tartares et qui obéissent aux ordres d'un certain Prêtre Jean dont ils disent qu'il est chrétien... Le jeune homme avait été condamné comme espion, mais le motif réel de sa condamnation tenait sans doute davantage au fait que personne ne connaissait sa langue. A son avis, l'étranger était un prince : ses traits étaient nobles et son comportement d'une amabilité condescendante, même s'il se montrait d'une indifférence totale pour le destin que lui, Olim, avait essayé de lui faire entrevoir par diverses insinuations.

« J'ai donné quelques pièces d'or à Olim pour qu'il me laisse passer la nuit seule avec le prisonnier, et l'on m'a fait entrer dans sa cellule. Guillaume — Laurence me regardait avec une expression à la fois soucieuse et moqueuse, toujours à genoux à mes pieds —, tu te sens à l'aise? Tu vas supporter ce que je vais te confesser maintenant?

— Votre récit est une torture pour mon âme, lui avouai-je, mais je vous en supplie, Madame, ne vous interrompez point! — Je devais être sincère avec elle et je ne voulais pas lui faire honte par mon indiscrétion; pourtant, je fermai les yeux car je n'avais pas envie de lire dans les siens la cruauté mêlée au plaisir.

— La grille s'est refermée derrière moi et j'ai oublié le monde, la prison et les autres prisonniers qui nous entouraient dans d'autres cellules. Je ne voulais laisser aucun doute sur mes intentions. Je me suis approchée du jeune homme qui s'était levé à mon entrée, je me suis mise à genoux, j'ai enlacé ses jambes avec mes bras, je lui ai pris la main et j'ai baisé sa paume avant de défaire sa ceinture et lui ôter son caleçon de cuir. Il m'a attirée vers lui et il m'a regardée dans les yeux pendant que ses bras vigoureux me renversaient en arrière. Je me suis laissée aller et mes vêtements se sont ouverts tandis que je tombais.

« Il m'a couchée sur le sol de terre battue et il m'a possédée sans jamais altérer le rythme tranquille de ses mouvements. J'avais alors plus de quarante ans et mon jardin connaissait les baisers tremblants, les doigts fébriles et les langues excitées de mes compagnes, mais jamais un homme n'avait pénétré dans mes possessions ni ne m'avait conduite à travers leur splendeur. Je crus que cette chose ne finirait jamais. Avec lui, j'ai traversé un jardin de fleurs et d'épines baignées de rosée, quelques gouttes de sang ont coulé et j'ai glissé avec lui sur la mousse d'un puits profond, toujours plus creux, jusqu'à ce que l'air commence presque à me manquer; nous étions plongés dans une eau claire, là où n'arrive plus la lumière du jour. Je sentais des coups sourds dans ma tête et je me suis laissée tomber, prête à mourir, à mourir noyée et à m'en remettre à la protection de cette nuit, fuyant de plus en plus loin, jusqu'à sentir mes artères éclater dans ma tête, jusqu'à ce que devant mon visage explose une fontaine de lumière qui sortait du creux de la terre, jusqu'à ce qu'un ruisseau de lave ardente me brûle et que j'entende mon propre cri. Je criais, et j'ai été entendue : l'homme ne m'a pas laissée tomber au plus profond de l'enfer, mais il m'a ramenée du même pas tranquille à la lumière. J'ai revu le ciel et je l'ai regardé dans les yeux. Il souriait...

La respiration de la comtesse était devenue lourde et je n'osai la regarder; j'étais ému, mais sans tristesse.

— Nous nous sommes aimés plusieurs fois cette nuit-là, continuait Laurence d'une voix rauque. Et plus la lumière grise de l'aube luttait pour ouvrir le manteau protecteur de la nuit, plus nos étreintes devenaient passionnées. J'ai pris ses hanches comme dans une tenaille entre mes jambes, j'ai planté mes ongles dans son dos; la sueur ruisselait sur nos peaux et notre chair vibrait sur le *staccato* irrépressible de nos corps qui s'attaquaient l'un l'autre et dont nous n'interrompions même pas les mouvements quand, avides, nous mettions la main sur la cruche d'eau pour permettre à nos gorges de respirer un peu; nous nous fondions en vagues qui allaient et venaient, nous nous étreignions comme deux personnes qui se noient et nous nous donnions à boire l'un l'autre, nageant dans la mer de notre jouissance. La lumière pâle nous révélait de plus en plus les limites de nos corps, et nous savions tous deux qu'il faudrait en finir... J'avais la tête vide, mes élancements avaient disparu. Une fatigue contre laquelle seule se rebellait mon âme commença à s'emparer de mes membres. Alors mes forces m'ont abandonnée et je me suis sentie incapable de faire un geste. Plongée dans ce qui semblait être un profond évanouissement, j'ai compris qu'il me quittait. Je n'avais pas entendu entrer Olim et ses valets. Ils l'ont séparé doucement de mon corps pour l'emmener. Et j'ai décidé de ne jamais plus rouvrir les yeux. Mais c'est alors qu'il est revenu pour la dernière fois et j'ai senti qu'il laissait un objet, froid et délicat, sur ma poitrine encore frémissante. Je savais qu'il souriait et je lui ai rendu son sourire sans ouvrir les yeux.

« J'ai attendu que leurs pas s'éloignent, puis je me suis relevée, devenue une autre femme. Je me suis approchée de la grille de la fenêtre. J'ai vu dans la cour le jeune étranger courber la nuque et la lame courbe du bourreau Olim briller. Je n'ai pas détourné les yeux avant qu'il ne lève le poing en brandissant la tête coupée. Je voulais être sûre que l'homme qui m'avait possédée ne vivait plus...

Je me raclai la gorge pour défaire ce nœud qui était la preuve de ma stupéfaction. En m'entendant, la comtesse revint à elle.

— Le reste de ma confession est facile à raconter. Je suis allée à Otrante retrouver mon fiancé, comme je l'avais juré...

Je l'interrompis avec une curiosité un tant soit peu déplacée :

— Et que vous avait donc laissé l'étranger ?

— Une amulette, un symbole oriental du bonheur : un disque de jade pendu à un simple lacet de cuir. Mais nous en parlerons plus tard — Laurence était redevenue parfaitement maîtresse d'elle-même. — Et ce voyage a été le dernier de l'Abbesse, comme les gens appelaient souvent le bateau et sa propriétaire en chuchotant derrière leur main. J'en ai fait cadeau à mes filles et à leurs maris quand elles m'ont laissée près du cap de Leuca où l'amiral m'a reçue en grande pompe...

J'eus alors l'idée de faire valoir un peu mon côté père confesseur :

— Mais on m'a assuré que vous aviez auparavant fait un trou dans le bateau, en secret naturellement...

— Sottises ! siffla la comtesse. Tu vois bien, Guillaume, que je ne cache rien de mon passé et que je ne mens pas dans l'espoir de sauver mon âme.

— L'absence de remords et la cruauté sont des péchés graves pour lesquels il faut faire pénitence ; mais toujours à condition, comtesse, de bien vouloir les admettre, de nous repentir et de faire acte de contrition.

— Je ne me repens de rien !

— Alors, il y a lieu de craindre — tout à coup, je voyais le danger qui me guettait et je ne trouvai mieux que de l'exprimer avec des paroles — il y a lieu de craindre que vous agissiez avec votre confesseur indigne comme avec les autres témoins et complices de votre vie répréhensible...

— Guillaume, dit-elle avec hauteur, ne prétends pas t'ériger en juge. Il est vrai que ta ridicule existence est entre mes mains, mais je ne vais pas les salir en mettant fin à ta vie du seul fait de t'avoir utilisé comme on utilise une tinette pour jeter les immondices. Ce qui te protège, ce n'est pas ton habit ni la croix de bois que tu portes sur la poitrine, mais seulement et uniquement la présence de Roger et d'Isabelle qui t'ont pris en affection et à qui tu restes collé comme une sangsue! Le destin des enfants sera aussi le tien. Le mien se décidera ailleurs. Et bien entendu, ma morale diffère aussi de la tienne.

— Je suis prêt à apprendre et à me taire, Madame, répondis-je. En y songeant bien, j'arriverai peut-être à être nommé cardinal ou même élu pape! Je pourrai alors récompenser votre bonté — et sur ce, je me laissai glisser du divan pour me jeter à ses pieds. — Faites de moi ce que bon vous semble, mais continuez à parler!

Laurence se mit à rire.

— Je te pardonne, Guillaume! — et elle reprit la place qui lui revenait sur le divan. — Enrico, continua-t-elle, a célébré nos noces avec une folle fête qui l'a fait s'écraser sur la couche matrimoniale plein comme une outre. J'ai cependant veillé à ce qu'il fasse son devoir conjugal et, le lendemain matin, j'ai montré à tous le drap taché des obligatoires gouttes de sang. Moins de neuf mois plus tard naissait un enfant, Hamo, mon fils. Enrico était fou de joie et il a aussitôt cessé de vouloir se prouver sa virilité entre mes cuisses. Son empereur l'avait nommé comte de Malte, en reconnaissance de ses longues années de service; et c'est en cette qualité qu'il avait été chercher Yolande, la toute jeune fiancée de Frédéric, en Terre Sainte. Quand durant cette fameuse nuit de noces de Brindisi, l'empereur a engrossé une des caméristes — qui était la fille de son ami Fassr ed-Din, vizir du sultan — au lieu de sa jeune épouse, la future mère a été confiée aux soins discrets de l'amiral d'Otrante. Elle a donné naissance à une fille...

— Clarion? — le nom m'avait presque échappé.

— Clarion de Salente avait déjà presque trois ans quand je suis arrivée à Otrante. Elle était restée là-bas alors que sa mère entrait au harem de Palerme quand la reine Yolande est morte en couches. Je me suis occupée d'élever la petite et Frédéric m'en a remerciée en m'accordant le comté d'Otrante, à la mort d'Enrico à Malte, et en me laissant la propriété de la trirème de l'amiral.

Une fois de plus, des cris s'élevèrent de la proue, parmi eux les hurlements d'une femme.

— La comtesse de Salente doit apprendre à se tenir!

m'informa la comtesse d'une voix ironique tandis que je m'apprêtais à intervenir; il y avait fort à parier que les enfants étaient la cause de ce comportement regrettable de la pauvre Clarion.

C'était le cas, en effet. Roç et Yeza avaient trouvé une nouvelle victime. Clarion n'avait sûrement pas bien compris le jeu quand les enfants lui avaient proposé de se laisser attacher au mât. Et quand Roç s'était présenté armé de son arc et d'une flèche pour se planter devant elle en fermant les yeux, elle s'était mise à crier au secours. Guiscard la détachait au moment même où Yeza plantait son poignard entre les jambes de la victime, d'un geste énergique et élégant, tout en écoutant avec plaisir ses cris hystériques. L'Amalfitain ne fit pas de compliments à Yeza.

— Le scorpion qui s'avance avec tambours et trompettes peut être sûr qu'on va le brûler vif — il arracha la lame du bois et la lança sans se retourner aux pieds de Yeza où elle se planta dans le pont. — Le poignard doit arriver par surprise — puis il sourit en aidant la petite fille à arracher le couteau qui s'était solidement fiché dans une planche. — Il faut le lancer franchement, mais sans se presser. N'oublie jamais que tu n'en as qu'un!

Yeza glissa la lame affilée, manche en bas, derrière le cou d'un vêtement où elle avait fait un trou pour dissimuler l'arme. Mais elle cherchait un autre moyen de faire la preuve de ses capacités : je le compris à la façon dont elle serrait la bouche, et surtout à la ride verticale qui lui barrait le front. Il y avait déjà près de trois ans que je la connaissais; c'était une enfant qui avait grandi avant l'âge, mais elle était toujours aussi entêtée. Il devenait de plus en plus difficile de se souvenir que Roç, qui devait avoir sept ans à l'époque, était un peu plus âgé qu'elle. Elle le dépassait, même si elle n'était « qu'une fille », et justement dans certains domaines considérés comme l'apanage des hommes. Le poignard de Yeza était profondément planté dans l'esprit du jeune garçon et son petit arc ne lui procurait plus tant de plaisir, à dire vrai.

Guiscard comprenait assez bien l'enfant et il savait ce qui n'allait pas. La pièce d'or était toujours encastrée dans le mât.

— Le bon archer, et je dois te dire que les archers vivent très vieux — il essayait de lui redonner courage par ces paroles paternelles —, se reconnaît à la sérénité et à la concentration — il lui mit le carquois en bandoulière, de sorte que les pennes des flèches dépassaient au-dessus de ses étroites épaules. — Il tire son assurance de la succession en souplesse de ses mouvements, la façon dont il prend la flèche, la place, tend la corde en se rejetant en arrière, plie le bras : tout cela fait déjà partie du tir. Et il lâche la flèche au moment précis où la plus forte tension de l'arc est atteinte et où la cible apparaît dans la ligne de mire.

Roç avait suivi la démonstration comme en état de transe et sa flèche acheva de clouer la pièce de monnaie.

— Toucher au but, conclut l'Amalfitain en poussant un soupir de soulagement, fier du succès de ses enseignements, n'est que la conséquence logique de tout ce qui a précédé.

Il voulut s'avancer pour retirer la flèche et la pièce de monnaie quand Yeza lança son poignard qui virevolta en l'air avant de se planter sous son nez, juste devant sa main. La pointe poussa la flèche de côté et fendit la pièce en deux.

— Moitié moitié, caqueta Yeza. — Depuis qu'elle ne zézayait plus qu'à peine, sa voix prenait parfois un timbre métallique, surtout quand elle était énervée et contente. Guiscard donna à chacun des enfants une moitié de la pièce et les deux petits partirent en courant entre les bancs des rameurs pour montrer à tout le monde leur butin.

Les *lancelotti* aimaient ces enfants comme s'ils étaient de petits dieux; le dernier d'entre eux aurait donné sa vie pour eux. Ils saluèrent leurs prouesses en poussant des cris d'admiration et en heurtant leurs avirons renforcés de pièces de métal, ce qui fit un assez grand bruit, comble de l'honneur et de l'admiration. Les enfants étaient repartis en courant. Clarion et moi essayâmes de les suivre, mais en vain. J'abandonnai la partie.

Laurence était toujours couchée sur le divan.

— Et qu'est devenue l'amulette de votre étranger? dis-je pour reprendre notre conversation.

— Immédiatement après les funérailles de l'amiral, j'ai sorti de ma cassette le disque de jade vert, un bel ouvrage en filigrane, et je l'ai attaché au cou de mon fils. S'il atterrit un jour sur les terres de son père, ou s'il tombe autrement entre les mains des Mongols, peut-être pourront-ils reconnaître son lignage...

— Hamo l'Estrange... un prince tartare? Peut-être un parent de Gengis Khan?

— Qui sait? répondit l'Abbesse avec un sourire.

Épuisée par sa chasse inutile, Clarion s'approcha et s'accroupit aux pieds de la comtesse. Je crus comprendre qu'on me donnait congé.

L'ATTENTE

Constantinople, palais de Calixte, été de l'an 1247

L'évêque avait ordonné qu'on mette la table pour lui et son jeune hôte sur la terrasse, à l'ombre des vélums de toile blanche.

Yarzinth, le rusé cuisinier aux mains habiles, allait servir à son maître un peu de l'exquise vive dont la chair est aussi délicate parce qu'elle ne se nourrit que de langoustes. Yarzinth glissa prudemment la main dans l'horrible gueule du terrible animal pour en extraire avec précaution la chair rosée de derrière les ouïes. Puis, après avoir défait une à une les épines et enlevé la peau, il redonna sa forme au poisson en le remplissant d'ασπαραγοι farcis, le décora de feuilles d'artichaut revenues dans l'huile d'olive pour imiter les écailles de la peau, avant de l'arroser d'une sauce mousseuse au citron, à l'œuf et à la noix de muscade. Le festin allait se dérouler sous le signe de la séduction. Yarzinth approcha pour la dernière fois son grand nez, huma et, satisfait, servit le plat.

Nicolas della Porta versa un vin pétillant et léger de Crimée dans deux coupes d'argent, tout en observant Hamo du coin de l'œil. Le mince jeune homme avait suivi avec fascination les habiles manipulations du cuisinier chauve. Étourdiment, il mit la main dans le plat où le pain fraîchement sorti du four attendait sous une serviette chaude. Il en rompit un morceau, le trempa dans la sauce et se mit à le mastiquer tandis que Yarzinth le servait dans son assiette.

L'évêque et son cuisinier échangèrent un regard où transparaissait une pointe d'exaspération pour les manières du jeune barbare. Nicolas rentra la tête dans les épaules, comme pour demander pardon, et Yarzinth s'éloigna avec la discrétion qui lui était habituelle.

Hamo laissa son regard errer sur les jardins du palais de Calixte, jusqu'à la Corne d'Or, miroir sur lequel les bateaux glissaient comme des libellules. Les bruits grossiers du port ne montaient pas jusqu'à eux. Il vida sa coupe d'un trait et s'essuya la bouche du revers de la main.

— Tu ne vas pas m'embrasser maintenant? plaisanta Nicolas. Je n'aurais jamais espéré autant de sensibilité et de délicatesse de ta part, mais le fait est qu'il te reste encore un peu d'œuf sur le nez.

— Je n'aime pas le poisson, dit Hamo.

— Alors, prends des légumes, ou demande à Yarzinth qu'il te prépare une τραχάνα. Pour ma part, je trouve que cette vive est excellente.

— Je veux m'en aller, reprit Hamo, traverser la mer en bateau, parcourir le désert à dos de chameau...

— Et pourquoi ne pas traverser la steppe à cheval, et ne pas voir autre chose pendant des jours et des jours que cette même steppe? se moqua l'évêque. Tu te nourriras de lait de jument et de viande séchée que tu auras attendrie sous ta selle avec ton délicat derrière...

— Ne parle pas comme ça! dit Hamo — mais avant qu'il n'ait pu formuler d'autres projets d'avenir, Yarzinth se présenta derrière eux, sous les arcades qui conduisaient au « centre du monde », la grande salle de jeu. L'évêque l'aperçut aussitôt et lui fit signe de s'approcher.

— Le seigneur Créan de Bourivan, lui annonça Yarzinth dans un murmure, comme c'était son habitude, est arrivé d'Aquilée avec un bateau de templiers. Ils ont un précepteur avec eux, comme on peut le voir à la bannière...

— Tu sais déjà son nom, je suppose, répondit ironiquement Nicolas à son homme de confiance. Tu sais certainement si c'est un pêcheur ou un homme corrompu, avec qui il commet ses péchés et comment, en plus du nom de sa grand-mère...

— Le petit-fils du diable lui-même : Gavin de Béthune, répondit Yarzinth, fier de ses connaissances, et il a plus d'importance dans l'Ordre que son rang ne l'indique. Sa présence annonce de grands événements, et pas toujours agréables !

— Et que nous importe à nous ? répliqua Nicolas d'une voix moqueuse.

— Ils sont en bas, à l'entrée, murmura le cuisinier.

— Plus maintenant ! fit la voix de Créan. Il faudra nous pardonner notre intrusion, Excellence, et je vous prierai aussi de ne pas vous étrangler, car j'arrive les mains vides. Guillaume n'est plus dans le refuge des *saratz* !

— Il a disparu, il est mort, ou bien on l'a fait prisonnier... ?

— Pour peser ces différentes possibilités, j'ai amené avec moi quelqu'un qui nous sera d'un grand secours : le noble chevalier Gavin Montbard de Béthune !

— *Sacrae domus militiae templi Hierosolymitani magistrorum*, s'exclama l'évêque devant son hôte surpris. Et comment réagit le *mundus vulgus* devant cette fine toile d'intrigues que tissent les chevaliers du Temple ? — Il salua d'un air suffisant le précepteur qui venait d'arriver sur la terrasse, derrière Créan, même si c'était un inconnu pour lui.

— En échange d'une coupe... — Hamo, parfait Ganymède, en avait déjà rempli une qu'il lui offrait respectueusement. Gavin but une gorgée : — vendange tardive de 43, terres impériales d'Odessa, confirma-t-il sur un ton élogieux après avoir goûté le vin. En échange de ce précieux nectar, cher évêque, je peux vous informer que vous avez la faveur du Vatatsès, même si vous n'êtes pas à sa solde ; que le sultan d'Égypte a pris Tibériade, en plus du château de Belvoir, à nos confrères de l'Ordre des hospitaliers et qu'il assiège Ascalon en ce moment ; que le légat du pape, Anselme, aussi appelé Fra Ascelino, est en train de rendre visite au gouverneur mongol Baïtchou, à Tabriz, même si ce dernier ne l'estime pas du tout et préférerait le voir coupé en morceaux... ou peut-être voulez-vous des nouvelles de l'empire d'Occident ? Les Parmesans se sont vendus au seigneur pape, ont assassiné le podestat de l'empereur, puis se sont soulevés contre Frédéric qui a été destitué, après quoi l'empereur qui marchait justement sur Lyon pour faire prisonnier son ennemi est rentré à marche forcée en Lombardie pour que le mauvais exemple ne fasse pas tache d'huile. Il construit devant Parme une place forte, toute une ville de pierre et de terre, qu'il a allègrement baptisée Victoria, et il s'est fait l'émule d'Innocent, de sorte que les deux s'accusent mutuellement d'avoir ourdi une conjuration et d'avoir payé des assassins pour se tuer l'un l'autre...

Gavin s'interrompit et tendit sa coupe vide à Hamo. Le garçon était fasciné par ce personnage en qui il voyait tout à la fois un homme de guerre, un moine et un homme du monde, membre de l'élite dirigeante d'un Ordre qui dominait la Terre, et qui pourtant courait les aventures dont il sortait toujours à son avantage.

Nicolas della Porta remplit sa coupe.

— Vous avez bravement gagné cette noble boisson qui, vous avez parfaitement raison de le supposer, n'est ordinairement servie qu'à la table de l'empereur. Mais l'humilité n'a jamais été mon fort, Messire Gavin, et je veux profiter de cette bonne étoile qui vous a conduit à mon palais — l'évêque leva sa coupe. — Pouvez-vous me dire comment le roi de France a reçu la missive anonyme qui établit un lien entre l'empereur qu'il admire tant et les héritiers du saint Graal, ces mystérieux enfants de Montségur?

Gavin sourit.

— Croiriez-vous par hasard, Excellence, que les templiers aient eu quelque chose à voir avec la fuite et la disparition de ces enfants?

— Loin de moi cette idée, distingué précepteur. Ce n'était que la simple curiosité qui m'a poussé à formuler une question aussi indiscrète — ἀκούειν τὰ λεγόμενα, πράττειν τά προσεχόμενα — et certaine faiblesse que j'ai pour les intrigues...

— Louis a réagi avec calme; il n'a pas fait de reproches à Frédéric et le document a simplement été versé aux archives, au grand déplaisir de ses secrétaires. La chancellerie a simplement ordonné qu'on procède à un contrôle pour vérifier si Guillaume de Rubrouck rentrait effectivement avec Pian di Carpini du pays des Mongols. Ce qui veut dire qu'un espion de Louis Capet va venir fainéanter ici d'un moment à l'autre.

Yarzinth intervint alors avec une éducation consommée, après avoir fait retirer la vive encore presque intacte. Avec ses manières habituelles de reptile, il s'adressa à son maître l'évêque.

— On nous informe de la frontière orientale de l'empire que le légat, accompagné d'un certain Benoît de Pologne, vient de la franchir et s'approche de Byzance — le cuisinier avait annoncé la nouvelle dans un souffle, mais tout le monde l'avait entendu.

— Quoi qu'il en soit — ce fut le précepteur qui reprit le fil de la conversation —, nous devons prendre pour acquis que notre bon Guillaume se trouve entre les mains de la curie, emprisonné au château Saint-Ange ou ailleurs, retenu par le Cardinal et...

Créan s'objecta :

— Et pourtant nous nous comportons comme si nous avions Guillaume à notre disposition.

— Αγραφος νομος, ou s'agit-il de prendre le rêve pour la réalité ? se moqua l'évêque, mais Créan resta impassible.

— En politique, une affirmation équivaut à un fait. De sorte que Guillaume est donc en train de rentrer sain et sauf de la cour du Grand Khan...

— Ce qu'il faudra faire entendre à Pian, plaisanta della Porta.

— Pour chaque pouce, il y a un étau de la bonne dimension, leur rappela Gavin. Pour commencer, il faudra susciter une dispute entre Pian et Benoît. Ainsi, nous gagnerons du temps !

L'idée plut à l'évêque.

— Il faudra préparer un rapport secret, un faux, pour accuser Benoît en laissant soupçonner que son auteur est Pian. Yarzinth, s'exclama-t-il de fort belle humeur, tu vas t'occuper de nous mitonner ce ragoût empoisonné !

— Et vous croyez que Pian va déclarer que Roç et Yeza sont à la cour des Mongols ? — Hamo se souvenait tout à coup qu'un problème semblable s'était posé à lui et que le résultat n'avait pas été des plus glorieux.

— Rassure-toi, lui dit l'évêque, Pian sera plus qu'heureux de voir que nous arrachons ce serpent, Benoît, de son sein, quel que soit le traitement que nous lui réservions! Il lui souhaitera la peste et la mort tout ensemble.

— Et Benoît est Guillaume! — le jeune homme venait d'avoir une illumination.

— Et Guillaume doit mourir, constata Créan en guise de conclusion.

Mais Hamo n'avouait pas sa défaite.

— Mais si Guillaume est vraiment enfermé dans une prison de Rome, comment pourrez-vous le faire mourir ici?

— C'est ici que mourra le véritable Guillaume, et Pian en sera le témoin, lui expliqua Créan. Celui du château Saint-Ange est naturellement un imposteur.

— Il mourra devant tout le monde, résuma l'évêque, amusé. Nous trouverons plus tard d'autres détails. Si Pian consent à jouer le jeu, il peut le présenter comme s'il était Guillaume, et ensuite, l'autre — je parle de Benoît — se taira de toute façon pour toujours et finira dans une tombe.

— Il faudra le faire taire auparavant, recommanda Créan. Et il faut aussi qu'il rédige un testament en forme de confession d'un repenti où il déclarera que, sous les ordres de quelque puissance occulte, d'une conjuration mondiale d'hérétiques ou quelque chose de semblable, il a dû accompagner les enfants à la cour des Mongols...

Mais Hamo n'était pas d'accord et prenait plaisir à intervenir dans ce cruel conciliabule entre hommes faits et droits.

— Et pourquoi tuer Benoît? Mieux vaut avoir deux témoins qu'un seul.

— Non, au contraire! le reprit Gavin qui se tenait à l'écart de la discussion. Quelqu'un pourrait avoir l'idée de confronter leurs déclarations.

— Et de plus, ajouta Créan avec une certaine irritation, nous avons toujours affirmé que c'était Guillaume, et pas lui, qui accompagnait Pian...

— En résumé, Benoît est devenu inexistant — et avec ces paroles, l'évêque mit un point final à la discussion. — La seule chose qu'il nous reste à faire, c'est de trouver une fin spectaculaire à notre histoire. Yarzinth!

Hamo eut l'impression que le cuisinier était encore plus ténébreux qu'auparavant. Le visage impassible, il remplit les coupes en les tenant avec ses doigts pointus.

— Ἀεὶ γὰρ εὖ πίπτυσιν οἱ Διὸς κύβοι! — Tous burent, chacun en ruminant ses pensées.

FALSIFICATIO ERRATA

Constantinople, résidence d'été, été de l'an 1247

Le petit groupe venu du nord, deux moines montés sur des mulets, accompagnés de bêtes de somme qui portaient caisses, coffres et sacs, s'approchait lentement de Constantinople. Moines et muletiers étaient descendus par les montagnes et ils voyaient maintenant en contrebas le scintillement humide du Bosphore. Les murailles et les tours de la puissante capitale commençaient à se dessiner dans la brume.

— Θάλαττα, θάλαττα! jubila le plus mince des deux dont le visage blafard et imberbe, à l'abri du moindre rayon de soleil grâce à son chapeau de pèlerin à large bord, était marqué par les peines et les privations d'un long voyage. Au bout de l'ἀνάβασις, comme on dit, la mer, presque la patrie!

Son compagnon, un personnage robuste et digne, pourvu d'une abondante barbe, l'apostropha sans regarder derrière lui :

— J'ai toujours cru, Benoît, que votre patrie se limitait au *mare Balticum*...

— La Pologne est partout! affirma l'autre, sans paraître s'offusquer de la remarque. Partout, Pian, où on nous offrira une bonne bière plutôt que du koumis, partout où nous attend une table mise avec couteau et fourchette, un bain et un vrai lit.

— J'y pense, où en es-tu resté dans la rédaction de mon *Ystoria Mongolorum*?

— Au 22 juillet de l'an passé, répondit Benoît sans avoir besoin de fouiller dans sa mémoire.

Pian n'avait pas cette facilité :

— Et que s'est-il passé ce jour-là?

— Le kouriltaï s'est tenu à Sira Ordu, aussi appelé Karakorum. L'assemblée a élu Gouyouk, fils d'Ogodaï, et elle l'a proclamé nouveau Grand Khan — Pian di Carpini se souvenait enfin des détails.

— Bien sûr, murmura-t-il, même si son père l'avait banni et s'il avait choisi un petit-fils comme successeur... Comment s'appelait ce petit-fils?

— Schiremon! Mais la veuve, Toragina la khatoune, a su l'en empêcher. Elle a pris la régence et a décidé de recommencer le vote jusqu'à ce que les résultats lui conviennent.

— Mais, n'était-elle pas chrétienne? — Pian n'en était pas absolument sûr, et Benoît ne trouvait pas le détail particulièrement intéressant.

— Presque toutes les khatounes sont des princesses naïmanes ou kéraïtes, c'est-à-dire des nestoriennes. Mais qu'importe! Son favori, Abd al-Rahman, était musulman...

— Un homme avide et vénal, grommela Pian.

— ...qui ne manquait pas de talent, répliqua Benoît. C'est lui qui a fait en sorte que le plus capable des généraux mongols, Baïtchou, soit envoyé en Occident comme gouverneur délégué du Khan. Et depuis, il menace l'Islam.

— Quel peuple plus étrange! s'exclama Pian au moment où un détachement de la police impériale arrivait au grand galop et encerclait les voyageurs.

L'officier examina les deux moines avec la plus extrême méfiance.

— Nous sommes légats du pape, s'empressa d'expliquer Pian, surpris que l'Occident chrétien leur réserve un tel accueil. Nous rentrons d'une mission auprès du Grand Khan des Mongols.

Il ne semblait pas vouloir s'arrêter, mais l'officier prit les rênes de son cheval.

— On dit ça, on dit ça! répondit-il d'une voix bourrue. Pour moi, vous êtes des espions des Tartares, pris au moment où vous tentiez de vous introduire en secret dans la ville pour observer les forces militaires qui s'y trouvent. Heureusement, vous êtes tombés entre mes mains! tonna-t-il, bien résolu à étouffer dans l'œuf toute réponse.

— Mais enfin! Montre-lui le document, Benoît! s'indigna Pian, mais l'officier ne le laissa pas continuer.

— Descendez de vos bêtes! — Puis il cria à ses subordonnés: — Fouillez les bagages, et surtout leurs vêtements!

Le Polonais descendit de son mulet et faillit tomber de frayeur. On lui ôta sans cérémonie sa veste mongole, un

épais vêtement molletonné, bordé d'étranges symboles mul-
ticolores. Pian protestait encore quand deux gendarmes
arrachèrent ses bottes à Benoît.

C'est alors qu'apparut sur le chemin, comme tombée du
ciel, une litière escortée par des chevaliers templiers.

— Place à l'inquisiteur! cria le premier d'entre eux et,
de l'extrémité émoussée de sa lance, il donna un coup à un
mulet qui lui barrait la route.

Pian cria encore plus fort :

— Pour l'amour du Christ, à l'aide! — Les templiers
arrêtèrent leurs chevaux. — Ne laissez pas ces bandits poser
la main sur un légat du saint-père!

De la litière que ses porteurs avaient déposée à terre sortit un personnage vêtu de noir, le capuchon complètement
baissé sur les yeux : c'était Créan qui jouait le rôle de l'inquisiteur. Il appela Yarzinth, son « secrétaire », pour qu'il
s'approche.

— Informe-toi des motifs qu'ont les forces de l'ordre
impériales pour interpeller un homme qui occupe une si
haute charge dans l'Église.

— Je les soupçonne d'être des espions mongols,
l'informa l'officier en lui montrant les deux individus, nu-
pieds et en caleçon.

— Oh, une accusation fort grave! continua Créan, sans
paraître vouloir aider les accusés ni même s'approcher
d'eux. Poursuivez votre enquête, mais pensez aux ennuis que
vous pourriez avoir s'ils étaient effectivement des émissaires
de Sa Sainteté.

— Je ne fais que mon devoir, lui répondit l'officier, et
vous ne devriez pas me compliquer la tâche. — Les deux
hommes échangèrent furtivement un regard entendu.

— Coupez les bottes! ordonna l'officier.

Personne, et encore moins les principaux intéressés, ne
faisait attention à Yarzinth qui avait mis la main sur la veste
de Benoît et la retournait en tous sens, un peu à l'écart. Ses
mains habiles découvrirent avec la vitesse de l'éclair une
lettre dissimulée dans la doublure qu'il décousit pour remplacer le message par un autre. Dans la confusion, personne
n'avait surpris son manège.

Naturellement, ils ne trouvèrent rien dans les semelles
des bottes mises en pièces.

— Vous voyez bien que vos soupçons n'étaient pas fondés ! reprocha Créan à l'officier, mais celui-ci n'acceptait pas sa défaite.

— Il reste encore la veste !

Un gendarme la lui apporta. L'officier la tâta, sentit qu'elle contenait quelque chose, défit assez brutalement la couture et mit la main dans la doublure pour en sortir le document qu'il brandit d'un air triomphant.

— C'est la lettre du Grand Khan à Sa Sainteté Innocent IV ! — Benoît osait enfin ouvrir la bouche.

— Ne vous aventurez pas à briser le sceau ! s'écria Pian.

Et, s'adressant à l'inquisiteur, il s'exclama :

— Seigneur, aidez-nous donc !

— « A Son Excellence le diacre cardinal Rainierus Caputius, suprême protecteur des frères pauvres, en bonne main » — l'officier lisait l'adresse sans s'émouvoir —, « l'indigne frère Guillaume de Rubrouck, *ordinis fratrum minorum*, adresse cette confession désespérée. »

Créan s'était approché du groupe.

— Ainsi donc, c'est vous, dit-il à Pian en gardant cependant ses distances, Giovanni del Piano di Carpini. — Et, montrant Benoît : — Nous savons fort bien que le frère Guillaume voyage en votre compagnie.

Pian perdit ce qu'il lui restait de patience.

— Où est la lettre ? hurla-t-il d'une voix hoquetante à Benoît. — Puis, se tournant vers l'officier, il ajouta : — Cet homme ne s'appelle pas Guillaume !

— Arrêtez-le ! ordonna sèchement Créan, et plusieurs gendarmes se précipitèrent sur Benoît. — Mais Yarzinth les devança et parvint à glisser une petite ampoule entre les dents du Polonais au moment où celui-ci ouvrait et refermait la bouche pour protester, incapable de dire un mot ; le cuisinier lui ouvrit ensuite la mâchoire de force et Benoît cracha quelques petits fragments de verre, mais il n'était déjà plus capable que de pousser des râles.

— Il a voulu s'empoisonner... ! l'accusa Yarzinth sur un ton de reproche.

— ...pour se soustraire à la justice temporelle, ajouta l'officier d'une voix vibrante, quand il a compris qu'on découvrait son double jeu.

— Mettez-le sous bonne garde, ordonna Créan, et assurez-vous que ce pêcheur n'attente plus à ses jours. Emmenez-le !

Les gendarmes attachèrent Benoît, muet de stupeur, sur une monture qui était libre. Il essaya encore de se débattre, mais ses bras retombèrent bientôt sagement et l'on ne vit plus que de l'écume sortir de sa bouche. Yarzinth demanda aux muletiers d'indiquer les caisses et coffres qui appartenaient à l'accusé pour qu'on les décharge sans tarder.

— Nous réquisitionnons ses biens ! — L'officier salua Créan et lui remit la lettre, après quoi les gendarmes s'éloignèrent en escortant leur proie.

— Permettez que je vous accompagne, autant pour vous protéger que pour réparer dans la mesure du possible les torts que vous avez subis ! Nous ne sommes pas loin de la résidence d'été de l'évêque latin de Byzance, ajouta Créan pour rassurer Pian qui doutait maintenant de tout le monde et surtout de Benoît, après avoir assisté avec stupéfaction à ce spectacle. Vous y serez le bienvenu et vous pourrez vous y remettre de cet accueil indigne de vous, ainsi que du comportement contradictoire, douteux, voire suspect de votre compagnon de voyage, Guillaume de Rubrouck.

— Mais s'il s'agit de Benoît de Pologne ! explosa Pian. Il s'est toujours appelé Benoît de Pologne, depuis que le saint-père nous a nommés ; il l'était en Pologne, il l'a été durant tout ce long voyage. Je ne connais pas votre Guillaume ! Je n'ai jamais entendu parler de lui !

La petite troupe s'était remise en marche.

— Tout va finir par s'expliquer, répondit Créan au légat perplexe pour le consoler. Vous allez vous reposer, et ensuite...

— Mais la lettre ! gémissait Pian en s'arrachant les poils de la barbe. La lettre adressée au seigneur pape ! C'était l'unique but de ma mission, même si elle n'a pas été vraiment couronnée de succès. Je ne peux pas me présenter devant les yeux du saint-père sans lui remettre la missive du Grand Khan.

— Tout va s'arranger.

— Et que dois-je penser de ce Polonais... ?

— Nous verrons plus tard s'il est bien Polonais, répondit Créan pour alimenter les suspicions de l'autre. A ce que je sache, ce frère Guillaume est flamand...

— Et cet étrange écrit qu'on a trouvé sur mon... compagnon... ?

Pian commençait à douter de lui-même. Créan lui tendit le document.

— Brisez le sceau vous-même! lui proposa-t-il. — Pian hésitait. — Non, vous n'avez pas à le lire maintenant, le rassura Créan. Mais je tiens à ce que vous puissiez le reconnaître plus tard.

— Ce n'est pas de ma compétence, répondit le légat en tentant de se soustraire à cette requête avec une extrême mauvaise humeur.

— Si vous vous y refusez, on pourrait supposer que vous approuviez, que vous saviez ce qui se passait.

Créan avait pris un ton d'amicale compassion. Pian brisa le sceau. Mais il ne voulut pas jeter un seul coup d'œil à la lettre et se contenta de glisser un morceau du cachet brisé dans sa poche.

— Ce sera une preuve suffisante pour moi, fit-il en rendant la lettre à Créan. Lisez-la vous-même et faites-moi savoir si elle renferme quelque chose qui me concerne. Je n'aime pas mettre le nez dans la correspondance des autres !

— Guillaume n'est donc pas votre frère, un frère de votre Ordre? lui demanda Créan.

— Mon frère était et est toujours Benoît, insista Pian, et je veux *l'autre* lettre !

Créan changea alors de ton pour montrer à Pian comment ils pouvaient s'entendre tous les deux.

— Si les autorités trouvent la lettre du Grand Khan, je ferai en sorte qu'elles me la remettent. A Constantinople, tout est possible avec de l'argent de bon aloi.

— Je ne vois pas d'inconvénient à payer un bon prix. Je suis même disposé à racheter la liberté de Guillaume, ou de Benoît, pour autant qu'on me rende la lettre du Grand Khan...

Ils étaient arrivés à la résidence de l'évêque. La muraille de la cité formait la limite de ses jardins qu'elle enfermait complètement. Tout hôte y était donc aussi un prisonnier, mais sans qu'il s'en inquiète, puisqu'il n'en savait rien.

On installa Pian dans une aile latérale inondée de soleil

et on fit le nécessaire pour qu'il s'y sente bien. Ce qu'il ne soupçonnait pas, c'était que son compagnon de voyage, si malencontreusement arrêté, se trouvait dans une sombre cave du même édifice, où il croyait être dans une prison de l'État, ce qui lui faisait craindre le pire.

Le corps encore moitié paralysé, Benoît avait cependant l'esprit parfaitement clair. Il entendit la clé tourner dans la serrure et vit entrer, entouré de templiers à l'air funèbre, l'inquisiteur et son infâme secrétaire. Tous portaient des torches qui lui éclairaient le visage au point de lui faire croire qu'ils voulaient lui brûler les yeux.

— Eh bien, frère Guillaume, commença Créan d'une voix paternelle, qu'avez-vous à dire pour votre défense?

Il essaya de répondre quelque chose, mais ses lèvres et sa langue refusaient de lui obéir, tandis que sa gorge ne laissait passer que des sifflements et des râles. Il voulait s'expliquer, dire qu'il y avait erreur sur la personne, qu'il n'avait pas écrit cette lettre trouvée sur lui, mais il ne parvint qu'à pousser des gémissements inarticulés.

— Comment pourrions-nous t'aider, mon frère? dit Créan, l'air soucieux, à retrouver l'usage de la parole? Yarzinth, montre-lui tes instruments! ajouta-t-il avec douceur, comme un célèbre médecin qui se prépare à saigner un malade pour le soulager. — Benoît craignait par-dessus tout que ce secrétaire ne le touche et il rassembla toutes ses forces pour articuler les mots suivants:

— J'ai... j'ai honte!

L'inquisiteur eut l'air satisfait.

— De ton infamie, Guillaume?

— Mais je-je ne-ne-ne sais pas-pas-pas, je-je ne-ne-ne sais pas-pas-pas... — Il ne parvenait pas à en dire davantage. Une crise de suffocation mit fin à ses pénibles efforts et Yarzinth n'eut pas à intervenir. Benoît, épuisé, avait perdu connaissance.

Ils éteignirent leurs torches et se retirèrent. A peine la lourde porte de chêne se referma-t-elle derrière eux que les templiers ne purent se retenir davantage et partirent d'un grand éclat de rire.

Ils retrouvèrent Gavin et l'évêque dans le cloître de l'ancien monastère grec. Nicolas della Porta y avait logé ses hôtes templiers.

— Il faut d'abord que Yarzinth lui administre un anti-dote, lui dit Créan en lui décrivant l'état du prisonnier.

— Il serait préférable de lui faire tourner la tête avec ces champignons indiens qui vous font voir et entendre éclairs et coups de tonnerre dans le corps, répondit l'évêque, pour qu'il finisse par croire lui-même qu'il est Guillaume de Rubrouck. — Ces paroles soulevèrent une nouvelle tempête d'hilarité, mais le précepteur ne tarda pas à mettre un terme à ces brefs instants de relâchement :

— Votre problème, Créan de Bourivan, ce n'est pas ce pauvre diable enfermé dans la cave, mais Pian qui est extrê-mement agité et que vous ne pouvez pas traiter de la même façon. C'est lui le personnage le plus important. Comment comptez-vous faire pour que le légat entre dans votre jeu ?

— Douceurs et tortures, plus le fer rouge s'il le faut, dit l'évêque en souriant malicieusement. Pian ne connaît pas encore la teneur de la confession ; la seule chose qu'il aura comprise, c'est qu'elle est adressée au Capoccio. Or tout le monde a peur du Cardinal gris, même un légat du pape, même s'il a la conscience parfaitement nette.

— Et où sont donc ces douceurs ? intervint Gavin d'une voix moqueuse.

— L'évêque, tellement soucieux du bien-être de son digne hôte, aura tiré les fils de son influence pour récupérer auprès de la police la missive du Grand Khan qui fait si cruellement défaut à Pian. Rien n'empêche de la restituer à son légitime porteur en échange d'une petite faveur, un ser-vice que demandent certains amis dont personne ne désire prononcer le nom...

— Vous devriez recevoir Pian dès maintenant, Excel-lence, dit le templier en prenant congé. Je préfère ne pas assister à la scène.

— Nous allons faire donner la réserve, plaisanta l'évêque. Je vous jure que vous allez manquer quelque chose !

L'évêque reçut son hôte dans la petite salle d'audience de la résidence d'été, l'ancien réfectoire. Nicolas della Porta s'y présenta en habits sacerdotaux, flanqué de plusieurs prêtres et de quelques jolis moinillons qui entonnaient un psaume de leurs voix pures quand le franciscain Pian di

Carpini, légat de Sa Sainteté, fut conduit dans la salle obscure dont les murs étaient revêtus de bois foncé.

Le seigneur inquisiteur était assis derrière une table, à côté de la porte, et son secrétaire était debout derrière lui; leur attitude était celle de la sévérité menaçante. Pian comprit que seul l'évêque pourrait lui prêter une aide amicale et lui prodiguer quelques paroles aimables.

— Loué soit Jésus-Christ, murmura l'évêque en s'empressant de descendre de son trône pour donner l'accolade à Pian dès que celui-ci se fut agenouillé pour baiser son anneau. Je vous apporte une bonne nouvelle, continua-t-il en faisant s'asseoir son hôte sur un tabouret qu'il avait fait préparer, et mon âme se réjouit de pouvoir vous rendre ce service, expliqua son Excellence en multipliant les détours pour mieux laisser Pian sur les charbons ardents. Il a suffi de lui montrer les instruments; Guillaume a avoué où il avait caché le message adressé au pape. Il avait peut-être l'intention de le remettre lui-même pour faire retomber sur lui la gloire qui revient à ce messager dont les services ont été véritablement extraordinaires...

— Où est la lettre? ne put s'empêcher de demander Pian; mais della Porta ne perdit pas son sang-froid.

— Cher frère, vous avez vu vous-même que Guillaume était en possession d'un poison, dont on a trouvé une quantité suffisante pour envoyer à trépas dix hommes aussi robustes que vous...

— Vous allez me rendre cette lettre à laquelle j'espère bien que personne n'a touché? reprit Pian avec un entêtement infantile. Je veux l'avoir entre mes mains, la porter sur mon cœur jusqu'à ce que je puisse la remettre à mon seigneur le pape...

— Elle est en sûreté aux Archives impériales, l'informa l'inquisiteur avec calme, et elle vous sera remise quand vous quitterez la cité!

— Accompagné d'une bonne escorte, ajouta l'évêque d'une voix onctueuse, pour que vous ne la confiiez pas de nouveau à quelque mauvaise personne aussi vile que le traître serpent. Remercions le Seigneur que tout se soit bien terminé!

Mais Pian ne semblait ni satisfait ni content.

— Je vous rends grâce, Excellence, murmura-t-il, et je

vous ferai confiance de toute mon âme. Mais veillez bien à ce qu'un document aussi important pour notre sainte mère l'Église ne se perde pas et qu'il soit gardé par des mains intelligentes, jusqu'à ce que je puisse poursuivre mon voyage vers Lyon. N'oubliez pas que vous avez accepté une lourde responsabilité. Pourtant, l'autre question qui me brûle dans l'âme, c'est...

L'inquisiteur l'interrompit :

— ...la confession de votre compagnon ! — Créan avait changé de ton, eu égard à la gravité de la situation. — Je suis sûr qu'elle vous brûle dans l'âme, seigneur légat, car elle contient des accusations graves, que nous pourrions même qualifier d'horribles. Yarzinth !

Le secrétaire tendit un document à son maître qui se leva solennellement et commença à déclamer :

— Compte tenu de la gravité des péchés contre le pape et l'Église qui sont ici exposés, je dois exclure de cette lecture tous ceux qui n'ont pas juré obéissance à la sainte Inquisition...

L'évêque parut surpris, et même un peu offensé :

— Si vous voulez être seul avec cet homme, dont je pense qu'on l'accuse injustement ou pour le diffamer, vous pouvez disposer de ma maison ! — Sur ce, il ramassa sa robe et sortit, suivi de ses prêtres et moinillons. La porte se referma, plutôt violemment. Pian rentra la tête dans les épaules et se mit à regarder le trône vide de l'évêque.

— Vous savez déjà à qui est adressée cette lettre, dit Créan au légat en lui montrant le sceau brisé en deux, mais Pian ne prêta qu'à peine attention à ce détail. — Et sur un signe de Créan, Yarzinth commença la lecture :

— « Moi, Guillaume de Rubrouck, craignant la mort anticipée que Pian di Carpini a pu me préparer, je confesse tous mes péchés et je jure ce qui suit : Comme le frère Élie m'en avait donné l'ordre, je me suis dirigé avec les enfants vers le lieu de rencontre convenu avec le frère Pian dans les Alpes, connu sous le nom de "pont des *saratz*". En signe d'outrage et de dérision pour toute la Chrétienté, les infidèles y ont établi, en plein cœur de l'Occident, là où l'air devrait être le plus pur, un lieu de pestilence, construisant des mosquées au cœur de la montagne où ils se consacrent à cracher sur Jésus-Christ et sur la Vierge Marie, où ils tor-

turent, éclatèrent et assassinent dans leurs prisons souter-
raines les chrétiens et les frères les plus fidèles en leur infli-
geant les plus horribles tourments. Cette activité infâme est
payée par l'immonde empereur, comme il avait coutume de
le faire à Lucera, avec des pièces d'argent dérobées aux messagers du pape, pauvres frères de saint François comme moi,
qui sont pendus sans recevoir l'ultime consolation avant de
mourir. C'est là, dans l'antichambre de l'enfer, assis parmi
les diables, que m'attendait Pian... »

Un profond gémissement sortit de la poitrine du légat; il
se pencha en avant, au point de presque tomber de son
tabouret, et se cacha le visage dans ses mains. Yarzinth
poursuivit son récit fleuri, sans aucune émotion visible, si ce
n'est une sorte de jubilation diabolique :

— « Mon frère Pian se trouvait parmi ces démons
comme s'il était des leurs. Il diffamait le Messie et crachait
sur la croix. Il avait fait en sorte que son compagnon de
route, Benoît de Pologne, soit assassiné par ces infidèles... »

— Non! s'écria Pian, arrêtez!

— Mais nous commençons à peine, dit Créan. Vous
voulez peut-être vous confesser déjà?

— Non! bredouilla Pian d'une voix à demi étouffée.

Et Yarzinth continua :

— « Pian m'a forcé à l'accompagner avec les enfants à la
cour des Mangols. Et dès cet instant, il m'a appelé "Benoît de
Pologne". Ces enfants étant des rejetons d'hérétiques,
comme j'ai pu m'en assurer, ils représentaient donc une terrible menace pour la Chrétienté et l'Occident car, ainsi que
Pian me l'a confié, il s'agit de les proclamer souverains et de
les faire asseoir sur le trône de saint Pierre en faisant d'eux
des rois et prêtres hérétiques par la grâce du Grand Khan. Ils
feraient en sorte que le message du saint Graal des cathares
l'emporte finalement sur le testament du Christ et de son
exécuteur romain, notre saint-père, le seigneur pape. Je l'ai
appris de la bouche de Pian qui, comme Élie, a vendu son
âme à l'Antéchrist. Élie m'avait d'abord confié ces enfants
hérétiques à moi, et Pian m'a obligé à le suivre jusque chez
les Mongols qui sèment la panique et la terreur partout où ils
vont. Durant deux longues années, je n'ai pas vu le visage
d'un seul chrétien fidèle.

« En réalité, Pian avait seulement été chargé par notre

seigneur le pape de se porter à la rencontre de Batou, sur les
terres de la Horde d'or, mais il a insisté pour accompagner
les enfants jusqu'à la cour du Grand Khan où il parla fort
mal du seigneur pape et accepta de riches trésors en paiement de sa trahison. Je n'y suis pour rien ; mon âme est profondément chagrinée d'avoir participé à cet acte coupable
auquel me porta simplement la peur de perdre ma misérable
vie et auquel j'ai été incapable de me refuser. Mais je sais
que je dois en payer le prix. Derrière Pian, derrière Élie, il y a
d'autres pouvoirs encore plus diaboliques qui me feront
taire, moi l'unique témoin, avant que je puisse confesser,
repenti, cette faiblesse coupable de ma personne. Mon nom
est déshonoré à tout jamais, mais j'espère que cette confession servira au moins à sauver ma pauvre âme.
        Guillaume de Rubrouck, O.F.M. »

— C'est inouï ! gémit Pian. Que l'enfer l'emporte !
— La porte de l'enfer est toujours ouverte, insista lour-
dement Créan. C'est tout ce que vous avez à nous dire ?
— Je n'ai jamais été dans les Alpes, je ne sais rien de
cette histoire d'enfants ! hurla Pian. On m'a donné Benoît de
Pologne comme compagnon, et c'est de ce nom que je l'ai
appelé depuis le début.
— Vous avez été pendant de nombreuses années provincial de l'Ordre en Allemagne. En cette qualité, vous avez
dû traverser maintes fois les Alpes. Vous connaissez l'endroit
dont il est question ici ?
— Je n'y ai jamais été ! s'exclama Pian.
— Réfléchissez bien, lui conseilla Créan d'une voix dou-
cereuse.
— Naturellement, j'en ai entendu parler, se reprit le
légat. On dit qu'il se trouve dans une maudite vallée en cul-
de-sac, avant le col Julien. J'ai toujours évité de passer par
là...
— Et quelle était votre mission ? N'étiez-vous donc pas
muni de pouvoirs pour vous rendre jusqu'à la cour du Grand
Khan ? Qu'est-ce qui vous a poussé à désobéir à l'Église ? Et
les enfants ?
— Tout ceci n'est qu'un infâme mensonge ! s'écria Pian.
Le message du pape, « Cum Non Solum », était adressé au

souverain de tous les Mongols, et c'est pour cette raison que Batou m'a fait suivre...

— Et les enfants? insista Créan d'une voix tranquille. Où les avez-vous emmenés?

— Au diable avec ces enfants! s'exclama Pian. Il n'y avait pas d'enfants, je n'en ai jamais vu aucun!

— Et Guillaume, que vous persistez à appeler Benoît, alors que sa confession éclaire parfaitement les faits — Créan attendit un peu que ce détail fasse son effet —, qui vous l'a donné comme compagnon? Où vous a-t-il rejoint? Pas à Lyon, naturellement.

— Le Cardinal gris, sanglota Pian; vous savez parfaitement...

— Je veux le savoir en toute certitude, répondit Créan, et vous feriez mieux de collaborer avec la sainte Inquisition au lieu de vouloir nous empêtrer dans de nouveaux mensonges...

— Je n'ai rien à cacher; tout ceci n'est qu'une machination ourdie pour salir mon nom. Quelqu'un veut me dérober le fruit de ma mission! Vous devez m'aider au lieu de m'accuser — le légat était à la fois désespéré et obstiné; cet homme était sur le point de couler. — Je n'ai rien à confesser!

— Mais enfin, Pian — Créan avait changé de ton —, ce Guillaume n'a pas pu tout inventer; nous avons pu constater que c'était un homme en chair et en os et c'est de sa veste mongole que nous avons sorti cette confession...

— Un monstre, un monstre sanguinaire! hurla encore le légat, mais d'une voix déjà plus résignée. — Il était seul, abandonné de tous, entre les mains de l'Inquisition. Et il se dit: Pian, il va falloir trouver le moyen qu'on ne te passe pas la corde autour du cou. Ton seul ami à présent, c'est cet inquisiteur qui te caresse la main, une main qui tremble de rage...

— Pian, tu dois avouer que Guillaume et ces enfants ont voyagé avec toi jusqu'en Mongolie, même si tu ne savais pas de quoi il retournait. Nous pourrions inverser l'accusation: attribuer l'initiative à ce Guillaume de Rubrouck, dit Benoît de Pologne, qui cherche apparemment à t'embarquer dans cette sale manœuvre. Trop de gens vont te poser des questions sur les enfants; tout le monde est au courant de leur existence, une existence qui est également connue du Cardinal gris, et de leur voyage en pays mongol : tu ne pourras pas nier ! Tu peux t'estimer heureux si nous parvenons à convaincre Guillaume de reconnaître sa responsabilité exclusive dans la mission, avant qu'il n'aille se présenter devant le Juge Suprême. Tu confesses pour les deux enfants et, de notre côté, nous faisons le nécessaire pour que cet infâme ne puisse plus ouvrir la bouche pour t'insulter... — Créan soupira, écrasé par le poids que lui imposait son amour fraternel pour son prochain — et ensuite nous détruirons cette confession si nuisible à ta réputation. Guillaume est un homme mort !

— Mon Dieu ! s'exclama Pian à un moment où l'on aurait pu le croire satisfait de se voir offrir une sortie aussi acceptable, il ne faut pas lui faire de mal !

— Comment ? Vous osez demander qu'on laisse la vie sauve à ce misérable ?

Pian ne savait plus où il en était :

— Guillaume, je veux dire Benoît, enfin, qu'importe, Guillaume m'a accompagné en qualité d'interprète, sur l'ordre du château Saint-Ange. Par simple commodité, je l'ai également utilisé comme secrétaire. Pendant tout notre voyage, je lui ai dicté mon *Ystoria Mongalorum*, l'œuvre de ma vie, celle qui me permettra d'atteindre une juste renommée aux yeux du saint-père et l'honneur parmi les princes d'Occident, étant donné qu'il n'existe pas d'autre relation sur la vie et les mœurs des Mongols, et surtout sur leurs buts et leurs moyens de les atteindre, c'est-à-dire un état de leur organisation militaire. Je l'ai dicté à cette personne partout où nous sommes passés ; il prenait sous la dictée en se servant de son « écriture abrégée », comme il l'appelle, laquelle je ne sais pas lire. Il m'a promis de rédiger ses notes sous forme de livre. Sans elles, je suis ruiné. Vous avez dû les trouver dans ses affaires... insinua Pian d'une voix inquiète.

Il ne s'agissait plus d'une menace imminente pour sa vie terrestre, mais de sa réputation d'écrivain.

— De fait, s'empressa de lui répondre Créan ; nous avons trouvé de nombreux feuillets dans un coffre qui lui appartenait. Ils étaient couverts de gribouillis incompréhensibles !

— Eh bien, qu'il les traduise sous une forme lisible !

ordonna le légat qui avait retrouvé un peu son aplomb. Je ne bougerai pas d'ici avant qu'il en soit fait ainsi. Je suis malade à l'idée que cet homme ne fait rien au lieu d'écrire pendant qu'il en a encore la force !

— Rassurez-vous, dit Créan, et le soupir qu'il poussa fut pour une fois authentique. Je vais donner des ordres pour qu'on lui remette immédiatement dans son cachot de l'encre, une plume et le meilleur des parchemins...

— Et voyez à ce qu'on lui donne le fouet s'il ne fait pas diligence, ajouta le légat avec la superbe d'un patriarche. Ensuite, vous pourrez faire de lui ce que bon vous semble ! Mais parlez-moi de ces enfants.

— Une autre fois, répondit Créan sans s'émouvoir, car il avait gagné la première bataille. Pour l'instant, nous allons faire en sorte que votre *opus magnum* reçoive une forme digne de son contenu.

Il se leva et se tourna vers Yarzinth :

— Reconduis le seigneur légat à ses appartements !

— Je connais le chemin, s'empressa de répondre Pian. Loué soit le Seigneur que nous ayons trouvé une solution aussi satisfaisante.

Rendu à la porte, il se retourna :

— ...et que Dieu nous préserve d'avoir jamais un pape polonais ! murmura-t-il en levant en l'air son majeur, en un geste fort vulgaire.

— Amen ! répondit Créan.

— Nous voilà dans de beaux draps ! se plaignit le « secrétaire » quand ils furent seuls.

— C'est le prix à payer, Yarzinth, répondit « l'inquisiteur », épuisé par cette séance. Dorénavant, tu ajouteras des calmants à la nourriture du légat et tu t'informeras de tout nouveau caprice qu'il pourrait falloir satisfaire pour lui faire passer le temps, car nous, ou plutôt Benoît, avons besoin de temps...

Ils étaient arrivés au cloître où Gavin et l'évêque les attendaient.

— Il est à point ? demandèrent-ils.

Créan hocha la tête.

— Nous avons appris que notre prisonnier voulait nous faire savoir d'en bas, de son cachot, qu'il ne sait pas écrire ! — Gavin éclata de rire. — Benoît n'est pas analphabète ; il sait lire et il est loin d'être bête, mais il n'a jamais appris à écrire !

— Dieu tout-puissant ! s'exclama Yarzinth. Il ne faut pas que Pian le sache !

— Si ce paon vaniteux ne s'en est pas encore rendu compte, dit Gavin, je crois qu'il n'y a pas trop de danger pour l'avenir ! et il partit d'un rire sonore qui résonna entre les murs. Une machination fantastique : une confession falsifiée dont l'auteur est incapable d'écrire une phrase intelligible !

Mais le danger qui menaçait de nouveau ses projets avait fait pâlir Créan.

— Ce n'est qu'un aspect, résuma-t-il d'une voix railleuse. Il y en a un autre : le seigneur légat est l'auteur d'une *Ystoria Mongalorum*, une véritable somme dont il regrette de ne pouvoir se souvenir du texte, car il l'a dicté à quelqu'un qui ne sait pas écrire et dont il attend maintenant le *scriptum*.

— Eh bien, il faudra l'aider, dit l'évêque malicieusement. Yarzinth ! Tu as démontré plus d'une fois que tu avais une plume magnifique...

— Cette fois, je ne joue plus, Excellence, dit le cuisinier d'un air impénétrable. Cette fois, je renonce et je démissionne. Je préfère me mettre à la disposition d'Olim, le bourreau !

LA TRIRÈME

Constantinople, été de l'an 1247

Il faisait un temps magnifique. Depuis quelques jours, les yeux se réjouissaient de la vision des îles grecques qui émergeaient avec leurs villages lumineux au milieu d'une mer turquoise, leurs temples perchés au sommet des collines devant un ciel éblouissant, des bateaux de pêche, nefs et voiliers qui voguaient dans les anses d'où les marins les saluaient quand la trirème passait au large, les voiles gonflées ou poussée par le puissant élan de ses avirons. C'était donc là que vivaient les dieux! Guillaume l'avait parfaitement compris.

Pourtant, rien n'impressionna autant les enfants que l'apparition de l'ancienne Byzance qui surgit de la mer comme une radieuse Olympe de la Propontide. Une impressionnante muraille s'enfonçait sur la gauche vers l'intérieur des terres, par monts et par vaux, embrassant dans sa puissante étreinte cet immense ensemble de tours et de coupoles qui semblait ne jamais vouloir finir. Sur le flanc marin, le long duquel passait maintenant la trirème en saluant, la cité des cités se permettait de montrer des fortifications complètes dans lesquelles s'ouvraient des ports artificiels flanqués de feux de signalisation et de gigantesques arsenaux, tours de défense, bastions armés de catapultes, de magasins et de chèvres de levage.

Et quel monde! Les enfants n'avaient jamais vu autant de bateaux et de gens en un même lieu. Il leur sembla tout à coup que le port de Marseille et l'autre, plus petit, de Civitavecchia dont ils se souvenaient encore étaient bien pauvres et misérables par comparaison. Combien de marchandises, de ballots, de barriques, d'amphores et de caisses! Des monceaux de denrées, comme pour approvisionner le monde entier alors qu'elles n'étaient destinées qu'à la ville qui s'entassait derrière en une mer de maisons jusqu'en bordure du port, dominée par des rangs de cyprès vert foncé au sommet des collines, parmi lesquels apparaissaient çà et là palais et églises dont les croix dorées brillaient au-dessus des toitures.

La trirème entra dans la Corne d'Or et accosta dans le vieux port, en amont du pont de bateaux, à mi-chemin entre les quartiers génois et vénitiens.

La comtesse était debout à l'ombre de la tente qui s'étendait devant la *cabana* et rien n'aurait pu laisser supposer que le bateau dont on rentrait les avirons était le sien. Elle se comportait comme une simple passagère qui se réfugie dans un discret anonymat.

Guiscard avait le commandement, et il l'exerçait d'une voix forte, car on lui avait confié le rôle d'un navigateur excentrique mais pénétré de la crainte de Dieu. Sa mission était de transporter un groupe de pieuses religieuses en Terre Sainte, en pèlerinage, et tout ce qui aurait pu attirer l'attention était l'étrange beauté de la jeune abbesse.

Clarion avait ôté tous ses bijoux, sur les conseils de Laurence, et elle se distinguait par le sérieux tout particulier de ses prières, pour lesquelles elle réunissait autour d'elle ses « sœurs », femmes de chambre et servantes de la comtesse, toutes debout sur le pont. Les *lancelotti* avec leurs rames en pointe de lance, les catapultes et tout ce qui pouvait paraître martial avaient été relégués à fond de cale, près de la quille, de même que Guillaume et les enfants.

Laurence préférait être prudente. Elle demanda à Guiscard de faire d'abord descendre à terre quelques personnes de confiance pour voir s'il n'y avait pas aux alentours de ces « répugnantes mouches noires », comme elle appelait les suppôts du pape.

Le bateau était amarré non loin de l'endroit où la Cloaca Maxima se déversait dans le port, de sorte que l'odeur qui leur arrivait était passablement plus forte que d'ordinaire dans un lieu semblable, une odeur lourde de pourriture, mais l'endroit présentait un avantage que peu de personnes savaient apprécier. Laurence était du nombre.

L'ancienne maison de passe était toujours là, un peu de guingois, perchée sur ses pilotis. Laurence lui lança un bref regard curieux. Il ne se montrait plus à la fenêtre ni jambes ni de poitrines nues et aguichantes. Mais l'odeur que dégageait le cloaque était la même, cet égout par lequel on pouvait monter — en se bouchant le nez, bien sûr — d'environ trois cents pieds jusqu'à un endroit où, derrière une grille mobile, débouchait le trop-plein de la grande citerne de l'empereur Justinien.

De cette forêt souterraine de colonnes, on pouvait accéder à pratiquement tous les quartiers de la ville. En tout cas, tout palais important possédait une voie de communication secrète avec cette réserve d'eau, soit par un labyrinthe de grottes naturelles, soit par un réseau parfaitement dessiné d'aqueducs navigables.

Laurence chassa bien vite de son esprit l'idée de se

rendre au palais de son neveu l'évêque par cette voie d'accès extraordinaire et plutôt difficile, mais elle était heureuse de la savoir là, au cas où il faudrait fuir. Combien de fois dans sa vie n'avait-elle pas dû prendre la fuite, pressée par le danger!

Elle fit charger tous ses effets personnels, qui se composaient d'un nombre considérable de coffres, balles de tissus, caisses et corbeilles, sur les épaules des *moriskos* qui s'offrirent avec grand plaisir à faire office de porteurs, car c'était pour eux une occasion sans doute unique de sortir du ventre noir de la trirème. La comtesse renonça à emmener avec elle quelques-unes de ses femmes de chambre; elle préféra qu'elles s'occupent de Clarion, déguisées en nonnes papillonnant autour de leur abbesse. La comtesse voulait s'éloigner du port le plus vite possible et sans attirer l'attention. Quelqu'un pouvait reconnaître en elle l'Abbesse. Il était même possible que sa tête soit mise à prix, raison pour laquelle elle s'était teint les cheveux au henné. Et elle ne savait pas non plus si Olim, le bourreau, exerçait toujours ses fonctions ou s'il était mort. La trirème ne passait vraiment pas inaperçue, si belle avec ses lignes d'une autre époque qui demandaient plus à la force des bras que les techniques modernes de navigation à voile. Des badauds s'étaient déjà attroupés sur le quai pour l'admirer.

Le cortège des *moriskos* s'ébranla derrière la litière de la comtesse, se frayant un passage parmi les curieux. Puis ils s'enfoncèrent dans la vieille ville qui escalade la colline jusqu'aux palais et monastères.

Nicolas della Orta, évêque romain en résidence dans la Byzance grecque, était encore couché en dépit de l'heure, sous le baldaquin de son lit. Il partageait avec Hamo un plat de raisins frais et de pommes que Yarzinth lui avait présentées déjà pelées.

— J'ai toujours eu confiance en ton art et en tes recettes, dit-il à son cuisinier. Comment se fait-il que m'arrive de notre résidence d'été la triste nouvelle que Pian est pâle et moitié malade?

— J'ai demandé qu'on lui serve la meilleure nourriture et j'envoie même tous les jours un petit plat de nos cuisines pour sa table, se défendit le cuisinier. Le seigneur précepteur a déjà pris quatre livres, mais le seigneur légat ne profite pas. Il est triste parce qu'on ne lui remet aucun écrit et qu'il craint que son histoire des Tartares n'éclaire jamais l'œil d'un lecteur agréablement surpris. Il passe son temps à jurer et à se plaindre, persuadé que son frère prisonnier, dont il ne prononce plus le nom, n'est pas en état de s'acquitter de ses obligations de secrétaire !

— Et pourquoi notre calligraphe, au fond de sa cave, ne fait-il pas autre chose que vomir ?

— Parce qu'il s'obstine à se mettre les doigts dans la gorge pour tout rendre, de crainte de mourir empoisonné.

— Les voilà bien partis, se moqua Hamo. Ce serait un bon moyen pour Yarzinth de ne plus avoir à faire preuve de ses talents de scribe.

— Chacun a son épée de Damoclès au-dessus de sa tête — d'un regard, Yarzinth remercia Hamo de son aimable suggestion, puis il s'adressa à l'évêque. — J'ai une bonne nouvelle, Excellence, et une autre mauvaise. La bonne, c'est que Guillaume de Rubrouck vient d'arriver. La mauvaise, c'est que les enfants aussi !

Le silence se fit sous le ciel de lit.

— Τετλαϑι δη κραδιν ? Ici, à Constantinople ?

— Madame votre tante, la comtesse d'Otrante, est sur le point d'arriver — en fait, la nouvelle était surtout destinée à Hamo et Yarzinth se retira, un mince sourire aux lèvres.

Le garçon réagit aussitôt, en proie à la panique :

— Ma mère ? Je file !

On frappa à la porte et Créan entra.

— Vous pouvez me dire comment votre cuisinier fait pour être au courant de ce que se disent les moules au fond des eaux du port ? Il ne serait pas un peu espion ?

— Il faut que tu saches, dit l'évêque en se redressant sur ses oreillers, que je l'ai acheté à Olim à l'époque. On allait lui couper la main pour son habileté à mélanger les poisons, un pied pour être un voleur en fuite et crever un œil pour ses talents de faussaire ; mais je me suis dit qu'un être si utile, et encore tout entier, ne devait pas être coupé en morceaux. Il me sert fidèlement comme cuisinier et je dois dire que je n'ai pas eu lieu de regretter ma décision. — Hamo disparut par une petite porte, juste avant que Laurence n'entre en furie dans la chambre à coucher, sans prendre la peine de s'annoncer.

Elle vit l'évêque dans sa longue chemise et ignora Créan.

— Mais quel accueil! s'exclama-t-elle, indignée. Tu aurais au moins pu t'habiller. Où est Hamo?

— Il était ici il y a une minute, et maintenant, vous voici, très chère tante, fit l'évêque, ravi de la visite. Δις και τρις το καλον. — En bas, dans le vestibule, les porteurs déchargeaient dans la plus grande confusion caisses et paquets, la litière et les malles, les coffrets de bijoux et les ballots de vêtements. L'évêque jeta un coup d'œil par-dessus la balustrade. — Je vois que vous ne venez que pour quelques jours, dit-il d'une voix où l'on pouvait déceler une pointe de regret.

— Mon désir est de m'en aller d'ici au plus vite, le reprit la comtesse avec brusquerie. Fais-moi le plaisir de t'habiller, car nous avons des choses à nous dire! Et vous, Créan de Bourivan, vous devriez être présent vous aussi.

Le conseil de guerre se réunit dans un cabinet sans fenêtre, à côté de la chambre du trésor. Gavin Montbard de Béthune, précepteur de l'Ordre des templiers, avait été présenté à la comtesse qui apprécia aussitôt la sérénité avec laquelle il dominait la situation.

Gavin prit la présidence de la réunion.

— Comme vous avez jeté l'ancre dans ce port, et j'avoue qu'il fallait du courage pour le faire — il s'adressait à Laurence —, nous devons trouver un abri provisoire à terre pour les enfants et Guillaume, mais sans qu'on les remarque.

— Je ne vois pas ce que je pourrais objecter à cette proposition, répondit la comtesse. Dites-moi quelles sont les garanties que vous me donnez et si vous pourrez les tenir!

— Rien ne peut leur arriver dans cette maison, proposa l'évêque, mais Laurence ne parut nullement satisfaite de cette affirmation.

— Vous le dites parce que vous ne connaissez pas le pouvoir et l'infamie des gens du pape, lui reprocha-t-elle. Nous ne sommes pas ici dans une forteresse, comme à Otrante, et vous ne disposez pas d'une formation de combat comme celle que j'ai dans ma trirème. Pourtant, j'ai préféré emmener les enfants, mais seulement pour leur trouver une *securitas major*.

— Je vous offre la sécurité *maxima*. Vous oubliez qu'ici le catholicisme n'est pas la religion des occupants et que le peuple nous appuie, quoique non sans réticences. Toutes les forces vives de la ville s'opposeraient aux attaquants.

— Bien nobles, vos Grecs, intervint Gavin, mais je crois que vous sous-estimez le bras occulte de la curie, les intrigues menées du château Saint-Ange et l'ignominie du Cardinal gris. Byzance est précisément cette eau trouble dans laquelle ses intrigues fleurissent comme le moisi à la chaleur et à l'humilité ! — Le précepteur s'arrêta un instant pour que l'image fasse son effet. — Il n'y a qu'une seule force qui lui soit non seulement égale mais encore supérieure, parce qu'elle se trouve non pas hors de l'empire papal, mais en son cœur même, et qu'elle réunit en son sein, encore mieux que les seigneurs de Capoccio, *pater filiusque*, la puissance spirituelle et la puissance temporelle, et enfin qu'elle sait les exercer, je veux parler de l'Ordre du Temple !

— Vous ne pouvez parler au nom de l'Ordre, Gavin, intervint Créan avec une nervosité à peine dissimulée. Mais je pourrais parler en faveur du mien puisque, en comptant même le grand maître dans sa lointaine Alamut, tous ceux qui sont au courant de l'affaire sont d'accord non seulement pour sauver les enfants, mais encore pour les élever à un rang supérieur jusqu'à ce que se réalise ce qui a déjà été décidé : le Grand Projet ! Et les Assassins sont derrière, prêts à tout sacrifice qui puisse assurer sa mise en œuvre — Créan prit une profonde respiration et s'obligea à respecter les convenances. — Les templiers initiés à cette union secrète, nos frères, nos frères de sang qui peuvent être assurés de notre plus grand respect, ne sont que bien peu nombreux...

— *Pauci electi !* opposa Gavin à ce verdict, mais Créan n'avait pas encore fini.

— Qui vous garantit ce qu'un autre maître de l'Ordre pourrait juger opportun demain ? La sécurité que vous offrez a des pieds d'argile.

— Je ne confierais les enfants ni aux templiers ni aux Assassins ! intervint l'évêque avec son impulsivité naturelle. Non parce que je n'aurais pas confiance en eux, mais parce qu'il me semble qu'on mettrait ainsi en péril la présence d'une institution supérieure aux différentes parties : dans un cas, nous mécontenterions nécessairement l'Islam, dans l'autre, la Chrétienté. Il faut protéger le Grand Projet, même contre ceux qui ont contribué à lui donner forme. Il ne s'agit pas seulement de la sécurité extérieure des enfants, mais de leur royauté divine, de la pureté du Saint Graal !

— Vous me surprenez, Nicolas, lui répondit Gavin, et vous me faites honte, car je ne vous connaissais pas cette trempe — le précepteur s'était levé et, très spontanément, il prit l'évêque dans ses bras. — J'ai fait ma proposition ; mes chevaliers et notre bateau sont prêts, quelle que soit notre décision !

— Γνωθι σεαυτον ! répondit l'évêque. Je ne suis qu'humain, et faible de surcroît, héritage d'un père inconnu ; mon caractère superficiel l'emporte sur certaines idées plus profondes qui me viennent de temps à autre. Je ne suis ni assez digne, ni assez fort, ni assez dévoué pour pouvoir affirmer : « Les enfants sont en sûreté s'ils restent ici avec moi ! » Je ne peux accepter cette responsabilité.

— Et moi, je n'en veux plus ! s'exclama Laurence. Ce n'est pas que je désire me débarrasser d'eux, car je vous assure que je les ai pris en affection, mais je ne suis pas moi non plus une personnalité aussi forte que je peux le paraître à beaucoup. J'aimerais retrouver une vie normale, s'il existe quelque chose qu'on puisse appeler ainsi. J'ai certainement commis une erreur en venant ici, en sortant de l'enclos et en m'éloignant de la sécurité d'Otrante, pour mettre de surcroît les enfants en danger ; je ne suis pas sûre de moi, je ne me crois pas à la hauteur de cette mission !

— Je suis profondément ému, dit Créan, de vous voir vous dépasser les uns et les autres dans la reconnaissance de vos faiblesses et dans la noble vertu de l'humilité et du renoncement. Loin de moi la tentation de penser que cette humilité est l'attitude la plus facile, et que la fuite devant les difficultés présentes ou futures n'est que l'effet de la lâcheté et de l'opportunisme. En vérité, le Grand Projet réclame le courage des lions et des aigles ! — La voix ironique de Créan avait pris une fermeté nouvelle. — Je vous prie de nous laisser sortir les enfants du domaine méditerranéen. Faites-moi confiance Je les emmènerai à Alamut. Là-bas, ils seront non seulement en sûreté, mais ils recevront aussi l'éducation spirituelle dont ils ont besoin pour s'acquitter le jour venu de la mission qui les attend.

— Non! s'exclama Gavin. Le courage des Assassins peut sans doute se comparer à celui des lions et des aigles, mais j'affirme qu'il faut confier le destin des enfants à la sagesse politique de personnes instruites qui ont aussi le courage d'être lâches.

— Il n'en est pas question! répliqua Laurence. Les enfants doivent apprendre à aimer la vie, pas la mort héroïque qui ouvrirait, nous dit-on, les portes du paradis.

— Non! intervint l'évêque à son tour. A mon avis, Alamut est trop lointaine et l'air y est vicié par le sectarisme. De plus, elle est trop proche des Mongols! Selon moi, le cordon ombilical entre l'Orient et l'Occident passe par cet axe qui unit Constantinople à Jérusalem. C'est précisément le domaine méditerranéen qui nécessite un royaume de paix, et c'est exactement ce que j'espère obtenir grâce à ces enfants.

— Alors, je peux m'en aller? — Créan s'était levé d'un bond.

— Attendez, dit Gavin, nous devons prendre une décision. Jusqu'à présent, le résultat de notre *seduta* est le suivant : deux parties veulent la tutelle des enfants, mais ne veulent pas se charger d'eux; deux autres ont cette tutelle mais en ont peur. Je propose de nous en remettre à une autorité supérieure qui tranchera, et le plus tôt possible. En attendant, les enfants devraient rester ici et nous devrions unir nos forces pour les protéger. Je propose de plus que Créan de Bourivan embarque sur-le-champ pour demander le *dictum* des pères du Grand Projet. Je mets mon navire à sa disposition.

L'évêque et la comtesse se déclarèrent d'accord, mais Créan ne l'entendait pas de cette oreille :

— J'ai déjà exprimé ma volonté, notre volonté...

— Sans doute pouvez-vous parler au nom de votre chancelier, l'interrompit la comtesse d'une voix coupante, mais au nom du Prieuré? Faites venir ici votre père pour qu'il décide!

— John Turnbull pense la même chose que moi, rétorqua Créan d'une voix remplie d'amertume, mais je me soumets à vos vœux — il s'inclina légèrement en direction de Gavin — et je l'informerai. Je n'ai pas besoin de votre navire!

Il salua l'assemblée et se dirigea vers la sortie. L'évêque l'accompagna jusqu'à la porte.

— Mais Guillaume est toujours vivant, lui dit-il dans un murmure, et nous aurons encore besoin de lui. Μὴ κινεῖν κακὸν εὖ κείμενον. S'il vous plaît, faites en sorte qu'il ne lui arrive rien pour le moment, car je sais qu'il y a déjà un nœud sur le cordon de sa vie.

— Dans ce cas, vous saurez aussi qu'une fois prononcé ce verdict, aucun être vivant ne peut échapper à la mort. Le plus probable est que les exécuteurs sont depuis longtemps déjà à ses trousses ; peut-être sont-ils ici même, à Byzance, parmi vous. C'est donc à vous de veiller à ce qu'aucun inconnu ne l'approche.

— Ἀλλ᾽ ἤτοι μὲν ταῦτα θεῶν ἐν γούνασι κεῖται! — L'évêque parut fort déçu et Créan s'éloigna à grands pas.

— J'espère, déclara Nicolas della Porta lorsqu'il fut de retour parmi les autres, que personne ne s'opposera à ce que nous fassions descendre le vrai Guillaume dans le souterrain pour qu'il prenne en note ce que Benoît lui racontera.

— Et comment va-t-il le prendre, cet homme qui porte involontairement le même nom, quand il verra devant lui son original et qu'il se rendra compte que c'est une « confusion » intentionnelle qui lui a valu tant d'ennuis ? demanda Gavin.

— Laissez-les se dire ce qu'ils veulent ; de plus, personne ne sait rien de la lettre que nous avons lue à Pian, précisa l'évêque en faisant jouer sa langue vipérine. Laissez-les s'arracher les yeux ou s'embrasser comme des frères : rien ne sortira de ces murs. Ce qui importe, c'est qu'ils prennent en note cette assommante histoire pour que Pian soit content. Pour l'heure, nous dépendons plus que jamais de la collaboration de Pian, maintenant que les enfants sont ici. Laissons-nous guider par les événements.

— Permettez-moi d'envoyer par votre *major domus* quelques lignes à la trirème, pour qu'on sache que tout va bien.

L'évêque envoya donc son cuisinier au port, avec pour mission de ramener avec lui le moine Guillaume de Rubrouck et les deux enfants, puis de les faire entrer en secret dans le palais de Calixte, en empruntant quelques canaux à l'abri des regards curieux, puis d'installer Guillaume dans le souterrain et les enfants dans le Pavillon des égarements humains.

De son pas énergique, Créan ne tarda pas à rejoindre la trirème amarrée le long du quai. Il ne trouva pas Guillaume ni les enfants, mais seulement Clarion habillée en nonne et entourée de ses « sœurs ». Elles étaient sous la tente de la *cabana*, en train de faire à genoux leurs prières vespérales. Créan attendit sans cacher son impatience que la jeune abbesse se relève et lui fasse signe de s'approcher.

— Si vous comptez demander ma main, Créan de Bourivan — elle tentait de dissimuler par la coquetterie la timidité qui l'envahissait chaque fois qu'elle voyait cet homme —, vous arrivez trop tard. J'ai pris le voile !

— Je vous prie malgré tout de venir avec moi, vous et les enfants, dit Créan sans autres fioritures. Ils ne sont pas en sûreté ici. Fuyons avec eux !

Clarion était toujours debout et elle regretta alors de s'être levée.

— Vous ne vous intéressez pas à moi, Créan, mais seulement aux enfants ! Vous m'acceptez par-dessus le marché, ou parce que vous ne pouvez faire autrement que de me compter dans vos projets, ou parce que je pourrai peut-être vous être utile.

Créan ne savait que lui répondre ; il regrettait d'avoir essayé de la raisonner. « Les femmes ! » pensa-t-il. Il ne suffisait pas de renoncer à elles ; mieux valait se passer d'elles dans toutes vos entreprises.

— Donnez-moi les enfants ! insista-t-il, mais Guiscard apparut au même instant.

— Il vous faudra passer sur mon cadavre, seigneur de Bourivan.

Créan les vit alors en bas, entre les bancs des rameurs, fort occupés à jouer à colin-maillard avec Guillaume. Comme ils avaient grandi depuis la dernière fois ! Le moine avait les yeux bandés et trébuchait constamment sur les avirons rangés en travers du passage.

Créan renonça. Roç et Yeza n'étaient plus ces petits enfants démunis pour qui la personne la plus importante était leur nourrice, même sous la forme d'un gros franciscain. Ils étaient déjà si grands qu'il ne fallait plus penser tirer les ficelles de leur destin dans un sens ou dans l'autre. S'ils étaient promis à la grandeur, Dieu les conduirait là où il fallait.

— Priez pour eux, dit-il tout à coup à Clarion qui semblait indécise et aux « nonnes » qu'il l'entouraient en le
regardant avec des yeux remplis de curiosité.

Puis il s'éloigna vivement et descendit de la trirème la
tête haute.

Insha'allah ! Le moment n'était pas encore venu où lui,
Créan, disposerait du destin des enfants, même s'il ne doutait pas de ce qui était préférable pour eux : il allait falloir au
plus vite tirer un trait définitif sur toutes ces faussetés et
équivoques protectrices !

Il se mit à observer les bateaux amarrés dans le port.
Très vite, il découvrit un voilier marchand égyptien qui arborait sans crainte la bannière verte du Prophète. Ses proprié-
taires, deux marchands, étaient accroupis sur le pont en
train de boire du thé. Créan s'assit en silence à côté d'eux et
partagea l'infusion brûlante. L'odeur de la menthe fraîche lui
chatouilla agréablement les narines.

— *As-salamu'alaina.*

— *Wa' ala 'ibadillahis-salihim.*

— C'est la volonté d'Allah, dit Créan avec calme. Que
s'accomplisse ce que dit le cordon — les deux Arabes
hochèrent imperceptiblement la tête. Créan attendit prudemment, puis continua : — J'ai besoin d'un bateau pour
rentrer d'urgence et je vous prie de me laisser le vôtre.

Le plus âgé des musulmans, avec ses favoris élégam-
ment taillés, posa la main sur la théière de cuivre et lui servit
encore un peu de thé.

— Tu peux en disposer — et après avoir échangé quelques mots avec son compagnon, il ajouta : — Fais-nous
savoir ce dont tu as besoin pour que nous fassions monter à
bord les provisions et les cadeaux nécessaires, pendant que
nous chercherons pour nous une auberge dans le port.

— J'espère, répondit Créan, que mon désir ne contre-
carre pas vos projets.

— *Allah karim.* Il faut s'en remettre à Dieu ! Seul lui
peut arrêter nos bras, pas vous, honorable seigneur !

Les deux musulmans se levèrent et s'inclinèrent profondément devant Créan, puis frappèrent dans leurs mains pour
appeler leurs esclaves et se mettre au travail.

XI

DANS LE LABYRINTHE DE CALIXTE

LE PAVILLON DES ÉGAREMENTS HUMAINS

Constantinople, palais de Calixte, été de l'an 1247
(chronique)

— Messires voudront bien me suivre? — Le personnage chauve dont le nez prolongeait le front de façon si étrange s'était présenté en compagnie de Clarion sur le pont des *lancelotti* et sa courtoise invitation s'adressait autant à moi qu'aux enfants. Je le vis seulement lorsque, lassé du jeu, je défis le bandeau qui me couvrait les yeux.

Clarion me fit un geste rassurant.

— Yarzinth va vous conduire au palais de l'évêque en cachette. Vous pouvez lui faire confiance! précisa-t-elle, surtout à l'intention de Roç et de Yeza. — De toute façon, je n'avais d'autre choix que de les suivre. Sans la garantie de Clarion, j'aurais trouvé ce Yarzinth plutôt suspect; sur son visage lisse et imberbe flottaient deux yeux fixes, aussi peu expressifs que des yeux de poisson! Mais peut-être était-ce l'absence totale de sourcils qui lui donnait cette allure si désagréable, avec ce crâne en poire que je trouvais parfaitement détestable.

Les enfants se précipitèrent sur le château de poupe et j'eus du mal à les suivre. Clarion les serra dans ses bras et les nonnes, sans interrompre leurs psaumes, ne purent retenir un geste mélancolique d'adieu, car elles avaient pris Yeza et Roç en affection.

Nous descendîmes donc de la trirème et Yarzinth se dirigea vers un entrepôt délabré qui se dressait sur des pilotis, devant le quai. Quelques rats s'enfuirent quand nous entrâmes par la cour de derrière, jonchée d'ordures, nous indiquant ainsi où se trouvait l'entrée malodorante de l'égout.

Mais Yeza et Roç n'eurent aucun mouvement de recul. Je fus seul à me boucher le nez et à craindre pour mes orteils nus qui sortaient de mes sandales. Yarzinth allait devant avec les enfants qu'il tenait par la main pour essayer de les faire passer à pied sec au milieu de la vase. Roç était prêt avec son arc et ses flèches, tandis que Yeza tenait son poignard d'une main ferme, mais les rats ne nous attaquèrent pas et préférèrent s'éloigner par les profonds corridors du cloaque dont les eaux gargouillaient à nos pieds en coulant vers la mer dans une canalisation de pierre. Après avoir fait deux cents toises sans dire un mot, tâtant du bout du pied la fange glissante, Yarzinth s'engagea dans une voie adjacente. A cet endroit, l'eau devenue claire nous lava les chevilles; la galerie se rétrécissait et montait en pente raide en décrivant des lacets jusqu'à un épais mur qui nous barra le chemin. Dans ce mur tournait bruyamment un tambour de fer dont les barreaux étaient munis de crochets pointus. La cage était entraînée par une roue à aubes alimentée par ces eaux claires qui sortaient en clapotant d'une ouverture pratiquée au centre du mur. Une échelle de fer permettait de contourner l'obstacle.

— C'est une barrière contre les rats? demandai-je d'un air bougon.

— Exactement, me répondit notre cicérone dans cet enfer, mais elle est aussi très utile contre les bipèdes pensants. — Je grimpai derrière lui.

— Faites attention, elle n'est pas des plus agréables pour les pieds, me dit le sire Yarzinth, obséquieux comme toujours.

J'aidai les enfants qui semblaient très impressionnés, mais pas du tout effrayés, et je les tins fermement jusqu'à ce que Yarzinth les fasse passer par-dessus le mur.

Quelques marches plus loin, nous arrivions au sommet d'un mur de retenue pourvu d'une vanne. Il me sembla qu'il était bien grand pour ce petit ruisseau qu'on voyait couler en bas. Une grosse poutre de chêne, suspendue à une chaîne, servait à fermer la vanne. Elle était remontée.

J'avais espéré me retrouver au bord d'une citerne, mais

l'espace que nous découvrîmes en descendant du mur était complètement à sec. Puis nous arrivâmes devant une grille de fer garnie à son sommet de pointes recourbées des deux côtés qui nous barrait le passage. Elle me fit l'impression d'un gigantesque piège pour bêtes sauvages. Je découvris aussi une porte à deux battants, elle aussi hérissée de pointes, qui ressemblait à la gueule béante d'un loup doté d'une formidable mâchoire, prête à se refermer.

— Un jeu d'enfants quand on connaît le secret! marmonna Yarzinth qui glissa sans crainte la main au milieu des piques de fer. — La porte pivota sans bruit sur son axe central, nous ouvrant le passage. — A vous l'honneur! fit-il en me faisant signe de passer. Attention à ne pas poser le pied sur le seuil! Il se bloque parfois, mais mieux vaut ne pas s'y fier.

J'eus un instant d'hésitation et mon cœur se mit à battre comme celui d'une pauvre taupe prise entre deux hérissons, mais il me saisit la main et me fit franchir le pas. Pour plus de sûreté, Yarzinth prit Yeza dans ses bras et traversa le seuil.

Nous étions arrivés dans une chambre dont la voûte de pierre était si basse qu'on pouvait la toucher avec la main. Elle semblait reposer sur une élégante colonne qui, à l'examen, se révéla être un énorme tube de cuivre dont la base se terminait un peu au-dessus du sol, de sorte qu'il paraissait à son tour suspendu à la voûte. La petite salle était complètement nue, à l'exception d'une rigole remplie d'une eau cristalline qui la traversait.

Pourtant, elle évoquait l'image lugubre d'un caveau funéraire ou, pire encore, d'un lieu de sacrifice; il n'aurait plus manqué que voir du sang couler dans cette rigole. « Guillaume, me dis-je, comme tu te laisses tourmenter par des pensées stupides et même primitives! » Ensuite, je vis à l'autre bout de la chambre quelque chose qui n'était pas de nature à me rendre la sérénité, car il s'agissait encore d'une grille armée de pointes, devant un gros mur. Comme si notre guide avait compris mon malaise, il voulut bien nous donner une explication :

— Nous sommes exactement sous la fontaine de Némésis. On peut inonder cette chambre jusqu'au plafond, ce qui produit une pression tellement forte qu'un jet d'eau spectaculaire jaillit avec une force irrésistible. Quand la chambre est pleine, l'eau monte par ce tube jusqu'en haut, expliquait Yarzinth d'un air suffisant; c'est pour cette raison que là-haut, dans le temple, on a posé sur la clé de voûte la lourde statue de bronze de la déesse.

— Mais si quelqu'un est enfermé ici, conclut Yeza, et que toute cette eau arrive... ?

— Il se fait tout petit comme une souris, il sort à toute allure par le tube et il s'en va droit au ciel ! — Yarzinth avait une façon touchante d'instruire les délicates âmes enfantines.

— Les souris ne volent pas, dit Roç, et si on ne laisse pas entrer les rats ici, on devrait faire la même chose avec les gens.

— C'est pour cette raison qu'il y a des grilles, confirma le chauve, heureux de voir qu'on l'avait bien compris, pour que personne ne puisse fermer la vanne sans autorisation.

Et il nous montra l'extrémité de la chaîne de fer d'où pendait le madrier de chêne qui fermait la vanne. Ce n'est qu'alors que je me rendis compte que la chaîne était fixée à un crochet scellé dans le sol et qu'elle passait par-dessus la grille armée de pointes pour rejoindre une poulie installée plus haut.

Yeza était d'une curiosité insatiable.

— Mais alors, la grille devrait plutôt se trouver devant la porte qui ferme le passage de l'eau — et elle montra avec son poignard un point situé derrière son dos, d'un air plutôt insolent.

— C'est pourtant comme ça, répondit Yarzinth, un peu piqué; de toute façon, ce système ne sert plus. Il date de l'époque de l'empire.

— Je ne crois pas qu'ils étaient bêtes dans ce temps-là, reprit Yeza, plutôt dépitée, et elle ne laissa pas Yarzinth la prendre dans ses bras pour franchir la deuxième barrière; au contraire, elle observa avec beaucoup d'attention ses doigts pendant qu'il neutralisait le mécanisme mortel.

— Si on ne sait pas comment ça marche, dit-elle à voix basse, on reste pris là-dedans pour toujours.

Une fois de plus, nous prenions un autre escalier qui menait au sommet d'un autre mur de retenue. Mais celui-ci n'avait pas d'ouverture et l'eau venait à notre rencontre comme un mince voile sur les marches. Et c'est alors que nos yeux découvrirent le spectacle le plus merveilleux que puisse offrir une œuvre faite de main de l'homme ! Sainte Vierge ! Les enfants s'étaient avancés d'un pied léger, mais eux aussi s'arrêtèrent, remplis d'admiration et d'étonnement.

C'était une véritable vision de conte de fées : un sombre lac, gigantesque, duquel surgissaient des colonnes comme on en voit seulement dans les temples : des centaines de colonnes identiques bien alignées soutenaient une voûte dont l'œil ne pouvait embrasser les dimensions dans la demi-obscurité ; de la voûte tombaient lentement et irrégulière-ment des gouttes qui allaient troubler le miroir de la citerne, unités de temps de l'horloge universelle ; un sentiment d'éter-nité faisait presque oublier le brouhaha de la cité qui se dres-sait au-dessus de nous et dont la hâte et la presse semblaient n'avoir plus aucun sens.

— C'est la citerne de Justinien, expliqua Yarzinth qui nous conduisit prudemment le long du bord, jusqu'à une barque qui attendait à nos pieds. Toutes les familles ont leur barque cachée quelque part, nous informa-t-il tandis que nous avancions dans ce labyrinthe de colonnes, lui debout dans la barque qu'il dirigeait à l'aide d'une longue perche. De violentes joutes nautiques se déroulent parfois ici, mais on n'autorise que les lances de bois, pas question de poignard !
— Yarzinth lança un coup d'œil amusé à Yeza. — Et il est également interdit sous peine de mort d'abandonner un cadavre dans l'eau !

— On peut tirer des flèches ? voulut savoir Roç, un peu intimidé.

— Ce ne serait pas une bonne idée, car elles pourraient blesser et le sang souillerait l'eau, expliqua Yarzinth.

Mais Roç ne se laissait pas démonter :
— Tu sais, on peut aussi tirer les flèches — et il pointa l'une d'elles vers le ventre de Yarzinth — pour que le blessé perde son sang à l'intérieur ; c'est Guiscard qui me l'a dit — pour les enfants, Guiscard était l'autorité suprême, au moins en ce qui concernait le maniement des armes.

— Mais alors, tu devras sortir le mort d'ici en le prenant dans tes bras. Je ne te le conseille pas, lui répondit Yarzinth que l'idée semblait déranger étrangement.

— Je ne voulais pas le faire, le rassura Roç.

Nous arrivâmes enfin à un embarcadère creusé dans la pierre, d'où un escalier de quelques marches conduisait directement à une étroite entrée à mi-hauteur du mur.

Le couloir s'élargissait après quelques détours trompeurs et débouchait dans une grotte qui semblait avoir plusieurs issues; en tout cas, on voyait partout des ouvertures qui pouvaient servir à s'échapper. Je les aperçus à la lumière de la torche que Yarzinth alluma lorsque nous y entrâmes, car jusqu'alors, et même dans la citerne, nous n'avions cessé de nous déplacer dans une lumière diffuse qui venait de quelque part, si bien que je n'avais jamais eu l'impression d'une obscurité totale, sensation que je redoutais davantage qu'une salle très exiguë mais visible.

Les enfants semblaient avoir apprécié leur voyage dans ce monde souterrain.

— Nous sommes des petites souris, chantait Yeza, nous sommes des petites souris/ qui vivent dans leurs trous / une - deux - trois - quatre / le gros chat nous guette, nous guette, nous guette / mais il nous attrapera pas / un - deux - trois - quatre / et on s'amusera toujours / dans nos quatre petits trous, trous, trous!

Nous avons continué à errer comme des fantômes à la lumière vacillante de la torche de brai, à travers des grottes et des catacombes, devant des sarcophages pourris et des peintures fanées qui nous regardaient sur les murs, sous des signes et des chiffres gravés dans la pierre qui représentaient des serments d'amoureux, des prières d'évadés et de condamnés. Nous arrivâmes enfin devant un escalier en colimaçon et Yarzinth monta pour ouvrir une trappe au-dessus de nos têtes. Nous le suivîmes et nous nous retrouvâmes dans une salle ronde éclairée par la lumière du jour, même si on ne voyait aucune fenêtre donner au dehors.

— Soyez les bienvenus au Pavillon des égarements humains! dit Yarzinth d'une voix cérémonieuse, et il s'inclina devant nous dès que nous sortîmes par la trappe.

L'ameublement de la salle me plut beaucoup, car je n'avais encore jamais rien vu de semblable. Le sol de marbre était couvert de tapis aux motifs orientaux; plusieurs étaient entassés au centre, formant des sortes de lits entre lesquels se trouvaient de petites tables basses en bois d'ébène, ornées d'une fine marqueterie de corne et de nacre, avec des plateaux en cuivre ciselé, à côté de gracieux supports de lampes à huile décorés de riches tresses d'argent et de pierres artistiquement incrustées. Pour notre plus grand confort, il y avait même une baignoire de cuivre jaune, quelques bassines posées sur des braseros, de grands bassins où flottaient des pétales de rose, ainsi que des brocs remplis d'eau pour nous rafraîchir. Le pourtour de la salle était entièrement occupé par des armoires encastrées derrière des lambris magnifiquement travaillés. Au-dessus s'ouvrait une claire-voie de pierre par laquelle filtrait la lumière du jour, comme dans une agréable gloriette de jardin. Yarzinth frappa contre la porte d'une des armoires... et Hamo en sortit !

Nous ne nous étions pas revus depuis cette horrible avalanche dans les Alpes, il y avait près de deux ans. Il avait donc eu ses dix-huit ans et il était devenu un jeune homme, ce que soulignait la petite moustache qu'il arborait à présent. Après avoir entendu la confession de Laurence, je le voyais avec des yeux très différents : Hamo l'Estrange ! De fait, j'allais désormais le trouver encore plus étrange qu'il ne m'avait paru lors de notre première rencontre à Otrante.

Les enfants ne semblaient pas déborder d'allégresse.

— Tu étais plus beau sans moustache ! lui lança Yeza d'une voix glacée.

— Clarion non plus ne va pas l'aimer ! confirma Roç.

Hamo semblait décontenancé :

— Pourquoi n'est-elle pas avec vous ? me demanda-t-il, mais Yeza me dispensa de lui donner des explications.

— Elle est devenue nonne !

— Impossible ! laissa échapper le fils de la comtesse, ce qui m'obligea à intervenir pour qu'il n'y ait pas de malentendus.

— Elle porte simplement l'habit, précisai-je, pour éviter qu'on lui fasse certaines propositions dans ce port de tous les péchés, un lieu où les jolies jeunes filles se font constamment harceler par des badinages trop insistants. Elle s'est donc déguisée en fiancée du Christ, en route pour les Lieux Saints où elle se rend en pèlerinage.

— Seule la comtesse notre maîtresse aurait pu penser à ce déguisement !

— L'habit ne lui va pas mal, l'assurai-je.

Yarzinth nous interrompit en s'adressant aux enfants :

— Guillaume va m'accompagner; vous, vous allez vous reposer!

Mais il connaissait bien mal ces enfants rebelles. Une flèche se planta dans le mur à côté de sa tête. Impassible, Yarzinth me poussa derrière une porte secrète qu'il referma au moment où le poignard de Yeza se plantait dedans.

Nous fîmes un demi-cercle autour du pavillon, car nous étions toujours prisonniers de ses murs sur lesquels s'entrelaçaient branches et fruits sculptés dans la pierre, entourant la salle comme une roseraie. Nous ne pouvions pas voir à l'intérieur, mais les cris perçants des enfants me firent comprendre que ma silhouette resta quelque temps visible pour eux.

Notre chemin nous conduisait en haut; nous traversâmes le corridor que nous avions emprunté en arrivant, puis nous descendîmes des escaliers. Parfois, j'avais l'impression que nous tournions en rond. Tantôt je voyais d'un côté les cloisons intérieures et tantôt les murs extérieurs du pavillon, sans que je puisse soupçonner l'existence d'une issue dans ce labyrinthe circulaire de pierre en trois dimensions.

— J'ai l'impression que nous pourrions mourir de faim ici, comme des poux délaissés! grognai-je.

Yarzinth sourit de me voir ainsi intimidé.

— Nous nous dirigeons tout droit vers la cuisine.

Il ouvrit une trappe dans le mur et, sans nous faire voir, nous pûmes observer d'en haut, à travers la vapeur qui montait des chaudrons et des casseroles, le va-et-vient des cuisiniers et de leurs marmitons.

— Voici mon royaume, dit fièrement Yarzinth, même s'il t'est interdit. Pour toi, je serai l'ange armé d'une épée de feu : chaque fois que je t'y trouverai, je te couperai un doigt!

J'ignorais s'il plaisantait mais, à tout hasard, je décidai de ne pas m'en assurer.

Ensuite, Yarzinth me conduisit par le plus court chemin jusqu'à une cave aux hautes voûtes. La pièce blanchie à la chaux était éclairée par les ouvertures de ses arches, si hautes qu'il aurait été inutile de les pourvoir de grilles.

Devant une table couverte de parchemins était assis un moine qui me vit arriver avec un air rempli d'espoir et d'humilité.

Yarzinth ferma la porte derrière moi et tira les verrous. Mais j'aurais juré qu'il était encore là, en train de nous espionner.

— Je m'appelle Benoît de Pologne, dit cet homme au teint blafard qui portait la bure des franciscains et me regardait timidement.

— Tu étais avec Pian...? lui demandai-je, sans trop savoir pourquoi.

— Non, Guillaume, c'était toi! me répondit-il.

Donc, il me connaissait. Je voulus le corriger.

— De fait, je devais l'accompagner, mais..., commençai-je à lui expliquer.

— Pas du tout: tu as été avec lui à la cour des Mongols et, comme il t'a dicté ses impressions pendant tout ce long voyage, il faut maintenant que tu les mettes au net!

— Quoi donc? demandai-je, complètement désarçonné.

— L'*Ystoria Mongalorum* du célèbre frère Giovanni Pian di Carpini!

— Mais si..., voulus-je protester, si je ne sais rien de toute cette histoire!

Benoît me fit alors cette promesse, avec une amabilité suspecte:

— Je vais tout te dicter, Guillaume, tout! Guillaume de Rubrouck, tu n'as plus qu'à plonger la plume dans l'encrier; j'ai déjà lissé le parchemin pour toi sur le pupitre. Tu vas enfin coucher par écrit ce que le monde attend: ton histoire et le récit de ta glorieuse mission!

— Et si je refuse? — A peine cette possibilité m'avait-elle effleuré l'esprit que je l'avais exprimée à haute voix.

— Dans ce cas, dit Benoît, je crois bien qu'on ne va pas nous donner à manger!

L'argument était de poids, si bien que je m'approchai du pupitre et me mis à tailler la plume.

— « A tous les chrétiens, me dictait Benoît, entre les mains desquels arrivera cet écrit du frère Giovanni del Piano di Carpini, de l'Ordre des frères mineurs, légat du siège apostolique, envoyé comme ambassadeur auprès des peuples tartares et autres nations de l'Orient, le susdit souhaite la bénédiction de Dieu dans cette vie et la gloire de la vie éternelle dans l'autre, afin qu'ils puissent assister à l'anéantissement définitif des ennemis de Dieu et de Notre Seigneur Jésus-Christ.

« Quand nous partîmes sur ordre du Saint-Siège au pays des Tartares et autres nations d'Orient, et qu'on nous fit connaître la volonté du pape et des vénérables cardinaux, nous décidâmes de notre propre chef de nous diriger d'abord vers le pays des Tartares, car nous craignions que ceux-là ne puissent menacer l'Église de Dieu dans un avenir proche. Et quoique nous craignissions de mourir aux mains des Tartares ou d'autres peuples, ou d'être indéfiniment retenus en prison ou maltraités par la faim, la soif, le froid et la chaleur, en nous dispensant un traitement indigne et en nous imposant des efforts excessifs qui auraient eu raison de nos forces — et tout cela, sauf la mort ou la prison éternelle, nous l'avons souffert en vérité dans une mesure plus grande que celle que nous aurions jamais cru possible —, nous n'avons pas hésité à prendre cette charge sur nos épaules, car nous voulions accomplir la volonté de Dieu en observant le commandement du pape, dans l'espoir d'être utiles en quelque chose à nos croyants. A tout le moins, nous voulions tenter de découvrir les véritables projets et les opinions authentiques des Tartares, afin de tout en révéler pour que ceux-là, s'ils décidaient de lancer une autre invasion soudaine, ne trouvent pas devant eux des chrétiens sans défense comme il est arrivé en plusieurs occasions dans le passé, en châtiment des péchés des hommes, car nous savons qu'ils nous ont infligé dans le passé une grande défaite et qu'ils ont fait grande tuerie parmi les chrétiens. C'est pourquoi vous devez croire tout ce que nous écrivons pour vous éclairer et vous mettre en garde, d'autant plus que nous avons voyagé pendant une année et un peu plus de quatre mois au pays des Tartares, parfois accompagnés par eux, c'est-à-dire que nous avons vécu avec eux et que nous avons tout vu de nos propres yeux, ou sinon avons été renseignés par des chrétiens qui sont prisonniers là-bas et qui vivent parmi eux et qui, à notre avis, méritent créance. Notre prêtre suprême nous avait également chargés d'étudier et d'explorer avec beaucoup d'attention, et de nous intéresser d'un œil vigilant à tous les détails, pour insignifiants qu'ils puissent paraître. Et nous en avons fait ainsi, avec notre frère dans l'Ordre, Guillaume de Rubrouck, notre compagnon dans toutes nos vicissitudes et notre interprète, avec toute l'énergie... »

— Arrête ! lui dis-je. Je ne peux pas écrire ça !

— Tu dois l'écrire, Guillaume, on va t'obliger à le faire!

— Alors, pourquoi ne pas mentionner ton nom à toi aussi, puisque tu n'as pas disparu? — Son absence de logique me hérissait.

— Mais si, me répondit Benoît, je vais disparaître. Moi d'abord, toi ensuite! Si tu écris mon nom, ils vont l'effacer. Le tien restera en revanche, comme celui des deux infants que tu as accompagnés à la cour du Grand Khan. Voilà l'*Ystoria*!

Son humble résignation me mit en fureur.

— Tu m'as convaincu, dis-je d'une voix assez forte pour qu'un éventuel espion puisse m'entendre, je vais écrire ce que tu me dictes! — Mais en réalité, le nom que j'écrivis fut celui de Benoît de Pologne. Et il continua :

— « Et bien que nous notions, pour satisfaire la curiosité de nos lecteurs, quelques détails sur des circonstances inconnues dans nos régions, vous ne devez pas penser pour autant que nous sommes des menteurs. Car nous vous informerons uniquement de ce que nous avons vu nous-mêmes ou de ce qui nous aura été rapporté comme fait véridique par d'autres personnes que nous croyons dignes de foi. Il serait bien cruel que celui qui veut le bien des autres soit la cible des insultes. »

Nous fûmes interrompus par Yarzinth qui apportait le dîner de Benoît.

— Tu veux encore m'empoisonner? — Mon frère polonais examina avec méfiance la soupière fumante et les plats de salade et de viandes froides. Il y avait aussi du fromage et des fruits en abondance. J'avais l'eau à la bouche et je dus certainement regarder avec convoitise toutes ces victuailles.

— Aujourd'hui, tu vas dîner pour la dernière fois avec les enfants, Guillaume, c'est la seule façon de les calmer, dit Yarzinth avec un air de reproche. Tu devras leur faire comprendre que tu auras trop de travail pour les voir les prochains jours — et il me montra d'un signe du menton un deuxième petit lit déjà préparé pour moi — et que tu ne pourras plus leur servir de nourrice!

— Mais quelqu'un doit bien s'occuper d'eux! protestai-je. D'ailleurs, je suis surpris qu'ils ne soient pas encore ici.

— Seul quelqu'un qui connaît le labyrinthe comme sa poche peut sortir du pavillon.

— Vous connaissez bien mal ces enfants, lui répondis-je d'un air triomphant.

Yarzinth fit un petit sourire triste.

— En prison, le problème des prisonniers n'est pas d'entrer, mais de sortir! — et il me montra un trou dans le mur de la cave qui s'allongeait en se rétrécissant jusqu'à un couloir sombre, comme une espèce d'entonnoir. — Cette « dernière issue » n'est utile qu'à un prisonnier qui n'a plus que la peau sur les os. — Il nous regarda, Benoît et moi, comme s'il voulait évaluer notre poids sur pied.

L'homme ne m'inspirait aucune confiance. Je m'imaginais être dans sa cuisine où il allait me couper les doigts pour les mettre dans une énorme chaudron, ou encore me regardant d'en haut pendant qu'il m'obligeait à sauter par la trappe...

— Avant que je te conduise au pavillon — le cuisinier me rappelait à la réalité —, Benoît pourrait bien satisfaire ma curiosité. — Il sortit de sous son tablier une bouteille bouchée et la posa devant lui. — Comment est-il possible que Pian ne se soit pas rendu compte pendant tout le voyage que tu ne savais pas écrire, Benoît? — Le Polonais avait les joues remplies de salade et un pilon de poulet grillé, fort appétissant ma foi, planté entre les dents, si bien que je n'entendis que des bribes de son récit.

— ...prenais des notes... Pian croyait... écriture secrète... je dessinais des bonshommes, des ronds, des croix... Il me demandait : « Tu as bien tout noté? »... Et je lui disais : je ne peux pas me concentrer si tu regardes par-dessus mon épaule; j'ai besoin d'isolement méditatif... Et lui insiste : « Lis ce que tu as écrit jusqu'à présent! » Et je me mets à « lire » à la lumière de la chandelle et Pian est de plus en plus heureux d'entendre répéter ses tournures élégantes, ses fines observations et les conclusions géniales qu'il sait tirer de tout ce qui nous arrive. Tandis que je lui récite de mémoire ses pensées les plus profondes et les éclairs spontanément jaillis de son esprit, il se sent tout ému et éclate en sanglots. Nous nous complétons de la plus heureuse manière : il ne se souvient de rien et j'ai une mémoire aussi bonne que Dieu le père!

— Tu vas en avoir besoin, lui dit malicieusement Yarzinth d'une voix flûtée, parce que cette fois-ci, je crois vraiment qu'il va vouloir lire ses héroïques légendes vécues au pays des Tartares.

Benoît allait répondre au cuisinier, mais sa réponse lui resta dans la gorge avec le dernier morceau de blanc de poulet qu'il fit descendre en se rinçant le gosier avec le vin qu'on lui avait apporté.

— Guillaume, me dit-il avec un rot satisfait, comme je suis content que tu puisses coucher tout cela par écrit !

Je me sentais incapable de partager son allégresse, car j'avais mal aux doigts, raison pour laquelle j'étais fort heureux qu'on me ramène au pavillon. Cette fois encore, je fus incapable, tant s'en faut, de me souvenir du chemin que Yarzinth me fit prendre ; mais lui semblait s'y retrouver avec l'aisance d'un somnambule.

Je n'appréciais guère d'être à ce point à sa merci ; en tout cas, je ne me serais jamais aventuré de mon plein gré dans ces couloirs souterrains. Jamais !

Je crus aussi entendre le hurlement, le grognement ou le grattement de quelque bête sauvage. Y avait-il ici, sous terre, de méchants cochons de cloaque, des dragons, ou peut-être un amphibie gigantesque ? Je crus préférable que le cuisinier me précède.

— Dis-moi la vérité sur la salle fermée avec des grilles !

Yarzinth ne se retourna pas :

— Le *balaneion* ? Nous l'appelons le « bain des mille pieds » ! — Je percevais dans sa voix une légère ironie qui me fit trembler dans ce monde de courbes mystérieuses dans lequel nous avancions toujours. — Il est clair qu'il s'agissait d'un lieu de mort, destiné surtout aux exécutions en masse après un soulèvement populaire, ou encore aux prisonniers de guerre dont personne ne voulait payer la rançon. On peut facilement y mettre cinq cents personnes à la fois, d'où son nom de « bain des mille pieds » ! — l'invention lui paraissait ingénieuse. — Tu as sans doute vu la chaîne. Naturellement, elle n'était pas installée comme maintenant, mais à l'extérieur, devant la grille. Quand la chambre était pleine, on fermait la vanne...

— Et le tube ? demandai-je d'une voix remplie d'épouvante.

— Quand le jet d'eau sortait par en haut, tout le monde savait que la sentence avait été exécutée. L'eau ne sort pas tant que tout l'air ne s'est pas échappé.

— Quelle horreur! Pauvres gens!

— C'est pour cela qu'il fallait une grille aussi solide et aussi une communication directe, légèrement en pente, avec le cloaque, afin que lorsque tout était consommé...

— Horrible! Comment un être humain peut-il...?

— Πολλὰ τὰ δεινὰ κοὐδὲν ἀνθρώπου δεινότερον πέλει : il n'y a pas pire monstre que l'être humain.

Nous entrâmes sans bruit dans le pavillon par la porte d'une armoire et Hamo, qui nous attendait à la lumière d'une lampe à huile, se leva de son siège en sursautant. Les enfants étaient endormis, du moins je crus qu'ils dormaient profondément.

Fâché de mon incapacité manifeste à maîtriser mentalement les entrées et sorties du pavillon, je retins Yarzinth.

— Ce trou dans le mur, cette sortie directe du souterrain qui est pour un prisonnier comme une invitation à la fuite, je suppose qu'elle débouche ici même. Mais où est le piège?

— Beaucoup de crocs de fer! murmura Yarzinth. Elle a été construite de telle façon que quiconque s'y engage ne puisse plus revenir sur ses pas. Ses parois étroites sont garnies de pointes et de lames mobiles montées sur des articulations de cuir. Quand on avance, elles laissent aimablement passer le corps, mais au moindre mouvement de recul, elles se plantent dans la chair du fugitif. Seuls les rats et les chiens courts sur pattes sont capables d'y passer. Apparemment, ce pavillon servait autrefois à garder les chiens de chasse qui avaient ainsi accès aux victimes torturées et enfermées dans le souterrain.

— Si bien qu'un prisonnier avait de bonnes raisons d'essayer de s'enfuir.

— S'il avait su ce qui l'attendait dans le pavillon... — et de nouveau, une lueur démoniaque passa dans les yeux du cuisinier. Son crâne chauve brillait à la faible lumière de la chandelle; ses yeux ressemblaient à des charbons ardents enfoncés dans leurs orbites creuses. — Demain matin, je vais venir te chercher, Guillaume — sa voix me fit l'impression d'être celle du diable lui-même, ou au moins d'un bourreau! Puis Yarzinth disparut derrière un panneau et je crus remarquer qu'il empruntait une autre porte cette fois.

— Le Pavillon des égarements humains n'est pas une

voie d'accès qui puisse servir à prendre le palais, mais le nœud qui réunit tous les chemins qu'on pourrait prendre pour s'en évader, m'expliqua Hamo à voix basse. Naturellement, celui qui connaît la route peut les prendre aussi en sens inverse, mais à la première étourderie, il se fera attraper par l'un ou l'autre des nombreux pièges mortels qui s'y trouvent.

— Je ne veux pas m'enfuir, Hamo, murmurai-je, je veux rester pour m'occuper des enfants !

— Moi si, Guillaume, je voudrais bien m'enfuir, me confia-t-il, mais je ne saurais pas où aller.

— Je pense que ce serait la même chose pour moi, dis-je pour le consoler en ramenant ma couverture sous mon menton.

Quand j'allai éteindre la mèche, mes yeux tombèrent sur le visage de Yeza. La petite me fit un clin d'œil ; elle était tout à fait réveillée et elle avait certainement tendu l'oreille. Je la menaçai du doigt, puis éteignis la lumière.

VENERABILIS

Constantinople, automne de l'an 1247

La canicule poussiéreuse et paralysante de l'été byzantin avait cédé la place à un bel automne. Les nuages montaient de la mer de Marmara pour déverser leur précieux liquide sur les collines de la ville qui s'étalait en bordure du Bosphore.

En rentrant de sa résidence d'été au palais de Calixte, l'évêque s'était assuré que le travail de rédaction dont s'occupaient les deux franciscains dans leur souterrain sui-

vait son cours et que les enfants allaient bien ; puis il s'était
informé de l'humeur de sa tante Laurence. La visite imprévue de la digne dame avait certainement été la principale raison pour que Nicolas della Porta décide de se retirer dans sa
maison de campagne, malgré la présence d'un hôte involontaire qu'il fallait convaincre chaque jour, avec des preuves
plausibles, que les deux scribes besognaient dans le souterrain jusqu'à en avoir les doigts gourds, bien résolus à achever au plus tôt l'*Ystoria Mongalorum* de Pian di Carpini afin
que le missionnaire et découvreur de terres orientales puisse
se présenter rapidement devant le pape.

L'évêque avait laissé Pian dans la résidence d'été, aux
« bons soins » d'autres hôtes qui s'y trouvaient également :
rien moins qu'une délégation de templier sous le commandement du précepteur Gavin Montbard de Béthune. La présence des chevaliers de l'Ordre rassurait beaucoup Nicolas
della Porta, même si elle lui coûtait les yeux de la tête. Mais
il était riche et pouvait se le permettre ; vu les temps difficiles
qui attendaient l'empire latin à Constantinople, il lui paraissait fort important de pouvoir compter sur une certaine protection. Dans un avenir proche, le palais de l'évêque pourrait
être le théâtre de violents affrontements. Si bien qu'il ne
demandait pas mieux que de profiter des agréables journées
de cet été de la Saint-Martin.

Il avait invité sa tante Laurence à l'accompagner à l'hip-
podrome, pensant qu'il y supporterait plus facilement sa
présence. Il s'installa donc dans une loge à l'ombre, à côté de
la comtesse et de sa fille adoptive Clarion qui continuait à
porter l'habit d'une religieuse. La loge se trouvait un peu
avant le virage nord, à la hauteur du petit obélisque de Théodose, de sorte qu'ils pouvaient sentir l'odeur puissante des
chevaux, de leur crottin et du cuir des harnais, sans oublier
celle des cavaliers en nage quand ils passaient à toute allure
pour se presser tous à la corde, sans se ménager coups de
pied et de fouet. Il fallait ensuite attendre pendant des
secondes interminables — pour lui surtout —, souffrant
mille morts avant de savoir si le cavalier et le cheval sur lesquels il avait parié étaient tombés ou pas. Et ainsi de suite,
tour après tour. L'évêque sautait en l'air et criait comme un
gamin, mais personne n'y faisait attention : tout le monde
avait parié, jusqu'à la tante Laurence. Finalement, Nicolas

put pousser un soupir de soulagement : son cheval arrivait dans la ligne droite, mais sans son cavalier qui était allé atterrir quelque part.

— Τῆς δ' ἀρετῆς ἱδρῶτα θεοὶ προπάροιθεν ἔθηκαν : les dieux ont décidé qu'il faut de la sueur avant de remporter la victoire. — La comtesse était toujours triomphante, mais elle ne le resta que deux tours encore.

— Ἀθάνατοι μακρὸς δὲ καὶ ὄρθιος οἶμος ἐς αὐτήν, fit l'évêque avec méchanceté. — Les couleurs de la comtesse n'étaient pas parmi celles qui franchirent la ligne d'arrivée au milieu des cris étourdissants de la foule.

— Νίκη, νίκη ! Victoire pour saint François et pour les siens ! hurla une voix qui les fit se retourner. — Un moine hilare faisait des pieds et des mains pour entrer dans la loge. C'était Lorenzo d'Orta, le légat du pape qui l'année précédente avait logé dans la résidence de l'archevêque et que la comtesse avait rencontré elle aussi à Otrante.

— Depuis quand les frères mineurs ont-ils le droit de parier aux courses de chevaux ? lui dit Laurence sur un ton peu amène, car elle n'avait pas encore digéré sa défaite.

— Ce merveilleux cheval s'appelle Bucéphale, lui répondit un Lorenzo radieux, et il paît dans notre paroisse ! Saint François, patron des animaux, je te rends grâce !

Ils se poussèrent pour lui faire de la place.

— Comment se fait-il que vous soyez revenu en cette ville pécheresse de Byzance ? lui demanda l'évêque d'une voix aimable et paternelle.

— Vous n'aviez pas pris le bateau à Otrante pour aller vous présenter devant votre seigneur le pape ? l'interrogea à son tour la comtesse, sur un ton incisif.

— Si fait ! répondit Lorenzo en souriant. Cette fois-ci, j'accompagne, de ma propre initiative devrais-je préciser, l'envoyé extraordinaire du roi Louis de France, le seigneur de Joinville, expliqua-t-il avec emphase, qui est dans cette ville en mission secrète pour s'informer de certaines choses, ajouta-t-il en baissant enfin la voix. Le comte doit découvrir, quand le frère Pian arrivera, qui l'accompagnait au pays des Mongols et ce qui est arrivé à ces enfants qu'un certain Guillaume de Rubrouck aurait conduits lui-même dans ces contrées...

L'expression de son visage était toujours joyeuse et elle le resta tandis qu'il attendait que son message produise son effet. Mais ni l'évêque ni la comtesse ne parurent le moindrement impressionnés. Lorenzo passa donc à une autre nouvelle :

— Un ancien prêtre, un certain Yves, dit Le Breton, fait partie de la suite du sénéchal. Il est à présent confesseur du roi. Plus encore, il est son ombre et, s'il ne peut être son bras droit, il est certainement le gauche. Le fait que le pieux Louis l'ait autorisé à partir en voyage, même si ce n'est que pour peu de temps, montre bien l'importance que le roi attache à faire la lumière sur cette étrange histoire qui lui pèse sur l'estomac !

— On voit bien là la main du Cardinal gris, marmonna Laurence. Le long bras du château Saint-Ange se fait sentir. Je préfère m'en aller ! — Tout à coup, elle parut troublée, et même presque affolée.

L'évêque essaya de la rassurer.

— Je vous en prie, chère tante...

— Ne m'appelle pas ainsi ! siffla-t-elle. Clarion, nous partons tout de suite et nous emmenons les enfants !

— Calme-toi ! — Clarion se rendait compte que la situation était un peu embarrassante. Heureusement, une nouvelle course venait de commencer et personne ne parut prêter attention à la dispute.

— Me calmer ! — Laurence se leva d'un bond. — Cet Yves est un assassin, un vil tueur à gages. Guillaume m'a parlé de lui. S'il est venu ici, c'est pour les enfants... — Cette fois, l'évêque lui pinça le bras si fort que la comtesse dut couper court à son flot de paroles.

Ils sortirent de leur loge en toute hâte, montèrent dans les litières et rentrèrent par le chemin le plus court au palais de Calixte.

— La comtesse connaît-elle l'entrée du pavillon ? demanda Nicolas à son cuisinier qu'il avait fait appeler dès que Laurence, suivie de Clarion, s'était éloignée vers ses appartements en claquant les portes sur son passage.

— Mieux que vous et moi, dut admettre Yarzinth. Elle est venue voir plusieurs fois les enfants, et Clarion aussi...

— C'est vrai, et Hamo a réussi à s'enfuir chaque fois qu'elle est venue, se souvint l'évêque avec un brin de satisfaction. Quelle famille assommante !

Lorenzo s'approcha et l'évêque en profita pour lui faire un reproche :

— Tu aurais dû m'informer d'abord, et en privé !

— J'ignorais cette particularité de la comtesse, se défendit le franciscain. A Otrante, j'avais eu l'impression qu'elle avait la tête tout à fait froide !

Lorenzo suivit l'évêque et son cuisinier dans le labyrinthe souterrain. Ils s'arrêtèrent devant une porte.

L'évêque se tourna vers Yarzinth :

— Au cas où elle mettrait son projet à exécution, arrange-toi pour qu'elle trouve la route barrée !

— Mais il faut pouvoir fuir vers le port, à tout moment ! protesta le cuisinier et Nicolas reconnut intérieurement qu'il avait raison.

— De toute façon, il faut empêcher qu'on puisse entrer dans le pavillon pour emmener les enfants, dit-il avec une inquiétude évidente, et c'est une précaution que nous devons prendre immédiatement !

— Il n'y a pas de danger pour le moment, répondit le cuisinier en ouvrant la porte.

Ils montèrent une échelle de bois et, par l'une des ouvertures rondes, regardèrent dans la grande salle souterraine qui s'ouvrait au-dessous d'eux. Guillaume était derrière son pupitre et écrivait sous la dictée de Benoît qui se promenait de long en large, les mains derrière le dos. On entendait clairement sa voix. Au pied du pupitre, sagement assis, les enfants écoutaient avec beaucoup d'intérêt le récit de Benoît.

— « ...à l'époque où ils choisirent Gouyouk comme Grand Khan — nous étions présents —, il tomba sur le camp tant de grêlons de si grande taille que, lorsqu'ils se mirent à fondre tout à coup, plus de cent personnes se noyèrent, tandis que l'eau emportait plusieurs yourtes et d'autres objets... »

— Qu'est-ce que c'est, une yourte ? demanda Yeza.

Benoît s'arrêta :

— Une tente ronde faite de branches entrelacées, grande comme une maison et couverte de feutre, expliqua-t-il gentiment, sans le moindre signe d'impatience.

— Et qu'est-ce que c'est, du feutre ?

— Un tissu doux et très souple qui protège même de la pluie — Benoît était un maître exemplaire. — Tout à l'heure, on va aller chercher dans mon coffre, et je vais te donner une robe de feutre, proposa-t-il à la petite.

— Un pantalon! dit Yeza. Je préfère un pantalon!

— Et ensuite, ils mettent leurs maisons sur leurs charrettes et ils s'en vont ailleurs? demanda Roç à son tour. Elles doivent être grandes, leurs charrettes!

— Elles sont grandes comme... comme votre pavillon, lui répondit Lorenzo, et leurs roues sont plus hautes que Guillaume et moi si on nous mettait bout à bout.

— Et qui tire ces charrettes? — Leurs dimensions avaient éveillé la suspicion de Roç. — Jusqu'à deux cents bœufs — la patience de Benoît semblait sans borne. — Et une seule femme les conduit!

— Tu vois? — dit fièrement Yeza à son compagnon.

L'évêque donna le signal de la retraite et les spectateurs s'éloignèrent sur la pointe des pieds, sans que personne ne se soit rendu compte de leur présence.

— J'ai voyagé moi aussi, ne put s'empêcher de dire Lorenzo. Avec une lettre de légation du pape, on peut aller n'importe où, et gratis par-dessus le marché — il sortit le document de son habit et l'exhiba fièrement. — Elle est datée de 1246, mais elle est toujours valide!

— Vous permettez? fit l'évêque qui la prit, puis la tendit à son cuisinier après y avoir jeté un coup d'œil. Tu pourrais la recopier en la signant du nom de Sa Sainteté Innocent IV, faite à Lyon, le jour de Pâques de l'an 1245 — nous demanderons la date exacte à Pian —, au nom de Guillaume de Rubrouck...?

Lorenzo ne se doutait de rien et avait pris un peu d'avance sur eux.

— Je suppose, murmura Yarzinth, après avoir examiné attentivement le parchemin, encore muni de son sceau et de son ruban, que ce sera la condamnation à mort du frère Guillaume.

— On la retrouvera à côté de son cadavre, ce qui effacera les derniers doutes.

— Et Benoît?

— Il ne vivra pas assez vieux pour le savoir. Quant à Pian, il se fera une raison!

— Et les enfants? Comment vont-ils réagir?

— Tu deviens sentimental, Yarzinth? Κύκλος τῶν

ἀνθρωπηίων πρηγμάτων! — l'évêque commençait à se sentir mal à l'aise. — C'est le prix qu'il faut payer pour leur salut! Et puis, c'est ce qui a été décidé dans les hautes sphères... Mais j'y pense, comment les enfants sont-ils arrivés dans la cave des moines?

— Ils ont découvert comment les chiens et les rats utilisent la « dernière issue » sans se faire prendre et transpercer, répondit le cuisinier en riant tout bas. Depuis, ils vont tous les matins à quatre pattes du pavillon à la cave, après que je leur ai interdit de se promener en barque sur la citerne...

— Qu'est-ce que tu dis? — L'évêque était visiblement fâché, mais son cuisinier ne jugea pas utile de lui épargner d'autres surprises qu'il avait en réserve pour lui.

— Je les ai trouvés aussi à deux reprises dans la chambre du trésor. On dirait des petites souris!

— J'espère que le chat ne va pas les manger! maugréa l'évêque. Le chat ou ton Styx! — Comme chaque fois qu'il pensait à l'animal, Nicolas se sentit nerveux. — Tu l'attaches bien? Il est enfermé? Tu es sûr que cette bête ne risque pas d'attaquer les enfants?

— Je réponds de Styx, répondit le cuisinier en se renfrognant.

— Tu réponds aussi des enfants. Et sur ta tête.

— Comme toujours, maître.

L'évêque allait s'éloigner mais, arrivé à la porte, il faillit buter contre Hamo qui le cherchait.

— La comtesse descend vers le port avec Clarion. Elle veut regagner son bateau — Hamo se retourna aussitôt pour s'en aller, soulagé. L'évêque le suivit, préoccupé.

Entre-temps, Yarzinth avait rattrapé Lorenzo et entamait une conversation avec lui. Il lui signala comme en passant qu'il fallait faire avancer d'urgence un certain récit, que Pian était fort impatient, que la malchance, ou plutôt le manque d'instruction, avait voulu que Benoît soit analphabète, que Guillaume avait mal aux doigts.

Lorenzo s'offrit aussitôt à aider ses frères dans leurs travaux d'écriture dans le souterrain. Le cuisinier s'abstint d'ajouter que le bon samaritain allait lui tirer une belle épine du pied en le libérant de la menace de l'évêque qui avait songé à le mettre à contribution pour prêter main-forte aux rédacteurs de l'*Ystoria Mongalorum*. Pour le moment, il s'en était tiré. Tant mieux, car il lui restait encore à falsifier la lettre de nomination du légat du pape. Fort content de lui, il conduisit donc Lorenzo dans le souterrain, commanda un somptueux dîner pour les moines et informa les enfants que, pour cette nuit, ils pouvaient rester dormir avec leurs amis. La nouvelle fut saluée par une explosion de joie.

Les trois franciscains parurent très heureux eux aussi de leurs retrouvailles.

— Il y a trois ans que je t'ai vu, Lorenzo, calcula le Polonais, fort ému. A l'époque, le Cardinal gris t'avait envoyé au cachot. Et regarde un peu : tu as réussi à te faire nommer légat !

— Ah! *lo spaventa passeri*, notre épouvantail! fit le petit frère en riant. Si Guillaume tombait entre ses mains, mieux vaut ne même pas penser à ce qu'il aurait l'idée de faire de lui! Tu ne crois pas?

— Mon sort ne pourrait pas être bien pire que maintenant, car je me retrouve ici en train de travailler comme un scribe, esclave de notre frère Pian qui est un arrogant, tellement désireux de connaître la gloire éternelle comme historien qu'il n'hésite pas à abuser de mon dos et de mes doigts, ce que je ne trouve pas du tout agréable. S'il vous plaît, cher seigneur légat, remplacez-moi donc pendant quelques heures !

Gavin le templier trouva l'évêque dans le réfectoire, en train de dîner en compagnie de Hamo. Ils étaient rendus aux desserts. De la cuisine, on leur avait monté du massepain et des figues fraîches saupoudrées de poivre moulu, des dattes confites fourrées aux noix, des marrons glacés et des gâteaux aux amandes. Pour les accompagner, ils buvaient une infusion brûlante et amère de thé de l'Inde, aromatisée d'un peu de menthe sauvage, d'un petit morceau de gingembre confit et d'un zeste de limette. Ils en offrirent au précepteur.

— Et comment va notre hôte illustrissime? dit l'évêque pour engager la conversation, même s'il se souciait peu de la santé de Pian.

La réponse du templier abonda dans le même sens :

— Le seigneur de Carpin ne se sent pas bien et ne se

considère pas comme un hôte. Le seul réconfort de son âme, ce sont ces pages de parchemin couvertes d'écriture qu'on lui sert tous les jours avec le déjeuner et qui représentent la production de la veille de notre couple de scribes, Guillaume et Benoît, des pages que Pian attend avec une grande impatience. Il voudrait presque être avec eux pour les pousser à coups de fouet.

— Βραχὺς ὁ βίος ἡ δὲ τέχνη μακρά! Si ces deux bourriques en marron savaient que plus elles écrivent, plus elles s'approchent de la fin de leurs jours terrestres, elles chieraient dans leur froc au lieu de gaspiller l'encre! — Sous ce mélange de sagesse et de vulgarité affectée, l'évêque dissimulait le malaise que lui inspirait le destin cruel réservé aux deux moines innocents, destin auquel il devait collaborer et qui s'accomplirait dans sa propre maison. Gavin le comprit.

— En fin de compte, le Flamand a contribué à tendre son propre piège, mais le Polonais? Ne pourrait-on pas le laisser s'enfuir?

— Οἶδα οὐκ εἰδώς, à la grâce de Dieu. Je ne veux pas savoir comment ni qui a décidé là-haut que cet agneau de Dieu serait sacrifié par le boucher une fois achevé son travail. Ce n'est pas moi qui m'en chargerai, mais quand je pense à la perfidie des êtres humains et à la honteuse tradition de ce palais...

— Tu penses à la « dernière issue »? — Contrairement au templier qui faisait preuve d'une indifférence stoïque, Hamo souffrait de cette menace de mort qui pesait sur quelqu'un qu'il connaissait bien. — Pourquoi n'a-t-il pas encore essayé?

— Quelqu'un a dû lui expliquer comment, la nuit qui précède son exécution, le prisonnier accepte l'invitation du trou dans le mur et se précipite dans le couloir qui ne lui permettra pas de revenir sur ses pas; il court à perdre haleine, tourne avec le corridor, grimpe les escaliers du labyrinthe, toujours plus vite, toujours plus rempli d'espoir, jusqu'à ce qu'il découvre une lumière tout au bout du couloir, un trou dans le mur derrière lequel il espère retrouver la liberté, la lumière du jour; et, fou de joie, il y passe la tête pour regarder derrière.

— Continue! s'exclama Hamo, très ému. Et il se sauve?

— Derrière le mur, dans le Pavillon des égarements humains, le bourreau l'attend.

— Joli nom! — dit Gavin, et ses paroles restèrent suspendues dans le silence. Hamo entendit un craquement derrière les panneaux de bois et frissonna. Mais il essaya quand même de découvrir d'où venait le bruit. Il ouvrit brusquement la porte d'une armoire et vit derrière les yeux épouvantés et grands ouverts des enfants.

— Merde! fit l'évêque.

Quand Hamo eut confié les enfants au cuisinier — Yeza était tellement bouleversée qu'elle ne pouvait plus dire un mot, Roç pleurait à chaudes larmes — pour qu'il les ramène au souterrain, il avait perdu l'envie d'assister à ce genre de conversations. Il ne voulut pas non plus de la compagnie des minorites, auxquels s'était ajouté Lorenzo. Il trouvait indécent de regarder Benoît, condamné à mort, comme on regarde une souris qui n'a pas vu le serpent, mais qui le sent tout proche et sait qu'il s'avance silencieusement. Il décida donc de quitter le palais épiscopal pour passer la nuit en ville, ou peut-être dans le port, au risque d'y rencontrer sa mère.

Gavin et l'évêque restèrent dans le réfectoire. C'est alors que le templier aborda le véritable sujet de sa visite.

— Quelque chose d'important se trame au-dessus nos têtes, expliqua-t-il l'évêque. John Turnbull est arrivé.

Nicolas della Porta parut soulagé. Enfin, on allait donner des ordres dont il ne serait pas responsable. Et on verrait alors s'il serait disposé à les exécuter. Il voulait des décisions claires, ce qu'on pouvait toujours attendre du vieux John, et surtout qu'on les applique rapidement et sans douleur. L'évêque avait horreur ne serait-ce que de penser à la souffrance.

— Vous lui avez parlé de votre proposition de confier les enfants aux soins des templiers?

— Le *venerabile* va se prononcer ce soir même.

— Il est près de minuit, protesta l'évêque. A quelle heure pense-t-il nous honorer de sa visite?

— Il est déjà ici, répondit le précepteur; en haut, sur le toit, dans votre observatoire!

Contrarié, l'évêque voulut se lever, mais le templier l'arrêta:

— Le maître ne souhaite pas qu'on lui adresse la parole tant qu'il n'aura pas compris les questions et déchiffré les réponses formulées par le destin, telles qu'elles sont inscrites dans les astres. J'ai ordonné à Yarzinth de l'accompagner là-haut et je pense que le moment est venu où une voix autorisée nous communiquera la sentence émise par les planètes et l'écho de la terre habitée.

L'évêque frappa dans ses mains. Yarzinth s'approcha aussi silencieusement qu'un chat et il lui demanda d'aller porter du fromage, des olives et une carafe de bon vin sec sur la terrasse couverte qui s'étendait au pied de la plate-forme de l'observatoire. Puis il saisit une torche et les trois hommes empruntèrent des couloirs et des escaliers qui les menèrent au dernier étage du palais de Calixte.

Au loin, au-dessous d'eux, resplendissait le diadème de lumières scintillantes du port et, plus loin encore, la ceinture noire du Bosphore. De l'Asie mineure parvenait la lueur de minuscules points de feu qui dessinaient à peine la ligne de la rive opposée. En haut d'un dernier escalier très raide, ils rencontrèrent Sigbert von Öxfeld, le gigantesque commandeur des chevaliers de l'Ordre teutonique, qui gardait l'entrée. Pour tout salut, l'homme posa d'un geste impérieux un doigt sur ses lèvres, de sorte que l'évêque ravala la plaisanterie sur « l'ange gardien de service » qu'il avait sur le bout de la langue.

Ils restèrent donc là, à attendre en silence. Ce qui n'empêcha pas Sigbert de se servir copieusement de fromage, tandis que Yarzinth remplissait les coupes.

Une fois les yeux habitués à l'obscurité, on devinait là-haut, sur la plate-forme, la mince silhouette de John Turnbull et, derrière lui, la sphère armillaire, le quadrant et les autres instruments indispensables à un astrologue. Leurs *corpi metallici*, des branches de laiton poli, reflétaient avec un éclat terne le clair de lune. L'ombre de Turnbull glissait comme une chauve-souris blanche parmi les équerres, les tubes et les secteurs. Nicolas se dit soudain qu'il y a quelque chose d'éthéré dans le corps d'un vieillard dont l'esprit ne cherche pas la tranquillité mais se lance au contraire dans une quête effrénée. Les vieillards lui faisaient penser à des oiseaux dont les cris emplissent la nuit, jusqu'à ce qu'ils prennent leur envol en battant des ailes pour disparaître à tout jamais.

— C'est aujourd'hui le jour de la déesse Vénus des

païens — avec ces mots, Turnbull s'était enfin approché de la balustrade pour adresser la parole à ceux qui l'attendaient. — Demain sera le sabbat des juifs et le dimanche est le jour du Seigneur, *sol invictus*, triomphe d'Apollon radieux, roi du ciel et de la terre! — Le vieillard se mit à descendre lentement les marches, comme s'il était en transe. — Dimanche, le feu qui donne la vie se trouvera dans le Verseau, l'homme nouveau sera inondé de la lumière du soleil; Jupiter gouvernera en sens opposé avec la force du Lion, un axe rempli de force victorieuse; Mars le chevaleresque protégera, en conjonction avec le Cancer maternel, tandis que la Lune s'unira en Poissons avec le grand Amas : le couple des souverains.

Turnbull était enfin arrivé au bas de l'escalier. Sigbert s'effaça devant lui, dans un geste qui témoignait de son immense respect. L'évêque et Gavin l'attendaient, leur coupe à la main, sans oser la porter à leurs lèvres, comme si une gorgée de vin pouvait briser l'enchantement magique de l'oracle qui leur parlait par la bouche du vieillard.

— Le troisième du trigone sacré est l'aigle. Dans ses ailes se confie Mercure, messager des dieux et en même temps leur fils. A côté de lui, Saturne, le sage, tient la balance de la justice et de l'équité, de la paix entre les peuples et les religions; par ailleurs, la déesse de l'Amour tient le Sagittaire dans la soumission. Ce n'est pas la flèche de l'Amour qui survole les frontières et les mers, non : c'est Agapé, qui réconciliera l'humanité!

John s'était approché d'eux, mais ce n'est qu'alors qu'il sembla les reconnaître. Sa voix n'était plus la même quand il salua l'évêque et le templier. Il refusa le vin qu'on lui offrait en secouant la tête.

— Si je refuse, ce n'est pas pour conserver une sobriété puérile, leur expliqua-t-il d'une voix affable, mais en l'honneur de l'extase supérieure qui m'habite! — Son regard traversa ceux qui l'entouraient, pour se perdre dans un lointain que lui seul paraissait capable de mesurer. — J'ai pris une décision, dit-il à voix basse. Dimanche sera le jour de la révélation du saint Graal. L'époque où il fallait se cacher, fuir et craindre est révolue. Nous devons avoir le courage de montrer les enfants royaux, de les exposer aux yeux d'un monde stupéfait.

Nicolas della Porta et Gavin Montbard de Béthune levèrent leurs coupes en silence, et Sigbert von Öxfeld renonça à s'abstenir. Tous burent en silence.

— Pian di Carpini, intervint l'évêque avec une certaine hésitation, n'est pas encore prêt. Son *Ystoria* n'est pas achevée; il va vouloir...

— Pian ne va pas se soustraire à la publication beaucoup plus importante que nous pensons effectuer ni au rôle qu'il est appelé à y jouer, décida Turnbull d'un ton qui n'admettait pas de réplique. Ce qui n'est pas écrit ne le sera jamais!

— Et que fait-on de Guillaume?

Le vieillard balaya l'objection d'un geste et accepta que Sigbert lui donne le bras pour l'aider à descendre l'escalier.

— Demain soir, nous ferons une répétition générale. Καιρὸν γνῶθι — l'évêque s'empressa de le suivre.

Yarzinth apparut au fond de la terrasse et remplit la coupe du précepteur qui était resté seul.

Gavin regarda avec scepticisme l'*instrumentarium* avec ses tubes dressés vers le ciel. Il avait des réserves sur la décision prise par le vieillard au cours de sa méditation solitaire, car elle lui paraissait précipitée. Mais il ne voulait pas non plus l'accuser de charlatanisme car, depuis qu'il le connaissait, Turnbull s'était toujours guidé sur le cours des astres.

— Des journées remplies d'émotions nous attendent, Yarzinth, dit-il en soupirant.

— Des heures! lui répondit courtoisement le cuisinier. Le seigneur n'a rien dit de Lilith, la lune noire qui en ce moment même se trouve en Scorpion, dans le quadrant malin qui précède Jupiter, et qui obscurcit aussi le Soleil; ni de la queue furieuse du Dragon, *cauda draconis*, qui pointe derrière la Lune!

— Ou il ne l'a pas vu. Bonne nuit, Yarzinth!

LA DERNIÈRE ISSUE

Constantinople, automne de l'an 1247 (chronique)

— *Adjutorium nostrum in nomine Domini.*
— *Qui fecit coelum et terram.*

Sous les voûtes du souterrain, la lumière grise du petit jour chassait timidement les voiles de la nuit. C'était déjà l'automne et l'heure des matines était déjà depuis longtemps celle de l'obscurité trouble. Lorenzo d'Orta, mon aide dévoué à la plume, nous avait réveillés pour la prière.

— Benoît? Benoît est toujours là? murmura Yeza d'une voix inquiète, encore à moitié endormie. — Dès qu'elle vit le Polonais agenouillé près de son lit, elle referma les yeux, rassurée.

J'étais jaloux de son affection subite pour le moine pâlichon. La veille au soir, avant de s'endormir, Roç lui aussi l'avait supplié de ne pas s'en aller, comme si son bonheur en dépendait. Comment le Polonais avait-il réussi à conquérir ainsi le cœur de ces enfants? Mais j'eus aussitôt honte de ce sentiment d'envie et je m'imposai un autre Ave Maria pour eux tous, Benoît compris. Et j'implorai la protection de la Mère de Dieu. Amen!

Yarzinth était entré, silencieusement comme toujours, pour poser sur la table notre petit déjeuner : du lait chaud et une omelette pour chacun; puis il se retira. L'odeur de la nourriture réveilla les enfants. Notre repas terminé, nous nous remîmes immédiatement à l'ouvrage. Μέγα βιβλίον, μέγα κακόν.

Lorenzo commença à écrire le premier. Nous nous relevions toutes les cinq minutes, de sorte que, lui comme moi, nous faisions courir la plume avec une grande vélocité sur le parchemin sans trop nous fatiguer les jointures, tandis que l'autre taillait la plume suivante, puis effaçait les taches d'encre et les fautes.

— « Dans le monde entier, dictait Benoît, ni parmi les laïcs ni parmi les membres d'un ordre, il n'y a sujets plus obéissants que les Tartares. Jamais ils ne mentent, jamais ils ne s'insultent. Quand ils discutent, ils n'en viennent jamais aux mains et on ne connaît pas chez eux coups et blessures, morts violentes, vols ou larcins. Quand la nourriture se fait rare, ils la partagent généreusement... »

— Arrête de raconter des histoires! l'interrompis-je. Ce sont peut-être des anges qui ont ravagé la Hongrie en torturant les hommes et en violant les femmes? — Je m'abstins de donner des détails plus horrifiants, à cause des enfants. — N'importe quel chrétien pâlirait d'envie à entendre parler de tant de bonté et de pureté d'âme!

— Ils ne connaissent pas l'envie non plus, répondit Benoît en souriant, ni l'adultère et la prostitution! Mais les femmes autant que les hommes ne ménagent pas les paroles grossières et impies, par manière de plaisanterie. L'ivresse est honorable pour eux. Quand quelqu'un a trop bu, il s'arrange pour vomir afin de pouvoir continuer!

— Ah, je les trouve déjà un peu plus humains, fit Lorenzo en riant. Il me semble que tes Tartares ont deux visages : un aimable pour la vie paisible en commun, l'autre cruel quand ils traitent avec les autres peuples...

— Tu as parfaitement raison, répondit Benoît après un instant de réflexion. Ils se considèrent comme un peuple élu et le reste du monde n'est pour eux qu'une terre d'esclaves...

— Et ils n'ont pas de chevaliers? demanda Roç qui écoutait attentivement.

— Non, lui répondit Benoît, seulement des cavaliers, mais il y en a des dizaines, des centaines de mille!

— Dommage! — Le petit semblait penser que le sujet avait été épuisé.

— « Jusque dans leur apparence extérieure, les Tartares se distinguent de tous les autres êtres humains... » — Benoît s'arrêta quand il vit la porte de fer s'ouvrir devant Hamo qui nous avait déjà plusieurs fois tenu compagnie, à titre de spectateur silencieux mais attentif. Était-il possible que d'entendre parler d'un peuple dont le sang coulait dans ses veines à son insu pût éveiller en lui des sentiments quelconques, même contradictoires? Je l'observai à la dérobée, très soucieux de ne pas révéler par une parole maladroite que je connaissais ses origines.

Benoît continua :

— « ... car la distance entre les yeux et leurs pommettes

est plus grande que chez les autres humains, et leurs pommettes sont aussi beaucoup plus éloignées de la mâchoire. Leur nez est camus et plutôt petit... »

— Comme celui de Hamo! hurla Yeza, amusée, mais elle se tut en voyant que Hamo était fâché et surtout que personne ne l'applaudissait.

— « ... les paupières de leurs yeux — qui ne sont pas particulièrement grands — montent très haut, jusqu'aux sourcils. Leur taille est fine et la barbe est peu fournie chez eux... »

— C'est quand même vrai que Hamo est pareil, dit à son tour Roç. Quand je pense à la moustache du Faucon rouge...!

La comparaison sembla suprêmement déplaire au fils de la comtesse, car elle lui rappelait comment sa sœur adoptive, Clarion, était tombée follement amoureuse de cet Arabe.

Je tentai une diversion :

— D'habitude, les femmes ne comptent pas les poils de la barbe; ce qui les intéresse... — mais je ne pus achever ma phrase.

— Les femmes, m'interrompit Hamo, ne savent ni compter, ni écrire, ni penser; je n'en veux aucune!

— Bravo! s'exclama Lorenzo. Tu vas t'épargner bien des ennuis!

— « Chez les Mongols, continua Benoît, chacun peut prendre autant de femmes qu'il est capable d'en entretenir : dix, cinquante ou cent! »

— Alors, je ne vais pas me marier! l'interrompit Yeza. Je sais faire tout ce que fait un homme, et je peux avoir des enfants en plus!

— Sans mari! se moqua Hamo, mais Roç vola à sa rescousse.

— Je suis là, dit-il pour justifier l'indépendance de sa compagne de jeu, une indépendance qui le dérangeait peut-être, mais qu'il défendait toujours devant les autres.

— Vous n'êtes donc pas frère et sœur? demanda Benoît avec une certaine hésitation.

— Vous le verrez bien à la noce! fut la surprenante réponse de Yeza. — Benoît s'empressa de retourner à ses Mongols, dont le mauvais exemple lui paraissait de nature à mettre en valeur la morale de sa propre Église :

— « Ces Tartares peuvent se marier avec des membres de leur propre famille, sauf avec leur mère par le sang, avec leur propre fille et avec la sœur de leur mère. En cas de décès du père, ils sont même obligés d'épouser ses femmes, sauf leur propre mère... »

— Encore heureux, lança Hamo, qu'ils fassent cette exception — et tous se mirent à rire. Hamo continua : — Vous auriez dû voir la comtesse ce matin, furieuse de ne pas trouver les enfants dans le pavillon. Elle a traîné Guiscard derrière elle et il s'est mis à défoncer la trappe à la hache pour l'ouvrir de son côté; j'ai eu juste le temps de m'échapper.

Au même instant, on entendit les clés tourner dans la serrure de la porte de fer et le commandeur des chevaliers teutoniques apparut. Les enfants ne l'avaient pas revu depuis Otrante, mais ils le reconnurent aussitôt.

— Oncle Sigbert! s'exclama Yeza qui se jeta sur sa large poitrine, puis se pendit à son cou. Je suis bien contente que tu sois ici! — Elle sortit alors son poignard et le brandit sous la barbe grise du chevalier. Roç s'approcha à son tour avec son arc et ses flèches.

— Ah, mon petit chevalier! — et la voix du gigantesque teuton résonna sous les voûtes, tandis qu'il soulevait l'enfant de son autre bras. Il aurait été un bon père pour ces petits si le train des croisades ne l'avait pas poussé à rechercher au sein de l'Ordre de ses frères teutons la chaleur domestique d'une famille jamais fondée. Mais son cœur appartenait aux enfants qui le savaient fort bien, en dépit de sa fréquente rudesse.

Hamo se souvint aussi de ses conversations avec le chevalier qui, sans doute après en avoir parlé avec la comtesse, avait essayé de l'attirer dans l'Ordre. L'épine qui envenimait ses relations avec sa mère était si profondément enfoncée qu'il ne put s'empêcher de saluer le chevalier avec froideur. Puis il poursuivit son récit comme si de rien n'était :

— Vous l'imaginez entrer en furie dans la chambre de l'évêque, folle d'indignation, comme une mère poule à qui on a volé ses poussins! Et Nicolas, encore en chemise, qui fait venir le cuisinier pour conduire cette femme furieuse chez John Turnbull. A force de balancer son cou maigre — Hamo usait de tous ses talents de mime pour imiter le vieillard —, le vieux a finalement réussi à lui faire retrouver la raison.

— Hamo! intervint le commandeur, fâché. Un homme ne parle pas pour ne rien dire. Et un chevalier ne se moque jamais d'un autre! — Hamo se tut, honteux. — Madame la comtesse et son vieil et fidèle ami John Turnbull se sont mis aussitôt d'accord, continuait Sigbert, aussi bien sur la question principale que sur la date. Nous sommes toujours convaincus que ce sera dimanche! — Comme le seigneur Öxfeld voyait à nos mines que nous ne comprenions rien, il ajouta : — Ce qui veut dire qu'il vous reste deux fois douze heures pour terminer votre travail.

— Mais c'est impossible! se plaignit Benoît en implorant mon aide et celle de Lorenzo. — Mais Sigbert ne perdait pas de temps en paroles inutiles.

— Alors, abrège, petit frère, le gronda-t-il, plus ce sera court, plus on le lira! — Et le commandeur s'éloigna d'un pas décidé.

— Allez, au travail! lança Lorenzo. Guillaume, c'est ton tour!

— « Quand ils livrent bataille, recommença à dicter Benoît, ils ont coutume de placer au premier rang les prisonniers de guerre d'autres tribus soumises; si l'un d'eux prend la fuite, ils massacrent tous les autres. Et pour paraître plus nombreux, ils font monter aux derniers rangs des mannequins à cheval, ce qui, en plus des femmes et des enfants eux aussi à cheval, donne de loin l'impression d'une armée formidable. »

— Ils laissent aussi les petites filles se battre? voulut savoir Yeza.

— « Les femmes montent avec autant d'habileté que les hommes, ce qu'elles apprennent toutes petites, de même qu'à tirer à l'arc, car tous, garçons et filles, portent les mêmes chausses et les mêmes pelisses... »

— Tu m'as promis un pantalon, l'interrompit Yeza en montrant le coffre de voyage décoré de ferrures de laiton du Polonais, où elle savait qu'il gardait le vêtement convoité. — Mais Roç ne l'entendait pas de cette oreille :

— Dis-lui d'abord que les filles ne peuvent pas se battre, même si elles portent la culotte, réclama-t-il avec insistance. Même si elles tirent bien à l'arc, elles ne tirent jamais aussi bien que les hommes. Dis-lui!

— « Elles forment l'arrière-garde et n'interviennent

dans la bataille que si les hommes se montrent lâches et prennent la fuite, chose qui n'arrive jamais, car si c'était le cas, le châtiment qui les attendrait serait la mort... »

— Le pantalon! persistait Yeza.

— Donne-le-lui, et qu'on en finisse! proposa Lorenzo.

Benoît ouvrit alors les fermoirs du coffre dont il leva le couvercle bombé pour se mettre à fouiller parmi un monceau de mouchoirs, de tapis, de récipients de toutes sortes et autres objets utiles. Il sortit pour le montrer un petit bonnet d'enfant brodé de fleurs et de feuilles, avec un bandeau de velours et des revers de soie jaune. Le haut se terminait par un petit bouton de corail rouge. Benoît le posa coquettement sur la tête de la petite, mais Yeza ne se laissa pas distraire.

— C'est ça, la culotte? insista-t-elle quand le moine finit par prendre un paquet ficelé.

— Non, c'est un gilet de lutteur, murmura le Polonais qui le déplia sur le couvercle. — Le vêtement était orné d'une broderie en soie qui représentait un dragon et il se terminait en bas par une large ceinture de cuir décorée de clous de métal. Roç était fou de joie.

Puis ce fut le tour de bottes en cuir rouge, ornées de rubans de couleur, avec une doublure finement plissée en soie verte. Apparurent ensuite des vêtements de soie et de velours richement brodés de perles et de fil d'or, décorés en bas d'un bandeau ondulé, piqué de turquoises et de verroterie de couleur.

— Ils appellent ce motif « nœud originel », expliqua Benoît, fier de ses connaissances.

Et le manège continua : bonnets, ornements de cheveux, plaques pectorales, fourreaux à tresses, précieux objets d'or et d'argent aux dessins d'une extrême finesse rehaussés de pierres précieuses.

— *Botag!* s'exclama Lorenzo. Le grand costume de fête des femmes mariées!

— Et la culotte? — Yeza frappa du pied tandis que Hamo essayait avec précaution un bonnet. Il lui allait comme s'il n'avait jamais rien porté d'autre sur la tête, même si ce n'était pas une coiffure d'homme.

Finalement, Benoît sortit du fond du coffre un pantalon en feutre, renforcé aux genoux par des pièces de cuir piquées. La couture latérale était ornée d'un mince galon rouge. C'était un vêtement d'une grande simplicité, mais la joie de Yeza paraissait sans borne. Elle enfila le pantalon qui lui allait parfaitement, sans doute parce que son ancien propriétaire devait être un mince adolescent, à part la ceinture qui était un peu large, défaut auquel elle remédia en fronçant le tissu. La petite découvrit aussitôt une poche de côté pour son poignard et elle se mit à danser, folle de joie, surtout lorsque Benoît lui fit aussi cadeau de petites bottes pointues, parées de pièces de fourrure, doublées de peau, dans lesquelles elle pouvait glisser le bas de son pantalon.

Le Polonais eut la sagesse de faire aussi un cadeau à Roç à qui il laissa le précieux gilet de lutteur avec son dragon brodé, ainsi que la ceinture de cuir repoussé et clouté qui faisait au centre la largeur d'une main, avec une svastika en malachites incrustées dans de l'argent. A cause des épaulettes du gilet, Roç parut se transformer tout à coup en un personnage dangereux quand il mit son carquois à l'épaule et se prépara à bander son arc.

Les deux enfants étaient fiers comme des paons et ils formaient tous deux un couple merveilleux, à la fois digne et pourtant enfantin. Mes petits souverains ! Mais eux ne faisaient aucune attention à nos regards admiratifs. C'était au tour de Benoît d'avoir conquis leurs cœurs.

— Bon, les enfants, laissez-nous tranquilles maintenant, nous avons du pain sur la planche ! leur dit Lorenzo qui semblait être le seul à connaître le sens et le but de notre travail et qui, tout en plaisantant et en restant toujours d'humeur joyeuse, nous poussait à ne pas perdre un instant.

Sur ces entrefaites, Yarzinth entra dans un grand bruit de clés. Il apportait le dîner.

— Pour que messires ne se meurent pas d'inanition !

Et il présenta avec fierté, accompagné de deux pages, des plateaux couverts de morceaux d'anguilles à l'huile d'olive et aux piments, de courgettes au vinaigre de vin, d'aubergines frites au foie de canard grillé, d'artichauts à la vapeur farcis aux moules. Et ce n'était là que les hors-d'œuvre. Il nous servit tour à tour avec correction et courtoisie, et je n'eus guère le temps de m'offusquer qu'il serve Benoît avec plus d'attention et de générosité que Lorenzo ou moi-même, car nous nous précipitâmes de fort bel appétit sur la nourriture, comme des Tartares affamés. Il nous donna aussi un vin blanc pétillant de Crète qu'il avait apporté dans une délicate amphore. Quand nous eûmes vidé nos assiettes, comme un veau les aurait nettoyées avec sa langue, et que nous nous fûmes consciencieusement léché les doigts, il souleva le couvercle en argent du plat principal — l'arôme d'un chapon grillé me chatouilla les narines. L'animal reposait sur un lit coloré de betteraves rouges, de carottes corail, de haricots vert tendre et d'épinards plus foncés, le tout mêlé avec les perles brillantes des petits oignons et l'ivoire luisant de quelques pointes d'ail.

Yarzinth découpa l'oiseau avec un cimeterre, un sabre de Damas dont la lame courbe ne se terminait pas en pointe, mais en forme de trident. L'arme était suffisamment lourde et affilée pour couper la tête d'un bœuf vivant. Il la maniait avec dextérité et le tranchant pénétrait dans la viande comme dans du beurre.

Comme pour mettre en valeur son adresse, il demanda à l'un des pages de tenir en l'air une bouteille pansue dont le goulot de terre cuite était encore cacheté. D'un coup, il décapita la bouteille sans faire tomber une miette de terre cuite. Il insista pour qu'on change nos coupes, puis nous servit.

— Vin rouge de Géorgie! Votre Grand Khan lui-même ne goûte pas un aussi bon vin — et le cuisinier fit claquer sa langue.

— Le Khan boit du koumis, précisa Benoît.

— Du kou-quoi? demanda Roç.

— Du lait de jument fermenté, mêlé avec du sang!

— Du sang humain? — Roç parut épouvanté, mais les autres se mirent à rire et à boire.

— Les enfants devraient aller se coucher, proposa prudemment Yarzinth; ce soir, ils devront rentrer dormir dans le pavillon... — Il attendit leurs hurlements de protestation, puis ajouta gentiment: — Quand Benoît aura terminé son travail de la journée, il pourra aller dormir là-bas avec vous. Je vais tout préparer. Tu connais le chemin.

Cette dernière remarque s'adressait à Benoît et Yarzinth désigna de son menton pointu le trou du mur, l'entrée de la « dernière issue » que les enfants empruntaient pour se rendre à quatre pattes dans le souterrain. « Nous sommes des petites souris », chantait Yeza chaque fois qu'ils arrivaient, sans doute pour se donner du courage autant que pour prévenir de leur arrivée. Elle rentrait ensuite debout sur ses pieds au pavillon, « comme une poule ».

Yarzinth ne se rendit pas compte que sa proposition d'emmener leur nouvel ami au pavillon pour qu'il y dorme avec eux avait été accueillie par un silence embarrassé des enfants, au lieu de l'enthousiasme auquel il aurait dû s'attendre. Les deux petits se regardèrent, puis regardèrent avec dégoût le cuisinier qui ne s'attarda pas davantage. Au fond de mon cœur, j'étais bien content, car je préférais penser que le Polonais, malgré tous ses cadeaux, n'était pas devenu aussi ami avec eux que je l'avais cru d'abord. Alors qu'ils avaient toujours tellement aimé dormir avec moi !

— Continuons ! fit Lorenzo. Il faut avoir terminé demain.

— « Quand un de leurs chefs meurt, ils tuent son cheval préféré et en mangent la viande le jour de l'enterrement », continuait à raconter Benoît, apparemment un peu attristé. « Les femmes font brûler les os du cheval et bourrent la peau qu'elles suspendent avec selle et brides au-dessus de la tombe, en plein milieu de la steppe. On démolit le chariot du défunt, on abat sa yourte et plus personne ne prononcera jamais plus son nom. On creuse une fosse pour l'enterrer et on met l'esclave préféré du défunt sous le cadavre, en le laissant là jusqu'à ce qu'il soit sur le point de périr étouffé. Au dernier moment, on le retire et on le laisse respirer un peu. On recommence trois fois cette cérémonie et, si l'homme sort vivant de l'épreuve, on le déclare libre et il jouira désormais d'un grand respect parmi tous les parents du mort. Ensuite, on referme la tombe de telle façon qu'une fois décomposée la peau du cheval, plus personne ne puisse jamais la retrouver. »

— Et pourquoi est-ce qu'il doit mourir, le pauvre cheval ? demanda timidement Roç.

— Pour que le Mongol ait avec lui dans l'au-delà l'être qu'il a le plus aimé en ce monde.

— Et sa femme ? intervint Yeza.

— Tu voudrais peut-être qu'on te rembourre toi aussi ? se moqua Hamo qui n'avait plus envie de rester avec nous. — Il cogna sur la porte de fer et on le laissa sortir de notre « refuge ».

Benoît se leva.

— Nous avons terminé pour aujourd'hui, dit-il. Demain, frais et dispos, nous achèverons. Je crois que Pian sera fier de nous.

— Plutôt de lui, répliquai-je d'une voix moqueuse.

— A la tienne, Guillaume de Rubrouck! fit-il en levant sa coupe. — Il la but d'un trait, puis se dirigea avec le trou de « la dernière issue ».

— Attends! s'écria Yeza. — Elle le dépassa en courant et fila comme une souris vers le trou du mur.

— Arrête, Yeza! cria Roç. Guillaume, attrape-la.

Je me levai d'un bond et m'élançai pesamment à sa poursuite.

— Yeza! criai-je moi aussi. — Mais elle s'échappa et disparut dans le trou du mur qui allait en se rétrécissant.

— Yeza! — Roç se faufila entre mes jambes et arriva devant le trou avant moi. La terreur qui faisait vibrer sa voix me donna la hardiesse de me lancer après lui, mais je restai coincé. Mais pieds touchaient à peine le sol, mon gros ventre se trouva pris comme un bouchon dans un goulot de bouteille, tandis que devant mes yeux — je ne pouvais plus bouger la tête — s'étendait l'obscurité de ce passage d'où m'arrivait un dernier cri désespéré : Yezaaa...! L'écho le répéta plusieurs fois, puis s'éteignit en un silence de mort.

Qu'étaient devenus les deux enfants? Je tentai de rebrousser chemin, le cœur rempli de chagrin, quand je sentis qu'on me perçait la cuisse. Aïe! Je poussai avec ma poitrine, mais cette fois des lames me caressèrent les bras et les hanches.

— Au secours, aidez-moi! criai-je dans le noir, et je sentis que des mains me tiraient en arrière, tandis que toutes ces lames se plantaient dans mes flancs. Lâchez-moi! haletai-je. Vous allez me tuer!

— Tu ne veux quand même pas passer la nuit là-dedans et nous boucher le passage, plaisantait Benoît derrière moi.

— Il faut rabattre ces maudites lames contre la paroi, en haut et en bas, en poussant à gauche et à droite, avant de me sortir de là.

— On voulait donc te hacher menu? se moqua Lorenzo en essayant de glisser la main le long de ma hanche.

— Il y en a au moins trois de chaque côté, criai-je en essayant de me faire tout petit, tant j'avais mal.

— Nous n'avons que quatre mains, protesta Benoît. Il faut aller chercher de l'aide.

J'avais l'impression d'être un porc sacrifié qui se vide lentement de son sang ; et je commençais aussi à la longue à fort souffrir de l'exiguïté des lieux. Mais je ne pouvais rien faire, j'étais incapable de bouger. Si quelqu'un l'avait voulu, il aurait pu me fouetter les fesses par-derrière ou me couper la tête par-devant. C'est alors que nous entendîmes les clés tourner dans la serrure et la voix de Yarzinth qui était revenu du pavillon avec une rapidité surprenante.

— J'ai pourtant déjà dit à Guillaume que la « dernière issue » n'était pas faite pour lui. Il va falloir le sortir de là comme on débouche une bouteille. Guillaume, mon petit bouchon, tu vas sortir du flacon comme le génie du conte !

Très vite, je sentis que plusieurs mains se saisissaient de moi et me ramenaient peu à peu dans le souterrain ; mon habit, ma chemise et mes chausses étaient en lambeaux. J'avais plusieurs blessures qui saignaient, comme si je venais de sortir des mains d'un barbier maladroit. Mais mes frères et le cuisinier riaient à gorge déployée.

— Allez y comprendre quelque chose ! se plaignit Yarzinth. Je ne sais pas ce qui passe par la tête de ces enfants. Ils ont failli tuer Clarion avec leur arc et leur poignard. Elle les attendait dans le pavillon pour les mettre au lit. La bonne jeune fille écoutait, la tête dans le trou, pour voir s'ils arrivaient, et tout à coup, une flèche et un poignard sont passés juste à côté de sa tête. Elle leur a crié : « Assez avec vos bêtises ! », mais les enfants hurlaient dans le labyrinthe : « A mort le bourreau, à mort le bourreau ! » Je suis aussitôt sorti par l'autre porte. Vraiment, je ne sais pas ce qu'on doit faire pour éduquer les gens, encore moins les enfants.

Benoît me fit des reproches d'une voix douce.

— Guillaume, c'est ta faute. Voilà ce qui arrive quand on les laisse nous écouter. Il leur vient des idées sanguinaires et ils perdent leurs petites têtes !

— Quelles sottises ! dit Lorenzo. Nous continuerons demain matin.

— Je vais dormir ici, déclara Benoît.

Et Yarzinth nous souhaita une bonne nuit.

LE PRISONNIER DU LÉGAT

Constantinople, automne de l'an 1247

Vers midi, le lendemain, le voilier papal provenant de la mer Noire apparut, longeant la rive du Bosphore. Il n'y avait pas de vent, le ciel était gris et la brume flottait au ras de l'eau. Les voiles mouillées pendaient mollement et les rameurs étaient épuisés du long voyage. Le trois-mâts avançait lentement vers le sud-ouest, porté par le courant, attendant qu'on lui ouvre l'entrée de la Corne d'Or.

Anselme de Longjumeau, le dominicain raffiné et ambitieux qui, malgré sa jeunesse et l'opposition de son frère aîné, avait réussi à se faire nommer légat du pape, était assis sur un rouleau de corde à la proue; penché en avant, tremblant de froid, il regardait fixement le liquide laiteux qui s'étendait devant lui.

Furieux contre lui-même, il ne voulait voir personne et ne désirait pas davantage arriver à Constantinople. Sa mission l'avait conduit devant Baïtchou, le gouverneur de la province la plus proche des Mongols, mais ce voyage avait été un échec dont il était seul responsable. Il ne ramenait aucune lettre de l'odieux gouverneur, mais seulement deux nestoriens bavards, désireux de convaincre la curie que les nestoriens sont eux aussi des chrétiens croyants, même s'ils n'avaient jamais jugé bon de demander au pape de les reconnaître. Quant à Baïtchou, il voulait que le chef de la Chrétienté vienne le voir dans son palais pour parler avec lui, et ces prêtres dégénérés, craignant pour leurs misérables vies, s'étaient bien gardés de l'en dissuader.

Baïtchou n'était que le gouverneur de Perse. Il n'était pas le Grand Khan. Et il ne s'était montré ni compétent ni généreux. Lui-même, Fra Ascelino, n'avait pas fait de merveilles non plus, à vrai dire. Il n'avait pas insisté pour poursuivre son voyage jusqu'à Karakorum comme les franciscains. De Tabriz à Tiflis, la nouvelle de la mission réussie de Pian di Carpini n'avait cessé de lui arriver goutte à goutte à l'oreille, ce qui lui était infiniment désagréable, car il supposait bien que les minorites étaient rentrés depuis longtemps là où les attendait le pape et que plus personne ne s'intéressait au résultat de ses pénibles efforts.

Il entendit un raclement de gorge, puis la voix de Vitus de Viterbe dans son dos.

— Nous devrions nous approcher prudemment du port pour savoir ce qui nous y attend avant de nous faire voir, Fra Ascelino !

Le religieux fit demi-tour, furieux, comme si une tarentule l'avait piqué. Personne au monde, même pas ce Baïtchou, ne le dégoûtait autant que le Viterbien qu'il avait dû supporter pendant un si long voyage, alors sa vue suffisait à lui donner des nausées.

— Personne ne nous attend, grommela-t-il sans regarder son compagnon de voyage, à part les fantômes que vous vous obstinez à poursuivre ! — puis le légat eut un sursaut, mais il se contenta de crier sa colère au mur de brouillard qu'il avait devant lui. — Vous n'êtes pas encore fatigué de votre folie ? Vitus, vous êtes possédé du démon ! Il ne suffit pas de vous enchaîner, il faudrait vous passer la camisole de force et appeler l'exorciste.

Vitus de Viterbe avait perdu un peu de sa lourdeur de buffle. Son habit noir flottait sur son corps amaigri ; il était sale et avait l'air négligé ; ses cheveux sortaient de sous sa capuche en mèches hirsutes. Seuls ses yeux continuaient à brûler avec le même feu qu'ils avaient avant le châtiment de cette traversée.

— La folie, Ascelino, c'est de vous jeter tête baissée dans ce qui sera votre malheur. — Vitus baissa la voix pour continuer sur un ton de conspirateur. — Vous ne rentrerez pas les mains vides, Fra Ascelino. Je vous jure...

— ...que nous trouverons ces maudits enfants du Graal ici même, à Constantinople ! Eh bien oui, ils sont peut-être derrière ce brouillard, sur le quai, en train de nous attendre pour nous dire bonjour. Et il faudra bien leur mettre la main dessus.

Vitus répondit d'une voix haletante à l'ironie amère du légat :

— Et où cette chèvre, la comtesse, trouverait-elle un palais protecteur et de la nourriture pour ses chevreaux, sinon ici ? Dans le palais de son neveu l'évêque, le pédéraste.

Et n'a-t-elle pas été à une époque tenancière d'une maison de passe dont les pensionnaires étaient de jeunes nonnes, ce qui l'a fait appeler « l'Abbesse », jusqu'à ce que les agents de la sainte Inquisition finissent par mettre en fuite cette comédienne hérétique ?

— Et vous croyez vraiment qu'elle n'a rien de mieux à faire que de retourner après tant d'années sur les lieux de sa honte en attendant l'arrivée du sbire le plus redouté du château Saint-Ange, le terrible seigneur de Viterbe, pour qu'il puisse l'attraper ? continua à se moquer Fra Ascelino en se levant. Vitus, vous n'êtes qu'un agneau déguisé en loup !

Le brouillard s'ouvrit devant eux comme une voile se déchire et, sous la lumière jaune du soleil automnal, les coupoles et les tours de Constantinople apparurent, resplendissantes. Ils glissaient sur leur erre, droit vers le quai.

— Arrêtez, arrêtez ! bégaya Vitus. En arrière, en arrière ! — il était sans voix maintenant, et tous le regardaient comme si le démon lui-même l'avait abandonné. — Elle est là, elle est là ! siffla-t-il enfin, et son doigt pointu montra quelque chose à travers les derniers lambeaux de brouillard, dans la direction d'un groupe de voiliers et de galères, de navires marchands et de bateaux de pêche qui se balançaient, amarrés aux quais de la Corne d'Or. Personne ne voyait rien de particulier, seul Fra Ascelino comprit les intentions du Viterbien qui semblait en proie à une véritable crise de folie.

— Enchaînez-le ! ordonna-t-il d'une voix calme aux marins qui se trouvaient là. Cet homme voit des fantômes.

— Non ! s'écria Vitus au moment où les marins se jetaient sur lui. Elle est là ! La trirème ! Cachons-nous ! — Mais les marins l'entraînèrent dans l'entrepont.

— Voilà, il est bien attaché ! annonça le maître de nage qui attendait que le légat lui donne l'ordre d'entrer dans le port. — Mais Fra Ascelino le surprit :

— Virez le bord ! Nous accosterons en face, en Asie.

L'équipage exécuta les ordres de mauvais gré. Le capitaine lança même au représentant du pape un regard qui exprimait clairement son mécontentement. Mais le seigneur légat s'était assis de nouveau sur son rouleau de cordage et, la tête entre les mains, ne voulait parler à personne.

Quand la chaîne de l'ancre descendit bruyamment, la lumineuse Byzance s'était estompée dans un lointain trouble. Très agités, les compagnons de voyage d'Anselme — Simon de Saint-Quentin et les deux prêtres nestoriens — sortirent de sous la tente de poupe et s'avancèrent vers lui en gesticulant. Simon essayait de tranquilliser les nestoriens et promit de demander à Anselme la raison de ce changement de destination.

Alors qu'ils passaient le long des bancs des rameurs, Vitus, enchaîné sous le pont, l'apostropha d'une voix dolente :

— Simon, vous au moins, montrez que vous êtes raisonnable ! Tant pis si je perds la tête, mais je vous jure par la sainte mère du Christ que là-bas, en face, dans la ville impie de Byzance, la pire ennemie de l'Église se promène tranquillement, je veux parler de la fausse abbesse. Elle y nourrit et elle y soigne les enfants du serpent hérétique ! — Les mots se bousculaient dans la bouche du galérien, car le maître de nage avait fort bien compris qui était responsable si lui et ses hommes devaient jeter l'ancre si loin des plaisirs du port, de sorte que son fouet claquait ferme sur le dos de Vitus.

— Porc immonde, feignant, rame ! grondait-il, hors de lui. — Et même s'il y avait longtemps que le bateau était solidement retenu par sa chaîne, il continuait à fouetter son ennemi désarmé.

— Assez ! dit le légat après avoir observé quelques instants ce spectacle. Toi, personne ne te connaît, fit-il en s'adressant à Simon avant que celui-ci n'ait pu ouvrir la bouche. Tu peux l'emmener avec toi dans la chaloupe. Nous sommes en Orient, ajouta le jeune légat en souriant malicieusement, et je peux donc lui laisser une certaine liberté, puisque le *strictum* ne vaut que sur les terres d'Occident. De toute façon, arrange-toi pour qu'il n'attire pas l'attention dans le port et qu'il revienne à bord. Contentez-vous d'ouvrir l'œil. Mais ne prenez aucune initiative, *nullum* !

Simon hésitait à accepter une telle responsabilité.

— Je le jure, gémit Vitus.

— Tes initiatives ont déjà fait assez de tort à l'Église, lui lança Simon sur un ton menaçant. On ferait peut-être mieux de te tuer à coups de bâton, comme un chien enragé.

Et il fit signe au maître de nage de lui enlever les fers

qu'il avait aux pieds. Mais il ordonna qu'on lui attache les mains et que deux soldats les escortent dans la chaloupe.

Quand ils descendirent à terre, Simon prit la tête du petit groupe. Vitus avait sa capuche complètement rabattue sur le visage et les mains jointes presque cachées sous ses manches, comme s'il priait, pour dissimuler les chaînes avec lesquelles les soldats le tenaient, à gauche et à droite, tandis qu'il suivait Simon en trébuchant.

— Pas trop vite ! haleta Vitus. La trirème est juste devant. Vous voyez ce gnome avec une jambe de bois ? dit-il entre ses dents, d'une voix remplie de haine. C'est Guiscard l'Amalfitain, le capitaine de l'Abbesse ! — Ils virent aussi Clarion entourée de ses « nonnes », à genoux pour l'angélus de midi. Mais pas trace des enfants.

Ils repartirent donc en traînant Vitus avant que quelqu'un ne remarque ses regards perçants qui auraient voulu traverser les planches du bateau, l'incendier, le détruire, couler la trirème de la comtesse démoniaque ! Mais juste à côté se trouvait une galère de templiers, sévèrement gardée, sur laquelle flottait le pavillon d'un précepteur. Tout à coup, Simon fut pris d'un doute et demanda le nom de ce personnage, d'où il venait et où il allait. La réponse fut brève : « Gavin, comte Montbard de Béthune, avec quinze chevaliers au service de l'Ordre. »

Ils continuèrent leur route sans traîner pour ne pas éveiller les soupçons. Ils ne remarquèrent pas deux marchands arabes assis derrière leurs marchandises, des bijoux et des essences précieuses dans de délicates amphores de cristal. Assis sur un tapis, ils sirotaient du thé sans quitter des yeux les bateaux qui se trouvaient devant eux.

A côté de la croix rouge aux branches griffues, on voyait aussi la croix noire des chevaliers de l'Ordre teutonique et le drapeau vert du prophète qui flottaient pacifiquement côte à côte sur le mât d'une grande goélette. L'équipage se composait de marins égyptiens dont on ne put rien tirer d'intelligible, sauf ces mots : « ambassadeur du sultan ». Et ce ne fut pas leur capitaine qui les fit taire, mais un chevalier de l'Ordre des hospitaliers qui les fit remonter à bord en les abreuvant d'insultes en arabe.

Le splendide galère du grand maître de l'Ordre de saint Jean se trouvait à l'écart des autres et on ne pouvait s'y rendre qu'en chaloupe. Simon apprit par des bateliers que le représentant du grand maître, Jean de Ronnay, était venu rendre visite au roi Baudouin.

L'apparition de la police impériale mit un terme aux questions indiscrètes du moine qui fit signe aux soldats d'emmener Vitus. Mais ce fut justement ce geste qui éveilla les soupçons des gens d'armes qui leur barrèrent la route.

— Vos papiers, étranger! — Avant que Simon ne puisse s'expliquer, une voix s'éleva derrière eux.

— Je le connais! — Yves Le Breton, accompagné d'un détachement de soldats vêtus de l'uniforme du roi de France et portant l'enseigne de son ambassadeur Joinville, un personnage connu dans tout le port, intervint et les gens d'armes s'empressèrent de se retirer en saluant pour continuer leur ronde.

— En vérité, je ne devrais pas vous cautionner, Vitus de Viterbe! dit Le Breton avec un mépris glacé. Il y a trop longtemps que mon seigneur Louis doit se passer de vos prières.

— La curie avait besoin de mes services, messire Yves, murmura Vitus, fâché de retrouver son passé précisément en cet endroit.

— Vous devriez réfléchir et décider une bonne fois à qui vous donnez la préférence, se moqua Yves en regardant d'un air dédaigneux le dominicain qui paraissait bien misérable. Encore que votre absence prolongée et le mépris dans lequel vous tenez vos obligations de confesseur ont eu leurs bons côtés : le château Saint-Ange n'est plus au courant du moindre éternuement du roi avant même qu'il n'ait eu le temps de cracher le *sputum*!

— Je ne suis pas un traître! protesta Vitus.

— Non, répondit Le Breton, mais vous êtes un misérable crachoir! — et il cracha aux pieds du Viterbien avant de s'éloigner.

— Qui était cet individu, demanda Simon de Saint-Quentin d'une voix peu amène à son compagnon forcé, et pourquoi ne me l'as-tu pas présenté?

— C'est un assassin, gronda Vitus, un assassin à qui ils ont permis de troquer la soutane pour l'uniforme du roi. — Et ils retournèrent à leur chaloupe pour repasser sur l'autre rive.

— Vous pouvez bien dire ce que vous voulez, tempêta

Vitus quand ils le conduisirent à nouveau devant le légat, mais une réunion de hauts dignitaires, d'ambassadeurs et de nonces, ici, à Byzance, et maintenant, ne peut être le fruit du hasard. Il faut nécessairement que quelqu'un de très haut placé l'ait convoquée.

— Je sais seulement que moi, légat de l'Église, personne ne m'a convoqué, à part mon seigneur le pape aux pieds duquel je souhaite revenir le plus rapidement possible.

— Pendant notre absence, bien des choses ont pu se passer, Fra Ascelino — Vitus essayait de faire réfléchir le légat. — Vous ne devriez pas commettre une nouvelle fois l'erreur de laisser passer une occasion unique que nous offre l'histoire, simplement pour observer à la lettre les limites que vous impose votre mission, au lieu d'agir sur le plan supérieur de votre vision politique. — Avec le courage de qui n'a rien à perdre, Vitus acceptait de s'exposer au mécontentement et même à la fureur croissante du légat. — Ne vous rabaissez pas au rang de simple messager quand notre Église accorde à ses ambassadeurs une omnipotence aussi extraordinaire que glorieuse! La situation à laquelle vous faites face ici vous oblige à agir, peser, juger et attaquer —, le moine, dressé de toute sa hauteur, tordait ses mains enchaînées au-dessus de sa tête. — Au nom du Christ et de notre sainte Église!

— Glorieuse? — Ascelino lui lança un regard de pitié avant de faire signe au maître de nage de s'approcher. — Enchaînez-le! ordonna-t-il à voix basse. Pas de fouet, mais vous lui mettrez un bâillon — il soupira — avant que je ne prenne ses conseils au sérieux et que je nous débarrasse de lui, moi et mon Église — Aibeg et Serkis, les deux nestoriens que Baïtchou l'avait obligé à emmener avec lui comme ambassadeurs, jouaient des coudes pour s'approcher.

— Et que faisons-nous ici à perdre notre temps? protestait Serkis, un homme malingre, tandis que Aibeg, bien en chair, regardait fixement Byzance sur l'autre rive du Bosphore, presque à portée de la main. — Descendre à terre ne voudrait même pas la peine sur cette rive inhospitalière.

Le légat serra les dents. Ces deux prêtres lui faisaient horreur. Il aurait bien voulu les laisser ici, à terre, ou même là-bas, dans le Babel de tous les péchés. Mais il arriverait alors les mains vides devant le saint-père, après avoir échoué dans sa mission.

— Je n'aimerais pas perdre la tête, insistait Serkis, et Baïtchou me la fera couper si nous ne rentrons pas nous présenter devant lui ponctuellement, accompagnés du seigneur pape...

— Vous pouvez être assurés de connaître la mort des martyrs, déclara Simon. Ce terrible général tartare s'étranglera dans sa propre bile s'il espère que le chef suprême de la Chrétienté ira s'incliner devant lui!

— Quand vous étiez devant son trône, vous n'osiez pas tenir pareil langage — Serkis lui rendait le venin de ses paroles. — Dans sa générosité, Baïtchou était sûr que vous répondriez à ses vœux, et c'est ce qui vous a sauvé la vie!

— En réalité, il voulait vous rembourrer le cuir, ajouta Aibeg d'un air songeur.

— Vous voyez, Fra Ascelino, reprit Simon d'une voix amère, combien j'avais raison! Il est bien dommage que nous ne puissions présenter Baïtchou comme échantillon d'un crâne de Tartare et l'exposer à la vue de tout l'Occident, mariné dans le vinaigre : les traits horribles, les grosses lèvres, les yeux saillants, le nez aplati, le front bas, la barbichette de bouc...

— N'oubliez pas que nous sommes ses émissaires. Il vous punira, vos fils et les fils de vos fils! gronda Serkis. Ah, c'est donc ainsi que les chrétiens paient de retour l'hospitalité qu'on leur accorde!

— Hospitalité? riposta Simon. Cette nourriture de cochons qui est la vôtre, des ordures puantes que nous avons dû avaler, présentées dans une vaisselle couverte d'immondices, en compagnie d'ivrognes qui rotent, vomissent et ruminent comme des bestiaux?

— Baïtchou aurait dû vous jeter dans la marmite et vous peler la peau, répliqua Aibeg d'une voix tranquille qui eut le don d'irriter encore plus Simon.

— Mangeurs d'hommes! s'écria Simon d'une voix stridente. Je vous l'avais bien dit, Fra Ascelino : les Tartares assassinent les chrétiens, les font cuire et les mangent sans scrupules; et ils adorent boire avidement notre sang.

— C'est assez, Simon — le légat voulait mettre un terme à cette dispute qui menaçait de dégénérer en haine implacable. — Ne nous abaissons pas au niveau de ces barbares — il fit un sourire un peu gêné. — Nous accorderons aux seigneurs ambassadeurs le loisir d'observer ce qu'est la *civitas* occidentale et, à ces prêtres nestoriens, ce qu'est l'authentique *christianitas*. Cette nuit, dès qu'il fera noir, nous jetterons l'ancre à Constantinople.

XII

CONJUNCTIO FATALIS

RÉPÉTITION GÉNÉRALE

Constantinople, palais de Calixte, été de l'an 1247
(chronique)

Yarzinth descendit dans notre souterrain à la tombée de la nuit.

— Guillaume et les enfants sont attendus en haut, annonça-t-il à Lorenzo, et vous aussi.

Nous venions justement de changer de plume et Benoît dictait ses souvenirs de la cruelle discipline de l'armée mongole :

— « Si seulement dix prennent la fuite dans une troupe de cent, tous sont condamnés à mort. De même, si un seul se jette courageusement au combat et que sa file de dix ne le suit pas, ou si un seul est fait prisonnier et que ses compagnons ne le libèrent pas, tous le paieront de leur vie... »

— On devrait en faire autant avec les frères mineurs, plaisanta le cuisinier. Allez, fin de la dictée. Vous devrez raconter le reste de votre histoire de vive voix.

— Et pourquoi Benoît ne peut pas venir avec nous? demanda Roç, méfiant.

L'enfant avait remis son gilet de lutteur. Quant à Yeza, elle ne se séparait plus de son pantalon de feutre.

— Parce que personne ne l'a demandé, répondit rudement Yarzinth. Allez, en avant!

— Non! s'écria Yeza en faisant jouer son poignard dans sa main. — Elle avait appris à s'en servir avec beaucoup d'adresse et Yarzinth, effrayé, leva instinctivement les mains pour se protéger. — Dis à ceux d'en haut que nous monte-

rons seulement si Sigbert nous donne sa parole que personne ne va lui faire de mal, ni à son corps ni à son âme — et
elle montra d'un geste rapide le Polonais avec la pointe de
son poignard qu'elle dirigeait jusque-là vers le ventre de Yarzinth.

— Allez-y — et Roç s'installa avec son arc bandé à côté
de la petite fille —, et faites ce qu'on vous dit !

Yarzinth s'inclina. Je le suivis avec Lorenzo. J'étais fier
de mes petits souverains, même si je prenais ombrage de
l'ardeur avec laquelle ils défendaient Benoît ; mais je me
disais aussi qu'ils auraient fait la même chose pour moi. Et
puis, la vie de mon frère n'était-elle pas en péril ? Ne
m'avait-il pas accueilli avec ces mots : « Moi d'abord, toi
ensuite ! » Prends garde, Guillaume ! me dis-je tandis que
nous nous bousculions dans l'escalier derrière le cuisinier.

C'était la veille du jour du Seigneur. Yarzinth nous
conduisit dans une magnifique salle dont le sol était recouvert de dalles de marbre formant les cases d'un échiquier.

— Le « centre du monde » ! me glissa Lorenzo à l'oreille.

Les arcades de la partie antérieure étaient couvertes de
tentures faites d'un épais velours rouge et semblaient former
une sorte de scène, impression que renforça la présence en
ce lieu de toutes les personnalités de marque que je pouvais
connaître. Je crus comprendre que la mise en scène était
confiée au vieux John Turnbull qui ne cessait d'aller et venir
en tous sens. A dire vrai, je fus un peu surpris de le voir
encore dans le monde des vivants. Aussitôt, il nous fit signe
de nous approcher, à moi et à Lorenzo, puis poussa le
robuste Sigbert dans un coin, ce qu'il accepta sans broncher.

— Sigbert joue le rôle de Pian, m'expliqua Clarion qui
s'efforçait d'aider le vieillard. Et les enfants ? demanda-t-elle
ensuite, inquiète, quand elle vit qu'ils n'étaient pas avec
nous.

— Ils exigent qu'on leur garantisse qu'on ne fera de mal
ni au corps ni à l'âme de Benoît, se moqua Lorenzo, et ils
n'accepteront d'en discuter qu'avec le commandeur de
l'Ordre des chevaliers teutoniques !

— Je ne peux pas me passer de Sigbert pour le moment,
grogna le vieux John qui prenait les exigences des enfants
pour un autre de leurs caprices ; mais Sigbert prit à deux
mains un mannequin qui représentait une tour du jeu

d'échecs, lui passa la cape mongole richement brodée qu'il portait et alla la poser à la place qu'il occupait précédemment.

— Voilà le glorieux courrier du Grand Khan! dit-il à Turnbull en coiffant le mannequin du célèbre bonnet pointu à larges ailes. Vous pouvez lui rendre honneur! — et il s'éloigna à grands pas.

Un peu perdu, John ne protesta pas.

— Eh bien, continua-t-il, après la présentation de Pian — et il désigna d'un geste courtois la grande poupée déguisée —, toi, Lorenzo, en ta qualité de légat d'Innocent, tu rendras les honneurs au missionnaire qui rentre de...

— Mais ce n'était pas ma mission!

— L'évêque te prêtera un beau camail — le vieux John crut que l'objection ne portait que sur une question de vêtements. — Ensuite, Pian nous adressera quelques mots sur les périls du voyage et louera les grandes prouesses de son fidèle compagnon dans toutes les vicissitudes du périple : Guillaume de Rubrouck!

— Et les enfants? me risquai-je à demander.

— Ah oui, les enfants... Comment les présenter de la façon la plus convaincante?

— Pian pourrait...

— Non! décida Turnbull. Toi, Lorenzo, tu reprendras la parole et tu adresseras quelques mots de remerciements au Grand Khan qui, en signe de son désir de paix et de son respect pour l'Occident, nous envoie les symboles d'une symbiose supérieure entre les deux mondes, nous remet ceux qui sont l'incarnation...

— Et caetera, et caetera, murmura Lorenzo à mon intention, avec une absence totale de respect.

— ...du sang royal, continuait John d'une voix vibrante; les enfants du Graal! — et il se tut, épuisé.

— Ce sera ton signal, Guillaume! reprit Lorenzo. Tu entreras alors en tenant les enfants par la main et tu les pousseras en avant et toi tu reculeras humblement à l'arrière-place.

— Et pourquoi ne pas tous nous mettre à genoux? fis-je pour apporter ma contribution au jeu. Ou au moins, Pian, toi et moi?

— Nous allons faire une répétition, répondit Turnbull. Où sont les enfants?

Roç et Yeza couraient déjà parmi les rangs des specta-teurs où étaient assis la comtesse, l'évêque, et — ce qui me surprit bien davantage — Gavin, le chevalier templier. Jusqu'à présent, l'arrivée du précepteur avait toujours annoncé de grands changements dans ma vie, changements qui m'avaient entraîné de façon excessivement périlleuse au bord même de mon existence physique. Dans mon esprit, un peu égaré par tout ce qui se passait autour de moi, le tocsin se mit à sonner vigoureusement.

Les enfants accoururent à toute vitesse, sans qu'on ait à les appeler deux fois. Et Sigbert reprit sa place.

— Mais comment êtes-vous habillés? les gronda John en voyant la tenue martiale des petits. — Puis il se tourna vers Clarion : — Ils ne pourraient pas être vêtus un peu plus dignement?

— Bien sûr! s'exclama Yeza qui courut vers le coffre à costumes de Benoît que l'on avait porté sur la scène.

— Guillaume devrait se déguiser en grand prêtre, pro-posa Lorenzo pour se moquer de moi; une sorte de grand chaman dont la simple présence évoque toute la magie de l'Orient...

— Sottises et superstitions! murmura Sigbert après avoir remis sur ses larges épaules la cape destinée à Pian.

Mais Turnbull accepta avec plaisir la proposition de Lorenzo.

— Ce sera peut-être utile! dit-il comme en lui-même, et je m'avançai vers le coffre où les enfants et Clarion étaient en train de fouiller.

— Nous devrions revoir la disposition des sièges, dit à Turnbull l'évêque Nicolas della Porta qui s'était approché de lui. J'ai pensé mettre le clerc grec et les autres confessions chrétiennes à droite...

— Tous ensemble? intervint Gavin qui offrait galam-ment son bras à Laurence.

— Et si nous placions les ordres militaires entre les dif-férentes factions? proposa l'évêque. Les chevaliers de Saint-Jean entre les catholiques romains et...

— Arrangez-vous pour qu'ils ne soient pas à côté des templiers! — La comtesse n'avait pas tardé à saisir les possi-bilités divertissantes de ce jeu. — Il faudrait dresser un mur entre les deux ordres, ou bien mettre les chevaliers teuto-niques au milieu!

— Pour le moment, je suis seul ici, plaisanta Sigbert, et je n'ai que deux bras pour séparer les éventuels adversaires.

— Nous, les templiers, nous nous mettrons devant, décida Gavin. Nous serons à côté des soufis et des émissaires du sultan.

— Un détail me préoccupe bien davantage, dit Sigbert en baissant la voix : où seront les envoyés du Vieux de la montagne ? Il ne faut pas les oublier !

— Il n'est pas question de laisser entrer les Assassins ! répliqua l'évêque d'une voix triomphante. J'ai prévu de faire tripler la garde à la porte et l'on vérifiera l'identité de tous ceux qui se présenteront.

Gavin et Sigbert échangèrent un regard entendu, comme pour se dire que ce malheureux Nicolas della Porta se trompait fort s'il croyait suffisant de renforcer la garde aux portes.

— Il faudra aussi placer les ambassadeurs des républiques, proposa Gavin, de telle façon que la Sérénissime ne soit pas à côté de Gênes...

— Ces gaillards ont l'épée bien leste, dit Gavin en riant. Il serait peut-être préférable de laisser ces coqs de combat se trouver chacun un siège, aussi éloigné de l'ennemi qu'ils le jugeront souhaitable.

— Dans ce cas, ce sera immédiatement la bataille pour les places du premier rang, gloussa la comtesse.

— Au premier rang — le vieux Turnbull tentait de réaffirmer son autorité — prendront place le comte de Joinville, ambassadeur du roi de France, puis le fils du roi Béla de Hongrie...

— Fils bâtard ! précisa l'évêque.

— ... puis le connétable d'Arménie, Sempad, frère de sang du roi Hétoum, qui est actuellement en ville, en route pour la cour du Grand Khan, et ensuite... Peut-être souhaiteriez-vous cette place, chère Laurence, avec votre charmante fille adoptive Clarion, pour représenter l'empereur ?

Yarzinth attira alors son maître à l'écart et lui chuchota quelque chose à l'oreille qui le fit pâlir un peu.

— L'empereur ! s'exclama-t-il. L'empereur Baudouin et l'impératrice Marie attendent les enfants demain après-midi dans leur palais où ils décideront de leur sort ! Ils nous font dire que tous ceux qui se trouvent ici réunis doivent se considérer en état d'arrestation !

Ces mots furent accueillis par un lourd silence, suivi d'un murmure d'indignation au milieu duquel s'éleva la voix de Turnbull; de nouveau, l'intouchable *maestro venerabile* reprenait la situation en main.

— Les étoiles, déclara-t-il, brillent aussi le jour, même si nous ne les voyons pas! Leur position favorable ne se limite pas aux heures nocturnes de demain : nous présenterons les enfants à l'heure méridienne, ici, à midi, sans craindre les sbires de l'empereur.

— Et les invités? se risqua à demander l'évêque.

— Faites qu'ils soient prévenus! répondit Turnbull. Celui qui considère comme une faveur du ciel de nous accompagner en cette heure, celui qui désire voir exaucé son vœu de présenter ses respects aux enfants royaux, il aura des oreilles pour entendre. Cette nuit apparaîtra une étoile au-dessus du palais... — mais il s'interrompit, car cette vision avait raison de ses forces.

John Turnbull s'éloigna de ceux qui l'entouraient et s'approcha des enfants que Clarion habillait silencieusement, comme s'ils étaient de petits princes mongols.

Je m'éclipsai, car mes vêtements de chaman, qui n'étaient autre chose qu'un large caftan dont les très longues manches étaient ornées d'innombrables osselets, pendeloques et rubans de couleur, me semblaient vraiment trop ridicules. Le pire était encore ce masque de cuivre où on avait collé du poil pour imiter une barbe autour de l'ouverture de la bouche, en plus d'une petite frange de faux cheveux et de clochettes aux oreilles. Pour compléter le déguisement, Clarion m'avait mis dans les mains un tambour dont les baguettes ressemblaient à des chasse-mouches. Je n'avais aucune envie de me présenter dans cet appareil, mais les enfants étaient ravis.

— Comment vous sentez-vous dans le rôle maternel de Marie, entendis-je Gavin demander ironiquement à l'évêque, dans l'attente d'un Bethléem représenté en pleine heure de midi?

— Comme l'âne du spectacle! maugréa della Porta. Il faudra assombrir la salle, ajouta-t-il; sinon, notre mise en scène risque d'en souffrir.

— De toute façon, les cornes du diable seront là, qu'il fasse jour ou qu'il fasse nuit, et même dans l'obscurité artificielle. Nous entrons dans l'*aequinoctium*, quand le maître de ce monde fait danser ses gens, le consola Gavin en passant devant eux. — L'évêque fit le signe de la croix et Gavin éclata d'un rire moqueur quand j'arrachai le masque de mon visage.

— Guillaume est la garantie ambulante, s'exclama-t-il, que si quelque chose peut tourner mal demain, nous pouvons être sûrs que ce sera le cas.

Pendant ce temps, on avait achevé d'habiller les enfants. Roç portait un pantalon bouffant brodé, dont les jambes s'enfonçaient dans des bottes de brocart, une cape princière de cérémonie à col droit et un gilet brodé au fil d'or. Autour de sa taille fine, on avait noué une écharpe de soie d'où sortait l'extrémité ornée de pierres précieuses d'un fourreau de sabre dans lequel Clarion avait glissé deux baguettes d'ivoire, comme celles dont on se sert pour manger, afin de ne pas multiplier inutilement les dangers. Le petit ne voulait pas se séparer de son arc et de ses flèches, de sorte qu'il fallut dissimuler sa panoplie guerrière sous sa cape.

Yeza voulut garder à tout prix sa culotte de feutre et elle se décida pour un gilet rembourré qui transformait sa silhouette menue en celle d'une poupée aux épaules presque menaçantes. Sa parure de pendentifs, de colliers et de bracelets, et surtout sa longue fausse tresse, la faisaient paraître beaucoup plus âgée qu'elle ne l'était. Clarion avait choisi pour elle, comme pour Roç, un bonnet orné d'un diadème qui faisait penser à une couronne ; elle portait aussi son poignard pendu à une chaîne, de même que divers objets témoignant de ses vertus domestiques : une mèche d'amadou, des ciseaux, un peigne et un mystérieux étui.

Ils étaient impressionnants et, avec cette gravité enfantine qui émanait d'eux, j'eus tout à coup l'impression de me trouver en face de deux êtres totalement étrangers. Et d'ailleurs, ils ne faisaient plus aucun cas de moi, se souriant l'un à l'autre, écoutant patiemment les instructions que John Turnbull leur donnait, plus avec l'air d'un grand-père qu'avec l'autorité d'un patriarche :

— Quand Guillaume vous amènera ici et qu'il se retirera, vous ne regarderez pas en arrière, c'est compris ? Je m'approcherai alors et je procéderai à la bénédiction...

— On aura un cadeau ? voulut aussitôt savoir Yeza. —

Roç lui donna un coup de coude. — Ce sera un honneur pour nous, c'est ça? — et elle me lança un regard inter-rogateur. J'acquiesçai d'un signe de tête.

— Ensuite, nous célébrerons le mariage *chymiologique*! annonça John sur un ton solennel. — Comme en extase, il ferma les yeux, ce qui l'empêcha de voir que Yeza rendait son coup de coude à son compagnon. Mais Roç avait quel-ques réserves :

— C'est pour toujours?

— Pourquoi ne pas répéter la scène? intervint la comtesse, sans le moindre égard pour ces scrupules intimes. Yeza, donne-lui un baiser!

— Juste ciel! s'exclama Gavin. Vous ne voulez pas anéantir la magie de ce moment en étalant des émotions stu-pides parce que trop humaines!

— Vous n'aurez qu'à sourire en vous tenant par la main, c'est tout, proposa l'évêque. L'Esprit Saint fera le reste!

Le templier était encore d'humeur à plaisanter.

— Vous voulez dire que la colombe de service va faire son apparition? Là, je crois que nous aurions vraiment besoin d'une répétition!

— Le mariage *chymiologique*, lui fit observer Turnbull, ne peut se répéter, il ne peut que se contracter, ajouta-t-il dans un soupir. Ce qui veut dire qu'il se réalise *eo ipso*, comme le Grand Projet! Nous ne pouvons faire autre chose que d'être prêts...

— Amen! dit l'évêque. Il se fait tard et nos petits souve-rains de la paix doivent aller se coucher. La journée de demain sera épuisante.

— Je les accompagnerai demain après-midi, quand ils iront se présenter à l'empereur de Byzance, proposa Gavin. Conon de Béthune, mon oncle, a été régent ici avant que le petit Baudouin ait l'âge de passer du pot au trône...

— Et on ne sait trop combien de temps il restera assis sur ce trône! grogna Sigbert.

— Ne vous préoccupez pas de Baudouin. Il est simple-ment fâché parce que nous avons oublié de l'inviter — et sur ces paroles, l'évêque mit fin à la répétition générale. — Bonne nuit — il frappa dans ses mains et les serviteurs commencèrent à éteindre les lumières.

Mais personne n'avait envie de dormir cette nuit-là. Turnbull demanda à Gavin et à Lorenzo de monter avec lui à l'observatoire. On me chargea de ramener les enfants dans le souterrain, et ils partirent à toutes jambes devant moi, car ils voulaient voir si Benoît était sain et sauf. Clarion ordonna à Yarzinth de l'accompagner jusqu'au port. Son coffre de vêtements était encore à bord de la trirème et elle désirait être bien habillée pour la cérémonie du lendemain, étant donné qu'elle serait assise au premier rang, à côté de si nobles seigneurs et chevaliers. Il n'y en eut que deux qui se retirèrent tranquillement pour la nuit : la comtesse, car elle savait que sa beauté souffrirait si elle ne dormait pas, et Sigbert, car il était mort de fatigue.

L'évêque devait se retourner dans son lit, sans pouvoir trouver le sommeil, j'en étais sûr. Trop de choses étaient en jeu et Turnbull, avec l'entêtement d'un vieillard, avait trop pressé le cours des événements. N'était-ce pas lui l'auteur du Grand Projet ? Mon Dieu, il y avait déjà trois ans que ce document avait trouvé le chemin de mes chausses, au lieu de celui des mains d'Élie ! Et qui pouvait savoir quel destin attendait encore ce parchemin ? Je l'avais presque oublié, mais ce n'était certainement pas le cas de John Turnbull. Le vieillard était sûrement en haut en ce moment, sur la terrasse, en train de demander aux étoiles de lui confirmer ses décisions. Je commençais à me demander si nous n'étions pas tous comme des satellites tournant de plus en plus vite, et je me vis comme l'un d'eux qui finissait par sortir à toute allure du cercle pour atteindre la coupole du firmament. Je voyais les enfants voler à côté de moi ; je leur tendis la main, mais ils disparurent et ne furent bientôt plus que des points de plus en plus petits parmi les étoiles fulgurantes qui se perdaient dans l'infini de l'espace.

L'HEURE DES MYSTIQUES

Constantinople, automne de l'an 1247

La nuit était à peine tombée que le voilier du pape passa sur la rive grecque. Sur le rapport du frère Simon, Ascelino avait donné l'ordre de ne pas mouiller dans le port principal, mais d'accoster en face, au-dessous du cimetière de Galata où un pont de bateaux traverse la Corne d'Or. Le légat se prépara pour descendre à terre, accompagné d'une petite suite.

— Si au moins Vitus pouvait marcher à quatre pattes, il attirerait moins l'attention! grommela Simon quand on fit monter sur le pont le Viterbien, toujours enchaîné.

— Impossible de forger un collier assez étroit, répliqua le jeune légat en rattrapant la balle au bond pour empêcher Vitus de s'échapper au plus mauvais moment en attirant tous les regards avec ses hurlements et ses coups de dents. Vitus, tu pourrais nous promettre de laisser à bord tes instincts de loup féroce? dit-il à son prisonnier avec une insistance moqueuse. Nous aussi nous travaillons pour le cardinal et nous voulons retrouver la piste de ces enfants hérétiques, mais nous n'avons certainement pas envie de les effrayer en aboyant à tue-tête!

Vitus gardait le silence, le visage fermé, tandis qu'il tendait à l'autre ses mains enchaînées, comme un reproche muet.

— Tu entends? tonna le garde-chiourme en levant son chat à neuf queues, prêt à le laisser retomber sur le dos du forçat.

— Je ne vous comprends pas, Fra Ascelino, commença finalement à répondre Vitus d'une voix furieuse; mais devant tant d'entêtement, son gardien perdit patience et sortit tout à coup un couteau.

— Si tu as les oreilles bouchées, chuchota-t-il d'une voix menaçante, je peux te les couper!

Vitus ne se le fit pas dire deux fois :

— Je vous promets de ne pas ouvrir la bouche et de rester collé sur vos talons.

On enleva alors les fers de ses pieds et on l'attacha avec des chaînes bien dissimulées; on lui posa une attelle sur un bras, tenue par un large bandage, et on lui pansa aussi le front pour que personne ne puisse le reconnaître et qu'il ne semble pas étrange que deux robustes marins, déguisés en moines, le soutiennent de chaque côté.

Les deux nestoriens, Aibeg et Serkis, qui n'avaient pratiquement pas dit un mot de la journée, si ce n'est pour se plaindre de l'ennui et de tout ce temps perdu, descendirent du bateau avant les autres et disparurent sans saluer parmi la foule qui se pressait encore sur le pont de bateaux, même à cette heure tardive. Le légat et Simon, vêtus tous les deux du simple habit des dominicains, se détachèrent du reste du groupe.

— Et où peuvent donc aller nos deux chamans avec tant de hâte? demanda Simon en se moquant.

— Ne salis pas la corporation des chamans en les comparant à ces misérables prêtres nestoriens, le reprit Ascelino. J'ai beaucoup de respect pour ces hommes qui s'exposent à la fureur des éléments et à l'austérité des steppes afin d'entrer en communion mystique avec la nature en l'associant à la piété de l'esprit, à l'adoration de Dieu.

Mais Simon gardait son air suffisant :

— Vous me feriez presque croire que vous préférez la superstition des chamans au baptême chrétien.

— Je condamne seulement les nestoriens qui se prétendent « chrétiens », le corrigea le légat. Ils fourrent l'Évangile dans le cul des souverains mongols et ils adaptent la formulation immuable du Credo au gré de l'haleine pestilentielle qui leur arrive de la bouche du Grand Khan...

— ... ou de ses pets !

— Je crois que tu vas comprendre : un véritable chaman qui est en communion avec la Terre et qui n'a jamais entendu parler de Jérusalem vaut mieux qu'un nestorien fuyant comme une anguille qui trahit le Christ tous les jours.

Ce discours les avait menés jusqu'au bout du pont de bateaux. Simon n'avait cessé d'observer les navires mouillés dans le vieux port. Il n'avait aucunement l'intention de s'approcher de nouveau de l'endroit où était amarrée la trirème. C'eût été provoquer le destin. Et puis Vitus, le « blessé », attirait de nombreux regards curieux, comme il pouvait le constater en regardant la foule autour de lui. Ils firent donc un grand détour pour ne pas s'approcher du bateau de la comtesse qui se balançait dans l'obscurité de la nuit, même s'il eût été fort curieux d'y jeter un autre coup d'œil de plus près.

Soudain, Ascelino le tira par la manche : à la lumière d'une boutique ouverte qu'éclairaient d'innombrables lampes à huile, un homme qui semblait totalement absorbé en lui-même, comme en transe, dansait en tournoyant au

rythme monotone d'un tambour et d'une flûte dont le son
strident perçait l'air — *Allahu akbar, allahu akbar, aschhadu
an la ilaha illallah...* Il était entouré d'un cercle de badauds
enthousiastes qui, à en juger par leur habillement, venaient
de Rum ou d'Iconium, c'est-à-dire de l'Asie mineure qu'on
voyait en face. Les deux frères voulurent s'esquiver discrètement, mais l'un des deux marchands arabes qui avaient étalé
leurs marchandises devant la boutique s'approcha d'Ascelino. Jetant un regard sur Vitus, qui faisait peine à voir, il les
invita à s'asseoir et à profiter du spectacle avec eux.

— *As-salamu alaika*. Une boisson brûlante, amère pour
l'estomac mais douce pour l'âme, vous réchauffera et vous
fera mieux résister au froid de la nuit, en même temps
qu'elle donnera à vos esprits la clarté nécessaire pour trouver ce que vous cherchez.

Les dominicains ne purent faire autrement que s'arrêter; Vitus s'efforçait de rester dans l'ombre. Un enfant leur
servit dans des gobelets un liquide foncé sur lequel flottaient
quelques feuilles de menthe fraîche. Le danseur continuait
toujours, inconscient semblait-il de leur présence, ce qui
poussa Simon à demander, au petit bonheur la chance :

— C'est donc un derviche ?

Les fines lèvres de l'Arabe esquissèrent un sourire.

— Non, un soufi !

— Je suis dominicain, répondit Simon.

— C'est ce que je vois, messire.

— Et lui est légat du saint-père, Sa Sainteté
Innocent IV, pape de toute la Chrétienté — et Simon se
tourna d'un air triomphant vers Ascelino qui ne parut pas
trouver à son goût cette présentation extravagante.

— Je ne l'aurais jamais deviné, dit le marchand en
ébauchant une légère courbette. De toute façon, nous vous
souhaitons la bienvenue. Cet homme que vous voyez danser
la *sema* n'est qu'un humble serviteur d'Allah, Mevlana Jellaludin Rumi — et comme il n'attendait aucune réaction des
deux religieux, il continua d'un air presque indifférent : — Il
a dû fuir de son pays devant la menace des Mongols, que
vous devez bien connaître. Les Mongols ont tué son maître
Shams-i Täbrisi, et le sage Rumi vit et enseigne maintenant
à Iconium...

— Nous connaissons les Mongols, s'empressa d'expliquer Simon, car notre mission nous a conduits jusque chez eux. Ce sont des individus horribles, on dirait plutôt des animaux sauvages et impurs!

— Nous sommes tous plutôt impurs, le corrigea l'Arabe d'une voix douce. Certains restent dans la noirceur, alors que d'autres ont eu la chance d'entendre les paroles du Prophète... — et il continua sa harangue avec tant d'habileté que Simon fut incapable de l'interrompre. — Rumi a entrepris le long voyage d'Asie parce qu'une voix lui a dit que demain, ici, à Byzance, il pourra voir le couple des enfants souverains, les futurs rois de la paix!

Ascelino eut bien du mal à dissimuler son émotion, ce qui n'échappa pas à l'œil attentif de l'Arabe.

— Un couple? Vous voulez dire un petit garçon et une petite fille?

— Pourquoi Allah n'allait-il pas permettre, sourit le marchand en voyant que le légat brûlait de curiosité, qu'un être du sexe féminin incarne son esprit et soit couronné à côté du souverain masculin?

— Où et quand seront-ils couronnés? — Simon ne put s'empêcher de poser la question.

— Celui qui doit le savoir le saura, dit l'Arabe avec une légère réticence; je saurai attendre.

— Nous aussi! s'empressa de préciser Ascelino. Nous voulons simplement nous promener dans cette ville qui nous est inconnue; peut-être...

— Si vous me permettez de vous offrir mes humbles services de guide, je vous accompagnerai partout avec grand plaisir.

Ascelino n'en voulait pas tant, mais il ne sut comment décliner cette aimable proposition.

— Vous avez ici un voyageur de marque, dit-il au marchand. — Celui-ci échangea quelques mots en arabe avec son jeune collègue qui lui fit un signe de tête affirmatif. Finalement, tous se mirent en route vers la vieille ville qui escaladait la colline, derrière le port.

Le toit plat de l'aile pyramidale du palais de Calixte émergeait au-dessus des arbres et, grâce à sa situation sur les hauteurs, dominait même les clochers des églises voisines de sainte Irène et des saints Sergius et Bacchus. La vue embrassait les misérables brasiers des rues de la vieille ville qui descendaient vers le port, la vaste mer de lumières de la Corne d'Or avec son pont de bateaux brillamment éclairé et, dans le lointain, la rive de l'Asie mineure avec ses points lumineux. Mais les yeux du vieillard qui manipulait le long tube suspendu dans un bâti de bois comme une catapulte braquée vers le ciel s'étaient fixés sur d'autres lumières.

— Je t'invoque, Mitra, soupira Turnbull. Les années ne me permettent plus de gravir les sept degrés, mais tu devrais me faire savoir une fois encore si moi, ton indigne adepte, j'ai bien interprété les ordres de tes sept planètes — et il fit tourner le tube sans écarter son œil. — Dis-moi si j'agis en harmonie avec les sphères en présentant les enfants royaux au monde, à la prochaine position maximale de l'astre souverain — sa voix s'élevait comme une prière, une supplication désespérée qu'écoutaient les deux hommes restés à distance respectueuse.

Gavin murmura quelque chose à Lorenzo qui se trouvait à côté de lui :

— Il faut l'audace de ceux qui ne sont pas initiés pour faire fi des traditions qui sustentent les cultes antiques et opposer à Apollon, le souverain masculin solitaire, sous sa forme dionysiaque ou orphique, une compagne féminine investie de droits comparables.

— *Ad latere*, le corrigea le moine dans un murmure, le regard embrasé, à la différence du templier qui demeurait plus froid, par l'évocation de cette image. N'oubliez pas Perséphone, Hécate et, ajouta-t-il avec une certaine réticence, n'oubliez pas Aphrodite, la déesse de l'amour ! Voilà l'audace qui nous fait tellement défaut : réincorporer l'amour dans le concept de souveraineté.

Comme s'il avait entendu ces paroles, le vieux John s'adressa à ses deux compagnons :

— Mais à la table ronde du roi Arthur, tout ne tournait-il pas autour de l'amour ? fit-il d'une voix songeuse, sans les regarder car ses yeux avaient déjà recommencé à scruter le ciel. Les douze chevaliers, les douze signes du cycle zodiacal, douze degrés, douze pas vers le haut : vers où ? Vers l'amour ! — il partait fort à présent, comme si un oracle s'exprimait par sa voix. — Jésus ? Un Jésus sans amour ?

Même votre Église patriarcale a ravalé Marie-Madeleine au rang de putain !

Hors d'haleine, il dut s'appuyer sur le canon astronomique ; un spectacle pénible qui, pour le templier, était à la fois ridicule et émouvant, alors que pour le franciscain, il était la manifestation d'une révélation édifiante et glorieuse.

— Le centre de ce monde, la patrie hyperboréenne d'Apollon, l'Atlantide, Avallon, soupira Lorenzo, ému, îles d'amour !

— Et la quête du Graal ? se réjouit Turnbull, reconnaissant. Tout est amour rayonnant, amour de l'être humain, amour entre les êtres humains !

Gavin coupa court à ces envolées par un rire ironique.

— Les Pères de l'Église ont inventé des montagnes de dogmes médiocres et absurdes, mais il est un point sur lequel ils ont fait preuve d'une sage prévoyance : éloigner la femme de l'homme pour que celui-ci puisse consacrer son attention à l'esprit, à la sainteté.

Turnbull lâcha son instrument et se retourna vers le templier :

— Vous êtes donc incapable de mettre pour une fois de côté l'accouplement, dans son sens terrestre le plus primaire ? Il s'agit de réconcilier la Création ! Dieu les a créés tous les deux : Ève n'est pas un colifichet inventé par le diable ! Ils sont une seule et même chose, comme Dieu lui-même, ils sont frère et sœur !

— Supposons que Roç et Yeza soient frère et sœur, ce que personne parmi nous ne sait avec certitude : vous ne pourrez pas nier, *maestro venerabilis*, qu'il s'agit de deux êtres extrêmement différents tant dans leur esprit que dans leur chair. Cette dualité porte en germe une tension qui annonce de futures disputes...

— ...ou une intégration ! lança John.

— Qu'il s'agisse d'un couple traditionnel ou de frères unis par l'inceste, ils seront toujours deux et ne trouveront ni n'apporteront jamais la paix !

— Vous, les templiers, vous n'aimez pas les femmes, s'indigna Lorenzo, mais ces mots ne firent qu'attiser la colère de Gavin.

— Sottises ! Notre Ordre est consacré à Marie, et j'y associerai volontiers toutes les Marie du monde ! Je peux même concevoir que le monde soit dominé par une reine des cieux, mais alors sans aucun être masculin à ses côtés.

— Nous avons déjà assez d'archanges comme ça! se moqua Lorenzo.

— Et pourquoi votre saint François a-t-il repoussé sainte Claire qu'il aimait sans aucun doute ardemment? Parce qu'il savait que deux personnes ne peuvent régner ensemble, que l'autre sera tout au plus un co-régent. Vous imaginez peut-être Yeza dans ce rôle?

Lorenzo ne put trouver une réponse qui le satisfasse lui-même et John resta silencieux.

— Permettez-moi de vous poser deux questions, noble seigneur de Béthune, dit-il ensuite. Pourquoi n'exprimez-vous que maintenant vos doutes, et pourquoi avez-vous soutenu avec tant de dévouement le Grand Projet?

— Je vous donnerai une seule réponse : vous savez que la raison d'être et le but de l'Ordre du Temple est de sauver et de protéger le saint Graal. Cette obligation embrasse aussi son sang manifeste, les enfants, sans qu'aucun membre de notre communauté ne puisse se prononcer sur leur légitimité, encore moins un humble précepteur!

Mais John insistait :

— Pourtant, c'est précisément votre opinion personnelle qui m'intéresse.

Tiraillé par des sentiments contraires, Gavin avait du mal à répondre. Il le fit cependant :

— Mon dévouement envers les enfants du Graal tient à ma personne, à mes sentiments, à mon obéissance aux commandements de mon Ordre et à la certitude que c'est seulement ainsi, d'après toutes les prévisions, l'expérience et le calcul des plus fortes probabilités, qu'au moins un des enfants pourra atteindre le but, s'il y parvient.

— En cela, nous nous en remettons à la grâce de Dieu! soupira Turnbull, soulagé.

— Il me semble que la force de la foi vous fait défaut, dit Lorenzo, désarçonné.

— C'est la tragédie des templiers! — John essayait de lui redonner confiance. — Ils sont trop savants. Pourtant, estimé Gavin, après nous être précipités dans les abîmes du doute, comme le Tentateur d'une certaine façon, je désire invoquer encore une autre divinité pour qu'elle protège les enfants ou, si vous préférez, un autre aspect de celui qui est toujours le même : Hermès Trismégiste! Sous son aspect de Thot l'Égyptien, il est non seulement le protecteur de l'enfant unique et divin, mais aussi, grâce à son visage de Janus, il lui appartient aussi de protéger les jumeaux, les frères et, de la même façon, l'ultime mystère dont nul ne sait s'il est un ou deux! Je m'en remettrai à lui — il s'éloigna des instruments et revint au centre de la plate-forme. — Laissez-moi maintenant, mes amis, et doublez par vos prières le pouvoir de mes réflexions.

Il congédia ainsi Gavin et Lorenzo qui descendirent l'escalier raide jusqu'à la terrasse inférieure.

— En vérité — la curiosité poussait Lorenzo à poser encore une question —, vous ignorez de quelle souche proviennent ces enfants?

— Au sommet de la pyramide du Grand Projet sont sûrement inscrits les noms et les origines, et celui qui doit savoir saura en temps voulu.

Content ou pas, le petit franciscain dut se satisfaire de cette réponse.

— Non, se lamentait Serkis, ce ne peut pas être la splendide cité de Constantinople dont on vante dans le monde entier la puissance *ad extremum* et l'ordre intérieur. Je ne vois que chaos et anarchie, et pas un garde en vue pour maintenir l'ordre.

— C'est le mal des Latins — le corpulent Aibeg n'éprouvait pas l'envie de s'indigner; — la notion de péché propre à l'Église romaine, cela lui permet ensuite de menacer du châtiment éternel et du feu des enfers. Le pouvoir sur les âmes est le véritable pouvoir!

Les deux nestoriens montaient tant bien que mal les escaliers qui menaient du port à la vieille ville. Leurs regards réprobateurs erraient sous les porches où des mendiants tendaient la main, à côté de prostituées qui offraient leurs charmes à vil prix et d'enfants qui se collaient comme des mouches autour des petits étals où l'on vendait méduses gélatineuses, moules puantes et autres fruits de la mer, sales et avariés, pêchés dans les eaux du port. D'autres marchands attendaient les clients, assis devant une poignée de figues de Barbarie ou une moitié de pastèque. Peu de pain, pas du tout de viande : c'était ici le marché nocturne des pauvres. Mais il

y avait abondance de confiserie : dans de grandes bassines
bouillait de la mélasse que des femmes remuaient sur le feu,
pour servir ensuite à grandes louchées cette masse gluante et
sale. Cette bouillie sucrée était le grand objet de convoitise
des enfants qui la regardaient avec des yeux fixes : de grands
yeux noirs et de petites bouches au milieu de visages bla-
fards. De leurs regards brûlants d'envie, ils dévoraient ces
délices inaccessibles, ce qui ne leur valait jamais qu'un bon
coup de louche en bois sur leurs doigts qu'ils se léchaient
ensuite avec délice, oubliant qu'ils avaient mal.

Dans les immeubles crasseux, dans les caves et les
cours, partout régnait une odeur de pourriture. Soudain, on
entendit des cris et des jurons. Une bande d'adolescents aux
crânes rasés et aux visages peints des symboles distinctifs de
leur camp sillonnaient le marché en menaçant les gens avec
des chaînes, des bâtons et des couteaux. Bousculant tout ce
qui se trouvait sur leur passage, ils jetèrent une torche sur
les ballots de tissu d'un tailleur, puis attendirent en silence,
l'air moqueur, que celui-ci leur lance quelques pièces de
monnaie avant de se risquer à éteindre l'incendie. Certains
se dissimulaient le visage sous des casques.

Puis les jeunes gens poursuivirent leur chemin dans un
grand tumulte. Leurs hurlements se confondirent dans la
mer des bruits nocturnes de Byzance, jusqu'à ce que cris et
flammes réapparaissent un peu plus loin.

De mauvaise humeur, les deux émissaires du gouverneur mongol déambulaient dans les étroites ruelles. Fâchés
des mauvais traitements du légat, et donc furieux contre
l'Occident, ce « reste du monde » bouffi d'orgueil, ils restèrent longtemps sans échanger une parole entre eux.

— Baïtchou aurait dû les empailler ! grogna finalement
Serkis le fluet. En quoi l'Occident nous est-il supérieur, je
vous le demande ?

Ils traversèrent les quartiers pauvres dont les immondices formaient un ruisseau fétide au milieu du pavé
défoncé ; ils virent fumer de maigres feux sur lesquels des
déchets misérables nageaient dans des chaudrons crasseux,
des maisons de bois à moitié effondrées, certaines à demi
brûlées dont les charpentes noircies montaient vers la fumée
qui emplissait le ciel. Leurs habitants en haillons se chamail-
laient entre eux et ils étaient constamment harcelés par des

gens étranges qui les menaçaient et volaient les plus pauvres parmi les pauvres. L'air empestait partout, et c'était partout bruit et violence.

— Il n'y a pas d'ordre ici, personne ne respecte la loi!

— C'est la liberté, mon cher Serkis, murmura Aibeg le gros. Ils prennent la liberté de vivre comme ils l'entendent.

— Mais la faim, le vol, l'envie et la mort ne peuvent plaire à personne, s'indigna Serkis. L'agression et le viol, l'assassinat et l'adultère sont punis ici aussi de peines très sévères, n'est-ce pas?

— Oui; mais la subornation, les faveurs, la réputation et par-dessus tout un titre de noblesse font que riches et puissants ont d'autres juges que les pauvres. C'est cela la liberté de l'Occident, et c'est pour cette raison qu'ils nous trouvent autoritaires et cruels, car notre *yasa* est le même pour tout le monde et il est appliqué avec sévérité.

Ils virent avec horreur et indignation deux soldats ivres arracher à une femme l'enfant qu'elle portait au sein et menacer de le tuer; la femme pleurait doucement, sans oser crier, et elle sortit une bourse de sous sa robe. L'un des soldats tendait sa main cupide pour s'en saisir lorsqu'un éclair métallique fendit l'air. Le soldat se figea, contemplant silencieusement le moignon, tandis que le sang éclaboussait la femme et l'enfant qu'elle avait repris contre sa poitrine. L'épée fit un bref mouvement en direction de l'autre soldat qui trébucha, puis se mit à courir, tandis que le premier, mortellement blessé, put encore faire quelques pas avant de s'écrouler le visage contre terre.

Tout à coup, les gens sortirent de leurs trous, leur courage retrouvé, et s'attroupèrent en poussant de grandes lamentations autour de la femme qu'ils avaient abandonnée à son sort.

— Si les gardes viennent, dit le justicier qui portait l'uniforme du roi de France, dites-leur qu'Yves Le Breton est à leur disposition.

L'homme qui se présentait avec une telle suffisance n'était pas d'une stature impressionnante. Le dos voûté, il marchait penché en avant. Ses bras étaient trop longs pour son corps trapu, mais il semblait avoir une poitrine et des épaules étonnamment larges et puissantes sous sa casaque de velours bleu foncé sur laquelle brillaient des fleurs de lys brodées au fil d'or.

Il rentra son épée et fit demi-tour.

— Vous devriez vous cacher, brave homme, lui conseilla Serkis quand les deux moines se furent approchés, même si vous n'avez fait que votre devoir. Nous pouvons vous cacher sur notre bateau; vous y seriez sous la protection du légat du pape.

— L'idée ne m'en passerait jamais par la tête! répondit sèchement Yves qui fit le geste de s'en aller, mais il s'arrêta quand il entendit la voix d'Aibeg.

— Tu vois, Serkis, comme l'Occident a réussi à te corrompre toi aussi? Ou cet homme a bien agi, et dans ce cas il n'a pas besoin de se cacher, ou bien il a violé la loi et il doit accepter son châtiment. Ce n'est qu'ainsi qu'il peut y avoir de l'ordre!

— Votre ami a su me faire honte, dit Yves à Serkis. En vérité, j'ai trop tendance à me laisser emporter par la colère. Mais comment tolérer...?

— La tolérance n'est certainement pas l'une de vos principales qualités! lui répondit Aibeg en lui souriant et en lui tendant la main. Je crois cependant qu'il serait préférable de nous en aller d'ici. Le mort avait peut-être des amis.

— Ne vous en faites pas, dit Yves; ma réputation les tiendra à l'écart!

— Permettez au moins que je vous invite à boire de l'hydromel ou une autre boisson plus forte, reprit Serkis. Mon estomac réclame d'urgence une potion calmante!

Ils prirent plusieurs ruelles tortueuses jusqu'à ce que le nez fin des deux religieux leur indique la présence d'une taverne.

— A vos vêtements, je vois que vous êtes prêtres, fit Yves qui n'avait pas l'intention de se mêler à la cohue que l'on voyait à l'intérieur.

— Nous proclamons la foi dans le Christ selon la tradition de Nestorius, lui répondit Aibeg en le tirant doucement par la manche. Vous prendrez bien quelque chose avec nous?

— Pardonnez-moi, mais je ne bois pas, répondit fermement Yves. J'aime garder la tête froide! — Et sur ce, il les laissa plantés là et disparut dans l'obscurité.

— C'est sûrement un musulman, car il parlait très bien l'arabe, dit Aibeg pour se consoler, puis il entraîna son compagnon à l'intérieur. Apparemment, Constantinople est une ville tolérante...

— Oui, grogna Serkis, la grande Babylone! C'est ici qu'a commencé le règne de l'Antéchrist!

Ils s'assirent à une table et, plus ils burent de vin, moins ils furent surpris du grand nombre de peuples, de langues et de religions qui se côtoyaient ce soir-là dans l'antique Byzance.

Les lumières étaient toujours allumées dans le « centre du monde ». Les domestiques de l'évêque préparaient la grande salle pour le lendemain. Sur l'un des côtés de devant, ils avaient monté sous les arcades une tribune faite de planches, en forme de scène, qui s'élevait jusqu'à la hauteur des gradins les plus élevés des rangées latérales où le public prendrait place. Les domestiques recouvraient de précieux tapis les dalles de marbre noir et blanc.

Quand Gavin et Lorenzo entrèrent dans la salle, Nicolas della Porta était penché sur l'échiquier vide.

— Le jeu d'Asha, dit le templier en passant devant lui, doit vous paraître bien simple en comparaison de celui que vous jouerez ici demain.

L'évêque soupira:

— Si au moins je savais à qui attribuer les armées d'Ahura Mazda, et à qui le rôle d'Ahriman!

— Ainsi va le jeu de la vie! philosopha Gavin qui voulut s'en aller en tirant derrière lui Lorenzo.

Mais l'évêque arrêta le templier:

— J'aimerais vous parler, Gavin. — Le templier s'assit et Lorenzo s'éloigna. Le minorite semblait être de bonne humeur et sautait comme un enfant sur les cases représentant les terres, en essayant d'éviter l'eau des mers. Il s'éloigna d'un pied léger entre les colonnes qui s'ouvraient sur la terrasse et l'escalier.

— J'ai des soucis, dit l'évêque comme s'il espérait que le réconfort lui vienne par la main du templier. Je suis perplexe et mélancolique. Des pièces noires sur des cases blanches, des pièces lumineuses sur fond de noirceur. Et moi, où est ma place? — Il poussa un profond soupir d'apitoiement, mais Gavin n'avait guère envie de le consoler.

— Vous avez trop joué aux dames sur ces cases marmoréennes de l'*hubris* ; vous avez sauté trop d'obstacles au lieu de les affronter. Ce qui vous préoccupe à présent, c'est votre dévouement partagé, car demain vous devrez choisir un camp et prendre fait et cause — il fit le geste de s'en aller, mais Nicolas insista pour qu'il reste encore.

— J'ai peur, gémit-il, peur de perdre la place que j'occupe à présent, peur de mal jouer.

Il n'osait pas regarder le templier en face, et pourtant il aurait aimé lire une réponse sur son visage. Mais il n'y serait pas parvenu, car Gavin demeurait impassible, comme savent le faire les soldats aguerris et les grands joueurs.

— Vous devez vous défaire de cette illusion qui vous fait croire que c'est vous qui déplacez encore les pièces, Excellence — Gavin lui parlait enfin avec dureté. — On vous pousse. Vous devez miser sur le bon cheval et vous maintenir en selle, même si l'animal vous secoue, se cabre ou rue. Si vous tombez, vous périrez sous ses fers, comme si vous pariez pour le mauvais cheval et qu'une lance vous fait vider les arçons au moment où vous vous y attendiez le moins, pour vous retrouver étendu sur le sable. — L'évêque regarda le templier dans les yeux et son regard révélait l'océan des doutes qui l'accablaient.

— On va se battre, dit le précepteur, et de notre fermeté dépendra que le combat ne soit pas trop sanglant. Votre place, comme la mienne, est aux côtés des enfants. — Pour tenter de redonner un peu de courage à l'évêque, plongé dans l'incertitude, Gavin lui donna quelques petites tapes sur l'épaule. Mais cette fois, il ne se laissa pas retenir.

Il était déjà minuit quand le légat Anselme de Longjumeau sortit de la vieille ville en compagnie de Simon de Saint-Quentin et du marchand arabe qui leur servait de guide.

Le groupe faisait une impression certaine, ce qui avait l'avantage d'éloigner les malandrins éventuels. Même si les moines ne portaient pas d'armes visibles, il émanait d'eux une sorte de menace diffuse, surtout de celui qui paraissait avoir été blessé au cours d'une bagarre. Vitus, enchaîné sous ses bandes, suivait les autres en silence, même si c'était lui qui montrait le chemin en réalité. Le palais de l'évêque, situé dans la haute ville, l'attirait comme s'il était doué d'un pouvoir magique, et son impatience, freinée par ses chaînes, empêchait le petit groupe de s'arrêter nulle part.

— De toute ma vie de missionnaire qui a beaucoup voyagé, haletait Fra Ascelino, je n'ai jamais vu autant de bouddhistes, parsis, coptes et starets, manichéens, hérétiques, patarins et bogomiles, jacobites orthodoxes et andréens, arméniens schismatiques et joviens, juifs, perses adorateurs du feu, brahmanes et chamans, derviches tourneurs, soufis aliénés, fakirs qui jouent de la flûte pour charmer les serpents, tibétains avec leurs moulins à prières, yogis contorsionnistes et d'autres encore venus de plus loin, disciples de Lao-tseu aux yeux bridés, illuministes et hermétistes, tous pêle-mêle dans une même nuit.

— Vous en avez oublié plusieurs, sourit le musulman, qui ne sont pas reconnaissables à première vue, comme les gnostiques, les druides, les pythagoriciens, les néoplatoniciens, les esséniens, les chaldéens et les imaélites du bras armé invisible, adeptes du Vieux de la Montagne, qui frappent en surgissant du néant.

— Vous voulez parler des Assassins ? intervint Simon quand il vit que Ascelino s'arrêtait pour reprendre son souffle après avoir débité cette longue liste qui résumait ses impressions de sa nuit byzantine. Je crois qu'ils ne sont plus qu'une légende de l'époque des premières croisades, quand il était utile de prouver que quelqu'un avait poignardé quelqu'un dans le dos. S'ils sont tellement invisibles, c'est qu'ils n'ont jamais existé !

— Taisez-vous, lui chuchota Vitus, tout bas. — C'était la première fois qu'il adressait la parole à ses compagnons. — Si vous ne pouvez pas retenir vos envies de parler, gardez-les pour plus tard !

Au-dessus d'eux se dressaient les murs du palais de Calixte. Ils traversaient prudemment devant la grande porte quand ils virent qu'en haut de l'escalier les torchères brûlaient encore et que la garde était toujours de faction. Ils longèrent en silence les murs, à la recherche d'une autre entrée. Mais ils n'en trouvèrent pas. Les murs étaient parfaitement lisses, tout autour de l'énorme construction, à l'exception d'une fontaine qui faisait saillie en un endroit, au milieu des pierres du mur. Elle représentait un jeune et beau Dionysos en train de lutter avec un vieux satyre pour la possession d'une amphore de vin dont le contenu se répandait en un jet puissant dans une vasque.

Simon se pencha au-dessus de la vasque et laissa l'eau couler dans sa bouche ouverte. Un peu de lumière tombait des arcades qui s'élevaient devant la grande salle, détail insolite à une heure où les autres palais et églises sommeillaient depuis longtemps dans la profonde obscurité de leurs jardins.

— C'est sans doute ici! murmura Vitus au légat déçu qui regardait autour de lui sans trop savoir que penser.

— C'est bien ici, confirma le marchand arabe. Mais je crois que la porte n'est ouverte qu'à ceux qui pourront la franchir demain la tête haute.

— Naturellement, répondit Simon, je sais bien que cette affaire ne nous concerne pas.

— Rentrons au bateau, insista Fra Ascelino, et ils commencèrent à redescendre.

Hamo pensait que sa mère serait certainement profondément endormie à cette heure de la nuit. Lassé d'errer dans les rues de la ville, il avait décidé de rentrer au palais. Il ne faisait guère confiance au passage souterrain dont l'obscurité lui faisait peur, surtout à cause de Styx et des rats. Comme la nuit d'automne semblait agréablement douce et propice à la promenade, il décida de prendre un raccourci pour éviter la route qui montait en lacets et se mit à gravir une série d'escaliers raides qui débouchaient juste devant la grande porte.

Il arrivait aux dernières marches, qu'il avait comptées pour passer le temps, quand il vit des ombres suspectes qui se glissaient silencieusement devant la clarté des torches. Il ne put reconnaître les premiers, mais ils étaient suivis d'un individu que les autres traînaient derrière eux et la lumière d'une flamme tomba un instant sur un visage dont il reconnut les yeux, malgré les bandages et la capuche qui lui couvraient le front. C'était lui! Le bourreau noir, Vitus de Viterbe, qui les avait espionnés et harcelés durant ce malheureux voyage à travers l'Italie, et jusqu'aux Alpes! Il n'y avait pas de doute. Le comportement suspect de ses compagnons confirma Hamo dans l'idée qu'il avait vu juste.

Il était trop tard pour appeler la garde et il aurait été inutile de réveiller l'évêque : le nom du Viterbien ne lui aurait rien dit et Hamo n'avait pas envie de lui expliquer en long et en large pourquoi ce loup d'inquisiteur était si dangereux. En revanche, Guiscard était l'homme qu'il fallait prévenir tout de suite.

Il fit donc demi-tour, poussa un soupir et commença à redescendre quatre à quatre les escaliers qu'il venait de monter avec tant d'efforts. Il arriva bientôt au port où il faillit renverser un ivrogne. Il allait lui lancer une insulte bien sentie quand il se rendit compte que l'homme qui, furieux, essayait de le frapper avec un bâton recourbé, portait sous sa cape les riches habits d'un évêque. Hamo l'évita adroitement et murmura quelques mots d'excuses, prêt à reprendre sa course.

— Attends, jeune homme ! fit l'autre en essayant de garder son équilibre. Dis-moi si je suis sur la bonne route pour la réception de l'évêque latin.

— L'évêque Nicolas ? demanda Hamo qui s'arrêta, indécis.

— Comment veux-tu que je le sache ! lança l'étranger, de méchante humeur. On doit présenter je ne sais quels princes, et je suppose qu'on va bien servir quelque chose à boire. Le vin n'est pas mauvais du tout dans ce pays !

Hamo décida finalement de renseigner cet invité bien matinal :

— La présentation des deux enfants royaux aura lieu à midi, à la douzième heure...

— Tous les jours ?

— Non, seulement demain. — Hamo ne savait s'il devait se fâcher ou se mettre à rire. — Excusez-moi maintenant, je suis pressé !

— Du calme, mon jeune ami, répondit l'étranger en le retenant. Je suis Galeran, collègue de votre évêque à Beyrouth, et je veux que tu descendes avec moi ces maudits escaliers pour m'accompagner jusqu'à la prochaine taverne ouverte. — Il s'était emparé de la manche de Hamo qui ne put faire autrement que lui offrir son bras pour l'aider à descendre lentement les marches.

LA NUIT DU STYX

Constantinople, automne de l'an 1247

Sous son baldaquin, l'évêque se retournait dans son lit, cherchant en vain le sommeil. Nicolas della Porta avait longtemps attendu le retour de Hamo, maudissant sa tante Laurence de Belgrave dont la présence dans le palais de Calixte avait poussé le garçon à prendre le large.

Sa conversation avec Gavin n'avait rien fait non plus pour le tranquilliser. Non, il n'aurait jamais dû héberger sous son toit ces réfugiés d'Otrante! Leur destin régissait à présent le sien; leur présence avait mis fin à ces jours placides où il exerçait nonchalamment les devoirs de sa charge et passait agréablement les heures à des tâches qui ne lui étaient pas véritablement imposées. Le changement ne s'était pas imposé brutalement, mais plutôt à la manière d'une corde qui vous étrangle peu à peu. Mais maintenant, la peur s'emparait de l'évêque qui brandissait le poing et rejetait ses draps damassés, découvrant sa poitrine, comme s'ils allaient l'étouffer... Puis il s'endormit, rêvant que Hamo était avec lui, qu'il s'était glissé agilement sous les couvertures, la peau imprégnée des odeurs du port et du péché. Son haleine brûlante effleurait son visage et ses lèvres s'écrasaient contre son oreille, sa langue lui léchait avidement le cou. Nicolas osait à peine respirer; il avait tellement désiré cet instant pour lequel il avait fait le siège du garçon en prodiguant caresses et cadeaux, attentions et largesses. Jamais il ne l'avait harcelé et sa patience était maintenant récompensée. Hamo s'était librement approché de lui pour lui faire présent de son amour. Nicolas s'étira, paralysé par le bonheur, prêt à accepter ces caresses humides, fiévreuses et maladroites; cette langue sauvage et merveilleuse qui léchait inlassablement ses joues, son nez, ses épaules...

Yarzinth avait accompagné Clarion jusqu'à la trirème. Il s'y attarda même un peu, car elle lui demanda conseil à propos des vêtements qu'elle devrait porter le lendemain. Ensuite, les suivantes de la comtesse, caméristes et domestiques, l'avaient harcelé de leurs prières timides mais insistantes pour qu'il leur donne son avis sur les habits qu'elles sortaient, demandant ce qu'il fallait porter flou ou rehausser de bijoux. Yarzinth, manifestement insensible à tout attrait féminin comme le plus naïf l'aurait compris, se tira d'embarras — non sans quelque réticence — avec une pointe de malice : il conseilla aux femmes d'exposer ouvertement et avec audace leurs charmes. Elles finirent par accepter ses propositions avec de petits rires de coquettes, mais Clarion les rappela sèchement à l'ordre et leur dit qu'elle s'attendait à être entourée de nonnes parfaitement honnêtes. Yarzinth profita de la tristesse générale qui accueillit cette réprimande pour s'éloigner furtivement.

Le cuisinier était de bonne humeur. Il décida de jeter un coup d'œil au palais de son maître l'évêque pour voir si tout était en ordre, puis d'emmener Styx pour la visite nocturne qu'il se proposait de faire ἔκτος τειχός à son amant. A part lui, cet ami secret était le seul à donner des marques d'affection au chien et à comprendre le grand amour que Yarzinth professait pour l'animal. Le cuisinier pressa le pas...

Nicolas della Porta tendit les bras pour attirer enfin cet amant insistant et lui montrer le chemin de la gloire définitive. Il lui prit la tête, s'empara de son épaisse crinière et, quand il ouvrit les yeux, se trouva face à face avec les crocs de Styx qui bavait abondamment en lui léchant le cou.

Le cri strident qu'il voulut pousser s'étrangla dans sa gorge dans laquelle ne put sortir qu'un râle désespéré. Son front se couvrit de sueur froide tandis qu'il essayait d'éloigner avec ce qu'il lui restait de forces la tête du puissant animal dont la langue glissait à présent sur son bras pour lécher sa main qui pendait, inerte.

— Yarzinth! — L'évêque put enfin pousser un cri audible. — Yarziiinth!

La bête était sans doute entrée par la porte du couloir de la chambre du trésor. Peut-être n'avait-il pas bien fermé cette entrée secrète? De toute façon, dans la terreur panique qui l'avait envahi, ses trésors ne l'intéressaient plus le moins du monde.

— Yarziiinth !

Quelques instants plus tard, le domestique entrait en trombe dans la chambre de son maître. Le chien le salua en remuant frénétiquement la queue, sans cesser de lécher la main de l'évêque.

Nicolas se leva en tremblant.

— Emmène cet animal ! dit-il d'une voix haletante.

Yarzinth prit Styx par son collier et le poussa vers les lambris qui dissimulaient l'ouverture.

— Vous avez laissé la porte ouverte, Excellence ! s'exclama-t-il sur un ton de reproche.

Avec le mince recul dont il disposait à présent, Nicolas se risqua à examiner le chien : des crocs horribles sous un museau bouffi ; une tête robuste sur un thorax puissant ; un poil qui formait des taches noires et brun rougeâtre sur le corps, avec une sorte de bavette blanche sur la poitrine. Le chien se planta sur ses pattes et montra les dents à l'évêque. Mais le plus terrible, c'était ses yeux : des yeux morts, injectés de sang. Styx était aveugle !

Cette constatation rendit un peu de courage à l'évêque. Son regard se posa sur le collier de l'animal, en argent magnifiquement ciselé.

— Yarzinth, dit-il en détachant ses syllabes, ton chien a essayé de me tuer — Nicolas regardait très attentivement le cuisinier qui retenait son animal, l'air inquiet. — Je veux être sûr que ceci ne se reproduira jamais plus. Tu vas le sortir d'ici pour toujours et tu me rapporteras le collier comme preuve de ton obéissance !

Il y avait de la peur dans les yeux de Yarzinth.

— Je ne peux pas ! bégaya-t-il. Je ne peux pas le faire passer sur sa tête. Il est soudé, il ne peut pas s'ouvrir !

— Je l'imagine bien, répondit Nicolas ; disons que je te demande de lui couper le cou. Je ne veux plus que ce chien existe, ni à la surface de la terre, ni au-dessous !

Yarzinth tremblait et sembla vouloir se mettre à genoux.

— Dehors tous les deux ! grinça l'évêque. Et ne t'avise pas de revenir les mains vides...

Le cuisinier n'entendit pas le reste, car l'évêque s'était enfoui la tête sous son drap. Il sortit derrière Styx par la porte dérobée. Son cœur battait si fort qu'il en avait mal au cou.

— Roç, tu dors? murmura Yeza. J'ai envie de faire pipi!
— Son compagnon entrouvrit les paupières pour s'assurer que les deux moines dormaient tranquillement. Une chandelle brûlait entre Guillaume et Benoît, mais il n'en restait plus qu'un tout petit bout et la mèche tremblotait, sur le point de s'éteindre.

— On va au pavillon? répondit-il tout bas.

— Si je me pisse pas dessus avant...

Yeza se laissa glisser de son lit et Roç vit à la lumière vacillante que le petit monticule d'où la petite faisait sortir son urine commençait à se couvrir d'un délicat duvet, en tout cas, il n'avait encore jamais vu cette toison d'un blond doré qui ressemblait presque à une ombre. Et il fut encore plus effrayé, tout en étant parcouru d'un agréable frisson, quand il constata que son membre avait pris tout à coup une rigidité qui, s'il en avait déjà fait l'expérience, ne lui avait jamais paru jusqu'à présent présenter le moindre rapport avec Yeza.

Il sortit de ses couvertures en cachant son membre à la vue de la petite fille, mais quand il la prit par la main, il sentit comme des coups sourds, et Roç eut peur que Yeza ne découvre l'énormité de sa chose. Il la poussa donc rapidement dans l'ouverture du mur, même s'il était inutile de pousser Yeza qui, mue par la pression qu'elle sentait dans sa vessie, se mit à courir dans la « dernière issue » comme un ouragan difficile de suivre.

Les deux enfants connaissaient par cœur le labyrinthe et Roç ne fut pas surpris, après trois tournants, de donner avec son pied dans le derrière nu de la petite fille. Yeza s'était accroupie et avait remonté sa chemise, incapable de se retenir davantage. Roç s'arrêta prudemment et passa la main sous la petite. Le liquide chaud lui mouilla les doigts et une idée fixe s'empara du garçon.

— Attends, murmura-t-il en essayant de retenir le courant. — Il se recula dans le couloir sombre et pierreux, puis tira la petite, ce qui l'obligea à retirer sa main de la source, de sorte que la rosée tant désirée mouilla ses genoux et ses cuisses, pour finalement atteindre son membre.

— Tu peux encore? demanda-t-il d'une voix fiévreuse.

Mais Yeza expulsa la dernière goutte.

— Fini! proclama-t-elle fièrement en se relevant. — Elle

s'était éloignée de quelques pas quand elle se rendit compte
que Roç ne la suivait pas.

— Roç? demanda-t-elle, effrayée, la tête tournée vers
l'obscurité. Roç, qu'est-ce qu'il y a?

Elle rebroussa chemin à quatre pattes, malgré les
pierres qui lui écorchaient les genoux. Finalement, elle toucha ses orteils.

— Roç? Réponds! — Mais elle n'entendait que sa respiration précipitée.

Elle se glissa entre les jambes du garçon et ses mains
qu'elle tendait devant elle touchèrent son membre qui avait
grandi de façon si étrange, entre les deux testicules avec lesquels elle avait l'habitude de jouer.

— Oh! put-elle enfin articuler. Oh, Roç! — elle avait
pitié de lui, car elle supposait qu'il souffrait le martyre. Elle
se jeta sur le garçon et colla sa figure sur son ventre. Ce
corps dur qu'il y avait entre eux la dérangeait, mais elle fut
encore plus surprise de voir qu'il commençait à se recroque-
viller. Elle le palpa avec précaution, comme s'il était en verre
et risquait de se casser, puis elle eut peur et ne se rassura
qu'en constatant avec soulagement qu'il était revenu ce bon
vieux jouet qu'elle connaissait si bien.

— Aïe! fit Roç, fichues pierres! — Ils se relevèrent et
revinrent au pavillon, Roç en premier, suivi de Yeza qui lui
tenait la main.

— On peut se coucher sous la même couverture, proposa Yeza qui avait un peu froid. — La lumière diffuse de la
lune filtrait à travers la claire-voie de pierre. Ils se glissèrent
sous la couverture et se serrèrent l'un contre l'autre. — Ça t'a
fait mal? demanda Yeza, curieuse. — Sa petite main était
redescendue en trottinant comme un scarabée le long des
hanches du garçon, puis s'était enterrée entre ses jambes.

— Pas beaucoup, souffla Roç. C'était à cause de ton
pipi.

Yeza retira brusquement la main et ne répondit pas. Les
lèvres de Roç se mirent à chercher les yeux de la petite fille.
C'était sa manière de savoir si elle pleurait.

— Mais il n'y a rien de mal! — il léchait les larmes de la
petite fille qui gardait obstinément le silence. — Dis-moi ce
que tu veux que je fasse! — murmura-t-il avant de faire tourner le bout de sa langue dans le creux de son oreille. Roç

savait qu'elle aimait cette caresse : elle lui avait toujours permis jusque-là de se faire pardonner. Mais cette fois, Yeza écarta sa tête et ses cheveux vinrent lui chatouiller le nez. Puis elle s'assit et repoussa la couverture.

— Ce que je veux... sanglota-t-elle, sans trouver les mots qu'elle cherchait.

— Qu'est-ce que tu veux ? insista Roç, et il couvrit de mille baisers le cou de Yeza et la chemise qui recouvrait ses petits seins.

— Je veux que tu fasses pipi dans moi, tout de suite !

Roç resta coi, presque pétrifié.

— Mais j'ai plus rien, parvint-il enfin à dire. Je ne peux pas maintenant !

Yeza se mit à rire et le prit dans ses bras.

— Alors, tu me le dois ! et elle retourna à côté de lui sous la couverture. Tu me dois une petite pisse, promis ! insista-t-elle, ravie.

— Parole d'honneur ! soupira Roç qui se retourna du côté où il avait l'habitude de dormir.

— Juré, craché ! chuchota Yeza en se collant contre sa colonne vertébrale et ses côtes qu'elle aurait pu compter une à une, en essayant de ne pas le déranger avec ses cheveux. — Elle attendit que la respiration paisible du garçon la convainque qu'il était endormi. Elle se tourna alors sur le dos, s'étira avec plaisir dans la chaleur que dégageait le corps de Roç, puis se mit à compter tout bas les taches de lumière au plafond.

Yarzinth descendait les escaliers en tenant Styx par sa chaîne. Il avait l'intention de se rendre du palais de Calixte à la vieille ville par le chemin le plus court, c'est-à-dire en passant par le haut cimetière des Angeloï. Le chien tirait sur son collier. La mort dans l'âme, Yarzinth se disait qu'il allait devoir chercher à cette heure de la nuit un orfèvre disposé à ouvrir le précieux collier, une belle pièce d'argent massif décorée d'un filigrane d'une extrême finesse. Il faudrait le sectionner avec les dents brutales d'une scie, puis le refermer avec une soudure parfaitement invisible. Ce collier était le symbole de l'amitié qui l'unissait à Styx : il avait fait faire cette pièce, sorte de bague de fiançailles, de telle façon que personne ne puisse l'enlever au chien. Lui autant que Styx étaient fiers de pouvoir ainsi manifester leur union, faite de tendresse et de fidélité.

En réalité, ce Nicolas était un perfide, se dit-il. Le cuisinier le détestait! En ce moment, il aurait voulu couper la tête de Hamo et la déposer, toute sanglante, sur le lit de l'évêque. Il aurait même été capable d'empoisonner ce monstre dégénéré! L'animal ne lui avait rien fait et lui s'était montré atroce, inhumain, oubliant que la bête l'avait léché et embrassé!

Yarzinth ne descendait pas souvent dans la vieille ville la nuit, avec son chien. Non par crainte de se faire attaquer, car le cuisinier chauve et son mâtin sanguinaire formaient un couple qui inspirait certainement la terreur, mais parce que l'homme trouvait que la vieille ville, avec ses cruautés, sa saleté et ses bandes de malfaiteurs, n'était pas un endroit convenable pour l'âme délicate de son ami aveugle et qu'il ne voulait pas non plus qu'un chien de rue galeux se mette à marcher sur leurs talons en leur imposant sa compagnie importune.

Personne ne savait que Styx était aveugle et Yarzinth s'était procuré depuis longtemps un remède secret. Il avait toujours sur lui un petit flacon d'huile de musc et il avait dressé Styx à réagir aussitôt à ce parfum. Si d'aventure un ivrogne ou quelqu'un d'autre le menaçait à l'arme blanche dans une attaque de folie, il lui suffisait de jeter quelques gouttes sur l'agresseur, et Styx, libéré de sa chaîne, lui sauterait à la gorge. Le mâtin ne perdrait pas son temps à mordre les bras ou les jambes de la victime: il chercherait plutôt l'endroit où un bon coup de dents occirait tout net l'ennemi. Quiconque l'avait vu faire une fois faisait un détour respectueux dès qu'il voyait s'approcher Yarzinth et son chien.

On célébrait la messe de minuit dans la petite église de saint Georgios. Par le portail ouvert, la lumière dorée d'innombrables cierges venait jouer sur les pavés de la rue, comme un tapis qui vous invitait à monter à l'intérieur. Yarzinth s'assit sur une colonne de marbre brisée, entre deux cyprès, tira son chien vers lui et se mit à écouter le chant rauque des prêtres.

Des dominicains sortaient justement en se bousculant.

— Ascelino! s'exclama l'un d'eux, à peine eurent-ils franchi le portail, mais d'une voix assez forte pour qu'on puisse l'entendre à l'intérieur, je ne m'étonne plus que ces Grecs, avec leur orthodoxie toute-puissante, nient la suprématie du pape! Le moindre de ces popes se comporte comme s'il était le saint-père! Ils veulent tous être des dieux barbus!

— Ferme donc cette maudite bouche blasphématrice, Simon! gronda celui qu'on avait apostrophé. Nous sommes en pays étranger! — Et il repartit en traînant derrière lui un petit groupe dans lequel un blessé s'appuyait sur deux compagnons. Je ne serais pas surpris que les autres finissent par saigner eux aussi, pensa Yarzinth quand il vit que des paroissiens en colère sortaient dans la rue, ramassaient des pierres et commençaient à les lancer dans la direction du groupe qui descendait maintenant la côte à toute allure. Ne pouvant les atteindre et leur fureur ne s'étant pas encore dissipée, ils trouvèrent dans le chien une cible plus proche, sans vraiment faire attention au maître chauve qui le tenait.

— Regardez, comme il est laid! Ἀπάγε! Ἀπάγε! Va-t'en!

Yarzinth essaya de protéger Styx que la première pierre avait touché. L'animal avait d'abord hurlé de peur, puis il avait montré les dents en grondant, mais dans la mauvaise direction. Yarzinth le tira derrière lui et s'éloigna parmi les arbres. Le cuisinier ne put s'empêcher de verser quelques larmes. Que l'être humain pouvait donc être méchant! Puis il se souvint de l'orfèvre et le maître accompagné de son chien descendirent vers les étroites ruelles de la vieille ville.

Yarzinth fit une deuxième rencontre lorsqu'il s'arrêta devant une taverne dans laquelle il avait vu entrer le fils de la comtesse, au bras d'un évêque titubant qu'il ne connaissait pas. Pendant quelques instants, le cuisinier se demanda s'il devait aller parler à Hamo ou pas. C'est alors que deux prêtres étrangers sortirent de la taverne, l'un maigrichon et l'autre très gros. Ils ne semblaient absolument pas ivres et leurs yeux éveillés découvrirent aussitôt le chien et le cuisinier chauve qui regardait fixement à l'intérieur.

— Venez avec nous! dit Serkis à Yarzinth, encore perplexe. Si vous n'avez pas d'argent, nous vous invitons. En échange, vous nous indiquerez où se cachent les belles filles de cette ville...

— Nous sommes à la recherche des plus viles servantes de l'amour vénal, ajouta le gros pour dissiper tout malen-

tendu et, flanquant le cuisinier des deux côtés, ils l'entraînèrent avec eux. — Obéissant, Styx les suivait au petit trot.

— Nous venons de Tabriz, expliqua le maigre, et nous
sommes étrangers dans cette ville...

— ... raison pour laquelle nous désirons oublier nos
vœux sacerdotaux pendant quelques heures de péché véniel,
ajouta Aibeg, pressé.

Mais Serkis voulut se renseigner :

— J'y pense, où se trouve le palais de Calixte, et comment peut-on y entrer?

— Maintenant? demanda Yarzinth, consterné.

— Non, demain!

— C'est très simple — Yarzinth essayait de gagner du
temps. — Je peux vous montrer le chemin si vous me dites ce
que vous y cherchez.

— Mieux vaut nous indiquer le bordel le plus proche!

Yarzinth avait un peu de mal à comprendre leur langue,
même s'il s'agissait essentiellement d'un mélange de dia-
lectes turcs. Il trouva donc plus simple de conduire les deux
étranges serviteurs de Dieu par le chemin le plus court à leur
destination pour les y laisser à leurs plaisirs intimes. Mais en
route, un doute germa dans son esprit.

— Vous êtes de Perse? Vous connaissez le Vieux de la
montagne?

— Nous n'en avons jamais entendu parler.

— Mais vous êtes chrétiens? insista le cuisinier qui
voyait ses soupçons se confirmer.

— Nestoriens! déclara Serkis. Nous sommes au service
des Mongols.

— Et moi qui pensais que vous étiez ismaélites...!

— Vous voyez comme on peut faire erreur, dit le gros
Aibeg. Les apparences sont bien souvent trompeuses!

— C'est vrai, murmura Yarzinth dans sa barbe, surtout
quand on ne veut pas être pris pour qui on est vraiment.

Ils étaient arrivés devant une maison basse qui présentait toutes les apparences d'une maison seigneuriale. Derrière le porche, on devinait une cour intérieure au centre de
laquelle flambait un grand feu. Plusieurs hommes étaient
accroupis autour. Seulement des hommes.

— C'est bien la maison d'Aphrodite? — Serkis avait
ralenti. Il semblait hésiter tout à coup.

— Vous n'avez qu'à entrer, lui expliqua Yarzinth en lui montrant une série de portes basses en bois, semblables à des portes de porcherie, qui donnaient sur la cour, mais il faudra attendre votre tour si vous ne voulez pas avoir d'ennuis !

— Vous ne voulez pas entrer vous aussi, avec votre chien ? essaya de le tenter Serkis. — Aibeg hésitait toujours. Il voulut caresser le chien, mais celui-ci le repoussa avec un grognement de colère.

— Ils ne laissent pas entrer les chiens, répondit Yarzinth qui s'éloigna avec Styx jusqu'au premier coin de rue. — Il était persuadé d'avoir rencontré deux Assassins.

Yarzinth n'avait pas fait dix pas qu'il entendit derrière lui un cri perçant de femme et des voix aiguës et criardes qui appelaient au secours dans toutes les langues : « Δολοφόνοι ! Σφαγεῖ ! *Assassins, assassini !* »

Comme il avait eu raison ! Et comme Styx tirait sur sa chaîne, le cuisinier fit demi-tour et revint sur ses pas.

Il s'attendait à voir les deux Assassins, poignard à la main, prêts à accomplir leur sinistre besogne, mais il ne découvrit pas la moindre trace des deux suspects.

En revanche, une bande de jeunes *lestai* faisaient un mauvais parti à un soldat isolé, devant la maison de passe. Un étranger ! Dos au mur, il maniait son épée d'un air résolu. Le chef des *lestai*, bâti comme un taureau, portait un casque muni de deux cornes ; les autres avaient orné leurs têtes de crocs de loups, d'épées d'espadons et de peaux de rats ; l'un d'eux avait même fixé sur son bonnet un vautour empaillé, le tout dans le but d'inspirer la terreur. Le cuisinier y vit plutôt des masques ridicules. Mais les voyous étaient au nombre d'une vingtaine, ils étaient armés de faux et de gourdins cloutés, et ils faisaient tournoyer au-dessus de leurs têtes des boules de fer et des chaînes hérissées de piques.

Le soldat n'était pas un poltron et il était bien résolu à vendre sa peau aussi cher que possible. Mais il avait compté sans la fourberie des *lestai*. Tandis qu'il pointait courageusement son épée en direction du taureau qui semblait vouloir battre en retraite, les autres jetèrent leurs chaînes sur l'arme, de gauche et de droite, la lui arrachèrent et la firent tomber à grand bruit sur le pavé. Les *lestai* saluèrent leur prouesse par des hurlements.

— Cet homme est soldat du roi de France! s'exclama Yarzinth qui s'avançait pour les arrêter.

— Fous le camp, baiseur de chiens! lui cria le chef et quelques-uns de ses hommes semblèrent vouloir s'en prendre au cuisinier. — Celui qui était le plus proche tenta de donner un coup de bâton à Styx au moment où Yarzinth le tirait en arrière, si bien que le cuisinier n'eut d'autre choix que de l'asperger de quelques gouttes de musc. Le parfum atteignit aussi l'homme-taureau qui fonçait maintenant sur lui :

— Eh! les gars, si on peignait un peu ce cul nu? — La proposition fut accueillie par des cris d'allégresse. — Mais d'abord, va falloir défoncer son toutou!

Yarzinth détacha la chaîne de Styx. Le chien fit un bond gigantesque sur les premiers assaillants qui tombèrent à terre, puis se suspendit brièvement à la gorge du taureau : on entendit un craquement, le casque à cornes tomba et le chef s'écrasa sur le côté, sans vie. Styx fit volte-face et égorgea le premier qu'il trouva sur son chemin; il avait senti l'odeur du sang qu'il était maintenant prêt à faire couler en abondance. La ruelle se remplit de cris effroyables.

Le soldat prit Yarzinth par le bras et le colla contre le mur; du même mouvement, il se baissa et ses longs bras récupérèrent l'épée dont il donna un bon coup au ventre du plus proche de ses agresseurs. Il immobilisa le suivant d'un coup de pied aux parties, ce qui lui donna le temps de relever son épée et de séparer d'un mouvement rapide une chaîne de son propriétaire, avec la main et le bras.

Pendant ce temps, Styx avait sectionné la jugulaire d'une demi-douzaine d'assaillants. Le chien attendait, les pattes écartées, humant l'air à la recherche de l'odeur du musc, mais les *lestai* survivants avaient pris leurs jambes à leur cou.

Yarzinth s'écarta de l'abri du mur où il s'était réfugié derrière les larges épaules du soldat. Il rattacha la chaîne de Styx.

— Yves Le Breton vous doit la vie, dit le soldat. Qui êtes-vous, homme étrange, qui m'avez secouru avec un tel désintéressement? — Il essuya son épée et la remit au fourreau avec un geste qui indiquait un certain mécontentement.

— Je ne suis que le cuisinier de l'évêque, dit humblement Yarzinth. Tout l'honneur était pour moi.

— Votre chien vaut plus que son pesant d'or, dit Yves en examinant le collier d'argent de l'animal. En réalité, tu mériterais un collier d'or! dit-il au chien comme si celui-ci avait pu comprendre le compliment.

— Mon maître déteste cet animal! confia Yarzinth à son compagnon d'armes. Il ne le supporte même pas avec collier d'argent. Et il veut même que je lui coupe la tête! — Le cuisinier se mit à genoux et caressa avec beaucoup de tendresse la tête de Styx, ce qui l'empêcha de voir la lueur qui traversa un instant les yeux du Breton.

— Votre maître vous traite injustement, vous et votre compagnon, répondit le soldat d'une voix posée. A vrai dire, je n'ai pas d'or sur moi, comme le croyaient apparemment ces bandits — et il ouvrit naïvement sa chemise comme pour en donner la preuve au cuisinier —, mais je veux récompenser votre aide. Vous le méritez bien, autant que votre fidèle animal. Dites-moi où nous pourrions nous rencontrer, disons dans trois fois une demi-heure.

Yarzinth réfléchit, calculant s'il allait avoir le temps de trouver enfin un orfèvre dans l'intervalle.

— Puisque vous insistez, dans le cimetière des Angeloï, répondit-il enfin.

— Vous avez ma parole! dit Yves qui enjamba les cadavres et s'éloigna dans la nuit.

L'horloge d'Héphaïstos sonna la cinquième heure d'Hespéros. La tour de l'horloge se trouvait en dessous du cimetière des Angeloï, dressée comme un donjon devant le port. Elle n'avait pas de cloche, et c'était au moyen d'un son métallique, audible de très loin, différent pour chaque heure, qu'elle annonçait le passage du temps.

Le groupe qui accompagnait le légat, si honteusement mis en fuite, s'était reformé, mais cet artistique *horologion* ne les éclairait guère sur l'heure qu'il venait de donner. La machine se composait d'une série d'engrenages qui tendaient une gigantesque lame de métal, laquelle, lorsqu'elle changeait de position, faisait sortir une statue armée d'un marteau qui frappait contre la pièce de métal suspendue devant. Au total, six pièces étaient suspendues devant la grande roue centrale, des pièces constituées de plaques de forme et de courbure différentes, y compris un tube. Cette disposition donnait à chacune des six heures de chaque moitié de la nuit ou du jour un son particulier qui allait du tintement clair au bourdonnement le plus grave.

— Les Grecs eux-mêmes ne doivent pas savoir pourquoi on attribue cette machine au dieu des forgerons. C'est un cadeau du calife de Bagdad à l'empereur Alexis Comnène, dit-il d'une voix moqueuse au marchand arabe qui avait gardé le silence jusque-là.

— A ce qu'il paraît, le peuple de Constantinople apprécie cette horloge, ne serait-ce que parce qu'elle déplaît aux étrangers incapables de deviner l'heure au son qu'elle fait ! ajouta Fra Ascelino avec un sourire : Γνῶθι καιρόν !

— Les Grecs sont tous des menteurs, conclut Simon de Saint-Quentin. Tellement menteurs qu'ils essaient de tromper le chrétien jusqu'avec l'heure de l'horloge.

— Il y a des personnes fausses dans l'Occident le plus chrétien. Mieux vaut que chacun mette la barre à sa porte — Ascelino ne voulait absolument pas d'une dispute. Il était satisfait du résultat de cette nuit et voulait maintenant rentrer sans encombre avec le reste du groupe. Même Vitus s'était bien comporté. Ils connaissaient maintenant le chemin qui leur permettrait de se rendre au palais de l'évêque sans être vus, si bien qu'ils reprirent la direction du voilier du pape.

Arrivés au pont de bateaux, ils prirent congé de l'aimable Arabe qui refusa fièrement les pièces de monnaie que lui offrait Fra Ascelino.

— *Afwan ashkurukum...* — il remerciait lui aussi avec un flot de paroles — ... *ala suchbatikum...* — disant combien il avait été honoré de jouir de leur compagnie — ... *al-dschamila.*

Fra Ascelino se méfiait un peu de cet homme qu'ils avaient traîné avec eux dans la ville nocturne jusqu'aux murs mêmes du palais de Calixte, sans qu'il soit un guide bien utile cependant. Personne ne s'était beaucoup occupé de lui, et il lui semblait même qu'on ne l'avait pas traité bien courtoisement.

— Vous avez parlé beaucoup et vous n'avez pas vu grand-chose, dit le Viterbien quand il n'y eut plus d'oreilles étrangères à proximité ; pendant ce temps, j'ai mis au point un plan — Fra Ascelino et Simon échangèrent un sourire à la fois ironique et compatissant, mais ils continuèrent à l'écouter : — Trois heures après la première messe, je descendrai avec un tiers de nos troupes. Nous traverserons la ville en petits groupes, nous nous retrouverons au cimetière des Angeloï et nous encerclerons ensuite tout le palais avec un cordon de gardes invisibles. — L'ironie à peine dissimulée du légat et de son compagnon se fit plus évidente et les deux hommes durent se retenir pour ne pas éclater de rire. — Une heure plus tard, c'est-à-dire deux heures avant midi, vous conduirez le bateau à la rame jusqu'au port. Il ne reste aucun poste d'amarrage libre. Vous vous rangerez derrière la trirème, en travers, de façon à l'empêcher de bouger, et vous demanderez poliment et courtoisement à l'équipage de laisser descendre à terre le légat apostolique. Encore une heure plus tard, le légat descendra de notre bateau, sans se presser, avec toute la dignité de son rang, et avec l'autorisation voulue, il traversera le pont du navire d'Otrante, accompagné d'un autre tiers de la troupe. Il fera son entrée officielle dans le palais de l'évêque de façon à arriver le dernier, si possible. Comme vous verrez — et le Viterbien se tourna vers Fra Ascelino qui l'écoutait la tête penchée —, le détail est important; si vous êtes en avance, vous vous arrêterez en chemin pour prier et vous monterez les lacets de la route comme si c'était la *Via Crucis*. Devant la grande porte, je viendrai vous retrouver sans attirer l'attention. Le dernier tiers...

— Un instant, génial généralissime ! s'exclama Fra Ascelino, contraint de manifester le respect que le plan de Vitus méritait effectivement, mais en ajoutant une pointe d'ironie. Nous ferons tout ce que vous dites, mais Simon vous accompagnera...

— Et on ne vous enlèvera pas vos chaînes ! ajouta ce dernier avec malice. Que proposez-vous pour le dernier tiers de notre troupe ?

— Qu'il reste à bord et que les hommes essaient de se lier d'amitié avec les gardes qui seront restés sur la trirème, pour que, au cas où la comtesse tenterait de prendre la fuite, ils puissent l'en empêcher par l'astuce et au besoin par la force.

— Dans un cas comme dans l'autre, ils devront la retenir jusqu'à notre arrivée, la mienne ou celle du légat ! conclut

Simon. Quoi qu'il en soit, le seul ordre valable pour notre
capitaine devra être muni du *sigillum* papal du légat.

Ils avaient traversé le pont et arrivaient à leur bateau.
Simon donna l'ordre d'enchaîner à nouveau Vitus sous le
pont, puis il donna ses instructions au capitaine et au maître
de nage.

L'horloge d'Héphaïstos sonna la sixième heure d'Hespéros. Il était minuit.

Yarzinth trouva enfin un orfèvre qui était sur le point de
fermer boutique. Il écouta sans aucun plaisir le cuisinier lui
expliquer qu'il voulait enlever le collier de Styx en le coupant
directement sur l'animal bien vivant; le chien, qui montrait
les dents en grondant, lui faisait peur. Mais Yarzinth compta
un si grand nombre de pièces de monnaie sur son établi que
la cupidité l'emporta bientôt sur la crainte d'être mordu.
L'artisan insista cependant pour qu'on attache la gueule et
les pattes de l'animal.

Quand ils eurent enfin trouvé suffisamment de cordes,
Styx se mit à faire des difficultés. Il essayait de mordre les
cordes et tout ce qui s'approchait trop de lui.

C'est alors que Yarzinth vit passer de l'autre côté de la
rue le jeune comte d'Otrante qui traînait avec lui cet étrange
évêque un peu chancelant sur ses jambes.

— Seigneur, jeune seigneur! appela-t-il. Je peux vous
demander un service?

Hamo fut ravi de cette occasion de se débarrasser de son
compagnon. Il laissa Galeran planté dans la rue et celui-ci,
se voyant privé de son appui juvénile, se mit fort en colère,
au point de jurer comme un charretier, tandis que Styx
continuait à gronder contre tout le monde.

— Je vous prie de bien vouloir attacher cette corde
autour de la gueule de Styx, pendant que je lui tiens les
mâchoires!

Hamo n'aimait guère l'idée de devoir s'approcher si près
de la gueule du chien, mais il accepta d'aider le cuisinier.

Quand ils se penchèrent tous les deux sur la tête de l'animal qui se tordait dans tous les sens pour s'échapper, Yarzinth murmura :

— Seigneur, je crois bien avoir découvert les Assassins

qui nous cherchent. Deux hommes, déguisés en prêtres nestoriens et qui sont bien résolus à venir demain...

Pendant ce temps, ils avaient finalement réussi à attacher le museau de Styx. Incapable d'ouvrir la gueule, le
chien se contentait de pousser des gémissements insistants
qui fendaient le cœur de Yarzinth. Mais le cuisinier fit signe
à l'orfèvre de se mettre au travail.

— Et où sont-ils maintenant ? demanda Hamo en reprenant son souffle, car le travail n'avait pas été facile, d'autant
plus que cette bête lui faisait horreur.

— Je les ai envoyés dans l'antre de la luxure, chez les
putains bon marché...

— Le temple des hétaïres ? — Hamo était très énervé
tout à coup. — Essayez de me libérer poliment de ce poivrot
déguisé en évêque. Je vais aller chercher Guiscard !

L'orfèvre avait coupé le collier avec une lime très fine et
il l'ouvrit juste assez pour l'ôter. Yarzinth desserra un peu les
liens de Styx et le chien lança un hurlement de reproche qui
fit sursauter Hamo.

— J'ai découvert quelque chose moi aussi, murmura-
t-il. Et qui n'a rien d'agréable. La curie romaine nous a
envoyé son espion le plus ignoble. Je l'ai vu rôder autour du
palais. Le danger n'est pas loin...

Il lança un coup d'œil à Galeran qui essayait de mettre le
chien en colère en l'asticotant avec son bâton. Hamo attendit
le moment propice, puis s'éclipsa et disparut derrière le premier coin de rue.

Galeran, qui l'avait vu faire, se mit à hurler dans son
dos : « Traîtresse jeunesse, perfide Byzance ! » et il donnait
des coups de bâton en l'air sans manifester la moindre intention de suivre son jeune compagnon, comme Yarzinth le
souhaitait de tout son cœur.

C'est alors que Lorenzo d'Orta apparut au fond de la
ruelle du bazar, comme un cadeau tombé du ciel. Yarzinth
s'empressa d'aller à sa rencontre.

— Vous avez du parchemin et de l'ocre ? lui lança-t-il
sans autres préambules.

— J'en ai toujours sur moi, répondit Lorenzo, un peu
surpris.

— Vous iriez au temple de Vénus, si je vous payais la
dépense ?

— Toujours !

— Alors, emmenez l'évêque — et Yarzinth lui indiqua discrètement Galeran qui vacillait sur son bâton apparemment en grande conversation avec Styx — et conduisez-le à la maison de débauche que vous savez...

— Je ne la connais que de dehors ! protesta Lorenzo avec un sourire.

— Alors, entrez-y cette fois. Vous trouverez dans la cour deux nestoriens, un grand et maigre, l'autre petit et gros...

— Je m'intéresse aux visages, cher Yarzinth, pas aux squelettes ni aux bedaines.

Le cuisinier n'avait pas de temps à perdre et il vida ce qui restait dans sa bourse dans les mains de Lorenzo.

— Maître, je vous achète d'avance les portraits de ces hommes, car j'ai la confiance la plus aveugle dans votre immense talent — et il entraîna le moine de l'autre côté de la rue où il le présenta à Galeran qui se pendit aussitôt au bras de Lorenzo, lequel continuait à faire des façons.

— Enfin un chrétien dans cette Babylone pécheresse : un disciple qui pratique la chasteté et la pauvreté ! Fuyons ce lieu où toutes les portes sont closes ! — De fait, l'orfèvre avait barré la porte de son échoppe et s'en allait à toute vitesse. — Je suppose qu'il y aura bien une taverne ouverte quelque part — et, avec un regard polisson au franciscain, de ses yeux déjà troublés par le vin, il continua : — Je suppose que saint François ne vous interdit pas un modeste coup de jus de la treille !

Yarzinth prit dans ses bras le chien, comme si c'était un sac, et le posa en travers de ses épaules. Le chien qui dormait depuis longtemps n'opposa pas de résistance. Le cuisinier ramassa le collier d'argent soigneusement refermé, où pas la moindre trace ne montrait qu'il avait été sectionné ; mais le souvenir de la cruelle coupe pratiquée dans ce joyau le chagrinait encore, tandis qu'il s'éloignait avec son pesant fardeau.

— Eh bien, suivez-moi ! dit Lorenzo, résigné, à Galeran ; et les deux hommes se mirent en route.

L'horloge d'Héphaïstos sonna la première heure de Phosphore, porteur de lumière, mais comme le son métallique ne leur disait rien, les deux noctambules ne s'inquiétèrent pas de l'heure avancée.

LE CIMETIÈRE DES ANGELOÏ

Constantinople, automne de l'an 1247

Le cimetière des Angeloï est situé un peu en dessous de l'Hagia Sophia dont les coupoles resplendissent le jour à travers les cyprès. La nuit, le bastion situé à mi-hauteur entre le palais de Calixte et les arcades des bazars où les marchands tiennent boutique, était une oasis de tranquillité dans laquelle Gavin aimait se promener à l'occasion.

De loin, il avait aperçu une ombre trapue debout sur le mur qui faisait le tour des croix, devant la ville scintillante de mille petits feux allumés dans la nuit. Pour ne pas effrayer l'étranger, le templier s'éclaircit bruyamment la gorge. Mais l'autre l'attendait déjà, son épée à la main dont le fil brillait au clair de lune.

— Beaucent à la rescousse!

— Français? demanda une voix rauque, en même temps que l'étranger rengainait son épée.

— *Templi militiae!* répondit Gavin. Attaché au roi Louis — il s'était arrêté, ne sachant s'il devait être furieux de devoir partager son refuge préféré, ou se féliciter de faire la connaissance d'un étranger. — Et qui êtes-vous?

— Yves Le Breton, au service de la couronne de France! proclama la voix, haut et fort.

— Gavin Montbard de Béthune! se présenta le templier qui se souvint aussitôt, sans rien en montrer, de la description que Lorenzo lui avait donnée de ce serviteur bien particulier de Louis.

— Vous êtes donc ici vous aussi pour vous informer des nouvelles que la mission des franciscains rapporte de chez le Grand Khan — ce n'était pas une question; le ton de la voix laissait entendre que le templier était au courant, mais celui-ci préféra se taire pour le moment. — Vous croyez que Pian di Carpini arrivera à temps?

Gavin répondit d'une voix décidée :

— Il ne manquera certainement pas de se présenter à la rencontre avec l'ambassadeur extraordinaire du roi, le comte de Joinville — les deux hommes se traitaient l'un l'autre avec une méfiance évidente.

— Il faudra alors honorer comme il se doit les vrais enfants royaux. — Le Breton s'était senti poussé à s'ouvrir davantage. — Encore que je ne sache point qui voudra rendre ces honneurs, ajouta-t-il pour atténuer l'impression faite par ses paroles, mais le fait est que toute la ville est dans l'attente, cela rappelle à tout bon chrétien la nuit à Bethléem. Il ne manquerait plus que l'étoile apparaisse au-dessus du palais de Calixte !

— Dont on ne peut pas dire qu'il s'agisse précisément d'une étable, fit Gavin en adoptant lui aussi le ton de la conversation oisive ; mais l'âne et le bœuf seront certainement là à la réunion de demain !

— Je ne suis qu'un simple observateur, s'empressa de dire Le Breton pour bien indiquer la raison d'être de sa présence. Le comte de Joinville est le mandataire officiel.

— Il me semble qu'il se gardera bien d'exercer ses fonctions, objecta Gavin, et d'ailleurs sa mission n'était pas celle-ci !

— Personne ne sous-estime votre intelligence, précepteur, dit Yves, mais les templiers sont tenus par un certain serment qui ne permet pas de douter d'eux. Me tromperais-je si je pensais que l'Ordre ne veuille s'exposer à ce qu'on le soupçonne de protéger ces enfants ?

Gavin s'approcha d'un pas de son interlocuteur.

— Et que savez-vous donc du serment des templiers ?

— Je suis d'humble extraction, répondit Yves en reculant, il vous faudra pardonner au roi de m'avoir élevé à un rang qui me permet de vous parler de cette façon !

— Aucun roi ne pourrait se le permettre ! répondit Gavin dont la main s'approcha du pommeau de son épée.

— Pardonnez à ma langue, répliqua Yves aussitôt, d'avoir eu l'audace d'exprimer une pensée aussi sotte.

— On vous la coupera un jour pour cette raison, grogna le templier. Même si elle est bien incapable de souiller l'honneur de l'Ordre ! Mais dites-moi, à qui prétendez-vous faire l'honneur d'être le Messie dans votre nativité ?

Yves accepta avec reconnaissance le nouveau tour que le templier donnait à la conversation.

— L'idée et l'attente d'un Messie sauveur du monde

sont naturellement très antérieures à la naissance du Christ ; déjà, les esséniens...

— Si vous connaissez les révélations de Melchisédéch, détail qui me surprend, je l'avoue, pourquoi parlez-vous avec tant d'ironie et de mépris de la présentation annoncée des enfants comme des rois de la paix ? Face à ce qui semble être un mystère, il faut faire le vide de nos préjugés ; sinon, mieux vaut se tenir à l'écart.

— Je regrette, répondit Yves, mais il me semble que le temps des mystères et des miracles est passé et que notre monde est gouverné depuis longtemps par d'autres forces.

— Et d'où ces forces tireraient-elles le charisme nécessaire, si ce n'est du mystère du sang ?

— L'argent, l'or, le commerce, répliqua Yves d'une voix amère, vous êtes payés pour le savoir !

— Et vous devriez vous battre avec votre langue, comme Jacob s'est battu contre l'ange ! le menaça Gavin.

— Jacob a rêvé que des anges montaient et descendaient une échelle qui conduisait au ciel. A mon avis, ils auront bientôt tous un manteau blanc marqué d'une croix rouge aux extrémités griffues.

L'image amusa le templier :

— Eh bien, je crois que les ermites devraient vous servir d'exemple, eux qui obtiennent leurs visions les plus intenses non par le jeûne, mais en gardant le silence total pendant des jours et des jours. Cette discipline pourrait allonger votre vie...

— Ou me porter vers l'extase, comme les *ri'fais*...

— Je vois aussi que vous connaissez la mystique islamique, sourit Gavin, avec sympathie cette fois. Dans ce cas, je crois que vous devriez comprendre le message des apocryphes, aussi bien ceux des gnostiques que ceux des premiers chrétiens, des juifs comme des esséniens, des soufis ou des sages du lointain Orient : tous acceptent un message commun...

— La possibilité d'un règne universel de la paix ? Jamais !

— Le désir de réconciliation...

— Je ne le crois pas, je ne le croirai jamais !

— ...de réconciliation avec nous-mêmes ! dit Gavin pour terminer sa phrase, avec une patience qui ne lui était pas coutumière.

Yves le regarda en silence un instant.

— Ceci, je peux l'accepter, dit-il après un instant de réflexion.

— Les enfants pourraient en être le symbole, insista le templier, mais sans succès cette fois.

— Charlatanisme pur et simple, répondit Le Breton, Charlatanisme qu'il faut combattre. Mon roi Louis ne pourra jamais...

— Battez-vous contre vous-même, Yves, dit alors sèchement le templier ; faute de quoi, vous irez en enfer sans vous être réconcilié ! — et il lui tourna le dos.

— Nous nous reverrons demain à midi ! s'exclama l'autre, et Gavin ne sut pas très bien s'il s'agissait d'une moquerie, d'un avertissement pour qu'il se prépare au combat, ou d'une maladroite proposition de trêve.

— Allez au diable ! grommela le précepteur en sortant du cimetière par le portail de fer. — Il aurait mieux fait de se battre avec l'épée plutôt que de parler ! Yves Le Breton n'était pas un chevalier, mais malheureusement un ennemi avec lequel il fallait compter. Il se sentit fâché contre lui-même, et aussi contre ce lieu qui avait perdu tout son charme pour lui.

Nicolas della Porta luttait contre l'insomnie dans le palais de Calixte, situé sur les hauteurs au-dessus de Hagia Sophia et du cimetière des Angeloï. Il traversa plusieurs salles, puis entra dans son trésor où il se mit à compter les cassettes dans lesquelles étaient rangés les bijoux les plus faciles à transporter : ses « provisions de secours », comme il les appelait pour plaisanter. Mais ce soir, il était d'humeur chagrine. Il descendit à la cuisine, espérant y trouver Yarzinth pour qu'il lui fasse des œufs brouillés avec un peu de lait, mais il n'y vit que quelques gros cancrelats qui s'enfuyaient à toute vitesse par terre. Il trouva du lait et s'en servit un peu. Il était tiède.

Après sa rencontre avec Le Breton, Gavin n'avait plus très envie de descendre jusqu'au port où il aurait pu compléter sa vision des personnages qu'il allait devoir rencontrer le lendemain, déguisés ou au naturel. Il savait par les Français que la curie serait présente, mais ignorait encore qui la représenterait. Il aurait fallu gravement sous-estimer les intentions du château Saint-Ange pour penser qu'elle ne serait pas là. Tous seraient représentés, même Frédéric, à côté de l'Occident tout entier !

Ce qui l'inquiétait, c'était plutôt l'Orient, plus particulièrement dans sa partie invisible : les Assassins et les Mongols. Le souverain du lieu, l'empereur Baudouin, finirait par se présenter. Sa puissance n'était pas grande en comparaison de celle des autres, mais suffisante cependant pour faire imposer sa volonté dans les murs de la cité, même si Nicolas della Porta ne semblait pas s'en soucier. Le précepteur décida de rentrer au palais de Calixte.

Des cavaliers escortant une litière noire montaient l'avenue sinueuse bordée d'arbres qui menait de la ville et du port jusqu'au palais.

Juste à temps, il vit qu'il s'agissait de ses propres compagnons templiers et il se cacha dans l'ombre. La grande maîtresse ! Il n'avait pas envie en ce moment de répondre à ses questions. La troupe passa à vive allure devant lui et disparut dans la noirceur de la nuit.

Le cherchait-on ? Il commença à monter les escaliers avec une certaine méfiance. Puis il fit un détour et s'arrêta quelque temps à côté de la tour d'Héphaïstos, jusqu'à ce que le mécanisme de l'horloge annonce la deuxième heure de Phosphore. A une heure aussi avancée, il ne devait pas y avoir de danger.

Yves Le Breton n'avait pas l'habitude qu'on le fasse attendre, mais quand il vit le cuisinier courbé sous le poids du chien attaché sur ses épaules qui franchissait enfin la grille du cimetière, son irritation s'évanouit. Tout compte fait, le manque de ponctualité de Yarzinth avait eu un avantage : que son rendez-vous avec le chauve ne soit pas connu de ce templier arrogant qui n'avait cependant pas l'air d'un sot et qui semblait s'alarmer facilement. Pour éviter une autre surprise désagréable, Yves s'empressa d'exposer en quelques mots ce qu'il offrait et ce qu'il demandait. Il sortit une bourse.

— Des pièces d'argent, expliqua-t-il à Yarzinth qui le

regarda d'un air indécis, après avoir déposé doucement son chien endormi par terre. A quoi cette bourse de pièces d'argent te fait-elle penser? Au crâne d'un enfant! s'empressa de répondre lui-même Le Breton. Si tu m'apportes demain les têtes des enfants, deux autres bourses semblables t'attendront, mais pleines d'or pur, chacune du poids que tu pourras soulever à hauteur d'épaule, le bras tendu...

Yarzinth le regarda en écarquillant les yeux, effrayé, quand il comprit l'horreur de la proposition.

— Deux bourses pleines d'or seront à toi, pour que toi et ton chien fidèle puissiez vivre en paix jusqu'à la fin de vos jours, si tu m'apportes demain la tête des enfants.

— Non! répondit Yarzinth. Je ne peux pas!

— Tu préfères peut-être les enfants à ton chien Styx?

Yarzinth fut tellement choqué de cette insinuation qu'il ne vit pas Le Breton poser la main sur le pommeau de son épée, avec la rapidité de l'éclair. La lame apparut soudain au-dessus de Styx, le chien sans défense qui dormait à ses pieds.

— Je pourrais le tuer sur-le-champ, dit froidement Yves, et naturellement je saurai le retrouver et le tuer où que tu puisses le cacher. Mon épée tranche plus vite que tu ne pourras jamais jeter ton musc!

La main de Yarzinth lâcha à regret le flacon, car il savait qu'il n'avait pas d'autre choix.

— Pourquoi les têtes? bégaya-t-il. Pourquoi pas...

— Non! dit Yves en mettant un terme aux réflexions du cuisinier qui songeait à les étouffer dans leur sommeil, à une strangulation silencieuse ou à un empoisonnement indolore. Je veux les têtes, *leurs* têtes : pas d'autres, dont personne ne remarquerait l'absence dans la vieille ville. Tu me les apporteras demain avant le coucher du soleil, dans un panier.

— Où dois-je les apporter? demanda Yarzinth d'une voix brisée.

— Ici. Un cimetière me paraît être le lieu tout trouvé! — Yves ne souriait pas, mais sa voix devint moqueuse quand il sentit l'horreur qui s'était emparée du chauve. — Tu mérites bien cette récompense pour n'avoir rien trouvé de mieux que de sauver la vie d'Yves Le Breton! — Et il se mit à rire à gorge déployée de son bon mot, d'un rire infernal dont l'écho résonna dans les oreilles du cuisinier.

Styx se réveilla et se mit à bâiller en ouvrant sa gueule autant que ses cordes le lui permettaient. Yarzinth se baissa et reprit le chien dans ses deux bras. Yves lui tendit la bourse et disparut.

Le cuisinier s'éloigna du cimetière à toutes jambes, aussi vite que son fardeau le lui permettait, pour ne pas donner au démon la satisfaction de voir les larmes qui coulaient sur son visage et sur le pelage de Styx.

Une étole de laine sur les épaules, des babouches de brocart aux pieds, l'évêque se traînait dans son palais lorsqu'un garde l'informa qu'un jeune templier s'était présenté à la grande porte et demandait à lui parler.

— Faites-le entrer! dit-il, pensant recevoir des nouvelles de Gavin.

— Il vous demande de sortir!

Nicolas eut peur, car il se souvint tout à coup avec une frayeur fébrile de ces Assassins annoncés par Créan, qui tenteraient de s'approcher sous n'importe quel déguisement. Mais il eut bientôt la certitude que le chevalier mince et aux traits efféminés qu'il avait en face de lui n'était pas un Assassin ismaélite.

— Guillaume de Gisors, se présenta le jeune homme. Excellence, il faut me suivre où je vous conduis!

Le regard de Nicolas parcourut avec hésitation le grand escalier qui menait au portail extérieur de son palais. A la lumière vacillante des torches, il vit une litière escortée de chevaliers templiers dont la présence le rassura.

— Je vous assure qu'on ne vous fera aucun mal, ajouta Guillaume d'une voix douce, et son visage délicat s'éclaira d'un léger sourire tandis qu'il examinait l'habillement de l'évêque. — Nicolas aurait sans doute bien voulu se trouver seul à seul avec ce beau garçon, même en chemise de nuit; comme la chose ne paraissait pas possible pour le moment, il se contenta d'accepter le bras que lui offrait le jeune homme et descendit les marches d'un air aussi digne que possible.

Quand il arriva devant la litière noire, le rideau s'entrouvrit et, par la fente, une main délicate d'une blancheur extrême lui tendit un message scellé. L'évêque reconnut aussitôt le sceau. Il s'agissait de la lettre adressée au pape par le Grand Khan; la lettre que Créan, avec l'aide de Gavin, avait dérobée aux missionnaires rentrant de Mongolie et qui aurait dû dormir, bien à l'abri, dans son trésor.

— Comment cette lettre est-elle parvenue entre vos mains? lança-t-il d'une voix indignée au rideau, mais la réponse lui vint des lèvres du jeune chevalier.

— Ne demandez pas par quel chemin, mais écoutez plutôt quel est le but! — Le jeune homme sortit une feuille de sa casaque. — Vous avez ici la traduction de l'original en langue perse, écrite dans l'alphabet arabe —, et il la glissa dans les mains de Nicolas, perplexe. — Votre jeune ami...

— Hamo? demanda l'évêque, effrayé.

— Le jeune comte d'Otrante a une voix bien timbrée. Il lira ce texte sans préavis, de façon à surprendre tout le monde, et avant que Pian di Carpini puisse prendre la parole — Guillaume de Gisors était vraiment un beau garçon, on aurait dit un ange! — Vous, Nicolas della Porta, vous vous arrangerez pour que le « messager parlant », c'est-à-dire votre jeune ami, ne puisse plus être vu ensuite par personne. Et il en va de même de la traduction écrite!

L'évêque sentit comme un coup de poignard au cœur. Incapable de prononcer un mot, il entendit une voix qui sortait de derrière le rideau, comme d'une tombe :

— Jurez!

Avant que Nicolas n'ait pu songer à une objection, le jeune chevalier avait sorti son épée.

— A genoux! lui ordonna-t-il en pointant vers lui la lame étincelante. Jurez sur la vie du comte d'Otrante que vous ferez comme on vous a dit!

— Qu'il en soit ainsi! fit l'évêque d'une voix tremblante. — Mais quel beau garçon, pensa-t-il encore en le voyant avec son épée, comme l'archange brandissant son épée de flammes; mais il sentit en même temps un frisson fort désagréable en pensant au péril que courait son amant. Ὅν οἱ θεοὶ φιλοῦσιν ἀποθνήσκει νέος; et il baisa l'acier froid.

— Vous devez garder le secret, ajouta Guillaume. Ne parlez de ceci à personne! — Puis il offrit son bras à l'évêque pour l'aider à se relever. Et maintenant, dites à John Turnbull de venir nous voir.

Nicolas remonta le grand escalier d'un pas incertain,

l'esprit passablement confus. D'une main, il tenait la traduction et dans l'autre le message que Gouyouk adressait à Innocent IV; le sceau était intact. Une fois arrivé là-haut, il donna des ordres aux gardes pour qu'ils aillent immédiatement au port chercher Hamo, le fils de la comtesse.

L'horloge d'Héphaïstos indiquait la troisième heure de Phosphore. Ses coups n'arrivaient que très assourdis à travers les murs du palais. Le silence régnait dans les grandes salles; on n'entendait que le ronflement bruyant de Sigbert derrière la porte de sa chambre.

Bien peu dormirent aussi bien et aussi paisiblement que le commandeur cette nuit-là.

La comtesse faisait des cauchemars. Elle se réveillait à tout instant, en sueur, se reprochant de ne pas avoir quitté la ville dès le premier jour avec les enfants. Parfois, elle croyait voir sa trirème s'éloigner, les voiles gonflées par le vent; sur le pont, Clarion lui faisait des signes, à elle qui n'était pas à bord. Parfois, elle ordonnait aux rameurs de s'éloigner à toute vitesse pour fuir un danger mortel qui les menaçait, mais aucun aviron ne sortait des flancs du navire...

John Turnbull n'avait pas dormi. Il tentait de recouvrir du manteau doux et bienfaisant de l'espérance les problèmes qui l'assaillaient, l'inquiétude mortifiante, les rafales de peur, les éclairs aveuglants de la révélation annoncée, quand Gavin entra dans sa chambre.

— Qu'est-ce qu'on voulait de moi? — et ses paroles firent sursauter le vieillard.

— Rien! répondit Turnbull entre ses dents. On ne t'a même pas demandé; on a ordonné qu'on me sorte du lit, moi.

— Et ensuite? demanda le précepteur d'une voix pleine de rancœur, en tambourinant nerveusement sur le pommeau de son épée.

John s'assit dans son lit.

— Ses ordres montraient bien son déplaisir et sa voix m'a touché comme un reproche, après tout ce que j'ai dû subir pour avoir les enfants ici, sous notre protection! — le

vieillard semblait profondément offensé. — On m'a même
dit : « Vous rêvez encore à ces mêmes folies que vous avez
couchées par écrit dans ce Grand Projet il y a trois ans, sans
demander d'autorisation, ni pour le contenu ni pour le desti-
nataire, révélant ainsi toute l'étendue de votre irresponsabilité. » Je n'ai pas pu la voir, mais je vous assure que la
Grande Maîtresse avait la voix remplie de bile et de venin.
« Comment avons-nous pu penser que l'âge vous apporterait
la raison ? — Élie n'a jamais reçu cette lettre », lui ai-je dit
pour ma défense. « Mais ils l'ont reçue au *Castel*, et j'ai dû la
sortir de ma propre main des archives, même si je n'en ai
trouvé qu'une copie. Comment l'expliquez-vous ? » J'étais
bien incapable de lui donner une explication, ce qu'elle a dû
interpréter comme un signe de mon obstination. Ensuite,
elle est passée aux insultes : « Vous vous imaginez peut-être
qu'un moût qui n'a pas fermenté fera du bon vin, simplement parce que vous le soutirez avec beaucoup de précaution ? — Vous voulez peut-être que je tire toute la vendange ? » lui ai-je quand même répondu. Mais elle a
continué : « Vous devez mettre le moût dans des tonneaux
bien fermés et vous taire au lieu d'inviter tout le monde à
une fête échevelée. » Et sur ces mots, elle m'a donné congé.

— Qu'allez-vous faire maintenant ? Elle veut peut-être
que vous décommandiez le spectacle ?

— Il n'en est pas question ! répondit Turnbull d'une voix
rauque. Je vais baisser la garde et je traverserai les lignes
ennemies : l'attaque est toujours la meilleure défense.

— *Votre* meilleure défense ! répliqua le templier. Et si
cette stratégie échoue ?

— Je compte sur mes amis, et je compte sur vous,
Gavin. En ce moment, une retraite nuirait davantage à l'honneur des enfants que la mort elle-même ! — Le précepteur
conclut avec le calme qui était le propre de son esprit que
Turnbull s'abandonnait à une illusion dangereuse. — Nous
ferons cercle autour des enfants et nous brandirons nos
épées...

— John, il est encore trop tôt pour nous lancer dans la
dernière bataille. Ces enfants sont trop jeunes, ils ont encore
la vie devant eux ! Un vieux *faidit* comme vous, qui n'a cessé
d'exposer sa vie à tous les dangers, trouve sans doute souhaitable de mourir fièrement, bannière au vent, mais je ne veux

pas d'une fin semblable pour ces enfants! — Et Gavin se dit que les paroles de la Grande Maîtresse ne manquaient pas de bon sens. — John, si vous estimez que la présentation des enfants royaux est irrévocable et irrémédiable, vous devez au moins prendre quelques précautions, puisque la vraie prudence vous fait horreur.

— Je vous ai dit que nous devons former un cercle impénétrable autour d'eux et les protéger avec nos corps! Vous me le jurez?

— Ceci, oui, je peux vous le promettre.

— Baucent à la rescousse! s'exclama le vieillard, furieux et satisfait. Et maintenant, je veux dormir un peu.

Yarzinth avait détaché les pattes de Styx et le chien trottait derrière lui au bout de sa chaîne, avec la muselière confectionnée par Hamo qu'il aurait été difficile d'enlever.

Ils arrivèrent ainsi devant le mur d'enceinte du palais de Calixte, là où se trouve la fontaine du Satyre. Yarzinth jeta un coup d'œil autour de lui pour voir si quelqu'un s'approchait par l'avenue déserte. Puis il monta sur le bord de la fontaine et retint avec la paume de sa main l'eau qui jaillissait du col de l'amphore. Styx essaya de laper un peu d'eau dans la vasque. Yarzinth resta longtemps la main collée sur l'amphore, jusqu'à ce qu'un léger craquement lui indique que le couple enlacé dans sa lutte corps à corps commençait à se séparer : le satyre disparut dans une grotte qui s'ouvrit dans le mur, tandis que l'adorable dieu du vin tenait toujours son amphore au-dessus de la vasque.

Yarzinth laissa alors l'eau jaillir de nouveau, se pencha vers Styx qui écoutait, debout sur ses pattes de derrière, prit le chien et se glissa avec lui dans un passage d'un noir d'encre. Le satyre reprit sa position combative et le silence retomba sur l'avenue.

Peu après, Yarzinth ressortit du palais par les écuries, sans le chien. Puis, après le salut réglementaire aux gardes de la porte, il partit à cheval. Le bruit des sabots résonna dans la nuit. L'horloge d'Héphaïstos indiqua d'un bruit sourd la quatrième heure de Phosphore. Le ciel nocturne de l'Asie mineure s'illuminait de temps à autre de la lueur d'un éclair lointain, peut-être venue d'un orage déchaîné sur l'intérieur des terres. On n'entendait pas le tonnerre gronder.

Lorenzo d'Orta avait l'intention de se rendre par le chemin le plus court à la maison de passe, en la compagnie non désirée de Galeran, pour y trouver les Assassins que lui avait décrits le cuisinier et fixer leurs traits avec son crayon. Mais sa route le fit passer devant trois tavernes encore ouvertes et il dut chaque fois y tâter le contenu d'une cruche que, sans son aide, le seigneur évêque de Beyrouth aurait vidée seul.

Très vite, Lorenzo sentit les effets du vin, ce qui le fit s'inquiéter pour la sûreté de sa main et la clarté de son regard. Galeran semblait être un tonneau sans fond. Et alors qu'il avait promis à Lorenzo de le soutenir de toutes ses forces dans cette mission extraordinairement dangereuse qui consistait à attraper les Assassins ismaélites, dès l'instant où il posa le pied dans la cour, il sembla oublier complètement la raison pour laquelle il l'avait accompagné.

Le franciscain découvrit aussitôt les moines suspects et Galeran trouva quand même le moyen de présenter son compagnon, le fameux portraitiste.

— Lorenzo d'Orta est le plus grand artiste vivant en Italie, dans le domaine du portrait humain. Permettez-lui de s'asseoir avec nous pour qu'il exerce son art dans un lieu aussi extraordinaire, sans être dérangé.

Flattés, les nestoriens acceptèrent. Pour qu'ils ne remarquent pas que le véritable but de la séance était de croquer leurs visages, Galeran qui s'était assis entre les deux se mit à décrire minutieusement le nez des autres hommes qui se trouvaient dans la cour, à voix basse :

— Vous voyez cet homme au grand nez, très pâle, là-bas? Imaginez un peu le pendant qu'il doit avoir entre les jambes, gonflé d'impatience sous son caftan! Et celui-là, le Géorgien au nez crochu, dont l'épée, rouge comme le feu, est sur le point de faire craquer sa culotte...

Aibeg et Serkis riaient de bon cœur tandis que le crayon de Lorenzo volait sur le parchemin. Il prenait ses mesures du coin de l'œil pendant que les regards des moines erraient ici et là avec allégresse, imaginant les paraphrases plastiques que Galeran leur proposait.

— Et ce Bulgare au nez comme une rave, il va sûrement bientôt faire crever ses braies! Et là, ces deux roum-séleucides, des portefaix d'Iconium, avec leurs petits becs d'aigles affamés qui couvent sous leurs basques des œufs gigantesques...

Galeran lança un regard en coin au moine qui lui indiqua d'un signe de tête qu'il avait terminé son travail.

— Ils sont tous avant nous dans la queue, dit Galeran d'une voix déçue aux nestoriens, alors moi...

— Vous ne savez pas ce que vous perdez, l'interrompit Aibeg avec amabilité. Vous êtes notre invité! — Pendant ce temps, Lorenzo s'était habilement éclipsé, ce que Galeran découvrit avec une certaine alarme.

— Le renoncement consiste à éviter le possible et à faire de nécessité vertu, répondit Galeran en souriant à son tour aux nestoriens. — Puis il essaya de se lever, en tanguant ferme. — Je préfère le palais de l'évêque latin.

— Et où est ce palais? demanda aussitôt Serkis quand il comprit que l'évêque éméché avait la ferme intention de les laisser.

— Derrière la vieille ville, éructa Galeran; n'importe quel enfant vous montrera le chemin!

Et sur ce, le visiteur de Terre Sainte sortit de la cour d'un pas hésitant en s'appuyant sur son bâton. Les deux nestoriens riaient sous cape, sûrs qu'il allait tomber sur le nez. Mais Galeran arriva sans encombre jusqu'à la rue et disparut.

Une grosse femme, qui pesait certainement autant que les deux étranges religieux pris ensemble, leur faisait signe de sa porte grande ouverte qu'elle obstruait de toute sa masse, plantée sur ses deux jambes. Leur tour était arrivé.

Dès le coucher du soleil, Guiscard insista pour que les gardes de la trirème soient plus attentifs que jamais et il divisa l'équipage de façon que les hommes ne descendent à terre qu'en petits groupes et pour trois heures seulement, assez, pensait-il, pour satisfaire convenablement leurs besoins au bordel ou prendre une cuite raisonnable. Il envoya d'abord les plus sauvages, essentiellement les *moriskos*, gardant pour le dernier groupe les *pace dei sensi*, les plus paisibles, qui ne trouvaient d'intérêt ni dans l'une ni dans l'autre de ces diversions, ce qui en faisait la cible des railleries des ivrognes et des coureurs de putes pour lesquels ils n'étaient que des *pazzi dei sensi*, des fous. L'Amalfitain avait pensé à cet expédient pour qu'ils aient tous la tête à peu près froide le lendemain.

Lui-même sentait dans le moignon de sa jambe un tiraillement constant et des élancements qui ne lui annonçaient rien de bon. Avec le temps, il avait appris à prendre ses précautions.

Quand les femmes se furent mises d'accord sur leur tenue vestimentaire du lendemain et quand Clarion se fut retirée pour la nuit, l'Amalfitain fit une nouvelle inspection de la trirème. Le bateau reposait, tranquille et silencieux : ni disputes ni protestations, ce qui était plutôt inhabituel. L'homme enjamba le bord avec son pilon et descendit l'échelle de bois, salua les deux Arabes qui lui offraient du thé et poursuivit son chemin le long du quai.

La galère du précepteur des templiers se balançait paisiblement juste à côté. Plus loin, mais encore dans l'anse du port, celle du grand maître de l'Ordre des hospitaliers de Saint-Jean, majestueuse et visiblement décidée à garder ses distances, dansait sur l'eau. Ensuite, le long du quai, une goélette armée d'un éperon, égyptienne et beaucoup plus simple d'aspect, arborait le fanion du sultan en même temps que l'aigle teutonique. C'était enfin le magnifique navire de l'ambassadeur de France, oriflamme battant au vent. Rien nulle part qui puisse susciter les soupçons !

Guiscard décida cependant de ne pas s'éloigner trop vite de sa trirème ; il ne souhaitait pas non plus tomber sur un groupe de ses marins dans la vieille ville. Il n'avait jamais aimé jouer les trouble-fête, mais il n'avait envie pour le moment ni d'une chevauchée fantastique avec une Arménienne au ventre doux ni de mettre sa troisième jambe entre les fesses serrées d'une jeune Galicienne. En revanche, il avait faim et il se serait volontiers fait les dents sur un cabri rôti au serpolet, si possible arrosé d'un vin rouge de Géorgie, car celui de Trébizonde coûtait trop cher et les crus de Crimée supportaient mal le voyage par mer.

L'Amalfitain huma les arômes qui montaient des feux sur lesquels tournaient les pièces de viande embrochées sur des piques, souleva des couvercles des chaudrons, trempa le doigt dans des poêles et des marmites pour goûter les sauces, puis décida finalement de prendre place à une table où il n'y avait qu'un couple en train de partager un bol de bouillon de légumes dans lequel ils trempaient du pain, puis mastiquaient en silence. Ils n'avaient sans doute pas les moyens de commander autre chose.

Guiscard n'était pas d'humeur à se laisser couper l'appétit, de sorte qu'il commanda un gigot d'agneau bien rosé, avec beaucoup de riz au paprika, et les invita à partager le festin. Ils acceptèrent comme peuvent le faire des gens qui ont depuis longtemps le ventre creux. L'homme restait silencieux et renfrogné, mais la jeune femme, dont le visage beau et triste avait fasciné l'Amalfitain depuis le début, chercha à s'excuser de leur situation dans un dialecte qui lui était inconnu. Au moyen d'un étrange idiome arabe mêlé de tournures germaniques et latines, ils parvinrent finalement à se comprendre, mais lorsqu'il leur demanda d'où ils venaient, l'homme coupa la parole à sa compagne :

— On ne veut pas le dire, personne ne nous croit...

— ...en plus, on a eu que des malheurs quand on l'a dit ! renchérit-elle d'une voix remplie d'amertume.

Guiscard pensa qu'il s'agissait peut-être de gitans, ce qui était parfaitement possible à en juger par leur apparence, même si les deux étaient très minces et de haute taille. Il commanda une autre tournée et remplit leurs verres de vin, parvenant ainsi à délier leurs langues.

— Nous venons des montagnes ; à cause de notre amour, nous avons dû quitter notre village et nos gens, expliqua la femme à la beauté âpre. Nous sommes descendus sur la côte...

— Quelle côte ?

— La côte de Dalmatie. Chaque fois que Firouz — elle montra son mari — qui est bon chasseur et bon tireur trouvait un emploi de soldat, il fallait que j'aille ailleurs. Et ce qu'on m'offrait dans les ports n'aurait pas suffi à nous nourrir tous les deux. Et puis, nous aurions sali notre honneur, autant le sien que le mien.

Guiscard fit un effort pour ne pas regarder avec trop d'insistance la jeune femme, car il comprit que cet homme souffrait quand on l'observait de trop près. Mais il fut impressionné par la fierté de cette femme qui parlait de leur honneur avec cette voix mélancolique et un peu rauque, certainement capable de rendre les hommes fous, et qui continuait maintenant son récit, en cherchant calmement ses mots :

— Nous préférons travailler de temps en temps dans les champs, car l'ouvrage ne nous fait pas peur. Nous faisons les moissons, nous réparons les ustensiles.

— Madulain, l'interrompit l'homme avec rudesse, pourquoi dis-tu tout ça? Depuis que Guillaume est entré dans nos vies, il n'y a plus moyen d'y mettre de l'ordre, nos racines sont restées dans la vallée du *punt*...

— Guillaume? s'exclama Guiscard en laissant tomber le verre qu'il était sur le point de porter à ses lèvres.

— Un soldat qui aurait mieux fait de rester prêtre! ironisa l'homme avec amertume. Il a pris...

— Vous êtes du village des *saratz*, je me trompe? — Ils hochèrent la tête tous les deux, presque effrayés. — N'ayez pas peur, je ne vais pas vous trahir! — Guiscard leur servit un verre, puis remplit le sien. — Un Flamand plutôt robuste, un peu roux? Il venait d'Otrante? Guillaume de Rubrouck?

— Oui, fit la belle et pâle Madulain, c'est son nom — et une étincelle dansa dans ses yeux. — Vous le connaissez?

— Et comment! répondit Guiscard. Si je n'avais pas eu ce petit ennui à la jambe pendant notre voyage — il frappa sa jambe de bois —, je serais resté enterré avec lui sous l'avalanche.

— Est-ce qu'au moins il a été heureux avec Rüesch-Savoign? voulut savoir Firouz qui semblait tout à coup s'intéresser à cette histoire. Ils allaient célébrer leur mariage le jour où nous avons abandonné le *punt* et les *saratz*...

— Guillaume marié? — C'était au tour de l'Amalfitain d'être surpris. — Incroyable! — et il secoua la tête. — Il a dû s'en aller de là-bas un peu après vous...

— Pauvre Rüesch! dit Madulain.

— Bien fait pour lui! murmura Firouz sans s'émouvoir du regard de reproche de la femme.

— Elle aimait beaucoup Guillaume, et en plus — elle lançait ses mots comme on décoche des dards en regardant Firouz —, si elle ne l'avait pas aimé autant, on ne serait pas ici tous les deux!

— Ce qui aurait été bien mieux, naturellement, grogna Firouz, mais en prenant affectueusement la main de sa compagne.

— Ta femme a raison, intervint Guiscard, ému et conciliant. Je suis le capitaine de la trirème d'Otrante — il prit le temps de parler calmement et de remplir les verres, vidant ainsi la cruche —, et vous pourriez m'être utiles à bord. C'est entendu?

Ils le regardèrent et une larme furtive apparut entre les cils de Madulain qui fut pourtant la première à exploser de joie. Elle embrassa son mari qui dut la repousser gentiment, puis elle se mit debout et leva son verre.

— Nous vous servirons fidèlement, *rais*! dit-elle d'un ton solennel, en buvant d'un trait.

A la résidence d'été, Pian di Carpini avait passé toute la nuit à revoir les parchemins que Guillaume et Lorenzo avaient couverts de leur écriture quand Yarzinth entra enfin.

— Je t'apporte des fruits confits, dit-il d'une voix douce-reuse, mais c'est à peine si Pian leva les yeux. — Le cuisinier se déshabilla et se coucha avec délices entre les draps frais. — Tu ne viens pas?

— Je veux terminer de lire ceci, c'est fort intéressant.

— Ton *Ystoria Mongalorum*, dit Yarzinth avec fierté et tendresse.

— Je sais, répondit le missionnaire au bout de quelque temps, car l'imagination l'avait entraîné loin de là et le faisait déjà flotter dans la gloire de sa future renommée.

Yarzinth finit par s'endormir. Pian regarda son amant et « gardien ». Il savait qu'avec le terme de sa mission prendrait également fin cette relation. Peut-être regretterait-il un jour le chauve.

Pian se replongea dans sa lecture.

— *Qifa nabki min dhikra habibin / wa mansili bi saqti aluuwa / baina adduchuli fa haumali.* Quand j'ai vu que tu éteignais le feu dans notre foyer et que tu pleurais, j'ai pensé que je t'avais fait du chagrin — la voix sombre de Madulain subjuguait l'auditoire. Le silence s'était fait autour des feux du port, où bouillait dans des chaudrons de cuivre la « soupe marinière », faite avec tout le fretin ramené par la flottille des pêcheurs qui rentraient à la tombée de la nuit, à une heure où ce n'était pas précisément les gens distingués qui venaient s'asseoir sur les petits bancs de bois, autour des braseros.

— *Afatimu mahlan ba'ada hadha / at-tadalluli wa in kunti qad / azma'ti sarmi fa adschmili.* Quand j'ai vu que tu avais bâté ton chameau préféré, celui qui d'habitude nous porte tous les deux, j'ai eu peur que tu partes, pour toujours.

Le chant triste et âpre portait presque jusqu'au bout du quai. Assise avec Firouz et Guiscard, elle s'accompagnait sur un petit luth.

— *Wa inna schifa'i abratun / muhraqatum fa hal'inda / rasmin darisin min mu'auwili.* Quand j'ai vu que notre lit, le lit de notre amour, était maintenant couvert d'une tapisserie, j'ai su que tu m'avais abandonnée.

Madulain joua un dernier accord et sourit à Firouz.

Ils ramassèrent leurs affaires et se dirigèrent vers le bateau. Et Guiscard songeait à ce qu'allait dire Guillaume, ce fils de pute flamand! Mais il n'avait pas dit à ses compagnons que le moine faisait d'une certaine façon partie de l'équipage, ni qu'il était justement à Constantinople.

Quand il monta à bord de la trirème, le garde l'informa que le jeune comte était venu, très agité, pour voir le *capitano* et qu'il était reparti.

— Hamo l'Estrange! grogna l'Amalfitain. Je suppose qu'il pourra attendre jusqu'à demain matin.

Mais Clarion avait eu connaissance de l'apparition nocturne de Hamo à bord de la trirème et, après un échange de paroles animées qui l'avait complètement réveillée, elle avait entendu qu'il la demandait. On lui avait proposé de réveiller la comtesse, mais il avait refusé net. Un instant, elle avait joué avec l'idée d'attirer contre elle le « petit frère », de le faire jouir de la chaleur de son corps, de sentir son beau membre durcir... mais non! Avec un soupir, elle glissa la main entre ses cuisses et, après quelques manipulations pourtant mille fois maudites, l'image du corps couvert de cicatrices de Créan secoua son ventre de spasmes.

SOUS LE SOLEIL D'APOLLON

Constantinople, automne de l'an 1247

L'horloge d'Héphaïstos annonça par un son clair la cinquième heure. Benoît se réveilla et obligea Guillaume, encore à moitié endormi, à prier avec lui pour le salut de son âme.

— *...ora pro nobis peccatoribus, nunc et in hora mortis nostrae. Amen.*

L'invocation à Marie terminée, et alors que Guillaume allait se recoucher, ils constatèrent que les enfants n'étaient pas là, mais que leurs couvertures étaient encore chaudes.

— Ils sont sûrement dans le pavillon! dit Guillaume pour se rassurer.

Mais Benoît pensait déjà à un malheur.

— Et si on les avait enlevés!

— Qui aurait fait ça? murmura Guillaume qui se rendormit aussitôt.

Benoît resta éveillé, les yeux fixés sur les ouvertures rondes de la voûte, attendant de voir le ciel. Mais il ne vit que la lumière diffuse de l'aube qui, à mesure que le jour grandissait, inonda peu à peu le souterrain d'une clarté trouble d'un gris bleuté.

Gavin fut heureux que l'important visiteur nocturne ne l'ait pas fait demander. Il n'aurait eu aucune envie de se faire rebattre les oreilles en pleine nuit, pas plus qu'il ne souhaitait repartir à cheval pour regagner ses quartiers à la résidence d'été.

Il réveilla donc Sigbert qui lui fit avec empressement un lit dans sa propre chambre. Mais ensuite, avec le même naturel, le chevalier teuton reprit son puissant ronflement qui empêcha Gavin de fermer l'œil.

Il se releva et, alors que le soleil commençait à poindre, reprit son cheval pour sortir de la ville, dans l'intention de se mettre à la tête de ses chevaliers templiers. S'il les avait à ses côtés, il pourrait affronter tous les périls qui le menaceraient durant cette journée.

Mais quand il eut franchi la muraille, le doute s'empara de lui à nouveau. Il arriva devant un ermite qui semblait l'attendre au bout du chemin, descendit de cheval et se mit à genoux.

— *Ave Maria, gratia plena, Dominus tecum, benedicta tu in mulieribus,* récita-t-il à haute voix, *et benedictus fructus ventris tui, Jesus.* — Puis il remit son casque et sauta sur son cheval. — Vive Dieu Saint-Amour! — Le soleil levant annonçait une splendide journée.

Lorenzo d'Orta errait comme un chien perdu dans les ruelles jonchées des ordures de la nuit. Il aimait cette heure à laquelle la première lueur violet orangé du jour embrasse pendant quelques brefs instants jusqu'aux asiles de la pauvreté dans une atmosphère apaisante aux teintes pastel. Le petit moine regretta une fois de plus de ne pas avoir de craies de couleur sous la main pour croquer cette splendeur, car l'ocre ne pouvait à lui seul lui rendre justice. Mais il se demanda s'il ne serait pas possible de dessiner, comme dernier tableau idyllique avant de s'en aller, la petite roulotte qu'il découvrit, arrêtée en bordure du chemin.

— Et quoi, bel étranger? roucoula tout à coup une voix qui le sortit de son rêve. — Il aperçut alors la femme à côté du puits, en train de se laver le visage et les seins à l'eau froide.

— I-Inga...?

— Ingolinde de Metz! lui souffla-t-elle.

— Je sais, comprit enfin le moine. Celle de Guillaume!

— Au diable avec votre Guillaume! le gronda-t-elle. Et où se trouve donc en ce moment cet étincelant joyau de votre Ordre?

— Je l'ignore, mentit Lorenzo, et il fit un pas dans la direction de la roulotte de la prostituée pour lui changer les idées.

— Halte là! lança Ingolinde. Je ne peux pas me mettre à votre disposition pour le moment, dit-elle en s'approchant, tout en s'essuyant avec un linge et en faisant ballotter ses seins rebondis sous le nez du moine. Il y a là-dedans un évêque, s'il vous plaît, qui dort comme un loir... Non, ne pensez pas à mal: le vieux m'a fait pitié, il ne savait pas où dormir dans cette ville inconnue; en plus, des malfaiteurs ont dépouillé le pauvre homme de tout ce qu'il avait sur lui et ils l'ont laissé presque à poil, babillait la femme sans la moindre retenue.

— Laissez-moi le regarder un instant, lui demanda Lorenzo, je saurai peut-être...

Elle souleva un peu un coin de la bâche. Galeran était là, en train de cuver son vin sur les coussins crasseux de cet antre du péché.

— Je vais l'emmener et je m'occuperai de lui, dit Lorenzo après un instant de réflexion. En fait, c'est l'évêque de Beyrouth.

Le petit frère se disait que, si les sources de l'imagination de Galeran coulaient avec autant d'expressivité quand il était à jeun que lorsqu'il était ivre, plein comme une outre de vin résiné, l'évêque pourrait se charger de la présentation des enfants royaux, tâche qui, en principe, lui avait été confiée à lui, Lorenzo.

Ingolinde avait l'air de s'amuser :

— Alors, comme ça, quand l'Église s'écroule, on peut quand même compter sur saint François pour veiller à la dignité de ses membres les plus illustres — et ils réveillèrent à eux deux le dormeur qui les abreuva d'un torrent d'insultes.

Lorenzo l'écouta patiemment.

— Excellence, dit-il ensuite d'une voix aimable, l'évêque vous fournira d'autres habits, mais vous devez me suivre !

Galeran, encore à moitié ivre et pas très solide sur ses jambes, descendit de la carriole du péché.

— Maudite pute, fille perdue ! fut tout ce qu'il trouva à dire à Ingolinde en guise de remerciements. — Mais celle-ci riait tandis que Lorenzo tirait derrière lui l'évêque volubile avec toute la célérité dont il était capable.

Nicolas della Porta se dirigea vers le pavillon quand le messager rentra du port sans ramener Hamo. Il n'aimait guère se promener dans le labyrinthe souterrain, même s'il savait que le chien n'était plus à craindre.

Il trouva Hamo qui dormait tout habillé sur un tapis. Les enfants étaient sûrement dans le souterrain avec les moines ; en tout cas, ils n'étaient pas là.

Il réveilla le garçon. Grognon, Hamo se tourna de l'autre côté. Le soleil matinal filtrait à travers la claire-voie de pierre, caressant le sol et les tapis de taches claires, mais incapable d'envoyer jusque-là ses rayons aveuglants. Le pavillon était toujours plongé dans une lumière magique légèrement bleutée, aussi bien quand c'était la pleine lune que si le plus resplendissant des soleils de midi brillait dehors.

— Hamo, dit l'évêque, il faut que je te parle !

— Laisse-moi tranquille !

L'évêque s'assit sur un coussin et sortit la traduction de la lettre. Le bruit qu'il fit en dépliant le feuillet éveilla la curiosité de Hamo plus que toute invitation n'aurait pu le faire. Tout à coup, il se sentait tout à fait réveillé, mais il détourna le regard pour ne pas le montrer.

L'évêque commença :

— Il y a ici un texte que tu devras lire à haute voix. Il s'agit de la traduction de la lettre que le Grand Khan adresse au pape de Rome.

— N'y compte pas, répondit Hamo d'une voix décidée, je ne suis pas un héraut qu'on fait lire devant tous ces gens.

— Hamo, je t'en supplie de tout mon cœur, même si c'est la dernière fois que je dois te demander quelque chose...

— Non ! répondit Hamo qui prenait grand plaisir à refuser cette prière exprimée avec tant d'émotion par l'évêque.

— Hamo, soupira l'évêque, il y a deux raisons pour que tu doives accepter cette tâche, car tu es seul à pouvoir la mener à bien. La première, c'est que l'autorité suprême t'a désigné, toi...

— Le pape ? Le maître commande et tout le monde obéit ? Pas moi !

— Hamo ! le reprit l'évêque.

— Et la deuxième raison ? demanda le garçon pour clore le sermon qu'il voyait venir. Dis-moi ! Elle va peut-être me convaincre.

— Je n'aurais pas souhaité me voir dans l'obligation de te la dire, car en réalité, c'est plutôt ta mère qui devrait le faire...

— Et qu'est-ce qu'elle a à voir avec ça ? fit Hamo, irrité et méfiant. Tu ferais mieux de ne pas me parler d'elle si tu ne veux pas me mettre en colère.

— Je veux parler de ton père.

— L'amiral ? — Hamo semblait indifférent. — Je ne l'ai jamais connu.

— De fait, Henri de Malte, comte d'Otrante, est officiellement ton père. Mais en réalité, tu es issu de la semence de la dynastie de Gengis Khan.

Il y eut un long silence. Hamo avait les yeux fermés et l'évêque regardait fixement la claire-voie de pierre qui fermait le pavillon au-dessus de leurs têtes, formant une coupole lumineuse.

— C'est pour cette raison que Gouyouk veut que je lise sa missive — Hamo n'avait pas posé une question, il avait simplement formulé une observation qui était aussi une certitude. — C'est bon, je m'acquitterai de ma mission. Mais toi, je ne veux jamais plus te revoir. Je préfère que ce soit ma mère qui me raconte l'histoire de mes origines. Va-t'en maintenant, je dois me préparer.

L'évêque se releva sans dire un mot. Il savait qu'il venait de perdre à tout jamais le garçon. Il sortit du pavillon — δακρυδεν γελασασα — en souriant, les yeux remplis de larmes, muet.

L'horloge d'Héphaïstos annonça par un son terne la sixième et dernière heure de Phosphore. Vénus pâlissait dans le ciel du petit matin. Le soleil s'était levé.

Quand il arriva à la résidence d'été, Gavin Montbard de Béthune, précepteur de l'Ordre des templiers, trouva ses chevaliers et sergents habillés et armés, à côté de leurs chevaux. A travers les vastes jardins, il se dirigea sans tarder vers le bâtiment secondaire qui avait abrité Pian di Carpini, hôte involontaire de l'évêque pendant son long séjour.

Comme personne ne répondait et qu'il s'était engagé à livrer le missionnaire sain et sauf, à l'heure dite, pour le destin qui l'attendait, il entra sans bruit. Pian dormait, la tête posée sur la table de travail à laquelle il avait lu l'*Ystoria Mongalorum*. Dans le lit, profondément endormi lui aussi, il vit le cuisinier.

Mais ce qui attira le plus l'attention de Gavin, ce fut la bourse remplie de pièces de monnaie qu'il découvrit à côté du lit du cuisinier chauve, à portée de sa main qui pendait à terre. Le templier donna un petit coup de pied dans la bourse d'où tombèrent quelques pièces d'argent. Des gros tournois de France !

Le bruit réveilla Pian. Gavin s'excusa.

— Pardonnez-moi de vous déranger, seigneur légat — discrètement, il évita de donner à entendre qu'il avait découvert Yarzinth en train de dormir. — Il est l'heure! C'est le grand jour pour vous, Pian di Carpini!

Lorenzo trouva Nicolas della Porta et John Turnbull sous le porche principal. A sa grande surprise, le vieillard reconnut aussitôt l'évêque de Beyrouth et le salua avec effusion. On conduisit aussitôt Galeran au bain où on lui prépara aussi de splendides habits de cérémonie.

Nicolas fit en sorte que le portrait des deux Assassins soit aussitôt cloué par les gardes sur le portail et il leur donna l'ordre d'examiner soigneusement tous ceux qui se présenteraient et de repousser ceux qui présenteraient la moindre ressemblance avec les personnages du dessin.

— Faites bien attention! ajouta Lorenzo. Tous les deux manient le poignard en moins de temps qu'il n'en faut à un autre pour poser la main sur son épée!

Turnbull s'assit à côté de la cuve pleine d'eau chaude d'où montait une abondante fumée et il chuchota quelques mots à Galeran, l'air soucieux. Les domestiques apportèrent un « petit cadeau du maître de maison » : une crosse d'évêque couverte de joyaux, ainsi qu'une lourde chaîne d'or avec une croix de bois et un christ d'ivoire, si bien que l'évêque venu de Terre Sainte renonça — n'oublions jamais vos vieilles relations! — à toutes ses objections et accepta sans protester le rôle qu'on avait prévu pour lui dans la cérémonie.

— Pourquoi tant de hâte? — Le poing ganté du précepteur s'empara des rênes quand Yarzinth, pressé parce qu'il était en retard, voulut monter sur son cheval. — L'évêque devra attendre un peu, dit le templier. Yarzinth, vous n'êtes pas seulement passé maître dans les arts culinaires, mais aussi, à ce qu'on me dit, dans les arts calligraphiques. Vous allez donc écrire tout de suite la requête que je vais vous dicter.

Au ton sur lequel on lui parlait, Yarzinth comprit qu'il

était inutile de résister, ce que confirmait la pression du poing qui le poussait vers la chambre du précepteur. Il y trouva le parchemin et l'écritoire dont il avait besoin. Il trempa la plume dans l'encrier.

— « Marie, pleine de grâce, sainte Mère de Dieu, Reine du Ciel et de la Terre », commença à lui dicter Gavin d'une voix posée pour qu'il puisse le suivre. « Ton serviteur Gavin est prêt à employer les modestes forces que Tu lui as accordées, au prix même de sa vie, pour que l'Enfant royal né de ton sein ne subisse aucun tort. Je te prie, Marie, de Le prendre sous Ta garde si les puissances de l'enfer, les démons, voulaient s'emparer de Lui. Protège-Le de Tes mains là où les miennes ne peuvent aller. *Per Jesum Christum filium tuum. Amen.* »

Yarzinth écrivait rapidement, mais les mots de cette naïve supplique lui paraissaient parfaitement inutiles : quelles étranges pensées venaient donc troubler le précepteur en plein jour ! Il s'abstint pourtant de toute remarque pour ne pas perdre davantage de temps. Il termina par un énergique « Amen ! » et tendit le parchemin au templier. Celui-ci le prit sans même y jeter un coup d'œil, ce qui irrita encore plus Yarzinth.

— Tout travail mérite salaire, dit Gavin en lançant au cuisinier une pièce d'argent. — Yarzinth l'attrapa au vol et la reconnut aussitôt : un gros tournois ! Le visage en feu, il monta sur son cheval et s'éloigna au galop, encore plus furieux quand il se rendit compte qu'il avait rougi.

Le précepteur fit un signe à un de ses hommes.

— Portez ce message au port et remettez-le en main propre à Guillaume de Gisors que vous trouverez à bord du navire du seigneur ambassadeur du roi de France !

Guiscard ne s'était même pas couché. Il se lava rapidement le visage à l'eau froide, mit de la pommade sur son moignon et décida de rattraper le sommeil perdu quand les seigneurs auraient quitté le bateau. Il n'avait pas envie non plus de se casser la tête pour trouver un travail qui puisse occuper Firouz. Comme le gaillard attendait ses ordres, il lui dit simplement de rester à côté de lui.

L'équipage de la comtesse d'Otrante s'était rassemblé au

grand complet sur le pont. L'Amalfitain lançait un regard interrogateur au ciel et examinait l'eau quand la galère du grand maître de l'Ordre de Saint-Jean quitta le port à petits coups précis d'avirons, fendant les eaux de son étrave. Les chevaliers vêtus du manteau noir orné d'une croix blanche allongée en forme d'épée étaient debout sur le pont. Peut-être ne jugeaient-ils pas utile de se trouver avec les templiers lors de l'assemblée prochaine. La tente des marchands arabes avait disparu elle aussi.

Sur l'ordre de Guiscard, les *lancelotti* levèrent leurs avirons en forme de lance pour saluer la galère qui s'éloignait. Au même instant, Guiscard vit un voilier du pape qui arrivait à toute allure du fond du port. Le bateau arborait la flamme qui indiquait la présence d'un légat à son bord. Il fonçait droit sur la trirème...

XIII

LA RÉVÉLATION

FORMATION, SORTIE ET DÉFILÉ

Constantinople, palais de Calixte, automne de l'an 1247
(chronique)

Ce matin-là, je fus réveillé par un Yarzinth à moitié endormi qui, pour fêter le grand jour, s'était engoncé dans une casaque vert foncé passementée de galons dorés sur le devant, une culotte serrée de deux couleurs avec les armes de l'évêque brodées au fil d'or et une ample toge décorée des mêmes armes : deux serpents se mordant la queue, emblème que je me souvenais avoir déjà vu ailleurs.

D'un regard ensommeillé, je m'assurai que les enfants étaient bien là, dans leurs vêtements mongols ; j'entendis Benoît leur dire gentiment de ne pas se salir en prenant leur verre de lait tiède matinal. Puis je suivis le cuisinier, impatient qu'il me fasse sortir de ce souterrain qui, pendant de longues semaines, nous avait servi de dortoir, de réfectoire et de *scriptorium*. Le moment décisif était venu, mais j'ignorais si je devais m'en réjouir ou pas.

En haut, Yarzinth me laissa et s'esquiva rapidement derrière une lourde tenture qui séparait la salle dite « centre du monde » de la scène.

Je tirai un peu le rideau de velours et j'aperçus par la fente le dallage de marbre blanc et noir, en partie inondé : la mer Égée et la Propontide disparaissaient sous un empan d'eau, isolant commodément la première rangée de sièges de l'avant-scène où je me trouvais et où j'allais me présenter plus tard.

A gauche et à droite, les gradins commençaient à se

remplir de gens qui me paraissaient bien étranges. Certains sautaient comme s'ils étaient en transe, les yeux fermés mais le pas sûr, de « terre ferme » en « terre ferme » pour prendre leur place, d'autres gesticulaient comme des possédés, descendaient et montaient les gradins en dansant et chantant, accompagnés des battements de mains enthousiastes de leurs adeptes. Au milieu du tourbillon, Yarzinth était comme un rocher battu par la mer, montrant à chacun sa place, ordonnant à ceux-ci de se mettre ensemble, à ceux-là de se séparer.

Puis l'équipage musclé de la trirème entra avec Clarion qui fila par une porte latérale quand elle vit que personne n'était assis au premier rang. Yarzinth fit signe aux gens de la trirème de se placer à gauche — de l'endroit où j'étais — où ils se déployèrent devant les gradins. Ils avaient déroulé la bannière et formaient un carré impressionnant avec leurs armes resplendissantes. La seule chose que Guiscard ne les avait pas autorisés à emporter avec eux, c'était leurs longs avirons en pointe de lance.

Ce fut ensuite Gavin qui fit entrer la petite armée de ses templiers ; leurs manteaux blancs frappés d'une croix rouge aux extrémités griffues, tous semblables, attirèrent l'attention ; seule la croix de Gavin était un peu plus grande que les autres. Il se posta à une extrémité du premier rang et ses chevaliers occupèrent tout le flanc droit de la salle.

— Guillaume, qu'est-ce que tu fais ici à fouiner ? — La voix de l'évêque me fit sursauter. — Il est l'heure de t'habiller !

Ses domestiques me conduisirent dans la pièce qui se trouvait derrière la scène et c'est là que je rencontrai, pour la première fois de ma vie, Pian di Carpini, mon célèbre frère dans l'Ordre. Je sus aussitôt que c'était lui, et lui de même pour moi, de sorte que nous échangeâmes tous les deux des sourires un peu forcés. Comme les domestiques s'affairaient autour de moi, le moment était mal choisi pour dire quelque chose qui puisse clarifier notre situation. D'ailleurs, le missionnaire avait d'autres préoccupations :

— Dites à votre évêque que je ne me présenterai pas si je n'ai pas la lettre entre mes mains.

On s'empressa de faire part de cette menace à l'évêque. Au lieu du vilain déguisement de chaman, on me drapa dans un brocart de soie jaune décoré d'appliques de velours rouge et beige, rehaussées au fil d'or, aussi nombreuses que voyantes ; les revers des manches étaient en soie de Chine violet clair et les épaulettes très hautes étaient relevées de velours turquoise avec des lisières d'or. Mais le plus seyant était encore ma coiffure, un bonnet de feutre rouge foncé qui se terminait sur les côtés par deux larges cornes, maintenues en place par de riches broches d'argent ajouré. Aux deux extrémités pendaient des tubes décorés de corail et d'ambre qui me firent penser à ces précieux étuis où l'on garde les rouleaux de la Thora et que j'avais vus entre les mains des rabbins de la grande synagogue de Paris. Je me sentais comme un grand prêtre de l'Ancien Testament ; je me dis même que si le Grand Khan de tous les Tartares avait voulu se choisir un pape, j'aurais pu présenter ma candidature dans cet équipage.

Pendant ce temps, on avait aussi fait venir les enfants qui sautaient et dansaient autour de moi comme si j'étais un de ces arbres que nous décorions de rubans du temps de ma jeunesse, en Flandre, quand tous les villageois rivalisaient à qui accrocherait le plus de couronnes et de guirlandes sans faire plier le tronc, au milieu des rires et des plaisanteries.

Pian était le seul à me regarder avec une certaine surprise, même s'il s'efforçait de me sourire. Lui qui se considérait comme le personnage principal de la scène était sans doute jaloux de la magnificence de mon déguisement et de ceux des enfants. En effet, il n'était vêtu que de la bure marron des frères mineurs, encore que sa bourse de pèlerin, sans doute un cadeau des Mongols, fût composée de différentes pièces de cuir artistiquement décorées de piqûres et de rangées de perles resplendissantes ; ses chaussures semblaient avoir la même origine. Mes bottes pointues de feutre étaient fort précieuses elles aussi, avec leurs revers violets, fourrées de velours et ornées d'appliques de différentes peaux. Sous mon grand manteau de cérémonie, c'est à peine si on voyait mes pantalons jaunes bouffants que j'avais glissés dans mes bottes.

Je sortis de la pièce pour me montrer à l'évêque qui était en train de parler à un garde, lequel l'informait que deux marchands arabes chargés de cadeaux précieux attendaient aux portes du palais.

— Pour les enfants? demanda Nicolas, un peu surpris, mais il se souvint alors des consignes de sécurité qu'il avait lui-même données. Vous avez regardé s'ils ressemblaient...?

— Les présents sont pour vous, Excellence! — Ces mots eurent pour effet de vaincre immédiatement les hésitations de l'évêque, surtout quand le garde ajouta avec enthousiasme : — Ils semblent si riches qu'on dirait de grands seigneurs et des rois de l'Orient. Ils désirent vous voir pour....

— Très bien, fit Nicolas en lui coupant la parole, et dans ses yeux dansait une lueur avide; que Yarzinth reçoive les présents et qu'il donne une place d'honneur à ceux qui les apportent!

Della Porta avait fait toilette lui aussi et ses atours associaient avec beaucoup d'élégance différentes teintes de rouge, du vermillon lumineux à la pourpre presque violette; il ne portait comme bijoux qu'une croix en or massif et son fameux anneau épiscopal. Il me fit l'impression d'un personnage éblouissant qui attend une grande fête dont les invités sont tous plus illustres les uns que les autres, même s'il semblait un peu malheureux en dépit de sa fébrilité. Mais je me dis que certaines personnes n'en ont jamais assez et qu'elles seraient même prêtes à s'étouffer de tant vouloir avaler!

Nicolas ouvrit la porte d'une autre pièce et je vis un évêque que je ne connaissais pas. Assis sur une caisse, il se cramponnait à un bâton noueux. Mais... était-il bien sûr que je ne le connaissais pas? Le personnage leva la tête dans un accès de hoquet et ses yeux m'indiquèrent qu'il s'agissait d'un drôle d'oiseau, grand amateur de vin. Tout à coup, ce nez de poivrot me parut familier.

D'un regard rapide, je fis le tour des autres personnages présents dans la pièce : Lorenzo était là, en train de réciter quelque chose à Hamo; il lisait une feuille et Hamo essayait de répéter. Je fis un effort pour essayer de comprendre de quoi il s'agissait, mais on referma la porte.

Je regardai autour de moi. Au centre de la scène s'élevait une sorte d'autel recouvert d'une nappe blanche, auquel menaient quelques marches. Il y avait deux chaises devant l'autel, de part et d'autre. Sur l'une d'elles, bien droit, aussi blanc que la nappe, était assis Turnbull. Il ne bougeait pas et ne fit pas attention à moi, même s'il me semblait que mon aspect aurait mérité au moins un bref coup d'œil. Mais ses yeux semblaient éteints et restaient fixés sur le rideau, comme s'ils avaient voulu le traverser et aller encore plus loin, au-delà de la salle d'où nous parvenaient des voix étouffées et des murmures d'impatience. La blancheur de ses cheveux attira mon attention, détail qui renforçait encore l'impression de fragilité qui se dégageait de sa personne, une personne dont les pensées semblaient voguer bien loin de ce qui se passait autour d'elle, comme si elle écoutait les battements d'ailes de canards sauvages dans un ciel d'un gris laiteux. Je me retirai sans bruit.

Je regardai ensuite par un œil-de-bœuf que fermait une grille et je pus voir une partie du grand escalier et de la porte principale que je n'avais pas vus jusqu'à présent, puisque j'étais arrivé directement par le souterrain. Avec une certaine stupéfaction, je vis monter des soldats du pape à l'allure solennelle, comme s'ils formaient une procession. Ils accompagnaient sans doute des moines dont je ne voyais que les capuches noires de l'endroit où je me trouvais.

Il y eut un peu de tumulte à la porte quand deux moines d'aspect étrange, l'un très mince et l'autre gros, essayèrent d'entrer comme s'ils faisaient partie de la suite des moines escortés par les soldats du pape ; mais les gardes les repoussèrent férocement et certains dégaînèrent même leur épée. Très fâchés, les deux hommes gesticulaient comme des possédés et réclamèrent même l'aide des gens du pape, mais ni les soldats ni les moines n'écoutèrent leurs cris. Sans leur prêter la moindre attention, ils passèrent devant les deux malheureux, certains le regard fixé devant eux, d'autres la tête baissée, pendant que les deux religieux éconduits se battaient la coulpe et montraient leurs croix. On les chassa comme des chiens galeux et les gardes osèrent même leur lancer des pierres.

Peu après, ils reprirent leur attitude respectueuse, car on annonçait l'arrivée des Français, oriflamme au vent, et du comte de Joinville à cheval. Je le reconnus aussitôt, même si je ne l'avais pas vu depuis l'époque de Marseille, mais il aurait été difficile d'oublier un paon aussi vaniteux, et bête de surcroît. Je comptais bien que sa sottise l'empêcherait de se souvenir de moi, car il aurait fort bien pu se montrer surpris cette fois encore : « En mission secrète ! Ah ! Ah ! »

Je repris aussitôt mon poste, derrière la fente du rideau qui donnait sur la salle, car on recouvrait déjà le mur du fond d'une toile damassée bleue contre laquelle se détachait avec beaucoup d'élégance l'autel blanc. On disposa un trépied *ad latere* et les domestiques remplirent des vasques d'un liquide combustible. Puis ils installèrent d'autres récipients semblables, aux deux extrémités de la scène, pour l'éclairer un peu. La solennité du moment me serra un peu le cœur, mais ma curiosité l'emporta et je me permis de jeter un dernier regard par la fente du rideau avant qu'on ne me chasse de mon poste d'observation.

La salle était pleine. La plupart des spectateurs s'étaient assis pour ne pas perdre leurs places arrachées de haute lutte. Sous les arcades, devant moi, là où débouchaient les marches qui montaient du rez-de-chaussée, je vis un légat du pape et l'ambassadeur extraordinaire de France en train de rivaliser de fausse courtoisie, s'effaçant l'un devant l'autre, car chacun désirait en fait entrer le dernier, comme la comtesse que je vis s'esquiver par une porte latérale au bras de Sigbert. Je ne doutai pas qu'elle allait avoir le dessus sur ces deux seigneurs !

Lorsque l'ecclésiastique céda enfin et que les soldats du pape entrèrent dans la salle avant les Français, je fis deux découvertes : d'abord le jeune moine qui m'avait autrefois reçu à Sutri, Fra Ascelino ! Le dominicain avait donc réussi à se faire nommer légat ! Et je vis aussi, à côté du comte de Joinville, le beau chevalier templier, Guillaume de Gisors, dont je me souvenais comme du fidèle accompagnateur de la litière noire : la Grande Maîtresse ! Ainsi donc, elle s'intéressait elle aussi à l'événement, même si elle n'y assistait pas en personne. Tout à coup, je pris conscience de l'importance de cette représentation à laquelle je ne m'étais aucunement senti lié jusque-là. Car il ne s'agissait pas seulement des enfants, loin de là : toute l'attention allait se porter sur « Guillaume et les enfants » !

— Et ma lettre ? protesta Pian di Carpini dans mon dos, si fort que même l'évêque qui s'affairait par là ne put éviter de l'entendre.

— Parlez plus bas ! murmura l'évêque à Pian. Vous l'aurez entre vos mains, aujourd'hui et ici même. — Fra Ascelino s'assit à côté d'un autre compagnon de l'Ordre, à droite, et les autres moines prirent place sur les gradins qui s'élevaient derrière. Le gonfalonier s'installa à côté d'eux; les soldats du pape se bousculaient pour rester à côté de lui. Les templiers ne bougèrent pas d'un pouce tant que Gavin ne leur donna pas l'ordre de s'avancer vers la scène. L'ambassadeur de France prit un siège au milieu du premier rang; Guillaume de Gisors s'assit à côté de lui et salua Gavin d'une légère inclinaison de la tête, le feu aux joues. Le jeune chevalier était manifestement confus d'occuper une place aussi en vue, alors que le précepteur restait debout. Les soldats du roi de France allèrent s'installer devant ceux du pape et à côté des hommes d'Otrante. Sur la gauche, devant les sièges réservés à la comtesse, les marchands musulmans s'étaient assis en tailleur sur le sol de marbre; ils avaient placé devant eux des caisses où l'on voyait des objets de grand prix, comme des brûle-parfums incrustés de pierres précieuses et des cassolettes d'or remplies d'essences aromatiques. Un peu plus loin, les dalles de marbre étaient recouvertes d'eau et l'image de fête de la grande salle avec ses illustres invités se reflétait dans ce miroir liquide.

La comtesse finit par entrer, accompagnée de Clarion et escortée par Sigbert qui s'était fait son chevalier servant. Les deux femmes contemplèrent la scène avec plaisir. Elles portaient des vêtements simples, d'une élégance suprêmement raffinée, qui n'enlevaient rien de leur éclat à leurs bijoux et à leurs perles, tout en soulignant la sveltesse et le charme toujours enchanteur de la comtesse, ainsi que la jeunesse de sa fille adoptive, éclatante de santé. Ses carméristes, par contre, pour plus de contraste, se présentèrent habillées d'un simple habit de nonne de couleur beige, sauf une. Les yeux faillirent me sortir de la tête, je manquai passer à travers le rideau et tomber en plein milieu de la salle, et un instant je crus qu'il ne pouvait s'agir que d'une illusion de mes sens : cette carméniste avait exactement le même visage que Madulain! J'avais les yeux rivés sur elle, pendant que cette créature de rêve, ma princesse des *saratz*, prenait place avec élégance derrière les autres, comme si c'était pour elle la chose la plus naturelle du monde.

— Guillaume! — la voix de Yarzinth me tira de mes songes décousus. — L'évêque va entrer dans la salle. — Le cuisinier portait une perruque et tenait à la main un caducée de héraut. Il m'entraîna devant des tentures damasquinées où attendaient, déjà prêts, Lorenzo et cet autre évêque dont je ne pouvais toujours pas me souvenir du nom : Galeran de Beyrouth. Pian di Carpini était là lui aussi et, dans un coin, Hamo avec les enfants, très turbulents comme d'habitude.

Le fils de la comtesse était habillé en Mongol, mais dans un austère costume de guerrier fort bien coupé, à collerette, hautes bottes décorées aux pieds, sur la tête un casque artistiquement forgé et muni d'une longue pointe en son centre. Sa tenue le faisait paraître plus grand qu'il ne l'était en réalité ; on aurait vraiment dit qu'il n'avait jamais porté d'autres vêtements de sa vie. Son visage était grave.

Ma curiosité aurait dû être satisfaite, et pourtant je cherchai et trouvai un petit trou qui me permettrait de continuer à regarder une partie de la salle quand on aurait ouvert le grand rideau. Je n'eus pas tout de suite l'occasion de m'en servir, car Hamo me fit donner la main aux enfants qui se pressèrent contre moi ; Yeza me confia aussitôt qu'avant toute chose, elle devait absolument faire pipi. Je lançai un regard désespéré à Yarzinth et la poussai dans la pièce vide. Roç me suivit, pendu à mes basques. Je dis à la petite d'uriner au milieu de la pièce, en faisant attention à ne pas m'éclabousser.

Pian passa la tête à la porte :

— Une vraie *khalka* ! — Mais son sourire ressemblait plutôt à une grimace. — Il ne te manque plus que de longues tresses glissées dans des fourreaux. Ne t'inquiète pas, elles finiront bien par pousser ! — Sur le moment, je ne compris pas ce qu'il voulait dire. Mais ensuite, je pensai qu'il se moquait peut-être de mes cornes grandioses, en insinuant que c'était un ornement féminin.

Je sortis en tirant les enfants derrière moi et nous allâmes nous installer derrière le rideau bleu. On allumait les cassolettes et leurs flammes jetèrent une lumière phosphorescente au plafond et sur les murs, illuminant sur un fond magique l'autel recouvert de la nappe blanche. Yarzinth s'avança, frappa trois coups par terre avec son caducée, et le lourd rideau de velours s'écarta sur les côtés.

— Le primat de l'Église catholique à Constantinople, archidiacre de la Hagia Sophia, salue ses distingués invités ! — Il fit une pause pour que tous aient le temps de saluer d'une petite révérence l'évêque qui venait de prendre place entre Fra Ascelino et Joinville. — Nous commencerons par célébrer la sainte messe !

Le cuisinier se retira et je vis s'avancer Galeran, suivi de Lorenzo qui allait faire office de servant. Tout le monde se leva ; les dames et les plus pieux se mirent à genoux.

— Κύριε, κύριε ἐλέισον ! commença à psalmodier un chœur d'enfants, invisibles pour moi du fait qu'ils se trouvaient au-dessus de nos têtes. — Les enfants chéris de Nicolas s'étaient sans doute installés dans une loge.

— Χρίστε ἐλέισον ! répondit la voix profonde de Galeran qui dissimulait fort bien sa fâcheuse ivrognerie. — Malheureusement, j'avais beau me dévisser le cou, je ne pouvais pas le voir célébrer le saint office.

— Κύριε, κύριε ἐλέισον ! répondirent encore les enfants, et je pensai qu'un nombre considérable de personnes s'étaient en fait réunies en mon honneur, car je me trouvais au « centre du monde » et personne d'autre que moi, ni dans la salle ni dans les coulisses, n'était capable de réunir entre ses mains autant de fils de cette histoire.

Mais, qui donc nouait avec tant de patience et de talent autant de destins à la fois ? Bien sûr, les deux enfants occupaient le premier plan et accaparaient l'attention de tous, mais où seraient-ils à présent sans moi ? Je trouvai donc juste et bon qu'un public surpris réclame ma présence en ces termes : « Guillaume et les enfants ! »

— *Gloria in excelsis Deo*, entonna Galeran en sa qualité de *praecantor*, et les enfants lui répondirent de leurs voix limpides :

— *Et in terra pax hominibus bonae voluntatis !* — Les enfants allaient être « élevés » en ce jour, car le vieux John Turnbull, assis bien droit sur son siège, en avait décidé ainsi. On ne le voyait probablement que de la partie gauche de la salle, mais le vieillard donnait certainement une belle image de dignité et de sagesse, Ἁγια Σοφία. Pourtant, je me pris à douter que tout allait se dérouler aussi harmonieusement quand le vieillard tenterait d'instituer la cérémonie du « mariage chymiologique ». Quelle allait être la réaction des représentants du pape ?

— *Sanctus, sanctus, sanctus*, résonna la basse profonde de Galeran. — Il n'avait pas été fort judicieux de faire participer cet évêque à la cérémonie car chacun savait qu'il venait de Terre Sainte, ce qui ôterait à la cérémonie un peu de son aspect de complot byzantin, au cas où les gens de Rome s'aviseraient de formuler des critiques. — *Dominus Deus Sabaoth!*

Je continuais à regarder par mon trou. Au premier rang, je vis s'agenouiller Clarion qui ne quittait pas des yeux le jeune templier, l'attaquant de ses regards brûlants comme mille bourdons voletant autour d'une fleur. Le jeune homme mit un genou en terre — il semblait ne pas savoir quoi faire — comme si ce geste d'humilité pouvait l'aider à mieux résister au péché, tout en le mettant à la même hauteur que sa séductrice et donc en l'exposant davantage au danger. Comme si le comte de Joinville avait compris que le jeune homme avait besoin d'être protégé ou qu'une scène peu souhaitable était en train de couver, il fit un pas en avant, comme par hasard, et se retrouva entre les deux jeunes gens.

Grâce à ce mouvement, je découvris tout à coup le regard insistant et froid de deux yeux, en même temps qu'arrivait à mes oreilles l'*hosanna!* du chœur, bien que très assourdi. Ces yeux appartenaient à un homme qui était debout derrière l'ambassadeur, vêtu de la livrée bleue fleurdelisée du roi. C'était ce même homme que j'avais rencontré dans les brumes de la Camargue, celui qui avait donné la mort à trois sergents et que le prévôt emmenait dans sa charrette — je me souvenais de la pâleur des morts, de leurs crânes fendus en deux. Et cet homme était Yves Le Breton!

J'avais l'impression d'assister à un défilé de fantômes! Fra Ascelino, Madulain, Gisors! La vision du quatrième et dernier fantôme me fit faire un haut-le-corps, comme si les morts sortaient de leurs tombes et que la salle se remplissait des momies de mon passé, leurs mains osseuses tendues vers moi. Je me mis à trembler et je sentis une sueur froide couvrir mon front, mon dos et mes mains.

— *Agnus Dei, qui tollis peccata mundi.*

— *Dona nobis pacem!* répondit le chœur.

Je me souvins comme d'une menace inoubliable, depuis la répétition générale, que maintenant, juste avant mon entrée, le frère Lorenzo d'Orta allait se présenter, lui à qui mes lèvres refusaient de donner le titre de légat du pape depuis que j'avais vu quelqu'un d'autre dans la salle qui n'accepterait pas que ce titre porte ombrage au sien. Le moment était venu pour Lorenzo d'annoncer la présence du missionnaire Pian di Carpini, rentré de sa mission chez les Mongols. Mais où était passé Lorenzo?

Je vis que John Turnbull s'agitait sur son siège; puis il se pencha en avant, avec des yeux interrogateurs, et je sentis qu'une légère nervosité se répandait dans la salle. C'est alors que Yarzinth arriva et donna trois coups solennels avec son caducée; puis il annonça :

— Message du Grand Khan Gouyouk!

Je me retournai et je vis Hamo s'avancer comme s'il surgissait du néant. Avec ces vêtements, il était méconnaissable, au moins pour ceux qui le connaissaient moins bien que moi. Pian pâlit et Turnbull se redressa sur son siège. Hamo tenait à la main un rouleau de parchemin et il attendit que le silence le plus complet se fasse dans la salle.

— « Nous, Khan, par le commandement du ciel éternel et investi d'un pouvoir immense comme l'océan, souverain du grand et prestigieux peuple des Mongols, nous édictons ce qui suit... » — Au début, la voix de Hamo était un peu terne, mais il prit ensuite un ton ferme et très viril. — « La présente est un ordre que nous adressons au grand pape que nous prions de le comprendre et d'en prendre bonne note. Ce message a été écrit après avoir pris conseil et écouté de la bouche de votre émissaire la requête que vous nous faisiez de nous soumettre. Pour donner corps à vos propres paroles, vous devrez vous présenter vous-même, grand pape, avec tous les rois, pour nous rendre hommage. Nous pourrons alors vous donner les instructions que nous jugerons convenables. En outre, vous nous avez informé qu'il serait avantageux pour nous de recevoir le baptême et vous nous en avez fait l'invitation. Mais nous ne comprenons pas votre requête. Quand vous dites ensuite : "Je suis chrétien par la grâce de Dieu", nous vous demandons : Comment pouvez-vous savoir qui Dieu va pardonner et en faveur de qui il va répandre sa grâce? Comment pouvez-vous le savoir et oser exprimer cette opinion? Dieu a voulu que tous les empires soient sous notre pouvoir; tout est entre nos mains, des terres du soleil levant aux terres du soleil couchant. Comment quelqu'un pourrait-il obtenir quelque chose, si ce n'est par la volonté de Dieu? Si vous répondez avec un cœur honnête, en vérité

vous direz ceci : Nous voulons vous obéir et mettre nos puissances à vos pieds. Vous en personne, à la tête des rois, vous
devez tous venir nous rendre hommage et vous mettre à
notre service. Nous prendrons acte de votre soumission.
Mais si vous n'acceptez pas le commandement de Dieu et
agissez contrairement à nos instructions, nous saurons que
vous êtes nos ennemis. »

Dieu tout-puissant, pensai-je alors, comment un renver-
sement de situation aussi complet est-il possible ! La lecture
publique de cette lettre officielle adressée à sa seigneurie
Innocent signifie la ruine de Pian. Comment va-t-il sortir sa
tête de ce nœud coulant ? Et Turnbull qui voulait présenter
les enfants comme les porteurs de la paix, il va lui aussi se
rendre complètement ridicule. Qui a pu décider de cette
infâme provocation ? Je dois interroger Hamo tout de suite !

Celui-ci achevait sa lecture :

— « Voilà ce que nous vous faisons dire. Si vous agissez
contre notre volonté, qui sait ce qui arrivera ? Dieu seul le
sait. »

La salle était plongée dans un profond silence. Puis ce
fut le tumulte, d'abord du côté des papaux et des Français. Je
vis Yarzinth entraîner le jeune comte vers le fond damassé
pour revenir ensuite sans paraître particulièrement troublé.
Il déroula le parchemin qu'il tenait maintenant à la main :

— « Écrit à l'issue de l'assemblée, en l'an 644 de
l'hégire. » Ce qui suit s'adresse à nos invités musulmans,
annonça-t-il d'une voix enjouée, et le tumulte baissa un peu
dans la salle. Pour les chrétiens, la lettre est datée du début
de novembre de l'an de grâce 1246 — et avant que personne
ne puisse l'en empêcher, Yarzinth approcha le parchemin
d'une cassolette. Une brève flamme s'éleva du parchemin qui
se consuma aussitôt et se répandit en cendres par terre.

— Ma lettre ! — Pian s'était rué vers lui avec l'énergie du
désespoir, mais d'un mouvement vif que personne n'aurait
pu imiter, Yarzinth sortit tout à coup un autre parchemin
qu'il remit avec une déférence nonchalante au missionnaire.
Pian retourna plusieurs fois le rouleau entre ses mains : il
portait le sceau de Gouyouk, intact.

J'avais bondi pour rattraper Hamo derrière la tenture de
damas bleu, mais il n'était pas là, alors que je m'étais assuré
auparavant que personne ne pouvait sortir de cet endroit. Je

n'avais plus qu'à aller rejoindre les enfants que ce tohu-bohu amusait ferme et qui ne pensaient qu'à se présenter enfin dans leurs déguisements mongols. Il fallut presque que je les retienne de force.

— Moi aussi je sais expliquer l'histoire d'un grand roi, comme Hamo, insistait Roç.

— En plus, ce n'était pas son tour! protesta Yeza qui avait appris par cœur le programme des réjouissances. Maintenant, tout est complètement chamboulé. C'est bien lui! grognait la petite, fort contrariée.

Je me grattais la tête, essayant de deviner où Hamo avait pu se cacher. Ce Yarzinth était un vrai sorcier dont il fallait vraiment se méfier!

Lorenzo s'avança pour essayer de sauver la situation. Mais, brochant sur le tout, Yarzinth le devança et le présenta à l'assemblée :

— Lorenzo d'Orta, de l'Ordre des frères mineurs de saint François d'Assise. — « Non, il ne va pas faire ça », priai-je en fermant les yeux. Mais ce héraut du démon lui-même continua de sa voix la plus glacée : — Légat de Sa Sainteté le pape Innocent!

C'était un camouflet pour le dominicain assis dans la salle, mais je ne pus voir sa réaction car j'eus besoin d'user de toutes mes forces pour retenir les enfants qui voulaient sortir sur la scène. La salle fut de nouveau plongée dans le silence, mais cette fois dans un silence glacé.

— Le souverain aux pouvoirs immenses comme l'océan, commença Lorenzo, comme s'il s'était agi d'une mauvaise plaisanterie, et il réussit à faire rire aux éclats quelques personnes qui se turent cependant presque aussitôt, lui qui affirme avec tant de suffisance avoir le pouvoir de Dieu du côté de son peuple — quelques applaudissements saluèrent ces paroles —, possède deux visages, comme nous le savons bien : un très cruel que nous connaissons tous et dont il a donné amplement la preuve en Hongrie, ce qui me fait croire qu'il a voulu nous montrer cette grimace menaçante pour que nous nous en souvenions — le public semblait s'intéresser au récit, mais je ne croyais pas encore pouvoir être sûr que tout danger fût écarté. — Mais il a aussi un autre visage, et celui-ci nous montre qu'il vit dans la crainte de Dieu et qu'il n'est pas si sûr de la supériorité des Mongols. Le Khan connaît fort bien le pouvoir spirituel du saint-père et le fait que le roi de France l'est « par la grâce de Dieu » ; nous pouvons donc considérer que cet autre visage du Khan est couvert de larmes, que le Khan s'arrache la barbe de désespoir et qu'il bat sa coulpe en signe de repentir. — Je me dis alors que Lorenzo aurait fait un splendide bateleur de foire, car il avait l'art de faire d'habiles pauses qui laissaient à son imagination le temps de tisser d'autres inventions. — Quand le missionnaire envoyé par le saint-père, le frère Pian di Carpini, a vu que le souverain des Tartares se montrait si obstiné, il a fait un pas en avant et lui a dit : « Je vais porter ce message adressé au pape, mais je le donnerai à connaître aux oreilles de toute la chrétienté et Dieu te punira ! » — Il y eut un silence tendu dans la salle et Lorenzo eut l'aplomb d'interrompre avec une grande maîtrise son monologue en ce moment précis, ce qui me laissa bouche bée. Puis il continua : — Par la bouche du fameux et sage missionnaire, vous allez maintenant savoir ce qu'il a dit — et il se retira à l'instant où Pian sautait sur la scène. L'homme semblait tellement agité et furieux que je n'osai nourrir l'espoir qu'il reprenne au bond la balle que Lorenzo lui avait lancée avec tant d'habileté et d'intelligence.

— « Dieu te châtiera, et il te châtiera par mon truchement, s'exclama Pian comme si le Khan était devant lui, et le châtiment consistera à t'enlever les enfants royaux que mon seigneur le pape t'a envoyés en compagnie du frère Guillaume de Rubrouck et que tu attendais avec tant d'impatience, car ils représentent le bien du monde, le sang glorieux de la réconciliation, la promesse de la paix, une paix dont tu as tant besoin. Les enfants ne te seront pas remis, tu ne les auras pas tant que tu ne te seras pas repenti publiquement d'avoir écrit pareille lettre ! » — Pian brandit bien haut la lettre d'un air triomphant, puis il se permit encore une extravagance de comédien dont jamais je ne l'aurais cru capable. — Le Khan est entré en fureur et il a dit : « Comment oses-tu ! » — il soufflait d'une voix altérée — « comment oses-tu me parler sur ce ton ! Ta tête va aller rejoindre tes pieds sales. Gardes ! Apportez-moi le sabre du bourreau ! » — la scène que décrivait Pian commençait à enthousiasmer le public. — Alors, j'ai dit : « Puissant Khan ! Si tu me coupes maintenant la tête, tu vas couper le dernier fil d'où pend encore une mince possibilité que tu puisses embrasser un jour les enfants royaux, après t'être repenti et avoir demandé pardon comme je te l'ai conseillé. Souviens-toi : les enfants grandissent. Si tu perds trop de temps, un jour, quand ils seront les rois de la paix dans cet univers, aussi bien en Orient qu'en Occident, ils t'arracheront le pouvoir. Et il leur suffira de lever le petit doigt pour y parvenir ! » Alors, le Grand Khan m'a pris dans ses bras, m'a couvert de précieux présents et m'a promis de se repentir. Je suis revenu et j'ai sorti mon frère Guillaume et les enfants de leur cachette : ils sont ici, parmi nous — et il termina son conte sur une belle envolée : — Guillaume de Rubrouck et les enfants du Graal !

C'était à mon tour d'entrer sur scène ! Pian regarda fièrement autour de lui ; je donnai la main droite à Roç et la gauche à Yeza et nous entrâmes sur la scène. Nous y fûmes salués par le tonnerre d'applaudissements qui s'abattit sur Pian, lequel avait fait preuve d'un grand talent d'acteur, et aussi sur mon humble personne. Les gens s'étaient levés, dans une éruption volcanique d'émotion et d'enthousiasme, mais ce furent surtout les enfants, souriants et pendus à mes mains, qui suscitèrent la fascination du public. Tandis que les invités s'abandonnaient à l'extase, Pian et moi fîmes modestement un pas en arrière ; les ovations adressées à Roç et à Yeza semblaient ne jamais vouloir finir. C'est alors que je vis le vieux John Turnbull, au fond, sortir de son rêve. Le « spectacle » menaçait de dégénérer et on le vit se frayer un passage vers la scène en jouant des coudes. De fait, il réussit à calmer un peu le public. Avec ses cheveux d'un blanc de neige et son manteau blanc, le vieillard était l'image même de la dignité.

— Les enfants du Graal..., commença-t-il d'une voix qui ressemblait plutôt à un croassement. — Mais soudain, un des dominicains en habit noir qui se trouvait derrière Fra Ascelino se leva, bondit comme un taureau sur qui l'on vient de planter les banderilles et se mit à hurler :

— Tromperie ! — et il leva son crucifix pour impressionner la concurrence. — Supercherie des hérétiques... — sa voix s'étouffa dans un gargouillis et il retomba dans son fauteuil, comme si le diable lui-même l'avait saisi par la nuque, encore que je n'eus aucun mal à le reconnaître, avant qu'on ne rabatte sa capuche sur son visage de loup : Vitus de Viterbe ! Et je compris enfin ce qu'il avait attendu !

L'intervention peu habile de Turnbull suffit pour que le moine assis à côté de Fra Ascelino se mette à piailler lui aussi :

— Trahison, trahison ! Arrêtez-les ! — et les Français, que personne n'avait appelés, se mirent à courir, butant contre ceux d'Otrante, bien résolus à protéger les enfants, alors que personne ne leur en avait donné l'ordre. Personne n'avait encore dégainé, mais la confusion fut suffisante pour que les soldats du pape, qui s'avançaient eux aussi, ne puissent traverser la salle.

— Trahison, trahison ! clamaient aussi les ésotéristes.

Je pris par la main les deux enfants qui, comme on leur avait dit de sourire, souriaient encore en regardant le chaos à leurs pieds, et je les entraînai vers le fond de la scène, derrière le rideau de velours bleu.

J'y tombai sur Yarzinth qui me prit par surprise :

— On ne bouge plus ! grogna-t-il. — Et quand je voulus l'attaquer à coups de poing, j'entendis la voix stridente de la comtesse qui criait dans la salle :

— *Otranti, alla riscossa !* — au même instant, le sol s'ouvrit sous nos pieds et nous glissâmes sur un plan incliné qui nous déposa dans une gouttière de laiton poli.

— Et hop ! hurla Yeza. C'est très amusant !

Les enfants se serraient contre moi pendant que nous descendions à toute allure, plaqués sur les côtés dans les virages, jusqu'à terminer notre voyage au plus profond du souterrain dans lequel nous tombâmes par un trou percé dans le mur, que j'avais toujours pris pour une bouche d'aération. Nous atterrîmes sur les lits de la cellule où Benoît était toujours recroquevillé.

— Hamo vous attend dans le pavillon ! dit-il quand il nous vit.

Je croyais déjà entendre les pas précipités de nos poursuivants dans l'escalier, les coups de leurs épées contre la porte.

— Dommage qu'on l'a pas su avant ! s'exclama Roç, aux anges.

— Qui aurait pu deviner que Vitus... — j'essayais de lui faire comprendre le danger de la situation.

— Je veux parler de cette belle glissoire! répondit l'enfant.

Sans perdre de temps, je les poussai vers le corridor, d'abord lui, puis Yeza.

— Vite, vite! disais-je d'une voix haletante. Hamo va vous conduire au bateau!

— Nous sommes des petites souris...! chantonna Yeza en se mettant à courir avec Roç. — Benoît avait bondi vers moi et je lui donnai l'accolade, sachant que j'allais enfin devoir faire le sacrifice auquel mon corps robuste semblait prédestiné. Pour une fois dans ma vie, mon obésité allait avoir un sens!

Le tumulte s'approchait de la porte qui ne résisterait pas bien longtemps à cette charge. Je pris donc mon élan et me glissai comme un bouchon dans l'entonnoir qui s'ouvrait dans le mur.

Je sentis ma chair s'écraser, mes côtes s'aplatir. Puis j'entendis la porte s'ouvrir dans un grand fracas et je pus sentir l'haleine chaude et humide du bourreau sur ma nuque. Ma dernière heure était arrivée.

« Guillaume, parvins-je à me dire, tu vas mourir en héros : les enfants sont en sécurité! »

Et c'est alors que me revint en mémoire la prophétie que le Basque moribond m'avait confiée au pied de Montségur : ne m'étais-je pas comporté comme un fidèle gardien? Jusqu'au dernier moment! Ma vie pour les enfants du Graal! Mort, prends-moi dans ton sein!

— Marie, je confie mon âme à tes divines mains, aie pitié de moi!

La Mère de Dieu ne permettra pas que je tombe vivant entre les mains de Vitus, pensai-je reconnaissant, et à peine commençai-je à étouffer que je perdis connaissance.

LE JEU D'ASHA

Constantinople, palais de Calixte, automne de l'an 1247

Lorenzo d'Orta était le seul encore capable d'observer le jeu qui se déroulait sur les cases blanches et noires. Il est vrai que dans la salle du « centre du monde » régnait un invraisemblable tumulte, mais pour le petit minorite qui observait la scène d'en haut, derrière un rideau, sans que personne ne puisse le voir, il ne s'agissait pas d'autre chose que de ce jeu si ancien sur la Terre, l'éternelle confrontation entre les puissances de la lumière et les forces des ténèbres. Il fit rapidement le tour de la situation qui paraissait si confuse à ceux qui se trouvaient plongés dans la mêlée.

A ses pieds, devant et à gauche, il voyait le triangle des gens d'Otrante. Son côté le plus long allait du centre des gradins presque jusqu'au milieu de la scène. Le sommet était défendu par Sigbert qui représentait une tour et qui avait entraîné avec lui la comtesse et Clarion.

Les Français qui au début se trouvaient derrière le parti d'Otrante, devant les gradins de gauche, s'étaient avancés en diagonale vers la tribune, dans le plus grand désordre, si bien qu'en bas seul le côté droit restait encore dégagé, mais ils n'avaient pas osé monter sur la scène. Ils avaient donc sur un de leurs flancs les gens d'Otrante, et sur l'autre, les templiers qui continuaient à former un mur impénétrable à droite, devant les premiers gradins. Leur précepteur n'avait fait qu'un seul pas en avant et les empêchait de s'avancer vers la salle.

Les gens du pape essayaient eux aussi d'avancer vers la tribune en passant devant les templiers, mais ils découvrirent que les Français, plus rapides, leur barraient la route. De plus, ils n'avaient pas de chef pour commander la manœuvre, car leurs officiers étaient restés en arrière, autour du légat.

Telle était donc la situation qui s'offrait aux yeux de Lorenzo. Il lança encore un regard vers le premier rang de sièges. A part l'évêque, plus personne n'y était assis. A sa droite, les autres représentants de la curie entouraient Fra Ascelino, à bonne distance de Nicolas ; à sa gauche, indigné, le comte de Joinville marchait de long en large, escorté du jeune Gisors. Immédiatement derrière lui : Yves Le Breton. Les sièges de la comtesse et de sa suite étaient vides.

Plus loin, on voyait les domestiques des différents camps et, sur les gradins, d'autres groupes d'invités que de grandes vagues semblaient agiter. Tantôt ils avançaient, en partie poussés par la curiosité, mais quelqu'un finissait toujours par mettre le pied dans l'eau ou par pousser quelqu'un d'autre dans la mare, éclaboussant tout autour d'eux ; plusieurs tombèrent à l'eau. Quelques-uns seulement, effrayés, essayèrent de gagner la sortie. La plupart étaient encore assis sur les gradins, discutant à grands éclats de voix ou murmurant en petits groupes. Il y avait aussi quelques solitaires, en pleine extase, qui se mirent à fêter l'occasion en dansant sur les sièges lorsqu'on leur eut interdit de monter sur scène. Avec un calme imperturbable, ils essayaient d'attirer l'attention en poussant cris et hurlements.

Toujours immobiles, les templiers formaient une muraille. Leurs longues épées au clair, plantées devant eux, ils observaient stoïquement le tumulte, attendant un ordre de leur précepteur. Mais Gavin Montbard de Béthune fermait les yeux, le menton appuyé sur le pommeau de son épée.

Fort irrité, l'ambassadeur de France laissa Yves sauter sur un siège pour donner l'ordre aux Français de se retirer. Voyant cela, les gens du pape se dispersèrent à leur tour et il ne resta plus que ceux d'Otrante pour cerner la tribune sans laisser la moindre faille.

Au-dessus des cris, on entendit encore la voix stridente de Simon de Saint-Quentin qui s'exclamait : « Attrapez-les ! Ne les laissez pas s'échapper ! », et les faux dominicains qui entouraient Vitus sortirent les épées qu'ils cachaient sous leur habit.

— Place à l'inquisiteur ! tonna le Viterbien en traînant ses gardiens à l'assaut de la scène, ce à quoi les uns et les autres répondirent d'une seule voix, car si tous ne craignaient pas pour leur vie, tous craignaient l'Inquisition.

En proie à la panique, les invités tentèrent de se précipiter vers la sortie.

— Que personne ne sorte ! hurla Simon.

Fra Ascelino faisait le siège de l'évêque :

— En tant que légat de Sa Sainteté, j'exige...

Mais Nicolas n'avait plus rien à perdre :

— Tant que je suis maître de cette maison...

— Vous êtes destitué ! intervint Simon, hurlant à pleins poumons.

— J'exige une fouille du palais ! — et Fra Ascelino le repoussa d'un geste emporté.

— Faites comme chez vous ! répondit l'évêque et riant, et il recula, laissant l'autre planté là.

L'épée au clair, Sigbert était toujours devant la comtesse et Clarion, de sorte que tous devaient faire un large détour pour contourner le gigantesque chevalier teutonique qui avait pris le commandement des gens d'Otrante. Sur les gradins prêtres et moines des plus diverses confessions gesticulaient et chantaient. Un derviche dansait, beaucoup pleuraient.

— Laissez-nous passer ! ordonna Gavin à Sigbert. Je me charge de protéger nos amis sur la scène. — Le templier fit alors monter l'évêque avec les autres, puis avança avec ses hommes par l'allée que les gens d'Otrante leur ouvrirent sans se faire prier.

Il n'en fut pas de même pour les dominicains qui poussaient par-derrière. Simon se dressa devant le robuste chevalier teutonique et lui lança d'une voix criarde :

— Je vous excommunie tous si vous ne laissez pas passer l'inquisiteur ! — déclaration qui fut saluée par des rires tonitruants, car les gens d'Otrante étaient bien armés et n'attendaient qu'un ordre pour se lancer sur ceux du pape.

Mais Sigbert resta aussi serein que Gavin qui, de l'autre côté, semblait indifférent. Ce fut l'évêque qui résolut l'impasse en accordant à Vitus, avec un geste de mépris, l'autorisation de fouiller le palais. Le Viterbien passa en trombe avec ses dominicains devant l'évêque, sans un mot, furieux de tout ce temps perdu.

— Yarzinth ! appela Nicolas, montre à ce seigneur le chemin souterrain ! — Mais le cuisinier déguisé en maître de cérémonie avait disparu.

Comme le légat du pape et Simon étaient toujours au pied de la scène, Vitus profita de l'occasion pour demander à un des soldats qui les accompagnaient de faire sauter d'un coup d'épée la chaîne de ses fers. Il fut ensuite le premier à descendre en courant l'escalier qui menait au souterrain, en agitant furieusement les deux bouts de sa chaîne.

Le jeu d'Asha se déplaçait de plus en plus sur la scène et, privé maintenant de cases blanches et noires, il perdit tout intérêt pour Lorenzo qui assistait au spectacle en observateur, sans la moindre passion. La partie finit par sombrer dans la confusion la plus totale. Il n'y aurait donc pas de décision, pas de vainqueur, uniquement des vaincus! Les illuminés allaient apparaître, couverts de taches noires, et les puissances des ténèbres succomberaient sous l'effet de la lumière!

Joinville, qui avait réuni suffisamment de Français autour de l'oriflamme, tremblant des pieds jusqu'à la tête, donna l'ordre qu'on l'accompagne jusqu'à la sortie. Lorenzo se joignit à eux sans attirer l'attention, car on savait qu'il était arrivé avec eux. Il prit sans hésiter le bras de l'ambassadeur et aucun soldat du pape n'osa l'empêcher de sortir de la salle, même si la voix de Simon clamait derrière eux:

— Arrêtez le faux minorite! Ne le laissez pas s'échapper!

Les seuls qui restèrent tranquillement assis sur leurs coussins pendant toute la mêlée furent les deux marchands arabes, comme si le spectacle auquel ils assistaient les laissait totalement indifférents. Ils rapprochèrent d'eux cependant les caisses où se trouvaient les cassolettes d'encens et les amphores, pour les mettre à l'abri des soldats qui ne cessaient de tourner autour. Ils se regardaient en souriant.

La comtesse était nerveuse:

— Et les enfants? murmura-t-elle craintivement en s'adressant à Sigbert.

— Il y a longtemps qu'ils sont dans le pavillon, dit Clarion pour la rassurer.

— Ou même à bord du bateau! renchérit le chevalier. Hamo les aura mis en lieu sûr.

— Allons-nous-en! insista Laurence. J'ai besoin de me sentir à l'abri, d'avoir les planches de ma trirème sous les pieds!

— Du calme, du calme! grogna Sigbert. Ce n'est pas le moment d'attirer l'attention. Dès qu'une occasion se présente, je vous conduis au port.

Les templiers commandés par Gavin barraient le passage devant presque toute la scène. Formant une muraille
infranchissable, ils réussirent à protéger Turnbull, Galeran
et Pian d'une attaque immédiate des gens du pape.

— Nous le tenons ! disaient des voix confuses et sourdes
qui montaient du souterrain. Nous avons trouvé le faussaire,
nous l'avons fait prisonnier ! — Les derniers invités et les soldats du pape s'avancèrent de nouveau vers la tribune, mais
se heurtèrent aussitôt aux gens d'Otrante.

— Pas de violence ! s'exclama Sigbert d'une voix tonitruante à l'intention des siens. Voyons ce que le seigneur
inquisiteur a bien pu découvrir !

Les rires dissipèrent un peu la tension qui régnait dans
la salle, mais tous ceux qui étaient restés là, poussés par la
curiosité, la peur ou la dévotion — et ces derniers étaient en
majorité — commencèrent à se bousculer pour se rapprocher le plus possible du lieu où tout allait se dénouer.

DANS L'HADÈS

Constantinople, automne de l'an 1247

Hamo avait bien du mal à guider la barque instable sans
heurter trop violemment les colonnes. Comme il n'était pas
habitué à se servir d'une perche, la petite embarcation faisait
de violentes embardées et frappait de temps en temps les
colonnes qui se dressaient au milieu des eaux noires comme
une centaine d'obstacles périlleux.

Les enfants étaient accroupis à la proue, immobiles. Ils
n'avaient pas peur, mais ils avaient décidé d'être sages pour
ne pas rendre Hamo « encore plus fou ».

S'il avait eu des rames correctes, il serait depuis long-temps sorti de cette forêt souterraine de piliers. A tout cela, il fallait encore ajouter le silence terrifiant, interrompu de temps en temps par une goutte qui tombait d'une voûte en le faisant frissonner. Y avait-il quelqu'un, plus loin dans la citerne, caché derrière la prochaine colonne? Un autre bateau allait-il déboucher d'un canal latéral, rapide comme une flèche? Quelqu'un les suivait-il, qui surgirait bientôt? Chaque fois qu'il regardait d'un côté ou de l'autre, il déviait de sa route. De toute façon, il n'était pas du tout sûr de ne pas s'être déjà égaré, de ne pas tourner en rond alors qu'il croyait avancer en zigzag. La même distance séparait toutes les colonnes et on ne voyait pas l'extrémité du lac, encore moins la sortie apparemment unique qu'il cherchait. Peut-être était-il déjà passé devant?

Hamo décida de continuer en ligne droite, espérant arri-ver tôt ou tard devant un mur qu'il pourrait ensuite longer. Le jeune comte était tendu et presque mort de fatigue.

Roç et Yeza ne lui facilitaient pas la tâche non plus. Cette responsabilité lui faisait l'effet d'un cauchemar qui pesait sur sa nuque, sur sa poitrine, partout! Il en perdait presque le souffle. Cette fois, il ne s'agissait plus d'orphelins sortis de nulle part. Et Guiscard n'était pas là pour lui prêter main-forte! Hamo avait dû insister beaucoup pour que les enfants se dépêchent. Ils voulaient attendre Guillaume et s'étaient constamment retournés pour voir s'il arrivait. Dissi-mulant de son mieux sa propre peur, il avait réussi à les convaincre de sortir du pavillon, d'où ils avaient cependant emporté avec eux leurs jouets préférés : le poignard, l'arc et les flèches. Une fois rendus à la citerne souterraine, il les avait fait descendre dans la barque qui les attendait, mais Yeza avait tenu à en chercher une autre, pour que Guillaume trouve la première lorsqu'il arriverait. Hamo perdit donc du temps à chercher sous la gigantesque voûte une autre barque parmi des centaines de colonnes, souhaitant de tout son cœur sortir au plus vite de ce lieu auquel conduisaient, comme il le savait bien, d'innombrables passages secrets. Ses poursuivants pouvaient à tout moment surgir de l'un d'eux.

Finalement, ils trouvèrent une barque à moitié coulée et la tirèrent jusqu'à l'embarcadère où ils l'attachèrent pour la laisser derrière eux. Hamo refusa d'écoper l'eau et le petit groupe reprit sa fuite en toute hâte. Tant pis si les enfants se fâchaient. Une fois de plus, ils l'avaient mis dans l'embarras, lui, Hamo, qui ne voulait rien savoir de toutes les manigances de sa mère et de ses amis, lui qui s'était débrouillé tout seul depuis l'avalanche, qui trouvait parfaitement assommante toute cette histoire du Grand Projet. Et il fallait que ce soit justement sur lui que retombe tout à coup la responsabilité de ces marmots qu'il ne pouvait quand même pas abandonner. Il fallait trouver une solution! Comme si le destin tout-puissant, ce grand inconnu, avait entendu en cet instant précis ses lamentations mentales, il vit soudain l'échelle qui montait de l'eau jusqu'au sommet de la digue et marquait la fin de la citerne. Un dernier coup de perche, et la barque accosta; Roç et Yeza escaladèrent les échelons. Ils se souvenaient encore du chemin qu'ils avaient parcouru à leur arrivée et, avant que Hamo n'ait eu le temps de poser sa perche, ils étaient déjà en haut du mur.

— La grille est ouverte! cria Yeza, folle de joie, et elle descendit de l'autre côté. — Roç la suivit un peu plus tard, car il perdait toujours du temps à remonter son arc sur son épaule. Mais ensuite, lorsque Hamo eut amarré la barque à un anneau, l'enfant reparut, pâle comme la mort, au sommet de la digue.

— La porte a bougé, dit-il tout bas, et pourtant on n'a pas posé le pied sur la pierre du bas. — Et il ajouta : — Elle bougeait comme si elle voulait se refermer. — Hamo reprit sa perche, Roç mit une flèche à son arc et ils repartirent tous les deux à la suite de Yeza.

Elle se trouvait au centre de la pièce, à côté du tube de cuivre, et paraissait un peu troublée.

— Je crois qu'il y a quelqu'un ici! dit-elle.

Au même instant, la porte de fer se referma à grand bruit dans leur dos. Les deux battants armés de piques s'étaient mis en mouvement, actionnés par une main invisible. Et ils virent alors que les pointes étaient disposées de telle sorte que même un chat n'aurait pu se faufiler sans se faire transpercer de part en part!

Ils regardaient, terrorisés. Puis Roç rompit le silence.

— Je parie que l'autre porte est fermée!

— Revenons à la barque — Hamo frissonnait comme

une feuille de tremble. — J'ai peur — mais Yeza était revenue à la grille, sans trop s'en approcher. Elle lui paraissait
trop menaçante. Les pointes d'acier la regardaient avec des
yeux méchants et elle se contenta de jeter un rapide coup
d'œil.

— Elle ne veut plus s'ouvrir, annonça-t-elle avec une
tranquille conviction. On est coincés.

Lentement, elle rejoignit les autres qui se pressaient
contre la fausse colonne, comme si le tube de cuivre allait les
protéger. Personne ne disait mot et tous espéraient que la
grille de devant, celle qui conduisait au cloaque, à la liberté,
s'ouvrirait toute seule pour les laisser passer. Les battants,
eux aussi munis de grosses piques, étaient rabattus contre le
mur et semblaient attendre, comme l'araignée à un bout de
sa toile, que quelqu'un, poussé par la terreur panique ou
l'ignorance, touche le mécanisme mortel. La perche de
Hamo était trop longue pour cette salle si basse et, en
cognant contre le plafond, elle lui échappa des mains. En
tombant, elle heurta le tube suspendu en faisant un bruit,
plusieurs fois répété par l'écho, qui résonna dans la chambre
en produisant un son qui avait quelque chose de rassurant.

Hamo ramassa la perche de bois et donna un coup sur le
tube, puis un autre, jusqu'à ce que le vacarme remplisse
toute la pièce. C'était le désespoir qui le faisait battre le
cuivre. Les enfants s'étaient reculés pour se mettre hors
d'atteinte de la perche qui finit par se casser en plusieurs
morceaux. Mais alors que le bruit commençait à s'éteindre,
leurs regards se posèrent sur l'escalier qui s'ouvrait derrière
la grille de devant. Immédiatement, ils reconnurent à son
pantalon celui qui accourait : c'était Yarzinth, et Styx trottait
à côté de lui.

Ils attendirent que ces pieds fassent encore deux ou trois
pas en descendant les marches; mais tout à coup, il leur
sembla que les bottes prenaient un temps fou, alors que germait dans l'esprit des prisonniers l'espoir de voir se terminer
leurs peines, car de là leur viendrait le salut. Mais quand
apparurent le torse nu couvert d'étranges tatouages, les bras
musclés ornés de bracelets d'argent, la main armée d'un
gigantesque cimeterre à la lame incurvée, ils comprirent
qu'une menace de sang venait de remplir la salle comme un
rayon de soleil qui perce les nuages.

Le cuisinier avait les yeux vitreux; il était devenu une autre personne, comme arrivé d'un autre monde. Le bandeau rouge qu'il avait noué autour de son front chauve ne lui donnait pas l'air d'un pirate. Il était le bourreau! Ce même bourreau qui, dans le Pavillon des égarements humains, avait épié par un petit trou le pauvre Benoît, le même qui la nuit ne cessait de tourner autour d'eux. Yarzinth glissa la main entre les barreaux et entra dans la salle sans faire de bruit, comme c'était son habitude. Styx resta au pied de son maître, jusqu'à ce qu'il referme la porte derrière l'animal.

Hamo ne put contenir sa fureur; il brandit ce qu'il restait de sa perche, car il n'avait pas d'autre arme, et s'avança.

— Tu penses peut-être nous noyer ici? Tu viens nous tuer?

Il essaya de le frapper, mais Yarzinth para son estocade maladroite et lui lança un coup de pied qui le fit tomber à la renverse.

— Écarte-toi de mon chemin, Hamo, dit-il d'une voix très calme; je n'ai rien à voir avec vous.

Toujours debout contre la colonne, Yeza et Roç se regardèrent. Les yeux de Roç étaient remplis de tristesse et le petit luttait pour ne pas fondre en larmes, mais il tenait toujours au poing son arc et la flèche qu'il avait préparée, même si sa main tremblait. Yeza lui sourit pour lui donner courage.

Hamo se releva péniblement et lança un regard aux enfants:

— Il faudra d'abord me tuer! cria-t-il au cuisinier, et il tenta de lui donner un coup de pied aux jambes. — Mais Yarzinth l'esquiva et Styx se mit à gronder en montrant les dents.

— Ne me forcez pas! lança Yarzinth d'une voix sifflante, mais Hamo essaya encore de le frapper. — Yarzinth recula et, tandis que les enfants poussaient un cri de terreur, il leva son cimeterre et frappa le jeune homme avec le pommeau, sur la tempe. Hamo s'effondra comme un sac de sable mouillé et son bout de perche vola dans un coin.

Le cuisinier ne jeta pas même un regard au jeune homme inconscient et s'avança lentement vers les enfants.

— Pourquoi veux-tu nous tuer? cria Roç d'une voix plaintive. — Yeza ne dit pas un mot; ses yeux verts étaient devenus deux fentes derrière lesquelles brillaient des étincelles de colère et de haine.

— A genoux, tous les deux, et fermez les yeux, dit Yarzinth de cette voix douce qu'il avait toujours lorsqu'il les envoyait se coucher.

Roç obéit, fléchit un genou jusqu'à toucher la pierre, posa son arc, ferma les yeux et offrit sa nuque au cuisinier qui s'approchait. Yeza le regardait fixement, sans donner le moindre signe de vouloir s'humilier. Le regard de la petite l'irrita tellement qu'il se retourna vers elle, le cimeterre toujours brandi en l'air.

Au même instant, Roç prit son arc et tira. La flèche s'enfonça juste au-dessous de l'œil droit de Yarzinth. Le cuisinier beugla comme un taureau qui brûle de rentrer à l'étable, tituba en arrière et cria à son chien :

— Mords-les, mords-les !

Puis il recula encore vers l'avant de la salle.

Les enfants retenaient leur souffle. Alors qu'il arrivait devant la gueule ouverte de la porte, Yarzinth s'arrêta et partit d'un rire cruel, se moquant de lui-même et de ses victimes. C'était un rire horrible. Du sang noir coulait de son œil, mais la flèche n'avait pas atteint le cerveau. Le cuisinier arracha la flèche, avec son œil, ce qui eut pour effet de paralyser son chien : Styx préféra mordre la pointe de la flèche et lécher la masse gélatineuse qui y était restée collée. Mais le cuisinier ne pouvait le voir.

— Mords-les, mords-les ! lui criait-il tout en cherchant son flacon de musc sous sa ceinture.

— Styx ! s'exclama Yeza d'une voix claire, en zézayant un peu, comme chaque fois qu'elle était énervée. Viens, mon bon Styx ! — et le chien bondit avec un aboiement joyeux dans la direction de cette voix tellement familière. Elle passa le bras autour de son cou poilu et le chien se mit à remuer la queue.

C'en était trop pour Yarzinth. Le cuisinier poussa un cri terrible :

— Styx ! — mais le chien ne bougea pas. — Styx ! hurla encore une fois le cuisinier, dans un obscur mélange d'amour profondément blessé et de haine mortelle. — Il brandit son sabre : les crânes fendus des enfants témoigneraient tout aussi bien de l'accomplissement de sa mission. Il allait leur trancher le cou à ces petits mal élevés !

Titubant, haletant, le bourreau s'approcha des enfants.

De peur, Roç avait fait tomber par terre une autre flèche qu'il préparait et n'osait plus maintenant la ramasser. Yeza s'avança, son poignard à la main, bien visible dans son poing, en faisant exactement le contraire de ce que Guiscard lui avait enseigné. Son front se barra de ce sillon vertical qui était un signe de colère dans sa famille. Elle s'approcha de Yarzinth qui s'était arrêté, surpris. La petite prétendait peut-être se défendre contre son sabre avec un poignard?

Puis il vit le chien qui trottait derrière l'enfant. L'œil unique du cuisinier, semblable à l'œil rougi d'un poisson, s'éclaira d'une lueur de colère. Il déboucha le flacon...

Yeza approchait toujours, son poignard tendu devant elle, loin de son corps, comme si elle voulait s'en défaire.

— Donne-le-moi, susurra Yarzinth d'une voix mielleuse. Allez, donne-moi ton poignard!

Yeza leva le bras comme si elle refusait et cacha le poignard derrière sa tête; elle sentit le tranchant d'acier à travers ses cheveux.

— Le voilà! fit-elle alors en lançant l'arme contre Yarzinth.

Le poignard ne partit pas très vite, mais il virevoltait si bien que le cuisinier ne put s'en saisir ni le dévier. L'élixir de musc se répandit sur sa poitrine nue.

Avant même que l'odeur ne puisse complètement se répandre, Styx fit un bond. Le choc renversa Yarzinth contre la grille. Le chien était pendu à sa gorge. Au même instant, les mâchoires armées de leurs dents mortelles se refermèrent. Les piques d'acier transpercèrent le maître et son chien dans un bruit qui força Yeza à fermer pour la première fois les yeux, afin de ne pas voir ces pointes qui sortaient de leur chair ni les ruisseaux de sang qui commençaient déjà à couler. Puis, ce fut le silence.

Dans ce silence, ce fut Roç qui entendit le premier le grincement. Dans sa fureur aveugle et mortelle, Styx avait presque complètement arraché la chaîne de retenue, ancrée dans le sol à mi-distance de Roç, à côté de la colonne, et de Yeza, debout devant la grille. Les deux enfants regardaient fixement le crochet qui tournait lentement devant eux.

Yeza s'écarta et la chaîne fendit l'air en sifflant avant de frapper à grand bruit la grille de fer. La poulie gémit un peu et la vanne de chêne tomba avec un son mat dans l'unique déversoir de la digue, de l'autre côté de la porte dont les épines de fer avaient happé les deux morts. Le gargouillis de l'eau qui coulait se tut alors. Puis le niveau monta rapidement jusqu'au bord et l'eau commença à couler sur les dalles de la salle, formant des flaques qui ne cessaient de grandir.

— Oh, Styx! dit Yeza. J'ai pas fait exprès!

Depuis que la grille s'était refermée sous ses yeux, la petite ne s'était pas retournée pour regarder les corps restés pris dans le piège. Mais Roç avait les yeux rivés sur la porte de fer où Yarzinth et son chien étaient écrasés l'un contre l'autre, confondus en un seul corps. Incapable de détourner les yeux de cette scène, il n'avait pas envie non plus de s'approcher.

— Il faut réveiller Hamo! dit-il finalement. — Il prit alors la perche brisée et frappa contre le tube de cuivre. Yeza s'approcha de la canalisation, prit de l'eau dans le creux de ses mains et revint à côté de Hamo, toujours allongé par terre. Goutte à goutte, elle laissa l'eau tomber sur sa nuque et Hamo commença à bouger en gémissant.

— Je croyais que tu étais mort toi aussi, dit la petite d'une voix forte. On va se noyer. Et c'est dangereux de se noyer, ajouta-t-elle d'une voix grave.

L'eau avait maintenant monté d'un doigt et elle atteignait Hamo. Le jeune homme s'appuya sur un bras et secoua la tête. Une bosse sanglante enflait son front.

— Lève-toi, Hamo, dit Yeza. On va se noyer!

Roç tapait furieusement sur le tube. Mais le son du cuivre n'était déjà plus le même; il résonnait avec de moins en moins de force, comme le bruit assourdi de coups montant d'un souterrain. L'eau avait atteint le bord inférieur du tube et continuait à monter.

LE ROQUE

Constantinople, palais de Calixte, automne de l'an 1247
(chronique)

Je ne revins à moi que lorsqu'on me fit remonter l'escalier du souterrain, comme un cochon que l'on vient de sacrifier. Deux moines noirs me soutenaient par les bras, mais je ne pouvais voir qui me tenait les jambes, car ma tête pendait en bas et cognait même parfois contre les marches, surtout quand un talon de botte ne venait pas la remonter sans ménagement. On ne saurait donc dire que j'étais vraiment « revenu à moi ». Je saignais comme un goret. Les sbires de Vitus avaient dû m'arracher aux crochets de l'entonnoir en tirant de toutes leurs forces. Or je ne connaissais que trop ces lames qui s'avançaient et se prenaient irrémédiablement dans les chairs. Vitus n'avait pas eu la patience de me traiter avec délicatesse et on m'avait sorti de là comme on fait sortir un gros bouchon coincé. Sa fureur s'expliquait en grande partie parce que je lui avais montré le chemin qu'avaient pris les enfants pour s'enfuir quand il était déjà trop tard pour se lancer à leur poursuite.

Finalement, nous arrivâmes en haut, détail que je notai avec satisfaction uniquement parce que ma pauvre tête n'était plus obligée de compter les marches une à une en cognant contre elles, d'autant plus que la jolie coiffure qui m'aurait protégé était restée prise dans les lames de la « dernière issue ». C'est alors que je vis un habit marron se détacher parmi les bures noires des autres et passer par-dessus mon corps. Benoît! Ils avaient donc attrapé le Polonais lui aussi.

Ma peau me brûlait comme si elle était en feu; des coups sourds résonnaient dans mon crâne, comme si quelqu'un avait frappé dessus à la façon d'un tambour pendant une longue bataille. Et je souhaitais seulement qu'on me laisse tomber enfin, qu'on me laisse couché par terre pour que je m'y vide en paix de mon sang et m'évade vers ces nuages où se diluent la douleur et les sens. Mais au lieu de

cela, des mains brutales me soulevèrent, comme une sanglante saucisse piquée par mille fourchettes. Devant mes
yeux, je voyais Vitus qui poussait Benoît vers l'estrade, ou
plutôt qui le faisait avancer en le rouant de coups ; je vis
aussi qu'on avait obligé Pian à se présenter là-haut. Les gens,
nerveux et silencieux au début, nous acclamaient maintenant dans notre infortune. Puis, tous les invités qui restaient
encore dans la salle s'approchèrent de nous et se pressèrent
au pied de la tribune. Défiguré par la rage, Vitus poussa
Benoît à côté du missionnaire et lui fit lever le bras comme
s'il allait le proclamer vainqueur d'un pugilat.

— Voici le véritable compagnon de Pian di Carpini !
hurla-t-il, triomphant. Ce n'était pas Guillaume — hors
d'haleine, il montrait mon pauvre corps brimbalant comme
une poche de gelée —; en fait, c'est Benoît de Pologne qui...
— Mais je n'entendais plus ses cris, car la tête me tournait de
plus en plus.

— *Huwa sadiq al-mubassir !* — Les deux marchands
arabes sautèrent comme des chats sur la scène et, alors qu'ils
volaient encore dans les airs, des poignards apparurent dans
leurs mains. Une lame plongea dans la poitrine de Benoît,
une fois, deux fois, trois fois ; puis, une lame d'acier me
menaça d'un bref éclair, mais ne me toucha qu'à l'épaule car
Vitus s'était jeté sur l'agresseur en montrant ses dents de
loup. Un cri monta dans la salle :

— Des Assassins !

Benoît tomba par terre en essayant inutilement de se
rattraper à Pian. Son assassin, le plus jeune des deux, fit un
bond et s'échappa par la petite fenêtre qui donnait sur
l'auvent de l'entrée. Mais mon agresseur était pris. Vitus
avait lancé par-derrière l'extrémité libre de la chaîne qui lui
enserrait encore les poignets, l'entourant autour du cou de
l'Arabe qu'il étrangla avec la dextérité d'un bourreau chevronné. Le poignard tomba en tintant de la main inerte de
cet aimable Arabe. Son corps sans vie ne s'effondra pas
complètement par terre, là où reposait Benoît, raide mort,
car les poings robustes des templiers arrachèrent au Viterbien sa victime.

Le coup de poignard que j'avais reçu à l'épaule fut
presque ma planche de salut. Les deux moines noirs
m'avaient enfin lâché, pour sauver leur propre peau. Je me

recroquevillai, me reposai un peu et restai bien tranquille. La mort était certainement en train de s'emparer de ma personne, même si je ne comprenais pas pourquoi mon cerveau continuait à fonctionner et à prêter une telle attention à ce qui se passait autour de moi. Il y avait longtemps déjà que je ne pouvais plus bouger un muscle et jusqu'aux globes de mes yeux se glacèrent comme s'ils étaient devenus de verre; ils voyaient encore, mais je ne pouvais plus les faire bouger. Mais oreilles étaient capables elles aussi d'enregistrer avec une netteté parfaite tous les bruits.

La salle était en ébullition et semblait vouloir déborder comme le lait qu'on oublie dans un chaudron sur le feu. Entre les jambes de ceux qui m'entouraient, je vis que Sigbert réunissait les gens d'Otrante autour de la comtesse et de Clarion. Madulain était là. Je compris que jamais plus je ne regarderais au fond des beaux yeux de ma princesse. Je vis le groupe sortir de la salle, bannière au vent, me laissant là, par terre, mais j'étais incapable de les appeler; avec quel plaisir leur aurais-je demandé de saluer de ma part les enfants, avant que mon cerveau ne finisse par mourir lui aussi, de leur dire que leur Guillaume allait les surveiller et les protéger, même du ciel, et qu'il les aimait de tout son cœur!

Vitus et Simon se rendirent compte du départ des gens d'Otrante.

— Ne les laissez pas s'enfuir! aboya le Viterbien.

— Vous voulez peut-être les arrêter? se moqua Simon. A main nue?

— Ils ne peuvent pas s'échapper, dit Fra Ascelino pour apaiser les deux coqs de combat. Notre bateau...

Et il regarda par la fenêtre dans la direction de la Corne d'Or, au moment précis où le rapide voilier du pape sortait du port, toutes voiles dehors.

— Arrêtez-les! Arrêtez-les! cria Vitus comme si sa voix pouvait porter jusqu'à la capitainerie du port. Que quelqu'un...

De la gorge de Vitus ne sortait plus qu'un râle. Il va avoir une attaque, me dis-je, et il va mourir lui aussi. Le moine s'était approché de la fenêtre. Non, il va se jeter dans le vide, supputai-je, le cœur débordant d'allégresse. Mais il s'appuya en gémissant sur le rebord, les yeux fixés sur le bateau qui s'en allait.

— Comment le capitaine a-t-il pu me faire ça ? Je vais le tuer ! — et il agita les poings en faisant sonner bruyamment les deux bouts de sa chaîne. — Et maintenant, qui va pouvoir retenir cette maudite comtesse ?

— Vous aurez une autre occasion d'attraper les enfants ! s'esclaffa Fra Ascelino, dont le sang devait pourtant bouillir lui aussi. Grâce à votre stratégie géniale, vous avez échangé notre bateau contre Guillaume de Rubrouck. Vous pouvez l'emporter maintenant comme trophée, à pied, sur votre dos...

L'évêque se fit un plaisir de se moquer lui aussi du Viterbien.

— A mon humble avis, Guillaume n'est pas en état d'être transporté !

C'est alors que je vis toutes les bottes se réunir autour de ma personne.

— Guillaume est mort ! — la voix de Gavin mit fin à la dispute. Sa main caressa mon front déjà froid, sans que je la sente, et le templier ferma avec un sourire entendu mes paupières sur mes yeux immobiles...

L'HONNEUR D'OTRANTE

Port de Constantinople, automne de l'an 1247

Hamo avait de l'eau jusqu'aux genoux, les enfants jusqu'au ventre. Et le niveau montait, lentement mais inexorablement. Ils étaient à côté de la colonne, seule chose dans cette salle à laquelle on pouvait s'accrocher, même en pure perte. Ils avaient renoncé à cogner avec les morceaux de la perche sur le tube de cuivre qui, tout bosselé, ne résonnait plus. Les bouts de bois devaient flotter quelque part.

Prenant leur courage à deux mains, ils s'étaient mis à secouer la grille de derrière, sans que personne ne leur réponde. Ils n'osaient pas s'approcher de l'autre porte. Seule Yeza s'était avancée, les yeux rivés sur le poignard avant que l'eau ne le recouvre complètement après qu'il fut tombé sur les dalles de pierre, au-dessous des deux cadavres pris dans la grille. Elle était allée le chercher sans lever les yeux et l'avait rangé, comme d'habitude, derrière sa nuque. Elle ne pouvait faire plus.

La petite n'aurait jamais imaginé qu'il était si long et si ennuyeux de se noyer. Roç ne se plaignait pas davantage : il était silencieux, très grave. Hamo était le seul à gémir, à cause de sa bosse. Quel imbécile il avait été d'avoir cru qu'on pouvait aller de par le monde sans arme ! Une de ses oreilles était cramoisie, ce qui le rendait plus ridicule que beau. Hamo ne serait jamais un chevalier ! Il ne cessait de se rafraîchir le crâne en prenant de l'eau dans le creux de sa main pour s'en asperger les tempes. Bientôt, quand l'eau aurait suffisamment monté, il n'aurait plus besoin de se baisser, mais alors la petite et Roç seraient noyés...

Et que sent-on quand on se noie ? Ils ne savaient même pas nager comme Hamo, parce qu'à Otrante, on ne les avait jamais laissés sortir ni s'approcher de la mer, pas davantage du petit port où attendait la trirème quand elle était là. C'était la faute de la comtesse ! Elle pouvait bien attendre qu'ils reviennent, elle pouvait bien les faire chercher partout...

Elle n'aurait jamais l'idée d'aller voir là où ils étaient ! Le plus probable était que tante Laurence ne s'approcherait même pas du cloaque, à cause des rats. Et Clarion ? Elle devait se contenter de pleurnicher ! Yeza revint lentement là où étaient les deux hommes. Roç était un vrai chevalier, son chevalier ! Elle le prit dans ses bras.

— Au moins, nous sommes ensemble, dit tout bas la petite.

Une étincelle rieuse et mystérieuse que l'enfant aperçut dans ses yeux verts lui donna du courage.

— Accroche-toi, dit-il d'une voix rauque, et il prit la main de la petite pour l'approcher de la colonne. — En réalité, il était bien content de l'avoir aussi près de lui. Yeza s'exécuta et posa sa main par-dessus la sienne.

Au même moment, le tube de cuivre se mit à bouger; oui, les enfants le sentaient très nettement bouger!

Hamo posa lui aussi la main sur le tube de cuivre qui coulissait maintenant vers le haut en frémissant. Quelqu'un devait tirer dessus! Mais devaient-ils le retenir ou au contraire le lâcher? De toute façon, le cuivre était si lisse qu'il glissait sous leurs mains. L'extrémité ouverte sortit finalement de l'eau avec un bruit étrange, glissa devant eux, puis disparut par la voûte de pierre.

Du sable et de la poussière leur tomba dans les yeux et ils découvrirent au plafond une ouverture de la taille d'un bouclier rond qui commença à s'ouvrir sur le côté. La lourde pierre se déplaça en craquant, puis dans un grondement sourd. Par l'orifice ouvert, ils ne virent pas le ciel bleu, mais une lumière plus claire que la pénombre qui régnait dans la salle. Ils entendirent des voix. Une corde descendit.

Elle se balançait encore au-dessus de leurs têtes quand un templier commença à descendre, comme un marin qui se laisse glisser du haut d'un mât, et s'enfonça dans l'eau en soulevant une gerbe.

— Ils vont tous bien! cria-t-il en levant la tête. Les enfants vont bien, et le jeune comte aussi!

— Merci, dit Hamo, et il l'aida à attacher Yeza que le templier serra contre son corps quand on commença à tirer la corde d'en haut.

— ...et c'est ainsi que nous avons sauvé les enfants! conclut le chevalier devant le rideau noir de la litière.

— Amenez-les-moi, dit la voix.

Le templier se retira et s'approcha du groupe attroupé autour du trou percé dans le sol. Il fit signe à Roç et à Yeza qui regardaient Hamo sortir par ses propres moyens. Curieux, ils emboîtèrent le pas au chevalier.

— On nous demande? Qui? demanda Roç, mais pour toute réponse le chevalier posa un doigt sur ses lèvres en souriant. Ah, je comprends, fit Roç, c'est un secret!

Yeza avait pris de l'avance sur eux, et insouciante, elle souleva le rideau noir. A l'intérieur, elle vit une vieille dame qui lui tendait la main pour l'aider à monter.

— Viens, Roç! cria la petite à son compagnon qui voulait d'abord examiner de dehors la voiture.

— Ne te fais pas attendre! dit le chevalier qui l'accompagnait, et il poussa gentiment l'enfant.

Le rideau retomba sur les deux petits.

Hamo regarda autour de lui. Ils étaient dans un temple. On apercevait le Bosphore derrière des colonnes. La statue de bronze de la déesse gisait à terre, sur le côté; à l'aide de leviers et de cordes, on s'occupait déjà de la redresser. Le gros socle de pierre retomba bientôt sur l'ouverture par laquelle ils s'étaient échappés.

Hamo se tourna vers Guillaume de Gisors qu'il se souvenait fort bien avoir vu assis au premier rang, à côté de l'ambassadeur de France :

— Et comment saviez-vous que nous étions là?

— C'est Thémis qui nous l'a dit! répondit le gracieux chevalier. — Quand il vit à son expression que Hamo ne comprenait pas, il s'expliqua. — Les gens d'ici disent que ce temple est celui de Némésis, mais en réalité la statue représente la déesse de la justice : d'une main, elle tient une balance, de l'autre un glaive!

— Mais comment la statue a-t-elle pu vous dire que nous...? — Hamo avait besoin d'une explication logique. Guillaume de Gisors continua :

— Le sculpteur qui a fait cette statue l'a dotée d'un mécanisme : quand la chaîne se met à tourner et ferme la vanne en bas, dans le *balaneoin*, Thémis abaisse la balance et lève son glaive. Nous étions en train de vous chercher quand quelqu'un est arrivé en courant pour dire que Némésis, la déesse de la vengeance, avait tout à coup laissé tomber dans un bruit horrible les plateaux de sa balance, en relevant son glaive, et que c'était un signe néfaste pour la ville qui allait être accablée de fléaux, peste, sang et perdition. Eh bien, continua Guillaume de Gisors en riant, cet homme tout tremblant s'est vu couvert d'une pluie d'or pour nous avoir ainsi indiqué où vous vous trouviez. C'est également lui qui nous a montré comment « exercer le recours en grâce ».

Hamo restait pensif :

— Vous ne connaissez pas les horribles choses qui se sont passées en bas, avant que les eaux ne commencent à monter. Je crois que les gens ont raison de penser que ce lieu appartient à Némésis...

— Nous sommes au courant. Mais notre maîtresse vous prie de garder le silence.

— Comment! s'exclama Hamo. Je ne dois parler à personne de la trahison de Yarzinth? Je ne dois pas dire un mot sur les grilles traîtresses et mortelles, avec leurs affreuses piques de fer qui...?

— C'est ainsi! répondit Guillaume, très sérieux. Pas un mot, à personne! — puis il attendit un peu que Hamo se calme. — Notre maîtresse est furieuse que les enfants aient couru un tel danger. Il ne fallait qu'elle arrive! — et il regarda Hamo avec sévérité. — Vous devez le jurer. — Hamo comprit qu'on le prenait au sérieux, qu'on le considérait comme un homme.

— Pas un mot ne sortira de ma bouche, promit-il d'un air solennel. Mais, et les enfants?

— Nous leur expliquerons et ils comprendront.

Pendant ce temps, le temple avait repris son aspect antérieur. La déesse tenait à nouveau en équilibre le glaive et la balance. Les sergents soulevèrent la litière et les chevaliers aux manteaux blancs ornés d'une croix blanche aux extrémités griffues commencèrent à se retirer.

Ils descendirent par les jardins qui entourent la vieille ville, puis longèrent le quai jusqu'à ce que la trirème apparaisse devant eux.

Les enfants descendirent de la litière, apparemment d'excellente humeur. Quatre templiers les accompagnèrent avec Hamo jusque devant le bateau. Roç et Yeza avaient hâte d'y monter, mais Hamo, en soldat chevronné qu'il était, s'assura d'abord que le chemin de la trirème était libre et sûr, qu'on ne leur tendait aucun piège. Rassuré, il voulut bien leur lâcher la main.

Accueillis par ses cris de guerre, les enfants se précipitèrent sur Guiscard qu'ils saluèrent avec leurs armes. Le vieux guerrier les souleva en l'air et les fit tournoyer plusieurs fois en s'appuyant adroitement sur sa jambe de bois.

— Je savais que vous reviendriez, dit Guiscard d'une voix joyeuse, et Hamo vit que la trirème était prête à appareiller. Lorenzo d'Orta m'a prévenu en passant par ici! continua l'Amalfitain. Ensuite, le seigneur légal est monté à bord du bateau du pape qui était ancré à côté de nous, il a présenté une lettre cachetée et il a donné l'ordre de mettre les voiles. D'abord, le capitaine a hésité, parce qu'il transportait un autre légat à l'aller, mais les deux prêtres nestoriens sont arrivés en courant, les émissaires du Grand Khan, en disant que tout le monde était mort, que deux Assassins avaient tué le seigneur Ascelino et le seigneur Simon dans le palais de l'évêque, et qu'il valait mieux partir tout de suite voir le pape! Quand il a entendu ces nouvelles, le capitaine a fait hisser les voiles et il a ordonné au timonier de partir au plus vite... — Guiscard souffla bruyamment. — Je ne demandais pas mieux! Je n'aime pas avoir un suppôt du pape sous mon nez, et encore moins à côté de moi! — le vieil homme loucha un peu et sourit à Hamo. — Mais je crois que c'était un joli mensonge du franciscain pour s'emparer du bateau des dominicains.

Hamo était encore passablement ahuri; son oreille lui faisait mal et sa bosse lui donnait de violents élancements.

— Comme ça, on s'est bien battu? — l'Amalfitain ne voulait pas croire que la blessure soit vraiment grave, sans doute parce qu'il s'en voulait de ne pas avoir participé à l'escarmouche.

— Oui, vraiment! C'était impressionnant! s'exclama Yeza, ravie. — Elle avait déjà effacé de son esprit l'essentiel de ce qui s'était passé, comme s'il ne s'agissait que de faire tomber quelques gouttes d'eau, comme celles qui tombaient maintenant de son pantalon trempé. — Les gens applaudissaient...

— ...et ils criaient! ajouta Roç. Lorenzo leur a expliqué l'histoire d'un Grand Khan...

— ...qui voulait couper la tête d'un autre, et tout ça à cause de nous! continua Yeza avec enthousiasme. Ensuite, on s'est échappé de là par un tube, et on a failli se noyer!

Roç lui lança un regard, comme pour lui dire de ne pas en dire trop, et Yeza interrompit aussitôt son récit.

— Et la comtesse? demanda Guiscard à Hamo, l'air préoccupé.

— Elle vient! répondit Hamo qui voulait déjà s'esquiver.

— Restez ici! fit l'Amalfitain à voix basse. Quand le péril menace, les gens d'Otrante doivent rester ensemble! — D'un regard, il avait vu que les dames étaient accompagnées par Sigbert qui avançait, l'épée à la main, et que toutes semblaient très énervées.

— Partons d'ici tout de suite! s'exclama la comtesse, à

peine furent-ils tous à bord. Éloignez-vous du quai! cria-t-elle à Guiscard.

— Mais où est Guillaume? demanda Yeza à Clarion qui semblait avoir perdu la tête. — Puis elle se tourna vers le chevalier teutonique, resté seul à terre pendant qu'on larguait les amarres.

— Guillaume est...

— Guillaume est blessé et il ne peut pas voyager avec nous! lança la comtesse d'une voix autoritaire. Partons!

— Non! cria Roç qui sauta par-dessus bord et atterrit sur le quai. Pas sans Guillaume!

— Reviens tout de suite! hurla la comtesse.

— Non! s'exclama Roç d'une voix perçante. Otrante! A l'aide! — Tous comprirent que rien ne ferait revenir le petit garçon debout sur le quai. — On va chercher Guillaume!

— Faites remonter cet enfant à bord! ordonna la comtesse à Guiscard. Ramenez-le ici! cria-t-elle au chevalier.

Hamo fut le premier à descendre à terre.

— L'honneur d'Otrante, dit-il aux *lancelotti*, aux *moriskos* et aux archers qui se pressaient sur le pont en suivant silencieusement la dispute, exige que nous fassions ce que Roç a dit!

— La garde reste à bord! ordonna Guiscard. Tous les autres, à mes ordres!

Et ils descendirent à terre; cette fois, les *lancelotti* étaient armés de leurs avirons terminés en faux de guerre. La troupe se mit en branle, menée par Roç et par Hamo qui tenait le petit par les épaules.

— Tu as oublié ton arc!

— Un jouet pour les enfants! répondit Roç en s'assurant qu'on avait bien emporté l'étendard.

— Crotte! dit Yeza, dommage que les filles ne puissent pas être chevalières!

— Nous pouvons leur envoyer un salut, proposa Clarion qui se mit à faire de grands gestes avec les bras pour dire au revoir aux hommes. — Mais elle s'aperçut ensuite que Yeza n'était plus à côté d'elle et que, sans se faire voir, elle avait sauté par-dessus le bord et s'était mise à courir derrière la petite troupe comme un écureuil.

Clarion regardait avec fierté ces soldats qui avançaient

vers la vieille ville. Sigbert suivait, protégeant les arrières, et tout le monde fut rassuré de voir qu'il tenait Yeza par la main.

LE GRAAL DISPARAÎT

Constantinople, automne de l'an 1247

— J'exige qu'on me livre ce grand prêtre hérétique — le doigt de Vitus semblait vouloir traverser le mur impénétrable des chevaliers templiers pour transpercer John Turnbull comme une lance. — J'exige qu'il soit remis à l'Inquisition ! Et cet *episcopus Terrae Sanctae* devrait lui aussi...

Un geste de Fra Ascelino fit que le Viterbien dut ravaler ses insultes : un des soldats qui le tenaient comme un chien que l'on soupçonne d'avoir la rage lui étrangla le gosier en serrant son collier de fer.

La scène s'était divisée en deux camps ennemis. La limite était marquée par le mur des templiers qui, sans conteste, avaient l'arbitrage des armes. Au fond, dans un coin, protégés par les templiers, étaient assis les accusés, John Turnbull et Galeran, qui faisaient tous les deux comme si les clameurs du Viterbien les laissaient de glace. Le vieillard avait pris place sur une chaise, immobile comme une pierre, les yeux vides ; l'évêque de Beyrouth remuait sur son siège, un peu nerveux, mais la seule chose qui le préoccupait était qu'on ne leur donnait rien à boire. Devant les templiers toujours muets, le précepteur et l'évêque Nicolas étaient debout côte à côte.

Les papaux occupaient l'autre moitié de la scène. Vitus était entouré de soldats pontificaux déguisés sous des bures noires, qui sympathisaient modérément avec lui ou du moins hésitaient entre partager son animosité pour le camp d'en face et retenir par la force cet horrible religieux, comme le demandait Fra Ascelino, le légat du seigneur pape.

Les domestiques de l'évêque avaient enlevé le cadavre de l'Assassin et Nicolas ordonna qu'on dépose les deux franciscains devant l'autel. Quand Pian di Carpini joignit les mains des morts sur leur poitrine, il vit dépasser un parchemin de la poche intérieure du manteau tartare qui enveloppait la dépouille mortelle de Guillaume de Rubrouck. Comme jusque-là le sort ne lui avait été guère favorable en matière de lettres, il tenta de s'emparer de celle-là sans se faire remarquer.

Mais Sinon, le dominicain, tenait à l'oreille son frère d'Assise, même occupé à ce dernier acte pieux.

— Bas les pattes, minorite! bafouilla-t-il, puis il lança à haute voix : Tu voudrais peut-être voler encore une lettre à la curie? — Il bondit en avant et arracha le parchemin des mains de Pian.

— Écoutez ce qu'elle dit! décida Fra Ascelino, et son compagnon de l'Ordre déroula le feuillet.

— ... légat de Sa Sainteté Innocent IV... lut Simon d'une voix méfiante, ... fait à Sutri, la veille de la saint Pierre, A.D. 1244...

— Je me souviens maintenant, dit tout à coup Fra Ascelino, après avoir regardé le visage de Guillaume : C'était en juillet, quand le saint-père était en route pour Lyon; et de fait, cet homme s'est trouvé à Sutri!

— Un faux! gronda Vitus que ses gardiens avaient du mal à retenir.

— Ce qui prouverait que Guillaume était chargé de conduire les enfants à la cour des Mongols...

— Il n'a jamais été là-bas!

— Et les enfants non plus? — Fra Ascelino traitait Vitus avec autant de douceur que s'il avait été lui aussi au nombre des défunts.

— Eux non plus! haleta Vitus à qui le collier de fer faisait bien mal chaque fois qu'il remuait trop les mains, au point d'en avoir la nuque et les mâchoires enflées. Demandez-leur donc! ajouta-t-il pour se moquer, car il avait été l'un des premiers à voir entrer les gens d'Otrante dans la salle, pratiquement vide jusque-là.

A part les soldats du pape, toujours devant la tribune, les pieds dans l'eau qui inondait les dalles de marbre et montait jusqu'à leurs chevilles, maugréant contre le légat qui ne les laissait pas se jeter sur cette maigre douzaine de templiers arrogants qui occupaient la scène et qui leur étaient très inférieurs en nombre, il ne restait dans le « centre du monde » que quelques personnages particulièrement tenaces, zélés ou incorrigiblement curieux qui, certains plongés dans leurs prières, d'autres occupés à chanter, à jouer du tambour ou à danser en pleine extase, fournissaient un fond sonore suffisant pour que personne n'ait entendu le bruit des pas et des armes des soldats qui approchaient en silence, avec à leur tête un enfant rempli de courage.

— Ne sortez pas vos armes ! ordonna la voix âpre du précepteur quand il vit que certains des papaux mettaient la main à leurs épées. — Les hommes obéirent sans discuter à cet homme étrange quand ils se rendirent compte, à la mine des gens d'Otrante, qu'ils ne feraient pas de prisonniers et, de plus, qu'avec leurs avirons en pointe de lance, hérissés à la façon des faux de guerre, ils semblaient n'attendre qu'une main commette une imprudence. Les papaux qui se trouvaient en bas s'écartèrent donc, tandis que le légat et ceux des siens qui se trouvaient encore sur la scène se retiraient pour se mettre à l'abri du mur des templiers. Intimidés, les soldats de la salle finirent par se retirer sur les gradins.

Vitus ne pouvait plus dire un mot. Le silence était total ; les chants et les tambours s'étaient tus d'un seul coup et tous regardaient Roç qui, sans la moindre hésitation, se plaça parmi les soldats pontificaux, demanda à Hamo de lui tendre l'étendard, puis porta le drapeau à ses lèvres, avec le plus grand sérieux.

Hamo voulut l'imiter car, loin de prendre ombrage du geste de l'enfant, il en avait été fortement impressionné. Mais c'est alors qu'il vit tous les yeux se tourner vers l'entrée de la salle. A la porte, ils virent la silhouette imposante de l'Allemand de l'Ordre teutonique, appuyé sur sa large épée. De son ombre se détacha la forme délicate de Yeza qui, comme une vision, traversa complètement seule la salle vide. Une fois au centre, elle s'arrêta et tourna résolument ses yeux verts dans la direction de la scène où ils rencontrèrent ceux de Vitus qui la regardait, rempli de haine mais incapable d'articuler la moindre parole.

Yeza mit un genou en terre, dans un geste plein d'élégance et d'humilité.

— Prions, dit-elle d'une voix ferme en se mettant à genoux.

Et tous ceux qui étaient dans la salle tombèrent à genoux, les uns après les autres, comme poussés par une douce vague qui les aurait entraînés sur son passage. Même ceux qui se trouvaient sur la tribune furent incapables de se soustraire à la magie de ce moment.

Les templiers furent les premiers, même s'ils ne mirent qu'un genou en terre. Ensuite, l'évêque Nicolas s'agenouilla et se mit à prier, tandis que Pian se jetait à terre de tout son long. Soudain, les dignitaires du pape se retrouvèrent seuls, car leurs soldats, en bas dans la salle, avaient depuis longtemps suivi l'exemple de la petite. Fra Ascelino haussa légèrement les épaules et s'agenouilla lui aussi, suivi de Simon qui ne put cependant réprimer un geste d'impatience. Vitus restait seul debout. Mais un peu plus tard, contraint par le regard de Yeza ou par le soldat qui tirait sur son collier, Vitus lui aussi finit par se mettre à genoux.

Tous prièrent en silence, même s'il est probable que tous ne priaient pas pour la même chose ni avec la même dévotion que Galeran. Turnbull lui-même sortit de sa torpeur et joignit les mains en inclinant, résigné, sa tête de vieillard : ils étaient donc là, les enfants royaux, les enfants du Graal ! L'erreur avait été la sienne. Il n'avait pas été choisi pour les consacrer : ils s'étaient consacrés eux-mêmes ! Et il jugea qu'il devait rendre grâce à Dieu.

Yeza se releva, fit un bref signe de tête à Roç, puis revint à côté de Sigbert. Les archers étaient toujours prêts à tirer ; les *moriskos* montèrent sur la scène, déposèrent le corps de Guillaume sur un grand bouclier normand, puis le recouvrirent de l'étendard ; les *lancelotti* le chargèrent sur leurs épaules et quittèrent la salle dans un ordre implacable et menaçant, mais sans hâte. Ils tardèrent même un peu, et ce n'est que lorsque le dernier soldat de la comtesse eut franchi le seuil que l'un de ceux qui étaient restés derrière osa ouvrir la bouche.

— Je suppose que nous pouvons nous en aller nous aussi, dit Fra Ascelino en lançant à l'évêque un regard qui exprimait tout ce qu'on voudra, moins la gratitude. — Mais il était trop fatigué pour se mettre martel en tête pour l'humiliation qu'il venait de subir.

Ce fut Vitus qui rompit le charme.

— Vous avez tous été complices de cette trahison, les accusa-t-il sans trop élever la voix. Vous avez tous comploté contre le pape et l'Église ! — D'instinct, Vitus avait compris que son accusation porterait mieux s'il s'abstenait de crier et de se rebeller. De fait, on le laissa parler. — Cet émissaire mongol qui prétend arriver de la cour du Grand Khan est en réalité le bâtard de la comtesse d'Otrante ! — Vitus fit une pause, mais il attendit en vain de son auditoire une réaction de surprise, de peur ou de culpabilité. Ils ne lui firent pas ce plaisir. — Guillaume le faussaire a eu son juste châtiment : il est descendu en enfer ! Et Benoît saura pourquoi il retrouve là-bas son compagnon ! Lorenzo d'Orta est un espion et un traître. Pian di Carpini est coupable de parjure !

— *Pax et bonum !* lança Simon de Saint-Quentin d'une voix railleuse. Tout le monde sait que les franciscains ne sont que des hérétiques et des traîtres !

Fra Ascelino se crut obligé d'intervenir :

— Tous étaient des légats nommés par le pape, dit-il aux deux coqs de combat, puis il se tourna vers Vitus : Et deux frères sont morts par ta faute !

Mais la voix du Viterbien s'éleva en un hurlement :

— Tu aimerais bien, Anselme de Longjumeau, tu aimerais bien te présenter avec cette version des faits devant le pape ! — le soldat du pape chargé d'empêcher Vitus de parler en le tirant par son collier ignora le geste du légat, car il était fort curieux d'entendre la suite de la bouche du Viterbien. Celui-ci baissa la voix pour prendre un ton qui conviendrait mieux à la conjuration qu'il dévoilait à présent. — J'ai compris ta trahison, Fra Ascelino ! Tu voulais que je sois témoin de ta rencontre « fortuite » avec les Assassins à qui tu as montré le chemin, avec qui tu as organisé les meurtres...

— Fermez-lui la bouche ! s'écria Simon, mais aucun des soldats n'osa intervenir ; ils s'estimaient heureux que Vitus ne réussisse pas à briser ses chaînes.

— Et pourquoi ? Pour éliminer des témoins ! Des témoins gênants de ton lamentable échec dans ta mission ! Pian aurait été le suivant si je n'avais pas retenu cet Assassin à ta solde ! Et mon tour serait venu ensuite !

— Mais pourquoi ne pas rattraper le temps perdu ? tonna une voix que l'on n'avait pas entendue jusque-là. — Yves Le Breton était revenu, manifestement de mauvaise humeur. — Pourquoi ne pas le jeter par la fenêtre ? proposa-t-il très sérieusement. Nous dirons qu'il est mort en tentant de prendre la fuite ! Je me ferai un plaisir de vous aider — et Yves s'avança vers l'estrade.

— Pour ma part, vous pouvez bien faire à votre guise ! s'exclama Simon de Saint-Quentin à qui cette proposition ne déplaisait apparemment pas.

Mais Gavin et Fra Ascelino, unis dans une étrange alliance, s'opposèrent au Breton sans mot dire, de sorte qu'Yves resta où il était. Sans doute pensa-t-il qu'il ne valait pas la peine d'affronter le templier pour un personnage comme Vitus.

— Vitus de Viterbe est arrêté ! déclara l'évêque d'une voix officielle. Il sera remis à la justice de l'empereur, sous le chef d'assassinat !

— Ne vous rendez pas ridicule, Illustrissime, le reprit avec douceur Fra Ascelino. Réservez vos derniers actes d'évêque de notre Église pour une tâche plus digne, par exemple pour enterrer ce pauvre homme — et il montra Benoît —, car vous pouvez être sûr — et il ébaucha un fin sourire — que quelqu'un attend Vitus de Viterbe au château Saint-Ange et que ce quelqu'un sera un juge bien plus terrible que n'importe quel bourreau de Constantinople. Resserrez ses chaînes !

Vitus se jeta alors à terre avec la rapidité de l'éclair. Les soldats crurent qu'il avait trébuché, mais quand ils l'aidèrent à se relever, ils virent une arme briller dans sa main : le poignard de l'Assassin qu'il venait de découvrir sur le sol ! Les soldats reculèrent et Vitus atteignit d'un bond le rebord de la fenêtre.

— Vous ne me ramènerez pas là-bas ! cria-t-il, prêt à sauter. Pas toi, Fra Ascelino, misérable valet, pion minable ; ni toi, Yves, tueur par la grâce du roi !

Vitus lança un regard derrière lui pour évaluer la distance à laquelle il devait sauter, compte tenu de la pente et de la hauteur de l'auvent qui surplombait la porte. Mais en se retournant, il vit en bas, collé contre le mur comme un lézard, le plus jeune des Assassins.

Ceux qui se trouvaient sur la scène n'y virent que du feu, mais Vitus ne put éviter le coup : le poignard de l'Assassin lui sectionna, en une seule longue estafilade, les deux tendons d'Achille. Vitus tomba de la fenêtre sans même pouvoir pousser un cri ; son corps heurta l'auvent et s'écrasa, les os brisés, sur l'escalier de l'entrée.

— Il s'est jugé lui-même, dit Fra Ascelino à voix basse. Vous l'avez tous vu ! continua-t-il en se tournant vers les soldats qui semblaient avoir peur.

— Venez avec nous, Pian di Carpini, dit Simon, mais auparavant, vous devrez enfin avouer...

— Je ne rendrai de comptes que devant le pape ! aboya le missionnaire, passablement bouleversé. — Et comme Yves Le Breton montait sur la scène pour s'approcher de la fenêtre et regarder dehors, ce que personne n'avait osé faire jusque-là, Pian se mit à crier à tue-tête pour l'appeler à l'aide :

— Je demande la protection du roi de France ! Emmenez-moi à Lyon !

Simon détourna la tête et son regard tomba sur John Turnbull, hors d'atteinte derrière le rempart infranchissable des templiers.

— Et le saint Graal ? demanda le dominicain pour se moquer. Qu'est donc devenu le saint Graal ?

Simon arracha alors d'un mouvement rapide la nappe de l'autel, comme si le mystère était caché dessous. Mais il n'y avait rien, si ce n'est une pierre nue.

Il laissa tomber négligemment la nappe tachée de sang qui alla atterrir sur le visage blafard de Benoît de Pologne que tout le monde avait oublié.

Les gens du pape repartirent les mains vides. Yves Le Breton conduisit Pian hors de la salle, un Pian affligé qui n'oublia pas cependant de ramasser toutes ses affaires en s'assurant que s'y trouvait bien la lettre du Grand Khan et son *Ystoria Mongalorum*. Les domestiques de l'évêque l'aidèrent à sortir ses bagages. Les templiers s'occupèrent du vieux Turnbull. Gavin échangea quelques mots avec son hôte pour prendre congé de lui. Sous la grande porte de la salle, Sigbert l'attendait.

TRIONFO FINALE

Port de Constantinople, automne de l'an 1247 (chronique)

Quand on étendit la bannière sur mon corps, le courant d'air me caressa le visage et je sortis de ce lieu en flottant, léger comme l'air. Mais le fait de m'être rendu compte de mon existence me fit penser que je n'étais peut-être pas encore mort. Et quand je compris que j'étais capable de réfléchir, je me vis conforté dans l'idée que j'étais toujours vivant, même si je m'étais maintenant habitué à celle d'être décédé. Je ne découvris qu'il s'agissait de la bannière d'Otrante que plus tard, quand je décidai de rouvrir les yeux que Gavin m'avait fermés avec tant de délicatesse. N'était-ce pas aussi le templier qui m'avait aidé, au début de mes aventures, avec la Louve, quand j'étais tombé dans cet évanouissement cataleptique, et qui ensuite avait fait que je sois le compagnon des enfants qui depuis avaient été toute ma vie? Il n'avait fait alors que me donner une poussée qui aurait dû me mettre en garde. Cette fois, le dommage était plus grand.

Je sentis ensuite que la paralysie abandonnait mes membres qui commencèrent à me démanger. Le poignard de l'Assassin portait sans doute des traces d'un poison qui m'avait sauvé la vie en m'empêchant de me vider de mon sang ou de contracter une infection, mais qui surtout m'avait épargné les douleurs que m'aurait à coup sûr infligées le brutal traitement de Vitus et de ses comparses. Étais-je encore entre leurs mains? Qui me transportait comme si j'étais un bateau voguant sur les flots? Où étais-je?

J'entendais comme un roulement lointain des pas de soldats, le cliquetis de leurs armes. Les cris d'enthousiasme et les applaudissements de la foule qui se pressait dans les rues que nous prenions glissaient comme des nuages passant au loin. J'ouvris un peu les yeux et je vis qu'une étoffe me couvrait le nez et que j'avais les mains jointes sur la poitrine; j'essayai alors d'étirer mes doigts qui voulurent bien bouger et je pus tirer sur l'étoffe pour l'écarter précaution-

neusement et découvrir une fente par laquelle je me mis à
épier les visages de ceux qui assistaient avec émotion à notre
passage. Certains se mouchaient, d'autres s'exclamaient en
grec : « A mort Rome ! » et « Vive les enfants du Graal ! », en
brandissant le poing.

Je pus voir la nuque de l'homme qui marchait devant
moi, un de ceux qui me transportaient, et à l'écharpe bleu et
jaune qu'il portait au cou, je sus qu'il était d'Otrante. Les
mêmes couleurs s'étalaient sur l'étendard qui me recouvrait,
moi le héros mort dans un féroce combat.

Ils me faisaient passer si près des visages des curieux et
des affligés, des furieux et des voyeurs — certains juchés sur
les épaules d'autres badauds — que j'aurais pu frôler leurs
lèvres, embrasser les petits enfants que les jeunes femmes
levaient en l'air. A un moment, je pus voir Ingolinde. Je lui
fis un clin d'œil, mais elle regardait plus haut, sans doute
l'étendard, et gémissait : « Ah, mon pauvre Guillaume ! » Et
ses beaux yeux se remplirent de larmes... j'étais déjà passé !

Ensuite, nous descendîmes les ruelles escarpées de la
vieille ville ; j'eus peur de tomber du bouclier et, sans réfléchir, je coinçai mes talons contre le bord. Dans un tournant,
je pus voir la tête de notre défilé. Bien droit et parfaitement
conscient de sa dignité, mon petit Roç marchait en avant, à
côté de Hamo qui se retournait de temps en temps pour voir
si j'étais toujours bien là sur mon bouclier. Mais... me faisait-il des signes ?

Plus loin, je vis Roç s'arrêter pour laisser passer la procession devant lui ; elle allait bientôt arriver à sa hauteur
quand notre colonne changea de direction, m'empêchant de
voir autre chose que des visages étrangers. Tout à coup,
j'entendis de nouveau les voix des enfants, et ce fut pour moi
comme si le ciel s'ouvrait !

— Même si je ne peux pas aider à le porter — mon petit
Roç semblait le regretter infiniment —, je suis content d'être
à côté de Guillaume.

Où étaient-ils à présent ? Peut-être marchaient-ils sous
le bouclier ? La voix de Yeza me confirma dans cette suppo-
sition.

— Guillaume aurait été content : il disait toujours qu'il
voulait être notre protecteur et notre bouclier !

— Mais nous ne l'aurons plus avec nous maintenant ! se

lamenta Roç. — Et j'eus la certitude que la petite le prit alors par les épaules...

— Pense à ce qu'a dit la dame!

— Si elle n'avait pas les cheveux si blancs, pensa Roç à haute voix, je pourrais croire que c'est notre bonne mère.

Yeza semblait d'accord:

— Souviens-toi de ce qu'elle a dit: « N'ayez pas peur. Je serai avec vous jusqu'à la fin des temps. »

— Mais je n'ai pas peur! répondit Roç en voulant faire le courageux, mais je devinai qu'il ravalait ses larmes. Et toi non plus, tu ne dois pas avoir peur. Souviens-toi de ce qu'elle a dit: « Aimez-vous l'un l'autre comme je vous aime! »

Dans le silence qui suivit, seulement rompu par les bruits de pas, le cliquetis des armes, les applaudissements et les cris d'allégresse des spectateurs dans les étroites ruelles de la vieille ville, je crus cependant deviner que les enfants pleuraient en silence. Je fus tenté de tendre la main pour leur caresser la tête, mais j'hésitai, me demandant s'il convenait bien de le faire.

— Maintenant, tu dois te remettre en tête du défilé, fit la petite voix étouffée de Yeza. Retourne à côté du drapeau! Je vais rester derrière avec Sigbert. Il ne va rien nous arriver!
— Sans doute par un effet de mon imagination, je crus entendre leurs petits pas s'éloigner.

Je jetai un dernier regard en avant et je fus bien rassuré de voir les lames brillantes des faux de guerre des *lancelotti*, arquebuse à l'épaule, les masses d'armes, les grappins d'abordage et les haches des *moriskos*. Puis nous arrivâmes au port où nous rencontrâmes les Français du comte de Joinville qui abaissèrent l'oriflamme royal fleurdelisé pour saluer le cadavre de Guillaume de Rubrouck. Je me sentis ému, mais n'était-ce pas la brise de la mer qui me mettait les larmes aux yeux?

Mes porteurs me firent monter à bord de la trirème.

— Adieu, Guillaume! entendis-je murmurer Sigbert le grognon qui était sans doute resté sur le quai, puis ce fut la voix de la comtesse, avec une intonation affectueuse et un peu rauque que je ne lui avais jamais entendue jusque-là:

— Tout ira bien, mon garçon! — S'adressait-elle à Hamo, son fils retrouvé? Sanglotait-elle? Non, c'était impossible. — En route! ordonna-t-elle en reprenant la voix que j'étais habitué à entendre.

— *Agli ordini, contessa!* répondit le brave Amalfitain.

On m'avait déposé à la proue, devant la tente. J'entendis le clapotis des avirons quand ils plongèrent dans l'eau et un coup de vent souleva l'étendard, découvrant à moitié ma tête. Il me chatouillait un peu, mais personne ne s'occupait de moi, ce qui ne me dérangeait nullement car je me sentais tout à fait bien.

Nous sortîmes en mer. En un sens, à la manière un peu prophétique de John Turnbull, le Grand Projet avait atteint son but. Nous n'avons pas une flotte nombreuse et puissante, omniprésente mais à l'abri de tous les ennemis, pensai-je, mais nous sommes en mer, nous sommes libres et je suis vivant.

Mes yeux glissèrent sur la jambe de bois de Guiscard pour se poser sur Laurence au côté de qui se tenait Clarion. La comtesse avait passé son bras autour des épaules de Hamo, et plus loin à l'arrière, à la poupe où le vent gonflait l'étendard, la bonne entente régnait entre les enfants assis par terre ; ils contemplaient les vagues et les sillons que la puissante trirème abandonnait derrière elle. Les enfants laissaient pendre leurs jambes dans les embruns qui m'éclaboussaient légèrement. Derrière nous, la ville baignée par le Bosphore disparaissait dans le halo doré du soleil vespéral qui une fois encore faisait briller les coupoles et les tours imposantes.

« Plaise au ciel que je puisse rester avec vous jusqu'à la fin de mes jours ! » Je souris de bonheur.

NOTES DE L'AUTEUR

Noms propres et locutions étrangères

Prologue

Graal : le Graal était le grand secret des cathares, connu des seuls initiés. A ce jour, on ignore encore s'il s'agissait d'un objet, d'une pierre, d'un calice qui aurait contenu quelques gouttes du vrai sang du Christ, d'un trésor ou de connaissances secrètes sur des questions telles que le prolongement jusqu'en Occitanie de la dynastie du roi David, par l'intermédiaire de Jésus de Nazareth. Dans cet ordre d'idée, une théorie voudrait que « saint Graal » doive en fait se lire *sang réal*, c'est-à-dire : « sang sacré ». Sur le plan de l'alchimie, le Graal s'identifie à la « pierre philosophale » ; il reparaît dans la mythologie avec les chevaliers du saint Graal, les chevaliers de la table ronde du roi Arthur.

Chronique de Rubrouck : fragment d'un écrit de Guillaume de Rubrouck adressé à un frère franciscain.

Guillaume de Rubrouck : né en 1222 dans le village de Rubroek, en Flandre, Guillaume de Rubrouck, aussi appelé de Wilhelm van Rubroek ou Guillaume Rubruquis, était entré dans l'Ordre des Frères mineurs (franciscains) et avait fait ses études à Paris sous le nom de Guglielmus.

Montségur : le plus célèbre des châteaux cathares, perché sur un pignon, ou *pog*, dans l'Ariège (comté de Foix). Il fut agrandi en 1204 à l'instigation de la comtesse de Foix Esclarmonde, et devint une forteresse. L'endroit avait été autrefois un haut lieu de culte celte. On peut visiter les ruines de Montsalvat, elles sont assez bien conservées.

vocatio : latin ; vocation

hérésie : les cathares (du grec *hoi catharoi* = les « purs » ou « parfaits ») formaient un mouvement radical de réforme de la foi catholique romaine, qui voulait se séparer de l'Église officielle. Au début, ce courant se manifesta dans le Languedoc, mais il franchit ensuite les Pyrénées, se répandit dans toute la Provence, puis en Lombardie et jusque dans les Balkans. Les croyances des « purs » trouvaient leurs racines dans les premières communautés chrétiennes, dans la diaspora juive et chez les druides celtes. Tout au long du XIIᵉ siècle, et sous l'influence du gnosticisme et du dualisme manichéen, elles se développèrent et devinrent un contre-pouvoir dangereux pour Rome. Parmi le peuple, les hérétiques jouissaient d'un grand prestige en raison de l'austérité de leurs prêtres, mais la noblesse locale adhéra elle aussi à la cause des cathares qui ne réclamaient aucune part du pouvoir terrestre, à la différence de l'Église romaine. Les adeptes embrassaient avec allégresse l'hérésie qui leur promettait le paradis, et qui, avec la noblesse, s'engageait dans une quête commune du saint Graal.

empereur de Constantinople : après que Venise eut détourné la quatrième croisade, celle-ci aboutit en 1204 à la conquête de Constantinople (l'ancienne Byzance) où les croisés proclamèrent l'empire latin. Baudouin IX, comte de Flandre, fut consacré premier empereur sous le nom de Baudouin Ier (16.5.1204-15.4.1205).

obolus : latin; « obole »; à l'origine, petite pièce de monnaie grecque.

viribus unitis : latin; « en unissant les forces ».

Saint Louis : Louis IX, roi de France (8.11.1226-25.8.1270), surnommé de son vivant « saint Louis ».

Frédéric II : empereur du Saint Empire romain germanique (22.11.1220-13.12.1250). Il hérita aussi le royaume de Sicile de sa mère, Constance d'Hauteville.

Saint François : François d'Assise (1181-3.10.1226), né Giovanni Bernardone. Il fonda l'Ordre des frères mineurs, *Ordo fratrum minorum* (O.F.M.), ou Ordre des franciscains.

Vitus de Viterbe : né en 1208, fils bâtard d'un membre de la famille Capoccio, très influente à la curie. Dominicain.

papes : Grégoire IX, ennemi acharné de l'empereur, mourut le 22.8.1241. Son successeur, Célestin IV (25.10-10.11.1241), né Gioffredo Castiglioni, cardinal archevêque de Milan, était partisan de la famille impériale germanique, ce qui lui valut d'être éliminé au profit d'Innocent IV (25.6.1243-7.12.1254), né Sinibaldo Fieschi, comte di Lavagna, cardinal archevêque de Gênes. Sur ses instances, l'empereur Frédéric fut destitué au concile de Lyon (28.6-17.7.1245).

assassinat de l'inquisiteur d'Avignonet : le jour de l'Ascension de 1242, quelques chevaliers occitans commandés par Pierre-Roger de Mirepoix assassinèrent Guillaume Arnaud, inquisiteur de Toulouse, et sa suite.

Charybde et Scylla : détroit dont les eaux sont agitées par des remous dangereux, mentionné dans l'*Odyssée*; on estime aujourd'hui qu'il est situé dans les eaux de Messine.

Ecclesia Catolica : latin; l'Église universelle.

Assassins : membres d'une secte secrète chiite-ismaélite qui avait son siège à Alamut (Perse). En 1196, elle se répandit aussi en Syrie. Dans ce pays, son premier grand maître fut le cheik Rashid ed-Din Sinan, célèbre et redouté sous son surnom de « Vieux de la montagne ». Le mot « Assassin » semble provenir de « hashashin » (les adeptes de la secte auraient fait bon usage du haschich), et il s'applique encore aujourd'hui dans le monde méditerranéen à celui qui tue par traîtrise. Le surnom de « Vieux de la montagne » est passé aux successeurs du premier grand maître.

Tartares : nom que l'on donnait aux nomades des steppes d'Orient qui envahirent pour la première fois l'Europe vers 1240. Ce n'est que plus tard que le terme « Mongols », plus précis, s'est imposé.

I. MONTSÉGUR

Le siège

Toulouse : les comtes de Toulouse. Après Raymond VI (1194-1222), ce fut le fils de son quatrième mariage, avec Jeanne Plantagenêt (sœur de Richard Cœur de Lion), Raymond VII, qui hérita du titre, purement nominal jusqu'à ce que Toulouse soit reprise en 1218 à Simon de Montfort. En 1229, par le traité de Meaux, Raymond perdit définitivement le comté qui échut à la couronne de France. La famille tenta pour la dernière fois de le reprendre en 1242 et le dernier comte de Toulouse légitime mourut en 1249.

vicomte de Foix : famille étroitement apparentée à la lignée des Trencavel. Le frère de la fameuse Esclarmonde, Roger-Bernard II, était mort en 1241. Roger-Bernard III, dont le frère bâtard « Lops de Foix » devint un redoutable *faidit* (voir plus bas), lui succéda. Esclarmonde d'Alion était la sœur de Lops de Foix.

Guy de Lévis : après la croisade contre les hérétiques adeptes du Graal (1209-1213), la famille de Lévis obtint le vicomté de Mirepoix (vescomtat de Miralpeix). Une certaine Isabelle de Lévis fut la mère de Marie de Saint-Clair.

Esclarmonde de Perelha : (ou *de Péreille*); ne pas confondre avec la « grande Esclarmonde » de Foix, « sœur de Parsifal ».

parfait, parfaite : nom que l'on donnait aux « purs » qui entraient dans la communauté des cathares. On les appelait aussi « bonshommes ».

Les montagnards

Barbacane : à l'origine le mot indiquait une meurtrière, par la suite il a été étendu jusqu'à désigner l'extérieur d'une forteresse.

consolamentum : latin; consécration dispensée à l'article de la mort acceptée volontairement par les cathares. Cette « consolation » précède l'*endura*, l'ultime épreuve avant d'atteindre la porte du paradis.

La Louve : « La Loba » en provençal; nom de guerre d'une *parfaite* cathare, Roxalba Cécilie Stéphanie de Cab d'Aret, née en 1194 d'une famille de la noblesse occitane; son cousin Pierre-Roger de Cabaret était le chef des *faidits*.

La barbacane

adoratrix murorum : latin; « adoratrice des murs ».

La capitulation

macte anime : latin; « avec entrain ».

Gavin Montbard de Béthune : né en 1191, précepteur de la maison de l'Ordre du Temple à Rennes-le-Château. A l'instigation de son neveu Bernard de Clairvaux, André de Montbard fut l'un des fondateurs et le quatrième grand maître de l'Ordre des templiers, fondé après la première croisade. Conon de Béthune, issu d'une noble famille occitane, célèbre trouvère, mourut en 1219. De 1217 à 1221, son fils fut régent de l'empire latin; il mourut en 1224. En 1209, alors qu'il était jeune chevalier, Gavin fut choisi par les chefs de la croisade comme héraut et alla offrir au vicomte de Carcassonne (Trencavel = Perceval = Parsifal) une retraite honorable. Simon de Montfort ne respecta pas la parole donnée. Le vicomte fut fait prisonnier, puis assassiné.

quidquid pertinens vicarium... : latin; « en ce qui se rapporte au vicaire (du Christ), à l'immaculée conception, au Fils et à l'Esprit Saint... »

Sefiroth : échelle des dix perfections de la nature divine, selon la kabbale juive : beauté, etc.

Portioncule : chapelle proche d'Assise, point de départ du mouvement franciscain, aujourd'hui enterrée sous une cathédrale.

laudato si' mi' Signore... : italien; « béni soit le Seigneur pour mon frère le vent, et pour l'air et pour les nuages, pour la joie... » (du *Cantico delle creature*, le « Cantique au soleil » de saint François d'Assise [1225]).

laudate e benedicte mi' Signore... : italien; « loué et béni soit le Seigneur, rendons-lui grâce et servons-le avec humilité ». (*Ibid.*)

Bertrand en-Marti : évêque cathare, successeur de Guilhabert de Castres.

Et tu mi rompi le palle : « et tu me casses les boules ».

tregua Dei : latin; « trêve de Dieu ».

conditio sine qua non : (loc. lat.) ce sans quoi une chose ne peut se faire.

legatus papae : latin; légat du pape.

Abacus : (lat. tiré du grec) à l'origine, une planche servant aux calculs, puis seulement le bâton de commandement des templiers.

La Grande Maîtresse : terme péjoratif sous lequel on désignait les quelques femmes qui furent grands maîtres, il s'agit ici de Marie de Saint-Clair, née en 1192, qui accéda à la charge de grand maître du *Prieuré de Sion* (1220-1266) à la mort de son époux Jean de Gisors. Guillaume de Gisors, son beau-fils, né en 1219, lui succéda et entra en 1269 dans l'« Ordre du Bateau et de la Double demi-lune », fondé par Louis IX pour les nobles qui participèrent à la sixième croisade.

pacta sunt servanda : latin; « les traités doivent être observés ».

Autodafé : (portugais, auto-de-fe) acte de foi, mot utilisé pour désigner les hérétiques brûlés sur les bûchers.

La dernière nuit

maxima constellatio : latin; constellation de planètes dont la signification est particulièrement importante en astrologie.

credentes : latin; croyants (cathares) ou novices ayant reçu l'instruction les préparant à accéder au rang de *parfaits*.

Constance de Selinonte : né en 1214, fils du vizir égyptien Fassr ed-Din et d'une esclave chrétienne, du nom de Fassr ed-Din Octay. Le jeune émir fut envoyé en Sicile à la cour de l'empereur Frédéric qu'il admirait profondément. Frédéric l'arma chevalier, avec le titre de « prince de Selinonte »; il servit ensuite le sultan du Caire sous le nom de « Faucon rouge ».

Sigbert von Öxfeld : né en 1195, il servit l'évêque d'Assise sous son frère Gunther, participa en 1212 à la croisade des enfants et fut fait prisonnier par les Égyptiens. Libéré, il entra dans l'Ordre des chevaliers teutoniques dont il fut commandeur à Starkenberg.

Interludium nocturnum

Albert le Grand : (1193-1280); dominicain, philosophe, maître de Thomas d'Aquin.

Roger Baconius (Bacon) : (v. 1214-1294); franciscain et scolastique anglais; il étudia à Paris durant les années 1230.

Nasir ed-Din el Tusi : (1201-1274); savant arabe, polygraphe.

Ibn al-Kifti : (1201-1284); savant arabe, auteur d'une chronique des grands médecins.

gesta Dei per los Francos : latin; « geste de Dieu pour les Français ».

sublimatio ultima : latin; « ultime sublimation », terme emprunté à l'alchimie.

lapis excillis, lapis ex coelis : latin; « pierre excellente, pierre céleste »; termes issus de la dispute entourant l'interprétation du Graal; cf. *Das grosse Werk* = le Grand Œuvre, de Wolfram von Eschenbach.

pax et bonum : latin; « paix et bien »; salutation des franciscains (en italien : *pace e bene*).

grand maître de Saint-Jean-d'Acre : après la reconquête de Jérusalem par Saladin (1187), Saint-Jean-d'Acre (Akkon) fut proclamée capitale du royaume de Jérusalem.

Mysterium : latin; « mystère », du grec μυστηριον (mustêrion); doctrines ésotériques des Grecs.

Baucent à la rescousse : cri de ralliement des templiers dont l'étendard de guerre était appelé « Baucent », ou « Bauséant »

Outremer : à l'époque des croisades utilisé uniquement pour désigner la Terre Sainte, étendu par la suite.

Ésotérique : grec; le savoir secret, le savoir des initiés.

Apocryphe : grec; écrits secrets non reconnus officiellement.

Adeptes : vient de l'alchimie et désigne ceux qui désirent être initiés.

le « grand œuvre » : l'obtention de la « pierre philosophale » — pour les alchimistes, le catalyseur qui transforme en or les métaux vils; sur le plan métaphysique, l'obtention de la sagesse divine (cf. *sublimatio ultima*).

Deus vult : latin; « Dieu le veut! »; en latin vulgaire/italien : *Deus lo volt !*

Maxima constellatio

Diaus vos benesiga : provençal; « Dieu nous bénisse! »

aitals vos etz forz... : provençal; « ayez la force de défendre... »

n'Esclarmunda. Vostre noms significa... : provençal; « Esclarmonde, votre nom signifie que vous donnerez au monde une claire lumière, que vous êtes pure, que jamais vous n'avez fait ce que vous ne deviez pas. Ainsi, vous êtes la digne porteuse du trésor représenté par ce nom. »

ay, efans... : provençal; « aïe, enfants, Dieu vous protège! »

II. L'ÉVASION

La Louve

faidits : de l'arabe *faida* ; « proscrits », se disait des Albigeois bannis.
Salvaz! : provençal ; « Salut ! »
Vive Dieu Saint-Amour : cri de guerre des templiers.

Le trou des tipli'es

trou des tipli'es : « trou des templiers », nom que l'on donne encore aujourd'hui à une ruine dans le Sud-Ouest (entrée interdite au public).
insha' allah : arabe ; « que la volonté de Dieu soit faite ».
Créan de Bourivan : né en 1201, fils naturel de John Turnbull et de la cathare Alazaïs d'Estrombèzes (morte le 3-5-1211 sur le bûcher). Élevé au château de Belgrave, dans le midi de la France, par le noble dont il porte le nom. John Turnbull lui accorda le fief très disputé de Blanchefort, en Grèce, avec l'héritière duquel, Hélène Champ-Litte d'Arcady, Créan se maria en 1221. A la mort violente de son épouse, il se convertit à l'Islam et entra dans la secte des Assassins syriens.
Langue d'oc : langue occitane, provençal.

Le bûcher

Camp des Crématz : provençal ; « champ des brûlés » ; on désigne encore ainsi la pente qui s'étend sous Montségur.
Dieus recepja las armas... : provençal ; « que Dieu, s'il le veut, accueille les pauvres au Paradis ! »
Pietà : italien ; expression qui représente Marie tenant le corps du Christ.
ratio : latin ; raison.
de jure : latin ; de droit.

Xacbert de Barbera

Xacbert de Barbera : aussi appelé « lion de combat » (1185-1273); guerrier occitan en lutte perpétuelle contre le roi de France (Toulouse 1218-1219 et Carcassonne 1240-1241), il dut s'exiler à plusieurs reprises; plus tard, il participa à la conquête de Majorque avec le roi Jacques Ier d'Aragon (1213-1276) et, sous sa protection, se retira finalement dans le château de Quéribus.
Wolfram von Eschenbach : poète médiéval allemand (1170-1220); il est l'auteur de *Parsifal* (1210), œuvre épique inspirée de Chrétien de Troyes, ainsi que de *Willehalm* le poème épique des croisades, *Titurel*, et d'autres œuvres.
Trencavel : famille des vicomtes de Carcassonne (vescomtat de Carcassona). Goth à l'origine, elle devint la maison régnante d'Occitanie sous le nom de « comté de Toulouse »; les comtes des alentours se contentaient du titre de « vicomtes », par respect. Le nom des Trencavel devint légendaire et se transforma en « Parsifal » (Perceval = Trencavel = Tranche-val).

Parsifal : historiquement, il s'agit de Raymond-Roger II de Carcassonne, né en 1185, fait prisonnier et assassiné à Carcassonne en 1209, au début de la croisade contre le saint Graal, aussi appelée « croisade des albigeois ».

Simon de Montfort : comte de Leicester (1150-1218) ; marié à Alice de Montmorency, il prit la tête de la croisade en 1209 et en tira personnellement de nombreux avantages au nom du roi de France ; il usurpa le trône des comtes de Toulouse, prit cette ville en 1215 aux côtés du dauphin Louis VIII, reperdit la ville devant Raymond et mourut durant le siège, tué par une catapulte. Sa famille exerça pendant longtemps une influence considérable en Terre Sainte.

Occitanie : région du sud-ouest de la France ; politiquement, elle correspond plus ou moins au très puissant comté de Toulouse.

Raymond-Roger III : né en 1207, fils de Parsifal ; mort en 1240, alors qu'il tentait de reconquérir Carcassonne.

Olivier de Termes : né en avril 1198 ; son père, Raymond de Termes, fut assassiné après la prise de son château en 1211 ; son oncle Benoît de Termes fut évêque cathare de Razès. La ville fut remise à Alain de Roucy qui allait donner la mort au roi Pierre II d'Aragon en 1213, à la bataille de Muret. Olivier fut un *faidit*, un proscrit, qui prit fait et cause pour le dernier des Trencavel. Après l'échec de ce dernier, il passa dans le camp des Français et devint l'ennemi juré de Xacbert de Barbera qui continuait à s'opposer au roi de France.

cançó : provençal ; « chanson ».

L'âne de saint François

nolens volens : latin ; « bon gré, mal gré ».
inter pocula : latin ; « entre deux verres ».

Les gitans

Aigues-Mortes : édifiée par Louis IX, cette ville fut un havre pour les croisés. Bâtie dans les terres marécageuses de Camargue, elle était de forme rectangulaire.

Église de l'Amour : structure ecclésiastique des cathares.

sirventes : à l'origine, cantiques religieux ; plus tard, couplets satiriques que chantaient les troubadours.

armigieri : italien ; « sergents d'armes ». Ils ne jouissaient pas du même rang dans l'Ordre du Temple que les chevaliers et portaient une croix rouge sur un manteau noir.

Sur les rives de Babylone

Comte Jean de Joinville : né en 1225 ; sénéchal de Champagne ; participa à la croisade de Louis IX en qualité de chroniqueur.

Yves Le Breton : né en 1224 ; ancien prêtre ; meurtrier gracié par le roi Louis IX qui le prend à son service ; entrera plus tard dans l'Ordre des dominicains.

« Suprême arbitre » : surnom de Louis IX dont la piété manifeste lui permit de jouer un rôle de médiateur entre l'empereur et le pape.

poverello : italien; « petit pauvre », surnom des franciscains.

III. In fugam papa

In fugam papa : latin; « le pape en fuite ».

Mappamundi

mappamundi : carte du monde.

Capoccio : Rainier de Capoccio, né en 1181; cardinal diacre de Santa Maria in Cosmedin; en 1261, chargé par la curie de développer l'Ordre franciscain. Cistercien, il était seigneur de Viterbe.

Pierre de Capoccio : cousin du précédent, fut cardinal diacre (1244-1259) de Saint-George *ad velum aureum.*

personae sine gratia : latin; personnes qui ne méritent pas le pardon.

Djebel al-Tarik : arabe; « rocher de Tarik », rocher de Gibraltar, ainsi nommé en souvenir du guerrier de la dynastie des Omeyades qui y débarqua en 711, en provenance de Tanger, et qui battit les Wisigoths commandés par Rodrigue.

hic sunt leones : latin; « ici sont les lions ».

Divina Hyerosolyma : latin; *divine Jérusalem.*

terra incognita : latin; terre inconnue.

Chrysokeras : grec; corne d'or.

patriarcat d'Aquilée : enclave du Frioul sous juridiction ecclésiastique; tomba aux mains de la Sérénissime (République de Venise) en 1445.

Patrimonium Petri : « Patrimoine de Saint-Pierre », les États du pape au Moyen Age, c'est-à-dire le Latium, une partie (disputée) de la Toscane, l'Ombrie et les « marches » (Bologne, Ferrare et Ancône).

caput mundi : latin; « tête » ou « capitale du monde », Rome.

Horde d'Or : khanat mongol qui fut indépendant sous Batou, petit-fils de Gengis Khan. Aujourd'hui, la Biélorussie.

reconquista : espagnol; « reconquête ». Reconquête du sud de l'Espagne aux mains des musulmans par les royaumes du nord (Castille et Aragon). Elle prit fin avec la prise de Grenade en 1492.

Bataille de Liegnitz : après la prise de Kiev le 6 décembre 1240, les troupes mongoles de Batou se divisèrent et, sous le commandement de son cousin Baïdar, attaquèrent les armées du roi de Pologne et du duc Henri II de Silésie qui furent anéanties le 9 avril 1241.

Bataille de Sajo : Batou et son général Souboutaï y battirent l'armée du roi Béla de Hongrie, le 11 avril 1241.

Grégoire IX : Ugolino di Segni, pape de 1227 à 1241; cardinal évêque d'Ostie; à partir de 1220, cardinal protecteur des franciscains.

Le prêtre Jean : selon la légende, prêtre-roi chrétien de l'Orient, le prêtre-roi des Indes, dont l'Occident espérait une aide à l'époque des croisades. On crut un temps qu'il s'agissait de Gengis Khan lui-même (de religion chrétienne-nestorienne), mais les invasions mongoles de 1240-1241 prouvèrent qu'il n'en était rien. Plus tard, on pensa que le prêtre Jean pouvait être, comme la reine de Saba, un roi copte d'Abyssinie.

Ogodaï : Grand Khan des Mongols, mort le 11 décembre 1241 à Kara-korum.

Kouriltaï : assemblée ou diète des Mongols ; elle siégea une fois, pendant cinq ans, le temps que les héritiers se mettent d'accord pour nommer Grand Khan le fils aîné d'Ogodaï, Gouyouk.

spaventa passeri : italien ; « épouvantail ».

omnes praelati / papa mandante vocati / et tres legati / veniant huc usque ligati : latin ; couplet satirique sur la prise par Enzo, fils naturel de l'empereur, avec l'aide de marins pisans, d'un navire génois chargé de cardinaux (3 mai 1241) : « Tous les prélats / obéissants au pape / plus trois légats / furent faits prisonniers. »

fils de bouchère : allusion malveillante aux doutes qui entourèrent la naissance légitime de Frédéric II à Jesi (26 décembre 1194) : on murmurait que sa mère, l'héritière normande Constance, avait adopté en secret, à l'âge de quarante ans, le nouveau-né d'une bouchère de l'endroit.

maîtresse [de l'empereur] morte en couches : troisième et dernière épouse de Frédéric, Isabelle d'Angleterre (sœur du roi Henri III) ; elle mourut en 1241, à la naissance de son troisième fils.

suicide du fils aîné : le fils aîné de l'empereur, Henri VII, considéré par son père comme responsable des révoltes qui agitaient l'empire, fut condamné à l'internement dans une forteresse d'Apulie. Tandis qu'on l'y transportait, il se suicida le 10 décembre 1242 en se jetant de son cheval dans un précipice.

trahison de Viterbe : 9 septembre 1243. Avec l'appui de Rome, Rainier de Capoccio fomenta une révolte contre la garnison que l'empereur maintenait dans la ville. Malgré la promesse d'une retraite honorable, la troupe fut agressée et le margrave impérial Simon de Tuscia (Toscane) fut fait prisonnier.

canis Domini : latin ; « chien du Seigneur » ; par inversion de l'ordre des mots, a donné « dominicain » (*Domini canis*).

Élie de Cortone : né en 1178, de la famille des barons de Coppi ; surnommé *il Bombarone* (en italien, « le bon baron »). Entre en 1211 dans l'Ordre de saint François dont il devient provincial de Toscane en 1217. De 1218 à 1220, provincial de Syrie ; en 1221, vicaire de François ; en 1223, ministre général de l'Ordre ; réélu en 1232 ; destitué le 15 mai 1239. Se retire à Cortone. Première excommunication. Élie embrasse la cause de Frédéric et est ambassadeur de l'empereur à Constantinople (1242-1243) où il met fin au différend opposant l'empereur latin Baudouin II (1228-25 juillet 1261) et l'empereur grec Jean III Vatatsès qui épousa la fille naturelle de l'empereur Frédéric, Anne-Constance. En 1244, il rentre à Cortone avec la sainte relique de la Vraie Croix. La même année, le nouveau ministre général Aimone, un Anglais, invite Élie à assister au chapitre général de l'Ordre, convoqué à Gênes pour le 4 octobre 1244.

Élie décline l'invitation par écrit.

Le délire des persécutés

idiota : grec ; celui qui est mis au ban de la société.

A la croisée de deux fuites

mont d'Argent : Monte Argentario. Sur la côte méridionale de Toscane, devant la région marécageuse et boisée de la « Maremma ».

incubus : latin; « cauchemar ».

Morgenstern : Étoile du matin ou masse d'arme.

Vicarius Petri : latin; « le viciare de Pierre », le pape.

papabiles : latin ; les cardinaux, tous ceux qui participent l'élection du pape.

codex militiae : latin; « règlement militaire ».

Jean Baptiste, festum eius : en l'année du Seigneur 1244, sa fête tombe le 1ᵉʳ juillet.

Le Bombarone

Sbires : agents du « contre-espionnage » vénitien.

patriarche d'Antioche : Alberto de Rezzato (1226 — 1245-1945/46).

Rukn ed-Din Baibars : né en 1211; surnommé « l'Archer »; émir mamelouk qui usurpera le rang de sultan et s'attachera à détruire les positions importantes des chrétiens en Terre Sainte.

Stemma : (église) armoiries.

Urbain II : pape de 1088 à 1099; convoqua la première croisade au concile de Clermont en 1095.

empereur Jean III Ducas, dit aussi *Vatatsès :* (1193-1254); après la fondation de l'empire latin en 1204, la maison impériale byzantine se réfugia en Asie mineure où elle fonda l'empire de Trébizonde et l'empire de Nicée. Sous Michel VIII.

Paléologue, successeur du Vatatsès, l'empire de Nicée supplanta l'empire latin de Baudouin II en 1261, avec l'aide des Génois.

IV. LA PISTE PERDUE

Contre l'Antéchrist

intricata... composita... cantata : latin; « ourdie... composée... chantée ».

Saint Albans : abbaye du Herfortshire, en Angleterre.

Une histoire de Harem

Amiral Enrico Pescatore : en 1221, Frédéric II l'envoie en avant-garde à Damiette, mais il ne peut empêcher la restitution de la ville au sultan El-Kamil. En août 1225, va chercher la future femme de l'empereur, Yolande, à Saint-Jean-d'Acre et la ramène à Brindisi où le mariage est célébré le 9 novembre 1225. Pour le récompenser de ses mérites, Frédéric le nomme comte de Malte.

Laurence de Belgrave : née en 1191 du mariage morganatique de Livia de Septimsoliis-Frangipane et de Lionel Lord Belgrave, allié de Montfort puis protecteur de la *Resistenza*. En 1212, Laurence est nommée abbesse du couvent des carmélites du Monte Sacro, à Rome. En 1217, menacée par l'Inquisition, elle fuit l'Italie et se réfugie à Constantinople. Elle y fonde une maison de passe, puis devient aussi célèbre que redoutée comme pirate et marchande d'esclaves. Surnommée « l'Abbesse ». En 1228, elle épouse l'amiral Pescatore et devient comtesse d'Otrante. En 1229, elle donne naissance à un fils, Hamo, dit « l'Estrange ».

Clarion : née en 1226, « sous-produit » de la nuit de noces de Brindisi (9 novembre 1225). Frédéric II engrossa Anaïs (fille du vizir Fassr ed-Din), demoiselle d'honneur de Yolande. Clarion fut élevée à Otrante et Frédéric lui accorda le titre de comtesse de Salente.

bismillahi al-rahmani al-rahim : arabe; « au nom d'Allah, le miséricordieux ». Invocation qui précède chaque sourate du Coran.

qul a'udhu birabbi al-nasi : arabe ; « Je cherche refuge auprès du Seigneur des hommes, du roi des hommes, du Dieu des hommes, qu'il me garde du vil démon qui chuchote dans le cœur des hommes, au milieu des djinns et des hommes » (Coran, *sourate* Al-Nas).

Guido della Porta : né en 1176, fils naturel de Livia di Septemsoliis-Frangipane et du margrave Guillaume de Montferrat. De 1204 jusqu'à sa mort en 1228, il fut évêque d'Assise, sous le nom de Guido II. Sigbert von Öxfeld servit quelque temps dans sa garde (en 1212) et John Turnbull fut son secrétaire de 1204 à 1209.

Geoffroy de Villehardouin : né en 1150. Maréchal de Champagne et historien (*Histoire de la conquête de Constantinople*); à partir de 1204, maréchal de l'empire latin; de 1210 à 1218, prince d'Acaya, vassal de John Turnbull (à Blanchefort, dont Créan de Bourivan hérita par la suite).

Anna : amour de jeunesse de Sigbert qui l'accompagna en 1212 à la « croisade des enfants ». Elle se retrouva dans le harem du vizir Fassr ed-Din. Mère de Fassr ed-Din Octay.

qul a'udhu birabbi al-falqui... : arabe; « Je cherche refuge auprès du Seigneur de l'aube, qu'il me garde du mal de ce qu'il a créé... et du mal de ceux qui jettent les sorts, et du mal de l'envieux quand il envie ».

pax mediterranea : la notion d'une « paix méditerranéenne » remonte à l'empereur Auguste.

Le grand projet

de profundis... : latin; « des profondeurs, je t'appelle, Seigneur ».

Mort à Palerme

Richard de Cornouailles : né en 1209, frère de Henri III, cousin de Richard Cœur de Lion, comte de Cornouailles à partir de 1225. A son retour de la croisade, en 1240-1241, hôte de Frédéric II en Sicile. A la mort de Frédéric, fut nommé antiroi d'Allemagne (du 13 janvier 1257 au 2 avril 1272), avec Alphonse de Castille, contre le prétendant de la maison des Hohenstaufen (Manfred). Mort en 1272.

Alphonse X : roi de Castille, « le sage » (1252-4.4.1284); antiroi d'Allemagne (1.4.1257-1275) (date de sa résignation), fils de Ferdinand III, « le saint », roi de Castille et de Léon, et de Béatrice de Hohenstaufen.

fille d'Arthur : allusion à la relation qui aurait existé, selon la légende, entre les cathares et les chevaliers de la Table ronde du roi Arthur, entre Parsifal et les chevaliers du Graal.

Capella Palatina : chapelle normande-byzantine du palais royal de Palerme.

Jeux d'eau

Μηδεν αγαν (*meden agan*) : grec; pas trop.
Grand maître des chevaliers teutoniques : ici, Hermann II von Salza (de 1210 au 20 mars 1239), le plus important et le plus fidèle ami de l'empereur, qui tenta à maintes reprises de le réconcilier avec la papauté.
el-Kamil : sultan du Caire (1238-1249).
Aiyub : sultan du Caire (1238-1249).
Oi Ilasso... : poème écrit de la main de Frédéric II et dédié à « la fleur de Syrie », Anaïs, fille du vizir.

La comtesse d'Otrante

Trirème : navire de guerre à trois rangées superposées de rameurs.
Conrad IV : né le 25 avril 1228, fils et successeur de Frédéric II, avec le titre de roi d'Allemagne. Sa mère Yolande meurt en couches et il reçoit à la naissance le titre honorifique de « roi de Jérusalem ». Le 1er septembre 1246, il épouse Isabelle de Bavière (fille d'Otton II, de la maison Wittelsbach) qui lui donne un fils, Conrad V, dit « Conradin », dernier monarque de la lignée des Hohenstaufen.
Comte Jean-Eudes du Mont-Sion : nom de guerre de John Turnbull. On suppose que sa mère fut Héloïse de Gisors (née en 1141) qui, apparemment contre la volonté de sa famille, descendante en ligne directe des Payens (fondateurs de l'Ordre du Temple) et des comtes de Chaumont, épousa Rodrigue du Mont, frère de l'évêque de Sion (Sitten), dans le Valais; de cette union morganatique naquit, probablement en 1170 (ou en 1180), Jean-Eudes. De 1200 à 1205, secrétaire de Geoffroy de Villehardouin; de 1205 à 1209, au service de Guido II, évêque d'Assise; de 1209 à 1216, participe à la *Resistenza* clandestine contre Simon de Montfort; de 1216 à 1220, sert Jacques de Vitry, évêque de Saint-Jean-d'Acre, puis le sultan el-Kamil. En 1221, il se rend en Achaïe, puis fait plusieurs séjours à Assise. Le nom de son fief dans le Péloponnèse (Blanchefort) montre qu'il entretint des liens étroits avec les templiers et avec une association secrète appelée *le Prieuré de Sion*, à laquelle appartinrent aussi Bertrand de Blanchefort (grand maître des templiers) et les Gisors (cf. Peter Berling, *Franziskus oder Das zweite Memorandum*).
ordo Equitum Theutonicorum : latin; Ordre des chevaliers teutoniques.
Blanchefort : nom d'un fief en Achaïe, que John Turnbull reçut de Geoffroy de Villehardouin en remerciement des services rendus. Il le légua à son fils Créan. Blanchefort est ensuite passé en possession de la famille Champ-Litte d'Arcady, Créan s'étant marié avec leur fille Hélène.
reine innocente : variété de lys.
Allahu akbar : arabe; « Allah est grand ».

wa Muhammad rasululah : arabe; « et Mohamet est son prophète ».

Le voleur de grand chemin

advocatus diaboli : à l'occasion des procès de canonisation, celui qui porte la contradiction.

V. L'oreille de Dionysos

oreille de Dionysos : confusion avec « oreille de Denys » (Dionysius l'Ancien, Dionusos en grec, tyran de Syracuse). Denys fit construire une prison souterraine où un conduit en forme d'oreille lui permettait d'écouter les cris de ses victimes. Dionysos est le dieu du vin, de l'ivresse et des mystères dans la mythologie grecque; il correspond au Bacchus latin.

Une porte sans loquet

Lucera : lorsqu'il pacifia la Sicile, Frédéric II déporta une partie des sarrasins rebelles et les installa en Apulie, dans la ville de Lucera, fondée dans cette intention. Avec le temps, les sarrasins devinrent les plus fidèles soldats de l'empereur.

Απαγε Σατανα (Apage Satana) : « Arrière, Satan ! »

Le château Quéribus

les quatre chevaliers de l'Apocalypse : personnages allégoriques de l'Apocalypse de saint Jean qui représentent la peste, la guerre, la famine et la mort.

Picardiers : vient des fantassins picards qui portaient une pique, « pica ».

La mine borgne

aurum purum : latin; « or pur ».

vasama la uallera : dialecte napolitain; « embrasse-moi la burette! »

Histoires de femmes

Maestro venerabile : italien; titre donné au maître d'un Ordre ou d'une loge.

preces armatae : latin; « prières pressantes ».

Boetius : Anicius Torquatus Severinus Boetius, dit *Boèce*, philosophe et homme politique romain (né en 480, mort exécuté en 524), auteur de la *Consolatio Philosophiae*.

status quo ante : latin; l'état des choses auparavant.

Giovanni del Piano di Carpini : (aussi appelé Pian ou Jean du Plan Carpin); 1182?-1252; premier protecteur de Saxe, auteur du *Liber Tartarorum*.

Jacobites : mouvement de l'Église primitive; fidèles de l'apôtre Jacques.

Aigues-Mortes

Piere Vidal : troubadour occitan (1175-1211).

Drut : provençal, « l'Amoureux »; surnom de Raymond-Bernard II de Foix.

Kronland : la fille du comte Raymond VII, dernière héritière du comté de Toulouse, Joanna a été mariée (enfant) à Alphonse de Poitiers, frère de Louis IX. Son père ayant été retenu à Paris afin que le mariage puisse être consommé, Toulouse est devenue une province française.

La Litière

Virgile : Publius Vergilius Maro, poète romain (70-19 av. J.-C.), il prophétisa, vers 40 av. J.-C., dans l'une de ses *Bucoliques*, la venue d'un âge d'or après la naissance d'un enfant « sanctifié ».

VI. Canes Domini

Le proscrit

Soldats des clés : troupes du pape. Leur nom vient des armoiries pontificales qui portent des clés croisées.

Comte Raymond-Berenger IV : (1209 bis 19.8.1245). A la suite des mariages de ses quatre filles : Margarette (1234) qui épouse Louis IX, roi de France; Éléonore (1236) qui épouse Henri III, roi d'Angleterre; Sancha (1244) qui épouse Richard de Cornouailles, roi d'Allemagne; et Béatrice (1246) qui épouse Charles Ier d'Anjou, frère de Louis IX qui devint en 1265 roi de Naples (décapitation de Conrad), la Provence échappe petit à petit à l'empire allemand.

duc Berthold de Méranie : patriarche d'Aquilée (1218-1251).

Thaddée de Suessa : juge du tribunal suprême, fidèle à Frédéric II; mort le 18 février 1248 durant la révolte de Parme et la destruction de Vittoria, le campement fortifié de l'empereur.

pro imperatore : latin; pour l'empereur.

cisalpina : latin; de l'autre côté des Alpes.

stupor mundi : latin; « stupeur du monde »; surnom de Frédéric II (né le 25 décembre 1194 sur la place du marché de Jesi). Pour bien montrer que la naissance était légitime, sa mère fit monter une grande tente sur la place et obligea dix-huit prélats, cardinaux de Rome et évêques de la région, à assister à l'accouchement.

iella : italien (de l'arabe); « malheur, malchance ».

mal'occhio : italien; « mauvais œil ».

L'Amalfitain

érostratique : de « Erostrate », incendiaire grec qui détruisit en 356 av. J.-C. le temple d'Éphèse, l'une des sept merveilles du monde.

La Grande Maîtresse

Saint-Pierre : basilique construite à Rome sur la tombe de saint Pierre (mort vers 65, dans le cirque de Néron), construction datée de 324, sous l'empereur Constantin Ier (307-337), inaugurée en 326 par le pape Sylvestre Ier (314-335).

intra muros : latin ; à l'intérieur des murs de la ville, Rome.

Enzo : (1216-1272), fils naturel de Frédéric II, roi de Torre et Gallura (Sardaigne), mort à Bologne, en prison.

Marie de Saint-Clair : « la grande maîtresse » ; née en 1192 ; en 1220, épouse sur son lit de mort Jean de Gisors, pour assurer la succession comme maître de l'Ordre du Prieuré de Sion au jeune Guillaume (né en 1219), dont la mère Adélaïde de Chaumont était morte en couches ; elle serait la mère de Blanchefleur (1224-1279), fille de l'empereur.

roi Philippe : Philippe II Auguste, roi de France de 1180 au 14 juillet 1223 ; son fils allait devenir Louis VIII (roi de France de 1223 au 8 novembre 1226), lui-même père de Louis IX.

Jean de Brienne : épouse le 13 septembre 1210 l'héritière du royaume de Jérusalem, Marie, dite « la Marquise », qui meurt en mettant au monde sa fille Isabelle II, dite « Yolande ».

Pelagius Galvani O.S.B. (Pelayo) : d'origine espagnole (?) ; cardinal évêque de Saint-Alban (1213-1219) et plusieurs fois légat du pape, d'abord dans l'empire latin, puis lors de la croisade dite « de Damiette » (1217-1221) ; travailla ensuite à l'absorption de l'Église arménienne et à la succession du trône de Chypre.

grand maître de l'Ordre des hospitaliers : à l'époque, Guarin Ier de Montagu (1208-1230).

Innocent III : pape (1198-1216) ; Giovanni Lotario, comte di Segni ; de 1197 à 1215, fut le tuteur du jeune Frédéric II ; devint ensuite son ennemi le plus acharné quand l'empereur ne tint pas la parole qu'il avait donnée de partir en croisade.

Honorius III : pape (1216-1227) ; Cencio Savelli ; cardinal évêque de San Giovanni, parrain de Frédéric II ; toute sa vie durant, traita son neveu avec bienveillance.

vita sicarii : latin ; « vie de sicaire ».

venefex : latin ; « empoisonneur ».

Esclarmonde : comtesse de Foix ; l'Esclarmonde du chant épique du Graal était la fille de Parsifal ; son fils Bernard Jourdain épousa India de Toulouse-Lautrec (sœur d'Adélaïde, mère de Parsifal), d'où la confusion entre différentes générations qui fit croire que Parsifal et Esclarmonde étaient frère et sœur. En 1207, elle donna l'ordre de fortifier le *pog* de Montségur (dont la première pierre avait été posée le 12 mars 1204) pour le transformer en refuge du saint Graal des cathares ; elle dut mourir peu après.

Dominique : Domingo Guzmán de Caleruegua (1170-1221) ; chanoine régulier d'Osma, fonda en 1207, à Fanjeaux, le monastère féminin de Prouille, puis en 1216 l'Ordre dominicain *(Ordo fratrum praedicatorum)*, ou Ordre des prédicateurs (O.P.), qui se consacre à la conversion des cathares. En 1220, son statut d'ordre mendiant est confirmé ; à partir de

1231-1232, chargé de « l'inquisition » des hérétiques. Son fondateur, prédicateur fanatique et infatigable, fut canonisé en 1234.

prati : italien; « prés » situés sur la rive droite du Tibre.

transtiberim : latin; « au-delà du Tibre »; en italien, Trastevere, quartier de Rome, seul construit sur la rive droite du fleuve et entouré d'un mur d'enceinte pour protéger le port de Ripa.

Capet : dynastie des rois de France, dont le fondateur fut Hugues Capet (987 à 996), de « cappa », manteau. Les capétiens ont chassé les mérovingiens d'un trône qu'ils conserveront jusqu'à la révolution.

petit pain encore chaud : dernier avis des Assassins qui, selon la chronique, était déjà connu du temps de Richard Cœur de Lion et de Saladin. La tiédeur du petit pain montrait qu'ils pouvaient s'introduire en secret dans les lieux les plus secrets.

Tempête en Apulie

pupazzi : italien; « pantins, marionnettes ».

sine glossa : latin; « sans discuter, sans commentaire »; allusion ironique au « Testament de saint François ».

bismillahi al-rahmani al-rahim... : Au nom d'Allah, le Miséricordieux. Loué soit Allah, Seigneur de l'univers, le miséricordieux, souverain du jour du jugement. Nous ne servons que Toi, nous ne demandons qu'à Toi de nous aider. Guide-nous sur le droit chemin, le chemin de ceux qui bénéficient de Ta bienveillance, et non celui de ceux que tu ne portes pas dans ton cœur ni de ceux qui sont dans l'erreur. Amen.

Pots cassés

zelanti : minorites fanatiques qui observaient la *regula sine glossa*, le testament de saint François qui n'était pas reconnu par l'Église.

salsicce : italien; « saucisses ».

Les éclairs

Avlona : sur la côte dalmate, en face d'Otrante.

Les enfants royaux

mariage alchimique : union d'éléments polaires opposés, aussi appelée *coincidentia oppositorum*; dans le symbolisme hermétique des alchimistes, qualifie l'« acte de création », chimique ou spirituel, nécessaire pour que « naisse » ou « prenne forme » quelque chose de nouveau.

Hermès Trismégiste : grec, « Hermès trois fois grand »; les dix-sept livres qui lui sont attribués datent probablement des premiers siècles de l'ère chrétienne et proviendraient de l'école ésotérique d'Alexandrie. Ils traitent de sujets astrologiques, de rites sacrés et de médecine.

Doutes édifiants

sunna : arabe; « tradition »; sunnites = partisans du califat électif, par opposition aux chiites qui sont en faveur de la descendance directe du prophète (aussi appelés *fatimides*).

sur une montagne : allusion à la légende du mont Kyffhaüser où serait caché Frédéric Ier Barberousse ; elle fut ensuite élargie à Frédéric II.

L'avalanche

via crucis : latin; « chemin de croix ».

saratz : vers 850, des guerriers arabes (qui dominaient à l'époque tout le sud de l'Italie et la Sicile, prise aux Grecs) arrivèrent jusqu'aux Alpes (sans doute en remontant le cours du Pô) et s'y installèrent (dans l'actuel canton suisse des Grisons) après s'être mêlés aux montagnards de la région.

VII. Les *Saratz*

Le cardinal gris

dieci, undici, dodici : italien ; 10, 11, 12.

Frater poenitor : latin ; le frère en charge des châtiments.

ordo fautuorum minorum : latin; jeu de mots : « ordre des mineurs idiots ».

carpe diem : latin; « profite de la vie ».

logos : grec; « la parole, l'esprit ».

homo agens : latin; « l'homme agissant, l'homme dans ses actes ».

humeurs : au Moyen Âge, les quatre substances liquides fondamentales de l'organisme.

omissis : latin; « omission, suppression » (dans le vocabulaire des copistes).

Dei Patris Immensa : encyclique du pape Innocent IV (5 mars 1245), remise au légat Lorenzo d'Orta alors que ce dernier entreprenait la mission qui allait le conduire à la cour des Mongols. Toutes les encycliques sont identifiées par leurs premiers mots qui ne peuvent donc être reproduits de l'une à l'autre.

Le pont des sarrasins

ma lahu lajm abyad... : arabe; « Que tu as la peau blanche ! Et des bouclettes rousses ?... Comme un petit cochon ?... Mais enveloppé dans l'étendard de l'empereur ! »

vox populi : latin ; voix du peuple.

guarda lej : rhéto-roman; « garde du lac ».

guarda gadin : rhéto-roman; « garde de la vallée ».

diavolezza : italien; « diablesse ».

langrave (de Thuringe) : Henri Raspe (de 1242 au 17 décembre 1247), antiroi allemand (du 22 mai 1246 au 17 décembre 1247); beau-frère de sainte Élisabeth de Hongrie; avec lui s'éteignit la dynastie des Ludovinges : lors de la guerre de succession qui dura jusqu'en 1264, la Meissen passa à la maison de Wettin, la Thuringe et la Hesse aux Brabant.

sgraffitisti : italien; artistes utilisant une technique de peinture à fresque consistant à « gratter » différentes couches de peinture.

duc Welf Ier de Bavière : épousa Mathilde, margrave de Tuscia, son aînée de dix ans. En 1077 (après l'humiliation de l'empereur à Canossa), il tenta d'empêcher que ce dernier, Henri IV (1056-1106), ne revienne en terre allemande, les princes électeurs ayant entre-temps élu antiroi Rodolphe de Souabe.

Servi Camerae Nostrae : latin; « serviteurs de nos chambres »; édit de Frédéric II (1236) protégeant les juifs qui se trouvèrent directement placés sous la juridiction de l'empereur.

Fers rouges

carcer strictus : latin; « incarcération stricte ».
custodia ad domicilium : latin; « résidence surveillée ».
castigator : latin; « punisseur ».
carnifex : latin; « bourreau ».
quaestor : latin; « juge d'instruction » / procureur.
in perpetuo : latin ; dans l'éternité.
oboedientia : latin ; obéissance.

L'église fumoir

forni : italien; « fournaux ».
INP + F + SS : abréviation de « In Nomine Patris et Filii et Spiritus Sancti ».
INRI : abréviation de « Iesus Nazarenus Rex Iudaeorum ».
Per omnia saecula saeculorum : latin; « dans les siècles des siècles ».
civitas : latin; à l'origine : « vertu civique romaine »; ici : esprit civique, civilisation.

Conjuration byzantine

Nicolas della Porta : né en 1205 à Constantinople (fils naturel de Guido II, évêque d'Assise; mère inconnue); à la mort de son père, devient en 1228 évêque de Spolète; délégué auprès de l'empire latin en 1235.

la même grand-mère : Livia di Septemsoliis-Frangipane (mère de Guido della Porta et de Laurence de Belgrave).

ουκ εστιν ουδεις, οστις ουχ αυτω φιλος *(ouk estin oudeis, ostis ouk auto philos) :* grec; « chacun est pour soi son meilleur ami », chacun pour soi.

Jean de Brienne : quand le roi Jean de Jérusalem perdit son royaume à la suite du mariage de sa fille Yolande avec Frédéric II (l'empereur qui avait promis de lui prêter main-forte ne tint pas sa parole), il se mit d'abord au service du pape puis, en 1229, exerça la régence de l'empereur enfant Baudouin II (1228-1261) de Constantinople jusqu'à sa mort en 1237.

Χρυσιον δ' ουδεν ονειδος *(chrusion d'ouden oneidos) :* grec; « l'or ne salit pas ».

πολιτικος *(politikos) :* grec; de πολις *(polis)*, la cité; qui a rapport au gouvernement de la cité.

Hydruntum : latin ; nom latin d'Otrante.

Και κυντερον αλλο ποτ' ετλης *(kai kunteron allo pot' etles)* : grec ; « tu as subi pires chienneries ».

Αρχε ημισυ παντος *(arche emisu pantos)* : grec ; « le commencement est la moitié de tout ».

Hassan-i-Sabbah : (?-1124); originaire de Qom ; en 1090, fonde dans la ville d'Alamut (« le nid d'aigles », dans les montagnes du Khorezm, au sud de la mer Caspienne, sur la route de la soie) la secte des Assassins dont il fut le premier grand maître. L'Ordre avait une structure très rigide (dont s'inspirèrent plus tard les templiers), composée d'un cercle restreint d'initiés, les « da'i », et d'un cercle plus large d'aspirants, les « fida'i », qui promettaient l'obéissance absolue (jusqu'à la mort). Hassan-i-Sabbah mourut en 1124. A partir de 1221, l'Ordre fut dirigé par Mohammed III qui devint grand maître à l'âge de neuf ans.

kif (ou kief) : arabe ; état d'ivresse de l'âme, induit par la consommation du haschich ou du chanvre indien.

Γηρασκω δ' αιει πολλα διδασκομενος *(gerasko d'aiei polla didaskomenos)* : grec ; « je vieillis et j'apprends encore ».

Ως μεγα το μικρον εστιν εν καιρω δοθεν *(Os mega to mikron estin en kairo dothen)* : « comme le petit devient grand, le temps venu ».

VIII. Le solstice

solstitium : latin ; solstice ; la nuit la plus longue tombe en hiver (décembre) et la plus courte en été (juin).

Le trésor de l'évêque

Styx : dans la mythologie grecque, fleuve qu'il fallait traverser lorsqu'on quittait le monde des vivants pour le royaume des morts (Hadès).

Vitellaccio di Carpaccio : italien ; jeu de mots sur « Vitus » et « Capoccio » ; *vitellaccio*, veau balourd et bête ; *carpaccio*, plat de viande crue, découpée en fines lamelles.

Impostator : latin ; celui qui s'est emparé du trône et le détient illégitimement.

Damas : capitale du Gezira ; « cité souveraine et franche » qui représentait dans le monde musulman une troisième puissance entre Bagdad (siège du califat) et Le Caire (siège du sultanat). Son chef visible était le « malik » (roi). Homs, Hama et Kérak étaient des émirats syriens sous la domination des ayoubbides, comme Damas et Alep (à l'époque capitale officielle de la Syrie).

Ο χρησιμ' ειδως ουχ ο πολλ' ειδως [σοφος] *(o kresim' eidos ouk o poll' eidos [sophos])* : grec ; « [le sage] est celui qui connaît les choses utiles, non celui qui sait beaucoup de choses ».

Αριστον μεν υδωρ, ο δε χρυσος *(ariston men udor, o de krysos)* : grec ; « l'eau est un bien précieux ; mais l'or... »

Κυριε ελεισον *(kurie eleison)* : grec ; « Seigneur, aie pitié de nous ».

Le tribut de l'amour

lingua franca : latin ; langue des Francs (Croisés); lire ici « *langue déliée, habile* ».

penis equestris : latin ; pénis de cheval.

Le menu

al-Salih al-Din Ayub : le nom du sultan Ayub comprend celui de son célèbre grand-oncle Saladin. Ayub était le fils du sultan al-Kamil, lui-même fils du sultan al-Adil (frère de Saladin); al-Adil et Saladin étaient fils du général Nadjm Ayub, fondateur de la dynastie des ayoubbides (dynastie : 1171-1254). Nadjm Ayub mourut en 1173. Son fils Salah ad-Din (Saladin) déplaça en 1171 la dynastie des fatimides, se proclama en 1176 sultan d'Égypte et de Syrie, reprit Jérusalem aux chrétiens en 1187 et mourut le 3 mars 1192. Al-Adil (Saphadin, frère de Saladin) supplanta vers la fin de 1201 les fils de Saladin; il mourut le 31 août 1218. A sa mort, l'empire fut divisé entre ses trois fils : al-Kamil, sultan d'Égypte (Le Caire), mort le 8 mars 1238; al-Mu'azzam, sultan de Syrie (Alep), mort le 11 novembre 1227; al-Ashraf, souverain du Gezira (Damas), mort le 27 août 1237. As-Salih Ayub succéda à son père al-Kamil sur le trône du Caire; il mourut le 23 novembre 1249.

Σπευδε βραδεως *(speude bradeos) :* grec ; « qui va lentement va sûrement ».

La veille des noces

archevêque de Mayence : Siegfried III d'Epstein (octobre 1230-9 mars 1249).

Isabelle de Bavière : (1227-1273); fille du duc Otton II de Bavière, épousa le fils de l'empereur, Conrad IV (1228-1254; roi d'Allemagne à partir de 1237); de leur union naquit Conradin (né en 1252, mort décapité en 1268).

Le franciscain a le mal de mer

Taj al-Din : grand maître des Assassins de Masyaf, en Syrie, où il avait été envoyé par la maison mère d'Alamut; son commandement est attesté de 1240 et 1249.

La reine mère Alice de Champagne : épouse de Hugo Ier de Chypre; de 1229 jusqu'à sa mort (1246), régente du royaume de Jérusalem; la régence échut à son fils Henri Ier de Chypre qui épousa en 1237 Stéphanie d'Arménie, sœur du roi Hétoum, amenant ainsi la réconciliation de l'Arménie et d'Antioche (dispute ecclésiastique).

IX. Sur les traces du moine

Un bain brûlant

amor vulgus : latin ; « amour vulgaire, commun ».

La souricière

Requiem aeternam... : latin ; « Seigneur, donne-leur le repos éternel et fais luire pour eux la lumière perpétuelle. Amen. »

Le grand Bernard (Bernard de Clairvaux) : (v. 1090-20 août 1153) ; naît d'une famille noble (père : de Châtillon ; mère : de Montbard) ; entre en 1112 dans l'Ordre de Cîteaux et fonde en 1115 le monastère réformé de « Clara Vallis ». En 1130, décide par son vote de l'élection du pape Innocent II ; en 1140, condamne le célèbre scolastique Abélard ; en 1145, accompagne le légat du pape Albéric dans sa mission contre les hérétiques albigeois. Ses prédications furent décisives pour le début de la deuxième croisade (1147-1149). Canonisé en 1174. Son oncle André de Montbard figure parmi les fondateurs de l'Ordre du Temple.

Le roi Dagobert III : (711-715) ; célèbre roi mérovingien ; mort assassiné.

Les Plantagenêts : Mathilde d'Angleterre, dernière héritière normande, épousa en 1128 le duc Godefroi d'Anjou, fondant ainsi la nouvelle dynastie des Plantagenêts (ainsi appelée parce que les Angevins ornaient leurs casques d'un rameau de genêt). Richard Cœur de Lion était le petit-fils de Mathilde.

Désagrément à Ostie

le palle : italien ; litt. : « les boules » ; fig. : « le courage ».

duc de Brabant : Henri II, duc de Brabant (1235-1248) ; épousa Sophie, landgrave de Thuringe. Les ducs de Brabant portaient auparavant le titre de ducs de Basse-Lorraine.

Guillaume, comte de Hollande : (1234) ; antiroi allemand (du 3 octobre 1247 au 28 janvier 1256) à la mort de Henri Raspe de Thuringe.

in pectore : latin ; litt. « [garder] dans la poitrine » ; fig. « [garder] par-devers soi, ne pas révéler ».

Carlotto : Enrique Carlotto (de 1238-39 à 1253), fils du (troisième) mariage de Frédéric II, avec Isabelle d'Angleterre ; régent de Sicile à partir de 1247.

terra ferma : latin ; « terre ferme » ; l'expression s'appliquait en Vénétie au domaine continental, par opposition au domaine insulaire de la lagune.

corpus delicti : latin ; corps du délit, arme du crime.

Laus Sanctae Virgini : latin ; « louée soit la Très Sainte Vierge » ; ici : nom d'un navire.

taglio : italien ; « coupure ».

testa o croce : italien ; « la tête ou la croix », les deux côtés d'une pièce de monnaie, « pile ou face ».

Guillaume, oiseau de malheur

et quacumque viam dederit... : latin ; « quelle que soit la route que nous indiquera la fortune, nous la suivrons » (Virgile).

X. CHRYSOKERAS

chrysokeras : grec ; « la Corne d'Or ».

L'Abbesse

ex oriente lux : latin ; « de l'orient vient la lumière ».
fica : italien ; « figue », vulg. « con ».
sainte Claire : (1195-11 septembre 1253) ; suivant l'exemple de saint François, fonde à San Damiano (le 18 mars 1212) l'Ordre des Clarisses, dont elle est nommée abbesse le 27 octobre 1212.
curricula (vitae) : latin ; litt. : « course de la vie ».

L'attente

ασπαραγοι (*asparagoï*) : grec ; « asperges ».
τραχανα (*trakhana*) : grec ; « gruau de sarrasin ».
sacrae domus militiae : latin ; « seigneurs et gardiens du saint temple de Jérusalem ».
Ganymède : dans la mythologie grecque (*Iliade* 220, 232), bel adolescent que Zeus enlève et emporte sur l'Olympe pour lui servir d'échanson.
Belvoir : château des « johannites » (du nom de leur saint patron, Jean), encore appelés à l'époque « hospitaliers », de l'Ordre des hospitaliers de Jérusalem, fondé en 1118 (en réaction contre la fondation de l'Ordre du Temple, à la même époque) ; plus tard, ils se retirèrent de Terre Sainte et s'installèrent à Rhodes et à Malte.
podestat : en Italie, au Moyen Age, chef d'une municipalité, « maire ».
ακουειν τα λεγομενα, πραττειν τα προσεχομενα (*akouein ta legomena, prattein ta prosekhomena*) : grec ; « entendre ce qui se dit, agir d'après ce qu'on entend ».
Αγραφος νομος (*agraphos nomos*) : grec ; « règle non écrite ».
Αει γαρ ευ πιπτυσιν οι Διος κυβοι (*aei gar eu piptusin oi Dios kyboi*) : grec ; « les dés de Zeus tombent toujours du bon côté ».

Falsificatio errata

falsificatio errata : latin ; « falsification avec des erreurs ».
Θαλαττα, θαλαττα! (*thalatta, thalatta!*) : grec ; « la mer, la mer! », exclamation célèbre qui apparaît dans *l'Anabase* de Xénophon.
αναβασις (*anabasis*) : grec ; littéralement : « ascension ».
Mongols : Temudjin, qui prit plus tard le titre de Gengis Khan, rassembla sous son autorité les tribus tartares, qui allaient se donner le nom de mongoles, et fonda une dynastie. Il mourut en 1227 et laissa quatre enfants : Jöchi, Yagataï, Ogodaï et Tului. Ogodaï, qui lui succéda avec le titre de Grand Khan, n'eut pas son petit-fils comme successeur, contrairement à ce qui était prévu ; à l'instigation de sa femme, Toragina la khatoune, ce fut son fils aîné Gouyouk qui lui succéda en 1246. Le roi Hatoum d'Arménie délégua son frère Sempad pour lui rendre hommage. Gouyouk était marié avec l'*oghul* Qaimach (ou Qaimich) qui exerça la régence à sa mort en 1248. Pourtant, ce ne furent pas les fils de Gouyouk qui reçurent le titre de Grand Khan, mais ceux de Tului, dont la veuve Sorghaqtani, princesse **kéraïte**, parvint à convaincre l'assemblée ou *kouril-*

tay de nommer Grand Khan d'abord Möngke, puis Koubilaï (premier empereur de Chine), tandis que son troisième fils, Hulagu, accédait au titre d'ilkhan de Perse. Batou, fils de Jöchi, se distancia du grand khanat et fonda, avec son fils Sartak, le khanat de la « Horde d'Or ».

Baïtchou : général et gouverneur mongol, envahisseur de la Mésopotamie, soumit Bohémond IV d'Antioche.

Cum Non Solum : latin; bulle du pape Innocent IV, émise le 13 mars 1245 pour la mission de Pian du Plan Carpin au pays des Mongols.

La trirème

Propontide : mer de Marmara.

Kaligraphos : grec; belle écriture.

Τετλαθι δη κραδιη (*tetlathi de kradi*) : grec; « courage, mon cœur! »

Δις και τρις το καλον (*dis kai tris to kalon*) : grec; « magnifique [pas une fois, non], deux, trois fois! »

securitas major/maxima : latin; la plus haute, la sécurité maximale.

pater filiusque : latin; « père et fils ».

pauci electi : latin; « peu d'élus ».

Γνωθι σεαυτον (*gnothi seauton*) : « connais-toi toi-même ».

seduta : italien; « séance ».

dictum : latin; « sentence ».

Μη κινειν κακον ευ κειμενον (*me kinein kakon eu keimenon*) : grec; « mal bien enraciné, mieux vaut ne pas y toucher ».

Αλλ' ητοι μεν ταυτα θεων εν γουνασι κειται (*all' etoi men tauta theon en gounasi keitai*) : grec; « Vraiment! Tout repose à présent dans le giron des dieux ».

as-salamu'alaina... : arabe; « que la paix soit avec nous / et avec les pieux serviteurs d'Allah ».

Allah karim : arabe; « [que] la volonté d'Allah [soit faite] ».

XI. DANS LE LABYRINTHE DE CALIXTE

Le Pavillon des égarements humains

Justinien Ier : né en 483; empereur byzantin (527-565); sous l'influence de son épouse Théodora (508-548), ferma en 529 l'école de philosophie d'Athènes, détruisit en 533 l'empire des Vandales (Sicile, Sardaigne) et, en 535, celui des Ostrogoths en Italie; promulgua en 534 le code civil « Corpus Iuris Civilis ».

Θεμις (*Thémis*) : grec; la déesse de la justice.

Némésis : déesse grecque de la vengeance.

Sarcophage : vient du grec σαρκοφαγος qui désignait la pierre tombale, « dévoreuse de chaire ».

Πολλα τα δεινα κουδεν ανθρωπον δεινοτερον πελει (*polla ta deina kouden anthropon deinoteron pelei*) : grec; « [il existe bien des monstres, mais] nul monstre pire que l'homme ».

Venerabilis

Journée alkynoienne : vient du grec et désigne une journée pleine de bonheur, de paix et de calme.

Théodose II : empereur byzantin; né en 401, régna de 408 à 450.

Τῆς δ' αρετῆς, ιδρῶτα θεοι προπαροιθεν εθηκαν (*tes d'aretes, hidrota theoi proparoithen ethekan*) : grec; « avant l'aboutissement, les dieux ont donné leur sueur ».

Αθανατοι μακρος δε και ορθιος οιμος ες αυτην (*athanatoi makros de kai orthios oimos es auten*) : grec; « ... les immortels. La route est longue et ardue! »

Νικη, νικη (*niké, niké!*) : grec; « victoire, victoire! »

Κυκλος τῶν ανθρῶπηιῶν πραγματῶν! (*kuklos ton anthropeion pragmaton!*) : grec; « le cycle des affaires humaines! »

Βραχυς ο βιος η δε τεχνη μακρα! (*brachus o bios, e de techné* makra!) : grec; « la vie est courte; l'art perdure ».

Οιδα ουκ ειδῶς (*oida ouk eidos*) : grec; « je sais que je ne sais rien ».

sphère armillaire : instrument classique d'astronomie qui, avec l'astrolabe, fit partie des appareils préférés de l'astrologie jusqu'à l'époque moderne. On attribue son invention à Thalès ou à Anaximandre (vi⁰ siècle avant notre ère).

sol invictus : latin; divinité romaine de l'époque tardive.

grand Amas : conjonction des « principales lumières », le Soleil et la Lune; plus généralement, conjonction massive d'au moins trois planètes.

aigle : ancien signe du zodiaque, après le Scorpion. En astrologie, il est encore associé à saint Jean l'Évangéliste.

agapé : grec; l'amour pur, général et divin, par opposition à *eros* et *philos* amitié.

Καιρον γνῶθι (*kairon gnothi*) : grec; « reconais le moment [favorable]! »

La dernière issue

adjutorium nostrum... : latin; « notre secours est dans le nom du Seigneur / Créateur du ciel et de la terre ».

Μεγα βιβλιον, μεγα κακον (*mega biblion, mega kakon*) : grec; « gros livre, mauvais libre ».

Le prisonnier du légat

Nestoriens : fidèles de Nestorius, patriarche de Constantinople (mort en 451); furent expulsés de l'empire romain en 431, après le troisième concile d'Éphèse, et fondèrent une Église en Perse avec un patriarcat à Ctésiphon. Ils furent missionnaires en Inde, en Chine et en Afrique, ainsi que parmi les Mongols qui conservèrent cependant leurs pratiques chamaniques.

sputum : latin; crachat.

XII. Conjunctio fatalis

conjunctio (fatalis) : latin; en astrologie, étroite coïncidence de deux ou plusieurs planètes.

Répétition générale

empereur Boudouin II : (de 1228 au 27 juillet 1261, date de sa destitution, mort en 1273); fils de Pierre de Courtenay (empereur latin de Constantinople du 9 avril au 11 juillet 1217) et de Yolande de Flandre (morte en 1219). Boudouin épousa Marie de Brienne, née du troisième (et dernier) mariage de Jean de Brienne (avec Bérengère de Castille).

chaman : sorte de « prêtre libre », n'appartenant à aucune caste ni religion constituée, qui atteint l'initiation par une union mystique avec la nature, les animaux et les éléments. Il cherche la réconciliation de l'homme avec l'univers par la compréhension globale des phénomènes et l'accomplissement mystique de l'individu.

aequinoctium : latin; équinoxe, a lieu au début du printemps et de l'automne (mars et septembre) : le jour a une durée égale à celle de la nuit.

eo ipso : latin; « de lui-même ».

Conon de Béthune : régent de l'empire latin (1216-1221); mort en 1224.

L'heure des mystiques

parasimile : latin; comparaison.

allahu akbar : arabe; « Allah est le plus grand, j'affirme qu'il n'y a pas de dieu hors d'Allah ».

as-salamu alaika : arabe; « Que la paix soit avec toi! »

derviche : de l'arabe, « pauvre, celui qui reste sur le seuil »; « chercheurs de vérité », musulmans qui cherchent à approfondir leurs connaissances par l'extase; organisés en Ordre.

soufi : de l'arabe, sages qui élèvent la quête spirituelle au rang de science, avec l'aide de la méditation; ils eurent une grande influence sur les scolastiques occidentaux au Moyen Âge. Leur représentant le plus connu était alors Ahmed Badawi, né en 1199 à Fez, qui vécut à La Mecque et eut des apparitions du prophète Mahomet; il mourut en 1277.

Mevlana Jellaludin Rumi : mystique soufi originaire d'Afghanistan; fuyant les Mongols, il se réfugia dans le sultanat rum-séleucide (Konya); en 1244, fut le disciple de Shams-i Täbrisi. Selon la légende, il aurait inventé la danse des derviches tourneurs, dite « sema », par laquelle ils expriment leur douleur pour l'assassinat de Shams. Son œuvre la plus célèbre est le livre Mesnevi, rédigé en langue perse.

culte de Mitra : mystères originaires de Perse (sept degrés d'initiation), très marqués par les idées hellénistiques; devint l'une des religions les plus importantes de l'empire romain, particulièrement parmi les soldats.

ad latere : latin; à côté.

Κυκλος Ζοδιακος (kyklos zodiakos) : grec; les signes du Zodiaque.

hyperboréens : théoriciens d'une culture importante qui aurait existé vers 6000 av. notre ère en Europe (Atlantide, Stonehenge, Carnac) et qui aurait été à l'origine de la mythologie grecque.

Thot l'Égyptien : dieu égyptien de l'écriture et de la sagesse.

ad extremum : latin; aux extrêmes.

Yasa : code des lois mongoles.

Ahura Mazda et Ahriman : les deux divinités opposées du zoroas-trisme. Fondé par Zoroastre (Zarathoustra), qui vécut entre 700 et 500 av. notre ère, le zoroastrisme est l'une des plus anciennes religions du monde ; elle eut une influence sur les esséniens juifs et, vers 600 av. notre ère, elle devint une forme du parsisme, la religion officielle de Perse. On a conservé l'Avesta, un recueil de textes qui possède un équivalent dans la mythologie du Rig-Veda de l'Inde antique. Partant des religions natura-listes (le feu et l'eau), Zarathoustra définit le dieu créateur, Ahura Mazda, et son contraire, Ahriman, le destructeur. La contradiction cosmique de ces deux forces opposées dans l'univers (comme le couple yin-yang du taoïsme) a conduit à l'invention du « jeu d'Asha », le jeu d'échecs rituel.

Bouddha : fondateur d'une religion indienne, 550-480 av. J.-C.

Lama : du tibétain, prêtre bouddhique dans la région des tribus mon-goles et tibétaines. Le chef spirituel et laïc étant le Dalaï-Lama.

Parsis : « adorateurs du feu », zoroastriens de Perse qui, persécutés par les Arabes, se réfugièrent en Inde en 766.

coptes : de l'arabe, par déformation du grec *Aiguptos*, Égyptien ; l'une des premières Églises chrétiennes à s'installer en Égypte et en Éthiopie. Ses ermites vivaient en communautés influencées par les esséniens ; elles servirent plus tard de modèle pour la création des monastères en Europe (Jérôme et Benoît de Nursie).

starets : du russe « vieillards » ; ermites d'obédience orthodoxe orien-tale qui mènent une vie très contemplative.

manichéens : se fondant sur le dualisme du zoroastrisme, Mani (242 av. notre ère) fonda en Perse une religion aryano-gnostique qui eut beaucoup d'importance jusqu'au Moyen Age et qui influença grandement les cathares.

patarins : adeptes d'un mouvement de réforme du clergé qui naquit dans la « Pataria », un quartier pauvre de Milan.

bogomiles : adeptes de l'un des premiers mouvements chrétiens dua-listes, gnostiques et hérétiques pour l'Église catholique. Le mouvement naquit en Bulgarie. Influencé par les esséniens, il fut plus tard repris par les cathares.

andréens : selon toute vraisemblance, disciples de l'apôtre André, car il ne pourrait s'agir encore des adeptes de Johannes Andreae « Rosacruz ».

Jovaniens : hérésie qui s'est développée sous le règne de l'empereur Jovien (363-364).

Brahmanes : caste de prêtres, première des castes. Leur intégration au bouddhisme remonte au 1er siècle.

Confucius : philosophe et moraliste chinois (551-479 av. J.-C.).

illuministes : école perse (XIIIe siècle) qui n'a pas abouti à la fondation d'un ordre ; importante pour sa théorie des couleurs et de la lumière. Ses représentants les plus célèbres sont Al-kubra (né en 1145, voyagea en Inde et en Égypte), Ibn Arabi et Suhrawardi. Ils eurent une influence sur les soufis.

gnostiques : du grec « gnosis » (connaissance) ; doctrine qui se déve-loppa à Alexandrie, selon laquelle Dieu, miséricordieux et bon, est *inef-fable* et transcende le cosmos, alors que celui-ci est la manifestation du principe du Mal.

pythagoriciens : héritiers des idées de Pythagore (le nombre d'or comme principe d'organisation de l'univers); le mouvement avait son centre à l'école de Crotone, en Calabre.

néoplatoniciens : disciples d'une doctrine philosophe née au IIIe siècle à Alexandrie. Ses représentants les plus connus furent Plotin et Porphyre; associe la mystique aux enseignements de Platon.

esséniens : fraternité ou secte secrète juive qui se développa au bord de la mer Morte (Qumran) de 150 av. notre ère jusque vers la fin du Ier siècle; on considère qu'elle fut fondée par le légendaire « maître de justice », Avatar Melchisédech; le même maître invisible se retrouve chez les soufis, sous le nom de Khidr-Elias. Les esséniens ésotériques associaient la doctrine monothéiste de Moïse à celle de Zoroastre. Selon certains, Jésus de Nazareth aurait été essénien.

chaldéens : peuple de Mésopotamie, successeurs des Assyriens; l'astronomie connut un grand essor avec leurs grands prêtres (bibliothèque de Ninive, détruite en 612). Plus tard, le mot « chaldéen » désignera de façon générale astrologues et devins.

ismaélites : secte chiite répandue dans tout l'Orient (Pakistan). Son chef suprême était l'Aga Khan. Elle donna naissance aux Assassins.

La nuit du Styx

εκτος τειχος *(ektos teichos)* : grec; « extra-muros ».

Δολοφονοι! Σφαγει! (dolophonoi! sphagei!) : grec; « assassins! tueurs! »

λεσται *(lestai)* : grec ; « voleurs ».

Héphaïstos : dieu grec du feu et de la forge.

horologion : grec; « horloge ».

afwan ashkurukum... : arabe ; « il n'y a pas de quoi... c'est moi qui dois vous remercier de votre compagnie ».

sigillum : latin; « sceau ».

Le cimetière des Angeloï

Angeloï : souverains byzantins.

Melchisédech : essénien.

ri'fai : dynastie de derviches, issue d'Ahmed Ri'fais (né en 1106 à Basra, mort en 1183); il en existe encore des groupes en Syrie et en Égypte; ils sont connus pour la rigidité fanatique avec laquelle ils observent les périodes de méditation, de silence et d'abstinence, mais surtout pour les extraordinaires techniques qu'ils emploient pour entrer en extase.

Ον οι θεοι φιλουσιν αποθνησκει νεος *(on oi theoi philousin apothneskei neos)* : grec ; « celui qui est aimé des dieux meurt jeune ».

pace dei sensi/pazzi dei sensi : italien; jeu de mots : « la paix des sens/ les fous des sens ».

Oriflamme, Aurifiamma : étendard des rois de France, lys d'or sur champ bleu.

rais : arabe; « chef ».

qifa nabki min... : chanson arabe d'Imru'ul Quais (VIe siècle).

Sous le soleil d'Apollon

ora pro nobis... : latin ; « priez pour nous pauvres pécheurs, maintenant et à l'heure de notre mort ».

Ave Maria, gratia plena... : latin ; Ave Marie, pleine de grâce / Le Seigneur est avec vous / Vous êtes bénie entre toutes les femmes / Et le fruit de vos entrailles est béni.

δακρυδεν γελασασα *(dakruden gelasasa)* : grec ; « souriant à travers ses larmes » (*Iliade*, 6,484).

per Jesum Christum filium tuum : latin ; par Jésus-Christ ton fils.

XIII. La révélation

Formation, sortie et défilé

veni creator Spiritus : latin ; viens Esprit de la création.

prosperitas : latin ; prospérité.

Gloria in excelcis deo/et in terra... : latin ; Gloire à Dieu au plus haut des cieux / Et paix sur la terre pour les hommes de bonne volonté.

praecantor : latin ; « maître de chœur ».

Hagia Sophia : grec ; « Divine Sagesse ».

Sanctus, sanctus... : latin ; Saint, saint, saint le Seigneur des armées.

Agnus Dei... : latin ; Agneau de Dieu qui enlèves le péché du monde, prends pitié de nous.

hégire : ère musulmane ; elle commence avec le départ du prophète de La Mecque pour Médine (15 juin 622).

Le roque

roque : aux échecs, coup consistant à changer la position du roi et d'une tour.

huwa sadiq al-mubassir : arabe ; « voilà le véritable compagnon du missionnaire ».

balaneion : grec ; « bain ».

Trionfo finale

Agli ordini, contessa : italien ; « à vos ordres, comtesse ! »

CARTES

L'Europe au XIIIe siècle
L'Italie au XIIIe siècle

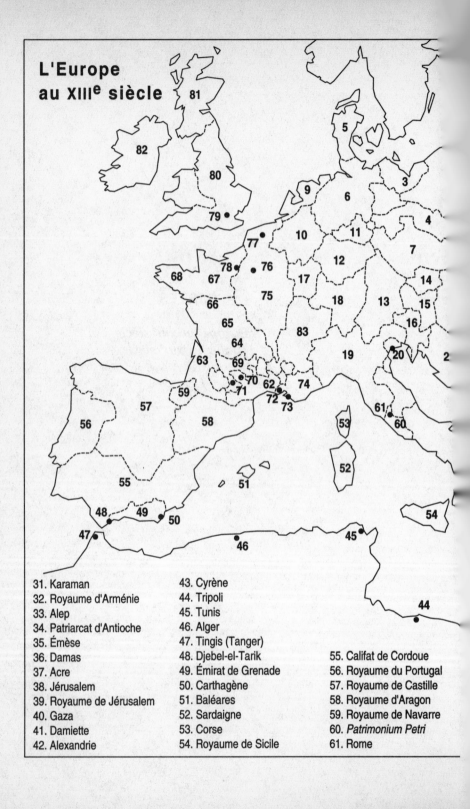

L'Europe au XIIIᵉ siècle

81
82
80
79
5
3
9
6
4
77
10
11
7
78 76
12
68 67 17 14
75 13 15
66 18 16
65 83 20 2
64 19
63 69
70 62 74
59 71 72 73
57 58 53 61 60
56 52
55 51
48 49 54
47 50
46 45
44

31. Karaman
32. Royaume d'Arménie
33. Alep
34. Patriarcat d'Antioche
35. Émèse
36. Damas
37. Acre
38. Jérusalem
39. Royaume de Jérusalem
40. Gaza
41. Damiette
42. Alexandrie

43. Cyrène
44. Tripoli
45. Tunis
46. Alger
47. Tingis (Tanger)
48. Djebel-el-Tarik
49. Émirat de Grenade
50. Carthagène
51. Baléares
52. Sardaigne
53. Corse
54. Royaume de Sicile

55. Califat de Cordoue
56. Royaume du Portugal
57. Royaume de Castille
58. Royaume d'Aragon
59. Royaume de Navarre
60. *Patrimonium Petri*
61. Rome

1. Prusse
2. Pologne
3. Duché de Poméranie
4. Duché de Silésie
5. Royaume du Danemark
6. Duché de Saxe
7. Royaume de Bohême
8. Royaume de Hongrie
9. Frise
10. Duché de Basse Lorraine
11. Landgrave de Thuringe
12. Duché de Franconie
13. Duché de Bavière
14. Duché d'Autriche
15. Duché de Styrie

16. Marche de Carinthie
17. Duché de Haute Lorraine
18. Duché de Souabe
19. Royaume   d'Italie
20. République de Venise
21. Croatie
22. Royaume de Serbie
23. Horde d'Or
24. Bulgarie
25. Despotat d'Épire
26. Principauté d'Achaïe
27. Royaume de Crète
28. Constantinople
29. Royaume de Constantinople
30. Royaume de Nicée

62. Languedoc
63. Duché de Gascogne
64. Duché d'Aquitaine
65. Comté de Poitou
66. Comté d'Anjou
67. Duché de Normandie

68. Duché de Bretagne
69. Comté de Toulouse
70. Albi
71. Toulouse
72. Aigues-Mortes
73. Marseille
74. Comté de Provence
75. Royaume de France

76. Paris
77. Rubroek
78. Gisors
79. Londres
80. Royaume d'Angleterre
81. Royaume d'Écosse
82. Irlande
83. Royaume d'Arles

L'Italie au XIIIᵉ siècle

MARCHE DE VÉRONE

Aquilée
Tries

Trente

RÉPUBLIQUE
DE VENISE

Vérone

Adige

Pô

LOMBARDIE

Milan

Ravenne

Crémone

Bologne

Parme

Turin

RÉPUBLIQUE
DE GÊNES

Florence

Tibre

Assis

Arezzo
Cortone

Pérouse

RÉPUBLIQUE
DE PISE

Sienne

Arno

TOSCANE

Orvieto

Viterb

COMTÉ DE
PROVENCE

Elbe

Civitavecchia

CORSE

Mer

Mer
Méditerranée

SARDAIGNE

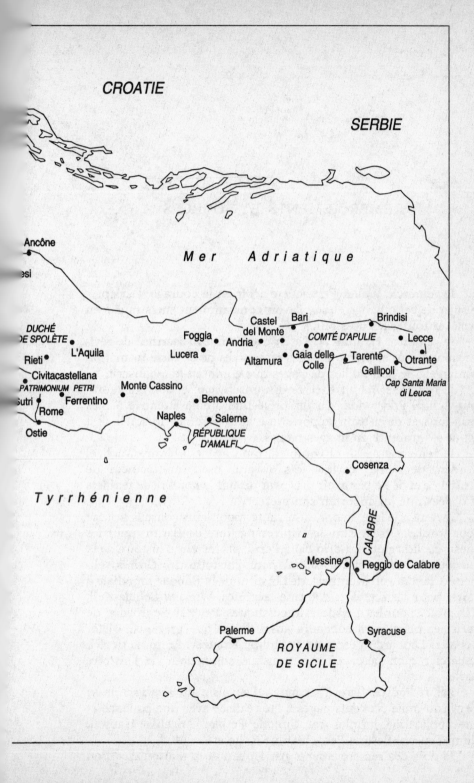

CROATIE

SERBIE

Ancône

esi

Mer Adriatique

DUCHÉ DE SPOLÈTE

Castel del Monte   Bari   Brindisi

Foggia   *COMTÉ D'APULIE*   Lecce

Rieti   L'Aquila   Lucera   Andria

Civitacastellana   Altamura   Gaia delle Colle   Tarente   Otrante

PATRIMONIUM PETRI   Gallipoli

Sutri   Ferrentino   Monte Cassino   *Cap Santa Maria di Leuca*

Rome   Benevento

Ostie   Naples   Salerne

RÉPUBLIQUE D'AMALFI

Cosenza

Tyrrhénienne

CALABRE

Messine   Reggio de Calabre

Palerme   Syracuse

ROYAUME DE SICILE

REMERCIEMENTS ET SOURCES

Je remercie Walter Fritzsche d'avoir eu le courage d'accepter le sujet de cet ouvrage et de m'avoir constamment encouragé à en explorer toutes les possibilités.

Je remercie Helmut W. Pesch d'avoir fait le sacrifice de réviser, mot à mot et avec toutes les ressources de sa vaste formation humaniste, le bon millier de pages que comptait le manuscrit.

Je remercie Achim Kiel, de Braunschweig, et son collaborateur Achim Przygodda, d'avoir prêté une oreille attentive à mes intuitions et de m'avoir apporté une aide originale lorsqu'il s'est agi de les traduire en images réelles.

Je remercie aussi, et combien, mon agent littéraire Michael Görden, de s'être fait une fois de plus mon interlocuteur de confiance et de ne pas avoir pris peur devant le nombre de feuillets et d'idées que lui apportait son protégé.

Je remercie les personnes suivantes pour leurs conseils avisés : pour l'arabe, Gisela Rup de l'Université libre de Berlin ; pour les questions liturgiques, Dario della Porta, professeur d'histoire de la musique à l'Université d'Aquila ; pour l'histoire des Ordres religieux, Claudia von Montbart, de l'Institut de la Banque mondiale à Paris ; pour les sectes et doctrines secrètes, Wieland Schulz-Keil, d'Uppsala ; pour les questions linguistiques, Peter H. Schroeder, de Paris ; et pour leurs concours aussi divers que précieux, Dieter Geissler, Leonardo Pescarolo et Philipp Kreuzer. Enfin, je tiens à remercier mon père qui m'a transmis son amour de l'histoire écrite.

J'ai rédigé ce livre à la main. La saisie du *manuscriptum* d'environ mille six cents pages a été réalisée avec une patience et une application infinies par Simone Pethke, Angelika Hansen, Numi Teusch, Bettina Petry, Sabine Rohe et Arnulf.

Je dois des remerciements particuliers à la maison d'édition

Gustav Lübbe qui m'a soutenu dans les phases les plus difficiles de la composition et de la fabrication.

Je me suis appuyé sur des chroniques et documents d'époque, comme : Jean de Joinville, *Histoire de Saint Louis; Kaiser Friedrich II*, édit. Klaus J. Heinisch, Winkler-dtv, 1977; *Die Kreuzzüge aus arabischer Sicht*, édit. Francesco Gabrieli, Winkler-dtv, 1973. Il m'aurait été impossible d'écrire un roman situé dans le haut Moyen Age sans l'aide de l'ouvrage de Steven Runciman, *A History of the Crusades*, Cambridge University Press, 1954, auquel je dois tant. A côté de cet *opus magnum*, j'ai consulté : Otto Rahn, *Kreuzzug gegen den Gral*, Urban Verlag, Fribourg-en-Br., 1933; Eugen Roll, *Die Katharer*, J.Ch. Mellinger, Stuttgart, 1979; Jordi Costa i Roca, *Xacbert de Barbera*, Libres del Trabucaire, Perpignan, 1989; John Charpentier, *l'Ordre des Templiers*, Klett-Cotta, Stuttgart, 1959; Hans Prutz, *Entweihung Untergang des Tempelherrenordens*, G. Grote'sche Verl., Berlin, 1888; Bernhard Lewis, *The Assassins*, Weidenfeld & Nicholson, Londres, 1967; Edward Burman, *Gli Assassini*, Convivio-Nardini édit., Florene, 1987; Bertold Spuler, *Geschichte der Mongolen*, Artemis, Zurich, 1968; Gian Andri Bezzola, *Die Mongolen in abendländischer Sicht*, A. Francke, Berne, 1974; Friedrich Risch (édit.), *Johan de Piano Carpini, Reisebericht 1245-1247*, Leipzig, 1930; Friedrich Risch (édit.), *Wilhelm Rubruk, Reise zu den Mongolen 1253-1255*, Leipzig, 1934; et enfin, mon ouvrage avec son index et l'annexe : Peter Berling, *Franziskus oder Das zweite Memorandum*, Goldmann, Munich, 1989 (2ᵉ éd. 1990).

Rome, le 1ᵉʳ mai 1991
Peter Berling

TABLE DES MATIÈRES